KB090280

PCB & SMT 신뢰성 해석

(사) 한국마이크로조이닝 연구조합
한국산업기술연구원
PSP 경영/기술연구소

공저 - 장동규 · 신영의 · 박사옥 · 최명기
신현필 · 이어화 · 남원기

| 머리말 |

PCB & SMT 신뢰성 해석 발간에 즘하여

안녕하십니까.

저자는 1968년도 반도체 업종을 시작으로 통신, PCB관련 등에 종사했고 최근에는 업무관련 강의를 하면서 새삼스레 느끼는 것이 고객을 위한 상품이 무엇인가를 생각해보면 고객이 안심하고 사용할 수 있는 제품에 신뢰성 있는 것이 제일이라고 생각합니다. 2010년부터 불기 시작한 SMART, CONVERGENCE 용어가 제품에 대한 신뢰성이 더욱더 강조되고 있다고 봅니다.

그동안 PCB 및 SMT 관련 기술서적을 발간해오면서 독자들로부터 많은 요청을 받은 것이 불량 및 신뢰성에 대해 종합적으로 내용을 정리해달라고 하여 2012년도에 불량해석에 이어 신뢰성 해석에 대해서 편집 발간하기로 했습니다. 아마도 저자가 출간하는 PCB & SMT 관련 기술서적은 PCB 신뢰성 해석 기술서적이 마지막 아닌가 생각합니다.

이번 출간하는 기술서적은 최근 기술 발전에 따른 시대에 떨어진 내용이라고 생각할 수 있지만 기본을 분석하는 내용은 변함없으리라 생각이 됩니다. 주요 내용은 현직에 있을 때 여러 ENGINEER들이 분석한 내용을 주로 했으며 ASSEMBLY 분석은 실제로 저자가 분석했던 자료를 기본으로 하였습니다. 분석내용에 따라 보는 시각, 대책에 대하여 서로 상이하게 생각되겠지만 PCB & SMT 신뢰성을 해석하고 대책을 세우는 것은 어느 한 공정의 문제가 아니고 복합적 문제이기 때문에 기본을 충실해야 한다는 것을 강조하고 싶습니다.

예를 들어 SMEAR 분석에도 DRILL부터 도금공정까지 SOLDERABILITY 분석 중 냉땜에도 PCB부터 SMT까지 폭넓게 검토하면서 어느 작은 문제점 요소에도 ZD(ZERO-DEFECT) 될 때 까지 노력을 해야만 신뢰성 있는 제품을 출하 할 수 있는 것입니다. 문제점은 신뢰성 해석에서 결점사항이 나왔을 때 이구동성으로 내가 한 것은 이상이 없는데 상대방이 문제가 있다고 고정관념을 갖는 것입니다. 이러한 고정 MIND를 버리고 문제해결의 기본은 3현과 2원을 실시하여 나의 잘못부터 개선하고 상대방과 집중토의를 해야 합니다.

① 3현 : 현장, 현물, 현실
② 2원 : 원리, 원칙

저자는 기술서적을 출간하면서 직접 한국산업기술연수원에서 각 과목별로 강의를 하고 있습니다. 독자께서 기술서적을 보시면서 궁금 사항이 있으면 아래의 전화로 문의하시면 회답 드리겠습니다.

끝으로 신뢰성 관련 서적을 편집, 출간하는데 도움을 주신 (사)마이크로조이닝연구조합 명예회장, 회장, 부회장, 운영위원 여러분께 감사드리며 노드미디어 박승합 사장님께 감사드립니다.

연락처 : 02) 2624-2332

장동규 배상

| 목차 |

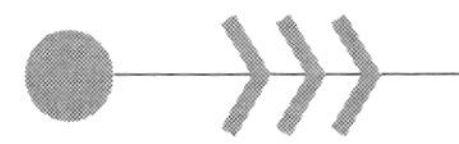

CONTENTS

제 1 장 PCB & SMT 신뢰성 분석 계측기

제 2 장 원자재 TEST

제 7 장 ETCHING(부식) TEST

제 8 장 LPR

제 9 장 PSR & MARKING

제 10 장 VIA-HOLE 처리

제 11 장 표면처리분석

제 12 장 PEEL STRENGTH TEST

제 15 장 신뢰성 분석

제 16 장 – 기타

기 타 – 참고문헌

1. PCB & SMT 신뢰성 분석 계측기

- ▸ 1-1 PCB 신뢰성 (분석 & 계측)
- ▸ 1-2 신뢰성 분석 장비

1-1 PCB 신뢰성 (분석 & 계측)

1. 분석기기

[자료 : K-MAC]

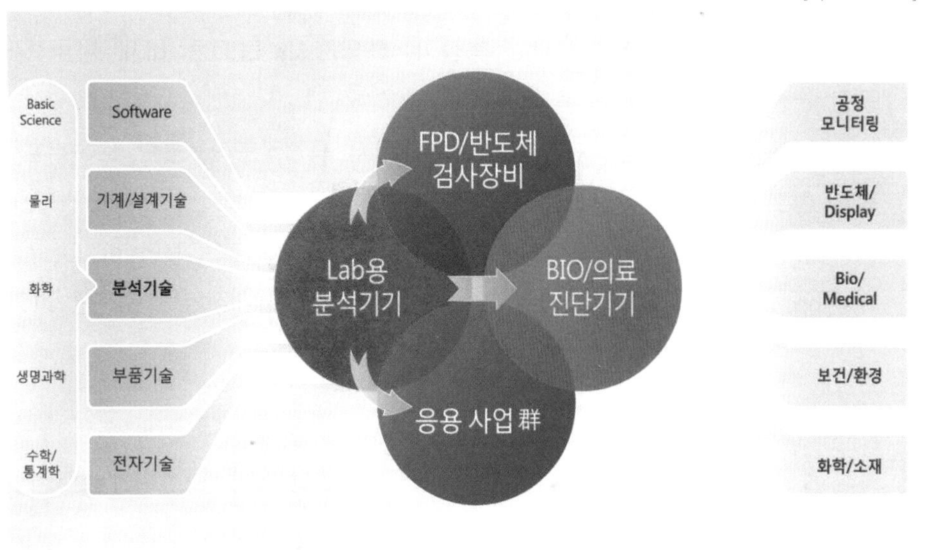

1) FPD/반도체 검사장비

분광분석기술 및 Vision 기술을 응용하여 FPD 및 반도체 산업의 공정용 모니터링 솔루션 제공

2) Lab용 분석기기

분석기술 및 광학기술을 이용한 실험실용 과학기기 분야로서 케이맥의 보유 기술 및 사업의 근간

3) BIO/의료진단 기기

기존 분석기술 노하우 및 IT · NT 기술을 이용하여 BIO/의료진단 기기 생산

4) 응용 사업

향후 발전이 기대되는 응용 사업군을 지속 발굴하여 해당 사업에 적합한 기술 및 제품 개발, 제공

■ 현재 ITEM

Display 공정용 측정·분석기기, 바이오 의료진단 기기, 물성분석기기

■ 미래 ITEM

반도체 공정용 In-line/Off-line 측정기, 태양전지, LED등 미세 박막 가공 공정 전반에 걸친 검사용 측정기기.

기타 교육용, 실험실용 측정/분석 기자재로서 측정, 분석, 광학 노하우를 활용한 친고객 지향적인 휴대용 측정기기.

현장에서 신속하게 환자의 상태를 진단할 수 있는 POCT(Point Of Care Testing, 현장진단)용 LOC(Lab On a Chip) 및 Ubiquitous 의료진단 기기.

박막두께 측정기	ST8000-map	TFT 공정 채널부의 잔류PR 두께 측정 (Halftone PR/RT PR) (㎛ 미세패턴 내, 박막두께 측정 가능) (적용분야: LCD Photo 공정, OLED, TSP, LED, SEMI)
	ST6000	막 증착 및 식각 후, 박막두께 측정 (적용분야: LCD, OLED, TSP, PDP, LED, SEMI, Solar Cell)
	ST5500+	반도체전용 박막두께 측정기(적용분야: SEMI)
	STER (Ellipsometer)	막 증착 및 식각 후, 초박막 두께 및 굴절률 측정 (적용분야: LCD, OLED, TSP, PDP, LED, SEMI, Solar Cell)
	SND(N+ Depth 측정기)	식각 후 n+ a-Si 두께 및 채널부와 Metal Line 미세선폭 측정 (적용분야: LCD Dry 공정)
3D형상단차 측정기	OV-SPI500	비접촉식 3D 형상 단차 측정기(적용분야: LCD OLED, Solar Cell, TSP, LED)
색도 측정기	SCM	Color PR 증착 후, 분광, 선폭, 두께 측정 및 유기 BM 광밀도 (OD) 측정(적용분야: LCD C/F 공정)
Vision 검사기	얼룩 검사기 (OV-M)	Slit & Spin 코팅 후, 얼룩 검사(적용분야: LCD, OLED, TSP)
	Particle counter (OV-P)	Glass 세정 후, 이물검사(적용분야: LCD, OLED, TSP)
Option Option Function	선폭(CD)측정기	미세선폭 및 Overlay 측정 (적용분야: LCD, OLED, TSP, PDP, LED, SEMI, Solar Cell)
	면저항(RS)측정기	면저항 측정 (적용분야: LCD, OLED, TSP, PDP, LED, SEMI, Solar Cell)
	접촉각(CA)측정기	Glass 세정 후, 접촉각 측정(적용분야: LCD, OLED)
	투과율(TR)측정기	Glass 투과율 측정(적용분야: LCD, OLED, TSP)
	Stress 측정기	막 증착 후, Glass Stress 측정(적용분야: LCD, OLED)

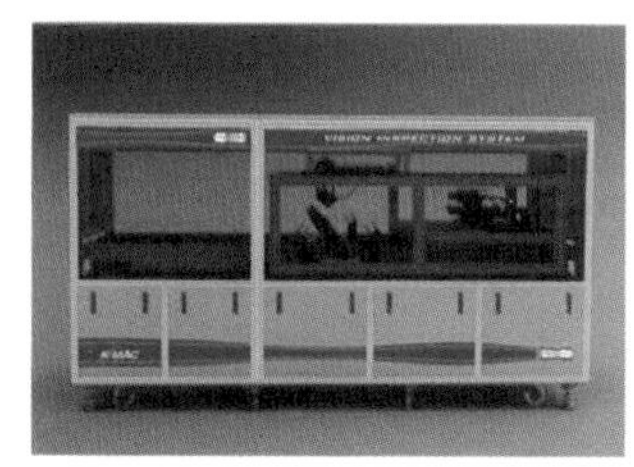

Vision 검사기

OV-P
OV-M

FPD 박막두께 측정기
색도 측정기
3D형상단차 측정기

Semiconductor 박막두께 측정기
ST5500+

박막두께 측정기	ST2000 ST4000 ST5000 ST5030	대학 연구실을 위한 보급형 모델 기업의 연구 개발을 위한 Manual Type 측정기 Manual의 번거로움을 해결한 Auto Type 측정기 Auto 장비의 장점만을 모은 Slim한 Auto Type 측정기
소형 분광분석기	Lab junior Spectra Academy SV2100 series	중 · 고등학교 및 대학교 과학 교육용 소형 분광기 교육기관 및 기업체 · 연구소 실험용 소형 UV-vis. 분광기 다양한 형태의 실험 및 산업에 응용 가능한 소형 분광기 모듈
색좌표 측정기	SV2100 Chroma	LED, 조명 등 소재개발 및 분석용 소형 색좌표 측정 분광기 모듈
양자효율 측정기	Fluoro-Q2100	디스플레이 및 솔라셀 소재 연구 · 개발용 양자효율 측정시스템
수질 분석기	Qvis-3000A	휴대용 Touch Screen Type 수질 분석기
3D형상단차 측정기	OV-SPI500	비접촉 방식의 3D 형상 단차 측정기

분광분석기
SPECTRA ACADEMY

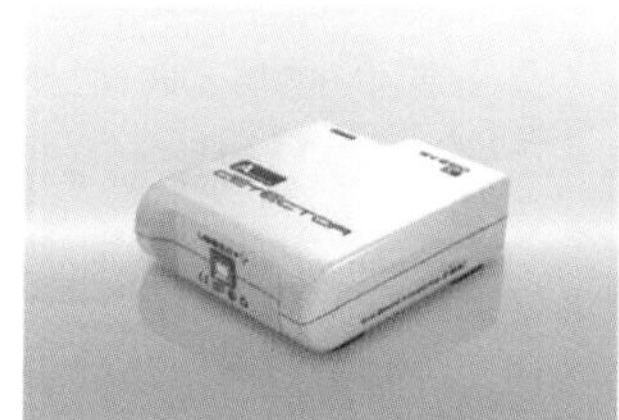

색좌표 측정기
SV2100 CHROMA

양자효율 측정기
FLUORO-Q2100

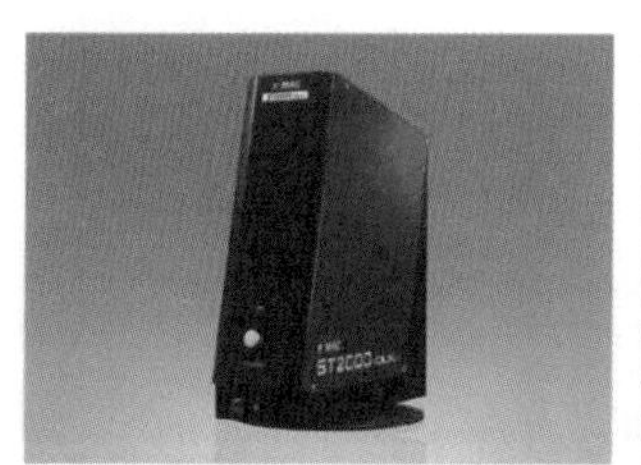

박막두께 측정기
ST2000-DLXN

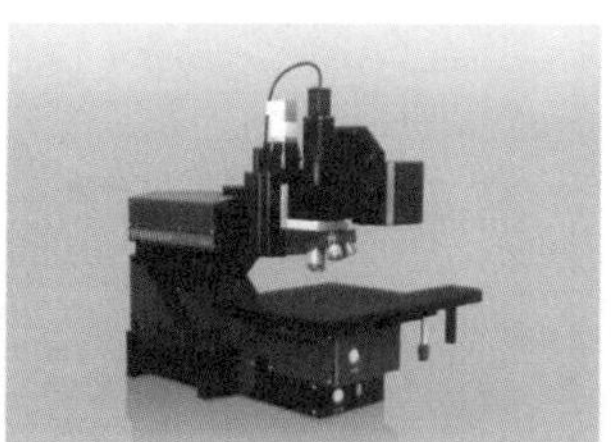

OSP 두께측정기(for PCB)
ST4080-OSP

박막두께 측정기
ST5030-SL

의료용 진단기기	Automation Immunoblot Analyzer	알레르겐 흡착맴브레인을 전 처리부터 정량화 분석까지 전체 측정과정을 한 번에 수행할 수 있는 통합형 진단 시스템 (시약분주-반응-세척-건조-측정 전자동화)
	Manual type Stip reader	반응이 끝난 멤브레인을 분석하여, 항체의 농도를 측정하는 면역스트립 분석 장치(알레르기, 콜레스테롤, 혈당, 심혈관계, 암진단 등 모든 체외 진단 분야에 적용이 가능)
현장진단용 바이오센서	LOC(Lab On a Chip) Kit	혈액분리 분석이 가능한 미세 유체 칩 기술 기반의 LOC와 이를 측정하는 장치
	Antibiotics Detection Kit Reader	우유 속에 있는 β-Lactem을 포함한 잔류항생제 및 특정 항생물질계를 구별하는 키트의 분석장비
BIO 분석 장비	SPR image	SPR Sensor에 Array 칩 형태의 개념이 도입되어 동시에 여러 물질의 분석이 가능토록 설계된 High-throughput detection 분석장치
	SPR micro	표면플라즈몬공명(SPR: Surface Plasma Resonance)은 색체 분자 사이의 상호작용을 표식인자의 사용 없이 실시간으로 측정하는 분석 장치

의료용 진단기기
AUTOMATION IMMUNOBLOT ANALYZER

의료용 진단기기
MANUAL TYPE STRIP READER

현장진단용 바이오센서
LOC(LAB ON A CHIP) KIT

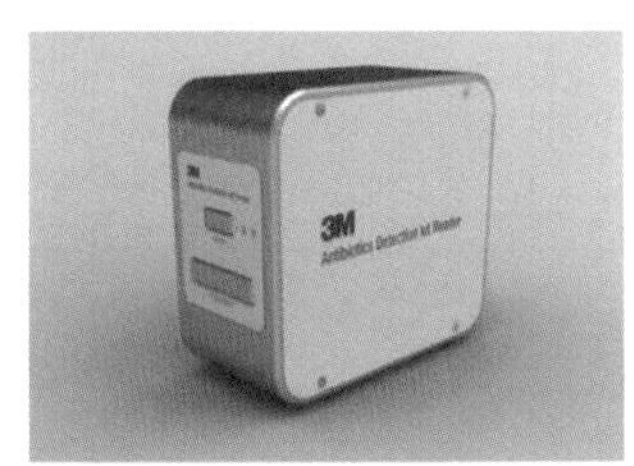

현장진단용 분석기기
ANTIBIOTICS DETECTION KIT READER

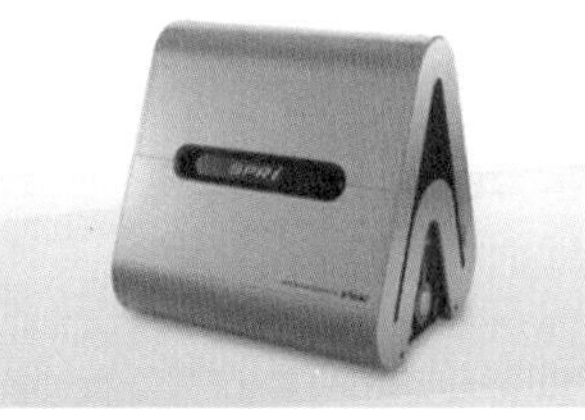
SPR(Surface Plasmon Resonance) System
SPR IMAGE

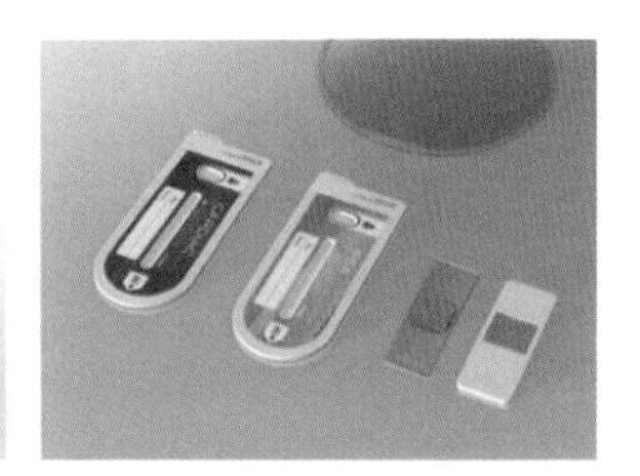
Bio Chip
LAB ON A CHIP
DNA CHIP
GOLD CHIP

2. PCB 분석&계측 장비 현황-(1)

NO	Equitments	Model	MFG.	Q'ty	Test item	예상 가격	Operation Range		Remarks
1	AUTOMETIC GRINDING&POLISHER	ABRAMIN	STRUERS	1	Micro-section Polishing	2천	revolut	150~300	UNIT :RPM
2	AAS		SEIKO	1	도금액분석	3500만			
3	BALL SHEAR TESTER	552	ROOOYCE	1	Ball Shear&Bond Test	1천	weight	1~5k	UNIT :g
4	COATING THICKNESS GAUGE	PTX-100	CMI	1	TH-hole&Surface Cu plating	2천	thick.	1~80	UNIT :㎛
5	CHEMICAL BALANCE	HF3000GD	A&D	1	질량측정용	50만			
6	CVS측정기	QULI LAB	ECI TECH	1	도금광택제 농도측정용	3천			
7	DIGITAL SUPER MEGOHMMTER	DSM-8103	TOA	2	Insulation Resistance	5백	ohm	1k~1.E+15	UNIT :Ω
8	DC POWER SUPPLY	330	ACADEMY	1	Clectric Power Supply	2백	volt	1~100	UNIT :V
9	DIGITAL SAMPLING OSCILLOSCOPE	11801C	TEKTRONIX	1	Pmpedance Value	2천	TDR.	1~150	UNIT :Ω
10	DIGITAL VERNIER CALIPERS	-	MITUTYO	2	Length&width	10만	length	1~300	UNIT :㎜
11	DRY OVEN	FO 450M	JEIO TECH	1	제품건조 분석용	300만			
12	DROP-TERSTER		국내제작	1	SMT TEST	300만			
13	HOT OIL SHOCK CHAMBER		대경	1	Thermal Stress	5백	temp.	5~300	UNIT :℃
14	INVERTED MICROSCOPE X 600	EPIPHOT	NIKON	1	Micro Scope	3천5백	thick.	1~1650	UNIT :㎛
15	I.R REFLOW SOLDERING MACHINE	988C	HELLER	1	SMD Solderabillity	3천5백	temp.	10~350	UNIT :℃
16	IMEGA ANALYSIS SYSTEM	BM-1	BUM MI	2	Micro Scope	2백	thick.	1~1650	UNIT :㎛
17	MICROHMMTER	OM21	AOP	1	Ter connection Resistance	5백	ohm	1㎜~20k	UNIT :Ω
18	METALLUGICAL MICROSCOPE X 200	PME	OLYMPUS	1	Micro Scope	1천	thick.	1~1650	UNIT :㎛
19	OMEGA METER	600SMD	ALPHAMETALS	1	Ionic Contamination	2천	contam.	0.1~50	UNIT :UG
20	OUTSIDE MICROMETER	-	MITUTOYO	3	Board Thickness	10만	thick.	0.001~25	UNIT :㎜
21	PERFECT OVEN	PS-222	TABAI	1	Heating Resistance	1천	temp.	10~250	UNIT :℃
22	PEEL TESTER	CI 5010A	CAS COM	1	동반접착력 측정용	1천			
23	P.C.T GHAMBER	PC-422R7	HIRAYRMA	1	Pross Cook Test	1억5천	TEMP. Humid.	20~200 10~100	UNIT :℃ UNIT :%

NO	Equitments	Model	MFG.	Q'ty	Test item	예상 가격	Operation Range		Rema rks
24	PH-METER	F-22	HORIBA	1	ph측정법	2백			
25	SEM	JSM-5200	JEOL	1	SEM&EDS	1억5천	mag.	30~200k	UNIT :X
26	SOLDER GATH	DX7	제일과학	1	Resistance To Solder	2백	temp.	10~350	UNIT :℃
27	TEMP&HUMITY CHAMBER	SM-16C	THERMOTRON	1	Temp&humidity (Moisture)	1억5천	TEMP.	-50~150	UNIT :℃
							Humid.	10~99	UNIT :%
28	TEMP&HUMITY CHAMBER	WK11-180	WEISS	1	Temp&humidity (Moisture)	1억5천	TEMP.	-40~150	UNIT :℃
							Humid.	20~99	UNIT :%
29	THERMAL SHOCK CHAMBER	-	INTER.TECH	1	High&low Temo.cycling	1억5천	TEMP.	-75~200	UNIT :℃
30	THERMOTRON OVEN	OV-12	THMADENSIKU	1	Heating Resistance	5백	temp.	10~400	UNIT :℃
31	THROUGH HOLE EYE	P-85 (ZOOM)	KOKOYO	1	EYE gague	1백	mag.	★50	
32	TOP LOANDING BALANCE	HR-200	A&D	1	질량측정용	50만			
33	UNIVERSAL TESTING MACHINE	SSTM-1-PC	UNITED	1	Peel Strength&Tension	1천	weight	1~1000	UNIT :LB
34	UV-VIS 광도계	U-2010	HITACFI	1	파장(빛) -농도측정용	2백			
35	UV-VIS 광도계 표준시편(1)	파장필터	HITACFI	1	파장(빛) -농도시연	2백			
36	UV-VIS 광도계 표준시편(2)	투과율필터	HITACFI	1	파장(빛) -농도시연	2백			
37	WITHSTANDING VILTAGE TESTER	TP-515ADC	TAMADENSOKU	1	Dielectric withstanding Voltage	5백	volt	1~5k	UNIT :V
38	WAVE SOLDERING MACHINE	15-2	TECHNICAL	1	Solderability	3천5백	temp.	10~300	UNIT :℃
39	X-RAY COATING MACHINE	CMI900	CMI	1	Au, Ni, Sn/Pb Thickness	3천5백	thick	0.01~25	UNIT :㎛
40	염수분무시험기	KP-88T900	건풍 ENG.	1	Crrosion	1천	temp.	10~120	UNIT :℃
41	실체현미경	SZ1145-TR	OLYMPUS	1	미세측정/계측	500만			
42	3차원 측정기	FLASH 620	OGP	1	비접촉 -거리측정용	1억5천			
43	원판동박 두께측정기	ELCO METER	CMI	1	원판동박 측정용	1백			
44	원판동박 두께측정기	7-ELCO METER	CMI	1	원판동박 측정용	1백			

2. PCB 분석&계측 장비 현황-(2)

NO	구분	설비명	용도	비교
1	분석&계측	Grinder & Polisher	X-Section	시료절단 후 연마 후 X-section
2		Microscope(광학현미경) X50-X1000	표면관찰	X-section후 단면관찰
3		Image Analyzer (실체현미경)	사진촬영	제품결손, 불량표면분석
4		pH Meter	pH 측정	
5		CVS 측정기	광택제 농도 측정	
6		AAS 분석기	금속 농도 측정	도금액 분석 (Ni, Ag, 코발트)
7		전자저울	무게측정	
8		XRF(두께측정)	도금두께 측정	비파괴 X-Ray (Ni, Ag 등)
9		액 분석 System	액 분석	
10	신뢰성	SEM/EDS	표면분석 및 성분분석	
11		SEC, SIR TESTER	표면오염도, 표면절연저항 측정	
12		Soldering Machine - Wave Soldering - Edge Dip Soldering - Rotary Dip Soldering - (IR) Reflow Soldering	솔더링 평가	
13		Push Pull Tester	인장강도 측정	접착력
14		항온 항습기	항온 항습 처리	
15		TDR Meter	Cz 측정	
16		Gel Tester (DSC), TMA	Tg 측정	
17		Thermal Shock Chamber	열 충격 시험	
18		내전압/절연저항 측정기	내전압/절연저항 측정	
19		버어니어 캘리퍼스	치수 측정	
20		Pin Gauge	Hole size 측정	
21		3D 측정기	X-Y 좌표 측정	신축등거리 측정
22	검사	MENTORS	표면검사	LCD등 PIN 오염검사
23		확대경	X5, X10	최종 출하 육안검사
24		RUPE(일반, Scale)	X5, X10	최종 출하 육안검사

3. PCB 신뢰성 시험평가

1) 성능평가 및 환경시험

NO	항목	내용
1	내전압 시험 절연저항측정	1. 부품 또는 시스템 절연 물질 전기적 전압한계를 측정하기 위해 수행되며 교류 전원을 이용하는 경우를 내전압 시험이라 하고 직류 전원을 이용하는 경우 절연저항 시험이라고 함. 2. 내전압 시험의 경우, 전기제품의 안전평가 방법으로 흔히 활용되며, 절연저항시험의 경우, 직류용 커패시터의 주요 특성평가 항목이다. ▸ 효과 : PCB의 경우 교류 및 직류전원 회로를 이용하므로 이러한 전기특성은 ① 솔더부 파괴 ② 단선검출 ③ 오염에 의한 누설 전류를 검사하는 목적이다.
2	이온 마이그레이션 측정	1. 고온고습환경에 의한 PCB패턴의 절연저항 열화를 확인하기 위해 사용한다. 2. 회로에 누전이 발생하거나 선간 절연 결함을 촉진시키는 요인은 ① PCB위의 metal line간에 수분 흡수나 결로 ② 인쇄회로기판의 온도 변화 ③ 강/약 편향 전계 인가 ④ Metal line간의 거리 ⑤ Halogen, Alkali 등의 다른 이온이 PCB상에 부착 등이 있다. 3. 중대성 증대 ① 전자제품의 소형화로 인한 배선 폭의 감소/높은 수준의 기능 부여 및 다층화 ② 노트북 및 전화기 등 제품의 소형화로 인한 휴대가 가능해짐에 따라 환경조건의 가혹화 ③ 환경오염 규제로 인한 세척방법 변경으로 Flux에 의한 이온이동의 가능성 증대
3	항온항습 및 HAT	1. HAST-HIGHLY ACCELERATION STRESS TEST 2. 고온고습 환경을 모사하기 위해서 항온항습 챔버 및 HSAT 챔버가 사용되며 HAST 챔버를 이용할 경우, 100℃ 이상에서도 습도시험을 수행할 수 있다. 이온 마이그레이션(Ion migration) 장비와 연동하여 사용할 경우 각 단자간 절연저항을 지속적으로 관측할 수 있다.
4	열충격 시험	PCB상의 또 다른 불량모드로는 전기적으로 연결 되어야 할 부분의 저항이 증가되어 단선을 일으키는 현상이 있을 수 있다. 이는 주기적인 온도변화에 의한 솔더 접합부(Solder Joint)에 크랙(Crack)이 발생하는 경우가 있을 수 있다. 이와 같은 현상을 재현하기 위해 열충격 시험기를 활용 할 수 있다.

NO	항목	내용
5	리플로우	최근 활용되고 있는 무연솔더(Pb free solder paster)의 경우, 융점(melting point)이 종래의 유연 솔더(Pb solder)보다 30℃ 이상 높으므로 리플로우 과정 중 PCB가 노출될 수 있는 최고 온도는 종래보다 상승되었다. 이와 같은 리플로우에 의한 고온 내성을 평가하기 위한 것이다.
6	TDR	1. TIME DOMAIN REFLECTOMETRY 2. 전자제품의 소형화 및 제품의 동작주파수 상승에 따라, 종래와 달리 PCB상의 배선 impedance 설계가 중요한 요소가 되었다. 기존에는 배선은 단락 혹은 단선 정도의 개념으로 평가 가능하였으나, 최근 배선의 특성 임피던스가 중요한 설계요소로 부각되었고, 이에 따른 평가 장비로 TDR이 있다. TDR이란 신호 입력부에 펄스를 인가하여 반사되어 오는 신호의 위상 및 시간을 통해 선로의 특성을 정의할 수 있는 장비이다.

2) 물성분석

NO	항목	내용
1	TMA	1. THERMO-MECHANICAL ANALYZER 2. 열기계적분석기(TMA)는 재료의 선팽창계수 및 유리전이온도 측정하는 장비이다. 인쇄회로기판 제조에 사용되는 여러 가지 재료들의 선팽창율이 크게 차이나게 되면 사용환경에서 회로 불량이 야기될 수 있다. 이러한 문제점을 제거하기 위하여 인쇄회로 기판 설계 단계에서 서로 유사한 선팽창율을 가지는 재료를 선정하게 되며, 이때 열기계적분석기를 이용하여 재료의 선팽창계수를 측정하는 상호 비교하게 된다.
2	TAS	1. THERMAL ANALYSIS SYSTEM DSC, TGA 2. 인쇄회로기판 제조에 사용되는 고분자 재료들의 열적 성질을 시차주사열량계(DSC), 열중량분석기(TGA)를 이용하여 측정할 수 있다. 인쇄회로기판의 사용온도 범위에서 인쇄회로기판 재료가 녹을지 아니면 열분해 될지를 확인할 수 있으며, 설계단계 뿐만 아니라 불량원인분석 단계에서 폭넓게 활용될 수 있다.
3	NALOINDENTER	NALOINDENTER를 이용하면 다층박막으로 구성된 인쇄회로기판의 각 층에 대하여 경도나 탄성률과 같은 기계적 물성을 평가할 수 있으며 불량부위와 정상부위의 국부적인 물성변화도 측정이 가능하다. 인장시험과는 다르게 각 층을 따로 제거하지 않고도 물성을 평가할 수 있기 때문에 편리하게 사용이 가능하며 내스크래치성이 층간접착력에 대한 정상적 평가도 가능하다.
4	DMA	1. DYNAMIC MECHANICAL ANALYZER 2. 인쇄회로기판 제조에 사용되는 고분자 재료들의 유리전이온도와 탄성률에 대한 측정이 가능하다. 점탄성 거동을 보이는 고분자물질의 온도나 주파수에 따른 탄성률의 변화를 측정하기 위해 고안된 장비로 이러한 물성의 변화를 통해 유리전이온도의 측정도 동시에 이루어진다.

3) 비파괴 분석

NO	항목	내용
1	X-RAY CT	X-RAY CT는 대상제품을 여러 각도에서 X-RAY로 투시하여 얻은 영상을 조합하여 3차원의 영상으로 구현하는 장치로 도선의 단락이나 손상, 비아나 TH이 완전히 채워지지 않는 경우를 지칭하는 냉납, 잘못 설계된 도선이나 부품패드 등과 같은 결함을 분석하기 위해 많이 사용하는 장비이다.
2	초음파 장비	초음파 장비는 초음파가 시험체내를 투과할 때 투과, 반사, 감쇄 회절이 되며 이때의 초음파 거동을 측정 분석하여 재료의 물리적 특성, 결함 특성을 평가하는 장비로 X-RAY CT와 함께 비파괴분석에서 사용되는 장비이다. 특히 면상결함 분석에 많이 사용된다.

4) 자료구조 분석

NO	항목	내용
1	광학현미경 실측현미경	1. 인쇄회로기판은 동박적층판(copper clad laminate)에 노광, 현상 도금 등의 공정을 거쳐 회로를 형성하게 된다. 인쇄회로기판의 회로형성과정에서 발생한 불량 원인을 규명하기 위하여 일차적으로 불량부위를 광학현미경이나 실측현미경으로 불량 현상을 파악하게 된다. 2. 인쇄회로기판에 장착되는 전자부품들이 소형화됨에 따라 불량부위 확인에 광학현미경이 중요한 역할을 하고 있다. 다양한 불량원인들 중 도금두께의 차이에 의한 불량으로 추정되면 인쇄회로기판 단면을 촬영하여 도금두께를 비교할 수 있으며 덴드라이트 성장이나 금속 마이그레이션과 같은 외부결함을 검출하는데 주로 이용된다. 그림2(a)는 불량이 발생한 인쇄회로기판의 단면절개 후 광학현미경 확대촬영결과를 보여주고 있다.
2	SURFACE MAPPING MICROSCOPE	Surface mapping microscope는 레이저를 사용하여 비접촉식으로 시료 표면의 3차원 형상을 측정할 수 있는 장비이다. 주된 용도로는 표면거칠기와 표면 모폴로지 분석 등이며, 인쇄회로기판에 있어서는 미세회로 형성 불량의 확인에 응용할 수 있을 것이다.
3	FE-SEM/EDS	광학현미경으로 관측할 수 없는 미세형상은 전자주사현미경(SEM)으로 관측할 수 있다. 인쇄회로기판에 있어서 도금층의 오염으로 인하여 솔더링에 방해를 받게 되는 경우가 있는데 아주 작은 오염부위를 전자주사현미경으로 확인할 수 있으며 X선 형광분석기(EDS)로 그 성분을 분석 할 수 있다. FE-SEM/EDS이 주로 이용되는 분야는 다음과 같다. ① 기판표면오염 ② 컨포멀코팅을 잘 제거하면 기판표면과 컨포멀코팅 사이의 불순물 검출 가능 ③ 기판상의 관심불순물 물질 : Cl, F, S, Na, Br ④ 땜납부상의 관심불순물 물질 : S, O, Cu, AU, Al, Zn

NO	항목	내용
4	UV-VIS SPECTROMETER	자외선 분광분석기는 190~170㎚의 파장영역에서 분석대상 물질의 반사율, 투과율 및 흡수율을 측정하는 장비이다. 다양한 응용분야에 적용될 수 있으며, 인쇄회로기판 제조에 있어서 도금액 농도 분석 및 환경규제 대상 유해중금속인 6가크롬의 정량분석에 이용되고 있다.
5	AAS 원자 흡광 광도계	원자흡광광도계는 기체상태 원자에 적당한 복사 에너지를 가할 때 발생하는 흡수현상을 기초로 한 무기원소 분석장비로써, 인쇄회로기판제조에 사용된 재료의 성분을 정량분석 하는데 응용할 수 있다. 유럽연합의 RoHS 규제대상 유해중금속인 Hg, Cd, Pb의 정량분석에 이용되고 있으며 유사한 방법으로 각종 유해중금속 분석에 이용될 수 있다.
6	FTIR	유기화합물의 Functional group을 확인하여 화합물의 구조를 분석하는 장비로써 인쇄회로기판 제조에 사용된 유기화합물의 정성분석에 활용될 수 있다. 인쇄회로기판 제조에 있어서 솔더링을 방해하는 원인 중 한 가지로 도금층의 오염을 들 수 있다. 도금층 오염 성분 중 금속 및 무기성분은 SEM/EDX를 활용하고, 유기물에 의한 오염의 경우에는 FT-IR을 이용하여 오염성분을 확인할 수 있다.
7	PARTICLE COUNTER& SIZE ANALYZER	용액에 분산된 입자의 평균입자크기 및 입자크기 분포를 측정하는 장비로써, 인쇄회로기판 자체를 분석대상 물질로 적용되는 경우는 거의 없으나 인쇄회로기판 제조과정에서 도금용액의 이물질의 입자크기 분포를 측정하여 도금액 불량판단에 응용할 수 있다.

4. 시험 업무 규정

1) 책임과 권한

① 제조기술 부서장

· 관리 항목 및 관리 기준을 설정한다.

· 약품분석 및 보충일지를 승인한다.

② 분석 담당자

· 분석관리 기준서에 따라 시험을 실시한다.

· 분석 보충표를 작성하여 관련부서에 인계 및 회수한다.

③ 관련 부서

· 분석 보충표를 기준하여 약품을 보충하고 완료사항을 분석 보충표에 기록한다.

· 각 공정 관련부서는 분석기순서를 준수할 의무가 있다.

2) 업무내용

NO	구 분	내 용	비고
1	분석공정	1.1 분석공정 (1) 디스미어 약품 분석 (2) 유산동 도금 약품 분석 (3) 옥사이드 약품 분석 (4) 내층 전처리 약품 분석 (5) 내층 현상 약품 분석 (6) 내층 박리 약품 분석 (7) 외층 D/F 전처리 약품 분석 (8) 외층 현상 약품 분석 (9) 외층 약품 분석 (10) PSR 현상 약품 분석	
2	분석 업무관리	2.1 분석 담당자는 시약 관리 대장의 재고량을 매주 확인하고 부족분에 대하여 구매부서에 구매 의뢰하여 수령한다. 2.2 분석 담당자는 시약 관리 대장을 제조기술 부서장에게 월1회 보고 한다. 2.3 분석담당자는 공정 약품을 채취 분석하여 그 결과를 약품 분석 및 보충일지에 기록한다. 2.4 분석 담당자는 분석 결과를 약품 분석 및 보충일지에 기록하여 공정 담당자에게 인계한다.	약품 분석 보충표 ()월 약품분석 및 보충일지

NO	구 분	내 용	비고
2	분석 업무관리	2.5 공정 담당자는 약품 분석 및 보충 일지에 의해 약품을 보충하여 확인 후 생산을 진행한다. 2.6 분석 담당자는 공정 약품 분석을 1회/1일 이상 실시함을 원칙으로 한다. 단, 공정 이상 시 수시로 하여 제조기술 부서장에게 보고한다. 2.7 공정 운영상 이상이 발생 시 공정 담당자는 분석실에 약품분석을 의뢰한다. 2.8 분석 담당자는 분석을 의뢰 받을 경우 위의 절차에 따라 진행한다. 2.9 분석 담당자의 각 PART별 세부 분석 업무는 각 시험 표준에 따라 진행한다.	
3	이상발생 처리	3.1 분석 담당자는 공정 및 부적합 발생 시는 부적합 관리 절차서( ) 및 시정 예방조치 절차서( )에 따라 처리한다. 3.2 분석 담당자는 주기적으로 문제점에 대하여 제조기술 부서장에게 보고한다.	
4	교육 및 자격 인증	4.1 교육 및 자격 인증 (1) 제조기술 부서장은 분석 인원에 대한 자격 인증부여를 교육 및 자격 인증 절차에 따른다. (2) 제조기술 부서장은 주기적으로 분석 및 관련 인원에 대하여 직무 교육을 실시한다. (3) 분석 및 관련 인원은 분석 업무 시 안전사항을 준수하고 보호 장구를 착용하여 재해를 사전에 예방한다.	
5	신뢰성 검사	5.1 신뢰성 검사 (1) 고객이 제품의 신뢰성을 요구할 시 실시한다. (2) 제품의 품질이 의심될 경우 검사를 실시한다. (3) 관련부서에서 제품의 신뢰성을 검토 요청할 경우 실시한다. (4) 신뢰성 시험의 결과는 기술 보고서로 기록관리 한다.	

3) 용어의 정리

① 시약 : 공정시험법에 의해 기 제조된 약품으로서 분석 업무에 사용되는 약품

② 디스미어 : 드릴 시에 홀 속에 생긴 스미어를 제거하는 공정

③ 유산동 도금 : 전기를 제품에 흘려주어 홀 속 및 표면을 도금하는 공정

④ 옥사이드 : 제품 표면 동박을 산화시켜 프레스에서 밀착력을 향상시키는 공정

⑤ 내층 전처리 : 동박 표면을 미세하게 에칭하여 PHOTO RESIST의 밀착력을 향상 시키는 공정
⑥ 내층 현상 : 동박이 노출되어야 할 부분의 PHOTO RESIST를 제거하는 공정
⑦ PSR 전처리 : 회로 표면을 미세하게 에칭하여 PSR의 밀착력을 향상 시키는 공정
⑧ 내층 박리 : PHOTO RESIST를 제거하는 공정
⑨ 외층 D/F 전처리 : 동박 표면을 미세하게 에칭하여 PHOTO RESIST의 밀착력을 향상 시키는 공정
⑩ 외층 현상 : 동박이 노출되어야 할 부분의 PHOTO RESIST를 제거하는 공정
⑪ 외층 박리 : PHOTO RESIST를 제거하는 공정
⑫ PSR 현상 : 동박이 노출되어야 할 부분의 PSR을 제거하는 공정

5. 신뢰성 검사 사례

1) CU PLATING

1. 도금두께측정	매Lot당 1회 3판넬 각5포인트를 측정. (참조 : 동도금두께성적서)
2. 백라이트검사	1일 4회. 무전해동도금 밀도검사. (참조 : 백라이트일지, 시편관리)
3. 동도금액 분석	매일 2회 실시. (참조 : 동도금액 분석일지)
4. 도금잔류동 검사	매Lot 1회 3판넬. (참조 : 공정관리일지)
5. 그 외	수세단 청소 : 2주에 1회 실시. 설비점검표 : 약품건욕량 및 교환 주기표

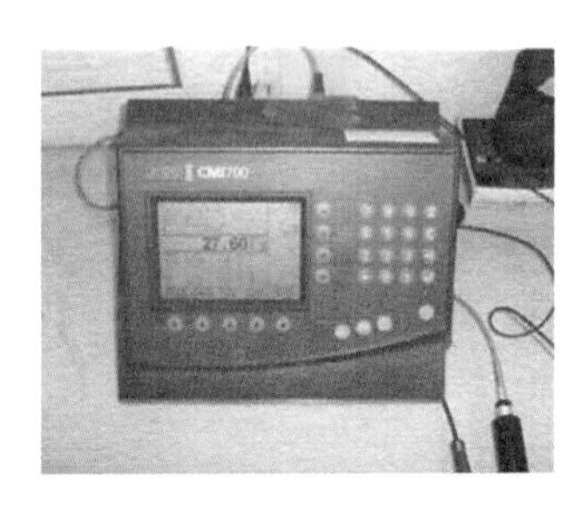

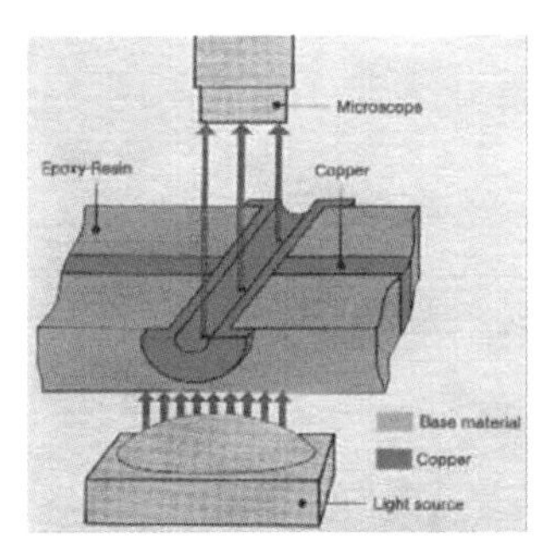

항 목	측정방법	측정계측기	비 고
홀거칠기 HOLE ROUGHNESS	Micro Section	현미경, 몰딩, 연마기 등	
도금두께 CU PLATING THICKNESS		현미경, 몰딩, 연마기 등	도금두께, Resin Smear, 내외층동박두께 등 검사
디핑실험	260도10초 X 5회	디핑기	적층밀착 검사 납땜성 시험

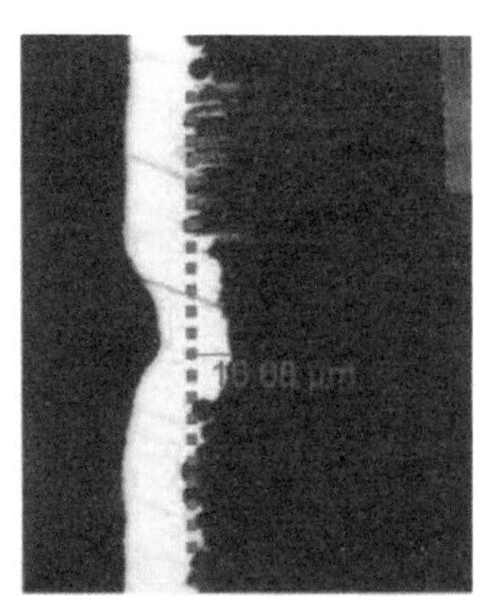

■ HOLE CONDITION

- Model : PCB-HLS201D
- No : 20409152S-01

layer	:	10 L
Thickness	:	2.54 t
Hole size	:	0.40 Φ
Aspect Ratio	:	6.4
Base copper	:	2 oz

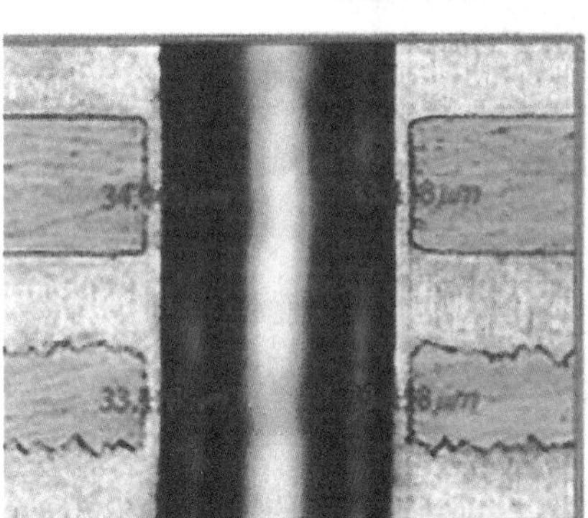

Hole Plating Thickness(Unit : ㎛)

ⓐ :	46.365
ⓑ :	45.040
ⓒ :	34.443
ⓓ :	33.118
ⓔ :	33.118
ⓕ :	33.118
ⓖ :	42.391
ⓗ :	43.716
Min	33.118
Max	46.365
Average	38.914

■ LAY-UP SPEC/Solderability

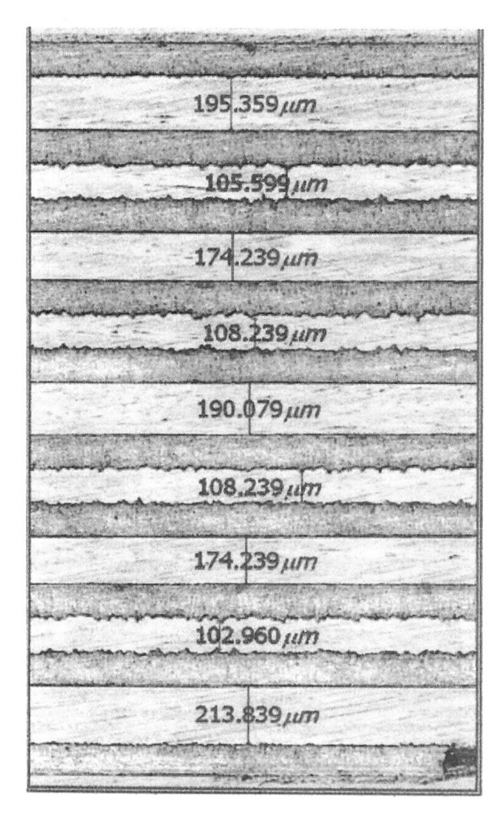

◐ LAY-UP SPEC (Unit : ㎛)

SPEC	RESULT
MIN 177㎛	195.359
MIN 127㎛	105.599
MIN 177㎛	174.239
MIN 127㎛	108.239
MIN 177㎛	190.239
MIN 127㎛	108.239
MIN 177㎛	174.239
MIN 127㎛	102.960
MIN 177㎛	213.839

◐ Solder ability Test Result

1) Test Method
 Solder Float(245℃,3~5sec)
2)Spec
 Wet of pad and Hole : Min 95%
3) Result
 Wetting is Good

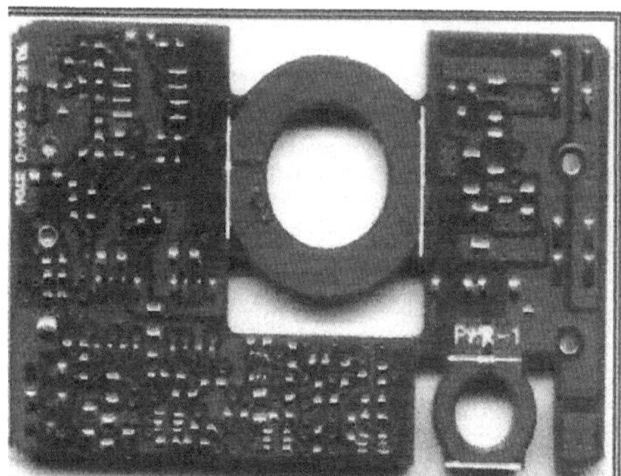

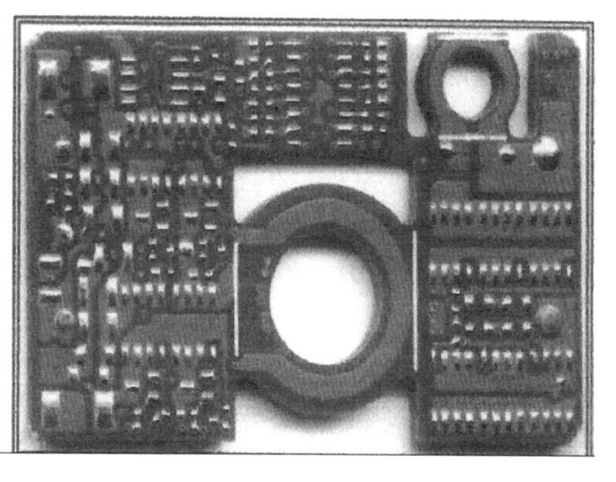

2) AOI 검사

· AOI(광학식외관검사시스템)는 배선패턴 형성 후의 프린트 기판의 전체 영역에 대하여, 선폭 측장 알고리즘을 이용하여 배선 패턴의 선폭을 측장하는 기기 임.

· 기본적으로 회로패턴과 홀의 거버데이터를 입력하여, 데이터와 광학렌즈로 입력된 프린트 기판의 실제 화상을 비교하여 불량개소를 선별하는 방식을 이용 함.

· Open, Short를 검사하기 위한 기기이나, 그 외에도 하측의 그림 같이 회로이상의 100%를 선별할 수 있는 기기이다.

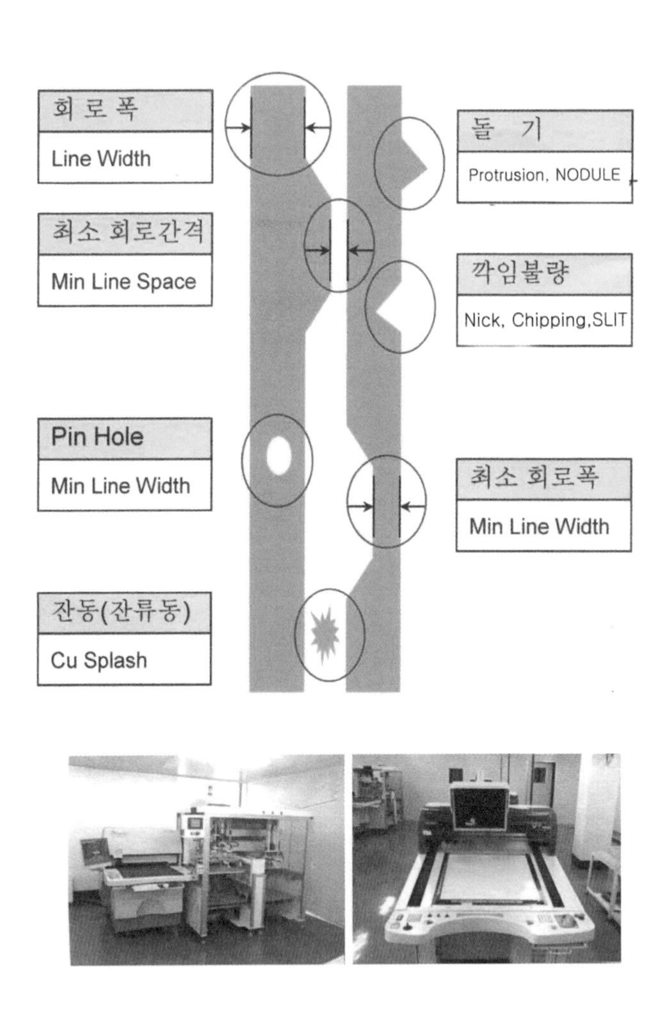

3) 인쇄 (PSR)

1. 잉크두께 측정	주1회 측정,17미크롬 관리 중. (참조 : 섹션일지)
2. 잉크점도측정	매일1회 측정. 섬도계로 측정. *180±20PS로 관리. (참조 : 점도 관리도)
3. 온, 습도 관리	매일1회 측정. 온도 19~25도, 습도 45~55%로 관리. (참조 : 온, 습도 관리도)
4. 스퀴즈 관리	스퀴즈는 일본 BANDO제를 사용. 4각을 각700회 사용(총2800회사용)
5. 작업자 관리	생산지시서에 작업자 실명 기록관리. 제품모델별로 담당제를 실시. (스퀴즈 기록 스티커로 관리)
6. 유제도포	앞면 4회, 뒷면 8회 도포.
7. 먼지관리	인쇄기 위 천장에 공기순환장치로 먼지를 제거. 필터관리 : 청조 주1회, 교체6개월에 1회.

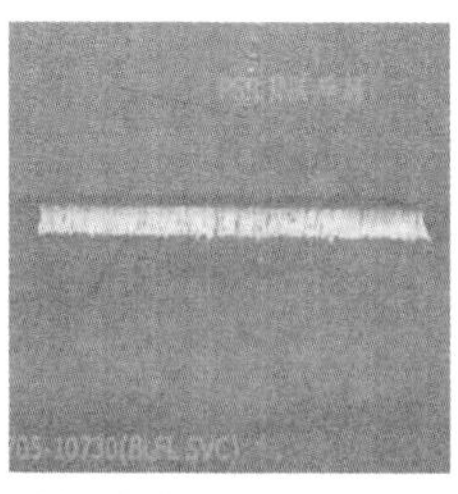

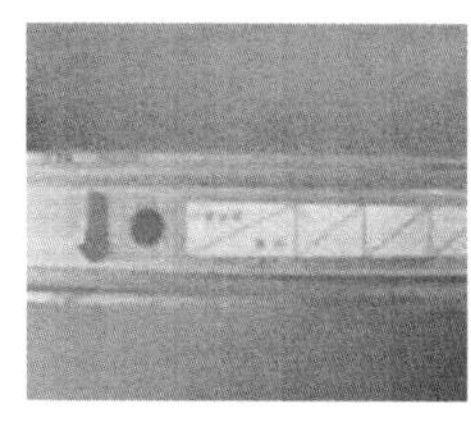

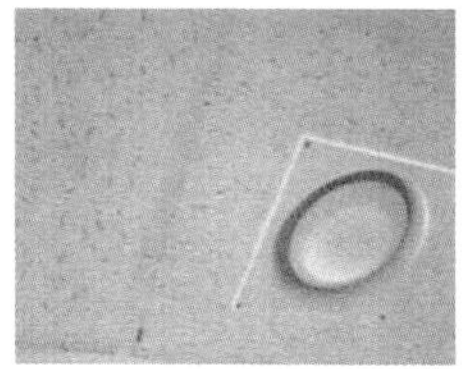

4) 주요 신뢰성 검사 장비

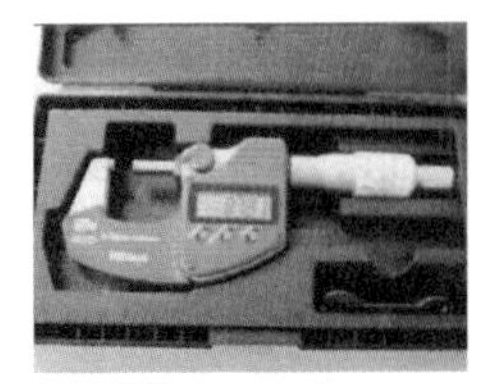
Micrometer

DF,PSR
공용 광량계

PSR INK측정용
점도계

Section 현미경

현미경(검사용)

CMI-700
동도금두께 측정기

텐션측정機

Automated Optical
Inspection
(AOI:自動光學檢查機)

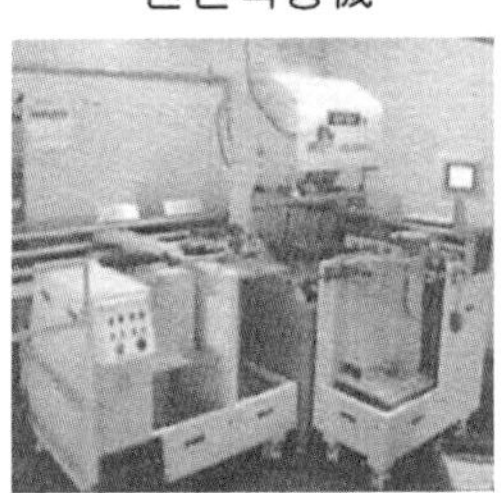
BBT검사기

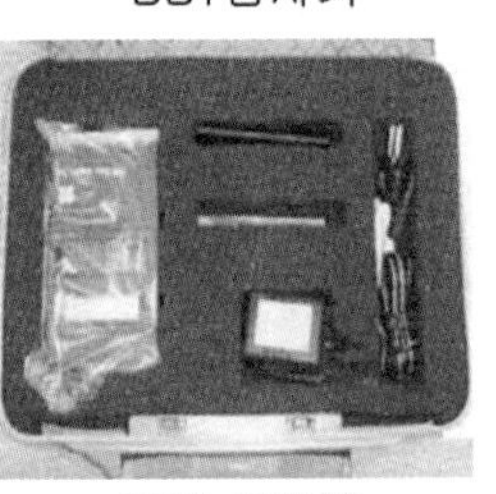
표면 조도계

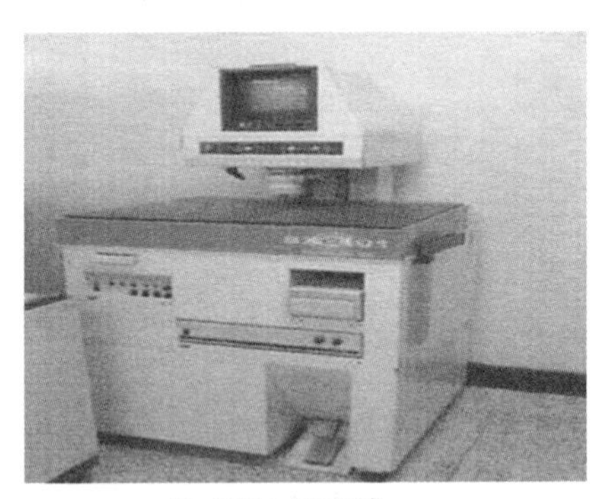
X-RAY 檢査機

6. DEFECT OF PTH

1) 유형

1	PLATING VOID	21	RESIN RECESSION
2	WEDGE VOID	22	WICKING
3	PLATING, BARREL CRACK	23	GLASSIBRE PROTRUSION
4	FOIL CRACK	24	BURR
5	BURNED PLATING	25	NODULE
6	DELAMINATION	26	INNERLAYER INCLUSION
7	DELAMINATION PINIKRING	27	INNERLAYER SEPARATION
8	BLISTERING	28	ETCHBACK NEGATIVE
9	CRAZING/MEASLING	29	ETCHBACK POSITIVE
10	LAMINATE VOID	30	SHADOWING
11	PREPREG VOID	31	NAIL HEADING
12	RESIN RECESSION INNERLAYER	32	ARROW HEADING
13	STRESS CRACK	33	WEAVE EXPOSURE
14	RESIN CRACK	34	WEAVE TEXTURE
15	FIBREBUNDLE CRACK	A	UNDERCUT
16	DRILLING CRACK	B	OUTGROWTH
17	LIFTED LAND CRACK	C	OVERHANG
18	LIFTED LAND/PAD LIFTED		
19	PAD ROTATION		
20	PULL AWAY		

2) 형태

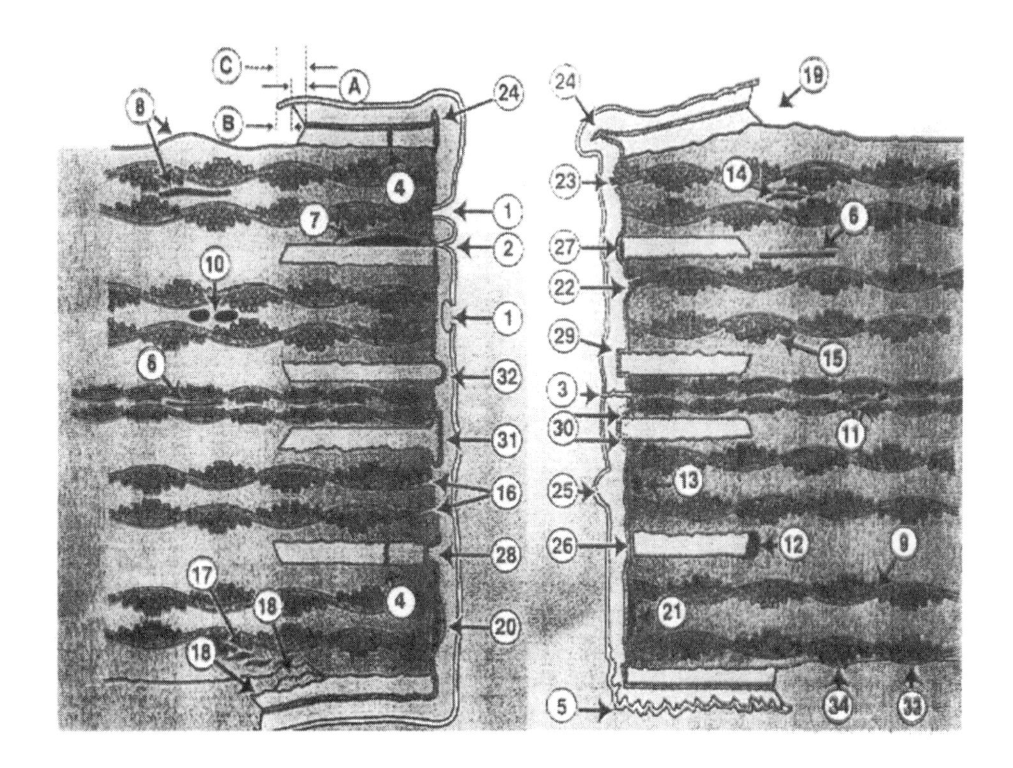

■ 성능문제점

① 결점 유형에 따라 치명적 불량으로 연결

② 성능상실

1-2 신뢰성 분석 장비

자료 : KITECH

2005년도 구축 시험분석장비

장비명 : 3차원 CT X-선 투과검사장비

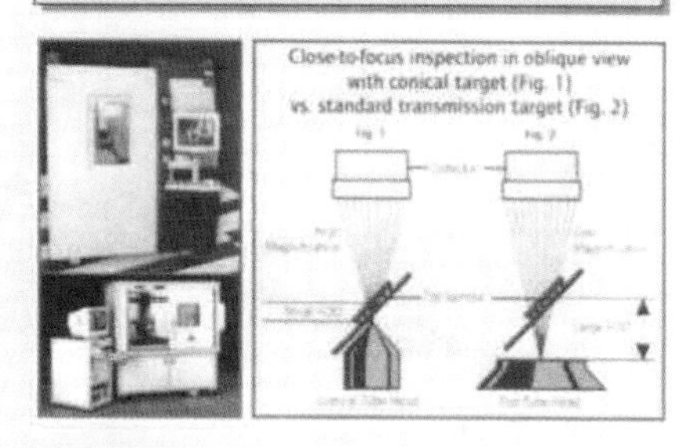

Close-to-focus inspection in oblique view
with conical target (Fig. 1)
vs. standard transmission target (Fig. 2)

◧ 모델명 : 독일 Fein Focus / U-CT FOX

◧ 주요기능

면적이 400X300mm인 시편에 대하여 2D Tilting 및 3D CT(computer tomography) 방식으로 sub micron 크기의 결함을 탐지

◧ 장비의 특징

1. PCB 기판과 같이 면적이 400X300mm 이하인 시편을 수평으로 장착하고 초점크기 1㎛ 이하의 X-선과 Tilting을 통한 실시간 투과검사를 통해 sub micron 크기의 결함을 탐지하는 쉴드 캐비넷 형태의 본체와 오퍼레이팅 시스템

2. 미세부품의 내부구조를 3차원 이미지로 렌더링 및 단층촬영 영상을 구현할 수 있는 고정밀 manipulator와 CT S/W 시스템

2005년도 구축 시험분석장비

장비명 : 3차원 비접촉 형상측정기

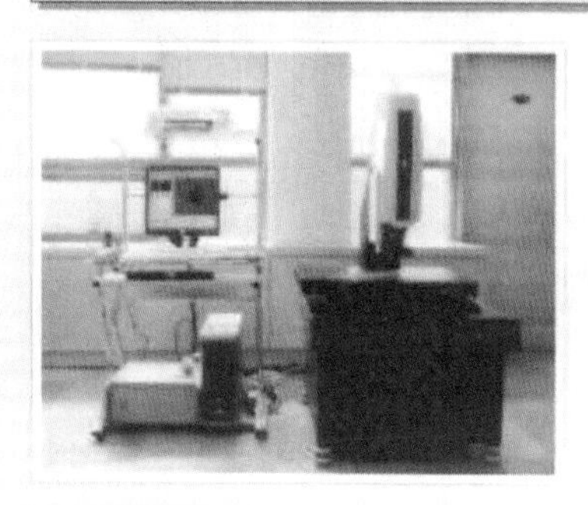

◧ 주요기능

측정물의 변형없이 3차원 치수 및 미세형상 측정

- 인쇄 회로기판 등 각종 PCB 제품
- Back Light 등 TFT-LCD 부품
- Connector 등 Plastic 사출제품, 전자제품
- 오일 링, Shadow Mask 등 각종 고무/연성제품
- Motor Core 등의 Stamping 제품
- 엔진 가스켓 등 접촉식 측정이 불가한 제품
- 소형 기계 가공 부품등 정밀측정 분야

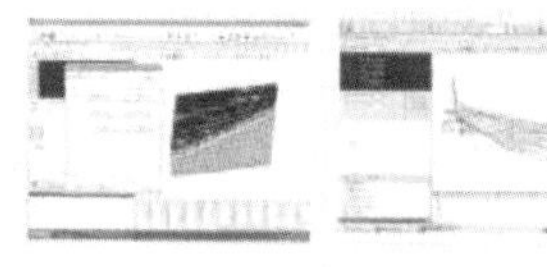

◧ 모델명 : Intek IMS
iPuls 400C with laser sensor & 3D S/W

◧ 장비의 특징

1. 400X300X150mm의 측정범위를 갖는 3축 스테이지에 광학센서와 레이저센서를 장착한 본체 및 PC 시스템
2. 광학센서로부터 3차원 치수를 측정하는 Image Analyser S/W
3. 레이저센서로부터 3차원 형상을 구현하는 Image Analyser S/W

장비명 : 광학현미경

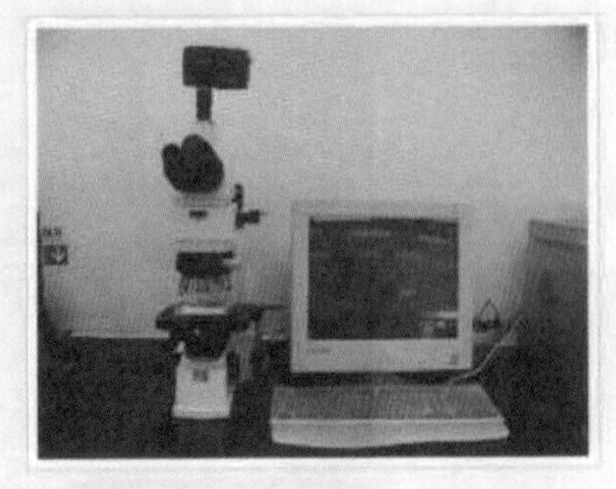

◧ 주요기능 및 장비특징

마이크로 접합부의 형상 및 미세조직 관찰

1. 금속시료 관찰을 위한 광학현미경
   - 배율: 50, 100, 200, 500, 1,000
   - Bright Field & Dark Field Analyzer
   - Polarizer system
   - Nomarski 프리즘 기능
   - 사각 mechanical 스테이지: 3"*2"

2. 영상 획득, 저장, 분석을 위한 Digital Image Capture System
   - 100만 화소급 디지털 이미지 및 마운트 어댑터

◧ 모델명 : Nikon L150

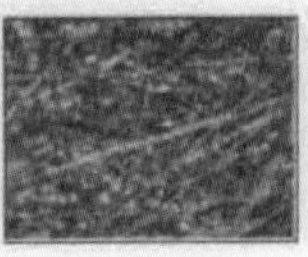
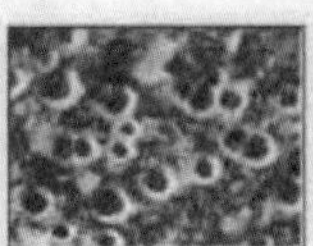

장비명 : 접합강도시험기

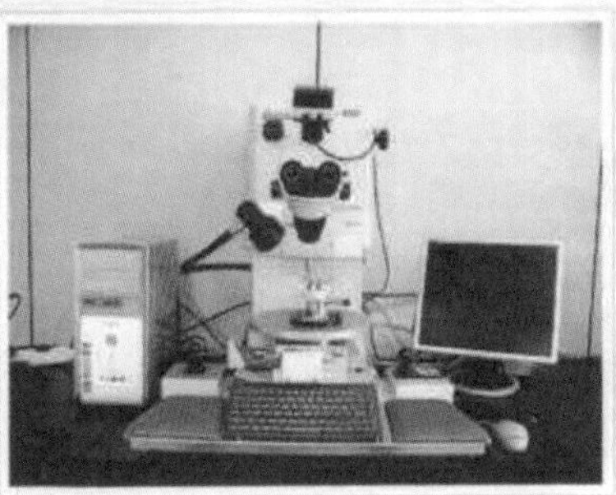

◧ 모델명 : Dage / BT 4000

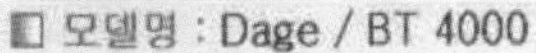
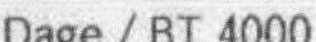

◧ 주요기능

PCB 실장부품, 솔더부 등 마이크로 접합부에 대하여
Lead pull, small chip shear, die shear, cold bump pull 등의 접합강도 측정

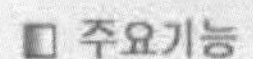

◧ 장비의 특징

1. PCB 실장부품, 솔더부 등과 같은 마이크로 접합부에 대하여 접합강도를 정밀하게 측정할 수 있는 탁상형 시험기
2. Lead pull, small chip shear, die shear, cold bump pull의 4가지 시험을 수행할 수 있는 센서와 툴세트 포함

2005년도 구축 특성평가장비

장비명 : 마이크로압입시험기

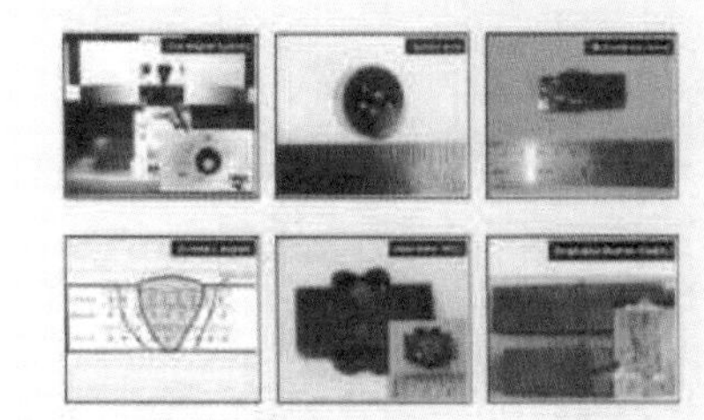

■ 모델명 : Frontics / AIS 2100

■ 주요기능

미소영역에 대한 반복적 압입시험을 통해 비파괴적으로
마이크로 접합부의 항복강도, 경도, 잔류응력 등과 같은 기계적 특성을 측정

■ 장비의 특징

1. 마이크로 접합부의 미소영역에 대한 반복적 압입시험
2. 측정데이터 획득 및 해석을 통한 기계적 물성치 계산

2005년도 구축 특성평가장비

장비명 : 4-Probe System

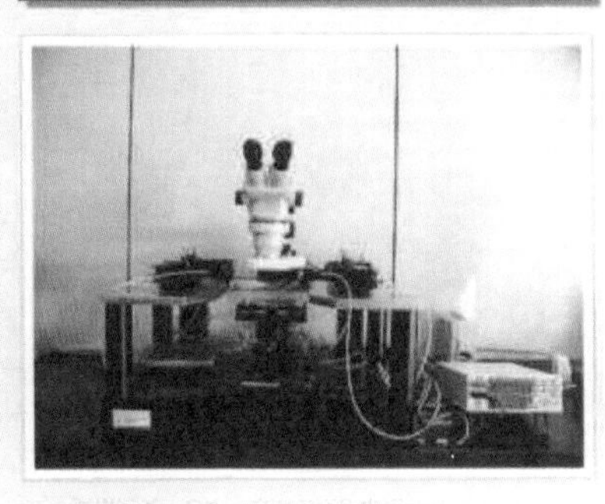

■ 모델명 : EB-8S & 3401

■ 주요기능

PCB 실장기판, FPCB 등과 같은 마이크로 접합부에 대하여
특정 위치에서의 전기저항을 정밀하게 측정, 4-probe 저항측정 : 0.1 μΩ

■ 장비의 특징

1. 200×200mm 영역에 대하여 수동으로 위치를 조정할 수 있는 4개의 탐침(probe)과 계측기를 이용하여
   특정 부위의 전기저항을 측정할 수 있는 탁상형 시험장치
2. FPCB 적용을 위한 진공척과 일반 PCB 적용을 위한 스퀴즈척 포함

2005년도 구축 신뢰성평가장비

장비명 : 항온항습진동시험기

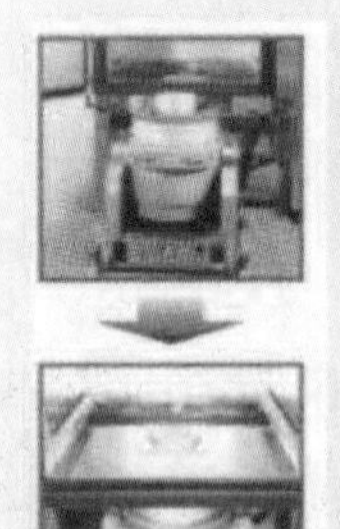

◧ 모델명 : 일본 Espec

◧ 주요기능

온도범위가 -40℃~+150℃ 이상, 습도범위가 20%~98% RH 이상으로
제어가능한 항온항습 챔버 내에서 장기간 진동시험을 통해 신뢰성 평가

◧ 장비의 특징

1. 내부 넓이 600X850X600mm, 온도범위 -40℃~+150℃, 습도범위 20%~98% RH을 일정하게
   유지하는 캐비넷 형태
2. 항온항습 챔버 내에서 가진력 2KN 이상, 최대가속도 60G 이상으로
   장기간 진동시험을 수행할 수 있는 진동시험기로 구성

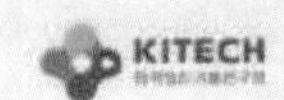

2005년도 구축 신뢰성평가장비

장비명 : 열충격시험기

◧ 주요기능

부피가 400x600x400mm 이하이고 무게가 50kg 이하인 시료에 대하여
최저 -80℃, 최고 +220℃의 온도를 반복적으로 가해주는 장비로 표면실
장기판과 같은 정밀 기계전자 부품 및 제품을 대상으로 열충격에 대한
내구성 및 신뢰도를 평가

◧ 모델명 : 독일 Votch

◧ 장비의 특징

1. 온도범위가 -80℃~+70℃ 이상인 저온챔버와 +50℃~+220℃ 이상인 고온챔버의
   2단 챔버로 구성된 캐비넷 형태의 본체
2. 부피가 400x600x400mmm, 무게가 50kg 이하인 시료를 적재하여 고온챔버와 저온챔버를
   왕복하는 시편적재함

장비명 : 항온항습기

모델명 : ENEX / EN-GLMP-54

장비의 특징

1. LCD 모니터 채용
2. 밀폐형, 공랭식, 이원냉동 시스템
3. 정전시 시스템 복귀 기능

주요기능

시편의 온도/습도 내구성 시험

-온도범위 : -45~+120도
-습도범위 : 30%RH ~ 98%RH
-프로그램입력 : 최대 300step / 30 pattern

1. 4차년도 구축 장비

기자재	사진	주요 사항
마이크로파 표면처리기	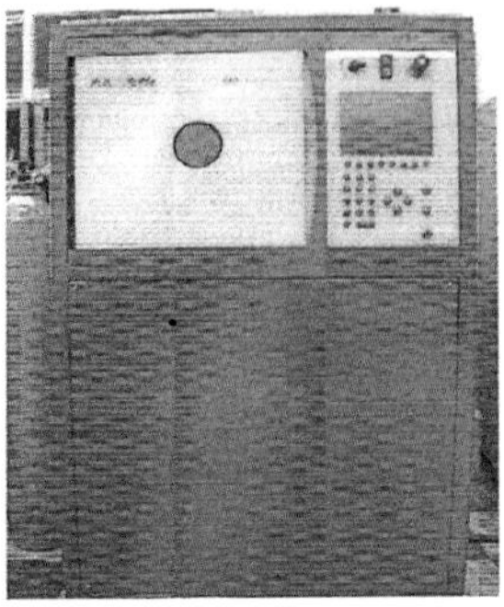	- Inner Dimension : 400×400×400mm (H × W × D) · No RF-electrodes inside chamber - Microwave plasma generator · Frequency : 2.45 GHz · Max. output power : 1000 Watts - Vacuum system · Ultimate pressure : Approx. 2×10-2 mbar · Process pressure : Approx. 0.2-1.5 mbar · Vacuum gauge : MKS-Baratron, range 10-3 to 10 mbar
TMA (열분석기)		- Temperature range : 150℃ ~ 1000℃ - Heating rate range : 0.1 ~ 100℃/min - Sample type and max size * solid : 26 mm(L); 10 mm(D) * film / fiber : 26 mm(L); 0.5 mm(T); 4.5 mm(W)
저진공 성분분석기		- Aluminum (Z-13) t ~ uranium (Z-92) 동시 분석 가능 - Sample shape : More than 300(W) × 300(D) × 150(H) mm - Sample type : Solid, power, liquid - X-ray generator : Voltage - 15kV, 31kV and 50kV three step switching

2. 마이크로조이닝 공동연구 장비요율 변경안(2010년 기준)

■ 마이크로조이닝 공정/분석/신뢰성장비 지원 요율표 (기 구축장비포함)

[단위 : 원]

장비 명	현 활용단가	변경 활용단가
TMA	30,000원/ea	100,000원/ea
정밀만능시험기	10,000원/ea (인장시험)	10,000원/회
저진공 성분분석기	30,000원/ea	50,000원/회
마이크로파 표면처리기	40,000/h	50,000원/회
CMT 용접기	30,000원/h	30,000원/h
단일헤드 OLB 본더	30,000원/h	30,000원/h
ACF Taping M/C	20,000원/h	50,000원/h
열충격시험기	8,000원/h	10,000원/h
항온항습기	6,000원/h	8,000원/h
진동시험기	30,000원/h	50,000원/h
이온 마이그레이션 장비	20,000원/h	10,000원/h
3D X선 비파괴검사	80,000원/ea	기본료 50,000원 시간당 30,000원 장당 5,000원
접합강도시험기	기본료 30,000원 30,000원/ea	기본료 100,000원 5,000원/회
일파스텝	30,000원/ea	기본료 50,000원 30,000원/회
다이싱장비	10,000원/ea	50,000원/h
광학계 현미경	10,000원/ea	5,000원/장

[단위 : 원]

장비 명	현 활용단가	변경 활용단가
SMT Scope	20,000원/ea	기본료 50,000원 25,000원/ea
솔더 젖음성시험	8,000원/ea	기본료 50,000원 8,000원/ea
점착력시험기	5,000원/ea	기본료 50,000원 5,000원/ea
점도시험기	5,000원/ea	기본료 50,000원 5,000원/ea
압입 시험기	20,000원/ea	50,000원/ea
HALT	160,000/h	180,000원/h
열싸이클링시험기	8,000원/h	10,000원/h
마찰교반용접기 (FSW)	10,000/h	100,000원/h
SAM	30,000원/ea 100,000/h	기본료 50,000원 10,000원/point
DSC	30,000원/ea	100,000원/ea
Nd:YAG 펄스 레이저	50,000/h	150,000원/h
임피던스 분석기	30,000원/ea	30,000원/h
비접촉 3차원 형상 측정기	40,000/h	100,000원/h
플립칩 ACF 본더	60,000원/h	100,000원/h
초미세접합기	-	100,000원/h
화이버레이져	-	150,000원/h
폴리머 경화기	-	기본료 50,000원 50,000원/h
표면 코팅기	-	60,000원/ea

2. 원자재 TEST

- 2-1 CCL TEST
- 2-2 P·P 두께 및 RESIN FLOW 비교 TEST
- 2-3 유전율 TEST
- 2-4 P·P BONDING 조건설정 TEST
- 2-5 P·P LASER 가공조건 TEST

2-1 CCL TEST

1. 목적

1) 원자재 특성을 비교 검토하여 동시 승인을 득하여 수급에 대한 경쟁력 확보함으로써 투입 호환성을 가지는데 있다.

▶ 현재 승인 제품 : D사

2) 박판 및 LCD 제품에 대한 신뢰성 확보를 위해 Tg Point가 높은 원자재 사용하여 제품에 대한 경쟁력 확보

▶ 현재 대만 업체는 LCD 전체를 Tg 150℃로 변경중임

2. 특성비교

항목	현재승인제품	TEST제품	비 교
MAKER	D	T	
제 품 명	DS-7408 (Tg 140℃)	TU-622-5 (Tg 150℃)	

3. 테스트 방법 (적용 모델 : H사 18인치 모델)

1) FILM 출력 후 인식 마크간 거리 측정

2) 부식 후 인식 마크간 거리 측정

3) PSR 노광 후 인식 마크간 거리 측정

4) 금도금 외주 후 인식 마크간 거리 측정

5) 마킹 작업 후 인식 마크간 거리 측정

6) 라우터 가공 후 인식 마크간 거리 측정

4. 테스트 결과

1) D사 : 측정 DATA (관리범위 : 367.756 ~ 367.896)

NO	GERBER	FILM	UCL	LCL	부식 후	PSR노광 후	금도금 후	MARKING 후	라우터 후
1	367.836	367.873	367.896	367.756	367.871	367.780	367.833	367.791	367.785
2			367.896	367.756	367.862	367.811	367.841	367.799	367.780
3			367.896	367.756	367.863	367.819	367.809	367.792	367.786
4			367.896	367.756	367.853	367.783	367.829	367.801	367.770
5			367.896	367.756	367.879	367.805	367.830	367.794	367.779
6			367.896	367.756	367.865	367.796	367.837	367.795	367.771
7			367.896	367.756	367.864	367.799	367.828	367.792	367.784
8			367.896	367.756	367.855	367.798	367.820	367.793	367.777
9			367.896	367.756	367.875	367.792	367.836	367.795	367.784
10			367.896	367.756	367.862	367.787	367.820	367.771	367.781
11			367.896	367.756	367.872	367.817	367.814	367.786	367.780
12			367.896	367.756	367.858	367.785	367.832	367.792	367.776
13			367.896	367.756	367.871	367.770	367.811	367.784	367.795
14			367.896	367.756	367.859	367.799	367.827	367.789	367.791
15			367.896	367.756	367.877	367.809	367.824	367.778	367.767
16			367.896	367.756	367.859	367.803	367.795	367.792	367.788
17			367.896	367.756	367.868	367.825	367.835	367.796	367.783
18			367.896	367.756	367.854	367.784	367.828	367.805	367.776
19			367.896	367.756	367.872	367.813	367.801	367.784	367.773
20			367.896	367.756	367.859	367.810	367.816	367.804	367.784

■ 첨부자료 [D사 GRAPH (관리범위 : 367.756 ~ 367.896)]

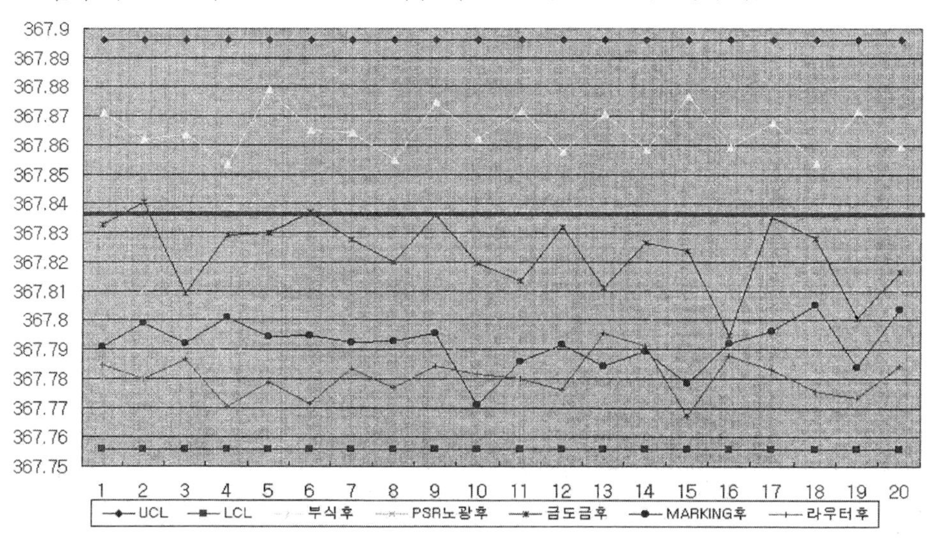

2) T사 : 측정 DATA (관리범위 : 367.756 ~ 367.896)

NO	GERBER	FILM	UCL	LCL	부식 후	PSR노광 후	금도금 후	MARKING 후	라우터 후
1			367.896	367.756	367.874	367.811	367.802	367.788	367.783
2			367.896	367.756	367.881	367.780	367.807	367.788	367.778
3			367.896	367.756	367.862	367.794	367.825	367.791	367.789
4			367.896	367.756	367.872	367.821	367.824	367.754	367.785
5			367.896	367.756	367.874	367.812	367.821	367.759	367.786
6			367.896	367.756	367.829	367.785	367.820	367.781	367.779
7			367.896	367.756	367.871	367.787	367.819	367.791	367.779
8	367.836	367.873	367.896	367.756	367.873	367.818	367.836	367.772	367.768
9			367.896	367.756	367.874	367.787	367.834	367.783	367.782
10			367.896	367.756	367.860	367.795	367.816	367.798	367.779
11			367.896	367.756	367.867	367.793	367.826	367.783	367.785
12			367.896	367.756	367.858	367.818	367.821	367.799	367.787
13			367.896	367.756	367.869	367.785	367.829	367.784	367.783
14			367.896	367.756	367.861	367.803	367.828	367.814	367.771
15			367.896	367.756	367.864	367.787	367.843	367.786	367.778
16			367.896	367.756	367.857	367.812	367.837	367.809	367.779
17			367.896	367.756	367.870	367.812	367.835	367.779	367.772
18			367.896	367.756	367.854	367.787	367.829	367.801	367.775
19			367.896	367.756	367.873	367.774	367.816	367.782	367.777
20			367.896	367.756	367.856	367.784	367.831	367.812	367.773

■ 첨부자료 [T사 : GRAPH (관리범위 : 367.756 ~ 367.896)]

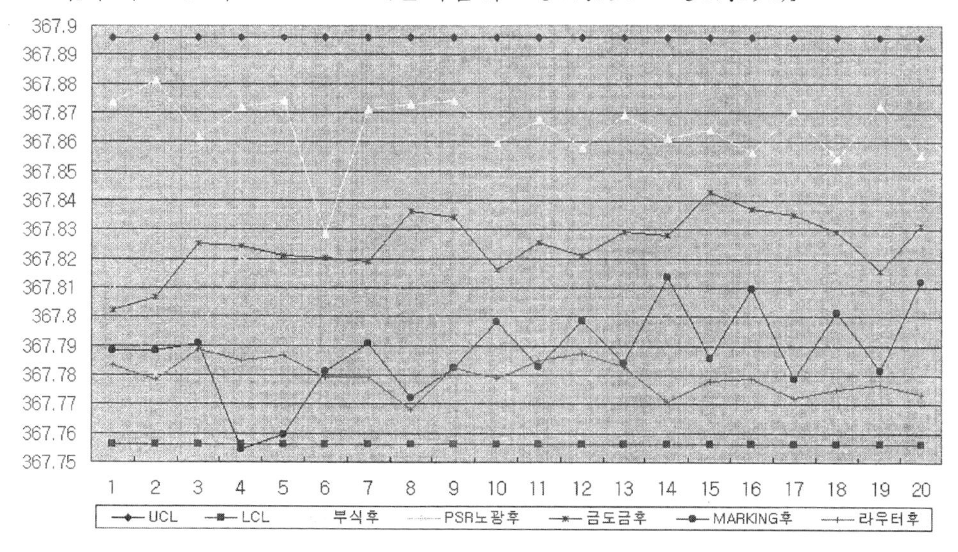

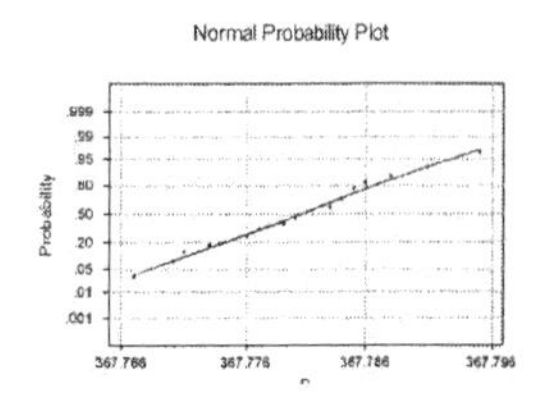

Process Capability Analysis for B

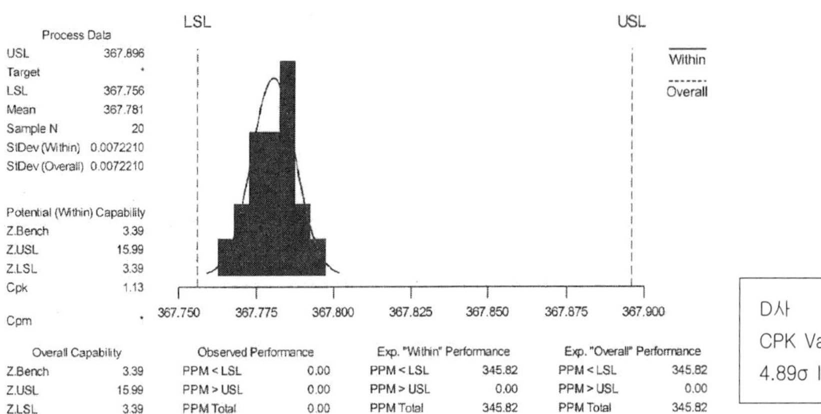

D사
CPK Value :1.13
4.89σ level

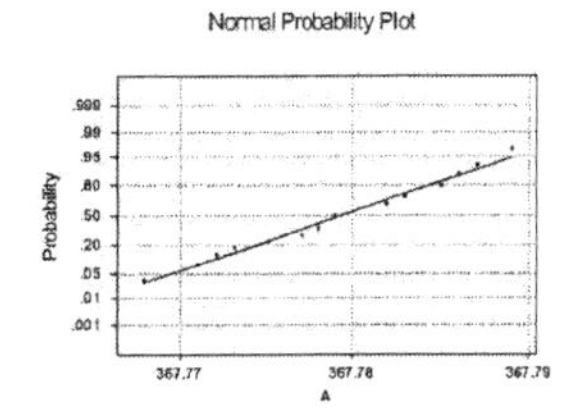

Process Capability Analysis for A

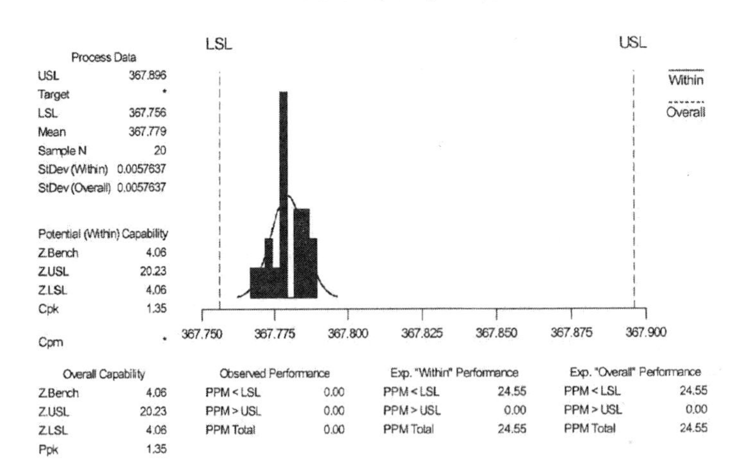

T사
CPK Value :1.35
5.56σ level

· D사와 T사 원자재 비교 결과, 신축율 DIMENSION 측정비교는 T사 원자재가 약간 우수한 것으로 나타남

▶ Router 가공 후 DIMENSION 비교 결과 (Process Capability Analysis)

· D사에 비해 T사의 TG Point가 약 10℃정도 높은 이유에서 상기와 같은 결과가 나타났다고 사료 됨.

5. 결론

1) 국내 LCD (L사) 경우 현재 SAMPLE 제품에 적용 중으로 원자재에 대한 신뢰성 검증은 되었으므로 일본 S사향 LCD PCB 제작에 있어서도 T사 원자재 적용은 가능하며,

2) 향후 신뢰성 확보 및 고객만족의 차원에서 추가 신뢰성 Test 예정이오니 적용 검토 바랍니다.

2-2 P·P 두께 및 RESIN FLOW 비교 TEST

1. 목적

대만 T사에서 제시한 Hot Press 조건으로 한국 D사와 공용으로 적용 할 수 있는 가능성 판단을 위한 비교 Test.

2. 방법 및 조건

- 각 PP 메이커 두께별로 4PNL 총 24PNL Test.
- Press 조건은 T사가 제시한 조건으로 한다.

	1	2	3	4	5	6	Total Time
Temp (℃)	90	130	140	190	190	140	-
Pressure (Kg/㎠)	27	27	27	27	27	27	-
Time (minute)	5	20	20	10	75	20	150

T사가 제시한 Press 조건

- 각 제품별 Lay-up spec은 다음에 따른다.

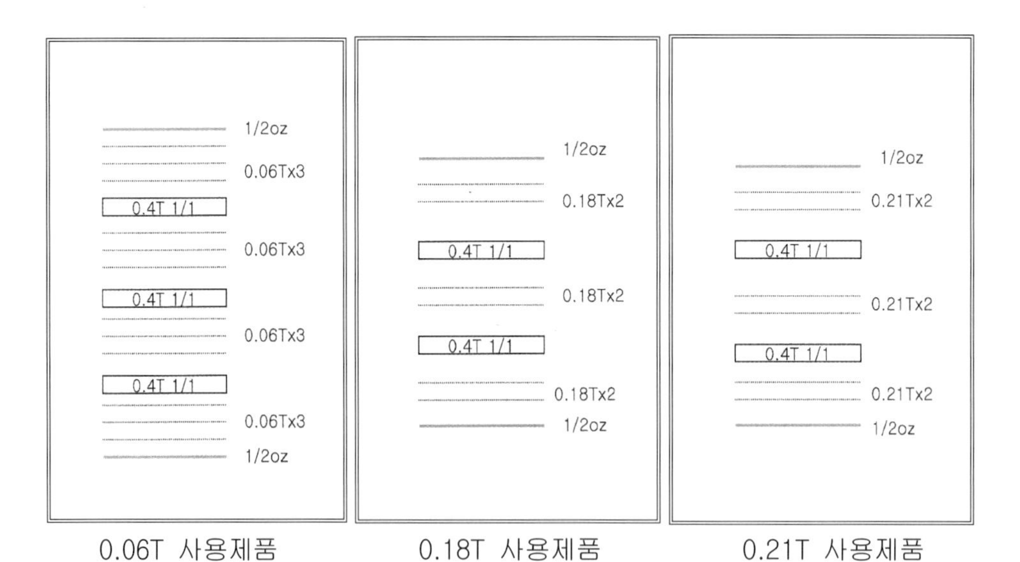

0.06T 사용제품 0.18T 사용제품 0.21T 사용제품

3. Test 용 Prepreg

D사	T사
1080(0.06T)	1080(0.06T)
7628(0.18T)	7628(0.18T)
7628HRC(0.21T)	7628HRC(0.21T)

▷ 각 메이커별 R/C, R/F 표준(%)

	D사(%)		T사(%)	
	R/C	R/F	R/C	R/F
0.06T	62±3	30±5	62±2	39±5
0.1T	52±2	28±5	52±2	31±5
0.18T	42±3	18±3.5	43±2	24±5
0.21T	48±2	27.5±3.5	48±2	31±5

· 두께 비교 - 0.06T

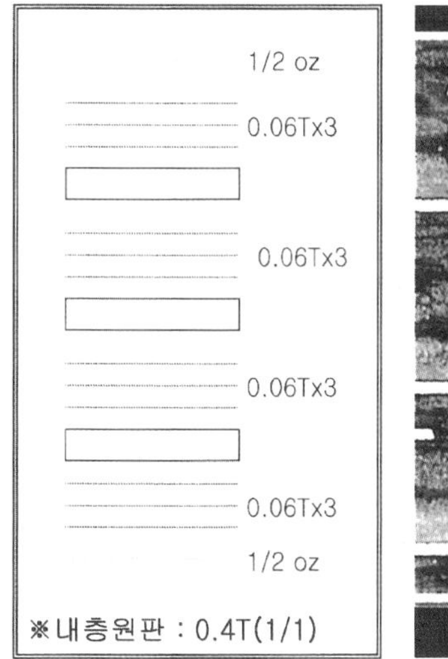

Test Lay-up spec

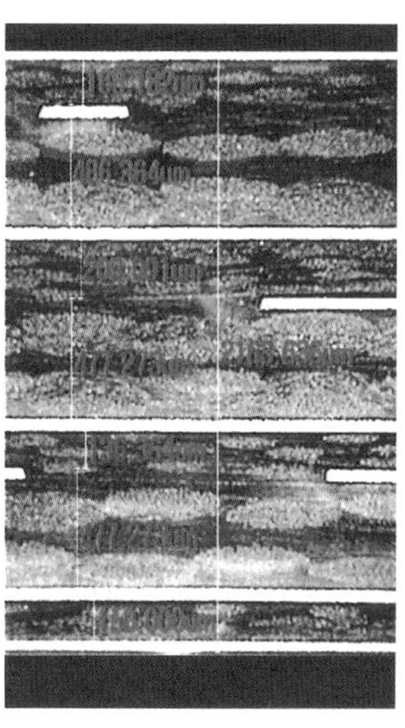

D사 0.06T

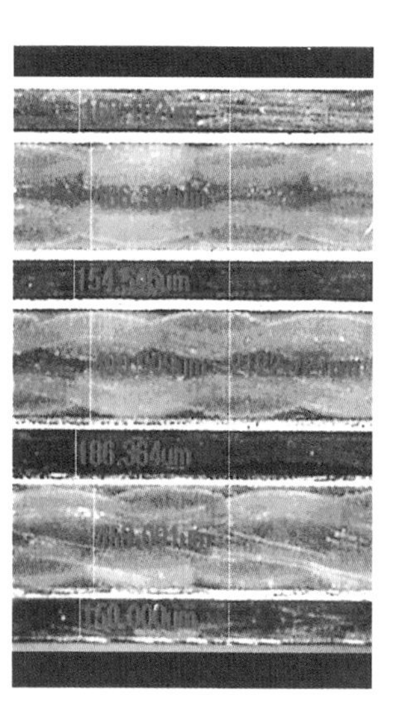

T사 0.06T

· 두께 비교 - 0.18T

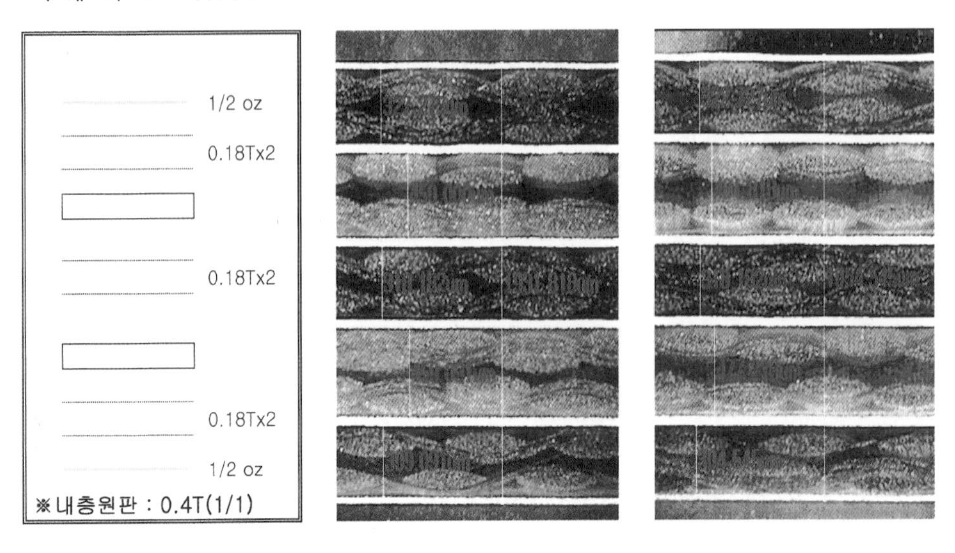

Test Lay-up spec　　D사 0.18T　　T사 0.18T

· 두께 비교 - 0.21T

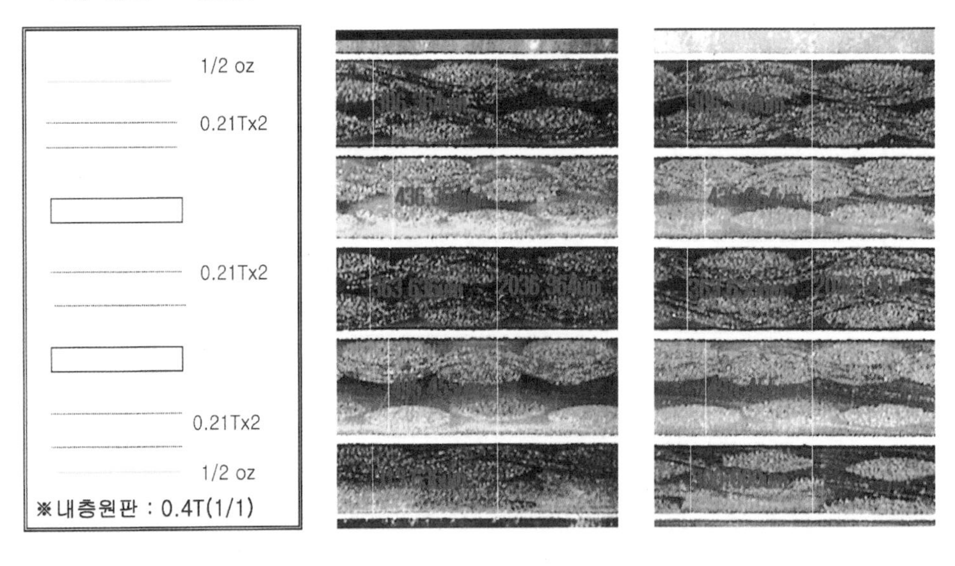

Test Lay-up spec　　D사 0.21T　　T사 0.21T

▷ 0.06T 사용 제품 두께

[단위:mm]

	D사		T사	
1	2.269	2.319	2.246	2.155
2	2.257	2.410	2.218	2.180
3	2.290	2.286	2.180	2.199
4	2.265	2.321	2.140	2.197
5	2.278	2.379	2.263	2.207
6	2.181	2.244	2.073	2.184
7	2.248	2.264	2.183	2.277
8	2.356	2.157	2.057	2.212
9	2.369	2.265	2.174	2.239
10	2.470	2.278	2.213	2.248
최대 / 최소	2.407 / 2.157		2.277 / 2.057	
최대 편차	0.250		0.220	
평 균	2.291		2.192	

▷ 0.18T 사용 제품 두께

[단위:mm]

	D사		T사	
1	1.995	2.036	2.040	2.002
2	1.989	2.031	2.035	1.975
3	2.047	2.086	2.082	2.094
4	1.995	2.076	1.998	2.073
5	2.045	2.069	2.126	2.115
6	2.010	2.015	1.997	2.078
7	2.033	2.024	2.060	2.073
8	2.048	2.066	2.008	2.050
9	2.040	1.976	2.042	1.994
10	2.043	2.040	2.104	2.117
최대 / 최소	2.086 / 1.976		2.126 / 1.994	
편 차	0.110		0.182	
평 균	2.033		2.050	

▷ 0.21T 사용 제품 두께

[단위:mm]

	D사		T사	
1	2.262	2.208	2.158	2.136
2	2.101	2.146	2.175	2.137
3	2.170	2.121	2.190	2.200
4	2.135	2.090	2.279	2.241
5	2.295	2.254	2.295	2.267
6	2.145	2.160	2.215	2.149
7	2.250	2.190	2.164	2.062
8	2.136	2.124	2.197	2.236
9	2.183	2.194	2.135	2.187
10	2.307	2.301	2.267	2.187
최대 / 최소	2.307 / 2.101		2.295 / 2.062	
최대 편차	0.206		0.223	
평 균	2.186		2.198	

▷ R/F의 실측치(0.06T)

[단위:mm]

	D사		T사	
	장 방 향	단 방 향	장 방 향	단 방 향
1	10	7	7	5
2	7	10	7	4
3	9	9	8	5
4	8	11	5	7
5	4	11	3	5
6	6	11	6	5
7	9	7	7	4
8	7	5	6	7
9	5	6	5	6
10	7	8	8	5
11	6	7	5	5
12	8	7	5	6
평 균	7.2	8.3	6.0	5.3

▷ R/F의 실측치(0.18T)

[단위:mm]

	T사		T사	
	장 방 향	단 방 향	장 방 향	단 방 향
1	9	7	19	9
2	7	4	19	12
3	9	3	17	12
4	10	2	14	13
5	8	4	20	14
6	7	4	17	10
7	6	4	15	14
8	5	3	19	14
9	9	2	16	10
10	10	3	16	15
11	7	4	16	18
12	8	2	19	15
평 균	7.9	3.5	17.3	13.0

▷ R/F의 실측치(0.21T)

[단위:mm]

	D사		T사	
	장 방 향	단 방 향	장 방 향	단 방 향
1	16	14	12	12
2	15	17	12	14
3	14	14	10	13
4	14	12	12	8
5	11	10	17	12
6	17	10	17	10
7	10	9	13	10
8	12	11	12	9
9	15	14	17	10
10	11	13	16	15
11	10	14	13	14
12	13	13	17	11
평 균	13.2	12.6	14.0	11.5

▷ 표 면 사 진(0.06T)

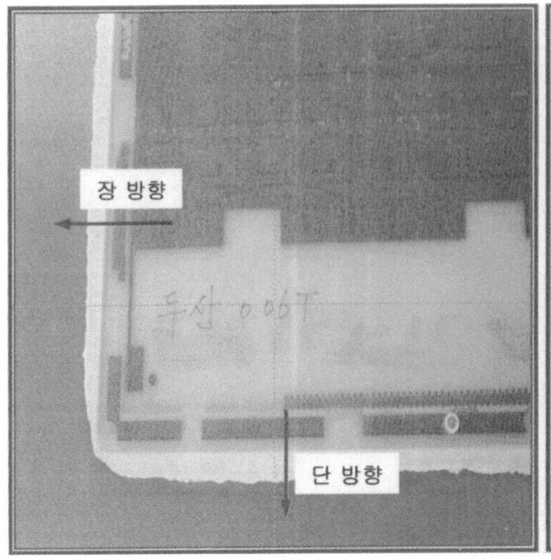

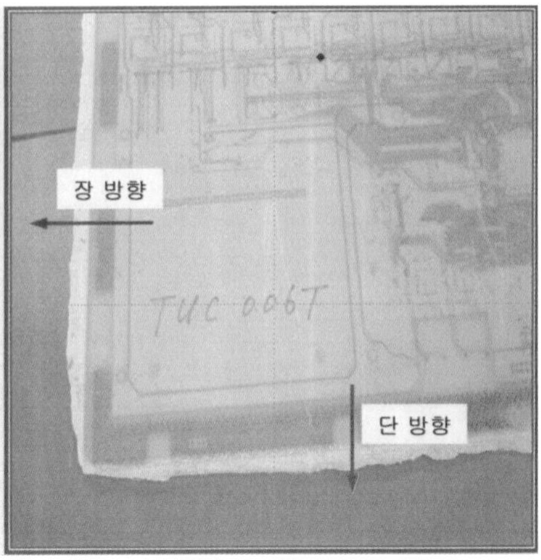

※D사 0.06T:실측 평균값-장 방향:7.2mm
-단 방향:8.4mm

※T사 0.06T:실측 평균값-장 방향:6.0mm
-단 방향:5.3mm

▷ 표 면 사 진(0.18T)

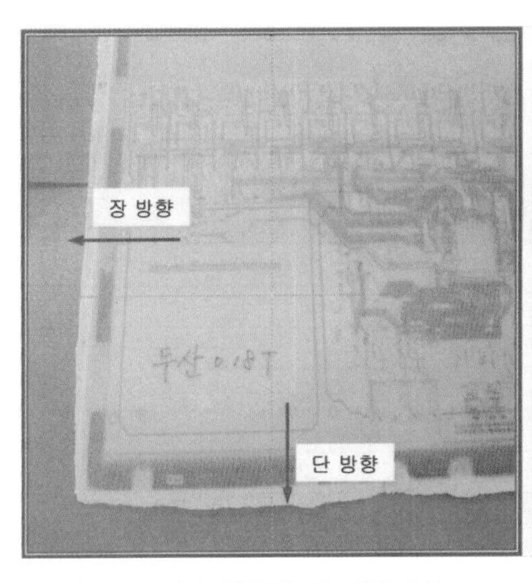

※D사 0.18T:실측 평균값-장 방향:7.9mm
-단 방향:3.5mm

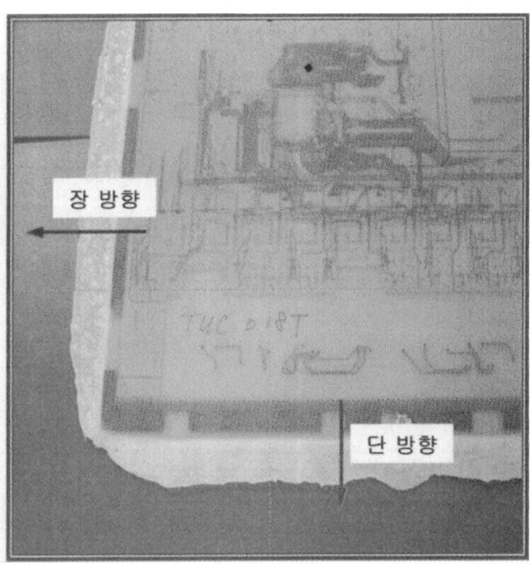

※T사 0.18T:실측 평균값-장 방향:17.3mm
-단 방향:13.0mm

▷ 표 면 사 진(0.21T)

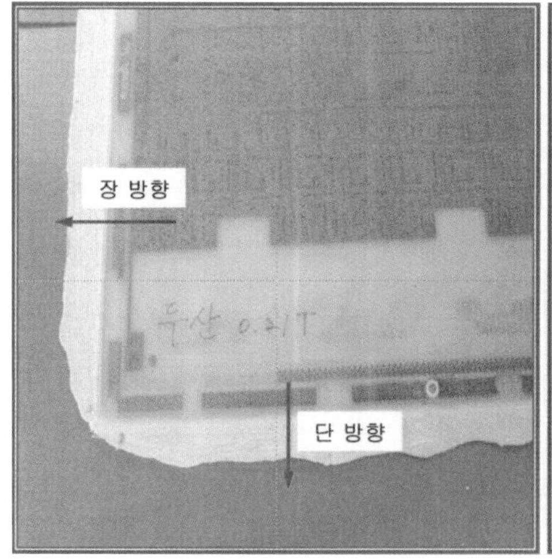

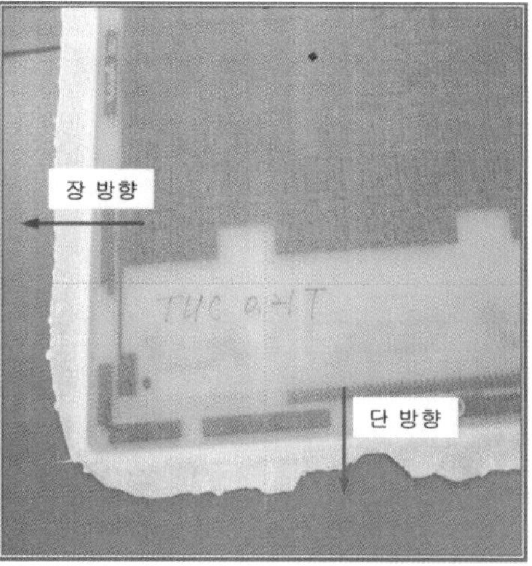

※D사 0.21T:실측 평균값-장 방향:13.2mm
-단 방향:12.6mm

※T사 0.21T:실측 평균값-장 방향:14.0mm
-단 방향:11.5mm

▷ 결과

1) 두께

[단위:mm]

	D사 평 균 값	T사 평 균 값
0.06T	2.291	2.192
0.18T	2.033	2.050
0.21T	2.286	2.198

2) Resin Flow

[단위:mm]

	D사		T사	
	장 방 향	단 방 향	장 방 향	단 방 향
0.06T	7.2	8.0	6.0	5.3
0.18T	7.9	3.5	17.3	13.0
0.21T	13.2	12.6	14.0	11.5

▷ 결론

1) T사에서 제시한 Press 조건으로 D사, T사 종류별 pp제품 두께 Test 결과 두께 차이는 거의 없음.

2) 0.18T를 사용한 제품을 제외한 제품들은 D사와 T사 Resin Flow 차이 거의 없으나 7628의 경우 극심한 차이를 보이며 두께 편차 역시 심함을 볼 수 있다.

: resin의 흐름이 많다는 것은 고 다층 및 여러 장의 p · p가 들어가는 spec의 경우 작업에서 밀릴 가능성이 많다는 것이며 두께 편차 또한 불규칙하고 심하다는 것을 알 수 있다.

3) 본 Test 결과 T사 Press 조건으로, D사와 T사 pp공용으로 사용가능 여부를 미흡하나마 판단해 보려 하였으나 이 조건으로는 공용으로는 적용하기에는 문제가 있는 것으로 판단됨.

4) 추후 재논의 및 Test실시 후 최적 방법 모색 후 사용에 지장이 없도록 하겠습니다.

2-3 유전율 TEST

2-3-1 D사 유전율 TEST

1. Test 목적

1) D사 자재에 대한 Pre Preg 종류에 따른 유전율을 파악하고자 함.

2) Pre Preg 종류에 따른 인쇄 전, 후 Impedance 변화율을 파악하고자 함.

2. Test 방법

No	Test 항목	세부 항목
1	Pre Preg 유전율 분석	· 측정 Data와 Simulation 설계값을 통해 Pre Preg 유전율 분석
2	인쇄 전, 후 Impedance 변화율	· 인쇄 완료 후 Pre Preg별 Impedance 변화율 비교

3. Test 결과

1) 결과 분석

① D사 자재 Pre Preg별 유전율

Pre Preg	1-1	1-2	2-1	2-2	AVG
D사 #1080	4.60	4.30	4.35	4.55	≒4.50ε
D사 #2116	4.90	4.90	4.65	4.80	≒4.80ε
D사 #7628	5.00	5.20	4.95	5.00	≒5.05ε

② Pre Preg별 인쇄 전, 후 Impedance 변화율

구 분	AVG
D사 #1080	7.15Ω
D사 #2116	6.95Ω
D사 #7628	7.00Ω

2) D사 소견

① D사 자재 Pre Preg별 유전율 분석 결과 #1080 → 4.50ε, #2116 → 4.80ε, #2116 → 5.05ε로 Pre Preg별 유전율 값의 차이가 있음이 확인되었음.

② Pre Preg별 인쇄 전, 후 변화율은 ≒ 7.00Ω 으로 Pre Preg 종류와는 변화율이 무관하다고 판단됨.

(단, 위의 정립된 인쇄 전, 후 변화율은 O.T.C 잉크의 Coplanar TAPE에 한함.)

4. Test 결과

1) Pre Preg별 유전율 분석(#1080)

구 분		시료 1-1	시료 1-2	시료 2-1	시료 2-2
사 진					
BOTTOM	W1	143	152	148	145
TOP	W2	130	134	132	130
Ground 간격	D1	225	218	224	225
도금 두께	T	31	33	34	30
철연 거리	H1	456	441	455	462
임피던스 Data	Z	92.51Ω		93.11Ω	

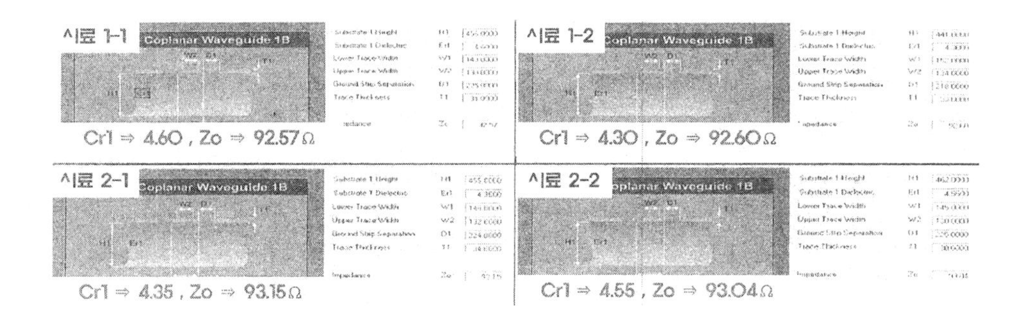

2) Pre Preg별 유전율 분석(#2116)

구 분		시료 1-1	시료 1-2	시료 2-1	시료 2-2
사 진					
BOTTOM	W1	146	152	154	154
TOP	W2	137	130	140	140
Ground 간격	D1	222	220	216	218
도금 두께	T	32	31	39	37
철연 거리	H1	380	388	403	397
임피던스 Data	Z	89.44Ω		87.74Ω	

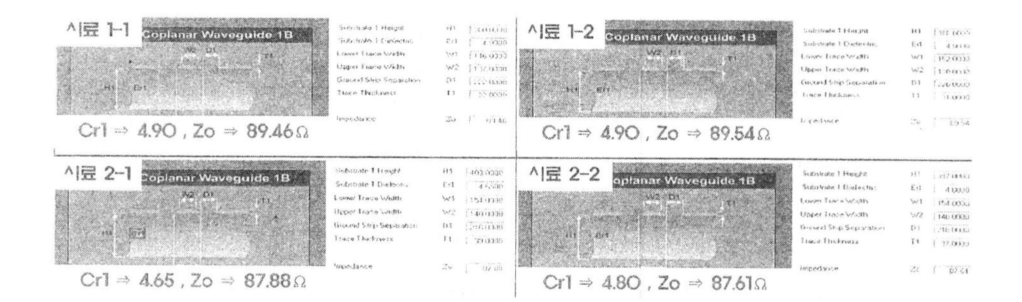

3) Pre Preg별 유전율 분석(#7628)

구 분		시료 1-1	시료 1-2	시료 2-1	시료 2-2
사 진					
BOTTOM	W1	148	141	148	146
TOP	W2	134	127	130	133
Ground 간격	D1	218	227	218	222
도금 두께	T	28	31	30	31
철연 거리	H1	394	410	396	393
임피던스 Data	Z	89.08Ω		88.92Ω	

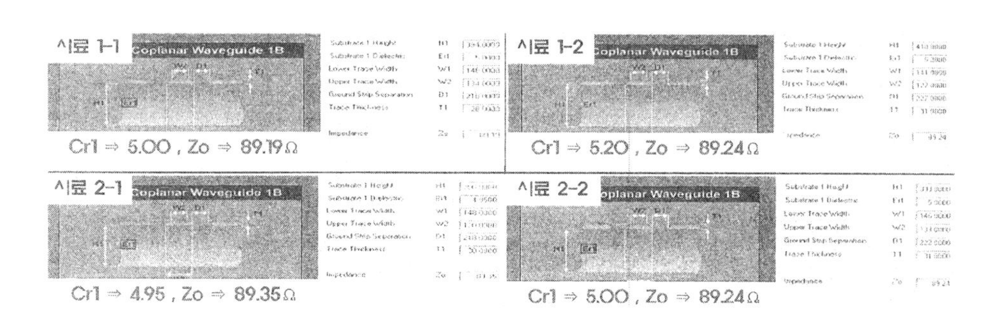

4) Pre Preg별 인쇄 전, 후 임피던스 변화율

① #1080 공정 변화율 - 평균 변화율 7.15Ω

측정 Data	인쇄 전	인쇄 후	변화율
시료 1	94.73Ω	87.81Ω	6.92Ω
시료 2	96.87Ω	89.70Ω	7.17Ω
시료 3	93.11Ω	85.89Ω	7.22Ω
시료 4	92.01Ω	84.71Ω	7.30Ω

평균 변화율 7.30Ω

② #2116 공정 변화율 - 평균 변화율 6.95Ω

측정 Data	인쇄 전	인쇄 후	변화율
시료 1	91.15Ω	84.32Ω	6.83Ω
시료 2	92.30Ω	85.16Ω	7.14Ω
시료 3	89.44Ω	82.67Ω	6.77Ω
시료 4	87.74Ω	80.67Ω	7.07Ω

평균 변화율 6.95Ω

③ #7628 공정 변화율 - 평균 변화율 7.00Ω

측정 Data	인쇄 전	인쇄 후	변화율
시료 1	93.61Ω	86.55Ω	7.06Ω
시료 2	93.46Ω	86.27Ω	7.19Ω
시료 3	89.08Ω	82.26Ω	6.82Ω
시료 4	89.42Ω	82.46Ω	6.96Ω

평균 변화율 7.00Ω

2-3-2 국산 & 대만산 유전율 TEST

1. Test 목적

D사 & S사 0.5T(H/H) 자재에 대한 유전율을 파악 하고자 Impedance Test Board를 투입하여 분석 하고자 함.

① 국산 : D사

② 대만 : S사

2. Test 방법

No	Test 항목	세부 항목
1	Coupon 분석	· 외층 에칭 후, 인쇄 완료 후
2	Simulation 분석 Data	· 쿠폰 절연거리를 Simulation 설계 값에 적용하여 유전율 분석

3. Test 결과

1) 결과 분석

D사 자재	1-2	1-2	2-1	2-2	3-1	3-2	4-1	4-2
외층 후 측정 Data	87.60		86.13		88.48		84.42	
Simulation 분석 Data	87.73	87.60	86.27	86.31	88.36	88.46	87.82	87.79
분석 유전율	4.65	4.85	4.85	4.90	4.95	4.85	4.75	4.75

※ D사 자재 유전율 : 4.80

D사 자재	1-2	1-2	2-1	2-2	3-1	3-2	4-1	4-2
외층 후 측정 Data	88.89		87.40		86.25		84.42	
Simulation 분석 Data	88.81	88.69	87.30	87.28	86.36	86.30	84.54	84.25
분석 유전율	5.25	5.15	5.05	4.90	4.90	5.00	5.15	5.20

※ S사 자재 유전율 : 5.10

2) 소견

자재별 분석 결과 0.5T D사 자재 유전율은 4.80, 0.5T S사 자재 유전율은 5.10을 적용 시 실측정 Data와 Simulation Data가 일치하는 것이 확인됨.

4. Test 결과

1) 외층 에칭 후 D사 0.5T 분석 Data

구 분		시료 1-1	시료 1-2	시료 2-1	시료 2-2
사 진					
BOTTOM	W1	152	153	155	153
TOP	W2	132	127	129	129
Ground 간격	D1	215	214	214	213
도금 두께	T	40	35	40	38
철연 거리	H1	503	502	496	502
임피던스 Data	Z	87.60Ω		86.13Ω	
구 분		시료 3-1	시료 3-2	시료 4-1	시료 4-2
사 진					
BOTTOM	W1	149	148	152	157
TOP	W2	123	127	127	129
Ground 간격	D1	227	226	221	218
도금 두께	T	39	40	42	38
철연 거리	H1	500	503	498	500
임피던스 Data	Z	88.48Ω		87.85Ω	

2) 외층 에칭 후 S사 자재 0.5T 분석 Data

구 분		시료 1-1	시료 1-2	시료 2-1	시료 2-2
사 진					
BOTTOM	W1	141	140	146	148
TOP	W2	119	115	121	119
Ground 간격	D1	229	229	223	220
도금 두께	T	33	38	40	43
절연 거리	H1	493	505	496	497
임피던스 Data	Z	88.89Ω		87.40Ω	
구 분		시료 3-1	시료 3-2	시료 4-1	시료 4-2
사 진					
BOTTOM	W1	158	153	155	154
TOP	W2	136	131	132	130
Ground 간격	D1	215	221	215	217
도금 두께	T	35	39	38	40
절연 거리	H1	517	517	516	522
임피던스 Data	Z	86.25Ω		84.42Ω	

3) D사 자재 Simulation 분석 Data

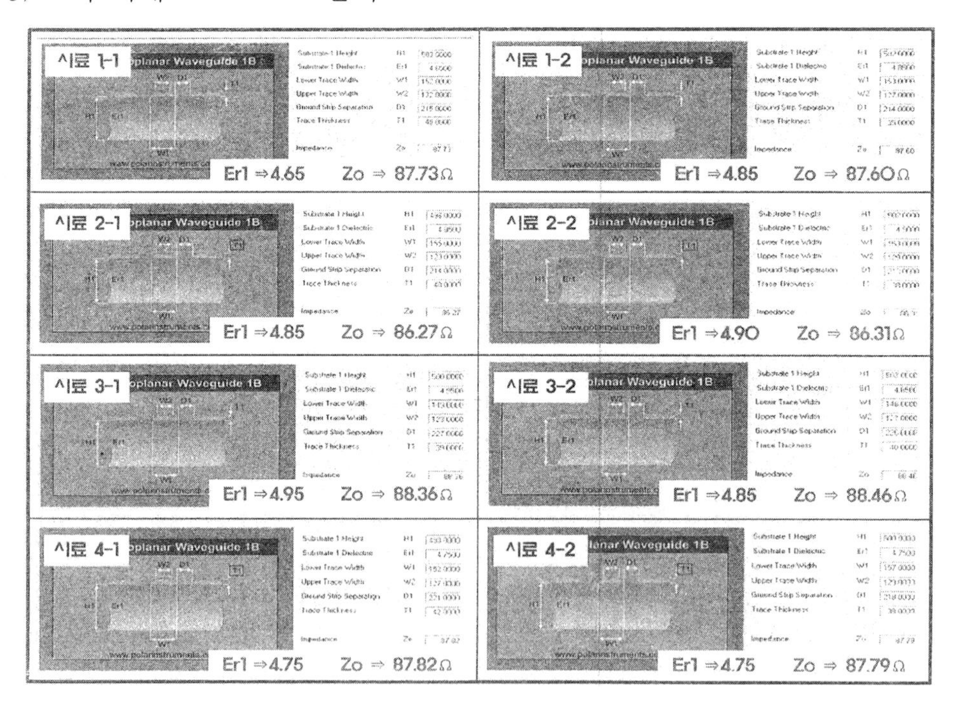

4) S사 자재 Simulation 분석 Data

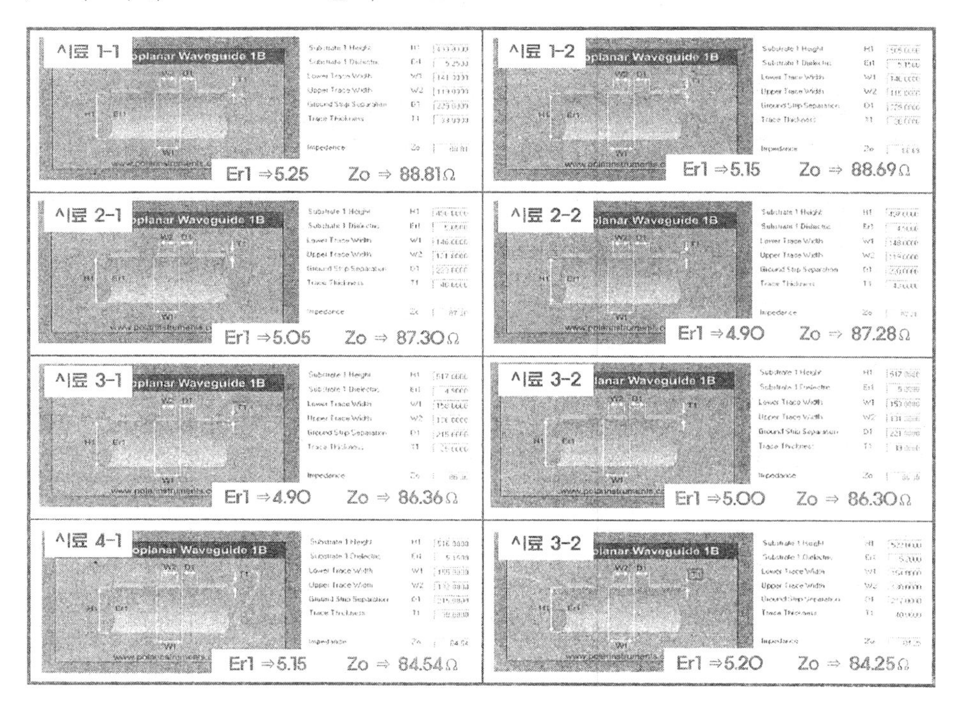

2-4 P·P BONDING 조건설정 TEST

1. TEST 목적

Bonding기 작업 표준서에 세부적인 작업 조건표가 설정되지 않아 작업자가 임의로 Heater 온도 설정을 변경하는 과정에서 제품의 밀착 강조를 높이기 위해 작업 표준서 SPEC을 초과하는 경우가 발생됨.

이에 대하여 Bonding 작업 조건을 세부적으로 설정하고자 함

2. TEST 방법

No	Test 항목	세부 항목
	Temp	· 240℃, 250℃, 260℃, 270℃
1	Time	· 20초, 30초, 40초, 50초, 60초
	Pre Preg 종류	· #1080, #2116, #7628, #7628 HRC
2	Bonding Point	· 정상, 미세 번짐, 번짐
3	Bonding 후 P.P 밀착 강도	· 상, 중, 하 로 구분

3. 결과 분석

1) 결과 분석

비교 항목	#1080	#2116	#7628	#7628 HRC
Temp	270℃	270℃	260℃	260℃
Time	30초	30초	30초	30초
Bonding 밀착 강도	강함	강함	강함	강함
Bonding Point	미세 번짐	미세 번짐	정상	정상

※ 위의 조건을 Bonding 임시 조건으로 정립

2) 소견

Test 진행 결과 P.P 얇은 제품(#1080, #2116)이 두꺼운 제품(7628, 7628 HRC)에 비해 동일 조건 진행 시 밀착 강도가 떨어지는 현상이 확인됨. 이런 현상이 발생되는 원인은 Bonding Pin의 상, 하가 얇은 제품의 경우 완전하게 밀착을 시키지 못함으로써 P.P에 열전달을 제대로 못하는 것으로 판단됨. 따라서 현 밀착 강도가 어느 정도 유지하는 조건으로 ECN 발행 후 장비 업체의 보수 후 재 Test를 진행하여 P.P 조건을 재정립하는 것이 바람직하다고 판단됨.

4. TEST 결과

1) #Pre Preg : #1080

구분	240℃	250℃	260℃	270℃
20초	 정상	미세 번짐	정상	 정상
30초	미세 번짐	미세 번짐	[illegible]	 [illegible]
40초	정상	미세 번짐	미세 번짐	 미세 번짐
50초				
60초				[illegible]

2) #Pre Preg : #2116

구분	240℃	250℃	260℃	270℃
20초	 정상	정상	 정상	 정상
30초	정상	 미세 번짐	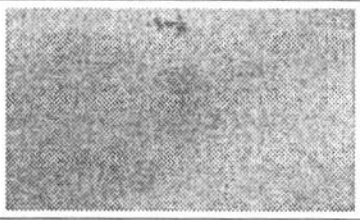 [illegible]	미세 번짐
40초	미세 번짐	 미세 번짐	정상	번짐
50초	[illegible]	미세 번짐	[illegible]	번짐
60초		번짐	[illegible]	번짐

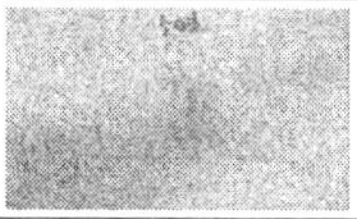

3) #Pre Preg : #7628

구분	240℃	250℃	260℃	270℃
20초	정상	정상	정상	정상
30초	정상	정상	정상	정상
40초	정상	정상	정상	정상
50초	정상	정상	정상	[illegible]
60초	정상	정상	정상	[illegible]

4) #Pre Preg : #7628 HRC

구분	240℃	250℃	260℃	270℃
20초	정상	정상	정상	정상
30초	정상	정상	정상	정상
40초	정상	정상	정상	정상
50초	정상	미세 번짐	미세 번짐	[illegible]
60초	정상		[illegible]	[illegible]

5) Bonding 후 P.P 밀착 강도

① #1080 (강함 : O, 중간 : △, 약함 : X)

구분	240℃	250℃	260℃	270℃
20초	X	X	△	△
30초	△	△	△	O
40초	△	△	△	O
50초	△	△	O	O
60초	△	△	O	O

② #2116 (강함 : O, 중간 : △, 약함 : X)

구분	240℃	250℃	260℃	270℃
20초	X	X	△	△
30초	X	△	△	O
40초	△	△	△	O
50초	△	△	O	O
60초	△	△	O	O

③ #7628 (강함 : O, 중간 : △, 약함 : X)

구분	240℃	250℃	260℃	270℃
20초	X	△	△	△
30초	△	△	O	O
40초	△	O	O	O
50초	O	O	O	O
60초	O	O	O	O

④ #7628 HRC (강함 : O, 중간 : △, 약함 : X)

구분	240℃	250℃	260℃	270℃
20초	X	X	△	△
30초	X	△	O	O
40초	△	O	O	O
50초	△	O	O	O
60초	△	O	O	O

※ PRE-PREG 별 별도표시 된 조건으로 설정

2-5 PRE-PREG(#2116) LASER 가공조건 TEST

1. TEST 목적

Build up 제품의 MVH의 절연거리에 대하여 #2116 사용에 따른 Laser 가공 & 도금 신뢰성 확보를 위하여 Test Board를 투입하여 Laser 조건을 확립 하고자 함.

2. TEST 방법

No	Test 항목	세부 항목				
1	Laser 가공 조건	Conformal	Power	On Time	Hz	APT
		80	3.2	6.5	1000	1
		100	3.8	14.0	1000	2
		120	4.8	11.5	1000	3
		130	4.8	13.0	1000	3
		140	4.8	13.0	1000	3
		150	4.8	14.5	1000	3
2	Laser 가공 횟수	· 4샷 가공				
		· 5샷 가공				
		· 6샷 가공				

3. 분석 및 소견

1) 결과 분석

Conformal Size	세부 조건					결 과
	Power	ON TIME	Hz	APT	샷수	
	3.2	6.5	1000	1	4	미도금 (도금 신뢰성 X), 작업성 X
80 ㎛	3.2	6.5	1000	1	5	미도금 (도금 신뢰성 X), 작업성 X
	3.2	6.5	1000	1	6	미도금 (도금 신뢰성 X), 작업성 X
	3.8	14.0	1000	2	4	하단 도금 두께 얇음, 작업성 X
100 ㎛	3.8	14.0	1000	2	5	하단 도금 두께 얇음, 작업성 X
	3.8	14.0	1000	2	6	하단 도금 두께 얇음, 작업성 X
	4.8	11.5	1000	3	4	신뢰성 양호
120 ㎛	4.8	11.5	1000	3	5	하단 도금 두께 얇음
	4.8	11.5	1000	3	6	하단 도금 두께 얇음
	4.8	13.0	1000	3	4	가공 조건 부적합
130 ㎛	4.8	13.0	1000	3	5	가공 조건 부적합
	4.8	13.0	1000	3	6	가공 조건 부적합
	4.8	13.0	1000	3	4	하단 도금 두께 얇음
140 ㎛	4.8	13.0	1000	3	5	신뢰성 양호
	4.8	13.0	1000	3	6	신뢰성 양호
	4.8	14.5	1000	3	4	신뢰성 양호
150 ㎛	4.8	14.5	1000	3	5	신뢰성 양호
	4.8	14.5	1000	3	6	신뢰성 양호

2) 결론

① Conformal Size

Laser 조건 Test 진행 결과 #2116의 도금 신뢰성을 확보하기 위해서는 Bottom Size가 Min 110㎛ 이상 시 Bottom 부위 도금 두께가 15㎛ 이상으로 확보됨.

따라서 Bottom Size를 110㎛ 이상으로 형성하기 유리한 Conformal Size는 150㎛이 최상의 조건이라고 판단됨.

※ 단 Annular ring 부족으로 인한 special Type의 경우 Conformal Size는 120㎛이 양호함.

② Laser 샷 수

Conformal Size별 4샷, 5샷, 6샷의 Test 진행 결과 Bottom부위의 Resin은 전부 제거되었음.

하지만 Test 진행은 Power가 일정할 때 진행한 결과이므로 양상 진행 시 Power가 조금씩 떨어지는 점을 감안하면 5샷이 가장 이상적인 조건으로 판단됨.

4. TEST 결과

1) Conformal Size : 80㎛

[가공조건 → Power: 3.2, ON Time: 6.5, Hz: 1000, APT: 1]

구분	4샷	5샷	6샷
TOP	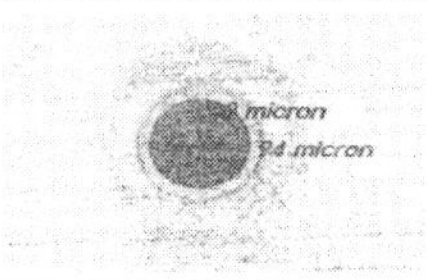	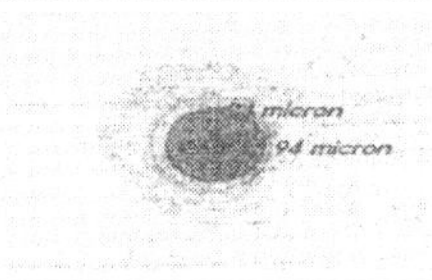	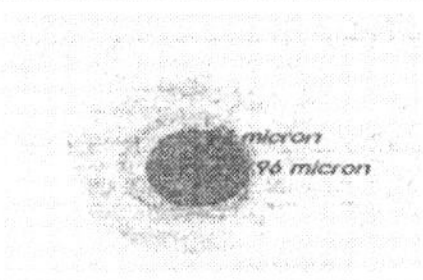
Bottom			
마이크로섹션			

2) Conformal Size : 100㎛

[가공조건 → Power: 3.8, ON Time: 14.0, Hz: 1000, APT: 2]

구분	4샷	5샷	6샷
TOP	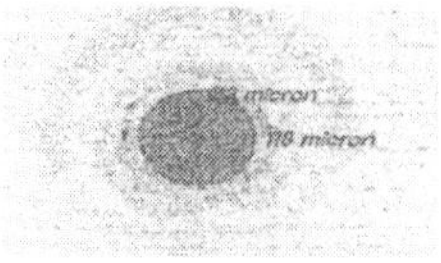		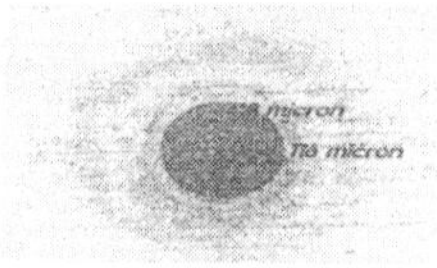
Bottom			
마이크로 섹션			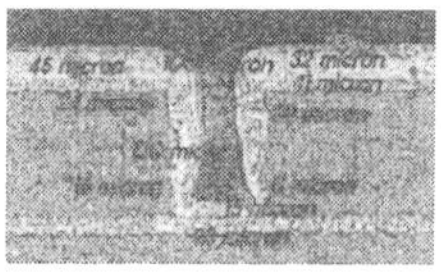

3) Conformal Size : 120㎛

[가공조건 → Power: 4.8, ON Time: 11.5, Hz: 1000, APT: 3]

구분	4샷	5샷	6샷
TOP	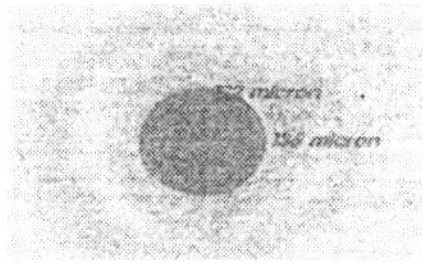	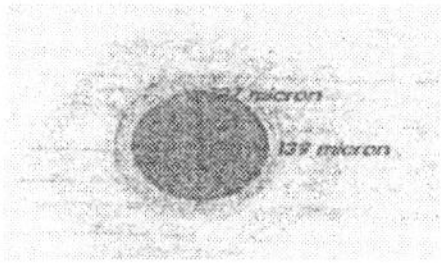	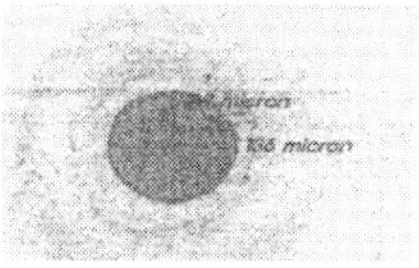
Bottom			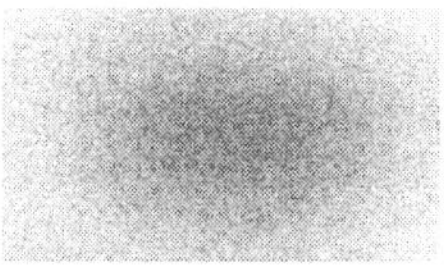
마이크로 섹션			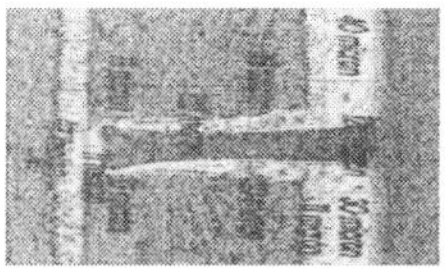

4) Conformal Size : 130㎛

[가공조건 → Power: 4.8, ON Time: 13.0, Hz: 1000, APT: 3]

구분	4샷	5샷	6샷
TOP	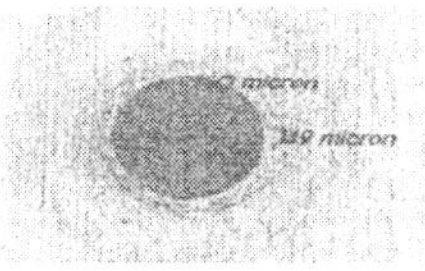 [illegible] micron [illegible] micron	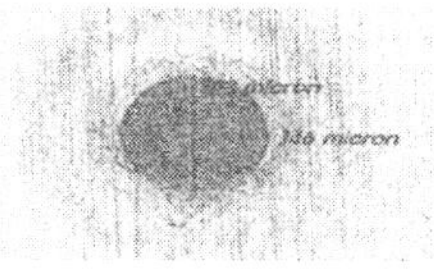 [illegible] micron [illegible] micron	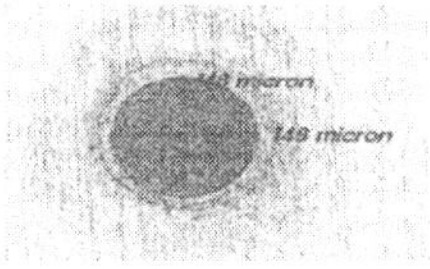 [illegible] micron 148 micron
Bottom			
마이크로섹션	 45 micron 33 micron [illegible]	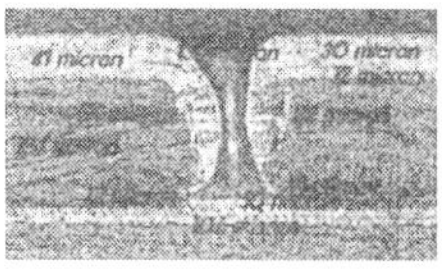 41 micron 30 micron [illegible]	 45 micron 33 micron [illegible]

5) Conformal Size : 140㎛

[가공조건 → Power: 4.8, ON Time: 13.0, Hz: 1000, APT: 3]

구분	4샷	5샷	6샷
TOP	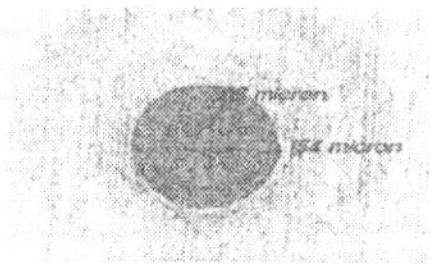 [illegible] micron 154 micron	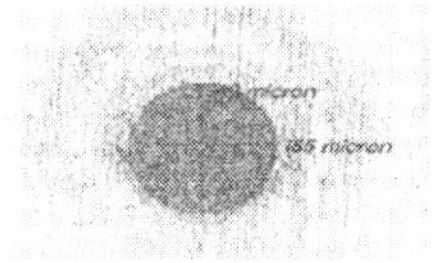 [illegible] micron 155 micron	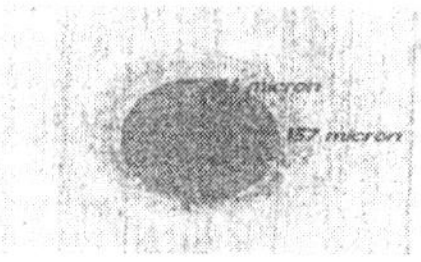 [illegible] micron 157 micron
Bottom	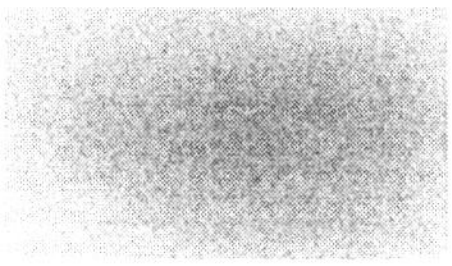		
마이크로섹션	 43 micron [illegible]	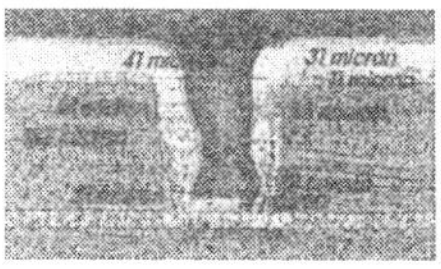 41 micron 31 micron [illegible]	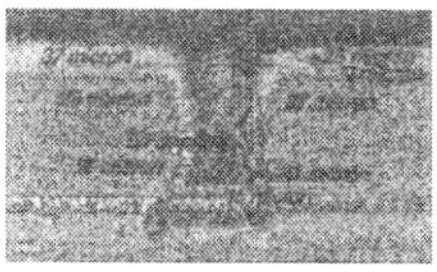 37 micron [illegible]

6) Conformal Size : 150㎛

[가공조건 → Power: 4.8, ON Time: 14.5, Hz: 1000, APT: 3]

구분	4샷	5샷	6샷
TOP			
Bottom			
마이크로섹션			

3. BIT TEST

- 3-1 DRILL BIT TEST ①
- 3-2 DRILL BIT TEST ②
- 3-3 DIAMOND COATING DRILL BIT TEST
- 3-4 ROUTER BIT TEST
- 3-5 ROUTER BIT 연마 TEST

3-1 DRILL BIT TEST ①

1. 목적

Drill BIT의 품질 비교를 통한 양상 적용 유무 검증.

TEST를 통한 양산시의 문제점을 도출하고 개선하기 위함.

2. Test 조건

Test ⅰ. Hole Roughness 측정, Test ⅱ. DTP 측정.

3. 결론

Hole 가공 시 Roughness는 양호.

DTP 측정 결과 타 Maker에 비하여 정도가 떨어지는 것으로 나타남.

현재 New BIT를 Test 중이며, 다양한 조건(D/S, MLB, Stack 등)으로의 Test가 필요함.

4. DRILL BIT 사양 비교

No.	항목	단위	T사(일)	s사(일)	T사(대만)	K사(대만)
1	Drill 경	㎜	0.30	0.30	0.30	0.30
2	Neck 경	㎜	0.290	0.280	0.280	
3	선단각	·	130	130	130	130
4	Primary Facet Angle(1차 도피각)	·	15	15	15	12
5	Secondary Facet Angle(2차 도피각)	·	30	30	30	30
6	Flute Length	㎜	5.0	5.0	5.0	5.1
7	Margin Length	㎜	0.60	0.60	0.60	0.8
8	Margin 폭	㎜	0.05	0.03	0.03	0.035
9	Helix Angle	·	35	35	35	40
10	Web Thickness	㎜	0.10	0.10	0.10	0.12
11	Web Taper	·	0.030	0.025	0.025	0.024
12	Land Ratio(구폭비)	·	2.1	1.6	1.6	2.1
13	Body Clearance	㎜	0.025	0.025	0.025	0.035
14	소재명	·	MD08F	AF0	AF0	
15	Grain Size(입자 크기)	㎛	0.4	0.5	0.5	0.4
16	Hardness(경도)	H_RA	92.5~93.5	93.0	93.0	96.5
17	TRS Value(항절력)	GP_a	4.5	4.5	4.5	5.5

5. Test 결과 비교

BIT Maker	T사(일본)	S사(일본)	T사(대만)	K사(대만)
Roughness	19.956	18.310	14.076	6.012
	24.357	22.535	15.249	7.572
	22.157	20.423	14.663	6.792
DTP(60㎛)	14984/15012	14946/15012	10887/11281	10647/11281
	14847/15012	14968/15012	11086/11281	10840/11281
	99.36%	99.63%	97.39%	95.24%

6. T사(일본)

1) 가공 전/후 Drill BIT 단면 비교

고객명	모델명	가공 호기	축번	제품사양	동박두께	가공조건
J사	JC9984	12	1	6LAYER 1.6T 2STACK	내 : 1/1 oz 외 : 1/2 oz	0.3¢, S115, F1.74, H2200

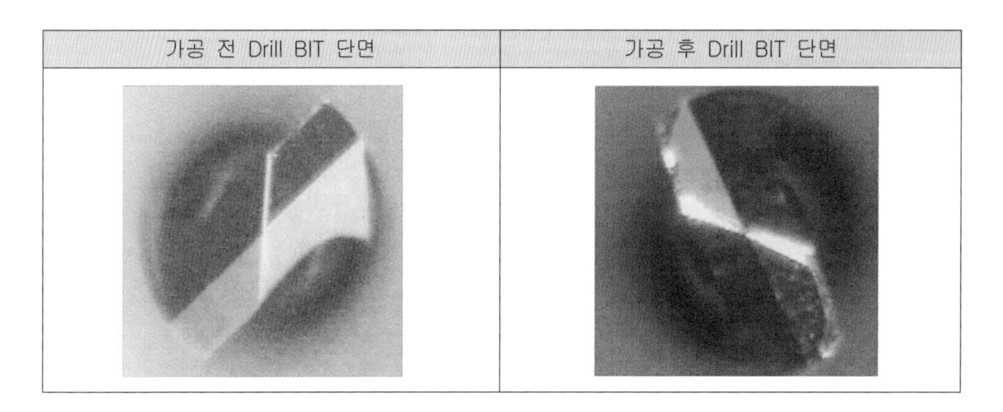

2) Drill Roughness 측정

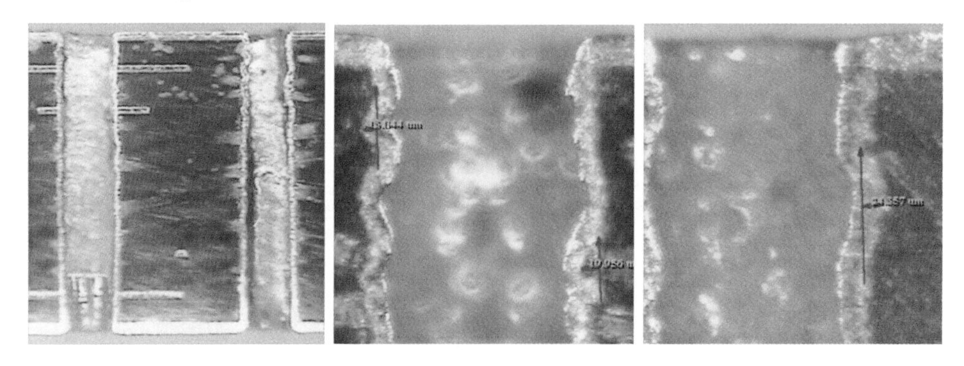

3) 가공 조건에 따른 DTP 측정

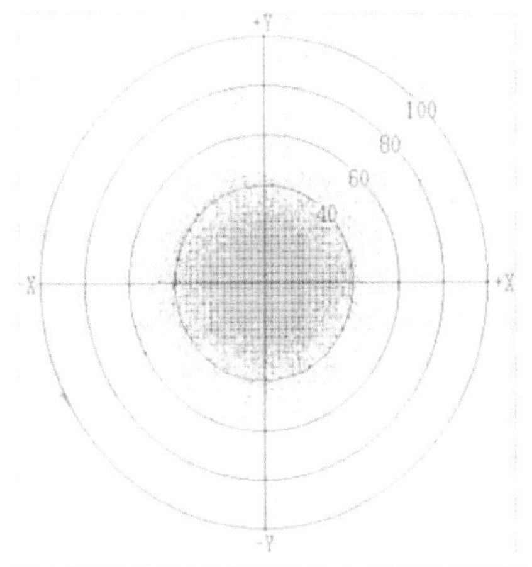

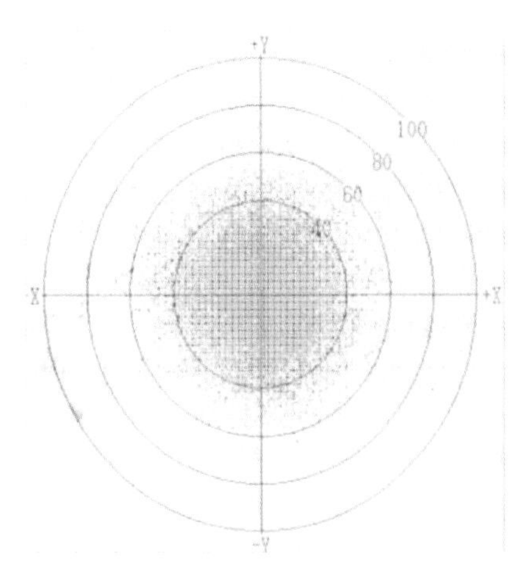

40㎛	60㎛	80㎛	100㎛
14353	631	26	2
총 홀 수		15012	
합계 분포수		15012	

40㎛	60㎛	80㎛	100㎛
13172	1675	155	10
총 홀 수		15012	
합계 분포수		15012	

7. S사(일본)

1) 가공 전/후 Drill BIT 단면 비교

고객명	모델명	가공 호기	축번	제품사양	동박두께	가공조건
J사	JC9984	12	2	6LAYER 1.6T 2STACK	내 : 1/1 oz 외 : 1/2 oz	0.3¢, S115, F1.74, H2200

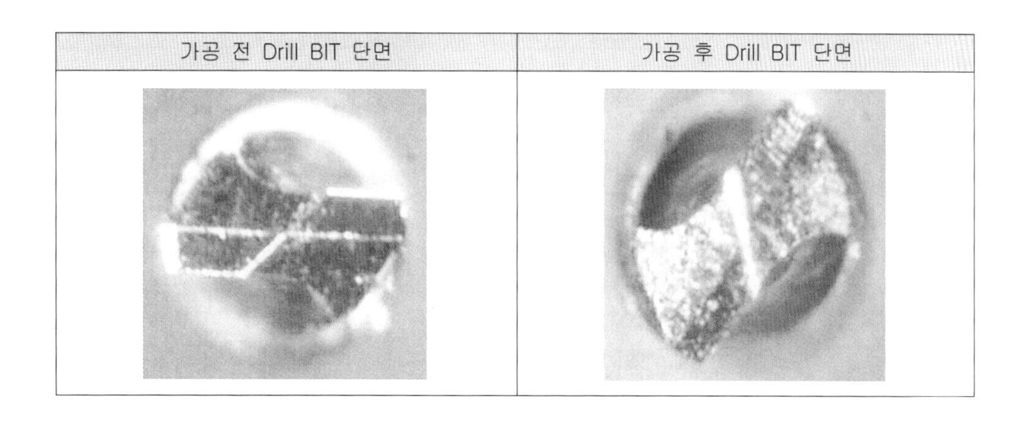

2) Drill Roughness 측정

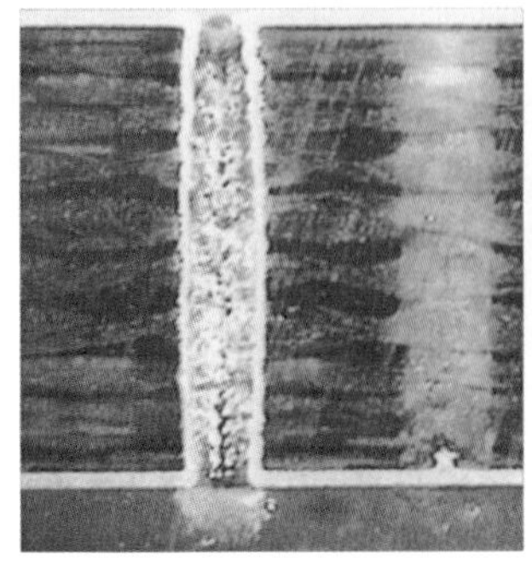

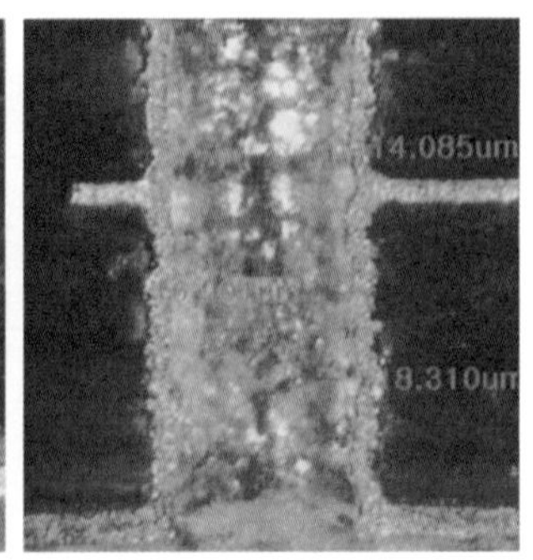

3) 가공 조건에 따른 DTP 측정

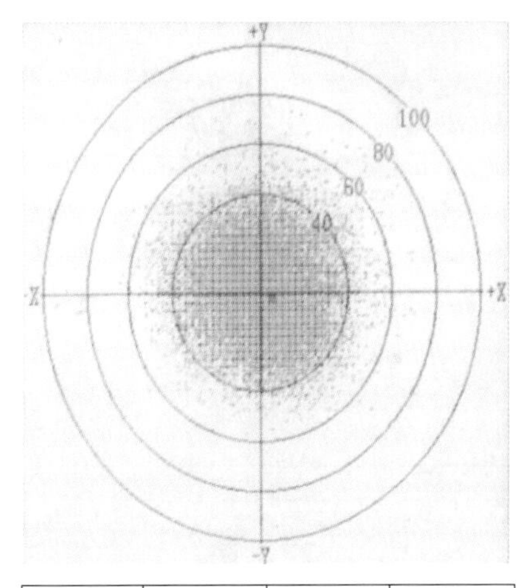

40㎛	60㎛	80㎛	100㎛
13963	983	65	1
총 홀 수		15012	
합계 분포수		15012	

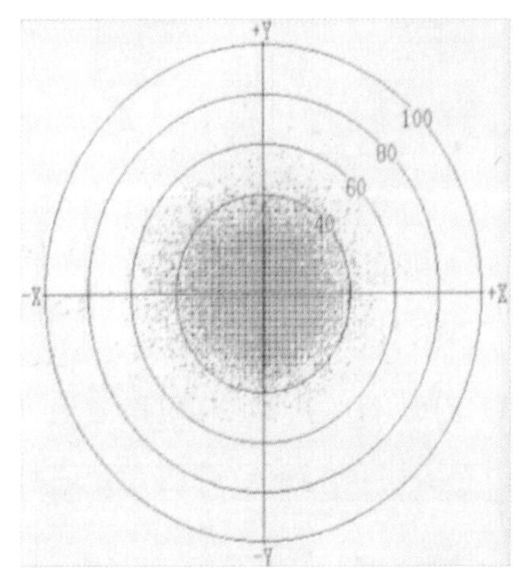

40㎛	60㎛	80㎛	100㎛
14296	690	26	0
총 홀 수		15012	
합계 분포수		15012	

8. T사(대만)

1) 가공 전/후 Drill BIT 단면 비교

고객명	모델명	가공 호기	축번	제품사양	동박두께	가공조건
J사	JC9984	13	1	6LAYER 1.6T 2STACK	내 : 1/1 oz 외 : 1/2 oz	0.3ϕ, S115, F1.74, H2200

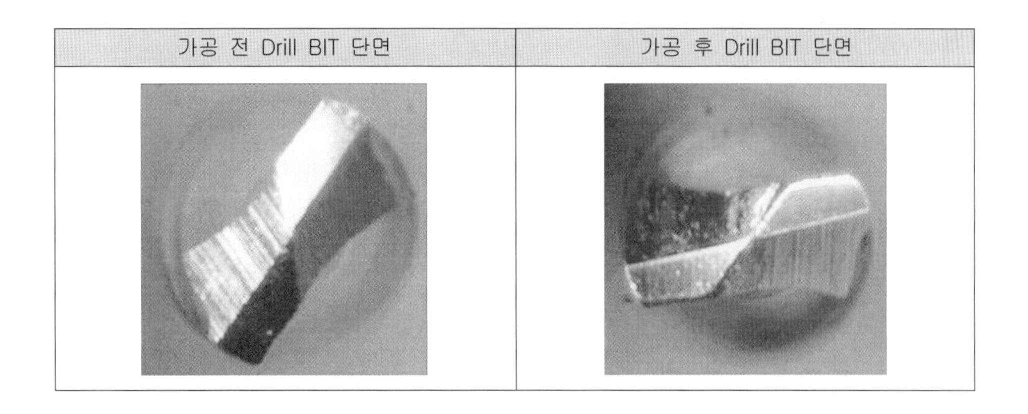

2) Drill Roughness 측정

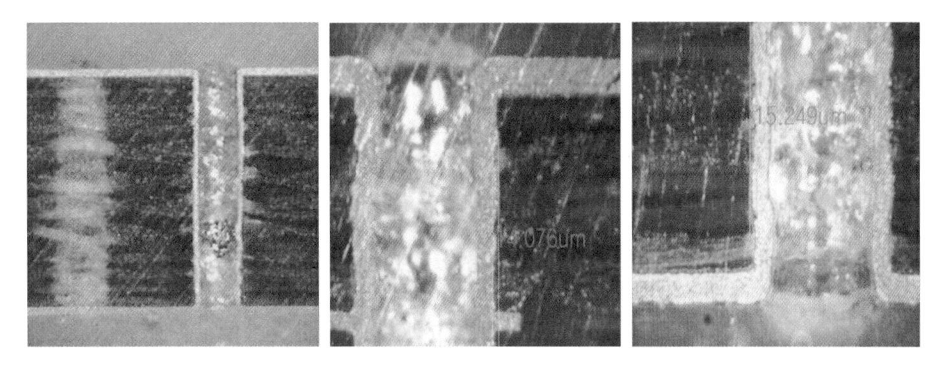

3) 가공 조건에 따른 DTP 측정

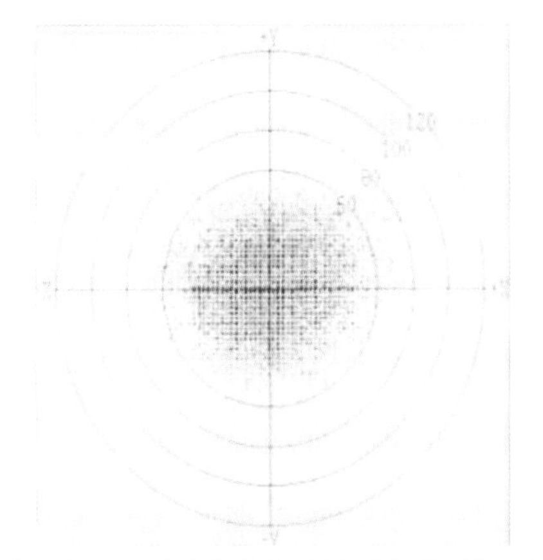

60㎛	80㎛	100㎛	120㎛
10887	365	28	1
총 홀 수		11281	
합계 분포수		11281	

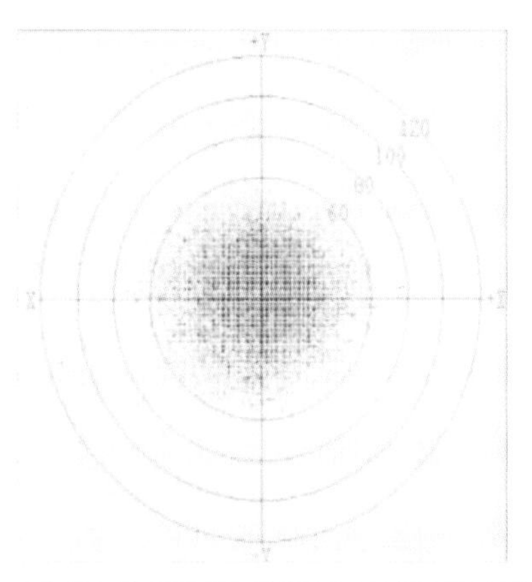

60㎛	80㎛	100㎛	120㎛
11086	181	14	0
총 홀 수		11281	
합계 분포수		11281	

9. Key Ware

1) 가공 전/후 Drill BIT 단면 비교

고객명	모델명	가공 호기	축번	제품사양	동박두께	가공조건
J사	JC9984	13	2	6LAYER 1.6T 2STACK	내 : 1/1 oz 외 : 1/2 oz	0.3¢, S115, F1.74, H2200

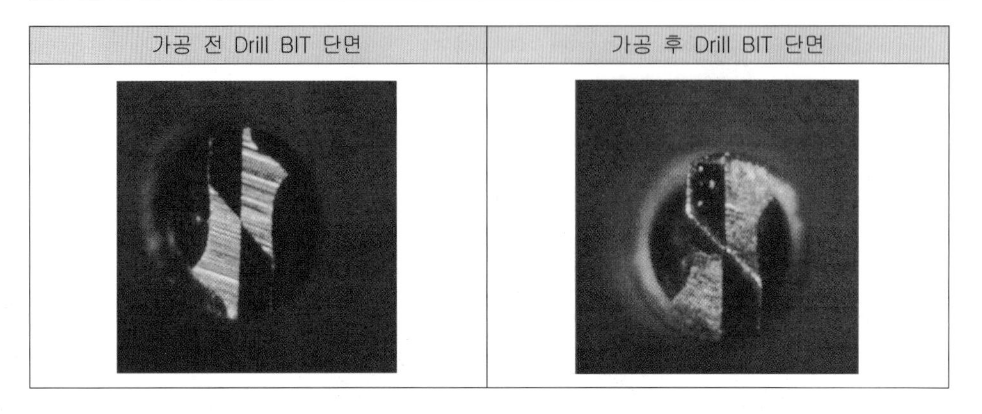

2) Drill Roughness 측정

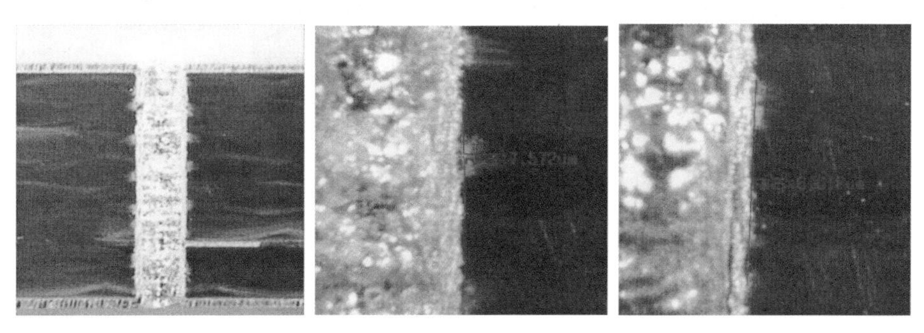

3) 가공 조건에 따른 DTP 측정

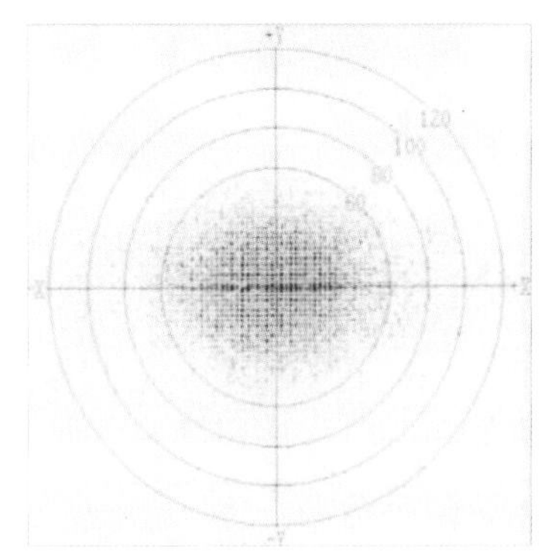

60㎛	80㎛	100㎛	120㎛
10647	439	152	43
총 홀 수		11281	
합계 분포수		11281	

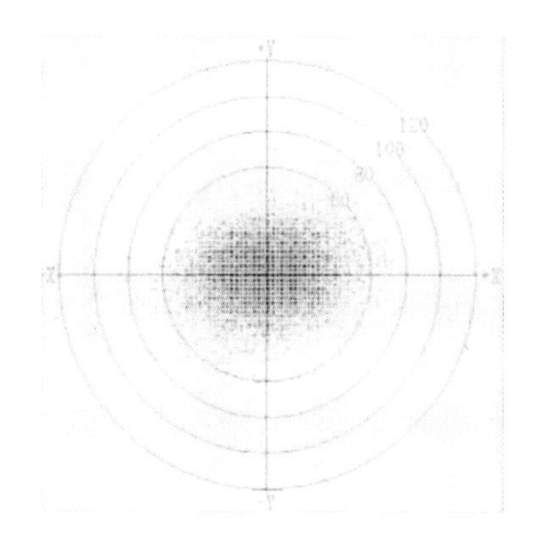

60㎛	80㎛	100㎛	120㎛
10840	355	77	9
총 홀 수		11281	
합계 분포수		11281	

3-2 DRILL BIT TEST ②

1. Test의 목적

TY사 제품 NEW DRILL BIT를 이용하여 DRILL 가공 후 홀내벽의 ROUGHNESS 분석 및 홀가공 위치 정도를 분석하여 TY사 BIT의 사용 적합 여부 판단을 위함.

2. 실험결과 후 처리

TEST 후 드릴홀 가공에 적합하다고 판정될 시 재고가 부족한 비트 또는 부자재 비용 절감을 위하여 기존에 사용하고 있는 비트의 대체용으로 사용.

3. 작업 조건

1) 가공 호기 : 13호기 1, 2번축(HITACHI)
2) SPEED : 115krpm
3) INFEED : 1.6 m/min
4) RTR : 25.4 ㎜/sec
5) MAX HITS : 2200 hit
6) TEST BIT직경 : 0.3¢
7) TEST PANEL 종류 : MLB(6층)
8) TEST PANEL 두께 : 1.6T
9) 가공 스텍수 : 2스텍

4. 측정 방법

1) 홀가공 후 MAX HITS까지 사용한 비트의 마모 정도 및 형상 검사.
   → 마모는 90% 지점에서 2/3이상 마모되지 않을 것.
   → 비트 형상은 CHIP등이 발생하지 않을 것.
2) 홀 SECTION 후 ROUGHNESS 측정 → 30㎛ 이내일 것.
3) PIXEL M/C DTP 측정 → 80㎛ 이내일 것.

▷ 드릴 비트 수입 검사

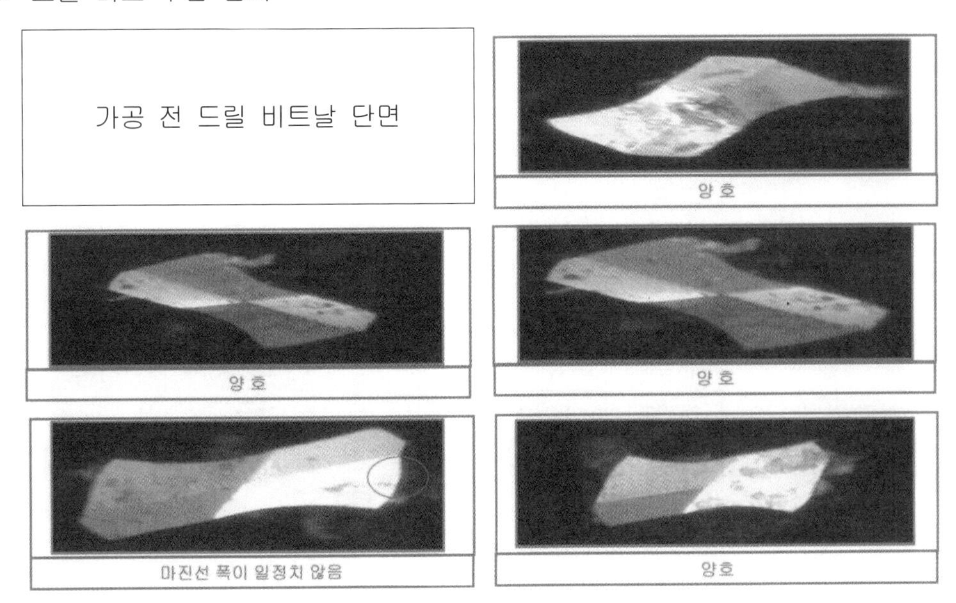

▷ 홀 위치 정도율 1

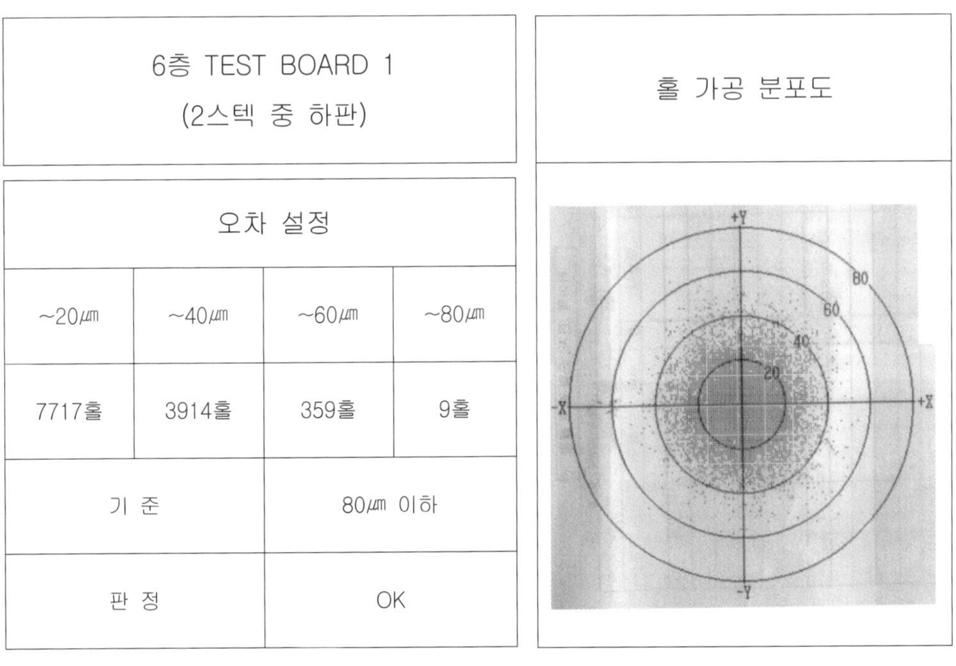

6층 TEST BOARD 1 (2스텍 중 하판)			
오차 설정			
~20㎛	~40㎛	~60㎛	~80㎛
7717홀	3914홀	359홀	9홀
기 준		80㎛ 이하	
판 정		OK	

▷ 홀 위치 정도율 2

6층 TEST BOARD 2 (2스텍 중 하판)			
오차 설정			
~20㎛	~40㎛	~60㎛	~80㎛
6528홀	4872홀	579홀	20홀
기 준		80㎛ 이하	
판 정		OK	

홀 가공 분포도
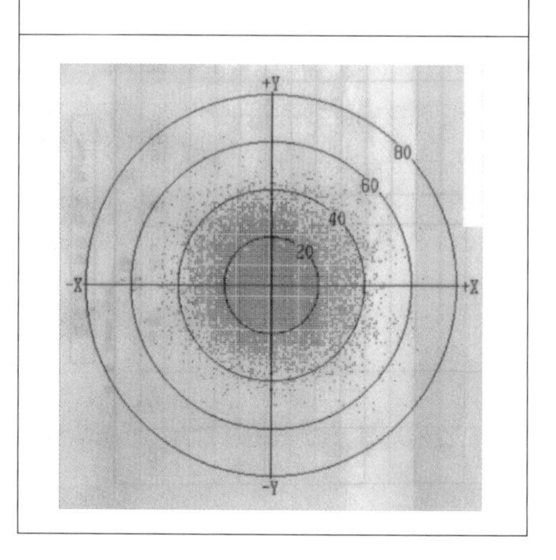

▷ HOLE ROUGHNESS 측정 1

하 판	가공 상태
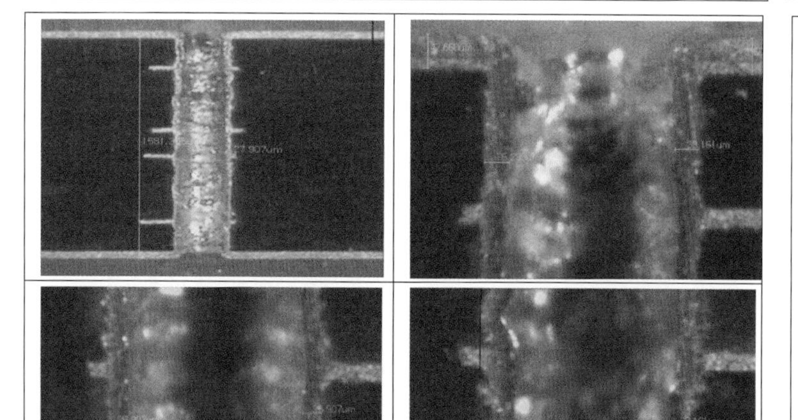	가공 중 칩 배출 상태가 양호하며 드릴 HOLE ROUGHNESS가 최대 18㎛정도로써 양호함.

▷ HOLE ROUGHNESS 측정 2

상 판		가공 상태
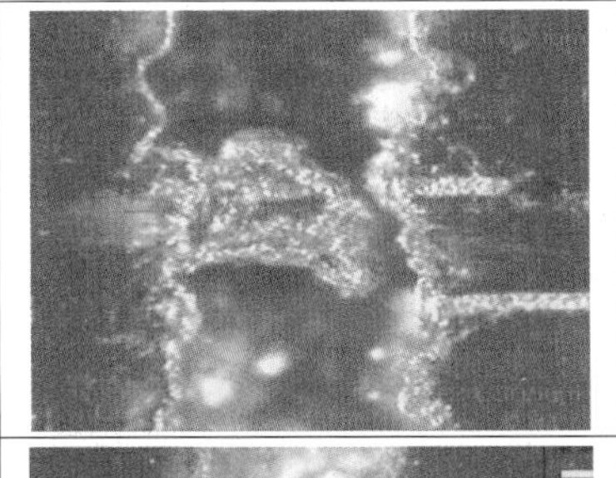	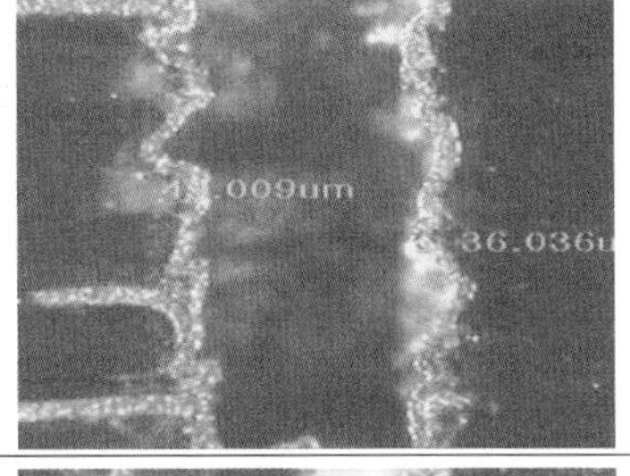	가공 중 칩 배출 상태가 양호하지 못하여 드릴 HOLE ROUGHNESS가 25~50㎛정도로써 홀 ROUGHNESS가 심함.
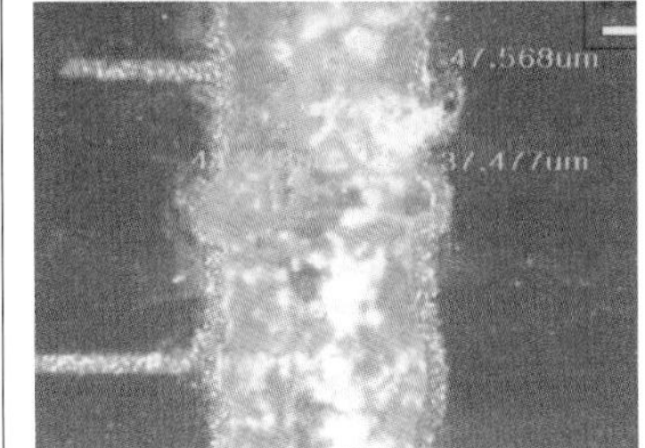	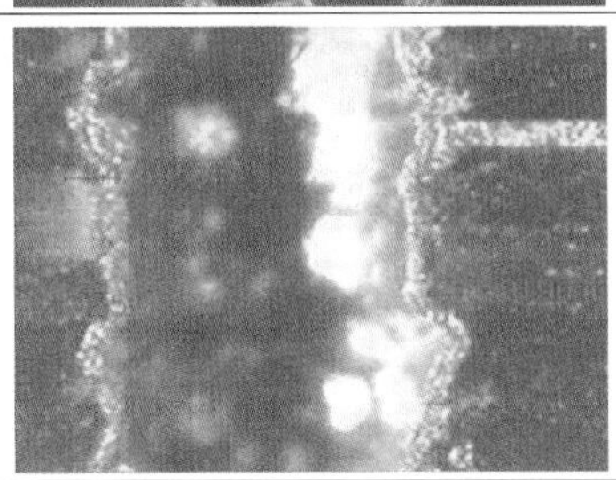	

가공 완료 후 홀막힘 상태
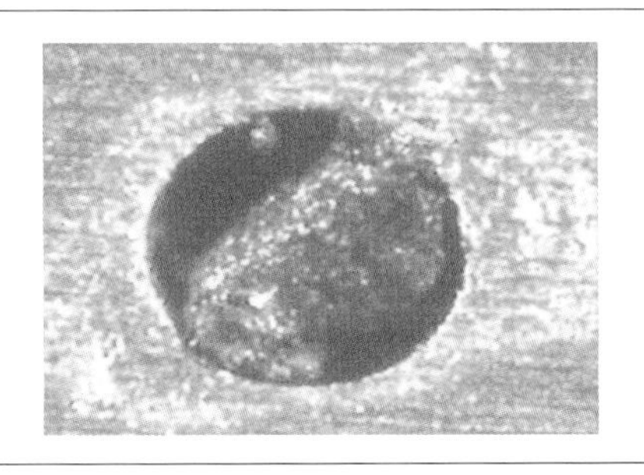
드릴 가공 중 칩 배출이 원활하지 않아서 홀 속에 이물질이 있는 모습. 드릴 가공 완료 후 2스텍 중 하판은 홀막힘이 없었으나 상판은 PANEL 전체적으로 홀막힘 발생. 도금 전처리 공정을 거친 후에도 상당수 제거되지 않고 도금이 되었음. (1 PANEL당 7~10홀 정도는 칩이 제거되지 않았음)

가공 완료 후 비트 상태1	
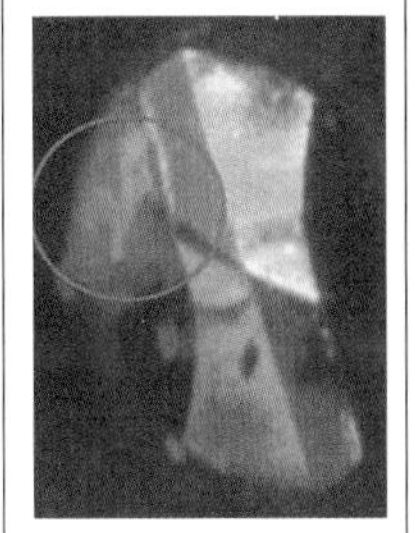	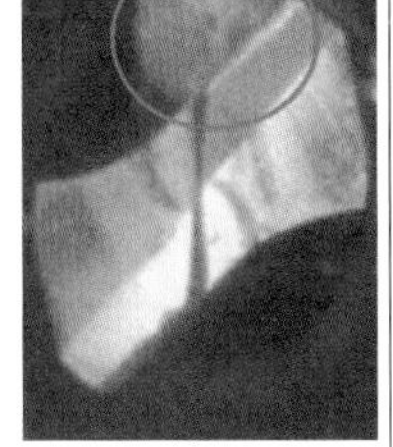
드릴 가공 중 칩 배출이 원활하지 않아서 칩이 비트 FLUTE 부분에 남아있는 모습.	

가공 완료 후 비트 상태 2

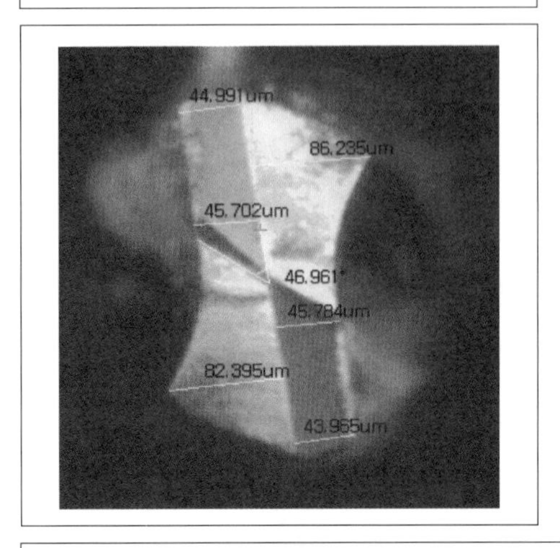

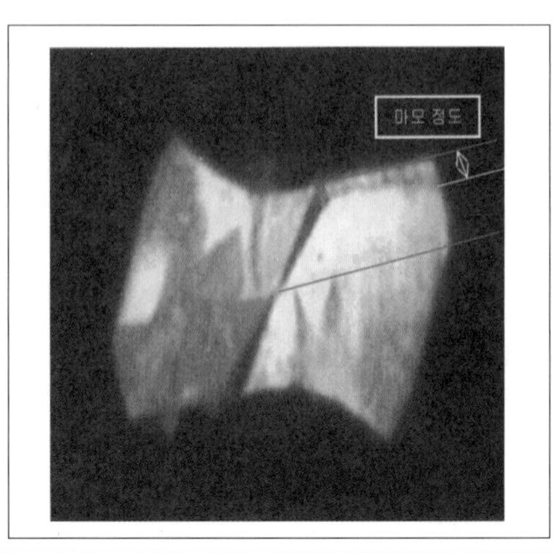

· 드릴 비트의 마모 정도는 1차날 폭의 1/3 정도로써 양호함.(기준 : 2/3 이상 마모되지 않았을 것)
· MAX HITS (2200hit)를 사용한 비트의 1차 날의 칩 발생도 심하지 않고 양호함.

M사(일본) 비트와 TY사(대만) 비트 비교

항목	TY사(대만) BIT	M사(일본) BIT
HELIX ANGEL (33° / 35°)	길이:220.631um 30.358°	길이:225.965um 31.427°
직경 (0.3 / 0.3)	297.009um	307.692um
NECK ¢ (0.287 / 0.285)	286.325um	275.641um

5. 측정 결과

항 목	기준	측정 결과	판정
드릴 비트의 마모 정도	90% 지점에서 2/3이상 마모가 되지 않을 것.	1/3 정도 마모	OK
홀막힘	없을 것	1 PANEL당 7~10홀 발생	NG
HOLE ROUGHNESS	30㎛ 이내	25~50㎛ 정도 발생	NG
HOLE 위치 정도	90㎛ 이내	80㎛ 이내	OK

6. 결론

마진 길이 측정 결과 평균 길이가 456㎛으로서 최대 3회까지 연마가 가능하며, 가공 TEST한 결과 칩 배출이 원활하지 않아 PANEL 전체적으로 홀막힘 불량이 발생하며 HOLE ROUGHNESS가 심하게 발생하여 다량 불량을 유발할 수 있기에 당사 드릴 공정에서 사용하기에 부적합 하다고 판단됨.

3-3 DIAMOND COATING DRILL BIT TEST

1. Test 목적

· 일반 FR-4 가공에 있어서 다이아몬드 코팅 Drill Bit의 적용 가능성을 확인 한다.

· 당사 0.3ϕ Bit의 일반 가공 조건을 적용 하여 기본적인 품질 상태를 확인한다.

2. Test 조건 및 방법

1) CNC M/C NO: #3 M/C <TAKISAWA(대만):AMD-6022VII)

2) RPM : 140 krpm

3) FEED RATE : 49 ㎜/sec

4) HIT 수 : 5000 HIT (실 작업 시 2300 HIT 가공)

5) 메인 압력 : 0.75 MPa (허용치 0.6~0.8 MPa)

6) 보조 압력 : 0.35 MPa (허용치 0.2~0.5 MPa)

7) OIL 냉각상태 : 24.5℃ (허용치 15~26℃)

8) 집진압력 : 1200 mmAq (허용치 1000 mmAq 이상)

9) Stack : 2 Stack (1.6T, 8 Layer)

※ 1 mmAq : 해수면을 기준으로 물을 1mm위로 올리는 압력

1 Mpa = 9.8 N

3. Test 결과

· New Bit의 일반적인 특성인 초기 품질 저하현상을 보이고 있으며, 가공 Hit 수가 증가할수록 품질이 좋아 지는 것을 알 수 있음.

· 당사 0.3ϕ Bit의 일반 가공 조건을 적용하였기에 정확한 품질을 논하기에는 어려움.

· 향후 연마 Bit Test를 하여 일반 텅스텐 Bit와 품질을 비교할 필요가 있음.

구분		Left	Right
1	Top	17.14	23.57
	Bot	15.00	17.14
1000	Top	23.57	17.86
	Bot	19.29	22.14
2000	Top	12.14	22.86
	Bot	13.57	18.57
3000	Top	17.86	16.43
	Bot	16.43	14.29
4000	Top	16.43	20.00
	Bot	18.57	12.14
5000	Top	10.00	8.57
	Bot	13.57	20.71

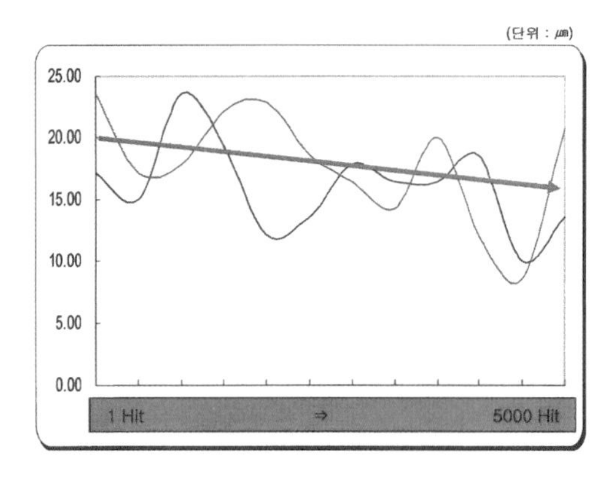

4. 기술자료 : C사 DIAMOND

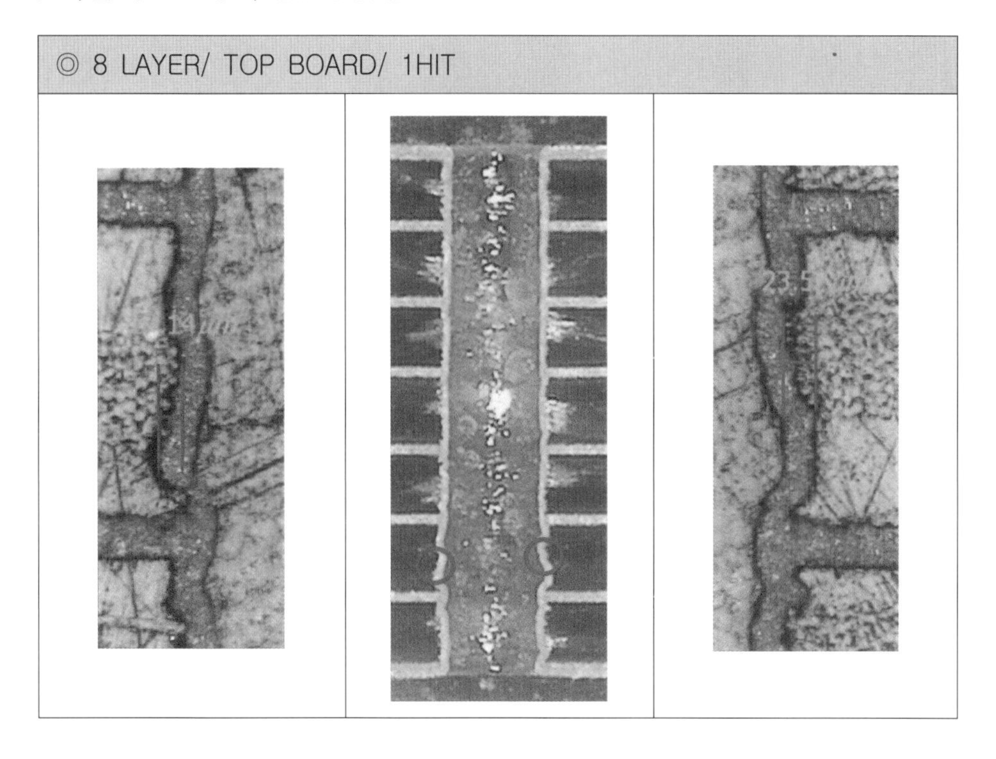

◎ 8 LAYER/ BOTTOM BOARD/ 1HIT

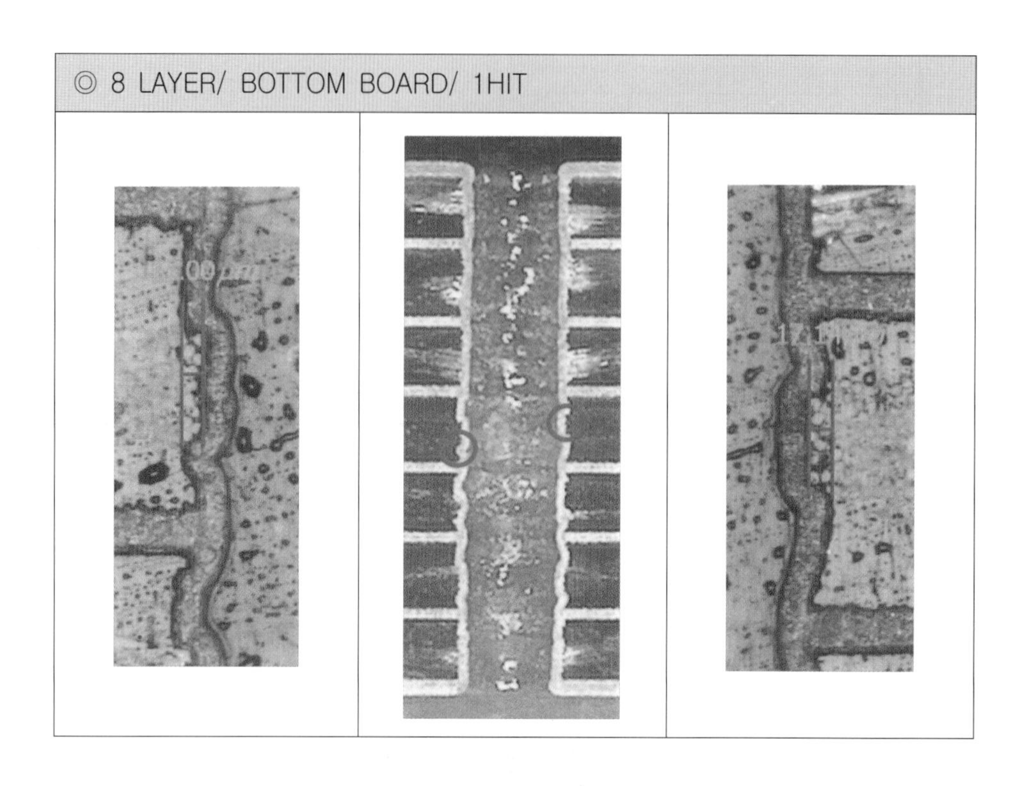

◎ 8 LAYER/ TOP BOARD/ 1000HIT

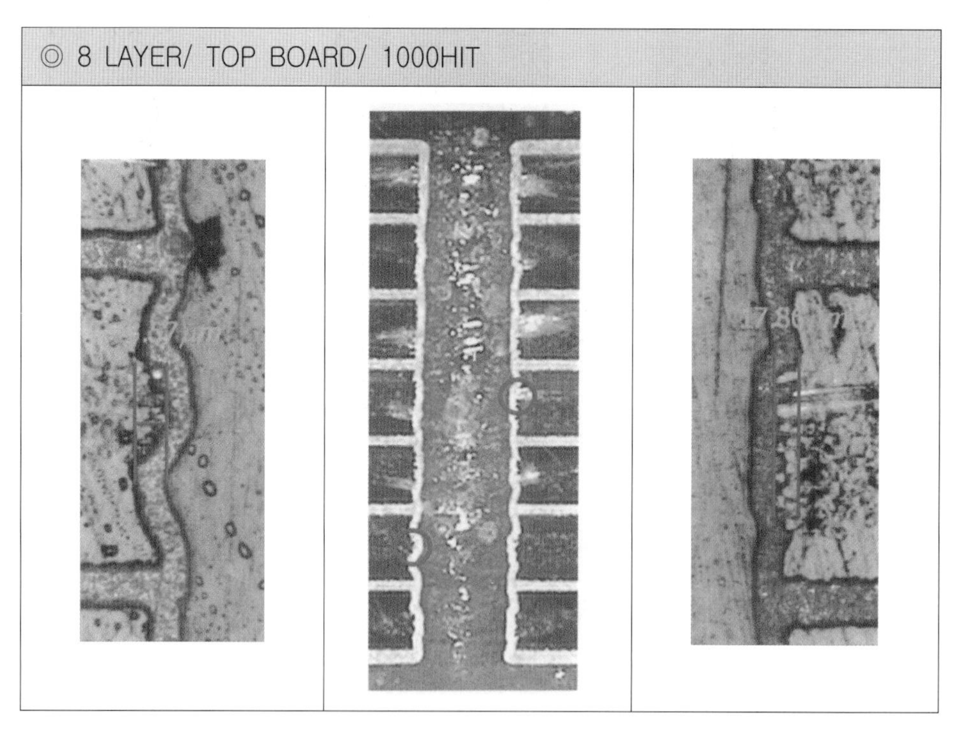

◎ 8 LAYER/ BOTTOM BOARD/ 1000HIT

◎ 8 LAYER/ TOP BOARD/ 2000HIT

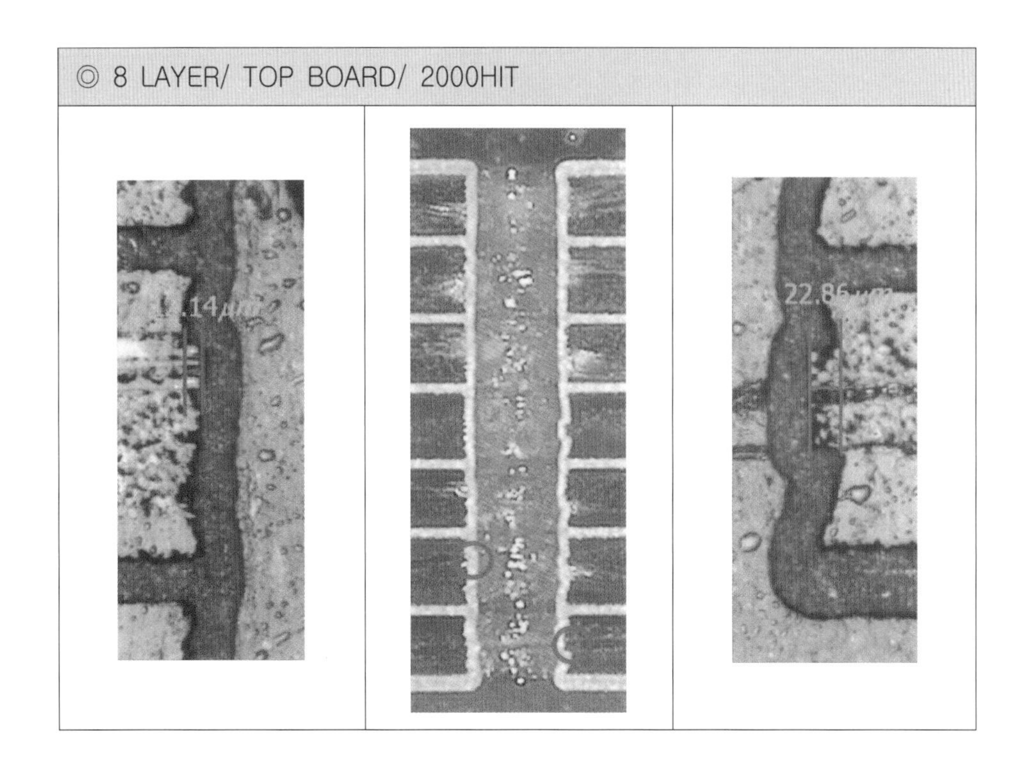

◎ 8 LAYER/ BOTTOM BOARD/ 2000HIT

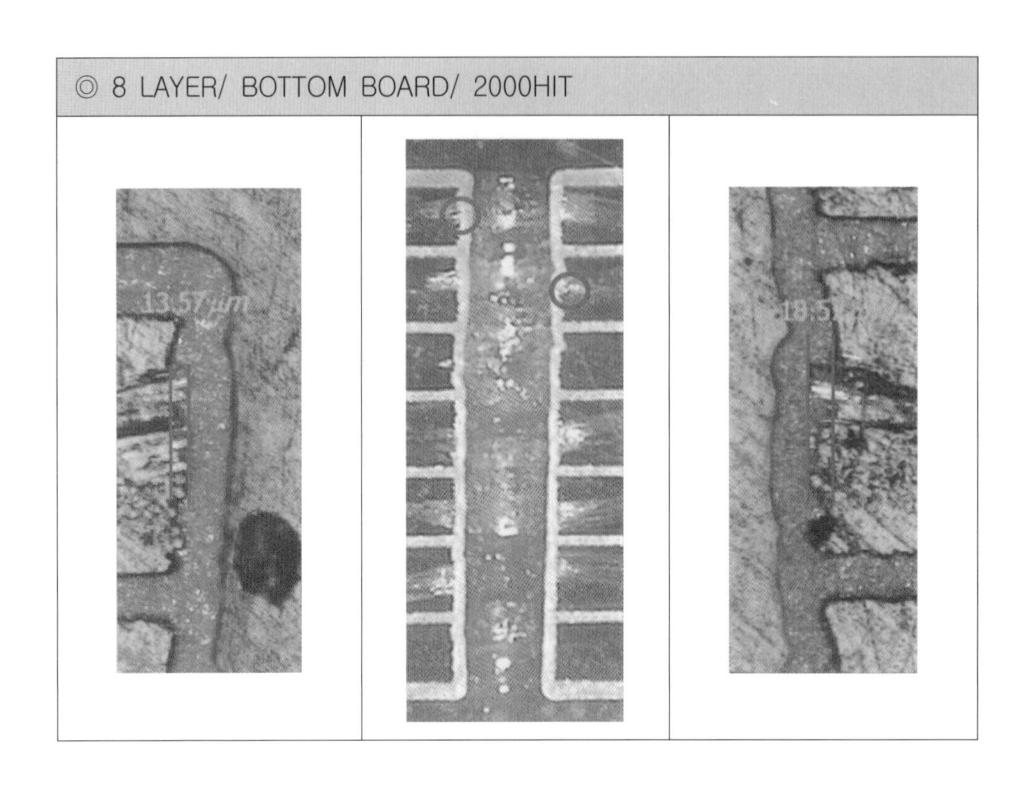

◎ 8 LAYER/ TOP BOARD/ 3000HIT

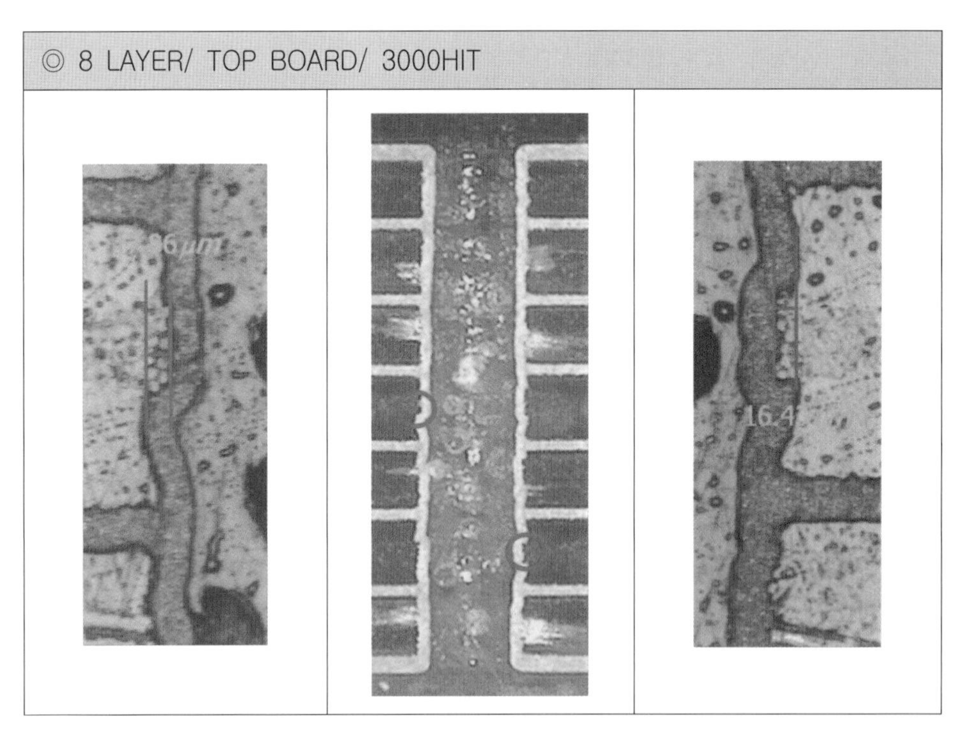

◎ 8 LAYER/ BOTTOM BOARD/ 3000HIT

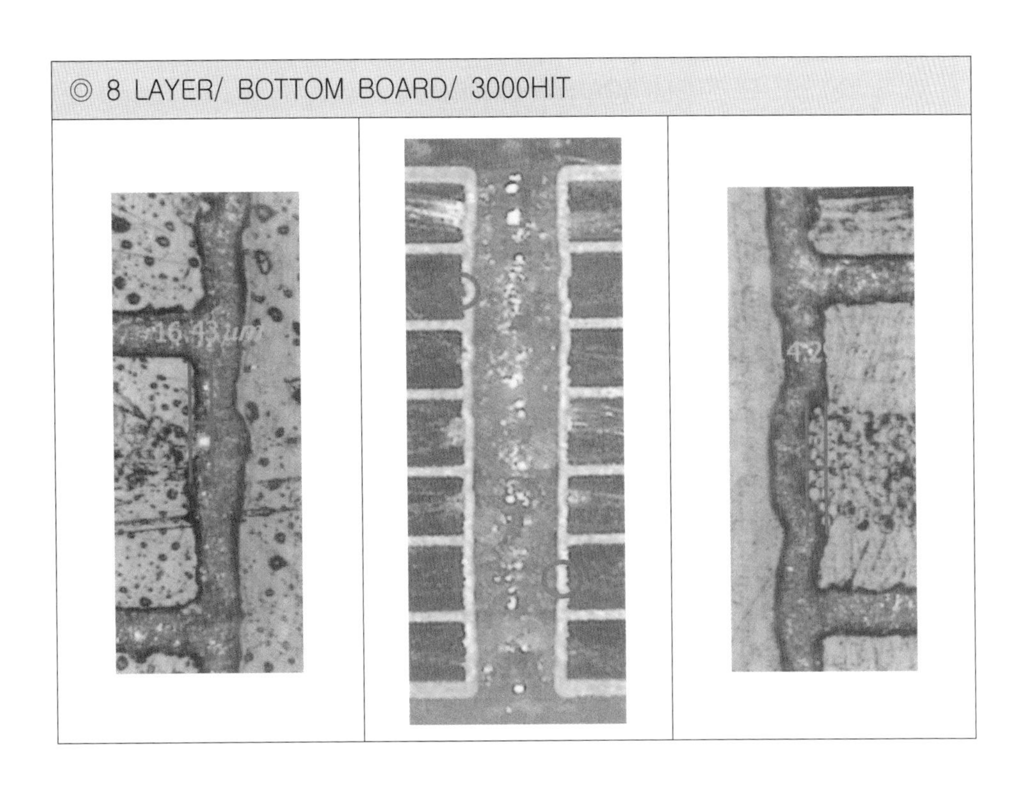

◎ 8 LAYER/ TOP BOARD/ 4000HIT

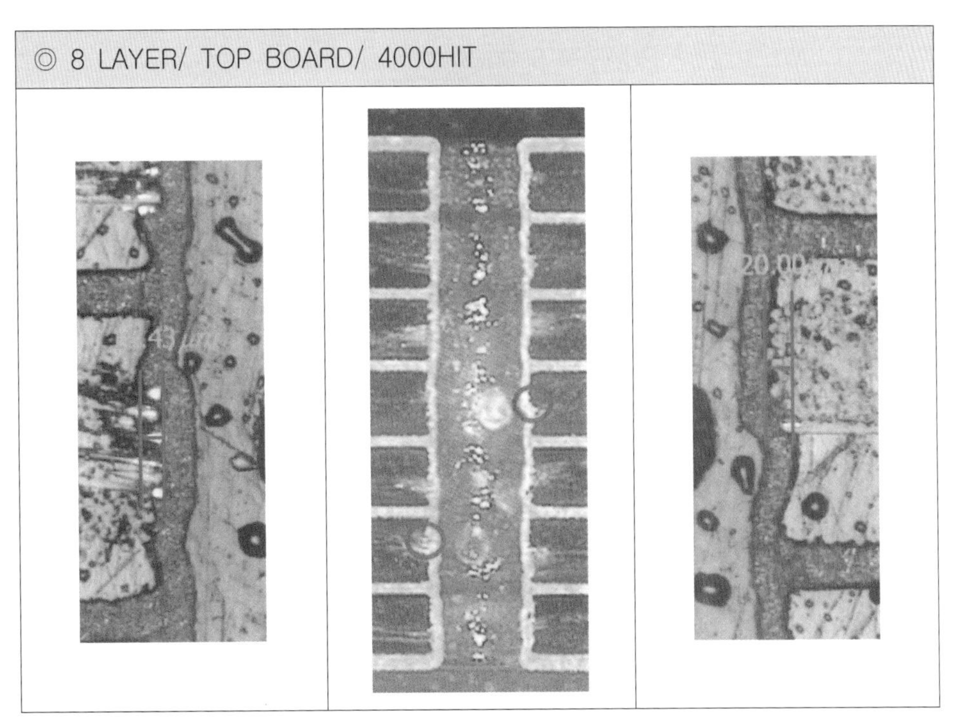

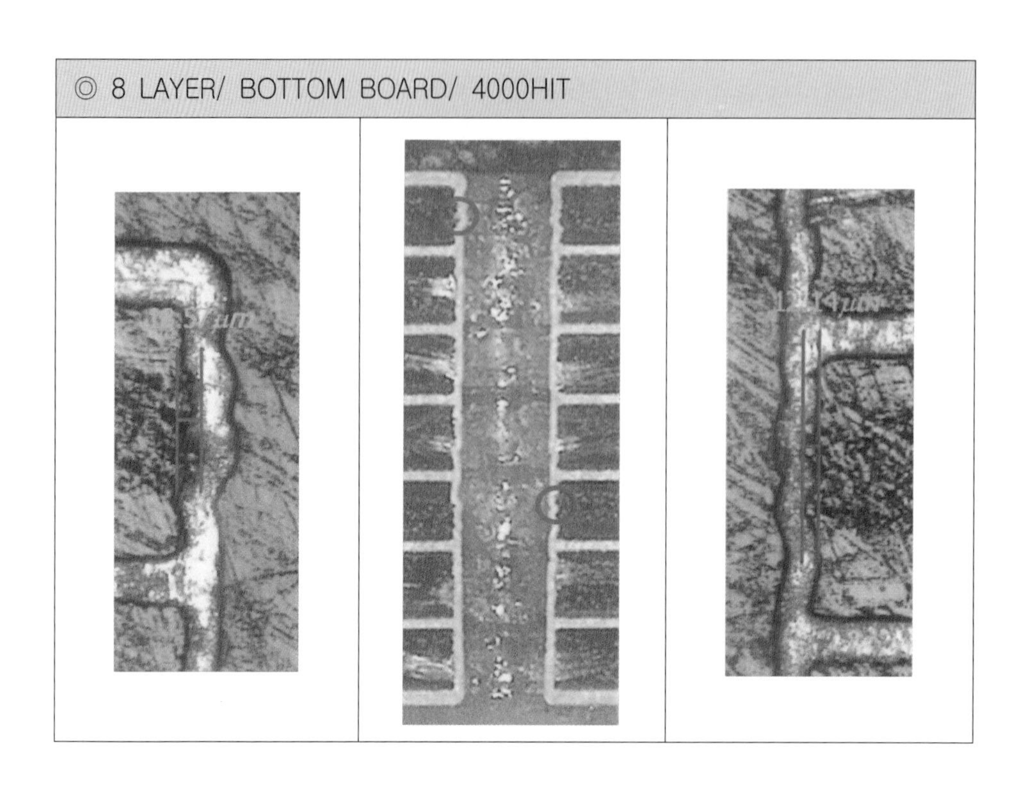
◎ 8 LAYER/ BOTTOM BOARD/ 4000HIT

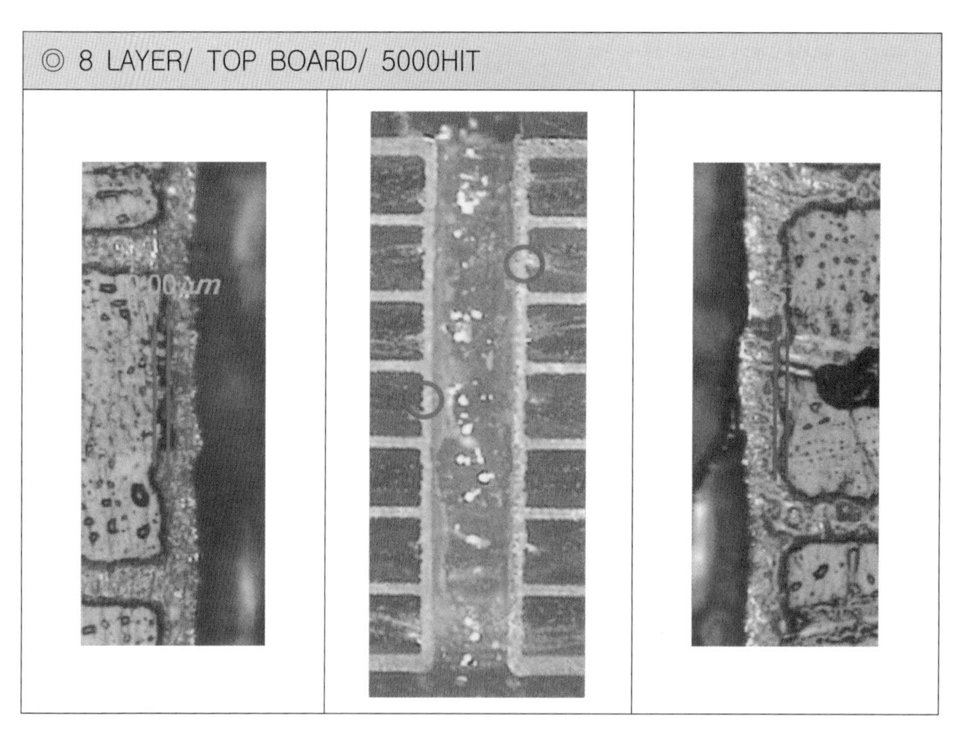
◎ 8 LAYER/ TOP BOARD/ 5000HIT

◎ 8 LAYER/ BOTTOM BOARD/ 5000HIT		
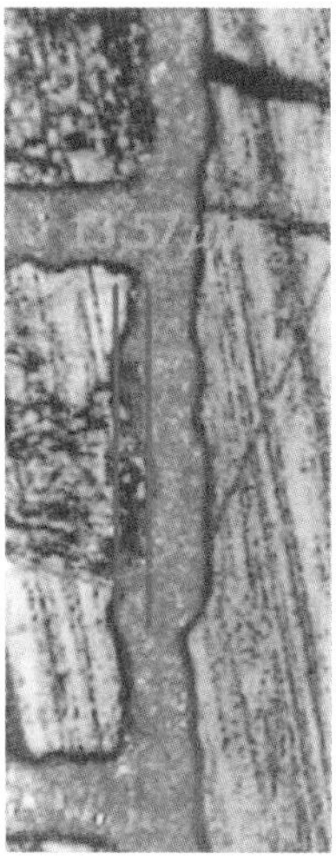	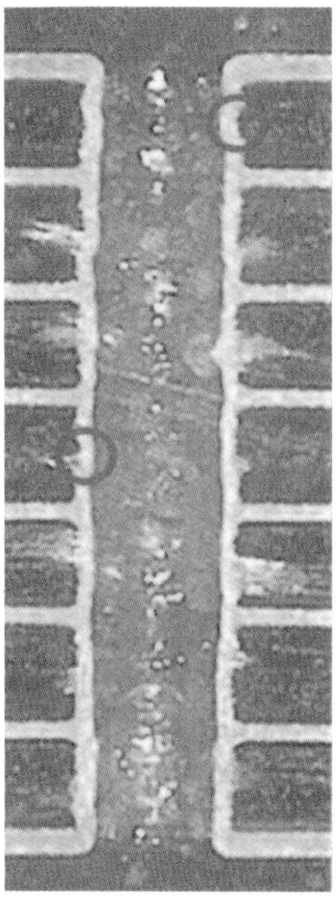	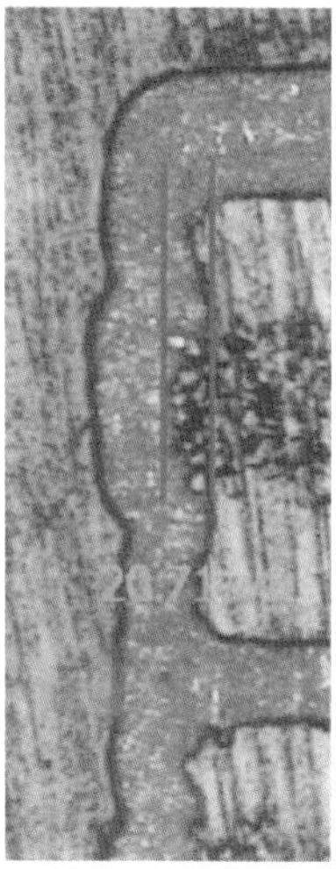

ION PLASMA CVD DIAMOND

CENEC에서는 Micro Drill에 Ion Plated CVD Diamond/ Ion Plasma CVD Diamond (일명 Iron Plated Hydrogenated DLC)코팅을 합니다.

DFC (Diamond Film Coating)은 Crystalline Diamond Coating으로 알고 있으며, Sputtered Amorphous-Diamond 영역의 코팅을 DFC로 표현하였을 수도 있습니다.

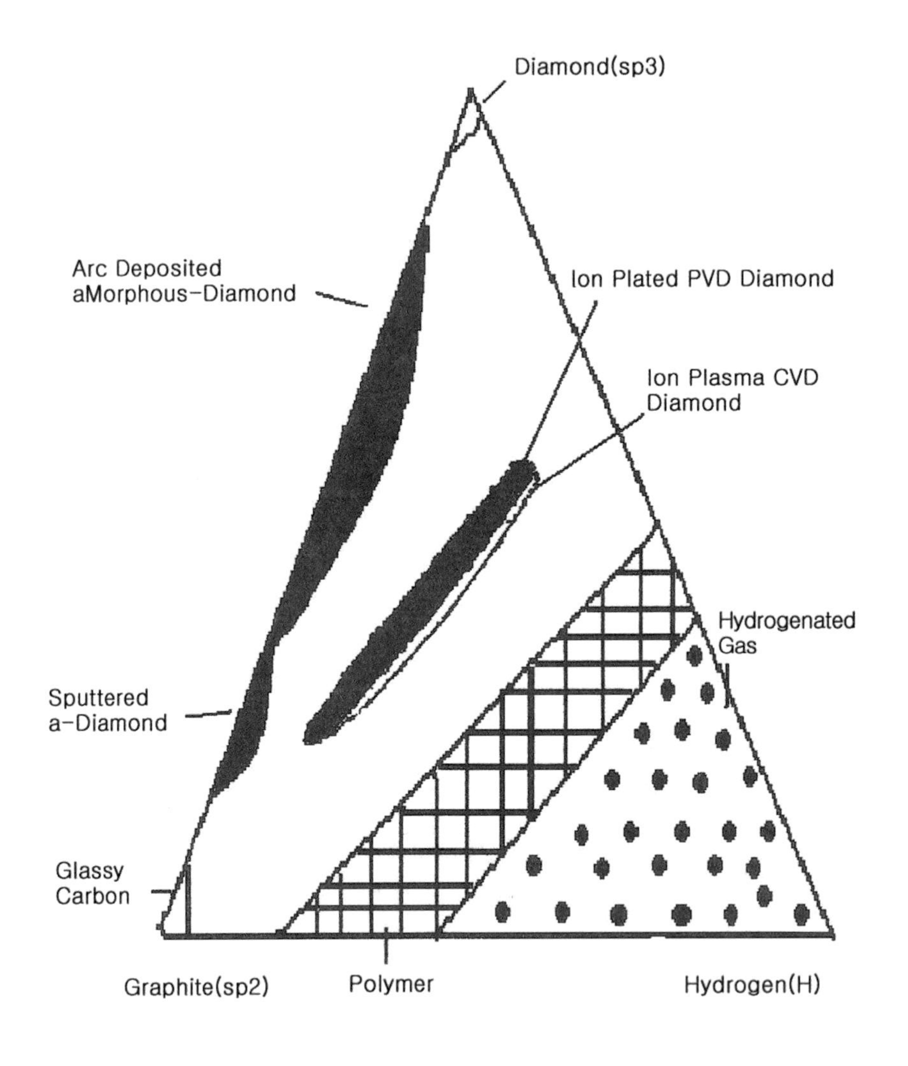

Amorphous Diamond Coated Electrode

논문 Amorphous Diamond Electron Emitter 발췌자료를 첨부합니다.

Diamond vs Graphite vs Hydrogen 영역을 표시하고 있으며

평평한 코팅과 침상 코팅을 보여주고 있습니다.

Arc Deposited a-Diamond (Arc Deposited Amorphous Diamond)의 코팅은 침상 코팅이며 Ion Plated PVD Diamond (일명 Ion Plated Hydrogenated DLC) 코팅은 평평한 코팅입니다.

Arc Deposited a-Diamond (침상 코팅)는 Electron Emitter에 적합하고 Ion Plated PVD Diamond (평평한 코팅)는 Wear Resistance(내마모) 용도에 적합합니다.

Test한 1차 Sample은 침상 코팅으로 제출 되었어야 하나, 평평한 코팅 Sample로 제출되는 오류를 범하였습니다.

다시 한 번 기회를 주시면, Nickel Electrode에 Arc Deposited a-Diamond 코팅 처리를 하여 Molybdenum Electrode, Nickel Electrode와 비교 Test로 대학교 연구실에서 Current vs Voltage 실험 (I-V Curve Data)을 실시하여 그 Data를 먼저 제출하도록 하겠습니다.

첨부 : Amorphous Diamond Electron Emitter 논문 발췌 9 pages

Amorphous Diamond Electron Emitter

Amorphous diamond is a completely deformed diamond. Each carbon atom is still surrounded by four neighbors, but they form a distorted tetrahedron. All tetrahedra in amorphous diamond are different. Consequently, all carbon atoms are bonded with different angles.

The angle between two carbon atoms determines its electrical conductivity. If carbon atoms form flat planes so their bond angles are 120 degrees, it is metallic graphite. On the other hand, if carbon atoms form tetrahedra, so their bond angles are 109 degree, it is insulating diamond.

Amorphous diamond possesses unlimited energy states. The energy states in amorphous diamond are separated so electrons can stay there motionless.

Amorphous diamond's numerous discrete energy states may allow electrons to climb up the energy ladder by accumulating low energy packs such as thermal energy.

Amorphous diamond has the tightest packed atoms of all materials. As all atoms are different in terms of bond angles, every atom is totally unique. Amorphous diamond has the highest number of discrete energy states for electrons of all materials.

Amorphous diamond is so unique; it may be viewed as non-crystalline diamond, single atomic diamond, glassy diamond, super cooled liquid diamond, tetrahedral amorphous carbon, distorted tetrahedral diamond, or graphitic diamond.

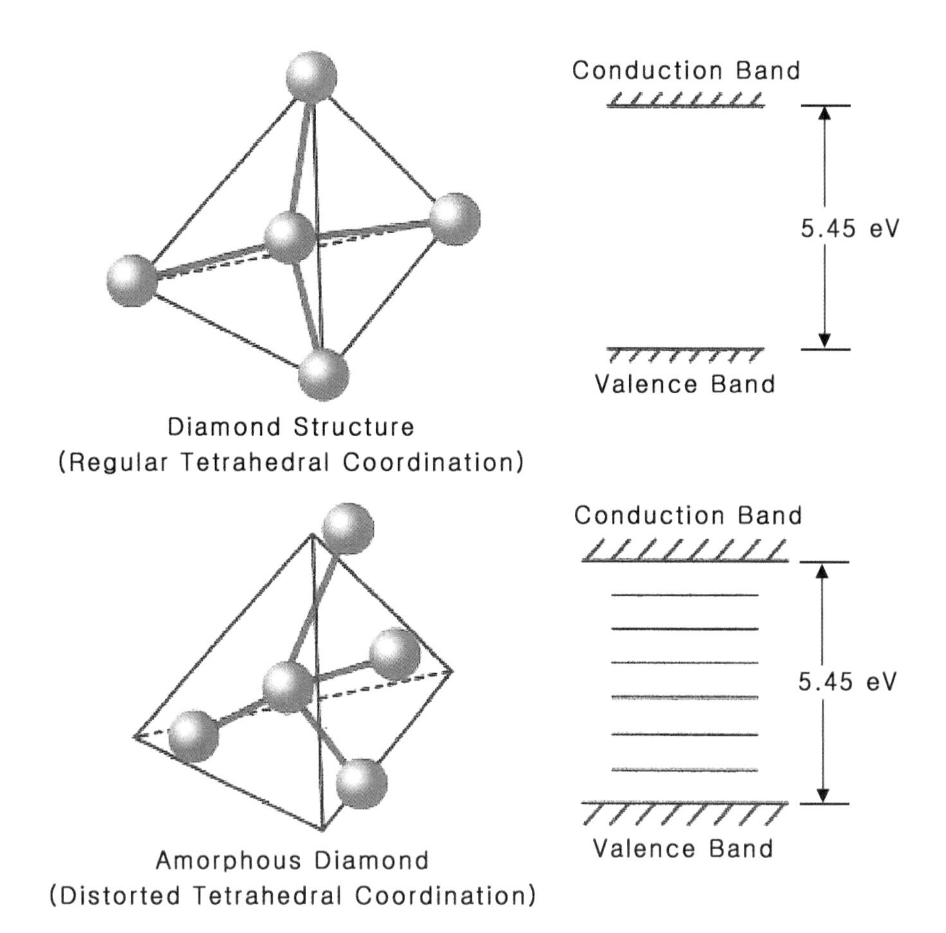

Diamond's lattice with regular tetrahedra does not allow any electron to occupy in the energy gap (top diagram). Amorphous diamond's distorted tetrahedra can permit an energy ladder in the energy gap(bottom diagram) so electrons can occupy its rungs.

Diamond has the highest concentration of atoms (2 × 10 23 / cm3) of all materials, although diamond's atoms are loosely packed with only four surrounding neighbors, because they are much smaller than other type of atoms.

Amorphous diamond has even higher atomic concentration (about 10%) than diamond. Because each atom is unique, amorphous diamond has the highest degree of randomness highest entropy) of all structure.
Such a high randomness can allow the maximum number of energy paths for electrons to accumulate energy.

In addition to graphite, diamond, and amorphous diamond, carbon atoms can also form carbon nano tube (CNT). Its nano size can allow electrons to emit at the lower voltage.

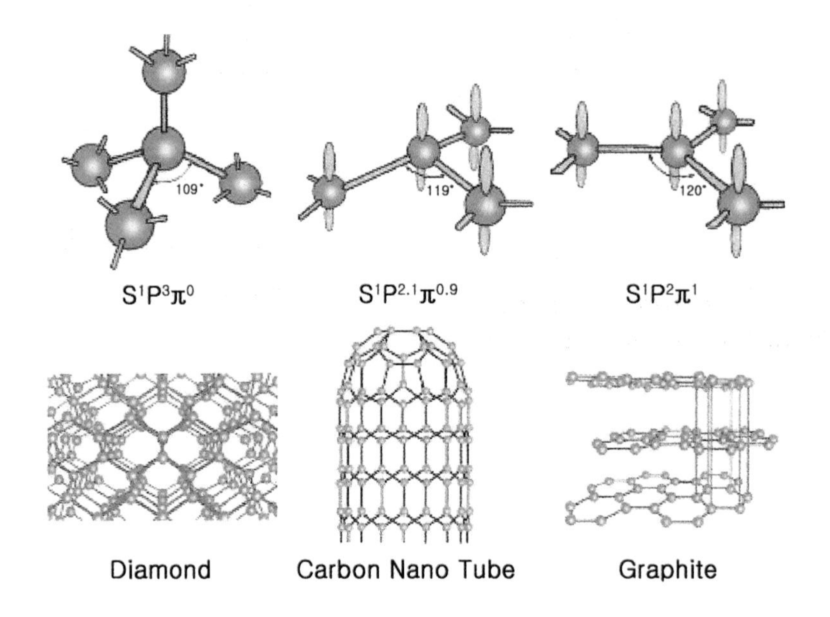

The bonding nature and crystal structure of carbon materials. All of them have high work function. But their electron affinities differ dramatically. As a result, diamond can repel electrons, whereas graphite and carbon nano tubes tend to attract electrons.

Graphite or CNT can allow electron to flow inside, but these electrons can not emit outside in vacuum. Diamond can repel electrons outside, but it dose not permit electrons to move inside. Amorphous diamond can have the better tributes of the two, it can allow electrons to move from inside to outside so a circuity can be formed with a continuous flow of electrons, i.e. to allow the generation of electricity.

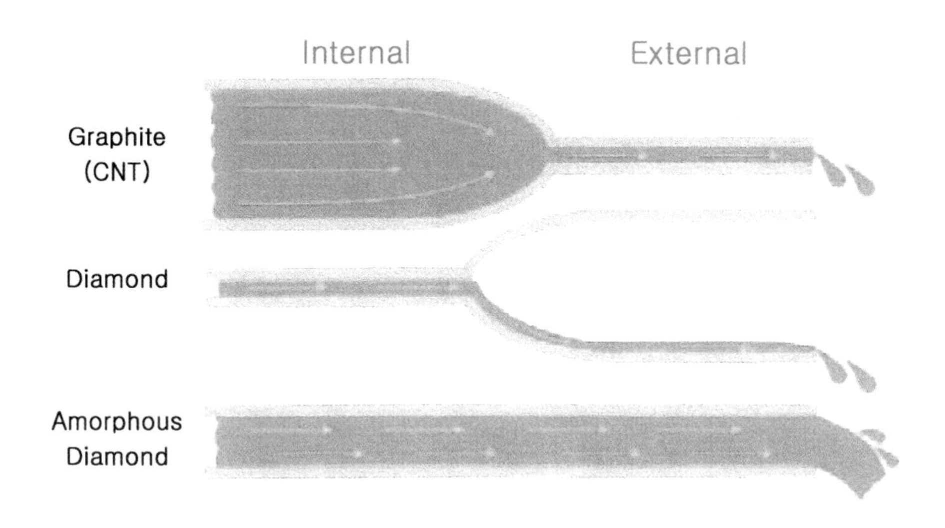

Graphite can conduct electricity internally, but the flow stops in vacuum. Diamond may emit electrons in vacuum, but no electrons will supplement the lost electrons. Amorphous diamond is the only material that can allow electrons to flow internally and externally to form a continuous circuit.

Graphite can conduct electricity internally, bit the flow stops in vacuum. Diamond may emit electrons in vacuum, but no electrons will supplement the lost electrons. Amorphous diamond is the only material that can allow electrons to flow internally and externally to form a continuous circuit.

Amorphous diamond can facilitate electrons to flow from a cathode to vacuum. This property is useful to improve the electron emission in fluorescence lamp. As a result, the lamp can consume lower power and with a longer life.

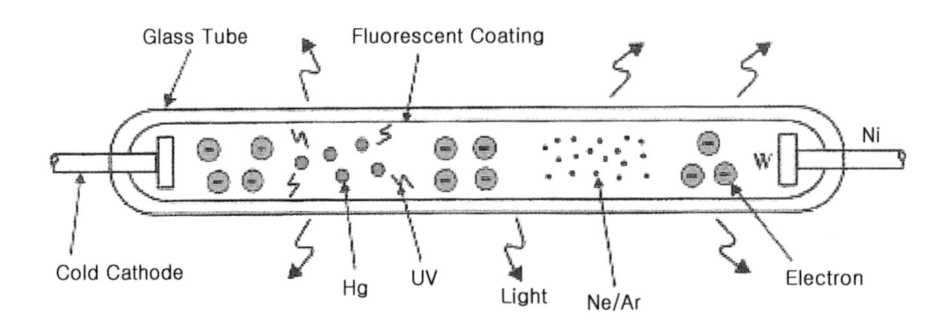

Amorphous diamond coated cold cathode for mini-fluorescence lamps can improve the electron emission. Such lamps are used as back light for liquid crystal display (LCD) and other device of illumination.

Amorphous diamond can be coated directly to any metallic substrate to it is attached to cathode directly without contact resistance.

Moreover, amorphous diamond can be spray-coated by cathodic arc form asperities of controllable size (e.g. 50nm). The application of amorphous diamond can be mass-produced at low cost

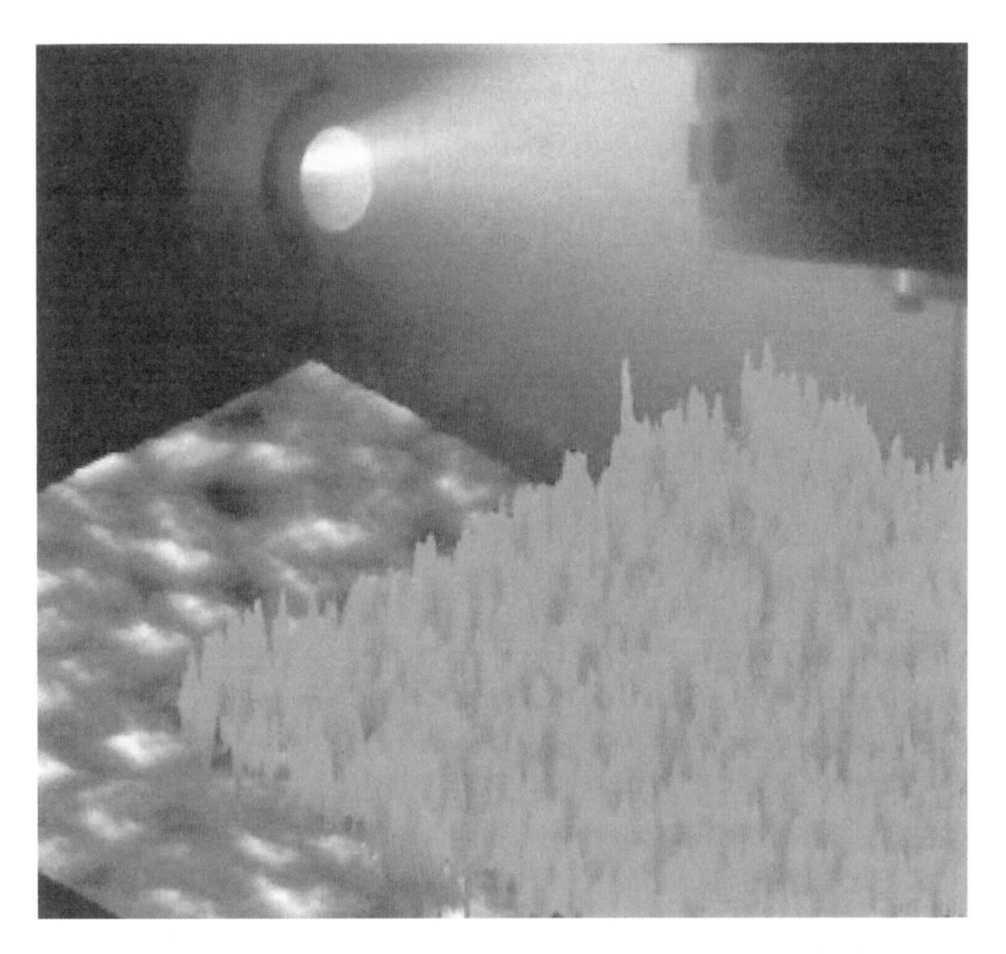

Amorphous diamond can be spray-coated by cathodic arc (top) to form surfaces of controllable roughness(bottom).

The nano asperities of amorphous diamond are the best electron guns and they are much more robust than CNT so their performance is not time dependent as CNT dose.

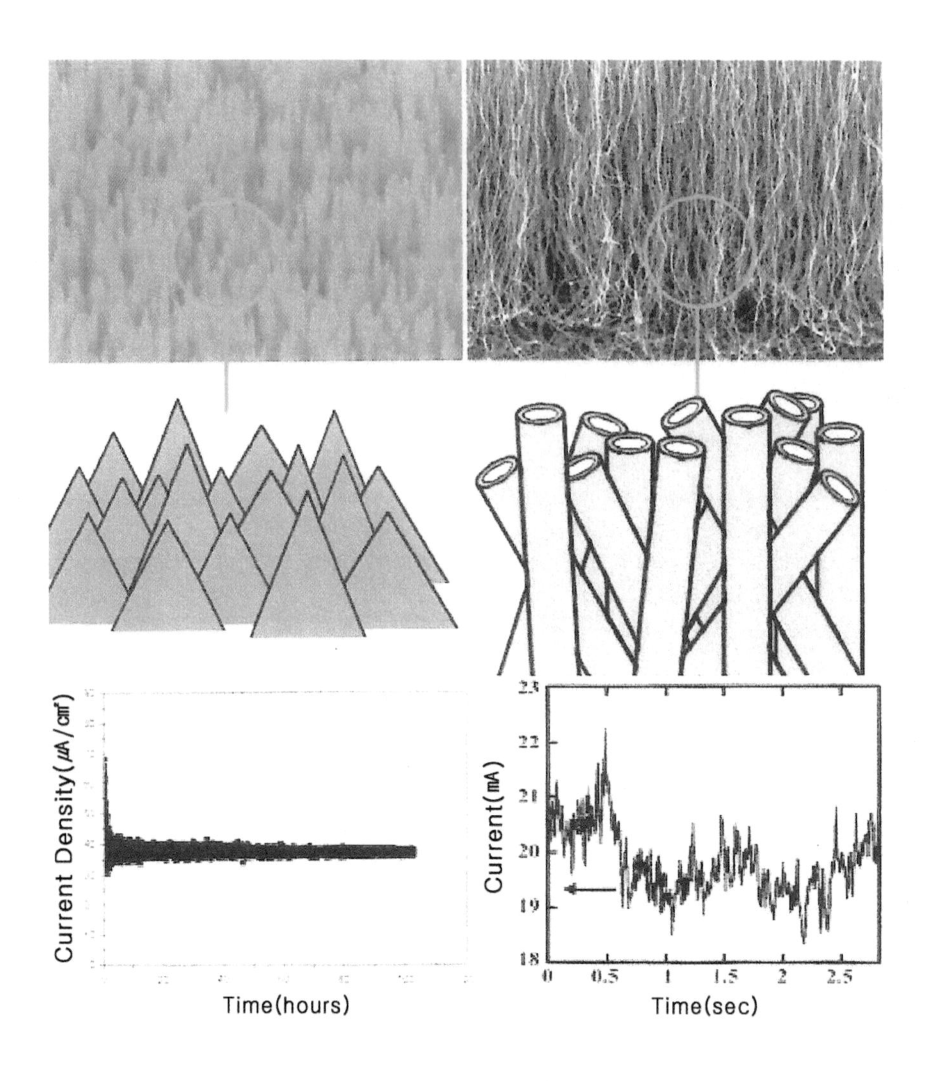

CNT contains hollow tubules (right diagram) that will concentrate electricity. If the current is higher than 19 micro amper, it will burn out, particularly in regions where the heat is generated faster due to the presence of defects (e.g. dislocations). In addition, CNT will align with the applied electrical field so it can fatigue with repeated cycling of the voltage. As a consequence, CNT's performance is intrinsically variable. In contrast, amorphous diamond forms solid pyramids (left diagram) that can reduce current density. Hence, amorphous diamond can emit electrons at lower temperature and with higher stability.

The unique feature for amorphous diamond to boil out electrons in vacuum is demonstrated by the following two independent experiments.

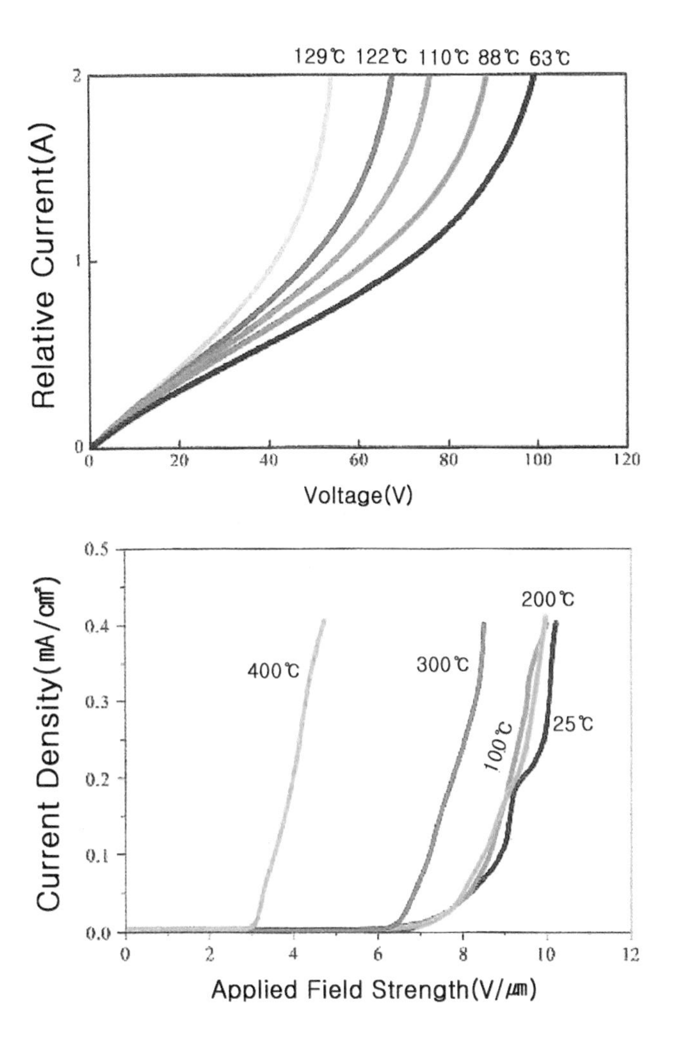

Amorphous diamond can increase substantially the emission current in vacuum by moderate heating. All other materials including CNT, will do so only when the temperature is increased above 1500 C. The top diagram was obtained by DR. R Lin at ITRI of Taiwan. The bottom diagram was measured by Dr. M Kan at CRI of Taiwan.

3-4 ROUTER BIT TEST

1. Test 목적

R/T BIT의 TEST를 통한 제조 원가 절감 및 품질개선에 있음.

T사(대만) : 개당 $ 1.3, 대만 K사 : 개당 $1.2

2. TEST BIT 업체 및 사양

1) 유니웨이 : (대만 K사 제작)

2) 날수 : 6 면날

3) TEST 적용 ¢수 : ¢2.4 (TRIM), ¢2.0 (R/T)

4) 기본 SPEC

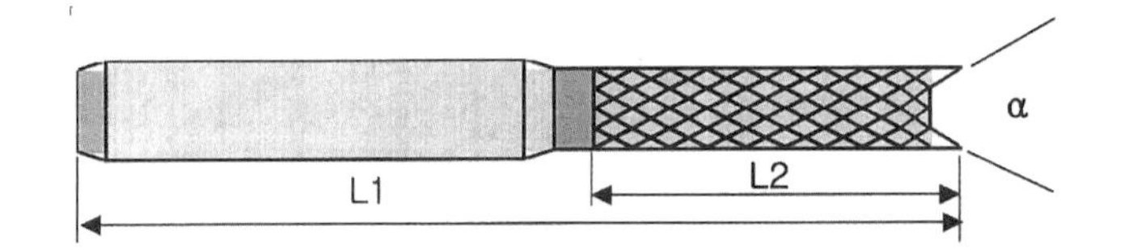

¢수	L1 ±0.2	DIAMETER 0/-0.03	L2 +0.2/-0	BLADE	ANGLE ±1°	OVERLAP ±0.04	CHIP BREAK TAPER ±0.04
2.0	38.45	2.0	10.2	6	130°	0.09	0.27
2.4	38.45	2.4	10.2	6	130°	0.12	0.32

5) 업체별 사양

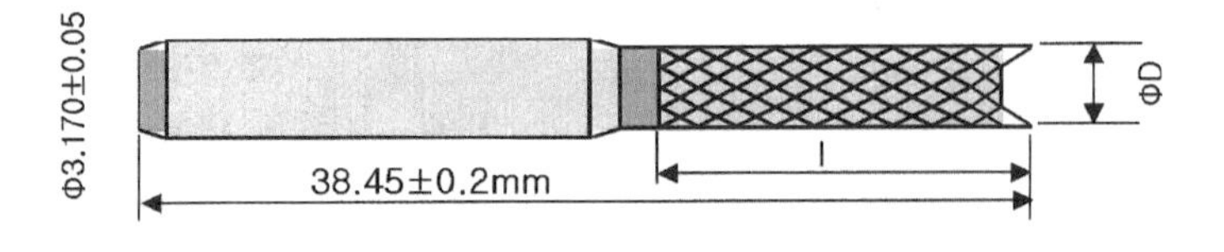

	Diameter +0.00/-0.03	l (Flute Length) +0.2/-0.0	Blade
Havera	2.0	8.5	7
KeyWare	2.0(+0/-0.02)	8.5	8
Jinzhou	2.0	8.5	8

6)-1 BIT 형상 비교

	K사(대만) 2.0×8.5	H사(중국) 2.0×8.5	J사(중국) 2.0×8.5
Flute Length	8.5	8.5	8.5
Blade	8	7	7
			RNE-2
전체형상			

6)-2 BIT 형상 비교

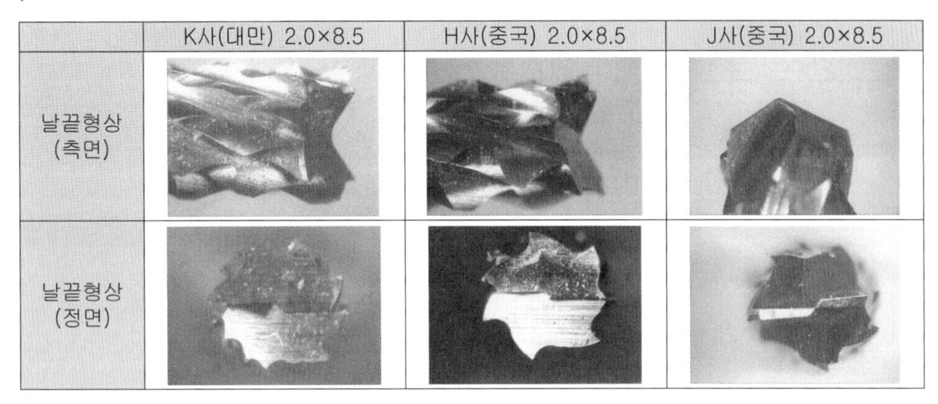

	K사(대만) 2.0×8.5	H사(중국) 2.0×8.5	J사(중국) 2.0×8.5
날끝형상 (측면)			
날끝형상 (정면)			

6)-3 BIT 형상 비교

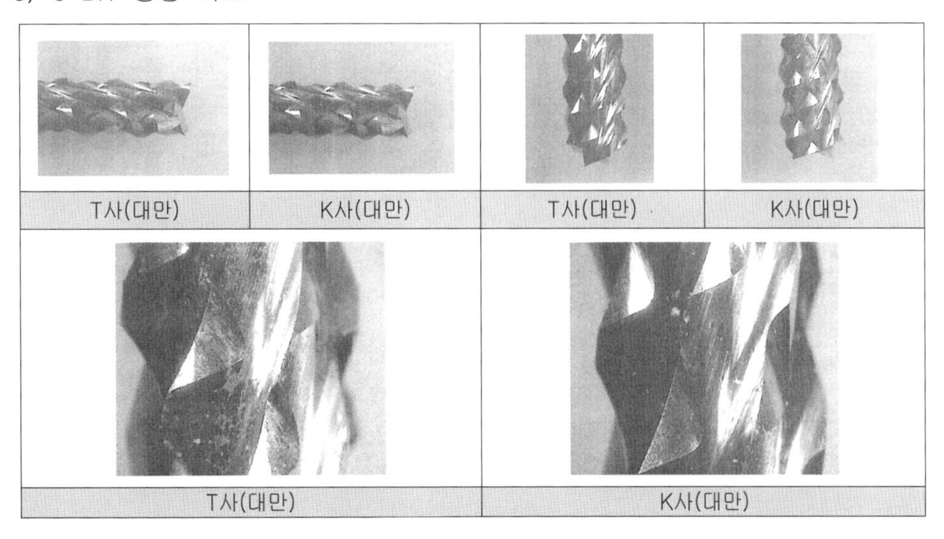

T사(대만)	K사(대만)	T사(대만)	K사(대만)
T사(대만)		K사(대만)	

6)-4 T사(대만) BIT 와 Cutting면 비교

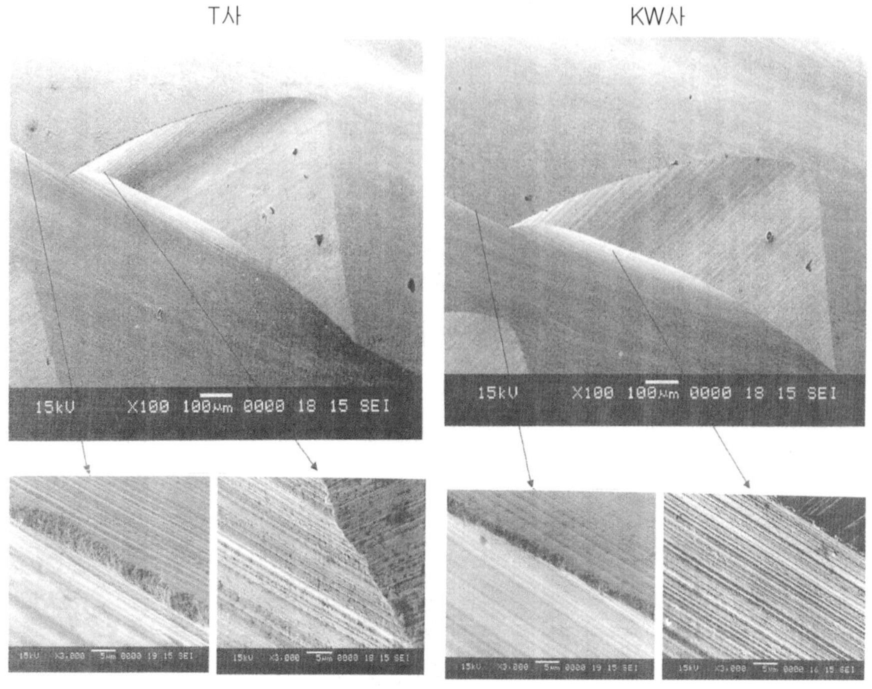

3. BIT 품질 개선

- 1차 TEST시 발생된 문제를 대만에서 개선 후 재TEST 실시
- 개선 내용

  Flute Angle 각도 변경 : 4° → 8°

  Helix Angle 각도 변경 : 22° → 25°

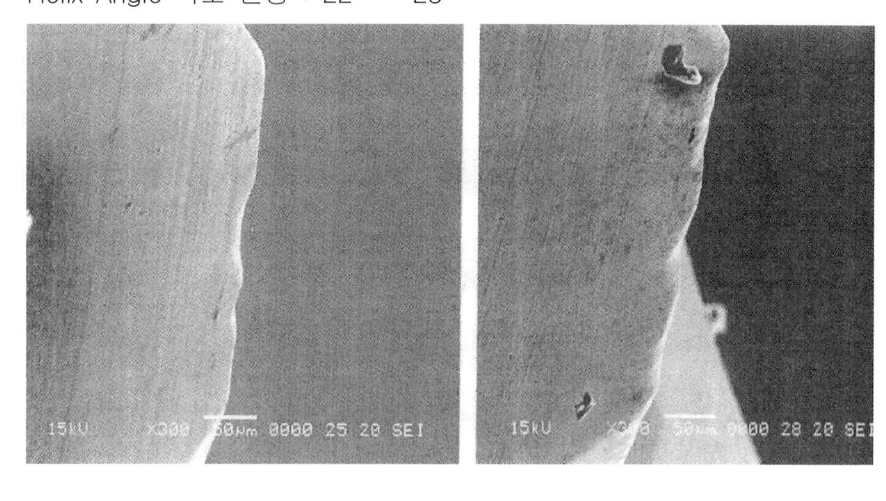

4. ₵1.5 TEST 조건

- ¢ 수 : ¢ 1.5
- RPM : 30,000 RPM
- IN FEED율 : 10m/Min
- 1Cycle당 가공 거리 : 11.555m
- 제품 두께 : 1.0t
- Stack 수 : 4 Stack
- 적용 모델 : ABC

5. 제품 측정 결과

	STACK상		STACK하	
1 cycle	134.91	144.95	134.87	144.91
2 cycle	134.94	144.96	134.92	144.93
3 cycle	134.96	144.97	134.94	144.94
4 cycle	134.95	144.97	134.94	144.92
5 cycle	134.97	145.05	134.87	144.92
MIN	134.91	144.95	134.87	144.91
MAX	134.97	145.05	134.94	144.94
AVG	134.95	144.98	134.91	144.92
RANGE	0.06	0.1	0.07	0.03

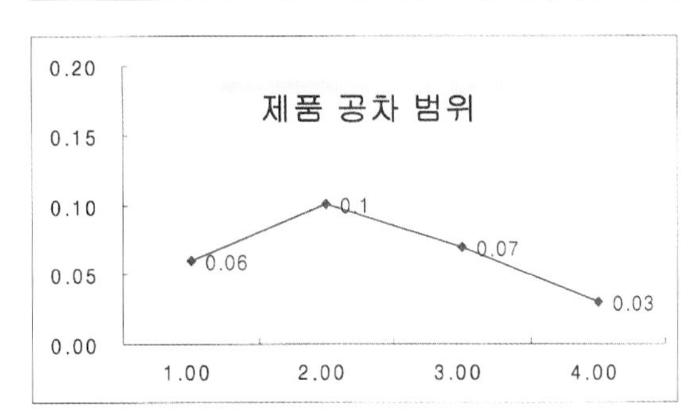

6. ₵1.8 TEST 조건

- ¢수 : ¢1.8
- RPM : 30,000 RPM
- IN FEED율 : 12m/Min
- 1Cycle당 가공 거리 : 5.133m
- 제품 두께 : 1.0T
- Stack 수 : 5 Stack
- 적용 모델 : HT17E11-300 X-PCB

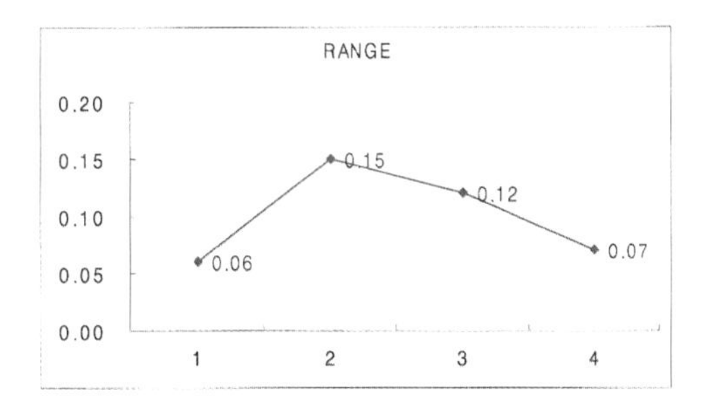

7. 제품 측정 결과

CYCLE	STACK 상		STACK 하		CYCLE	STACK 상		STACK 하	
1 cycle	345.05	98.26	345.03	98.21	11 cycle	345.04	98.39	345.00	98.35
2 cycle	345.02	98.21	344.97	98.24	12 cycle	345.08	98.29	345.01	98.26
3 cycle	345.08	98.44	345.00	98.28	13 cycle	345.12	98.30	345.06	98.30
4 cycle	345.08	98.30	345.12	98.31	14 cycle	345.11	98.31	345.10	98.30
5 cycle	345.08	98.29	345.06	98.29	15 cycle	345.14	98.34	345.02	98.27
6 cycle	345.12	98.32	345.06	98.29	16 cycle	345.10	98.40	345.16	98.36
7 cycle	345.11	98.32	345.06	98.29	AVG	215.68	61.45	215.65	61.42
8 cycle	345.14	98.34	345.04	98.27	MAX	345.14	98.44	345.12	98.33
9 cycle	345.10	98.30	345.02	98.26	MIN	345.08	98.29	345.00	98.26
10 cycle	345.12	98.34	345.09	98.33	RANGE	0.06	0.15	0.12	0.07

8. R/T 후

1) CYCLE 가공 (7.637m)후 가공면 비교

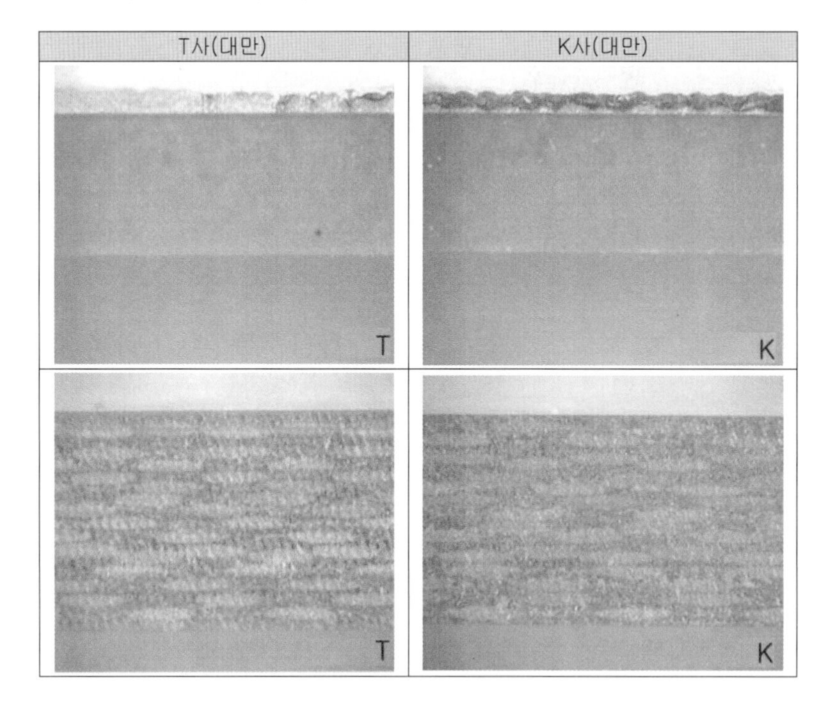

2) CYCLE 가공 (15.274m)후 가공면 비교

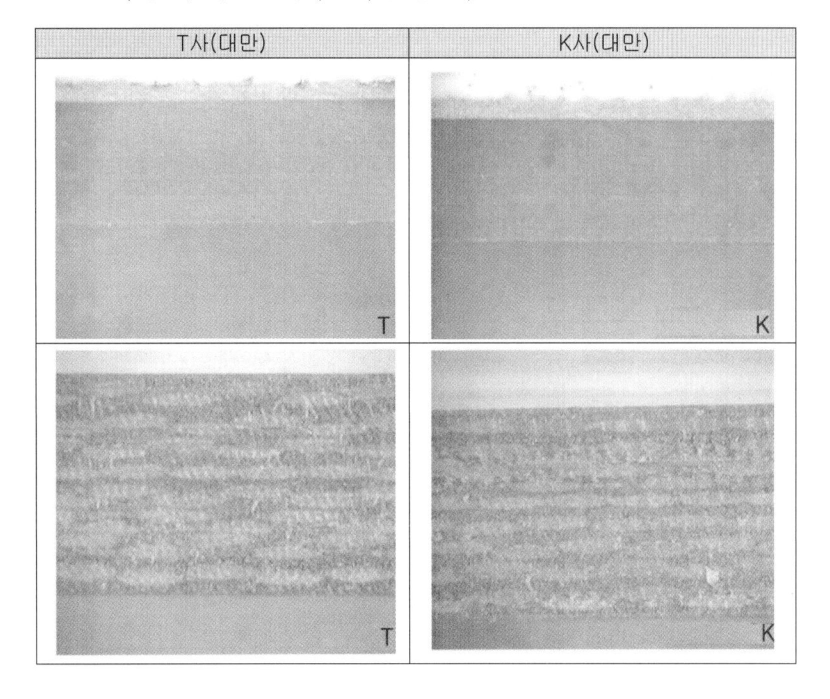

3) CYCLE 가공 (22.911m)후 가공면 비교

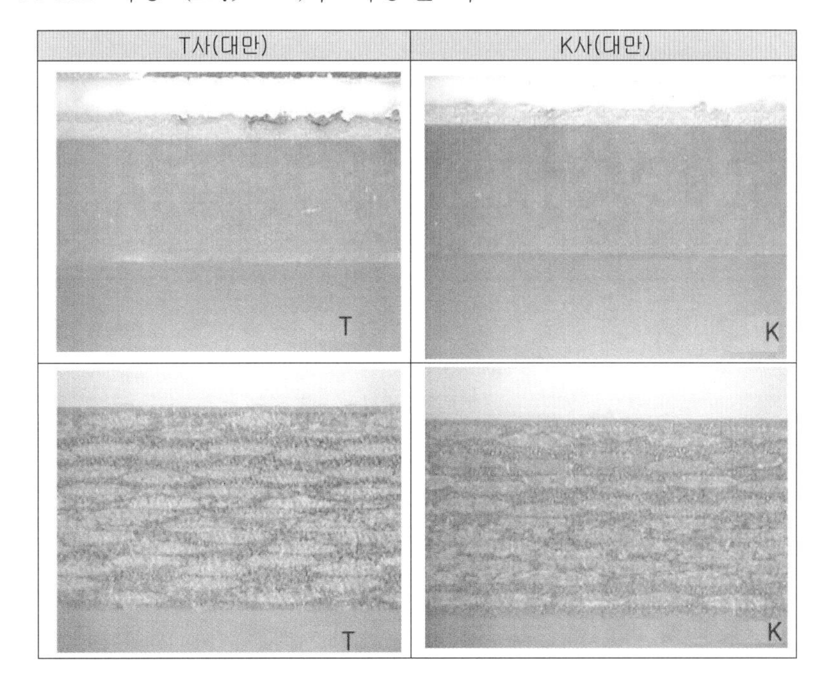

9. ¢1.5 Cycle별 가공면 사진

구분	면			구분	면		
¢ 1.5 1 Cycle	상면			¢ 1.5 2 Cycle	상면		
	하면				하면		
¢ 1.5 3 Cycle	상면			¢ 1.5 4 Cycle	상면		
	하면				하면		
¢ 1.5 5 Cycle	상면						
	하면						

10. ₵1.8 Cycle 별 가공면 사진

¢ 1.8 1 Cycle	상면	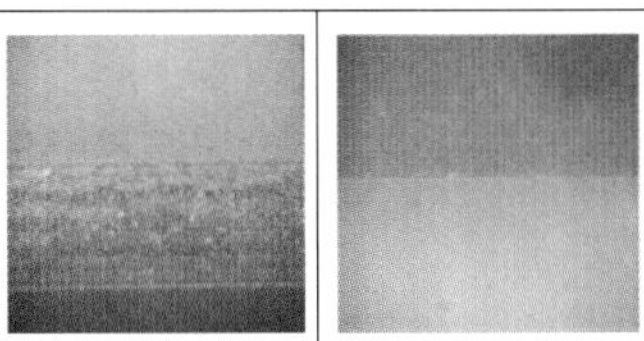	¢ 1.8 2 Cycle	상면	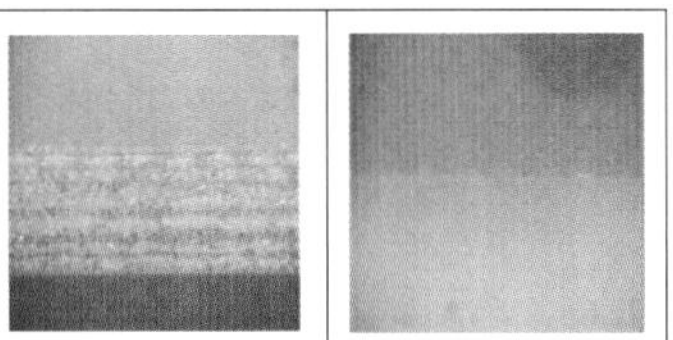
	하면	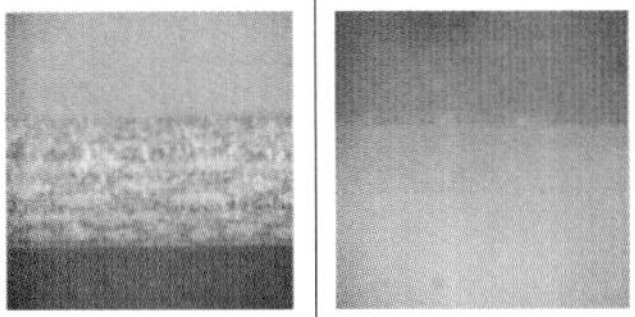		하면	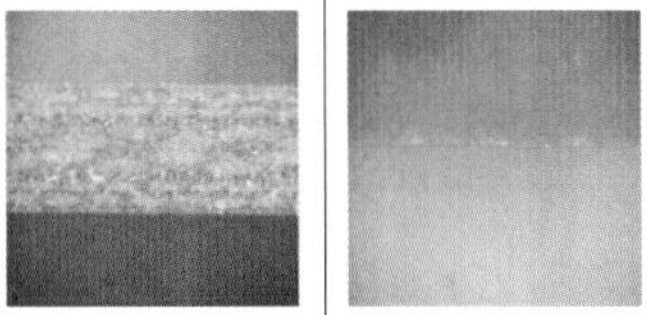
¢ 1.8 3 Cycle	상면	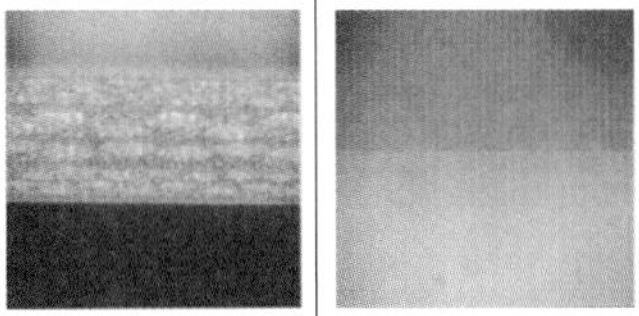	¢ 1.8 4 Cycle	상면	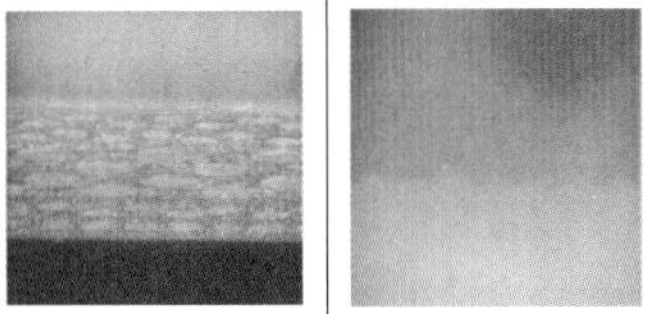
	하면	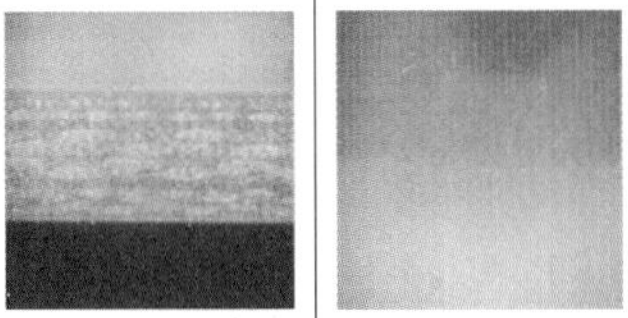		하면	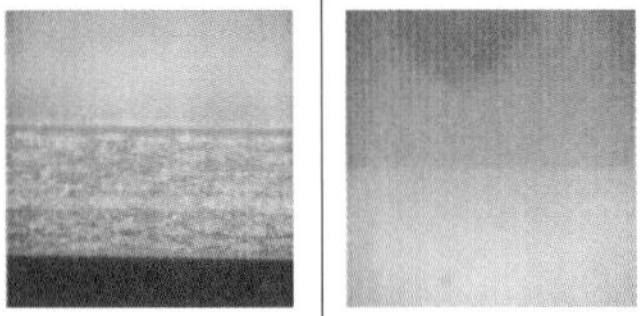
¢ 1.8 5 Cycle	상면	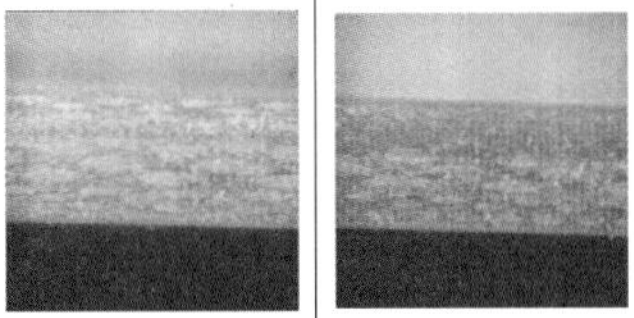	¢ 1.8 6 Cycle	상면	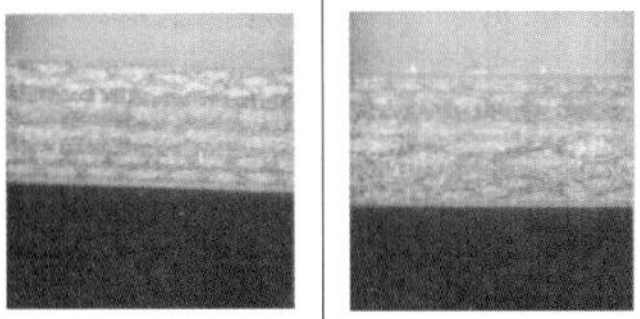
	하면			하면	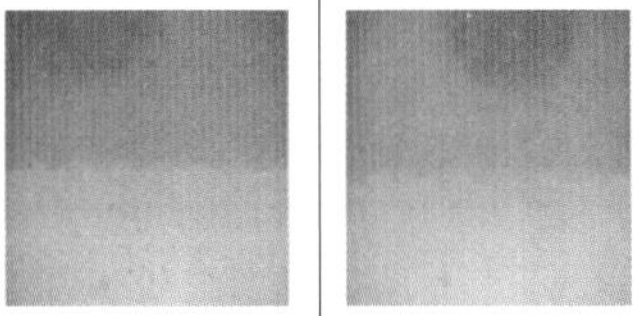
¢ 1.8 7 Cycle	상면	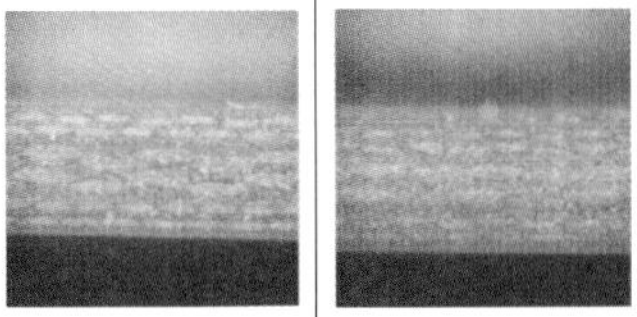	¢ 1.8 8 Cycle	상면	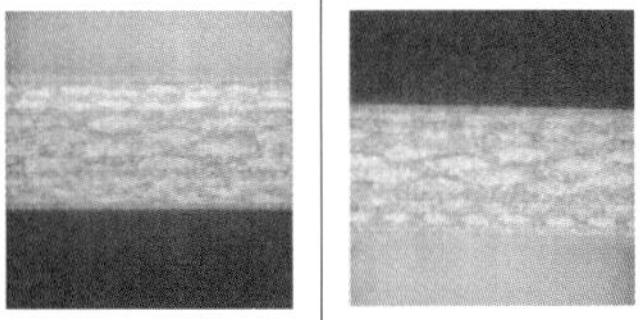
	하면	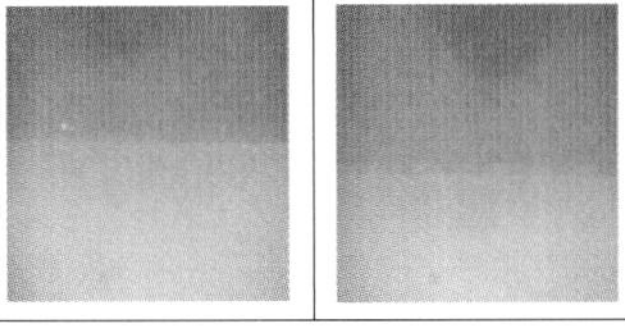		하면	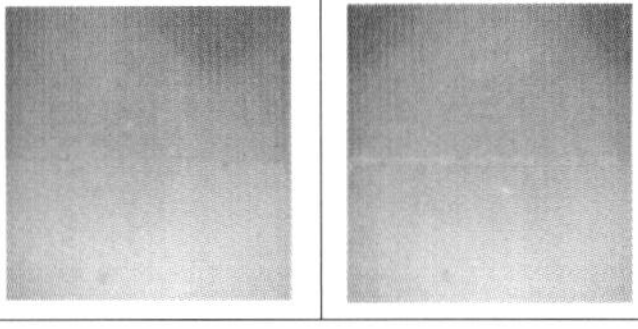

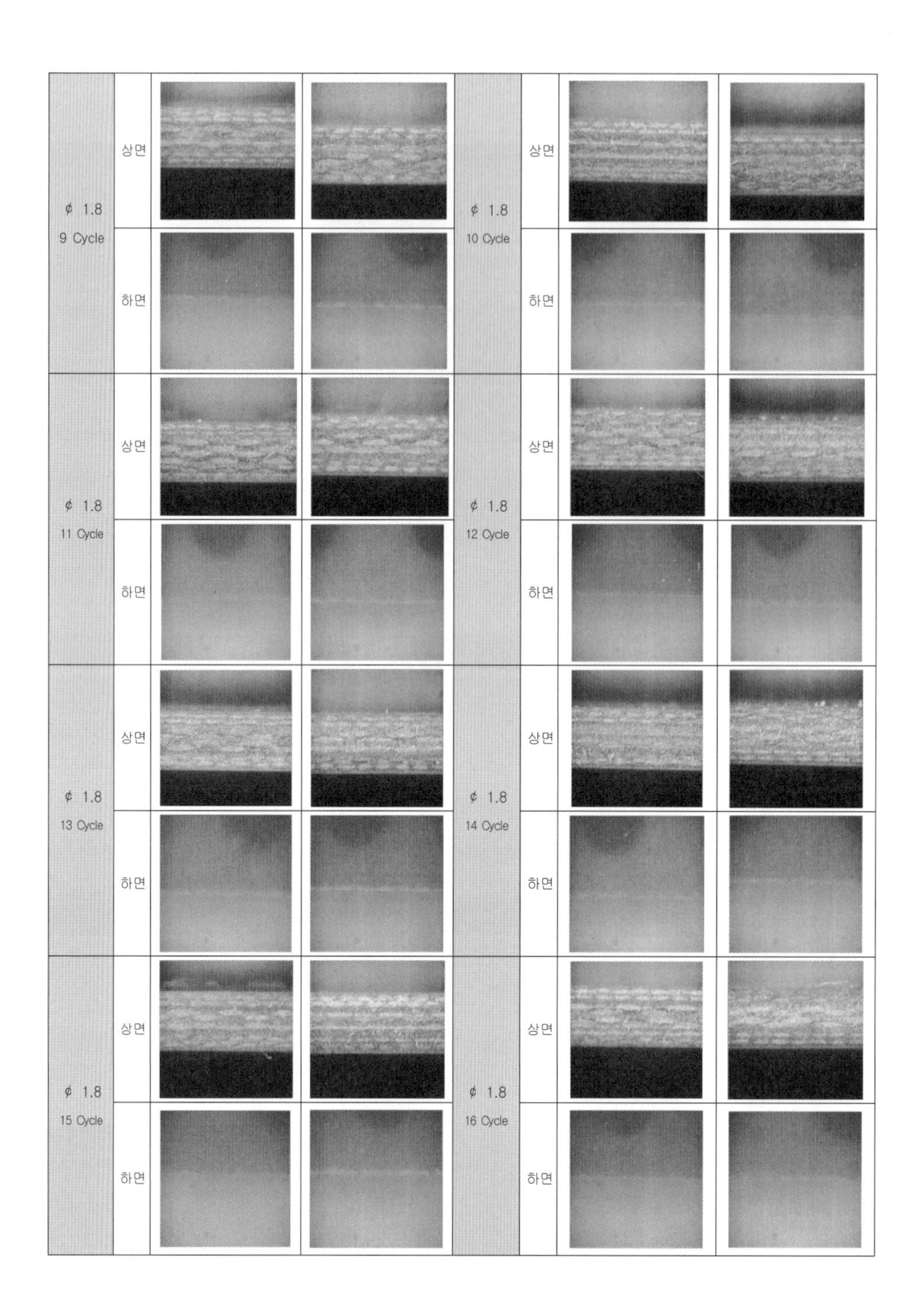

¢ 1.8
9 Cycle
상면
하면
¢ 1.8
10 Cycle
상면
하면
¢ 1.8
11 Cycle
상면
하면
¢ 1.8
12 Cycle
상면
하면
¢ 1.8
13 Cycle
상면
하면
¢ 1.8
14 Cycle
상면
하면
¢ 1.8
15 Cycle
상면
하면
¢ 1.8
16 Cycle
상면
하면

11. 가공 완료 후 BIT 상태

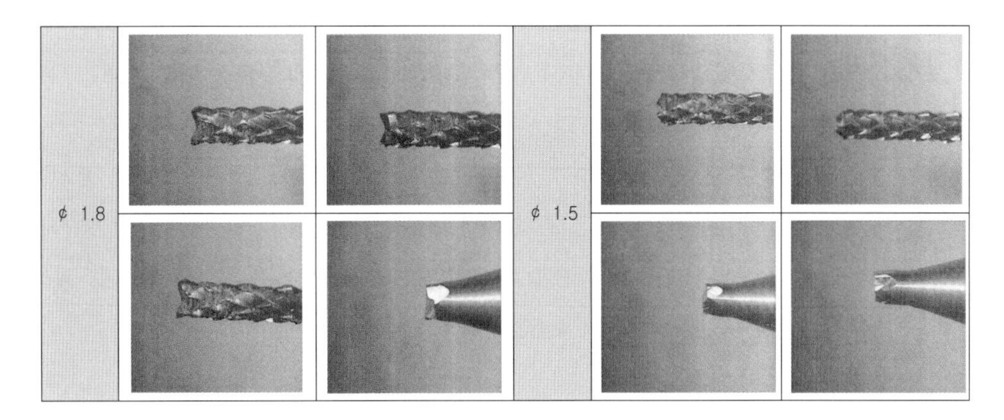

12. TEST 결과

1) TEST결과 ϕ1.5는 57.775m, ϕ1.8은 82.128m의 가공 수명을 보여줌.
   (예상 수명 : 50m)
   기존 BIT에 비하여 가공 수명이나 가공면의 품질 차이가 만족할 만한 수준을 나타냄.
   가공면 확인 결과 Burr발생 없음.

2) 4 CYCLE 가공 시 BIT 파손 발생 (가공 수명 : 30.548m)

13. 결론

1) TRIM 적용 결과 K사 BIT 사용 시 ϕ2.4는 1 CYCLE에서 BIT 부러짐 발생 및 BURR 발생으로 사용 불가함.

2) 외형가공 적용 시 T사보다 많은 소음 발생 및 기본수명 min 60m에 절반 정도의 수명을 보임으로 외형 가공에서도 적용 불가함.

3) T사 BIT에 비하여 성능 및 품질면에서 떨어짐으로 사용 불가함.

4) BIT의 가격 대비 품질면에 T사와 차이가 나지 않으므로 원가 절감 측면 차원에서 사용 가능한 BIT임.
   - 5월 BIT 소모량 : 5,030개 (7,726,080원 : $1.3 : 1,536원으로 계산)
   - 6월 BIT 소모량 : 4,350개 (6,681,600원 : $1.3 : 1,536원으로 계산)
   - 1달 평균 BIT 소모량 : 4,690개 (7,203,840원 : $1.3 : 1,536원으로 계산)
   - 년간 환산 : 4,690개 × 1,536원 × 12개월 = 86,446,080원

5) K사 BIT로 전환 시
   - 1달 평균 소모량 : 4,690개 (6,650,420원 : $1.2 : 1,418원으로 계산)
   - 년간 환산 : 4,690개 × 1,418원 × 12개월 = 79,805,040원
   - 년간 절감 금액 : 6,641,040원 (TCT 사용 시 1개월분의 금액 절감 효과를 얻을 수 있음)

6) 따라서 ϕ1.5와 ϕ1.8 BIT를 각각 1,000개씩 구매를 진행하여 1개월 사용 후 문제 발생 없을 시 양산 적용 예정

3-5 ROUTER BIT 연마 TEST

		연마 #1	연마 #2	연마 #3	New BIT
BIT	Maker	H사	H사	H사	K사
	BIT 구경	1.940~1.954	1.946~1.970	1.964~1.986	
Test 적용 Model		UG12D72(01012A), 0.4T, 11Stack			
외형 Size (1 Cycle)	Gerber Data	135.76 × 101.20			
	Top	135.81×101.27	135.77×101.16	135.76×101.20	135.71×101.13
	Bot	135.77×101.20	135.61×101.04	135.75×101.17	135.61×101.05
가공면 상태		거칠음			양호
Router Bit 연마 조건		연마 횟수 : 3회 연마(1회 연마 시 약 20㎛의 구경 감소 발생)			
		연마 비용 : 50¥/本			
		※ 독일 Havera Diamond 제품은 연마 불가			

Test 결과 : 현 가공조건은 K사 Bit에 맞춘 것으로 연마된 H사 Bit와 비교하기 는 어려움.

4. HALOGEN FREE

- 4-1 HALOGEN FREE 분석
- 4-2 H/F, HOT-PRESS PROGRAM TEST

4-1 HALOGEN FREE 분석

1. Halogen-free → Halogen 함유 주요 부품

1) High risk applications using bromine and chlorine

[Table. Apple : Halogen-free Specification, 069-1857-02 中]

Substance	Application	Apple Part Number Prefix
Bromine	Printed circuit board laminates	820,822
	Flexible printed circuit boards	821
	Integrated circuits or other electrical components with plastic packages	311,336,337,338,339,341, 343,353,359,372,376
	Connectors	511,512,514,516,517,518
	Duck heads	603(selected)
	Fans or blowers	603(selected), 720
	Insulators	725(selected)
	Plastics parts	815(selected)
	EMI gaskets	875
	Labels, adhesives and tapes	815,907
chlorine	Internal cables	593
	Power cords and external cable assemblies (including overmold and strain relief)	590,591,592
	Bumpers, feet, shock mounts	865
Bromine and chlorine	Battery packs power adapters, power supplies, display panels, hard drives, optical drives, inverters, speakers, fans, and other modules containing components listed above	603(selected),609,611,612,614,616,646,655,678,720

Apple Computer, inc:	Size : Latter		Scale : NONE	Page 2 of 4
Title Apple Halogen-Free Specification			Dwg Number : 069-1857	Rev : A

2) Halogen 함유 예상 LCD 부품 list

주요 부품	Halogen 함유 재질
Wire, Tube, FFC	피복재질에 포함
Connector	플라스틱 재질 내 포함
PWB	Epoxy 재질(FR-4)에 포함
Tape	EMI용, 고정용 등 전 Tape에 포함
Gasket	접합재질 내 포함 가능
Sheet	광학시트(Prism)에 포함
FPC, TCP, COF	커버레이어 & 솔더레지스트 층에 포함
IC Package	Package내 Epoxy 재질에 포함

3) LCD 제품 내 주요 부품 시험 결과

[단위 : ea]

구분	전체	Halogen 물질 검출 여부	
		검출	불검출
기구	19	11 (68%)	8
회로	43	36 (84%)	7
인버터	11	10 (91%)	1
소계	**73**	**57 (78%)**	**16**

2. Halogen-free → 시험방법 비교

1) Halogen 시험방법 비교

전처리/분석방법	장점	단점	비고 (적용/규격 외)
XRF	· 비파괴분석 · Br 정량 가능 (ppm 수준)	· Cl 경우 0.X% 이하 정량 어려움	· 재료별 적용 가능성에 대하여 시료별 검토 필요
Oxygen flask / IC	· 전통적인 방법 · 구입비용 저가 · 시험규격의 다양화	· 완전연소의 어려움 · 연속적인 고온 연소회화 불가 · 낮은 회수율 & 재현성 · 시료의 크기/재질의 제한	·JPCA-ES01-2003 ·IEC 61189-2 ·EN 14582 Method B
Oxygen bomb / IC	· 전통적인 방법	· 완전연소의 어려움 · 연속적인 고온 연소회화 불가 · 낮은 회수율 & 재현성 · Bomb 부식	·EN 14582 Method A
Combustion (boat법) / IC (연소 IC)	· 시료의 완전연소 가능 · 자동화로 시료 연속측정 가능 · 높은 회수율 & 재현성	· 장비 구입비용 고가 (약 K₩80,000/ea) · 전용 시험규격이 없음, 유효화 필요	· EN 50267-2-1(boat 법) + IC · IEC 754-1 & 2 (boat법) + IC

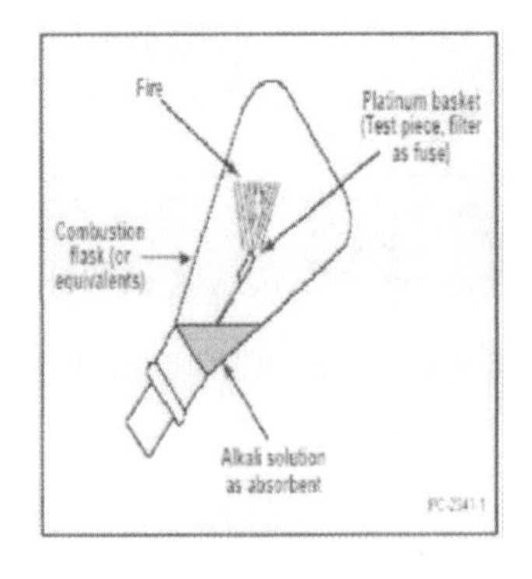

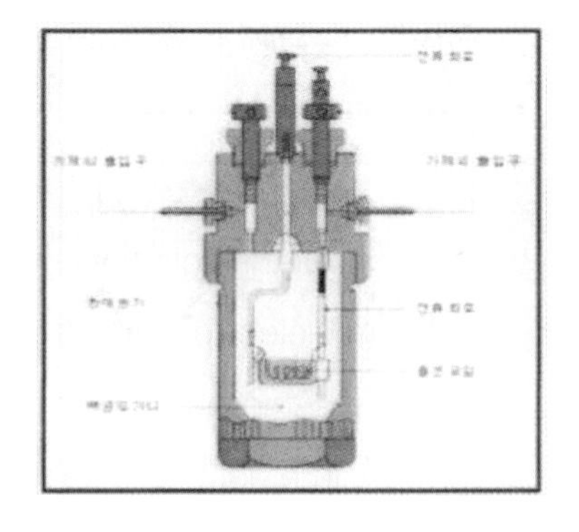

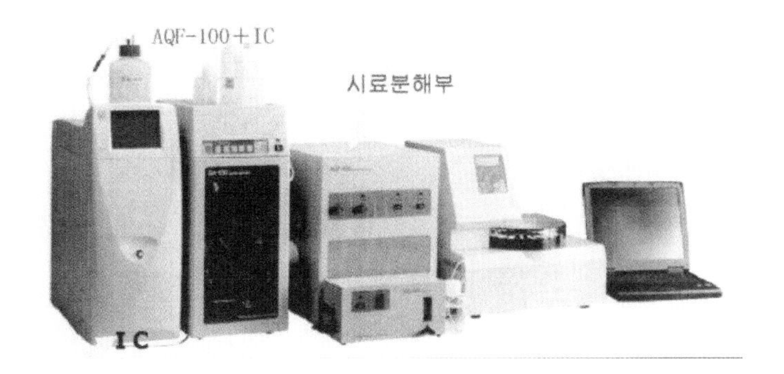

2) 주요 시험방법별 Halogen 분석결과 비교

[mg/kg = ppm]

Sample	Chlorine			Bromine		
	XRF	연소IC	Bomb	XRF	연소IC	Bomb
PCB	793	194	177	36,667	35,727	27,764
	2,021	480	414	390	363	219
	948	536	498	66,557	12,627	7,210
	18,404	35,413	30,916	N.D.	206	159
	646	782	693	272	235	157
Plastic	728	573	559	19	20	N.D.
	172	13	N.D.	94,684	80,427	39,023
	1,310	4	N.D.	N.D.	N.D.	N.D.
	39,360	67,964	59,487	53	128	99
	229	212	185	241,521	253,912	182,730
	389	1,110	929	228,706	129,489	109,231
	2,077	2,406	2,146	N.D.	15	9
Flux	N.D.	4	N.D.	N.D.	1,590	889
Vinyl	6,949	36,918	35,553	N.D.	19	N.D.

[mg/kg = ppm]

Sample	Chlorine			Bromine		
	XRF	연소IC	Bomb	XRF	연소IC	Bomb
접착제	873	1,983	1,548	N.D.	2	N.D.
	152	1,044	902	284,664	297,703	233,965
접착스펀지	40	11	N.D.	111,014	77,498	23,019
Cu 접착제	N.D.	13	N.D.	N.D.	4	N.D.
Paste	727	2,084	1,892	N.D.	4	N.D.
양면 tape	N.D.	5	N.D.	N.D.	111	75
Fabric tape	399	20	N.D.	N.D.	N.D.	N.D.
Al tape	48	16	13	N.D.	N.D.	N.D.
일반 tape	749	375	290	76,206	93,024	69,384
	1,322	2,459	2,184	N.D.	18	11
EMC	N.D.	29	19	1,077	705	593

Sample	Chlorine			Bromine		
	XRF	연소IC	Bomb	XRF	연소IC	Bomb
Resistor	173	2	N.D.	40	1	N.D.
rubber	N.D.	49	28	N.D.	N.D.	N.D.
chip varistor	1,604	8	N.D.	N.D.	5	N.D.

[출처 : 국내 A 시험소 비교시험 결과, 2007]

· XRF는 Halogen-free 대응 장비로 Br은 가능하나 Cl의 경우 시료 matrix별로 가능성 검증 필요 → 각 사별로 사용 시료에 대한 XRF 적용 가능성을 사전 확인하여야 함

· 연소IC법과 Bomb법 간의 분석결과 차이가 다소 발생됨에 따라 CRM을 활용한 검증이 요구됨

3. Halogen-free → 숙련도 평가 결과

1) Halogen-free 숙련도 평가 결과 요약

① 개요

· 참여 기관 : 해외 2개 기관(Taiwan 소재 Global 시험기관)
국내 7개 기관(L사 외 6개 기관) → 총 9개 기관

· 적용 시료 : Cl (PC pellet 저농도, Silicon rubber 고농도 각 1개),
Br (PS sheet 저농도 & 고농도 각 1개)

· 평가 기간 : 2007.08.31 ~ 2007.10.09

· 주관 기관 : L사 분석센터

② Sample 사진

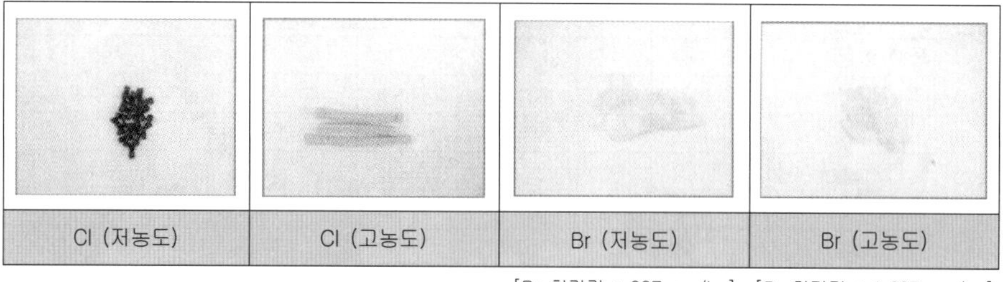

[Br 첨가량 : 327 mg/kg] [Br 첨가량 : 1,637 mg/kg]

2) 시험소별 사용된 XRF pre-test 결과

[단위: mg/kg]

Lab No.	Chlorine		Bromine		XRF 모델명	제조사	비고 (정량/반정량)
	저농도	고농도	저농도	고농도			
L-*	측정 불가		520	2,700	SEA 1000	SII	정량
L-*	154	1,847	448	2,295	SEA 5120A	SII	정량
L-*	441	1,169	428	2,161	SEA 1200	SII	정량
L-*	255	1,204	457	2,352	SEA 2210A	SII	정량
L-*	438	1,499	403	2,034	XGT-5000WR	Horiba	정량
L-*	5,000 mg/kg 이하 정량 불가		499	2,620	SEA 2210A	SII	정량
L-*	측정 불가		361	1,741	EDX 720	Shimadzu	정량
L-*	314	2,270	383	1,736	EDX 720	Shimadzu	정량

* 참조 : Bromine 첨가량

Deca-BDE 98.6% 순도 (Br 83% 함유)	327	1,63

* 참조 : 시험소별 Halogen-free 정량분석 종합 결과

평균	599	1,384	298	1,656
표준편차	94	168	56	305

3) Halogen-free 정량분석 결과

Lab No.	Chlorine		Bromine		전처리 및 분석장비	시험방법
	저농도	고농도	저농도	고농도		
L-1	610	1,500	278	1,688	Combustion (boat) IC	In house method
L-3	673	1,377	346	1,730		
L-6	500	1,160	260	1,310		
L-7	684	1,395	353	1,763		
L-2	651	1,733	341	1,679	Combustion (EA) + IC	
L-4	563	1,388	370	2,339	Oxygen flask + IC	IEC 61189-2
L-5	608	1,358	290	1,547	Oxygen bomb + IC	BS EN 14582
L-8	692	1,360	231	1,320		
L-9	412	1,186	216	1,530		
평균	599	1,384	298	1,656	(참조) 시험소별 정량결과 취합 평균임	
표준편차	94	168	56	305		

* 참조 : Bromine 첨가량

Deca-BDE 98.6% 순도 (Br 83% 함유)	327.4	1,637

4. Halogen-free 검출결과

1) Display 입고 부품 중의 Halogen 분석 결과

No.	부품명	재질	XRF결과 (ppm)	염소 IC 결과(mg/kg)	
			Br	Cl	Br
1	Capacitor	PA (polyamide)	8,200	n.d.	6,000
2	COMPARATOR	EP (Epoxy resin or plastic)	3,400	n.d.	2,600
3	COMPARATOR	EP (Epoxy resin or plastic)	48,000	430	120,000
4	CONNECTOR	PA (polyamide)	56,000	n.d.	130,000
5	IC	EP (Epoxy resin or plastic)	1,100	100	1,600
6	MOS-FET	-	3,600	60	8,600
7	TR	Polyester resin, EP (Epoxy resin or plastic)	1,700	210	2,700
8	PCB	-	16,000	**970**	**76,000**
9	Diode	EP (Epoxy resin or plastic)	5,300	340	10,000
10	Diode	EP (Epoxy resin or plastic)	5,000	93	11,000
11	OP-AMP	EP (Epoxy resin or plastic)	1,800	62	8,000
12	TR	Polyester resin, EP (Epoxy resin or plastic)	4,300	84	11,000
13	MOS-FET	-	2,200	43	4,000
14	LED PEDL	-	n.d.	210	n.d.
15	LDO voltage regulator	EP (Epoxy resin or plastic)	3,680	n.d.	7,700
16	고압CAP	PA (polyamide)	2,500	170	6,700
17	PCB	-	12,000	**810**	**76,000**
18	PCB	EP (Epoxy resin or plastic)	9,300	**920**	**61,000**
19	GASKET_SPONGE	Silicone Rubber	n.d.	**1,900**	**n.d.**

5. Halogen-free Test 의뢰 시 주의점

1) Sample 취급 시 사람의 손이 닿지 않도록 유의 할 것.

→ 사람 손의 염분으로 인한 측정값이 높아 질 수 있음.

2) Sample의 시료를 담는 포장물의 재질은 종이 or PE계열을 사용할 것.

→ 일반 Plastic일 경우 염소가 포함될 가능성이 높음.

3) Test Methods는 회화법만 인정을 함.

→ 전처리 및 분석 시 On-line으로 진행을 하기 때문 test과정의 Loss를 최소화 할 수 있어 회화법이 용출법보다 신뢰도가 높음

4) 염소의 경우 XRF로 Screening Test는 하지 말 것.

→ Br은 Screen이 되나, 염소의 경우 1%이하인 경우 Data의 신뢰성이 없음.

표 1) 할로겐프리 관리기준

해 당 물 질	허 용 농 도
브롬(Br)	900ppm(0.09%)
염소(Cl)	900ppm(0.09%)
브롬(Br)과 염소(Cl)의 합계	1000ppm(0.10%)

표 2) 삼산화 안티몬과 적인계열 관리기준

해 당 물 질	허 용 농 도
삼산화안티몬(Sb_2O_3)	1000ppm(0.10%)
적인	1000ppm(0.10%)

6. FR-4 & HALOGEN FREE 신뢰성 비교 TEST

1) 생산성 및 Cost 비교

공정	구 분	FR-4	Halogen Free	비고
원자재	Cost		Matsushita>Doosan>Shengyi	Cost 45~50%↑
	납기		주문 생산	
적층	생산성	Heating Time 120분 Cooling Time 60분	Heating Time 160분 Cooling Time 80분	생산성 25%↓
	신뢰성	Peel Strength 0.7kg_f/㎠이상	정해진 국제 규격이 없음 FR-4에 대비 현저히 낮음	원자재 별 차이 심함
드릴	생산성		FR-4에 비해 강한 재질	생산성 15%↓
	Cost			Bit 소모량 20%↑
인쇄	Cost (PSR Ink)		FR-4 대비 15~20%↑	Cost 15~20%↑
외형 가공	가공 방법	금형 또는 Router 가공	Router 가공	

2) 원자재 Maker 별 내층 Peel Strength

· Test 방법 : 3-3 참조

Pre-Preg는 #7628HRC 2장적용

단위 : kg_f/㎠

한국 D사	일본 M사	중국 S사	한국 L사	중국 V사
0.57	0.85	0.29	0.18	0.22
0.55	0.87	0.32	0.25	0.22

3) 신뢰성 TEST 결과 - 1

ⓐ Model : A TYPE

ⓑ Layer : 4L

ⓒ Lay-Up Structure : 아래 그림 참조

ⓓ Final Thickness : 1.6mm ± 10%

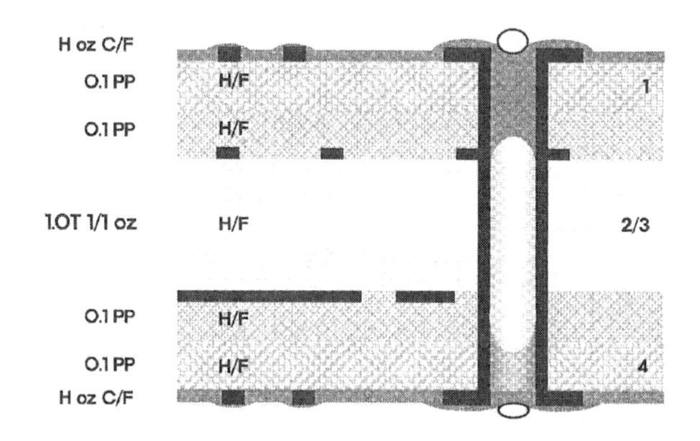

NO	Test Item	Test Method	Spec	Result Average	
				전	후
1	Plating Thickness	After Cross Section	Surface Min. 20μm	26.2μm	25.1μm
			Hole Wall Min. 20μm	25.3μm	25.3μm
2	Thermal Stress	Solder Float (288℃, 10sec, 3 Cycle)	No Copper Plating Void No Lamination Void No Barrel & Foil Crack No Plating Hole Separation No Resin Smear	None	
3	Thermal Shock	-65℃ / +125℃ 15min / 15min 100 Cycle		None	
4	Peel Strength Test	Pull Strength	FR-4 기준 0.7~0.9kg_f/cm^2	0.22kg_f/cm^2	

① Plating Hole Condition

· Thermal Stress 前

SPEC	Result
Surface Min.20μm	26.2μm
Hole Wall Min.20μm	25.3μm

· Thermal Stress 前	
<table><tr><th>SPEC</th><th>Result</th></tr><tr><td>Surface Min.20㎛</td><td>25.1㎛</td></tr><tr><td>Hole Wall Min.20㎛</td><td>25.3㎛</td></tr></table>	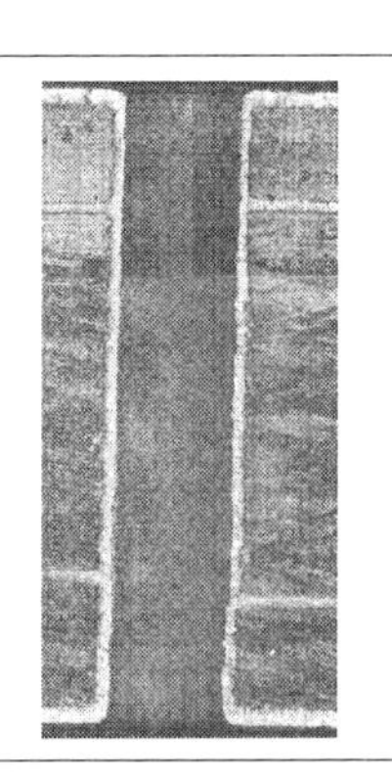

② Thermal Shock Test

· Test 기간 : 2006.11.10 ~ 2006.11.13

· Test Cycle : 100 Cycle [IPC-TM-650 / 2.6.7.2 항]

· Test 조건

Step	Test Condition D	
	Temperature	Time
1	-55, +0/-5	15
2	25, +10/-5	O
3	+125, +5/-0	15
4	25,+10/-5	O

· Test 결과

SPEC	Result
Copper Plating Void	None
Lamination Void	None
Barrel & Foil Crack	None
Plating Hole Separation	None
Resin Smear	None

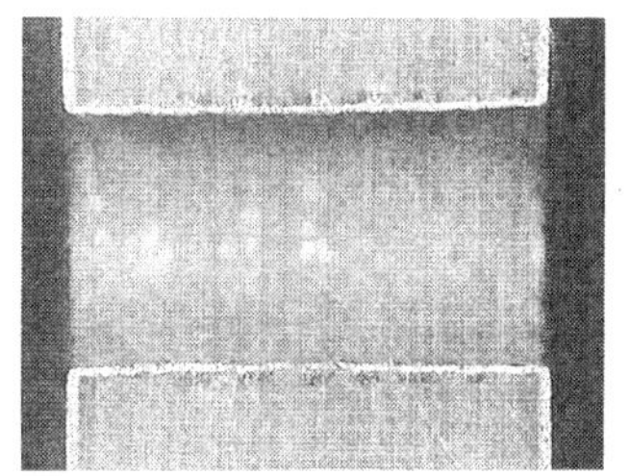

③ Peel Strength Test

· Test 방법

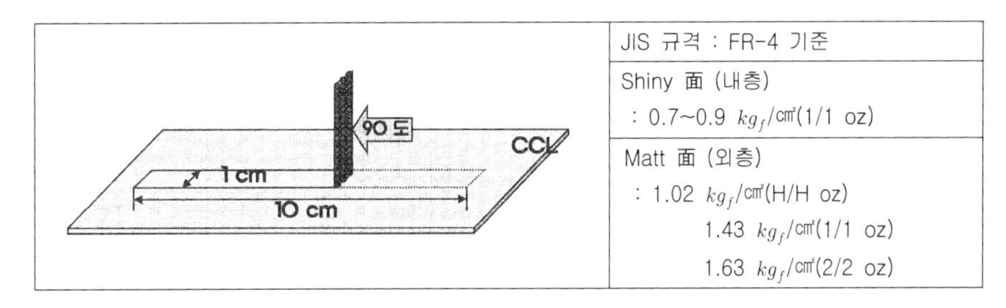

JIS 규격 : FR-4 기준
Shiny 面 (내층) : 0.7~0.9 kg_f/㎠(1/1 oz)
Matt 面 (외층) : 1.02 kg_f/㎠(H/H oz) 1.43 kg_f/㎠(1/1 oz) 1.63 kg_f/㎠(2/2 oz)

· Test 결과

No.	1	2	3	4	5	6	7	8	Ave.
Result	0.21	0.25	0.25	0.23	0.19	0.23	0.22	0.20	0.22

④ Dielectric Thickness

LAYER	Result
HALOGEN FREE #2116 × 2	0.242㎜
HALOGEN FREE TC 1.0 T	0.993㎜
HALOGEN FREE #2116 × 2	0.259㎜
TOTAL THICKNESS	1.534㎜

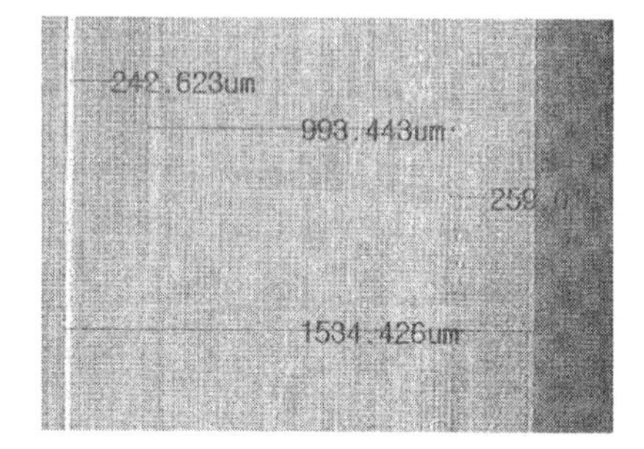

4) 신뢰성 TEST 결과 - 2

NO	TEST ITEM	Test Method	SPEC	Result	Decision	Remark
1	Drill Roughness	After Cross Section	Max. 25㎛	19.6㎛	O.K	Fig.1
2	Plating Thickness	After Cross Section	Surface Min. 20㎛ Hole Wall Min. 20㎛	28.9㎛ 25.3㎛	O.K	Fig.1
3	Thermal Stress	Baking(135℃, 1Hr) Solder Float (288℃, 10sec, 3 Cycle)	No Copper Plating Void No Lamination Void No Barrel & Foil Crack No Plating Hole Separation No Resin Smear	None	O.K	Fig.2
4	Solder Ability	Solder Float (245℃, 5sec)	Wetting Min 95%	100%	O.K	Fig.3
5	Dielectric Thickness	After Cross Section	-	-	O.K	Fig.4
6	Annular Ring	After Cross Section	Inner Layer Min. 25㎛ Out Layer Min. 50㎛	-	O.K	Fig.4
7	PSR Adhesion	Cutting Blade Internal (1mm in 3*3 Solder PCB)	No Solder Mask Residues On Tape	None	O.K	Fig.5
8	Solder Mask Thickness	After Cross Section	Pattern Edge Min. 5㎛ Pattern Center Min.12.5㎛	15.4㎛ 16.6㎛	O.K	Fig.6

① Drill Roughness

Test Method	Result
Max. 25㎛	19.6㎛

② Plating Thickness

Test Method	Result
Surface Min. 20㎛	28.9㎛
Hole Wall Min. 20㎛	25.3㎛

A	B	C	D	E	F
32.3	25.3	25.3	29.5	32.3	29.5

G	H	I	J
30.3	31.8	31.8	28.9

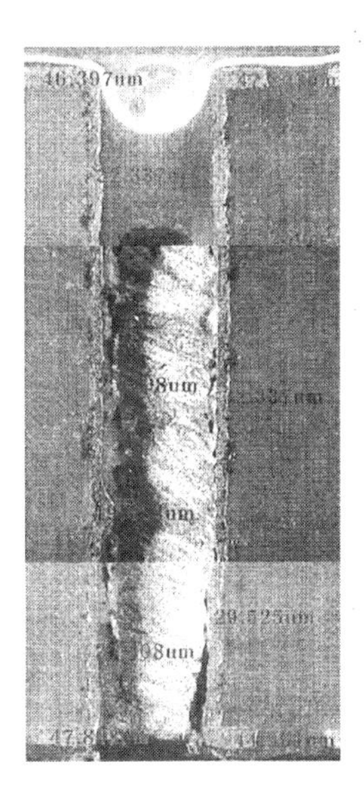

③ Thermal Stress

Test method	Result
Copper Plating Void	None
Lamination void	None
Barrel & Foil Crack	None
Plating Hole Separation	None
Resin Smear	None

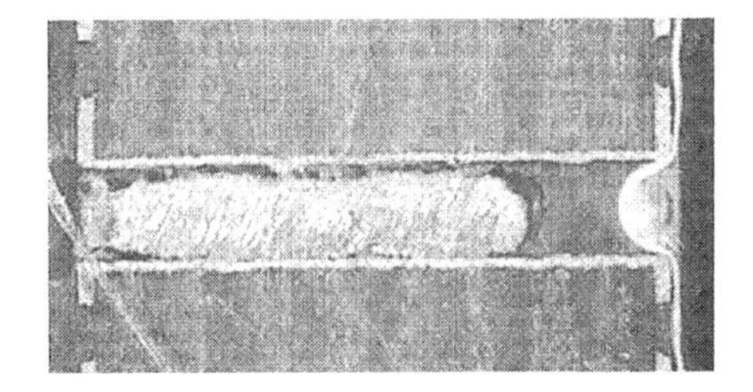

④ Solder Ability

Test Method	Result
Wetting Min. 95%	O.K

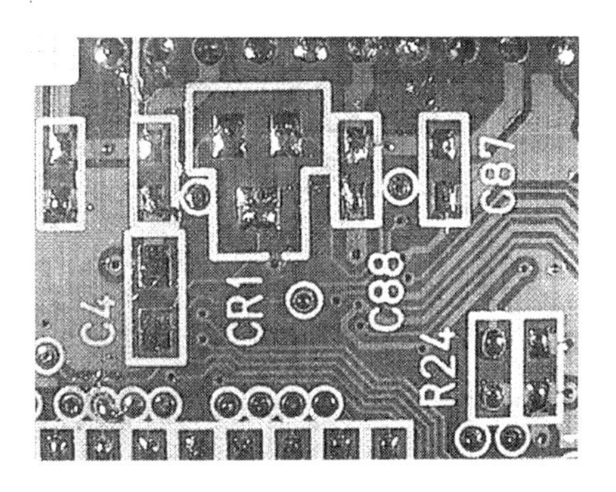

⑤ Dielectric Thickness

Test Method	Result
1L ~ 2L	0.340㎜
2L ~ 3L	0.947㎜
3L ~ 4L	0.340㎜
1L ~ 4L	1.698㎜

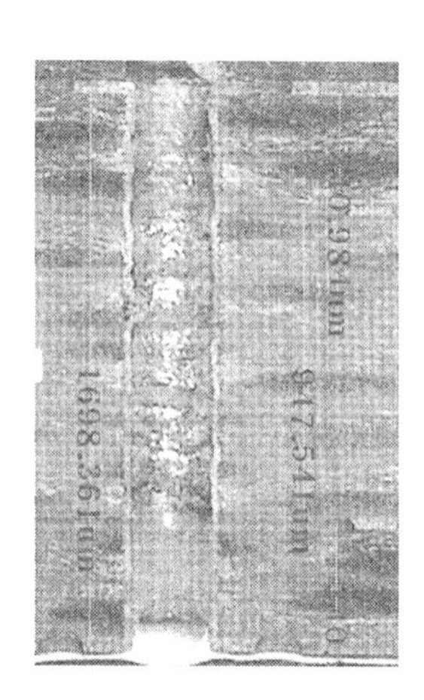

⑥ Annular Ring

Test Method	Result
Inner Layer Min. 25㎛	O.K
Out Layer Min. 50㎛	O.K

⑦ PSR Adhesion

Test Method	Result
No Solder Mask Residues On Top	None

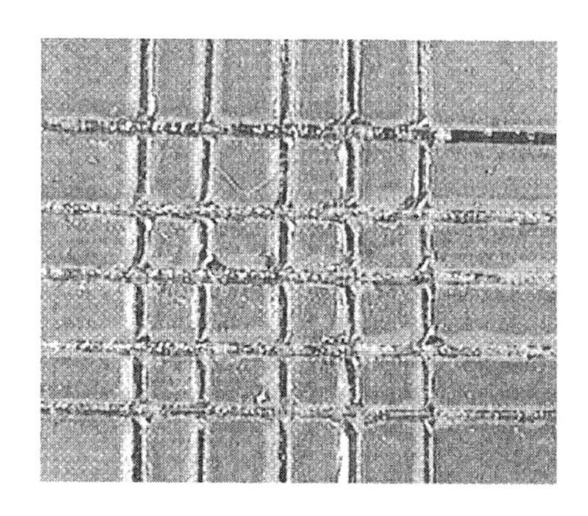

⑧ Solder Mask Thickness

Test Method	Result
Pattern Edge Min. 5㎛	15.4㎛
Pattern Center Min. 12.5㎛	16.6㎛

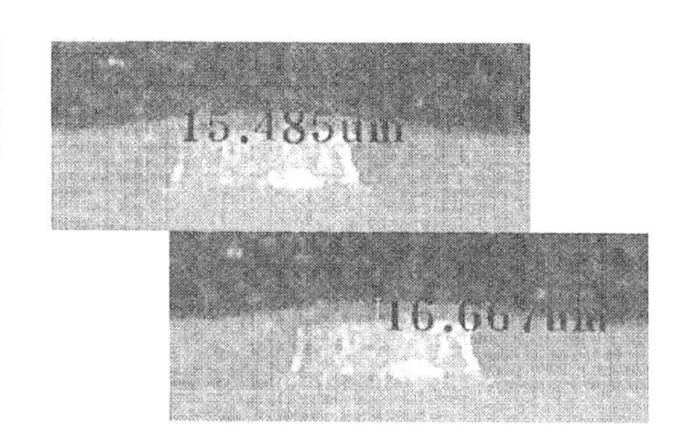

5) 신뢰성 TEST 결과 - 3

NO	Test Item	Test Method	Spec	Result 마쯔시다	Result 생 익
1	Drill Roughness	After Cross Section	Max. 25㎛	22.8㎛	22.8㎛
2	Plating Thickness	After Cross Section	Surface Min. 20㎛ Hole Wall Min. 20㎛	27.5㎛ 28.5㎛	27.5㎛ 23.5㎛
3	Thermal Stress	Solder Float (288℃, 10sec, 3Cycle)	No Copper Plating Void No Lamination Void No Barrel & Foil Crack No Plating Hole Separation No resin Smear	None	None

① Drill Roughness

구분	SPEC	Result
마쯔시다	Max.25㎛	22.8㎛
생 익	Max.25㎛	22.8㎛

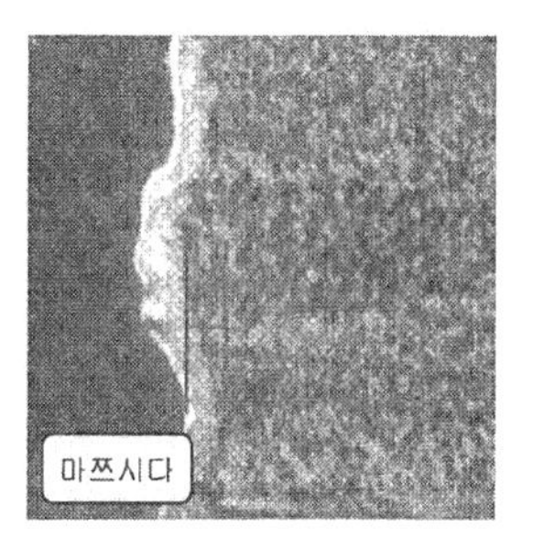

② Plating Thickness

구 분	Test Method	Result
마쯔시다	Surface Min. 20㎛	27.5㎛
	Hole Wall Min. 20㎛	28.5㎛
생 익	Surface Min. 20㎛	27.5㎛
	Hole Wall Min. 20㎛	23.5㎛

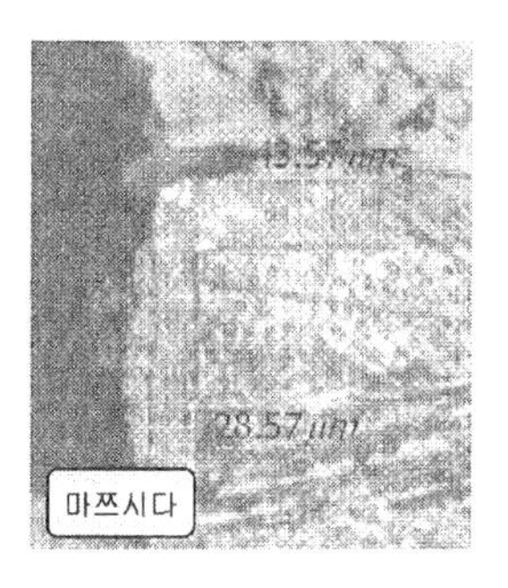

③ Thermal Stress

Test Method	Result
Copper Plating Void	None
Lamination Void	None
Barrel & Foil Crack	None
Plating Hole Separation	None
Resin Smear	None

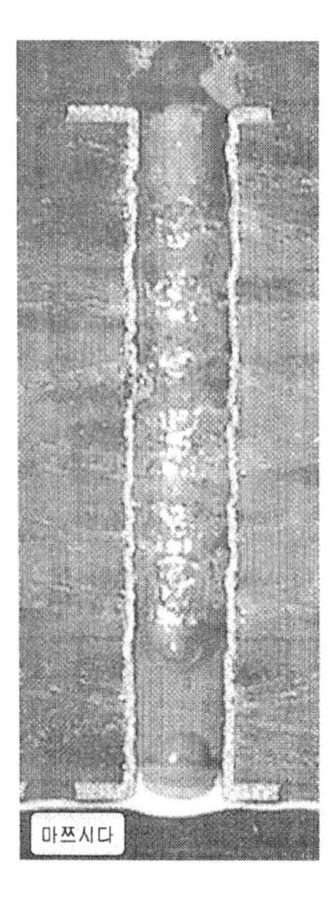

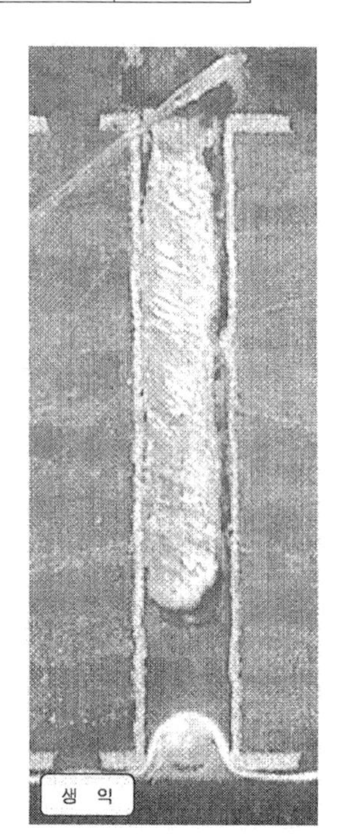

4-2 HALOGEN FREE, HOT-PRESS PROGRAM TEST

1. Test 목적

1) 대만 SM사 Halogen Free Press 조건을 설정하기 위함.

2) 대만 SM사 Halogen Free 자재에 대한 당사 사용 가능 여부를 판단하기 위함.

2. Test 방법

No	Test 항목	세부 항목
1	Press 온도 Profile	· 1차 Test 조건 Press Time : 160 Min , Press Temp : 140 ~ 200℃ Press Pressure : 100 ~ 200 N/㎠ , Vacuum : 1000 M/bar · 2차 Test 조건 Press Time : 160 Min , Press Temp : 140 ~ 200℃ Press Pressure : 100 ~ 200 N/㎠ , Vacuum : 1000 M/bar · 3차 Test 조건 Press Time : 140 Min , Press Temp : 140 ~ 200℃ Press Pressure : 100 ~ 200 N/㎠ , Vacuum : 1000 M/bar
2	신뢰성 Test	· Peel Strength Test · Thermal Shock Test

3. Test 결과

1) 결과 분석

① Press 온도 Profile 분석

구 분	온도 상승률	Curing Condition	Press Cycle Time
업체 추천 조건	3℃ / MIN 상승	170℃ 이상 90 Min 유지	160 Min
1차 진행 온도 Profile	2℃ / MIN 상승	170℃ 이상 70 Min 유지	160 Min
2차 진행 온도 Profile	3℃ / MIN 상승	170℃ 이상 105 Min 유지	160 Min
3차 진행 온도 Profile	3℃ / MIN 상승	170℃ 이상 90 Min 유지	140 Min

② Peel Strength Data

구 분	대만 SM사	대만 SY사	한국 D사
#1080	0.840	0.350	0.560
#2116	0.830	0.340	0.550

③ Thermal Shock Test

※ 5 Cycle Dipping Test 결과 이상 발생 없음

2) 결론

① 3차 진행 Press 조건이 Shine More Press 조건으로 정립됨.

② 대만 SM사 Halogen Free가 타사 제품보다 Peel Strength값이 높게 측정 됨. (Delamination에 대해 우수함)

③ 신뢰성 분석 및 온도 Profile 확인 결과 양산 적용 시에도 문제가 없다고 판단 됨.

4. Test 결과

1) Press 온도 Profile 1차 Test

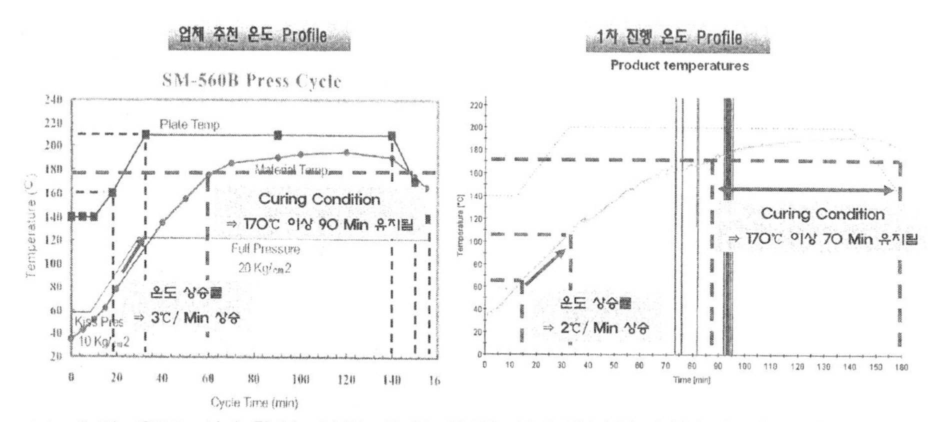

※ 초기 온도 상승률이 업체 추천 온도 상승률보다 낮아 Curing Condition을 만족하지 못함.

2) Press 온도 Profile 2차 Test

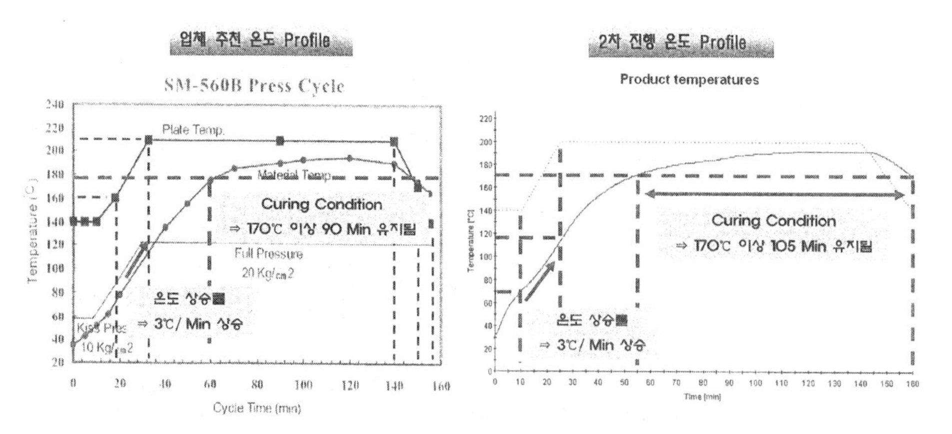

5) Thermal Shock Test

진행 방법 : 원판을 Oxide 처리하여 적층 후, 시편을 288℃ 10초간 Dipping 하여 5 Cycle test

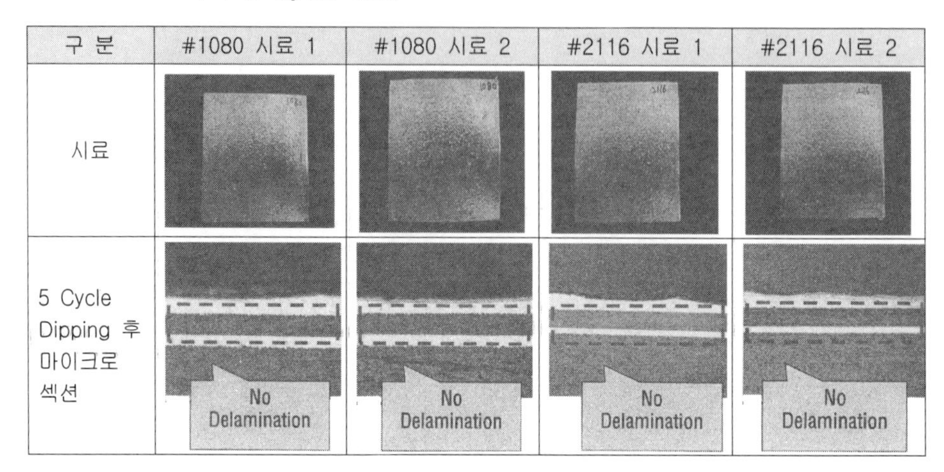

구 분	#1080 시료 1	#1080 시료 2	#2116 시료 1	#2116 시료 2
시료				
5 Cycle Dipping 후 마이크로 섹션	No Delamination	No Delamination	No Delamination	No Delamination

※ Dipping 5회 실시 후 확인 결과 이상 발생 없음

5. WORK SIZE

- 5-1 WORK SIZE 표준화
- 5-2 SIZE 대형화에 따른 PCB공정 검토

5-1 WORK SIZE 표준화

1. Work Size 표준화 목적

1) 작업성 향상 [생산성/품질 향상]

당사 자동화 Line에서의 Work Size 표준화로 Error 발생률을 낮출 수 있음

2) 부자재 재고 관리 용이 [관리의 편의성]

Back-Up Board Size 간소화로 회전율이 높아지게 되어 재고 관리가 용이함

3) Copper Foil Size 표준화 가능 [원가 절감]

현재 대비 Copper Foil Loss를 줄일 수 있으며, 작업자 2명 감소로 제조원가를 낮출 수 있음

2. Work Size 표준화 기본 원칙

1) Sheet Size 일원화

현재까지 투입된 원판 Size의 종수는 Total 11종이었으나 (Middle Size 제외) 다음의 도표와 같이 4종으로 일원화시킴. 두산 원판에 기준함.

2) Cut 수 표준화

향후 모든 Panel 등분은 9Cut를 용인하지 않으며 4Cut와 6Cut에 맞춘다.

3. 의견

1) Standard Work Size로 표준화를 하고, Special Work Size가 적용되는 모델은 Sheet당 제조원가 차이를 감안한 표준화 적용이 필요함.

2) Copper Foil Size는 표준화가 가능하며 최소 3종에서 6종까지 적용 가능함.

3종 적용 시에는 부분적인 Copper Foil 절단이 필요하나, 6종 적용 시에는 Copper Foil 절단이 필요하지 않음.

3) 부서별 협조사항

· 관리부 : 수입 원판의 발주 규격 통일 및 재고 소진

· 영업부 : 표준 원판 Size에 맞는 개취량 산출
Special Work Size 적용 모델에 대한 투입 전 관련 부서 회의 주관

· 사양관리 : Standard Work Size에 대한 사양 표준화

· 생산부 : 동일 Work Size 생산에 따른 혼입 주의

4) 의견

Work Size 표준화는 유관부서의 동의하에 빠른 시일 내 적용이 필요함.

4. Work Size 표준화 방안

1) 일원화 된 표준 Work Size

	Sheet Size	4 CUT	6 CUT		9 CUT	Cost
Middle	1028*1033	①514.0*516.5	⑤344.3*514.0		⑫342.6*344.3	J*0.85
Regular	927*1233	②463.5*616.5	⑥411.0*463.5	⑨309.0*616.5	⑬309.0*411.0	J*0.90
Jumbo	1028*1233	③514.0*616.5	⑦411.0*514.0	⑩342.6*616.5	⑭342.6*411.0	J*1.00
A-Jumbo	1079*1233	④539.5*616.5	⑧411.0*539.5	⑪359.6*616.5	⑮359.6*411.0	J*1.05

2) 현재 적용중이 원판 Sheet Size

	Sheet Size				
Middle					
Regular	915*1220	930*1220	927*1232	930*1240	
Jumbo	1020*1220	1070*1220	1030*1240	1028*1233	1030*1230
A-Jumbo	1080*1240	1079*1232			

3) L사 Model에 표준 Work Size 적용

	MODEL	기존 SIZE			변경 SIZE			원판	C/F SIZE			비 고
1	S-0471B/0472B 外 11종	340	×	510	344.3	×	514.0	MD⑤	395	×	565	
2	S-LVDS I/F	340	×	540	342.6	×	616.5	JB⑩				제조원가 상승
3	S-0261C	340	×	610	342.6	×	616.5	JB⑩				
4	S-0479A/0480A 外 6종	406	×	457	411.0	×	463.5	RR⑥	460	×	515	
5	S-0497A	406	×	480	411.0	×	514.0	JB⑦				제조원가 상승
6	S-0497B 外 4종	406	×	510	411.0	×	514.0	JB⑦				
7	C-0195A 外 9종	406	×	515	411.0	×	514.0	JB⑦				
8	S-0485C	406	×	535	411.0	×	539.5	AJ⑧	460	×	590	
9	C-0182A 外 3종	410	×	457	411.0	×	463.5	RR⑥	460	×	515	
10	S-0409E	410	×	480	411.0	×	514.0	JB⑦	460	×	565	제조원가 상승
11	C-0151A	410	×	535	411.0	×	539.5	AJ⑧				
12	C-0201B	457	×	580	463.5	×	616.5	RR②	515	×	665	
13	C-0170B 外 12종	457	×	610	463.5	×	616.5	RR②	515	×	665	
14	S-0292B	460	×	550	463.5	×	616.5	RR②	515	×	665	제조원가 상승
15	C-0188A	480	×	510	514.0	×	615.5	JB③	565	×	665	제조원가 상승
16	S-0476B/0477B	510	×	580	514.0	×	615.5	JB③	565	×	665	제조원가 상승
17	S-0389E/0390E 外 7종	510	×	610	514.0	×	615.5	JB③	565	×	665	
18	S-0489A/0490A 外 1종	515	×	610	514.0	×	615.5	JB③	565	×	665	
19	S-0486A/0487A 外 1종	515	×	615	514.0	×	615.5	JB③	565	×	665	

4) Work Size 변경 시 Sheet당 제조원가 차이

	Model	Special Work Size			면적(㎡)	Standard Work Size			면적(㎡)	Sheet당 제조원가 차이	
										2L	4L/10L
1	A (4L)	406.0	×	480.0	0.194880	411.0	×	514.0	0.211254	₩210.84	₩268.84
2	B (4L)	460.0	×	550.0	0.253000	463.5	×	616.5	0.285747	₩421.67	₩537.66
3	C (10L)	480.0	×	510.0	0.244800	514.0	×	615.5	0.316881	₩928.17	₩1808.79
4	D (4L)	510.0	×	580.0	0.295800	514.0	×	615.5	0.316881	₩271.45	₩346.12

※ L사 총 80 Model 중 Special Work Size 적용 모델은 5종임.
원판 Sheet당 개취량의 변화 없이 Work Size만 변경되는 것으로 "Sheet당 제조원가 차이"로 표기함.

5. 기본 PANEL 규격 및 종류

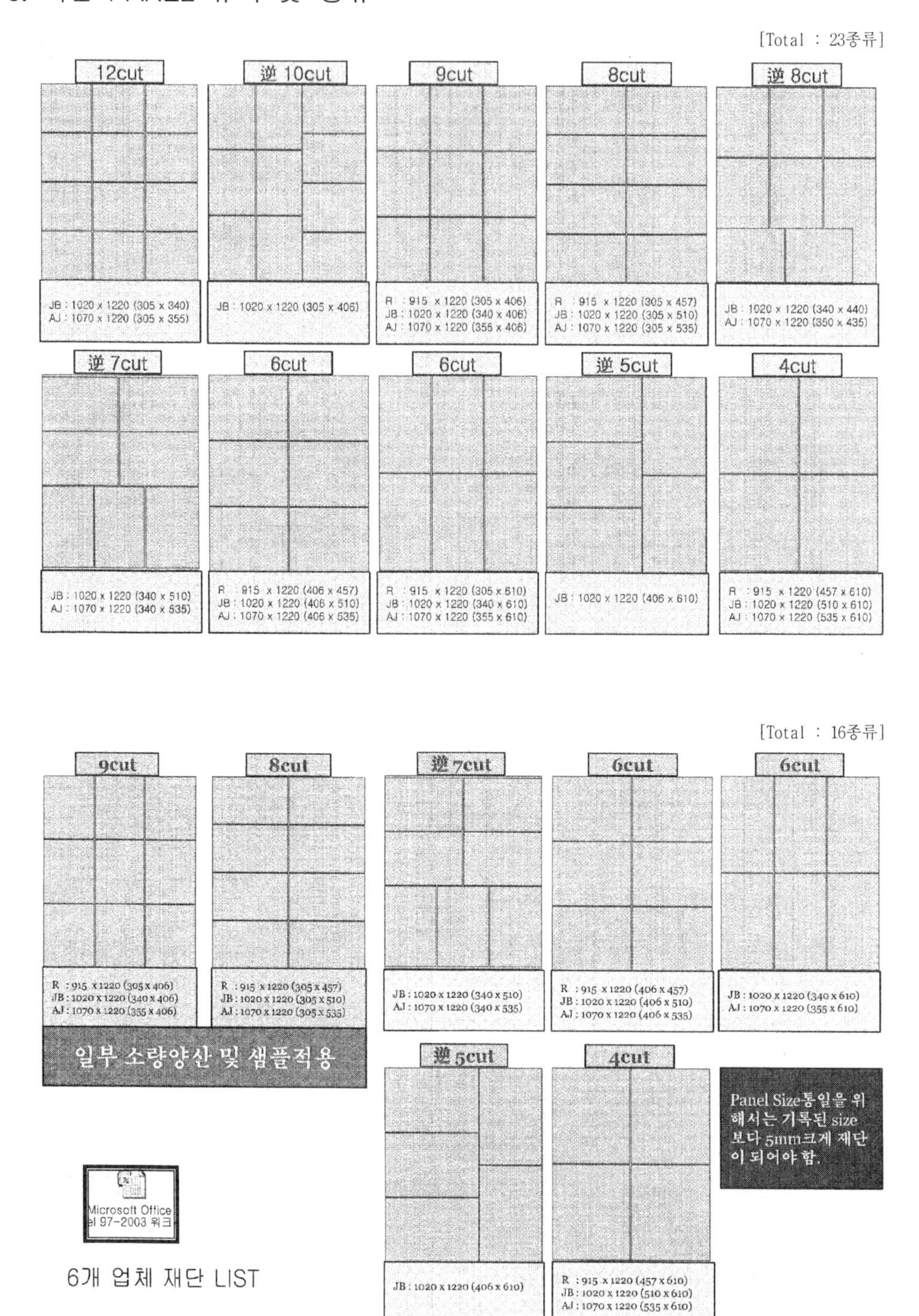

6. 기꾸가와 자동재단기 작업 가능 Working Panel

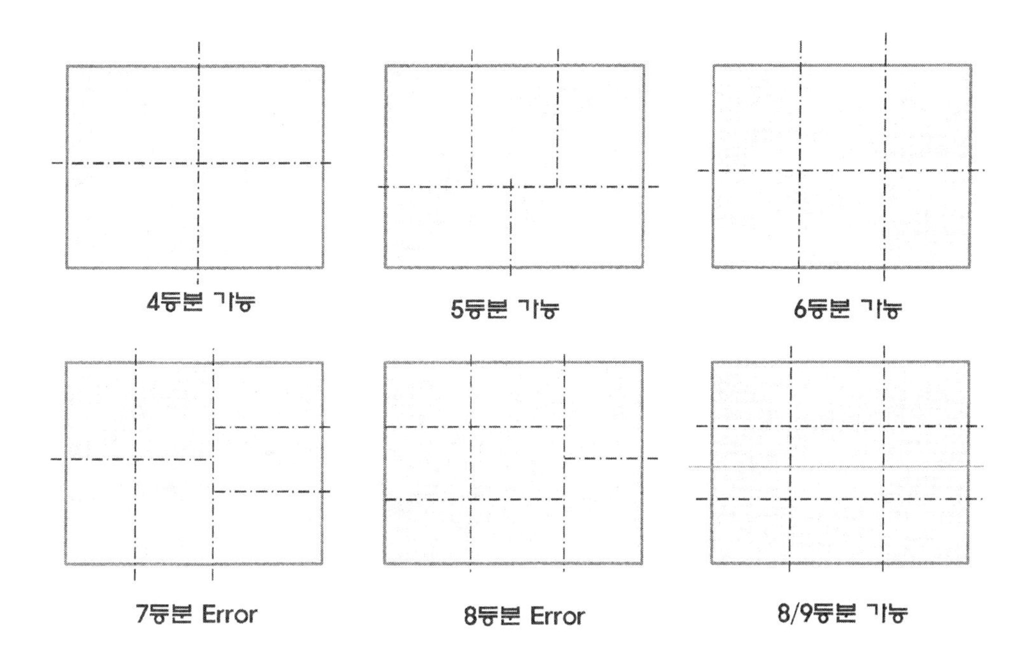

7. 규격으로 갈 수 없는 모델

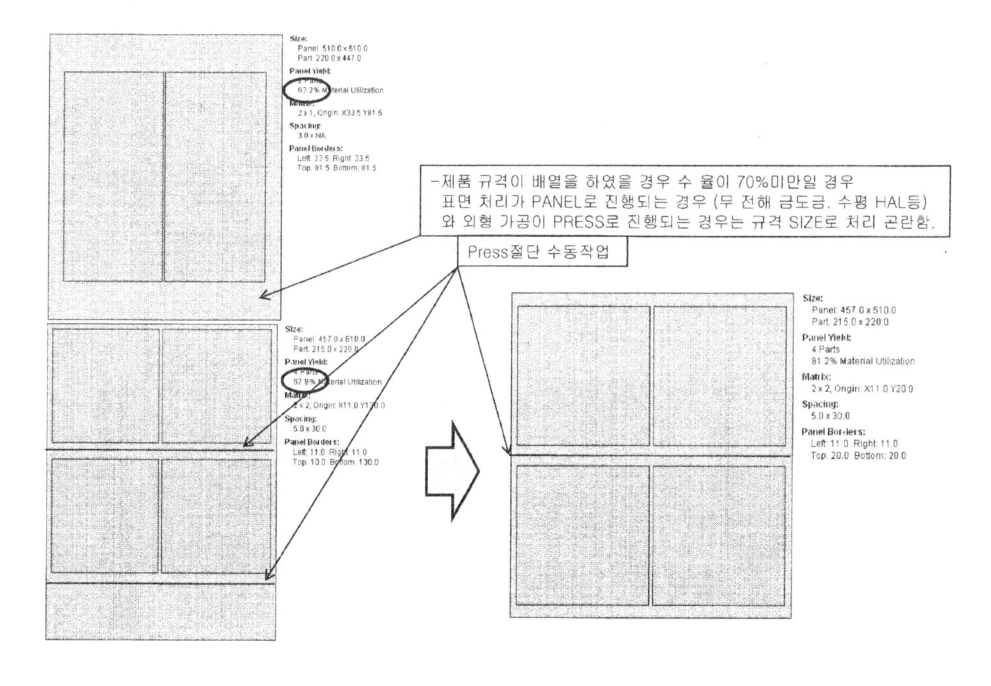

8. 비규격 원자재 사용

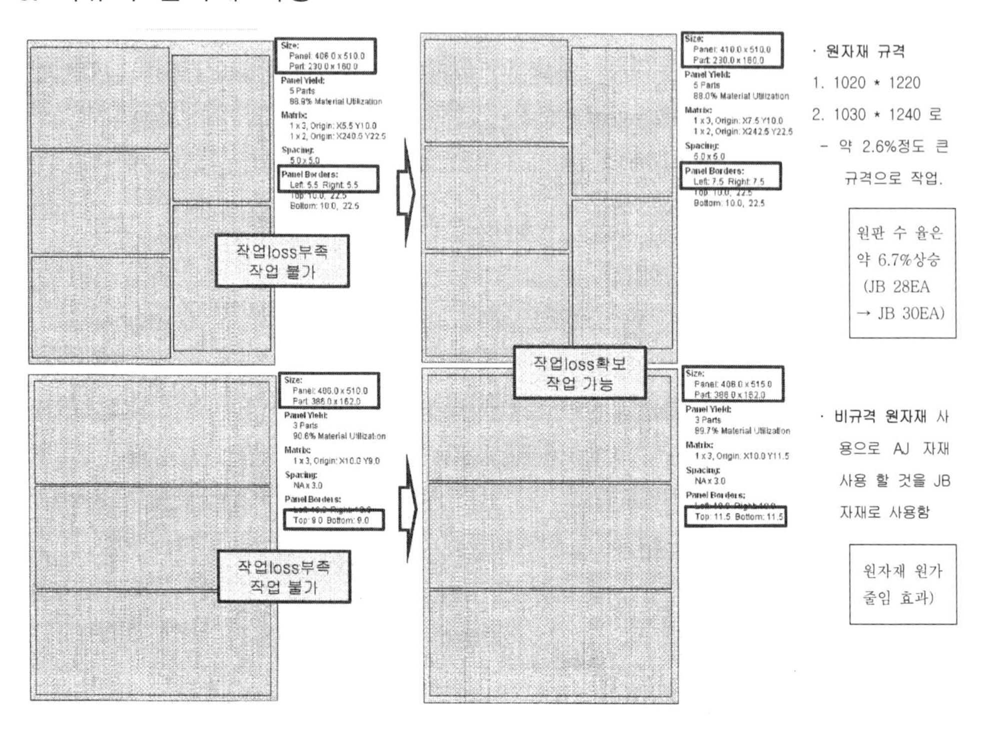

9. 기본 형태 3종에 종류 9종으로 할 경우 문제점?

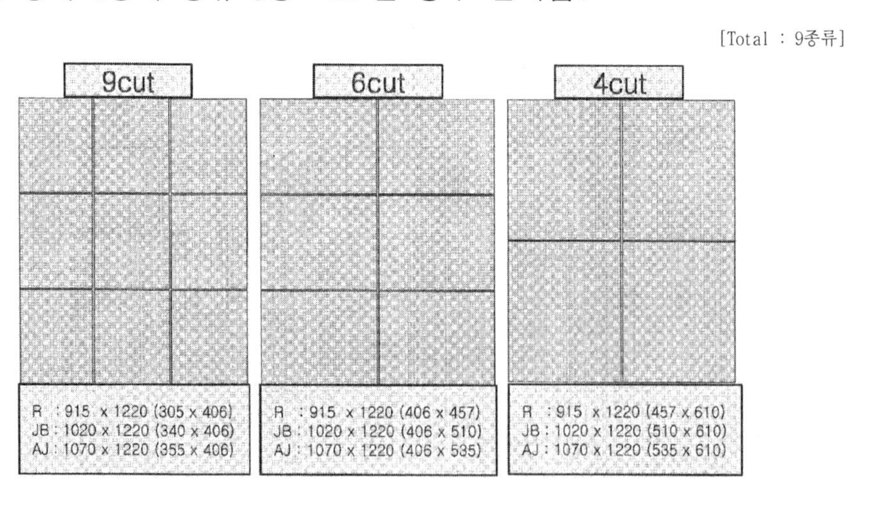

▷ 생산적인 면

생산의 작업LOSS여유 확보 필요

· 1공장 구 도금라인 RACK여유 12㎜필요.

· 1공장 VCP라인 8㎜이상 필요.

· D/F Lamination장비 마진 3㎜에 필름 Cutting 여유로 최소 6㎜이상 필요.

· 인쇄 최소 RACK의 최소 여유확보.

· 2공장 PSR 건조기 RACK여유 15㎜필요.

(일부 모델 여유부족으로 Dummy Bar에 RACK자국 발생)

· Press 제품 간격 5㎜이상 확보 필요.

· 단자 금도금 제품의 간격 7㎜이상 확보 필요.

· 동일 PANEL의 규격이 같이 흐를 시 공정 혼입 우려됨.

(동일모델 GUIDE 위치 다르게 하기 위한 PANEL의 한계)

AUTO GUIDE 경우 PANEL 재단 SIZE 중심으로 모든 장비가 SETTING되어 있음.

5-2 SIZE 대형화에 따른 PCB공정 검토

1. 원자재 현황 (자재 마스터 File 기준)

§ 총 보유 자재 종수 : 8,046종

1) CCL 현황 : 237종 (업체별, 규격별)

구 분	RR-Type	JB-Type	AJ-Type	MJ-Type
SIZE	915 × 1,220	1,020 × 1,220	1,040 × 1,245	1,080 × 1,245
	920 × 1,220	1,028 × 1,233	1,041 × 1,245	1,087 × 1,240
	927 × 1,232	1,029 × 1,232	1,042 × 1,245	1,090 × 1,245
		1,030 × 1,240	1,060 × 1,220	1,080 × 1,330
		1,036 × 1,239	1,070 × 1,220	
		1,036 × 1,240	1,079 × 1,232	
등분수계산(sm)	1,116	1,244	1,305	1,040

2) DRILL BIT : 320종 (일반 154종, 특수 166종)

3) AL-Foil : 4종

0.18×1,020×1,220	0.18×1,035×1,234	0.18×1,080×1,244	0.13×1,041×1,244

4) Melamine B/B : 6종

1,020×1,220	1,022×1,220	1,035×1,235	1,040×1,240	1,070×1,240	1,080×1,250

2. WORK SIZE 645 × 510 검토

1) Test 목적

① 생산성 향상

단위 시간당 생산량 극대화

② 개취량 증가

단위 면적당 제조 순이익 증대

2) Test 방법

① 적용 모델 : A TYPE

② 적용 원판 : 대만 KB사

③ 진행 방법

단위 공정 별 진행 시 작업 가능 유무를 Check하고 장비 개조 등의 가능성을 모색함.

현 장비에서 대응이 안 되는 부분은 수작업으로 진행하여 후공정까지 진행시킴.

3)-1 소견

① 생산성 향상 : 동일 모델 진행 시 단위 시간당 생산량 증가

② 제조 순이익 구조개선 : 개취량 증가로 단위 면적당 순이익 증가 (₩5,000/SHT↑)

③ 장비 대응력

기본 Wet Line은 대응이 되나, 부분적으로 장비의 Upgrade가 필요함

필름실의 경우 A.O.I 및 3차원 측정기의 신규 도입이 필요함

내/외층 image의 경우 자동 라미네이터와 자동 노광기의 신규 도입이 필요함

인쇄 공정은 수동/자동 노광기의 신규 도입이 필요함

도금 공정의 경우 VCP Line의 개조가 필요함

④ 제품 신뢰성

도금 편차에 따른 후공정 불량률 증가 및 Hole 속 도금 신뢰성이 떨어짐

3)-2 소견

Work Size 변경에 따른 생산성 등가의 반대 급부로 취급에 따른 불량이 증가할 것으로 판단됨

전체 생산량 중 Work Size 340 × 510이 차지하는 비중은 그리 크지 않음

장비의 Upgrade/개조나 신규 도입에 따른 비용과 시간을 고려하였을 경우 Work Size 645 × 510은 적용 타당성이 부족하다고 판단됨

4) 개취량 변화에 따른 제조 순이익 분석

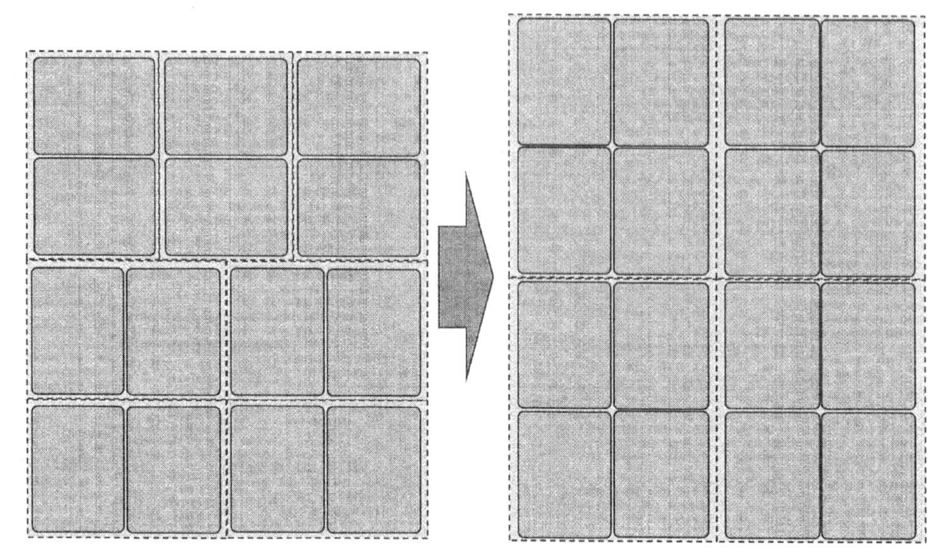

▷ 개취량 : 140pcs/SHT

▷ 개취량 : 160pcs/SHT (14.28%↑)

■ Work Size 변경에 따른 제조원가 비교

· 적용 모델 6870S-0471B/0472B

· Work Size 변화 (현재) 340 × 510

(검토) 645 × 510

환 율	2008.01.27		6870S-0471B/0472B	
$ 1.00	₩	930.00	7 Cut	4 Cut
제조원가	₩/㎡		₩ 68,897	₩ 69,182
	₩/sheet		₩ 83,627	₩ 91,030
개취량	pcs/sheet		140	160
영업단가	$/pcs		$ 0.661	$ 0.661
	$/sheet		$ 92.54	$ 105.76
	₩/sheet	₩930.0	₩ 86,062	₩ 98,357
제조 순이익		₩/sheet	₩ 2,436	₩ 7,327

공 정	340 × 510		645 × 510	
원판	₩	13,465.46	₩	13,625.79
내층	₩	-	₩	-
A.O.I	₩	-	₩	-
적층	₩	-	₩	-
드릴	₩	2,531.06	₩	2,527.93
도금	₩	6,477.20	₩	6,444.48
외층	₩	2,804.71	₩	2,741.64
A.O.I	₩	3,200.00	₩	3,200.00
인쇄	₩	3,638.46	₩	3,549.56
ENIG	₩	9,000.00	₩	9,000.00
ROUTER	₩	4,661.48	₩	4,914.42
최종수세	₩	200.00	₩	200.00
B.B.T	₩	803.60	₩	803.60
최종검사	₩	1,000.00	₩	1,000.00
포장	₩	200.00	₩	200.00
Utility	₩	6,400.00	₩	6,400.00
LOSS	₩	1,631.46	₩	1,638.22
감가상각	₩	4,481.07	₩	4,499.65
인건비	₩	8,402.01	₩	8,436.85
제조원가 [₩/㎡]	₩	68,896.52	₩	69,182.15
제조원가 [₩/Sheet]	₩	83,626.59	₩	91,029.87

5) Work Size 변경 시의 생산성 분석

① 기본 Wet 장비 : 정면기, DES Line, VCP Line …

Work Size	단위 생산량		생산성 향상	
340 × 510	0.69 ㎡/min	806 ㎡/daily	69 ㎡/daily ↑	8.56 % ↑
645 × 510	0.83 ㎡/min	875 ㎡/daily		

② 자동 노광 장비 …

Work Size	단위 생산량		생산성 향상	
340 × 510	0.43 ㎡/min	553 ㎡/daily	166 ㎡/daily ↑	30 % ↑
645 × 510	0.56 ㎡/min	719 ㎡/daily		

6) 공정 별 대응 유무 분석

① 공정 : FILM 관리

(a) Laser Plotter

	Size Checking Part	현재 가능 Size			대응 유무	개조 유무	대안	예상 비용
1	Film Size	610	×	910	가능			

(b) Film A.O.I

	Size Checking Part	현재 가능 Size			대응 유무	개조 유무	대안	예상 비용
1	Effective Inspection Area	510	×	610	불가	불가	신규 도입	₩150,000,000

(c) 3차원 측정기

	Size Checking Part	현재 가능 Size			대응 유무	개조 유무	대안	예상 비용
1	Effective Inspection Area	510	×	610	불가	가능	Upgrade	₩100,000,000

② 공정 : 내층

(a) 정면기

	Size Checking Part	현재 가능 Size			대응 유무	개조 유무	대안	예상 비용
1	Effective Spray Area		×	650	가능			

(b) 자동 라미네이터

	Size Checking Part	현재 가능 Size			대응 유무	개조 유무	대안	예상 비용
1	Main Board Format	630	×	630	불가	불가	신규 장비	₩150,000,000
2	Hot Roll	625	×	630	불가	불가	추가 구매	₩10,000,000

(c) 자동 노광기

	Size Checking Part	현재 가능 Size			대응 유무	개조 유무	대안	예상 비용
1	Main Board Format	540	×	620	불가	불가	신규 장비	₩250,000,000
2	Standard Layout Film Format	597	×	674				
3	Effective Exposure Area	535	×	610				

③ 공정 : 적층

(a) Hot Press

	Size Checking Part	현재 가능 Size			대응 유무	개조 유무	대안	예상 비용
1	Main Board Format	560	×	650	가능	무		
2	SUS Plate Size	610	×	690	가능	무		

④ 공정 : DRILL

(a) CNC

	Size Checking Part	현재 가능 Size			대응 유무	개조 유무	대안	예상 비용
1	Main Board Format	550	×	650	가능	무		

⑤ 공정 : 도금

(a) 수평 P.T.H

	Size Checking Part	현재 가능 Size			대응 유무	개조 유무	대안	예상 비용
1	Main Board Format	550	×	650	가능			
2	Effective Spray Area		×	620	불가	필요	Nozzle Bar 교체	₩10,000,000

▷ 무전해 Hole 신뢰성 : Spray 유효 영역 부족으로 신뢰성 우려됨 → 전체 Nozzle Bar의 교체가 요구됨

(b) VCP Line

	Size Checking Part	현재 가능 Size			대응 유무	개조 유무	대안	예상 비용
1	Loader/Unloader	510	×	630	불가	불가	신규 장비	
2	산탈지		×	620	불가	가능	Nozzle Bar 교체	₩10,000,000
3	Hole 신뢰성		X	630	불가	가능	차폐막 개조	

▷ Loader : 최대 630㎜까지만 가능하므로 645mm 자동 loading 不 (수동투입 요구됨) → 새로 교체필요

▷ 산탈지 구간 : Panel Size 조정 필요

▷ 전처리구간 (산탈지 ~ 수세) tank 간 연결부위 최대 630㎜까지만 가능 → tank 수정보안 時 작업 가능

▷ 전기동 program에 540㎜ 이상 제품 size 입력 不 → program 수정 時 가능

▷ 차폐조정 최대거리가 630㎜까지 가능하여, pnl 하단부 도금두께 저하 (hole 신뢰성 저하)

	SPEC	Result
1	Surface Min. 20 ㎛	Min. 21.3 ㎛
	Hole Wall Min. 20 ㎛	Min. 22.4 ㎛
2	Surface Min. 20 ㎛	Min. 21.3 ㎛
	Hole Wall Min. 20 ㎛	Min. 20.2 ㎛
3	Surface Min. 20 ㎛	Min. 21.3 ㎛
	Hole Wall Min. 20 ㎛	Min. 20.9 ㎛
4	Surface Min. 20 ㎛	Min. 20.6 ㎛
	Hole Wall Min. 20 ㎛	Min. 19.4 ㎛
5	Surface Min. 20 ㎛	Min. 19.8 ㎛
	Hole Wall Min. 20 ㎛	Min. 20.9 ㎛
6	Surface Min. 20 ㎛	Min. 19.8 ㎛
	Hole Wall Min. 20 ㎛	Min. 19.4 ㎛
7	Surface Min. 20 ㎛	Min. 11.6 ㎛
	Hole Wall Min. 20 ㎛	Min. 13.4 ㎛
8	Surface Min. 20 ㎛	Min. 7.9 ㎛
	Hole Wall Min. 20 ㎛	Min. 11.2 ㎛
9	Surface Min. 20 ㎛	Min. 9.4 ㎛
	Hole Wall Min. 20 ㎛	Min. 11.9 ㎛
10	Surface Min. 20 ㎛	Min. 10.1 ㎛
	Hole Wall Min. 20 ㎛	Min. 10.5 ㎛

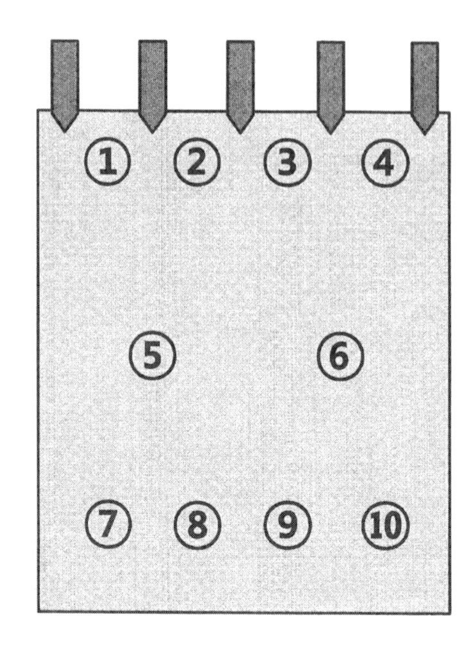

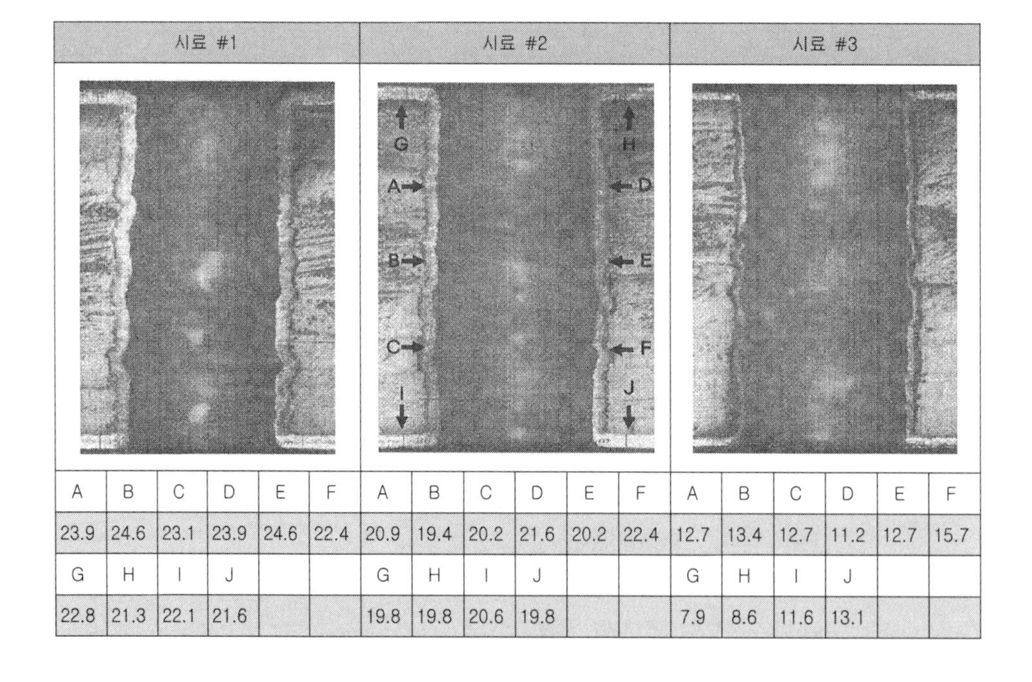

시료 #1						시료 #2						시료 #3					
A	B	C	D	E	F	A	B	C	D	E	F	A	B	C	D	E	F
23.9	24.6	23.1	23.9	24.6	22.4	20.9	19.4	20.2	21.6	20.2	22.4	12.7	13.4	12.7	11.2	12.7	15.7
G	H	I	J			G	H	I	J			G	H	I	J		
22.8	21.3	22.1	21.6			19.8	19.8	20.6	19.8			7.9	8.6	11.6	13.1		

⑥ 공정 : 외층

(a) 정면기

	Size Checking Part	현재 가능 Size			대응 유무	개조 유무	대안	예상 비용
1	Brush	640	×	640	가능			
2	Effect Spray Area	650	×	650	가능			

(b) 자동 라미네이터

	Size Checking Part	현재 가능 Size			대응 유무	개조 유무	대안	예상 비용
1	Main Board Format	630	×	630	불가	불가	신규 장비	₩150,000,000
2	Hot Roll	625	×	630	불가	불가	추가 구매	₩10,000,000

(c) 자동 노광기

	Size Checking Part	현재 가능 Size			대응 유무	개조 유무	대안	예상 비용
1	Main Board Format	610	×	610	불가	불가	신규 장비	₩500,000,000
2	Standard Layout Film Format	610	×	660				
3	Effective Exposure Area	610	×	610	불가	불가		

⑦ 공정 : 인쇄

(a) 정면기 & 현상기

	Size Checking Part	현재 가능 Size			대응 유무	개조 유무	대안	예상 비용
1	Effective Exposure Area	650	×	650	가능			

(b) 자동 인쇄기 & 건조기

	Size Checking Part	현재 가능 Size			대응 유무	개조 유무	대안	예상 비용
1	Main Board Format	650	×	650	가능			

(c) 자동 노광기

	Size Checking Part	현재 가능 Size			대응 유무	개조 유무	대안	예상 비용
1	Main Board Format	510	×	610	불가	불가	신규 장비	₩500,000,000
2	Effective Exposure Area	510	×	610	불가	불가		

▷ 수동 노광기의 Uniformity 문제로 장비 개조가 요구됨

3. Work Size 650 × 510 검토

1) Test 목적

① 생산성 향상 : 단위 시간당 생산성 향상

② 개취량 증가 : 단위 면적당 제조 순이익 증대

2) Test 방법

① 적용 모델 : B TYPE

② 적용 원판 : 대만 원판제작사

③ 진행 방법

단위 공정 별 진행 시 작업 가능 유무를 Check하고 장비 개조 등의 가능성을 모색함

현 장비에서 대응이 안 되는 부분은 수작업으로 진행하여 후공정까지 진행시킴

3) Test 결과

· Work Size 『650 × 510』 적용에는 큰 문제는 없는 것으로 판단 됨

· Dimension 변화도 균일성을 가지고 있어 양산 적용 시 문제없음

· Backup Board와 Al-Foil의 수급 확보가 되는대로 준양산(100~200SHT)을 하고자 함

4)-1 소견

① 생산성 향상 : 동일 모델 진행 시 단위 시간당 생산량 증가

② 제조 순이익 구조개선 : 개취량 증가로 단위 면적당 순이익 증가

③ 장비 대응력

· 기본 Wet Line은 대응이 되나, 부분적으로 장비의 Upgrade가 필요함

· 내/외층 image의 경우 자동 노광기의 신규 도입이 필요함

수동 노광의 경우 Dimension 관리의 어려움으로 양산 적용은 문제가 있음

· PSR 자동 인쇄의 경우 1공장 자동 인쇄 Line에서만 가능함 (동방향 인쇄)

· Wicket 건조기의 경우 2공장은 문제가 없으나 1공장의 경우 검증이 필요함

· PSR 노광 공정은 광량 Uniformity 85% 확보를 위한 Upgrade가 필요함

· 도금 공정의 경우 VCP #3 Line에서만 생산 가능함

④ 제품 신뢰성 : 양호

Work Size 『650 × 510』 적용을 위해 신규 VCP #3 Line을 개조

4)-2 소견

Work Size 변경에 따른 생산성 증가의 반대 급부로 취급에 따른 불량이 증가할 것으로 판단됨

장비 대응 관련한 추가적인 검증 작업이 필요하며, 어느 공장에서 양산을 진행하는 것이 효율적인지 세밀한 검토가 필요함

제조원가 관련한 부분은 추가 보고 예정

5) 개취량 변화에 따른 제조 순이익 분석

① Work Size에 따른 개취량 비교

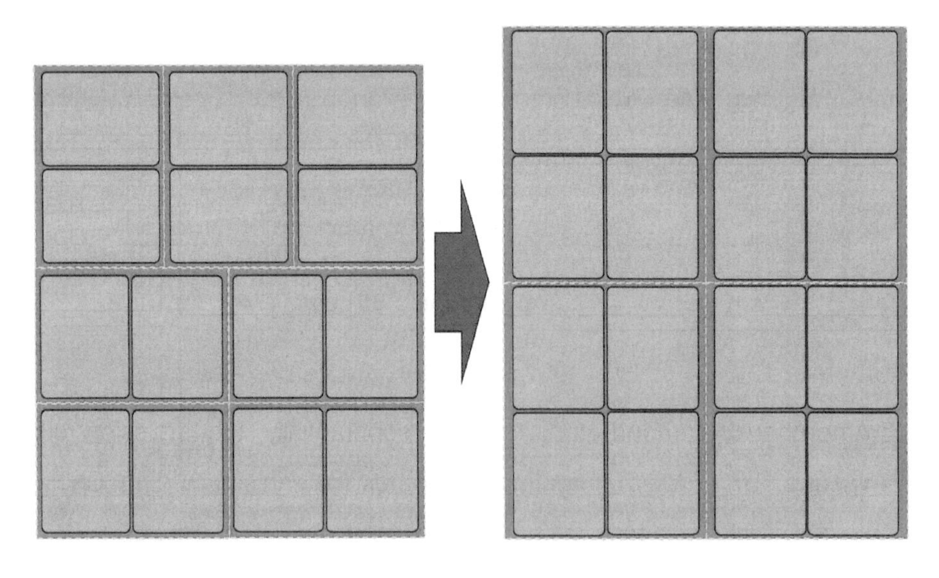

▷ 개취량 : 140pcs/SHT

▷ 개취량 : 160pcs/SHT (14.28% ↑)

6) 적응 원/부자재

① 원판

Maker	Sheet Size	Cost	단위 생산량		생산성 향상
			재단 Size	Work Size	
King Board	1080 × 1300	545 × 645	545 × 645	545 × 645	30 ㎡/daily ↑
Hao Long	1080 × 1300	650 × 510	540 × 650	510 × 650	8.56% ↑

② Backup Board

③ Al-Foil

7) 공정 별 생산 대응 유무 분석

	공정	장비	대응 유무		비 고
			1공장	2공장	
1	film, 관리	Laser Plotter	가능	가능	
		Film A.O.I	가능	가능	2회 검사로 가능
		3차원 측정기	가능	가능	
2	내층 image	정면기		가능	세로 방향 투입
		자동 Laminator		가능	세로 방향 투입
		자동 노광기		불가능	
		D.E.S Line		가능	세로 방향 투입
		A.O.I		가능	
3	적층	Oxide Line		가능	세로 방향 투입
		Hot Press		가능	
4	DRILL	CNC		가능	
5	도금	수평 Desmear Line	가능		
		수평 P.T.H	가능		
		VCP #3 Line	가능		
6	외층 image	정면기	가능	가능	세로 방향 투입
		자동 Laminator	가능	가능	세로 방향 투입
		자동 노광기	불가능	불가능	신규 장비 검토 시 1공장 자동 노광기 교체가 타당함
		수동 노광기	가능	가능	
		D.E.S Line	가능	가능	세로 방향 투입
		A.O.I	가능	가능	
7	인쇄	PSR 정면기	가능	가능	1공장 : 가로 방향 투입 2공장 : 세로 방향 투입
		PSR 자동 인쇄기	가능	불가능	2공장 : 1, 2차 인쇄 방향이 반대

	공정	장비		대응 유무		비 고
				1공장	2공장	
7	인쇄	PSR Wicket 건조기		불가능	가능	1공장 : Wicket 길이 610㎜로 간격이 없어 자국 발생
		반자동 인쇄기		가능	가능	가로 방향 인쇄
		BOX 건조기		가능	가능	
		PSR 자동 노광기			불가능	
		PSR 반자동 노광기		가능	가능	
		PSR 현상기		가능	가능	
		M/K 자동 인쇄기	Built-In	가능	가능	1공장 : Pre-Align part 및 program 수정 필요
			SERIA	가능		
		M/K Wicket 건조기	Built-In	불가능	가능	1공장 : Wicket 길이 610㎜로 간격이 없어 자국 발생
			SERIA	가능		1공장 : 수동 투입으로 가능

8) 공정 별 생산 대응 유무 분석

① 공정 : FILM관리

(a) Laser Plotter [1공장 : 가능] [2공장 : 가능]

	Size Checking Part	현재 가능 Size			대응 유무	개조 유무	대안	예상 비용
1	FILM Size	610	×	910	가능	무		

(b) Film A.O.I [1공장 : 가능] [2공장 : 가능]

	Size Checking Part	현재 가능 Size			대응 유무	개조 유무	대안	예상 비용
1	Effective Inspection Area	510	×	610	가능	불가		

※ 측정 방법 : 2회 측정하여 가능

(c) 3차원 측정기 [1공장 : 가능] [2공장 : 가능]

	Size Checking Part	현재 가능 Size			대응 유무	개조 유무	대안	예상 비용
1	Effective Inspection Area	510	×	610	가능	불가		

※ 측정 방법 : 1회 측정 가능, Work Size 대비 실 측정 Point는 검사 영역에 들어옴

② 공정 : 적층

(a) OXIDE Line [1공장 : 해당 사항 없음] [2공장 : 가능]

	Size Checking Part	현재 가능 Size			대응 유무	개조 유무	대안	예상 비용
1	Main Board Format		×	610	가능	불가	세로 투입	

(b) Hot Press [1공장 : 해당 사항 없음] [2공장 : 가능]

	Size Checking Part	현재 가능 Size			대응 유무	개조 유무	대안	예상 비용
1	Main Board Format	560	×	650	가능	무		
2	SUS Plate Size	610	×	690	가능	무		

③ 공정 : DRILL

(a) CNC [1공장 : 해당 사항 없음] [2공장 : 가능]

	Size Checking Part	현재 가능 Size			대응 유무	개조 유무	대안	예상 비용
1	Main Board Format	550	×	650	가능	무		

④ 공정 : 도금

(a) 수평 DESMEAR Line [1공장 : 가능] [2공장 : 해당 사항 없음]

	Size Checking Part	현재 가능 Size			대응 유무	개조 유무	대안	예상 비용
1	Main Board Format	550	×	650	가능	무	세로 투입	

(b) 수평 P.T.H [1공장 : 가능] [2공장 : 해당 사항 없음]

	Size Checking Part	현재 가능 Size			대응 유무	개조 유무	대안	예상 비용
1	Main Board Format	560	×	650	가능	무	세로 투입	
2	Effective Spray Area		×	620	불가	필요	Nozzle Bar 교체	₩10,000,000

▷ 무전해 Hole 신뢰성 : Spray 유효 영역 부족으로 신뢰성 우려됨 → 전체 Nozzle Bar의 교체가 요구됨

(c) VCP #3 Line [1공장 : 가능] [2공장 : 해당 사항 없음]

	Size Checking Part	현재 가능 Size			대응 유무	개조 유무	대안	예상 비용
1	Loader/Unloader	520	×	650	가능	무		
2	산탈지		×	650	가능	무		
3	Hole 신뢰성		×	650	가능	무		

▷ VCP #1, #2 Line은 차폐 문제로 불가능 (Hole 신뢰성 문제 발생)

⑤ 공정 : 내층/외층 image

(a) 정면기 / D.E.S Line [1공장 : 가능] [2공장 : 가능]

	Size Checking Part	현재 가능 Size			대응 유무	개조 유무	대안	예상 비용
1	Effective Spray Area		×	650	가능	불가	세로 투입	

※ 투입 방법 : 기존 가로 방향에서 세로 방향으로 변경 투입, 340*510 대비 3.8% 생산성 향상

(b) 자동 라미네이터 [1공장 : 가능] [2공장 : 가능]

	Size Checking Part	현재 가능 Size			대응 유무	개조 유무	대안	예상 비용
1	Main Board Format	630	×	630	가능	불가	세로 투입	
2	Hot Roll	625	×	630	가능	불가		

※ 투입 방법 : 기존 가로 방향에서 세로 방향으로 변경 투입

(c) 내층 자동 노광기 [1공장 : 해당 사항 없음] [2공장 : 불가능]

	Size Checking Part	현재 가능 Size			대응 유무	개조 유무	대안	예상 비용
1	Main Board Format	540	×	620	불가	불가	신규 장비	₩250,000,000
2	Standard Layout Film Format	597	×	674				
3	Effective Exposure Area	535	×	610				

(d) 외층 자동 노광기 [1공장 : 불가능] [2공장 : 불가능]

	Size Checking Part	현재 가능 Size			대응 유무	개조 유무	대안	예상 비용
1	Main Board Format	610	×	610	불가	불가	신규 장비	₩400,000,000
2	Standard Layout Film Format	610	×	660				
3	Effective Exposure Area	610	×	610	불가	불가		

(e) 수동 노광기 [1공장 : 가능] [2공장 : 가능]

	Size Checking Part	현재 가능 Size			대응 유무	개조 유무	대안	예상 비용
1	Main Board Format	540	×	620	가능	무		
2	Standard Layout Film Format	597	×	674				
3	Effective Exposure Area	535	×	610				

(f) A.O.I [1공장 : 가능] [2공장 : 가능]

	Size Checking Part	현재 가능 Size			대응 유무	개조 유무	대안	예상 비용
1	Main Board Format	540	×	650	가능	무		

⑥ 공정 : 인쇄

(a) PSR 정면기 & 현상기 [1공장 : 가능] [2공장 : 가능]

	Size Checking Part	현재 가능 Size			대응 유무	개조 유무	대안	예상 비용
1	Effective Spray Area	650	×	650	가능	무		

▷ 1공장 : 가로 방향 투입으로 Loading시 제품 틀어짐에 의한 파손 발생 우려 있음

(b) PSR 자동 인쇄기 [1공장 : 가능] [2공장 : 불가능]

	Size Checking Part	현재 가능 Size			대응 유무	개조 유무	대안	예상 비용
1	Main Board Format	650	×	650	가능	무		

▷ 1공장 : 1, 2차 인쇄 방향 동일 / 2공장 : 1, 2차 인쇄 방향 반대

(c) PSR Wicket 건조기 [1공장 : 불가능] [2공장 : 가능]

	Size Checking Part	현재 가능 Size			대응 유무	개조 유무	대안	예상 비용
1	Main Board Format	650	×	650	가능	가능	신규 장비	₩200,000,000

▷ Wicket 길이는 610mm로 동일하나 1공장은 Wicket 사이의 간격이 없어 자극 발생함

(d) PSR/Marking 반자동 인쇄기 및 BOX 건조기 [1공장 : 가능] [2공장 : 가능]

	Size Checking Part	현재 가능 Size			대응 유무	개조 유무	대안	예상 비용
1	Main Board Format	650	×	650	가능	무		

(e) 자동 노광기 [1공장 : 해당 없음] [2공장 : 불가능]

	Size Checking Part	현재 가능 Size			대응 유무	개조 유무	대안	예상 비용
1	Main Board Format	510	×	610	불가	불가	신규 장비	₩500,000,000
2	Effective Exposure Area	510	×	610	불가	불가		

(f) 반자동 노광기 [1공장 : 가능] [2공장 : 가능]

	Size Checking Part	현재 가능 Size			대응 유무	개조 유무	대안	예상 비용
1	Main Board Format	510	×	610	가능	무		
2	Effective Exposure Area	510	×	610	가능	무		

※ 수동 노광기의 Uniformity 문제로 장비 개조가 요구됨

(g) Marking 자동 인쇄기 [1공장(Built-In) : 가능] [1공장(SERIA) : 가능] [2공장 : 가능]

	Size Checking Part	현재 가능 Size			대응 유무	개조 유무	대안	예상 비용
1	Main Board Format	650	×	650	가능	무		

▷ 1공장(Built-In) : Pre-Align Part 및 Program 수정 시 가능, 2공장은 수정 완료

(h) Marking Wicket 건조기 [1공장(Built-In) : 불가능] [1공장(SERIA) : 가능] [2공장 : 가능]

	Size Checking Part	현재 가능 Size			대응 유무	개조 유무	대안	예상 비용
1	Main Board Format	650	×	650	가능	가능	신규 장비	₩200,000,000

▷ Wicket 길이는 610㎜로 동일하나 1공장 Built-In Line은 Wicket 사이의 간격이 없어 자국 발생함
1공장 SERIA Line은 건조기에 수동 투입으로 영향 없음

4. Work Size 650 × 520 Test

1) Test 목적

① 개취량 증대에 따른 수익률 향상

② 단위 시간당 생산성 증대

2) Test 적용 모델

B TYPE

3) Test 방법

각 단위 공정 별 진행 후 Dimension을 측정한다.

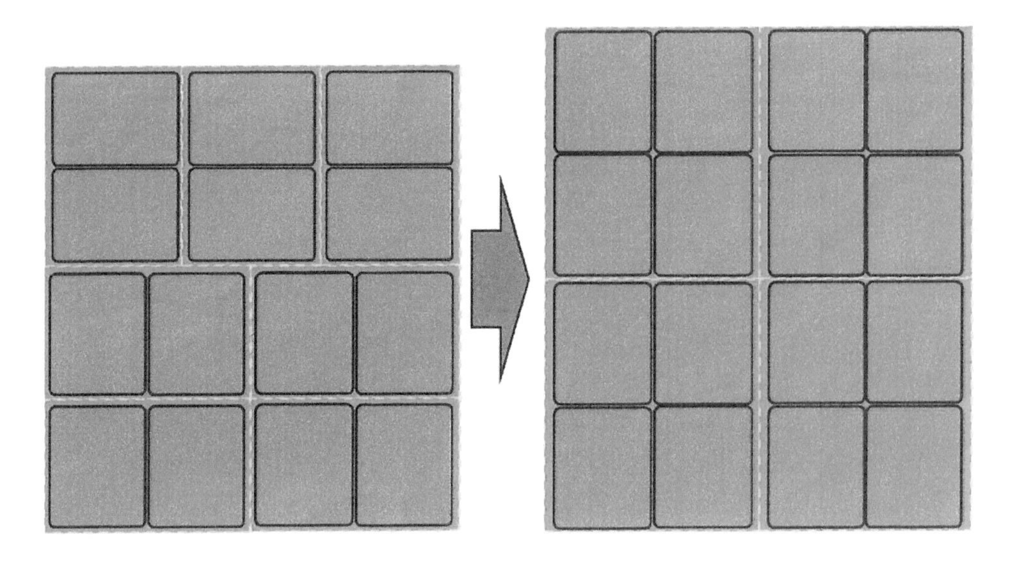

▷ 개취량 : 140pcs/SHT

▷ 개취량 : 160pcs/SHT (14.28% ↑)

6. 동도금

- 6-1 정류기 이설 후 품질변화 TEST
- 6-2 BELT SANDER / 정면기 비교 TEST
- 6-3 동도금 편차확인 TEST
- 6-4 동도금 잔사로 인한 불량 재현 TEST

6-1 정류기 이설 후 품질변화 TEST

1. 목적

정류기 이설 이후 개선된 제품의 품질 변화 및 공정 환경 개선사항에 대한 확인

2. 제품 품질 변화 및 환경 개선 사항

· 테스트 PNL수 : 16PNL, 측정 point수 160points 테스트 탱크 25B(테스트 중 온도 29℃)

· 정류기 효율 측정을 위하여 후크 메타 사용(2회 측정)

비교항목	이설 이전	이설 이후	비고
정류기 효율 (투입 전류와 실제 전류 비교)	88.3%	95.8%	부스바 결속부위 점검 및 마무리 코팅작업 요망
표면 도금 두께 (한 개 탱크의 이설전후의 도금 두께 변화도)	한 탱크 평균 도금 두께 30.75㎛ (동박 포함한 편차 범위 43.5~53.5㎛)	한 탱크 평균 도금 두께 33.5㎛ (동박 포함한 편차 범위 46.3~56.3㎛)	전체탱크의 도금 편차 및 홀 속 도금의 두께 변화 확인 후 투입 전류량 조절 예정 (8월 22일 까지)
공정 환경	작업장 온도 : 평균 40℃ 정류기 룸 온도 : 평균 46℃	작업장 온도 : 평균 32℃ 정류기 룸 온도 : 평균 44℃ (에어컨 가동 시 평균 37℃)	정류기 룸의 하기철 에어컨 가동 필요함 (온도는 35℃ 이하 관리 요망)
정류기 Room 환경	설비 고장 시 수리 어려움 습도 및 고온 환경가동으로 잦은 고장 유산동액에 노출되어 설비 부식 진행됨 스팀배관에 노출되어 설비 부식	설비 수리용이(이동 및 교체용이) Room 온도/습도가 낮은 환경에서 가동 유산동액에 노출되지 않음 스팀 배관과 떨어져 있음	정류기룸의 마무리 작업 요망(외부벽의 마감 공사)

3. 향후 추가적인 개선 방안

개선 사항	향후 대책	일 정
여과기 Room	· 서브 펌프를 여과 펌프와 1:1 위치로 재 정렬 : 배관의 짧아짐으로 교반 효율 증대 효과 · 외부 연결창의 수리 : 유산동액에 의한 부식으로 창문 여닫이 안 됨 · 미제거 된 전선트레이의 제거 등 여과기룸 마무리 5S작업	설비팀과 일정 협의 예정
정류기 Room	· 부스바가 통과하는 비트의 메꿈 작업 : 건물 보강효과 및 열전달 차단 · 고장 난 24B정류기 수리	설비팀과 일정 협의 예정

4. 결론

· 정류기의 이설로 인해 도금공정 작업 환경의 개선 및 제품 품질에 있어서 긍정적인 효과가 나타남

· 정류기의 이설로 인해 확보된 공간은 서브 펌프의 재배치 및 기타 효율적인 사용을 위해 도금반/설비팀의 추가적인 협의 예정임

· 정류기의 효율의 7.5%향상, 그로인한 도금 두께의 5.7% 두꺼워 짐은 향후 전휴 투입량의 재조정이 필요함을 나타냄

· 추가적인 정밀 측정 및 분석 후 전류밀도 투입량 변경 ECN 발행을 8월 22일까지 하겠음

· 이설 작업의 보강 및 추후 개선 사항은 설비팀과 함께 일정을 조정하여 진행하겠음

5. 첨부 DATA 및 사진

1) 정류기 이설전후의 도금 두께 측정 DATA

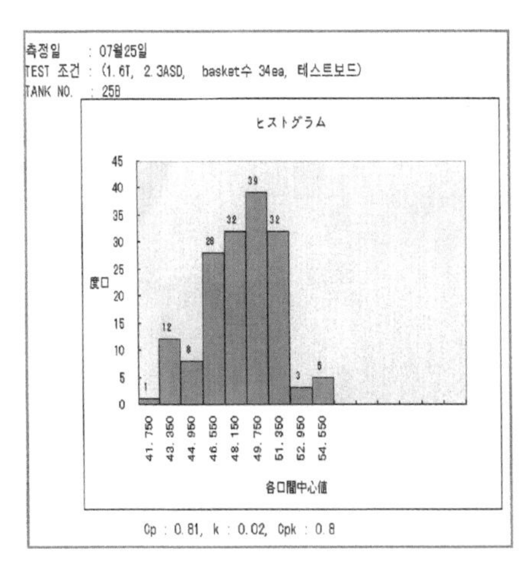

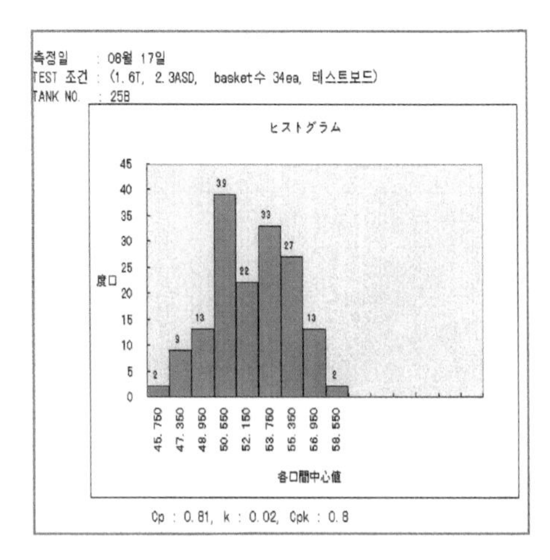

2) 정류기 이설전후의 정류기 효율 측정 DATA

▷ 이설 전 (88.3%)

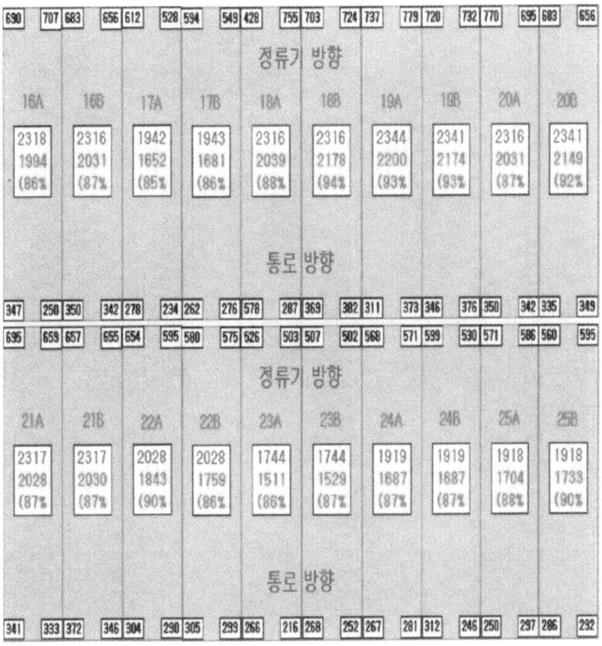

690 | 707 683 | 656 612 | 528 594 | 549 428 | 755 703 | 724 737 | 779 720 | 732 770 | 695 683 | 656

정류기 방향

16A	16B	17A	17B	18A	18B	19A	19B	20A	20B
2318	2316	1942	1943	2316	2316	2344	2341	2316	2341
1994	2031	1652	1681	2039	2178	2200	2174	2031	2149
(86%	(87%	(85%	(86%	(88%	(94%	(93%	(93%	(87%	(92%

통로 방향

347 | 250 350 | 342 278 | 234 262 | 276 578 | 287 369 | 382 311 | 373 346 | 376 350 | 342 335 | 349

695 | 659 657 | 655 654 | 595 580 | 575 526 | 503 507 | 502 568 | 571 599 | 530 571 | 586 560 | 595

정류기 방향

21A	21B	22A	22B	23A	23B	24A	24B	25A	25B
2317	2317	2028	2028	1744	1744	1919	1919	1918	1918
2028	2030	1843	1759	1511	1529	1687	1687	1704	1733
(87%	(87%	(90%	(86%	(86%	(87%	(87%	(87%	(88%	(90%

통로 방향

341 | 333 372 | 346 304 | 290 305 | 299 266 | 216 268 | 252 267 | 281 312 | 246 250 | 297 286 | 292

▷ 이설 후 (95.8%)

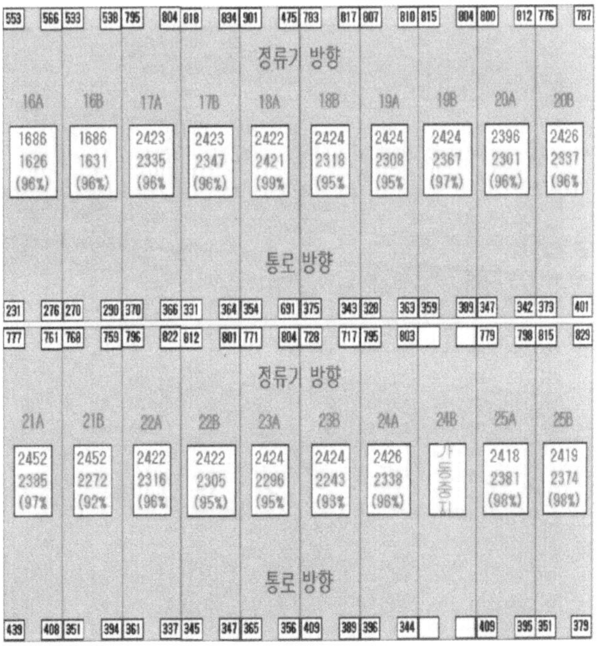

553 | 566 533 | 538 795 | 804 818 | 834 901 | 475 783 | 817 807 | 810 815 | 804 800 | 812 776 | 787

정류기 방향

16A	16B	17A	17B	18A	18B	19A	19B	20A	20B
1686	1686	2423	2423	2422	2424	2424	2424	2396	2426
1626	1631	2335	2347	2421	2318	2308	2367	2301	2337
(96%)	(96%)	(96%	(96%)	(99%	(95%	(95%	(97%)	(96%)	(96%

통로 방향

231 | 276 270 | 290 370 | 366 331 | 364 354 | 691 375 | 343 328 | 363 359 | 389 347 | 342 373 | 401

777 | 761 768 | 759 796 | 822 812 | 801 771 | 804 728 | 717 795 | 803 | 779 | 798 815 | 829

정류기 방향

21A	21B	22A	22B	23A	23B	24A	24B	25A	25B
2452	2452	2422	2422	2424	2424	2426	가동중지	2418	2419
2385	2272	2316	2305	2296	2243	2338		2381	2374
(97%	(92%	(96%	(95%)	(95%	(93%	(96%)		(98%)	(98%)

통로 방향

439 | 408 351 | 394 361 | 337 345 | 347 365 | 356 409 | 389 396 | 344 | 409 | 395 351 | 379

6-2 BELT SANDER / 정면기 비교 TEST

■ 물리적 표면 TEST

No.	테스트 조건	테스트 목적
1	원판을 밸트 샌딩만 처리 Speed : 1.5m/min(일상 작업 속도)	원판과 도금 표면의 처리 비교 밸트 후 표면과 정면 후 표면의 비교 밸트/정면 철리의 현 작업 조건 확인 정면의 320방 브러쉬를 사용하지 않은 경우
2	원판을 정면만 처리 정면 조건 : 320/600/800 Speed : 2.5m/min	
3	원판을 밸트 + 정면처리(현재 작업 조건) 밸트 조건 : 1.5m/min 정면 조건 : 320/600/800, 2.5m/min	
4	원판을 밸트 + 정면처리 밸트 조건 : 1.5m/min 정면 조건 : 600/800, 2.5m/min	
5	도금 후 밸트 처리만 실시 밸트 조건 : 1.5m/min	
6	도금 후 밸트 + 정면처리 밸트 조건 : 1.5m/min 정면 조건 : 320/600/800, 2.5m/min	

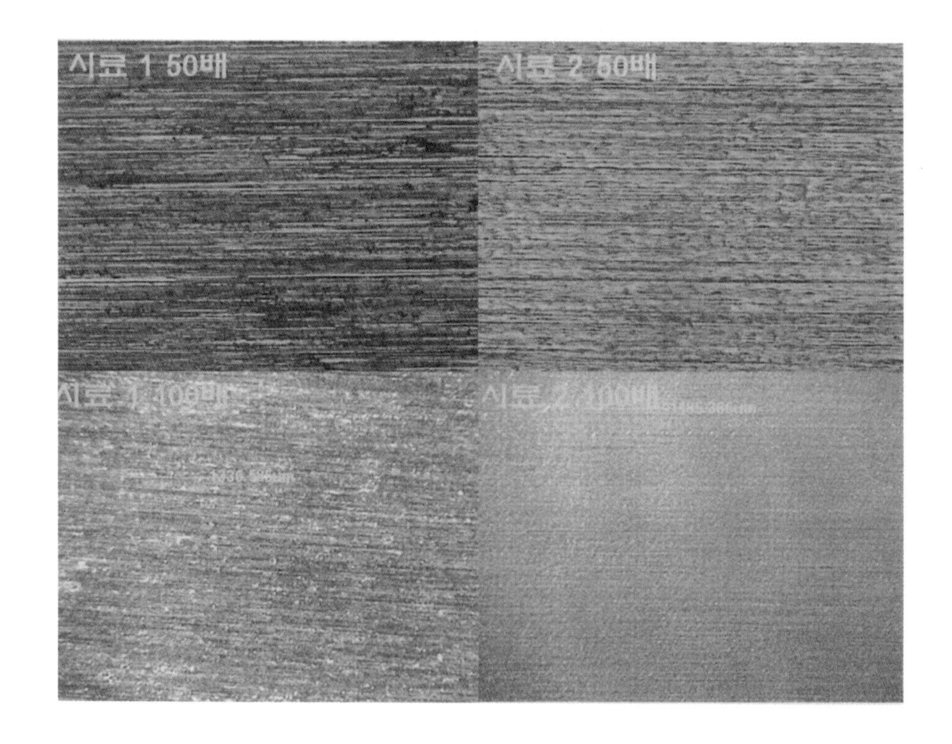

시료 3 50배
시료 4 50배
시료 3 100배
시료 4 100배

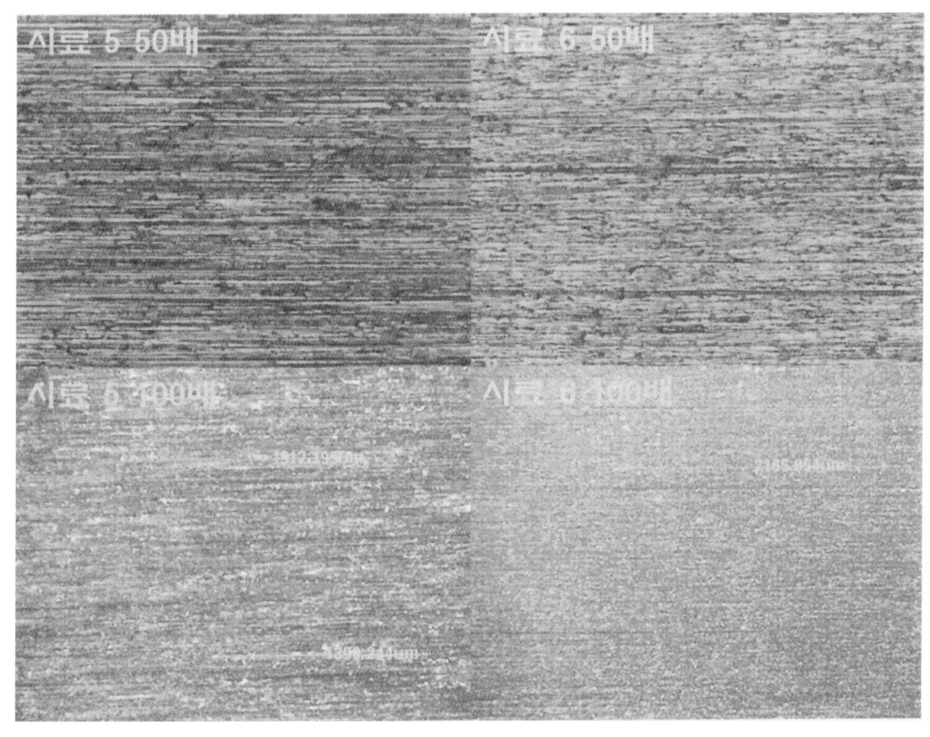
시료 5 50배
시료 6 50배
시료 5 100배
시료 6 100배

6-3 동도금 편차확인 TEST

1. 목적

· 도금 편차 유형별의 원인을 확인하고 편차 불량을 감소시키기 위한 대책 마련 위함

· 도금 편차도 개선을 위하여 여러 조건 변동을 주어 도금을 실시하고 그 편차도를 CMI 표면 도금 두께측정기로 측정/분석을 실시함, 이로 얻은 결과를 배경으로 도금조건을 개선, 두께 편차도를 감소하기 위함이다.

2. 방법

· 방법 : 도금 작업 시 다양한 조건 변동 후 더미보드 혹은 실제품의 도금을 실시하여 표면 동박두께 측정

· 테스트 보드 사양 : 사이즈(508*608), 베이스 동박 두께(1.2oz.)

· 테스트 보드 수 : 매 테스트 시 16PNL

· 한 셀당 측정 points 수 : 160points

· 측정 장비 : CMI 표면 동박 측정기 (측정 오차 1~1.5㎛)

· 좌우측 폭의 고정 : 음극과 양극의 좌우측 간격은 음극이 항상 140~150㎜ 만큼 넓다.

▷ 1차 테스트 : 16~25번 유산동 탱크에서 이덕트 배관 정비 전에 도금 두께 측정(크로스 섹션 시행)
→ 시료 채취는 가이드 프레임 중앙 상/하단 제품 1pnl씩

▷ 2차 테스트 : 16~25번 유산동 탱크에서 이덕트 배관 정비 후 도금 두께 측정(크로스 섹션 시행)
→ 시료 채취는 가이드 프레임 중앙 상/하단 제품 1pnl씩

▷ 3차 테스트 : 16~25번 탱크에서 cell별 중앙 하단에서 시료 채취하여 앞뒤면 5points씩 CMI 측정기로 도금 두께 측정

■ Work Size 변경에 따른 제조원가 비교

· 적용 모델 A TYPE

· Work Size 변화 (현재) 340 × 510

(검토) 645 × 510

환 율	2008.01.27		6870S-0471B/0472B			
$ 1.00	₩ 930.00		7 Cut		4 Cut	
제조원가	₩/㎡		₩	68,897	₩	69,182
	₩/sheet		₩	83,627	₩	91,030
개취량	pcs/sheet			140		160
영업단가	$/pcs		$	0.661	$	0.661
	$/sheet		$	92.54	$	105.76
	₩/sheet	₩930.0	₩	86,062	₩	98,357
제조 순이익		₩/sheet	₩	2,436	₩	7,327

공 정	340 × 510		645 × 510	
원판	₩	13,465.46	₩	13,625.79
내층	₩	-	₩	-
A.O.I	₩	-	₩	-
적층	₩	-	₩	-
드릴	₩	2,531.06	₩	2,527.93
도금	₩	6,477.20	₩	6,444.48
외층	₩	2,804.71	₩	2,741.64
A.O.I	₩	3,200.00	₩	3,200.00
인쇄	₩	3,638.46	₩	3,549.56
ENIG	₩	9,000.00	₩	9,000.00
ROUTER	₩	4,661.48	₩	4,914.42
최종수세	₩	200.00	₩	200.00
B.B.T	₩	803.60	₩	803.60
최종검사	₩	1,000.00	₩	1,000.00
포장	₩	200.00	₩	200.00
Utility	₩	6,400.00	₩	6,400.00
LOSS	₩	1,631.46	₩	1,638.22
감가상각	₩	4,481.07	₩	4,499.65
인건비	₩	8,402.01	₩	8,436.85
제조원가 [₩/㎡]	₩	68,896.52	₩	69,182.15
제조원가 [₩/Sheet]	₩	83,626.59	₩	91,029.87

※ Press Step 온도, Press Step Time을 조절하여 온도 상승률을 변경하였으나, Curing Condition의 Time이 길어짐에 따라 전체 Press Time 조절이 필요함.

3) Press 온도 Profile 3차 Test

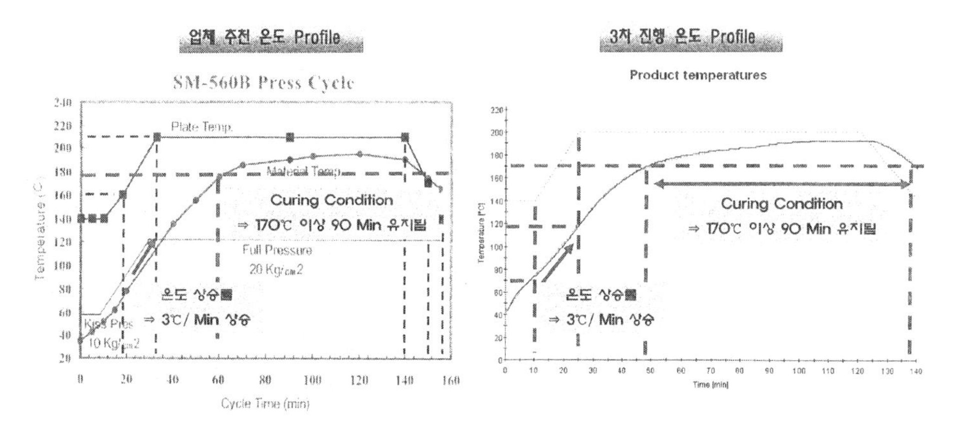

※ 업체 추천 온도 Profile과 동일한 온도 Profile이 형성됨. (Press 조건으로 정립함)

4) Peel Strength Test

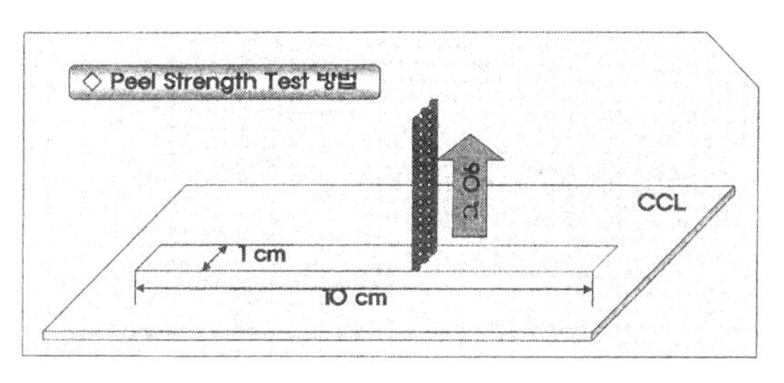

※ Peel Strength Test

· 내층 T/C의 Copper와 Pre-Preg의 밀착력을 측정

· 밀착력이 떨어질수록 Delamination의 발생 확률이 높아짐

구 분	대만 SM사			대만 SY사			한국 D사		
	시료 1	시료 2	AVG	시료 1	시료 2	AVG	시료 1	시료 2	AVG
#1080	0.840	0.840	0.840	0.360	0.340	0.350	0.540	0.580	0.560
#2116	0.840	0.820	0.830	0.350	0.340	0.340	0.550	0.550	0.550

※ Peel Strength 측정 결과 타사 제품보다 높게 측정됨.

3. Test 결과

1) Test 결과

테스트 결과	분 석
16B, 17A, 18, A, B, 20A, B 도금된 제품의 홀주변 도금 편차가 심함	청소 시 이덕트 파손부가 많은 것 확인 : 16~25번까지 탱크별로 차이는 있지만, 이덕트 파손이 심각함 → 탱크 정비치 이덕트 보간 완료
16~25번 탱크에 걸쳐 상단 제품의 도금 두께가 두꺼움 : 53㎛이상 도금되는 POINT 다수	이덕트 배관이 깨진 영향 및 탱크 구조적인 문제로 확인 → 설비보강 및 작업 방법상의 보완 필요

2) Test 결과

테스트 결과	분 석
16~20번 탱크 눈물도금 없음(나머지 탱크에서도 없음)	이덕트 배관이 복구된 이후 눈물도금 사라짐
17A상, 17B상, 18B상, 19A상/하 : 주로 상단에서 과도금 (평균 53㎛이상 도금됨)	탱크 내부가 완전한 상태에도 불구 탱크 상단의 과도금은 발생함

3) Test 결과

테스트 결과	분 석
전체 탱크에서 각 CELL의 중앙 하단부의 도금 편차는 최대 8.9㎛, 최소 2.6㎛	편차 범위 ±5㎛ 이내로 아주 양호함
투입 전류량에 따른 실제 도금 두께 효율 박판 : 106~113% 후판 : 86~97%	후판은 양호하나, 박판의 경우 일부 과도금 발생의 우려가 있음 → 전류값 조절을 위한 테스트를 실시하겠음
설비효율 측정(측정 장비 : 후크 메타, 전류 입력 DATA) 설비효율 최고 : 95~83%	정류기 에러/설비적인 문제가 없을 시 실제 투입 전류량만큼 도금됨을 확인함
DMS 자료에서 기록상의 이상 발견 투입 전류량 : 2496A임에도 불구 기록은 382A, 390A로 기록됨	전류값 입력 시 착오 혹은 설비 에러로 인한 오기록으로 추정 단, 제품 도금 두께는 이상 없음 DMS 자료 재차 분석하겠음

4) Test 결과

테스트 No.	변동된 사항	조건 변동 목적 및 테스트 시 확인 사항 및 방법	결과	분석
1	양극 면적의 조절	양극면적을 줄였을 경우의 편차도 변화 양극면적을 줄었을 경우 전압변화 방법 : 아노드 바스켓수 44, 34, 22ea로 작업 後 도금 두께 측정 data 분석	음극/양극비가 1 : 0.88인 경우 (바스켓수 22ea) : 과다 편차 : 14Points, 전압변화도 (0.5volt) 음극/양극비가 1 : 1.19인 경우 (바스켓수 34ea) : 과다 편차 : 8Points, 전압변화도 (0.1volt) 음극/양극비가 1 : 1.77인 경우 (바스켓수 44ea) : 과다 편차 : 11Points, 기본전압	음극/양극비가 1 : 1.19로 바스켓수가 34ea인 경우 편차도가 낮으며, 전압 변화가 거의 없다. 즉, 도금편차가 적게 나고, 전기저항도 낮다.
2	바스켓 내부 청소 및 바스켓 포의 교체	탱크청소 전후의 도금두께 평균 변화 탱크청소 전후의 도금편차도 변화 방법 : 19A, 19B탱크에서 도금 후 두께 측정 data 분석	도금 두께 평균(관리범위 : 45~55㎛) 탱크청소 전(19A) : 48.35㎛ 탱크청소 후(49B) : 48.40㎛ 도금 편차도 변화 탱크청소 전(19A) : 과다편차 36points 탱크청소 후(19B) : 과다편차 26points	탱크청소 및 아노드 바스켓포를 교체하여 침적 슬러지를 제거한 탱크에서 도금이 더 두껍고, 편차도 적게 난다.
3	음극 간의 전기 적인 연결	구리선으로 연결 전후의 도금 편차도 변화 방법 : 구리선 연결 후 도금작업 두께 측정(2월 24일 측정 data) 구리선 연결하지 않은 도금작업 두께 측정(3월 11일 측정 data)	도금 편차도 변화 (각 측정일간의 평균적인 편차도) 음극간 전기적인 연결하여 도금 (구리선 연결) : 과다 편차 9points 음극간 전기적인 연결하지 않은 도금 : 과다 편차 31points	음극간 전기적 연결을 통해 전류가 고루 분산된 경우 도금 편차가 적게 난다.
4	상단 차폐 막의 높낮이 조절	표면 도금 두께 관리 범위에 맞는 상단 차폐막의 높이 재점검	차폐막이 수면에서 100~120mm 내려온 경우 : 표면 도금 두께 38~42㎛ 차폐막이 수면에서 80~90㎜로 내려온 경우 : 표면 도금 두께 44~47㎛	상단 차폐막이 수면에서 80㎜이상 내려가면, 도금 두께 관리범위를 벗어난다. 즉, 너무 얇아진다.

4. 눈물도금 크로스 섹션

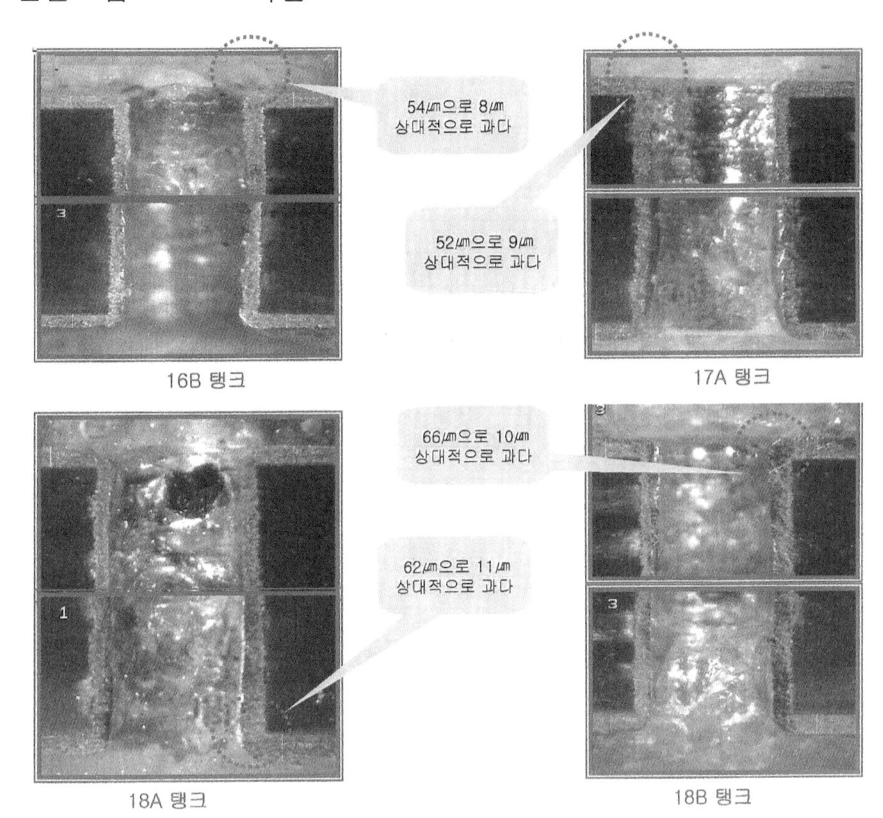

16B 탱크 17A 탱크 18A 탱크 18B 탱크

5. 측정 DATA

1) 테스트 측정 DATA

측정일		2월 19일		2월 24일		2월 27일	3월 6일			3월 11일				
탱크 No. /전류밀도 /바스켓수		19B 2.0ASD 22EA	19B 2.0ASD 44EA	19B 2.3ASD 44EA	19B 1.9ASD 44EA	19B 1.8ASD 34EA	19A 2.3ASD 34EA	19B 2.3ASD 34EA	18B 2.3ASD 34EA	19B 2.3ASD 34EA	20A 2.3ASD 44EA	20B 2.3ASD 44EA	21A 2.3ASD 44EA	21B 2.3ASD 44EA
측정값 단위 : ㎛	전체 평균	48.35	46.95	52.15	45.5	43.85	48.35	48.4	47.1	48.6	48.0	48.2	46.3	46.45
	상부 평균	47.85	46.3	51.05	44.6	43.35	48.3	48.4	46.6	48.0	47.6	47.3	45.75	45.95
	하부 평균	48.8	47.65	53.3	46.4	44.35	48.45	48.45	47.65	49.2	48.3	49.1	46.8	47.35
	좌측 평균	49.0	49.0	54.35	47.4	50.75	52.5	55.3	51.25	52.85	52.9	54.75	46.4	48.55
	우측 평균	52.3	48.1	53.9	47.1	46.9	51.9	48.9	51.65	53.25	51.05	50.45	54.4	49.45
	중앙 평균	48.7	47.1	52.2	45.65	43.85	48.75	48.85	47.25	48.4	47.85	47.95	46.45	46.95

2) 탱크별 도금 두께 측정 DATA

탱크	섹션홀의 표면 도금 두께					평균 두께	도금 편차	이론 도금 두께	도금 두께 효율 (%)	전류밀도	전류 값(입력치)	도금 시간 65'30"	전류 값(측정치)	전류 값(기록치)	설비 효율 (%)
	P1	P2	P3	P4	P5										
16A	43	41.3	46.1	41.8	39.1	42.3	7	49.1	86	4450 2.2	2371	2569	1989	2503	84
16B	45	40	41	43	42.2	42.2	5	49.1	86	4450 2.2	2371	2569	2016	2502	85
17A	43	44.2	39.6	47.8	38.9	427	8.9	40.4	106	4480 1.6	1735	1880	1529	1832	88
17B	40	47.7	43.8	42.5	42.9	43.4	7.7	40.4	107	4480 1.6	1729	1873	1485	1831	86
18A	43.4	43.7	47.8	45	43.1	44.6	4.7	49.1	91	4480 2.2	2386	2585	2062	2518	86
18B	46.4	49.1	49.5	47.8	45.4	47.6	4.1	49.1	97	4480 2.2	2386	2585	2210	2518	93
19A	45.3	46.3	50.3	43.2	43.7	45.8	7.1	40.4	113	4480 1.6	1737	1882	1615	1840	93
19B	40	44.3	43.5	40.5	45.2	42.7	5.2	40.4	106	4480 1.6	1736	1881	1547	1840	89
20A	44.9	44.3	45.3	46.9	46.2	45.5	2.6	49.1	93	4480 2.2	2389	2588	2125	2518	89
20B	47.3	46.1	48.7	49.9	46.1	47.6	3.8	49.1	97	4480 2.2	2389	2588	2205	2537	92
21A	45.1	44.2	46.7	44.9	43.1	44.8	3.6	49.1	91	4450 2.2	2388	2587	2068	382	87
21B	44	45.2	42.8	42.2	43.7	43.6	3	49.1	89	4450 2.2	2389	2588	2090	390	87
22A	43.4	45.5	49.9	51.2	52	48.4	8.6	49.1	99	4400 2.2	2344	2539	2223	2496	95
22B	48.4	52.2	42.7	44.8	42.2	46.1	10	49.1	94	4400 2.2	2344	2539	2087	2496	89
23A	44.6	45.8	51.5	50.2	43.4	47.1	8.1	49.1	96	4480 2.2	2388	2587	2036	2539	85
23B	40.9	41.4	44.4	42.3	42.9	42.4	3.5	49.1	86	4450 2.2	2371	2569	1975	2524	83
24A	45.4	45.5	47.3	42.9	41.6	44.5	5.7	49.1	91	4450 2.2	2371	2569	2176	2517	92
24B	46.9	41.8	44	44.3	44.9	44.4	5.1	49.1	90	4450 2.2	2368	2565	2184	2519	92
25A	44.9	44.9	46.9	49.5	44	46.0	5.5	49.1	94	4450 2.2	2369	2566	2207	2472	93
25B	46.3	42.2	46.3	46.2	45.4	45.3	4.1	49.1	92	4450 2.2	2371	2569	2164	2472	91

6. 결론

1) 결론 - 1

테스트를 통하여 확인한 사항	향후 개선사항 및 추진 내용
바스켓수 34ea로 음극/양극비가 1 : 1.19인 경우 도금편차는 낮게 나오고 전기저항이 높아지지 않는다.	전기저항 및 도금 편차가 낮아지는 조건으로 음양극비를 맞추기 위해 한 탱크에 대하여 바스켓수 34ea로 세팅하여 도금하고 효과를 확인한다.
탱크청소 및 아노드바스켓 청소/교체로 도금두께는 향상되고 편차는 감소함을 확인	탱크 청소 및 아노드 바스켓 교체를 4월까지 전 탱크에 걸쳐 실시한다.
음극간의 전기적 통전이 가능하게 하여 전류의 분산을 돕도록 하는 경우 도금 편차가 감소함을 확인함	가이드 프레임의 교체 시 레커간 통전이 가능한 형태로 개선하는 것을 검토하여 진행한다.
상단 차폐막이 수면에서 80㎜이상 내려가면 도금두께가 관리 범위이하로 얇아진다.	상단 차폐막의 무게가 가중하여 고정핀이 휘면서 밀려내려 가는 것으로 차폐막의 무게를 조정한다. : 길이 및 폭의 조정

2) 결론 - 2

테스트 결과	문제점	대책	비고
이덕트 손상이 많은 탱크는 홀주변 과도금발생 확인 (16B, 17A, 18A, 18B, 20A, 20B)	설비 충돌 사고로 인한 이덕트 파손이 심함 : 파손, 이덕트 배관 각도의 꺾임 플로팅 실드아래 동볼 빠짐 : 도금 편차 및 돌기 불량 야기함	설비 예방 점검 (주 1회 실시) 눈물도금은 현 이덕트 배관의 최적 가동조건에서 제거 가능함 → 이덕트 배관이 파손되지 않도록 관리유지 (정기 점검 주기 준수)	주 1회 설비 점검 실시
이덕트 배관 점검 후 도금결과 17A상, 17B상, 18B상, 19A상, 19B하 23B상 탱크에서 부분적 과도금 확인	주로 상단에 레킹되는 제품에서 과도금 발생함 → 이덕트 교반이 충분하지 못해 제품 상단에는 도금 편차 발생 예외적으로 19B하가 일부 과도금 발생	현재 도금라인에서 상단 아대 작업진행 (5월 2일부터 시행) 유산동 탱크 수위의 일일 모니터링 실시 ※ 적정수위 : 제품이 유산동액에서 20㎜이하로 잠기지 않도록)	현재 설비팀 검토중
정상적인 작업조건에서 정류기 효율 이상 없음	단, 충돌사고 발생 시/트랜스포터의 접촉사고 발생 시	설비 충돌 예방 점검이 필요함	
DMS상의 DATA값 이상 기록 확인	도금 입력값과 저장값이 다름 → 기록 자료에 신뢰를 할 수 없음	DMS 프로그램에 대한 재분석 DMS 프로그램 점검	

6-4 동도금 잔사로 인한 불량 재현 TEST

1. 목적

금 번 A모델에서 발생한 Short 불량에 대한 원인 확인 및 대책 마련을 위해 재현 테스트를 실시함

2. 테스트 방법

· 방법 : 전처리 과정에서 발생할 수 있는 요인을 찾기 위해 다양한 조건에서 전처리 작업 진행 후 회로 형성과정을 진행함

· 테스트 보드 사양 : 양면 원판 사용(도금 이전 공정의 불량 발생 요인 제외), 사이즈(508*608), 베이스 동박 두께(1.2oz)

· 테스트 보드 수 : 총 12PNL(각 테스트에서 2PNL)

3. 테스트 결과

테스트 No.	테스트 방법	결 과	분 석	비 고
1	디버링 → 디스미어 → 새도우(에칭제외) → 전기동 → D/F 전 과정	3 points Short부위	디버링/디스미어 과정에서 기판에 부착된 표면 이물질로 인한 미부식 확인	사진 참조
2	디버링 → 디스미어 → 디버링 → 새도우(에칭제외) → 전기동 → D/F 전 과정	Short부위 없음	새도우를 표면에 남긴 경우에도 새도우로 인한 Short 불량 발생하지 않음	사진 참조
3	디버링 → 새도우(에칭제외) → 전기동 → D/F 전 과정	Short부위 없음		
4	전기동도금 → 디버링 → 디스미어 → 디버링 → 새도우(에칭제외) → D/F 전 과정	Short부위 없음		
5	전기동도금 → 디버링 → 새도우(에칭제외) → D/F 전 과정	Short부위 없음		
6	원판 → 전기동도금 → D/F 전 과정	Short부위 발생	진공성 Short불량	사진 참조

4. 결론

테스트를 통하여 확인한 사항	향후 개선사항 및 추진내용
새도우입자가 직접적으로 레지스터 역할을 하지 않음 확인 단, 부식 속도를 일부 늦출 수 있음 확인	새도우 이후 에칭단 속도 조절 3.0m/min → 2.9m/min (향후 Capa에 대한 검토 후 2.8m/min까지)
디버링/디스미어과정에서 표면 레지스터 발생 확인	디버링단의 필터 교체 주기 및 청소 주기 재검토 디스미어단 필터 교체 주기 및 청소 주기 재검토 스월러 및 퍼망간단 온도조건 이상 시 작업 방안 재교육
43~49㎛ 도금층에서 L/S 75가능	도금 편차도에 감소 위한 작업 진행 : 도금 시간 및 기타 편차도 감소 인자별 조정
도금 이전의 표면 이물질 발생 인자에 대한 확인 테스트	프레스 과정에서 표면 이물질 발생확인 테스트
금번 Short불량이 3가지 종류로 구분됨 1번 : 동박면이물질로 인한 short 2번 : 진공성 혹은 부식 공정에서 문제 3번 : 과도금으로 인한 도금 편차	동박면 이물질은 위 조치 사항 진행 도금 편차 역시 다양한 접근법으로 ±4㎛까지 달성

5. 테스트 결과 사진 분석

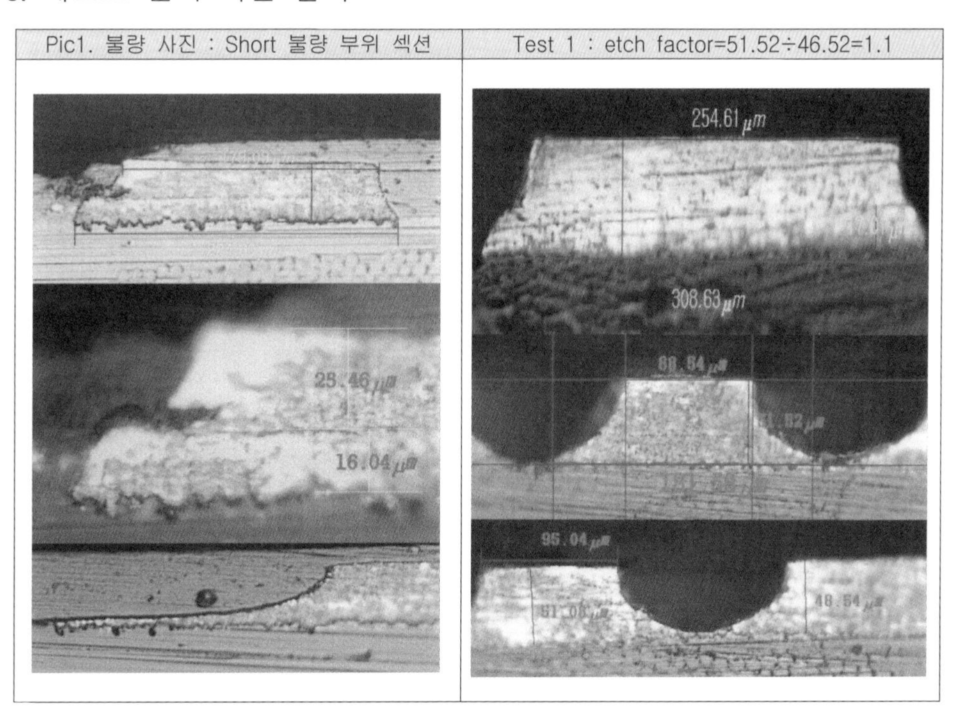

Pi2. 불량 사진 : 과도금으로 인한 Short

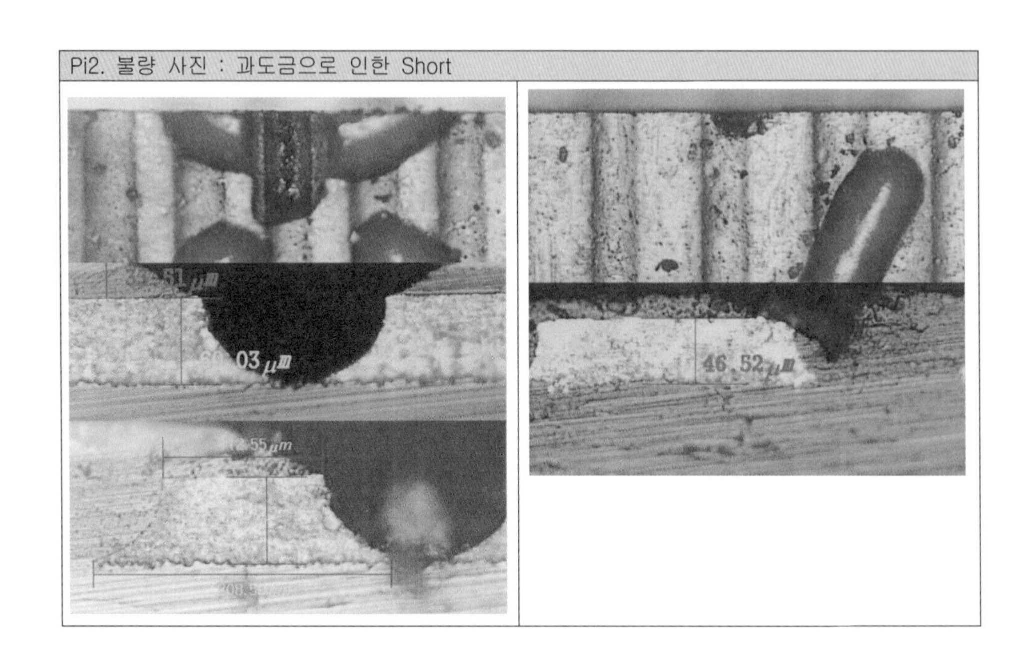

Pic3. 불량 제품 섹션 사진

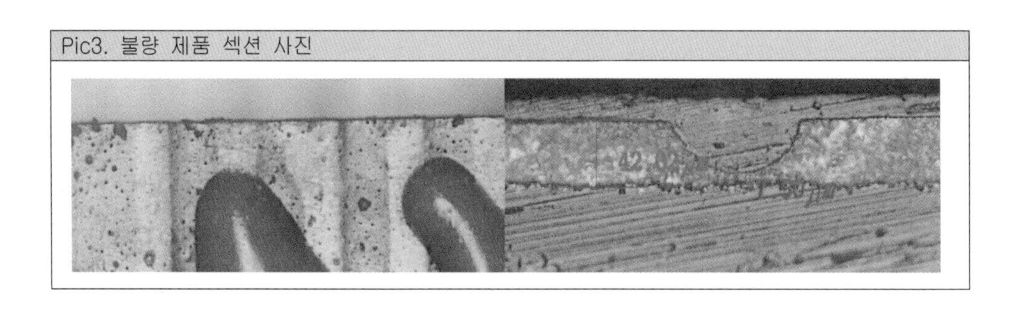

Test1. Short 불량 부위 섹션

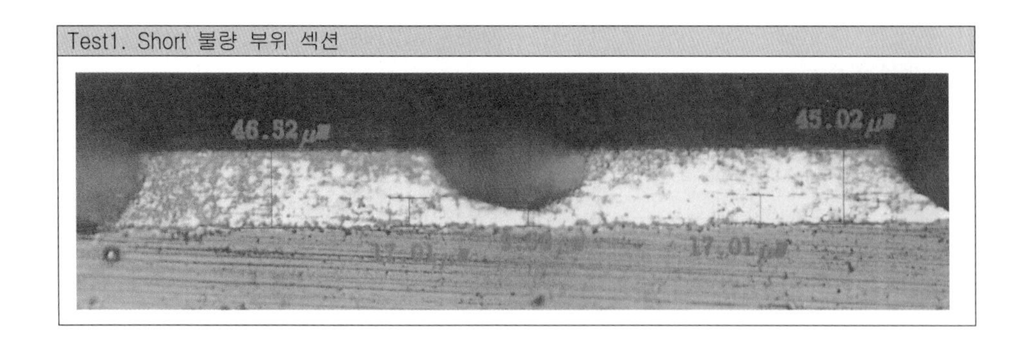

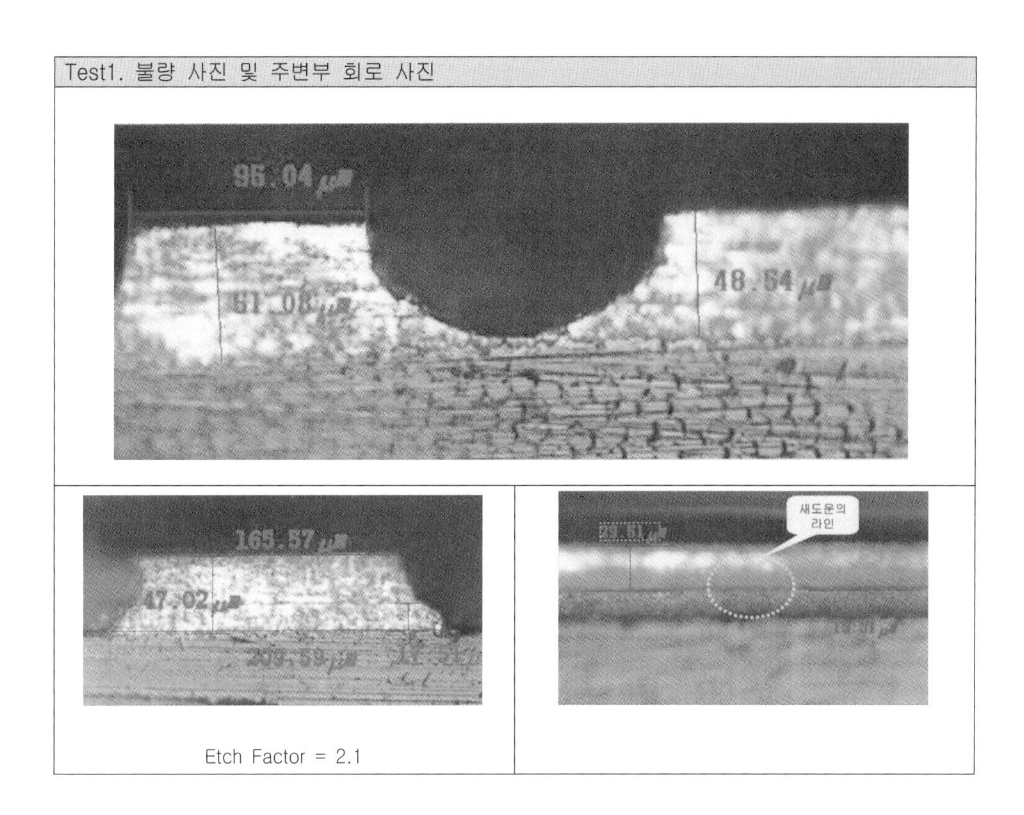
Test1. 불량 사진 및 주변부 회로 사진
96.04㎛
61.08㎛
48.54㎛
165.57㎛
47.02㎛
209.59㎛
새도운의
라인
Etch Factor = 2.1

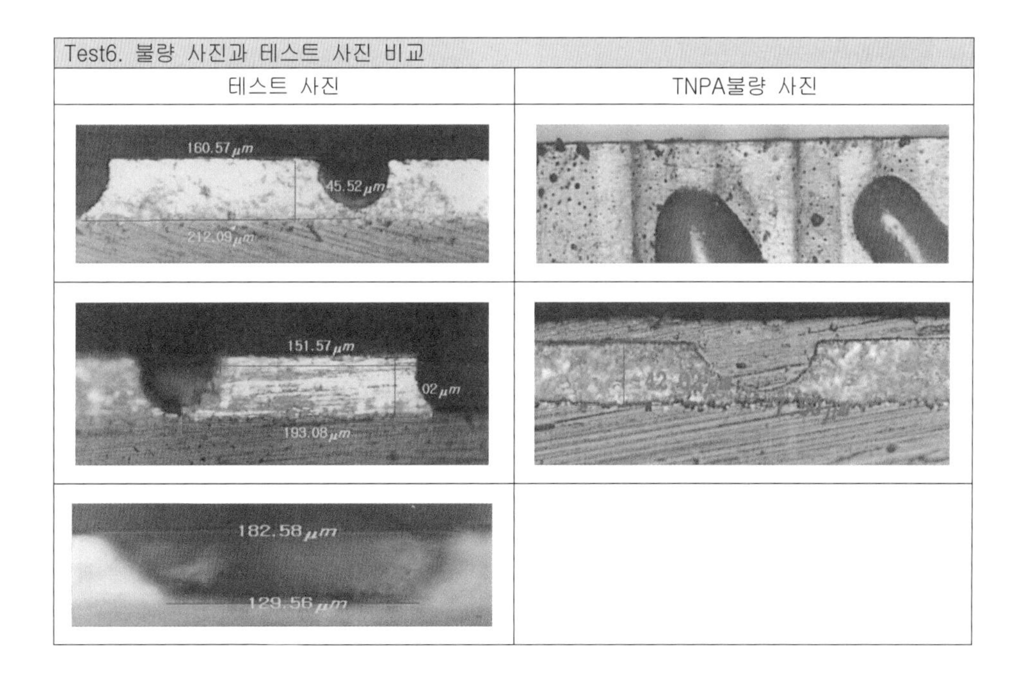
Test6. 불량 사진과 테스트 사진 비교
테스트 사진
TNPA불량 사진
160.57㎛
45.52㎛
212.09㎛
151.57㎛
193.08㎛
182.58㎛
129.56㎛

Test 2,3,4,5번의 회로 단면 사진

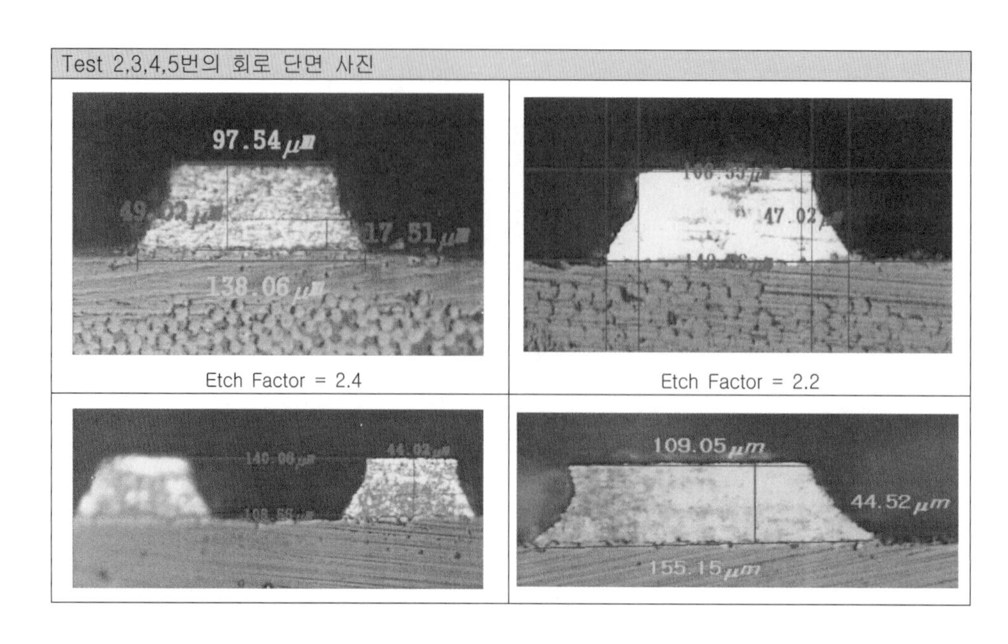

Etch Factor = 2.4

Etch Factor = 2.2

Test 1번의 회로 단면 사진

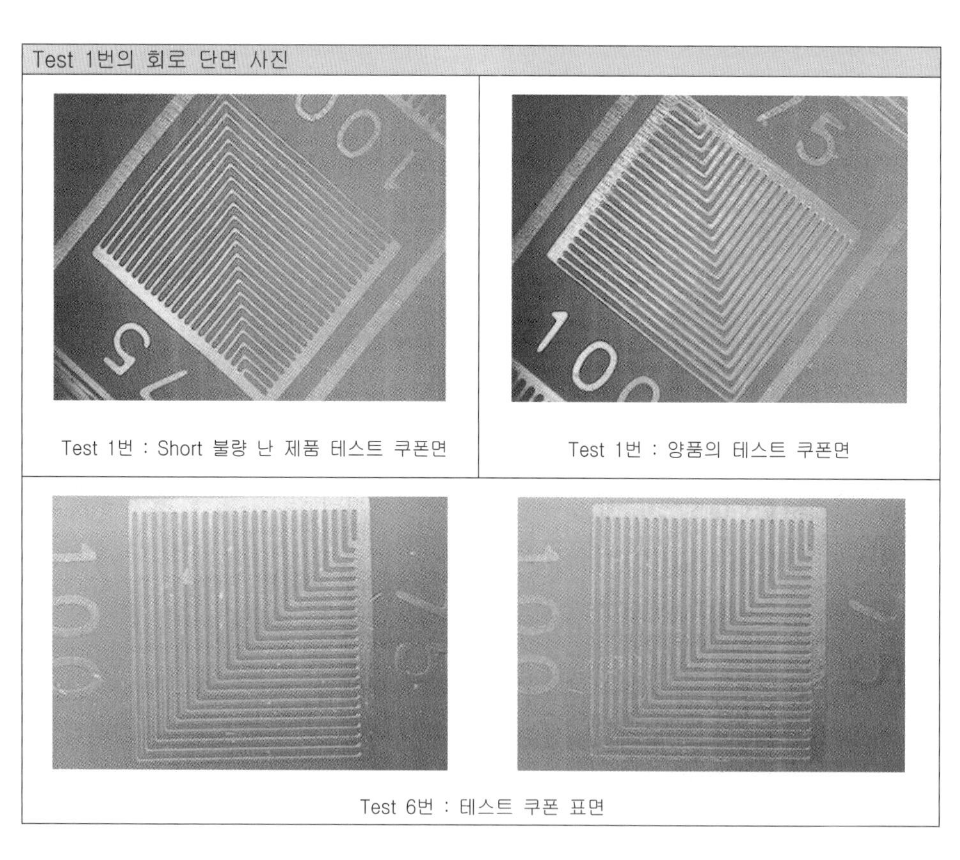

Test 1번 : Short 불량 난 제품 테스트 쿠폰면

Test 1번 : 양품의 테스트 쿠폰면

Test 6번 : 테스트 쿠폰 표면

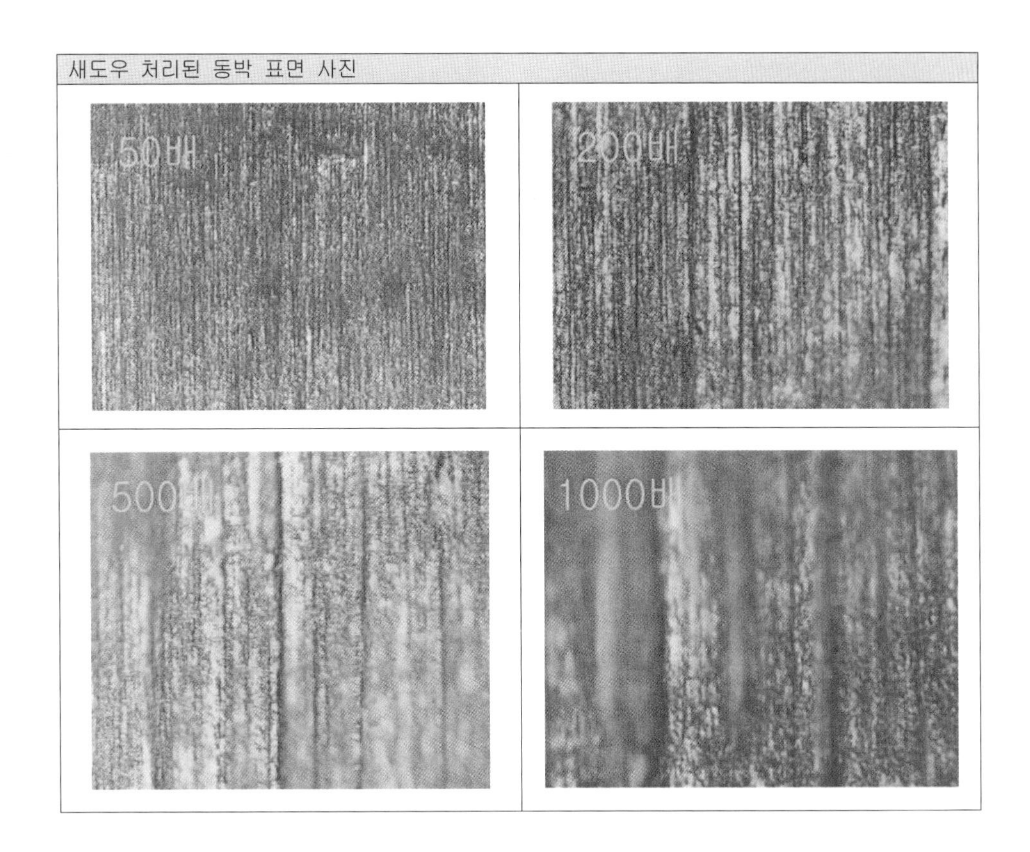

새도우 처리된 동박 표면 사진

7. ETCHING(부식) TEST

- 7-1 ETCHING 설비능력 TEST
- 7-2 전처리공정 ETCHING력 저하 TEST
- 7-3 표면 MICRO-ETCH 횟수에 따른 변화 TEST
- 7-4 ETCHING 편차 TEST
- 7-5 외층 ETCHING 능력 TEST

7-1 ETCHING 설비능력 TEST

1. TEST 목적

D.E.S Line(I사) 설비 능력을 파악함으로써 L/S 작업 능력 도금두께에 따른 Etching 상태를 파악하고자 함

· 설비 Etching 능력 Test (1/3 oz 작업 능력에 대한 조건 파악)

· 도금두께별 Etching 능력 파악

· L/S = 75㎛/75㎛ 작업 가능성 여부 파악 (현재 Etching 작업 조건 시)

2. TEST 정보

1) Test 사양

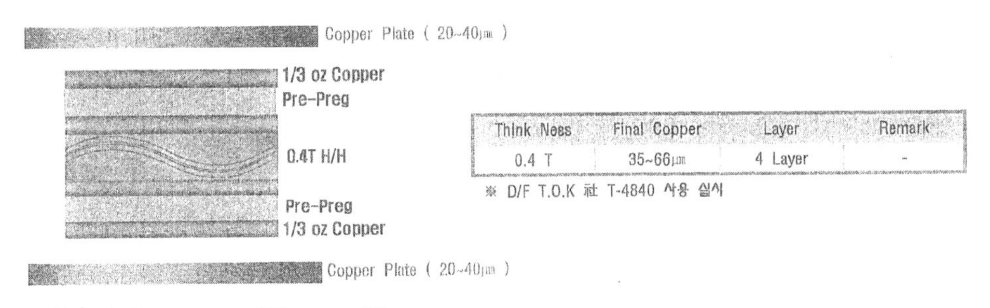

Think Ness	Final Copper	Layer	Remark
0.4 T	35~66㎛	4 Layer	-

※ D/F T.O.K 社 T-4840 사용 실시

Total Copper : 35㎛ ~ 60㎛

2) 공정 진행사항

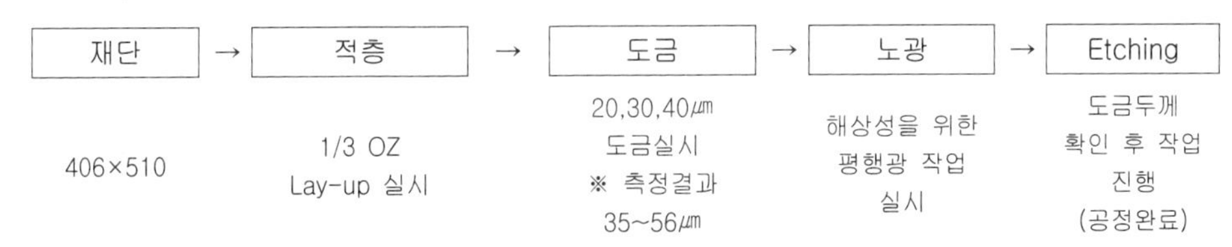

※ 공정 완료 후 각 두께, 작업 Speed 별 에칭 상태 확인 및 측정

3) 작업조건

	Developer	Etching	Strip
Speed	3.1 m/min	3.3, 3.6m/min	3.6 m/min
압 력	2.1 ㎏/㎠	2.0 ~ 3.0 ㎏/㎠	1.5 ㎏/㎠
농 도	11.7 g	1.241 mol/1	4 %wt
비 중	-	1.051	-
온 도	31℃	49℃	50℃
기타특이사항	-	-	-

※ 작업 조건 기준은 현재 양산 작업 시 진행되는 조건과 동일하게 진행 함

3. TEST 결과

×: 나쁨 △ : 보통 ○ : 우수

Test Pattern	35㎛/35㎛		50㎛/50㎛		75㎛/75㎛		100㎛/100㎛	
Total Copper 두께	30~40㎛	40㎛ 이상	30~40㎛	40㎛ 이상	30~40㎛	40㎛ 이상	30~40㎛	40㎛ 이상
Pattern 재현성	측정불가		측정불가		○	×	○	△
Pattern Size	측정불가		측정불가		△	×	○	△
Etching Factor	측정불가		측정불가		○	×	○	×

4. 의견

· 현재 Etching Line 수준은 100㎛/100㎛(무보정)이며 도금두께에 다른 Etching 결과 확인 시 낮은 Copper 두께일수록 Etch Factor가 우수하며 (3.0이상) 이에 Copper 두께가 높을 시에는 회로 재현은 가능하나 Etch Factor 저하 발생됨(0.8수준)으로 나타남

· 차후 Sample 및 고난이도 Pattern 양산 진행시에는 현재 Line에서 문제시 되고 있는 문제점들을 개선하여 품질향상을 높이고자 함(5번 항목 "문제점 및 개선방안" 참조)

5. 문제점 및 개선방안

· Etching 압력 조절 (2회/月 측정 확인) → 압력 편차를 확인함으로서 Etching Line Nozzle 상태 확인 및 압력조절을 통하여 품질 향상 가능 (약 6시간 소요)

· Controller 교체 件 → 현재 Controller 분석 보정 불가 및 약품 공급 상태 이상으로 인하여 품질 저하 발생 우려
(Etch Factor 및 제품 간 회로편차) : 중고품 구입으로 인한 A/S 불가
· Etching 압력 및 Speed 조절 : 당사 타사 대비 압력 조건 및 Speed 높은 편임

	당사	"A"사	"B"사
압력조건	2.0kg/㎠~3.0kg/㎠	1.5kg/㎠~2.0kg/㎠	1.5kg/㎠~2.0kg/㎠
Speed	3.0~4.0 m/min	2.0 ~ 2.5 m/min	2.0 ~ 3.0 m/min
Line 길이	6 M	6 M	약 5.5 M
Minmum Pattern (밀집 기준)	100㎛/	75㎛/75㎛ 0.5pitch	-
Etching 방식	염소산	염화동	염화동

※ Etching 압력 및 Speed 조절을 통한 품질 향상 가능 (공정 진행 시 약품 안정성 확보)

6. 측정 세부 Data

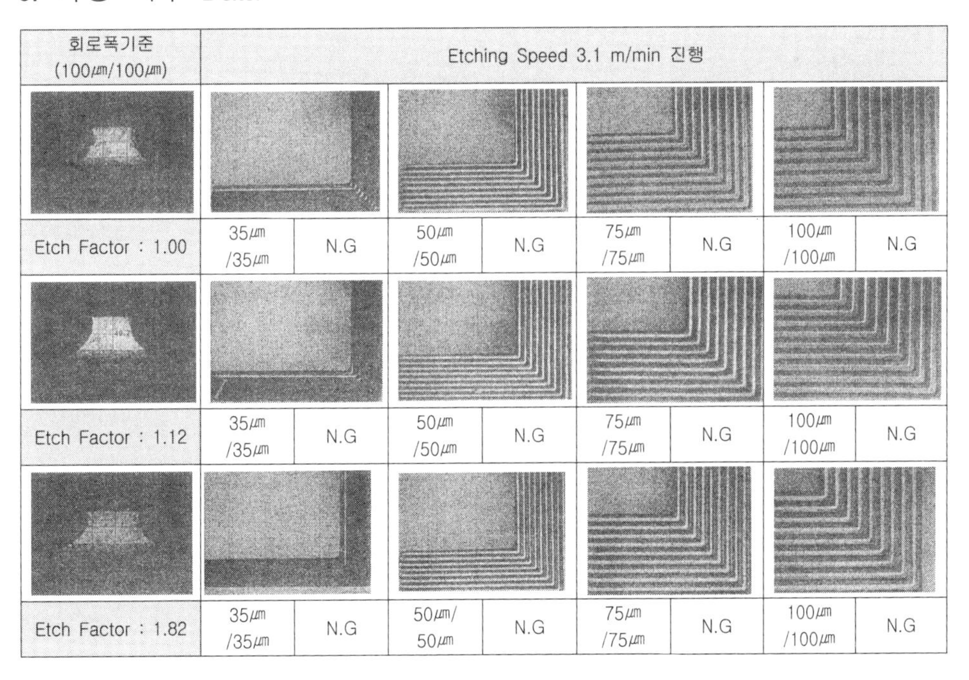

회로폭기준 (100㎛/100㎛)	Etching Speed 3.1 m/min 진행							
Etch Factor : 1.00	35㎛ /35㎛	N.G	50㎛ /50㎛	N.G	75㎛ /75㎛	N.G	100㎛ /100㎛	N.G
Etch Factor : 1.12	35㎛ /35㎛	N.G	50㎛ /50㎛	N.G	75㎛ /75㎛	N.G	100㎛ /100㎛	N.G
Etch Factor : 1.82	35㎛ /35㎛	N.G	50㎛/ 50㎛	N.G	75㎛ /75㎛	N.G	100㎛ /100㎛	N.G

회로폭기준 (100㎛/100㎛)	Etching Speed 3.3 m/min 진행							
Etch Factor : 0.87	35㎛ /35㎛	N.G	50㎛ /50㎛	N.G	75㎛ /75㎛	N.G	100㎛ /100㎛	N.G
Etch Factor : 1.10	35㎛ /35㎛	N.G	50㎛ /50㎛	N.G	75㎛ /75㎛	N.G	100㎛ /100㎛	N.G
Etch Factor : 1.15	35㎛/ 35㎛	N.G	50㎛ /50㎛	N.G	75㎛ /75㎛	N.G	100㎛ /100㎛	N.G

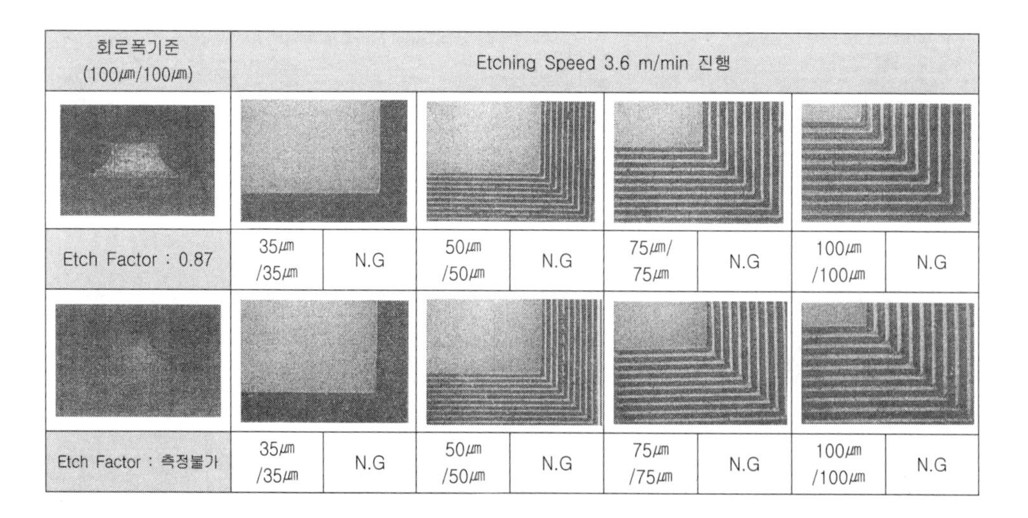

회로폭기준 (100㎛/100㎛)	Etching Speed 3.6 m/min 진행							
Etch Factor : 0.87	35㎛ /35㎛	N.G	50㎛ /50㎛	N.G	75㎛/ 75㎛	N.G	100㎛ /100㎛	N.G
Etch Factor : 측정불가	35㎛ /35㎛	N.G	50㎛ /50㎛	N.G	75㎛ /75㎛	N.G	100㎛ /100㎛	N.G

회로폭기준 (100㎛/100㎛)	Etching Speed 3.6 m/min Over Etching							
			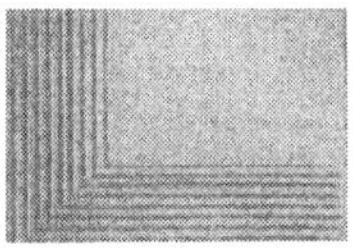		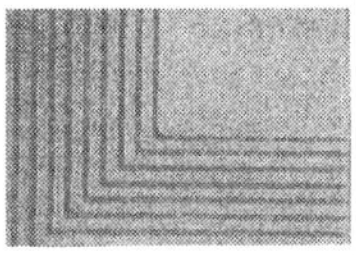		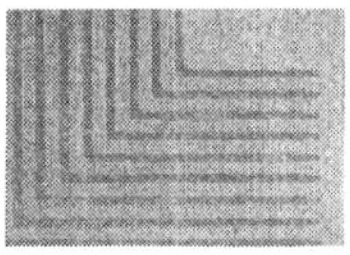	
Etch Factor : 3.11	35㎛/ 35㎛	N.G	50㎛/ 50㎛	N.G	75㎛ /75㎛	O.K	100㎛ /100㎛	O.K
			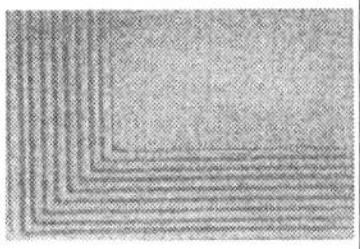		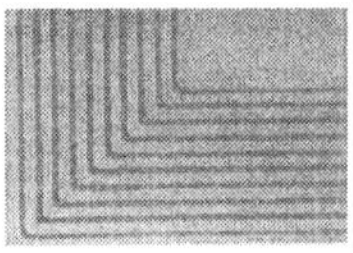		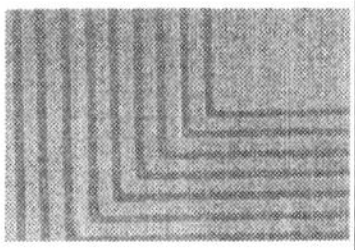	
Etch Factor : 3.30	35㎛ /35㎛	N.G	50㎛ /50㎛	N.G	75㎛ /75㎛	O.K	100㎛ /100㎛	O.K

7-2 전처리공정 ETCHING력 저하 TEST

1. 목적

D/F 전처리 Soft etching단의 정상 작업 조건에서 표면/홀속 etching력 및 전기동 방청액으로 인한 에칭력 저하여부 확인

2. 테스트 방법

▷ Test 1.

· 조건

Chain pattern 테스트 보드를 2.2ASD에서 도금

테스트 보드의 절반을 D/F 마스킹한다.

D/F 전처리 정면기에서 Soft etching처리만 실시 (콘베어 속도 : 3.5m/min)

▷ Test 2.

· 조건

도금하지 않은 Chain pattern 테스트 보드 준비

테스트 보드의 절반을 D/F 마스킹한다.

D/F 전처리 정면기에서 Soft etching처리만 실시 (콘베어 속도 : 3.5m/min)

3. 테스트 결과

<table>
<tr><th>테스트 No.</th><th colspan="2">테스트 결과</th><th>테스트 분석</th><th>비고</th></tr>
<tr><td>Test 1.</td><td>에칭 전
표면 평균 : 48.0㎛
홀속 평균 : 25.15㎛</td><td>에칭 후
표면 평균 : 47.26㎛
홀속 평균 : 24.62㎛</td><td>D/F 에칭단에서 표면 에칭은 0.745㎛
홀속 에칭은 0.53㎛</td><td rowspan="2">표면 에칭도의 산술적 비교에서 방청액으로 인한 에칭력 저하는 0.575㎛</td></tr>
<tr><td>Test 2.</td><td>에칭 전
표면 평균 : 18.71㎛</td><td>에칭 후
표면 평균 : 17.39㎛</td><td>D/F 에칭단에서 표면 에칭은 1.32㎛</td></tr>
</table>

4. 결론

· 전기동도금 후 방청처리 된 판넬의 D/F 에칭단에서 표면 에칭은 0.745㎛, 홀속 에칭은 0.53㎛ 이다.

· 방청 처리가 되지 않은 테스트 보드의 표면 에칭은 1.32㎛으로 방청처리가 에칭저항을 야기하며 그 정도는 0.575㎛이다.

· 위 테스트는 콘베어 속도 3.5m/min에서 진행된 것으로 콘베어 속도의 증감에 따라 에칭되는 동박의 두께는 변화 될 수 있다.

5. 테스트 보드 섹션 사진

Test 1-1. Before etching	
Pic 1. Surface Ave : 49.25㎛ inside hole Ave. : 25.0㎛	Pic 2. Surface Ave : 46.76㎛ inside hole Ave. : 25.3㎛

Test 1-2. After etching	
	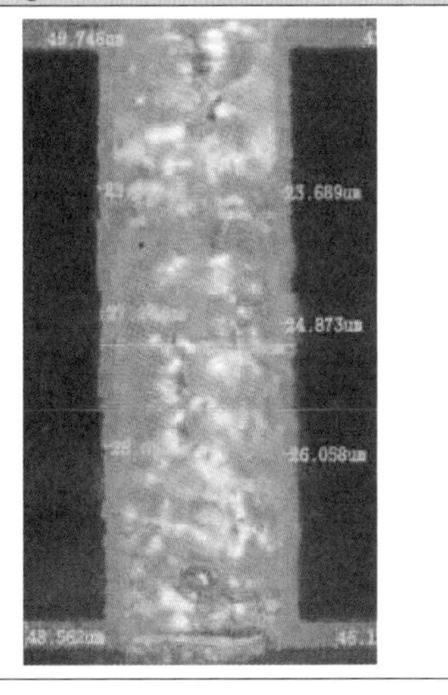
Pic 3. Surface Ave : 46.7㎛ inside hole Ave. : 24.65㎛	Pic 4. Surface Ave : 47.82㎛ inside hole Ave. : 24.6㎛

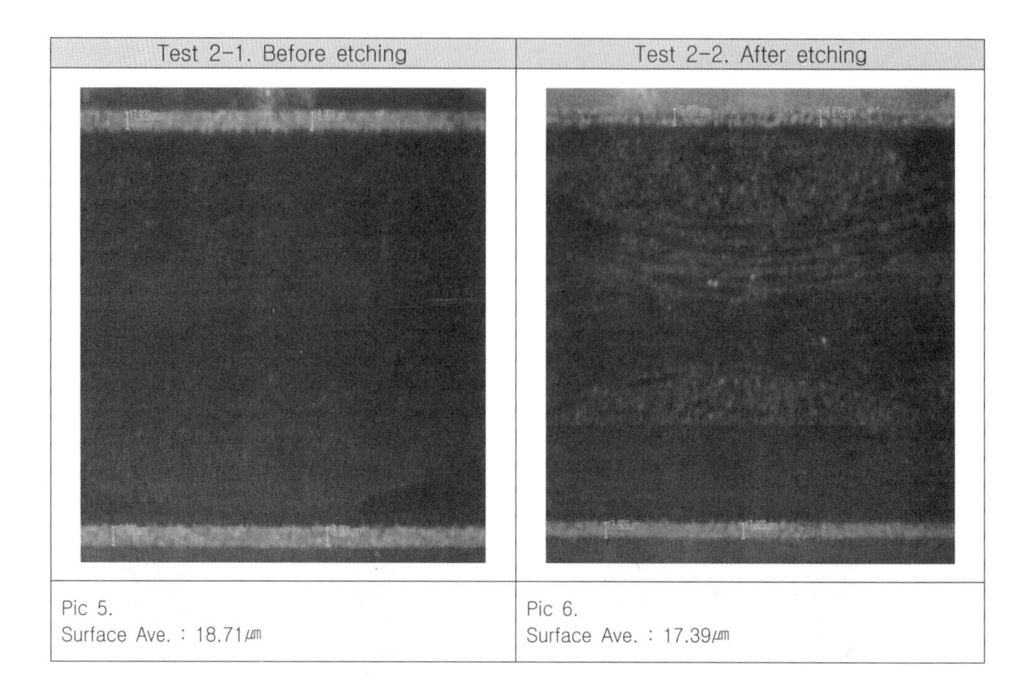

Test 2-1. Before etching	Test 2-2. After etching
Pic 5. Surface Ave. : 18.71㎛	Pic 6. Surface Ave. : 17.39㎛

7-3 표면 MICRO-ETCH 횟수에 따른 변화 TEST

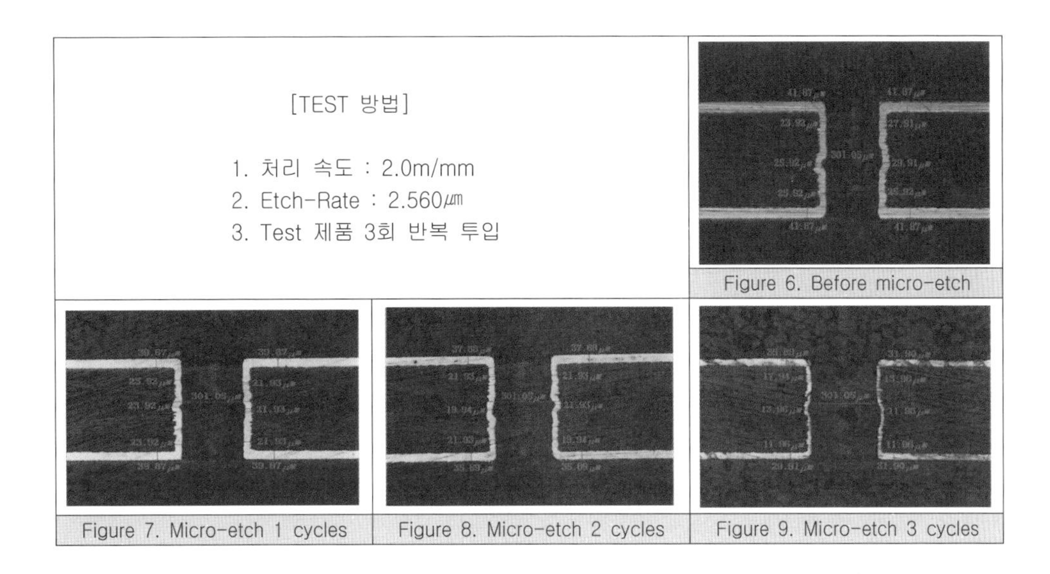

[TEST 방법]
1. 처리 속도 : 2.0m/mm
2. Etch-Rate : 2.560㎛
3. Test 제품 3회 반복 투입

Figure 6. Before micro-etch

Figure 7. Micro-etch 1 cycles

Figure 8. Micro-etch 2 cycles

Figure 9. Micro-etch 3 cycles

Chart 1. Flow chart after plating

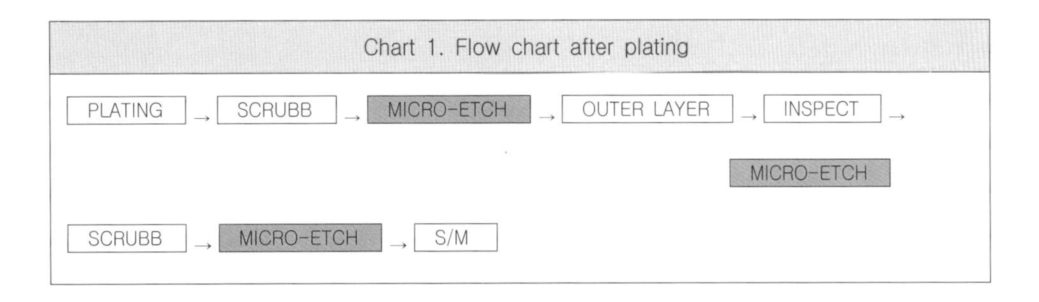

상기의 표와 같이 도금 이후 공정이 진행하게 된다. 여기서 Micro-etch solution (H_2SO_4 + H_2O_2 ; 표면의 오염 제거 및 D/F, S/M의 adhesion강화를 위해 copper surface에 조도(roughness를 형성))이 최대 3회까지 투입하게 된다. 이때 micro etch의 etch rate관리 농도 범위가 벗어나는 경우 필요 이상의 copper에 roughness가 형성될 뿐만 아니라, Cu thickness를 감소시키는 요인이 될 수 있다.

7-4 ETCHING 편차 TEST

1. Test 목적

부식 공정의 회로 형성 능력을 파악하고, 회로 형성에 있어서 상/하, 좌/우 편차를 check하여 그 편차를 줄임으로써, 보다 향상된 부식능력을 갖추려 하는데 그 목적이 있다.

2. 결론 및 소견

- Bot면의 회로폭이 더 감소한 것으로 보아, Etching Chamber의 상단의 스프레이 압력보다는 하단의 압력이 더 세다는 것을 알 수 있음.
- Etch Factor에 있어서는 Bot면 회로의 Etch Factor가 Top면의 것보다 잘 나온 것을 알 수 있음.
- 상하단의 편차가 있으므로, 스프에이의 압력조정 후, 2차 test 실시 예정임.

3. Test 조건

1) 현상 조건

temp = 28.5℃,

speed = 1.78 m/min,

2) 부식 조건

temp = 52.9℃, 53.7℃, 53.0℃

speed = 1.72 m/min,

S.G = 1.400

pressure : 1) 상 = 3.0 kgf/㎠, 하 = 2.9 kgf/㎠

2) 상 = 3.1 kgf/㎠, 하 = 2.9 kgf/㎠

3) 상 = 3.1 kgf/㎠, 하 = 2.8 kgf/㎠

3) 박리 조건

박리 1번 : temp = 48℃, speed = 2.31m/min

박리 2번 : temp = 49℃, speed = 2.90m/min

4. Test 방법

- 404 × 337 size의 기판 (1.6T, 1oz원판)을 아래 그림과 같이 첫 번째는 최대한 좌측으로, 두 번째는 최대한 우측으로 붙여서 투입
- 두 판넬의 회로 형성을 통해, ETCHING-LINE의 좌우측과 상하의 편차를 파악한다.

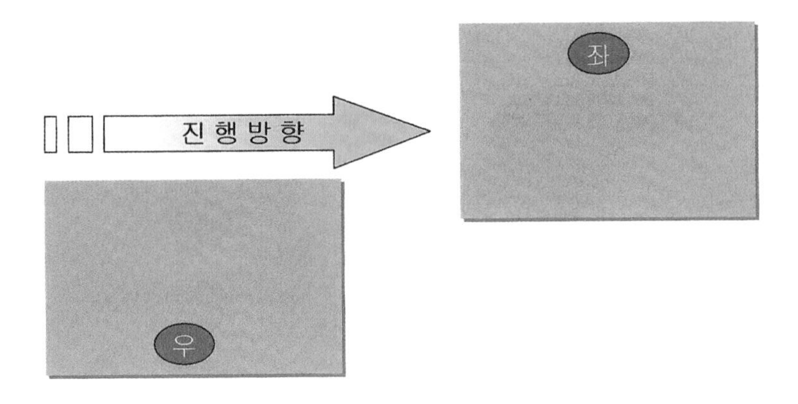

5. Test 결과

[Unit = ㎛]

	현상 후	부식 후									비 고
	125㎛	125㎛			100㎛			75㎛			
		상 단	하 단	Etch Factor	상 단	하 단	Etch Factor	상 단	하 단	Etch Factor	
좌 상	129	108	124	3.25	73	93	2.70	52	70	2.97	
좌 하	129	94	111	3.05	70	78	6.14	45	58	3.94	
우 상	133	110	135	2.24	108	117	6.42	57	78	2.89	
우 하	128	105	117	4.16	69	84	3.48	48	60	4.22	
AVG	129	104	122	3.18	80	93	4.68	50	66	3.50	

- 상단보다는 하단의 회로폭이 더 감소한 것으로 보아, 하단의 압력이 상단의 압력보다 세다는 것을 알 수 있음.
- Etch-Factor 상으로는 대체적으로 Bot면의 경우가 좋게 나타났음.
- 따라서 상하단 스프레이 압력을 조절하여 2차 test 실시 예정

1) 현상 후, 위치별 회로폭(125㎛)

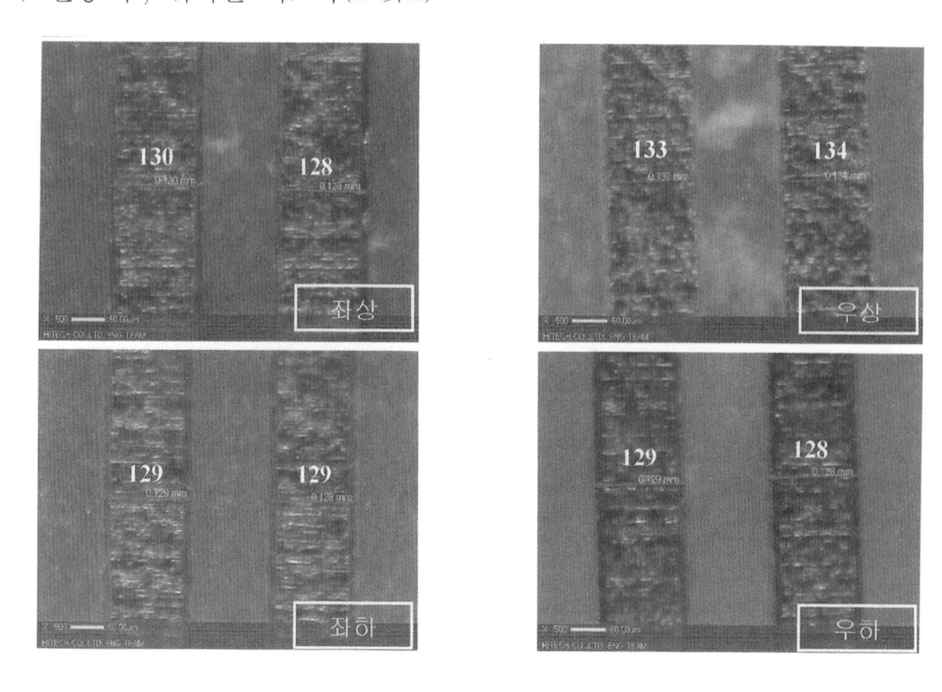

2) 부식 후, 위치별 회로폭 측정.

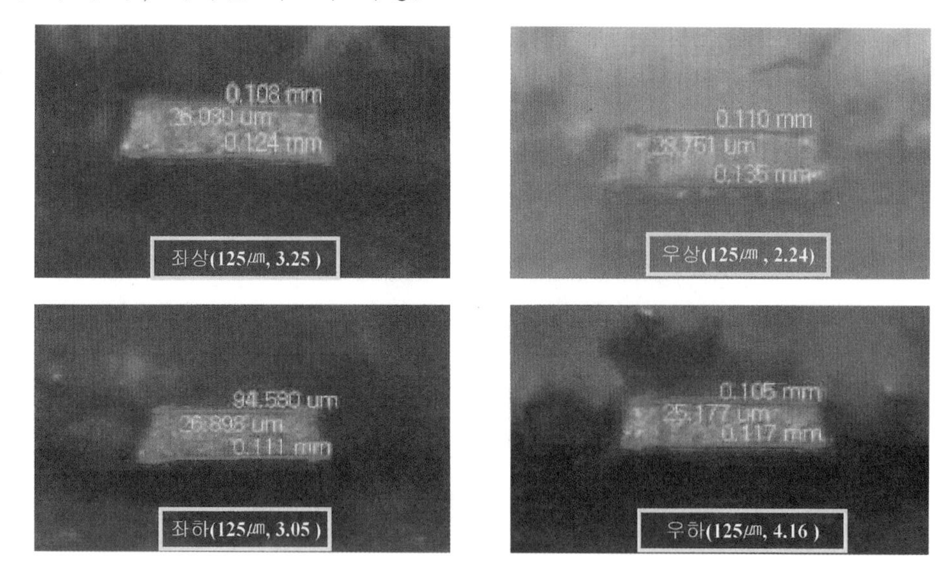

3) 부식 후, 위치별 회로폭 측정

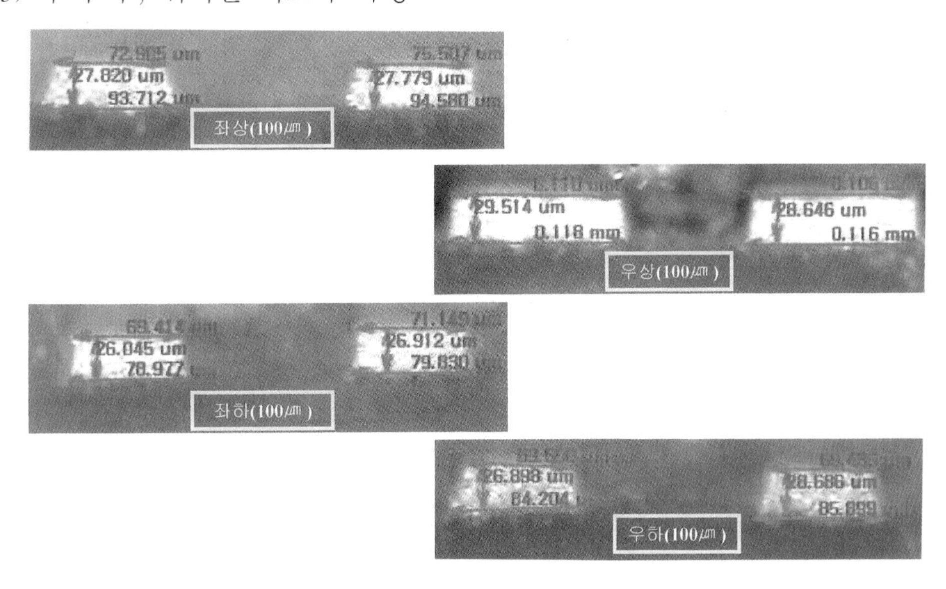

4) 부식 후, 위치별 회로폭 측정

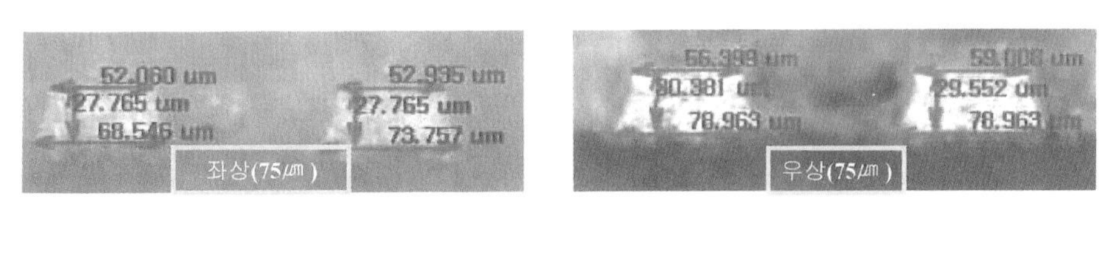

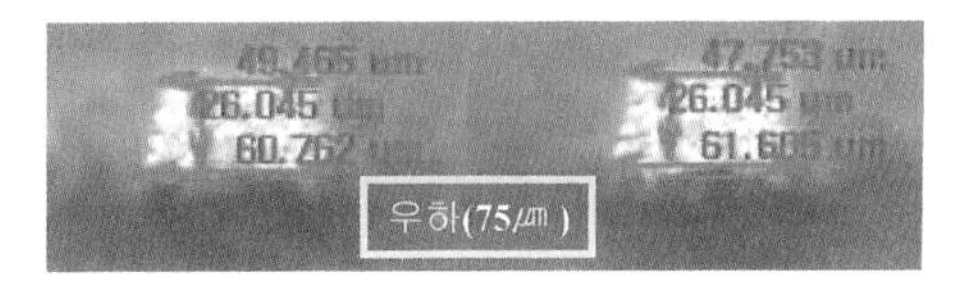

7-5 외층 ETCHING 능력 TEST

1. 목적

현 외층 부식공정의 현상단과 부식단의 spray분사 위치에 따라 형성되는 pattern width의 편차를 알아보기 위함이다.

2. Test

1) Test pattern 측정위치 설명

· 위치 1-4 : side 좌우 편차 비교

· 위치 2-3 : 중앙 좌우 편차 비교

· TOP, BOT 동일 Pattern 구성 : 상, 하단 편차 비교
  [동일 pattern 측정]

2) Test 조건

· Test 재료 : 1/2 oz base copper + 동도금 (19㎛)

· 노광조건 : modern dry film + 노광량 SST 8단

· 현상 Speed : 5.8 m/min

· 부식 Speed : 3.8 m/min

· Test Pattern : line-space 1:1 회로가 구성된 test 필름을 이용함
  70/70, 80/80, 90/90, 100/100, 110/110, 120/120

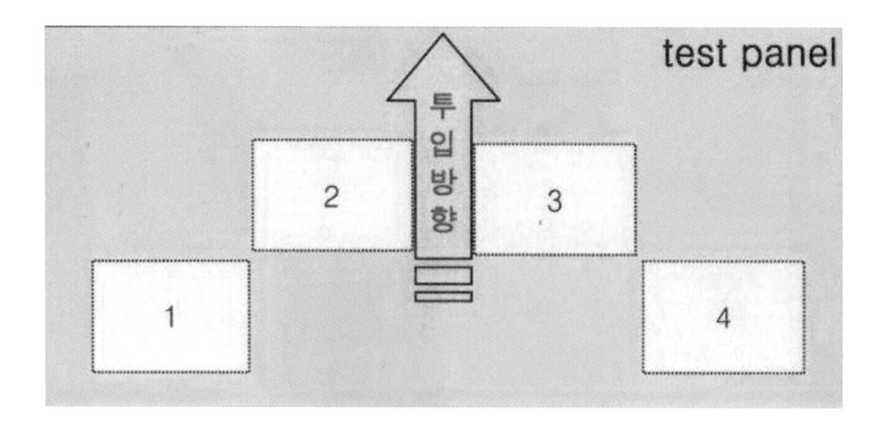

3. Test 결론

1) 현상단 resist width 편차

[단위 ㎛]

	AVE	MAX	MIN	비 고	data 설명
상 Side 좌우 편차	-4	-6	-1	위치1 - 위치4	+값 : 좌측(1,2번)부위의 resist width이 더 큼 -값 : 우측(3,4번)부위의 resist width이 더 큼
하 Side 좌우 편차	1	3	-1	위치1 - 위치4	
상 중앙 좌우 편차	2	3	-1	위치2 - 위치3	
하 중앙 좌우 편차	0	2	-2	위치2 - 위치3	
좌우 편차 average	**0**	**1**	**-1**		
1번 위치 상, 하단 편차	-1	8	-6		+값 : spray 상 위치의 resist width이 더 큼 -값 : spray 하 위치의 resist width이 더 큼
2번 위치 상, 하단 편차	-1	3	-6		
3번 위치 상, 하단 편차	0	4	-10		
4번 위치 상, 하단 편차	-6	12	0		
상하 편차 average	**-2**	**7**	**-6**		

2) 부식단 Pattern width 편차

[단위 ㎛]

	AVE	MAX	MIN	비 고	data 설명
상 Side 좌우 편차	5	9	1	위치1 - 위치4	+값 : 좌측(1,2번)부위의 pattern width이 더 큼 -값 : 우측(3,4번)부위의 pattern width이 더 큼
하 Side 좌우 편차	-7	2	-13	위치1 - 위치4	
상 중앙 좌우 편차	-7	3	-23	위치2 - 위치3	
하 중앙 좌우 편차	-4	-1	-9	위치2 - 위치3	
좌우 편차 average	**-3**	**3**	**-11**		
1번 위치 상, 하단 편차	11	17	2		+값 : spray 상 위치의 pattern width이 더 큼 -값 : spray 하 위치의 pattern width이 더 큼
2번 위치 상, 하단 편차	-2	3	-8		
3번 위치 상, 하단 편차	1	15	-8		
4번 위치 상, 하단 편차	-1	4	-5		
좌우 편차 average	**2**	**10**	**-5**		

3) 결론

① 현상단의 좌우 편차 average 0㎛, 상하 편차 average -2㎛로 양호함.
→ 투입방향 기준 오른쪽 부분이 0㎛, spray 하 부위가 2㎛ 더 현상됨.

② 부식단의 좌우 편차 average -3㎛, 상하 편차 average 2㎛로 양호함.
→ 투입 방향 기준 오른쪽 부분이 3㎛, spray상 부위가 2㎛ 더 부식됨.

③ 국부적인 편차 발생부위는 존재하지만, 전체적인 average 편차정도는 양호함.

④ 대 책

· 편차점검 test 정기적으로 시행하겠음 (1회/월)

· 현재 부식라인의 spray 압력 재조정 안함.

· 부식라인의 공정 check list 및 maintenance 준수.

4. Test 결과

공정			현상											
측정위치			1					4					상 side 좌우 편차	하 side 좌우 편차
spray 분사 위치			상(上)		하(下)		상, 하단 편차 ㎛	상(上)		하(下)		상, 하단 편차 ㎛		
구분	line [㎛]	space [㎛]	resist width	film - resist	resist width	film - resist		resist width	film - resist	resist width	film - resist			
70/70	70	70	82	-12	82	-12	0	86	-16	82	-12	4	-4	0
			82	-12	82	-12	0	84	-14	83	-13	1	-2	-1
80/80	80	80	96	-16	94	-14	2	101	-21	94	-14	7	-5	0
			97	-17	93	-13	4	99	-19	93	-13	6	-2	0
90/90	90	90	100	-10	100	-10	0	105	-15	98	-8	7	-5	2
			99	-9	100	-10	-1	104	-14	99	-9	5	-5	1
100/100	100	100	118	-18	113	-13	5	122	-22	110	-10	12	-4	3
			114	-14	117	-17	-3	118	-18	115	-15	3	-4	2
110/110	110	110	124	-14	130	-20	-6	129	-19	129	-19	0	-5	1
			126	-16	125	-15	1	132	-22	123	-13	9	-6	2
120/120	120	120	138	-18	130	-10	8	139	-19	128	-8	11	-1	2
			132	-12	136	-16	-4	135	-15	133	-13	2	-3	3
Average				-14		-14	-1		-18		-12	-6	-4	1

공정			현상											
측정위치			2					3					상 side 좌우 편차	하 side 좌우 편차
spray 분사 위치			상(上)		하(下)		상, 하단 편차 ㎛	상(上)		하(下)		상, 하단 편차 ㎛		
구분	line [㎛]	space [㎛]	resist width	film - resist	resist width	film - resist		resist width	film - resist	resist width	film - resist			
70/70	70	70	82	-12	82	-12	0	81	-11	81	-11	0	1	1
			82	-12	81	-11	1	80	-10	81	-11	-1	2	0
80/80	80	80	96	-16	93	-13	3	96	-16	94	-14	2	0	-1
			97	-17	94	-14	3	94	-14	94	-14	0	3	0
90/90	90	90	101	-11	100	-10	1	100	-10	98	-8	2	1	2
			101	-11	99	-9	2	102	-12	98	-8	4	-1	1
100/100	100	100	114	-14	112	-12	2	112	-12	111	-11	1	2	1
			113	-13	113	-13	0	111	-11	112	-12	-1	2	1
110/110	110	110	125	-15	131	-21	-6	123	-13	133	-23	-10	2	-2
			126	-16	125	-15	1	124	-14	124	-14	0	2	1
120/120	120	120	136	-16	134	-14	2	134	-14	133	-13	1	2	1
			133	-13	133	-13	0	131	-11	134	-14	-3	2	-1
Average				-14		-13	-1		-12		-13	0	2	0

공정			부 식															
측정위치			1							4							상 side 좌우 편차	하 side 좌우 편차
spray 분사 위치			상(上)			하(下)			상, 하단 편차 ㎛	상(上)			하(下)			상, 하단 편차 ㎛		
구분	line [㎛]	space [㎛]	resist width	pattern 상단	부식 정도	resist width	pattern 상단	부식 정도		resist width	pattern 상단	부식 정도	resist width	pattern 상단	부식 정도			
70/70	70	70	82	22	60	82	25	57	3	86	27	59	82	27	55	4	1	2
			82	24	58	82	26	56	2	84	27	57	83	26	57	0	1	-1
80/80	80	80	96	36	60	94	41	53	7	101	42	59	94	37	57	2	1	-4
			97	35	62	93	47	46	16	99	41	58	93	36	57	1	4	-11
90/90	90	90	100	36	64	100	53	47	17	105	47	58	98	38	60	-2	6	-13
			99	37	62	100	50	50	12	104	46	58	99	39	60	-2	4	-10
100/100	100	100	118	54	64	113	63	50	14	122	66	56	110	52	58	-2	8	-8
			114	47	67	117	67	50	17	118	60	58	115	55	60	-2	9	-10
110/110	110	110	124	63	61	130	78	52	9	129	74	55	129	71	58	-3	6	-6
			126	64	62	125	74	51	11	132	77	55	123	63	60	-5	7	-9
120/120	120	120	138	74	64	130	78	52	12	139	83	56	128	69	59	-3	8	-7
			132	67	65	136	84	52	13	135	78	57	133	75	58	-1	8	-6
Average					62			51	11			57			58	-1	5	-7

공정			부 식															
측정위치			2							3							상 side 좌우 편차	하 side 좌우 편차
spray 분사 위치			상(上)			하(下)			상, 하단 편차 ㎛	상(上)			하(下)			상, 하단 편차 ㎛		
구분	line [㎛]	space [㎛]	resist width	pattern 상단	부식 정도	resist width	pattern 상단	부식 정도		resist width	pattern 상단	부식 정도	resist width	pattern 상단	부식 정도			
70/70	70	70	82	30	52	82	27	55	-3	81	30	51	81	22	59	-8	1	-4
			82	31	51	81	26	55	-4	80	25	55	81	23	58	-3	-4	-3
80/80	80	80	96	44	52	93	36	57	-5	96	36	60	94	34	60	0	-8	-3
			97	47	50	94	36	58	-8	94	27	67	94	33	61	6	-17	-3
90/90	90	90	101	48	53	100	41	59	-6	100	40	60	98	38	60	0	-7	-1
			101	49	52	99	42	57	-5	102	31	71	98	36	62	9	-19	-5
100/100	100	100	114	58	56	112	55	57	-1	112	45	67	111	49	62	5	-11	-5
			113	59	54	113	57	56	-2	111	34	77	112	50	62	15	-23	-6
110/110	110	110	125	72	53	131	78	53	0	123	66	57	133	71	62	-5	-4	-9
			126	68	58	125	69	56	2	124	67	57	124	63	61	-4	1	-5
120/120	120	120	136	76	60	134	77	57	3	134	77	57	133	73	60	-3	3	-3
			133	75	58	133	75	58	0	131	74	57	134	73	61	-4	1	-3
Average					54			57	-2			61			61	1	-7	-4

8. LPR

- 8-1 LPR COATER 설비 검토
- 8-2 LPR INK TEST
- 8-3 LPR 두께 측정기 셋팅 방법

8-1 LPR COATER 설비 검토

1. 검수 장비 명

RC6000 HTDC

2. 제작 업체 명

S사

3. 검수 결과 (검수 체크 리스트 첨부)

구 분	내 용	체 크	비 고
외관 검수	COATER	GOOD	
	DRYER	GOOD	
기능 검수	INLET ZONE	GOOD	
	COATING ZONE	GOOD	
	DRYER	N/A	주파수 문제상 가동 테스트 불가능
전기 검수	220V, 3상, 60Hz	GOOD	
옵션 사항	COATER	GOOD	
	DRYER	GOOD	
당사 개선 요청 사항	INK FILTERING SYSTEM	GOOD	
	DOOR 구조개선	GOOD	
	장비 하단 Control box 위치 조정	GOOD	
	Control PC 위치 조정	GOOD	
	Tool box	GOOD	
스페어 파트	리스트 검수	GOOD	
Roll Grooving 업체 방문 건		N/G	업체 사정상 방문 불가능

4. 검수 시 ISSUE 사항

1) LAY OUT에 따른 장비 내부 Electric parts 위치 변경이 Spec과 상이

→ 협의 결과 당사의 요청대로 장비 내외부 Parts 위치 변경 실시

· Control PC and Housing 위치 변경

· PC Monitor 위치 변경

· Electrical S/W 2ea 위치 변경

· Door lock 위치 변경
· Main Power S/W 위치 변경
· Over voltage protection 위치 변경

2) Coater 내부 잉크 탱크 zone의 구조가 기존 장비 대비 개선되었으나 당사의 Pass line 높이에 맞추게 될 경우 잉크 탱크 연결 전선 및 배관의 조정이 필요함
→ 협의 결과 SYSTRONIC에서 미리 조정을 하기보다는 당사 입고 후 Pass line에 맞춰서 잉크 탱크 연결 배관 및 전선을 조정하기로 결정 - SYSTRONIC 엔지니어

3) 현재 가동 중인 LPR 2호기의 Doctor Roller 교체 건
→ 신규 LPR Coater 설치 완료 후 기존 장비 점검 및 Doctor Roller 교체하기로 협의

4) S사 엔지니어 체류 기간
→ 최소 10일 이상 당사 체류를 요청하여 14일간 체류하기로 협의 (장비에 문제가 없는 한)

5) TOOL BOX 요청 (스페어 파트 리스트에는 없음)
→ 스페어 파트에 포함시켜 장비와 같이 Packing

6) Coater의 Pass line은 930m로 제작되어 있으나 당사의 Pass line은 약 1,100mm이므로 높이 조절용 패드 준비는 당사에서 하기로 협의
→ 가능한 장비 진동을 흡수하기 위하여 진동 패드로 설치 필요 (수량 16개)

7) Roll Grooving 업체 방문 불가능 건
→ Roll Grooving 업체 방문 기능을 미리 업체에 타진하였으나 Grooving 업체 사장이 방문을 거부함
→ Roll Grooving 기술이 업체 보안 사항으로 절대 공개를 할 수 없다고 함

8) 장비 전원 사양 건

→ 장비 본체 전원 : 400V, Transformer 설치를 통하여 220V 연결 기능

→ S사에서 외부 Transformer 공급 및 설치

9) Roll Regrooving 시간 보증 건

→ Roll grooving 시간이 1주일 이상 늦어질 경우 당사에서 요청 시 Emergency용 Roller를 S사에서 보유하기로 협의

5. 기존 장비 대비 개성 확인 사항

1) Coating zone 밀폐 능력 향상 : 기존과는 달리 Inlet roll 구역까지 밀폐를 통하여 이물질 유입을 방지함

2) Inlet roll 연결 방식 개선 : 정비가 용이토록 연결 방식이 개선됨

3) Inlet roller 구동 방식 개선 : Coating roller 앞단의 Inlet roller 2개는 따로 구동이 가능토록 개선됨

4) 잉크 탱크 이동 방식 개선 : 잉크 탱크가 Coater 외부로 완전히 나올 수 있도록 개선됨

5) 컨베이어 체인 스프링 재질 개선 : 내구성이 우수한 제품으로 교체

6) 컨베이어 체인 그리퍼 마모에 따른 이물질 제거 방법 개선 : 이물질 제거용 진공청소기 설치

7) 박판 이송용 회전 가이드 설치 : 박판 손상을 방지하기 위한 회전 가이드 설치

■ LPR COATER 검수 Check List

번 호	체크 사항	S사	체크	비 고
1	모델명	RC6000 HTDC	0	
2	장비 방향	우 → 좌	0	
3	Conveyer Speed	1.5m/min ~ 5.5m/min	0	
4	장비 무게	4,500 kgs (건조기 포함 유무 확인	0	
5	건조 온도	max 125℃ (180℃ 확인)	0	
6	Coating room 내부 Particle count		N/G	SYSTRONIC 내부에서는 배기 연결이 불가능한 관계로 측정 불가
7	Viscosity Controller	외부 컨트롤러 유무	0	기존과 동일
8	Viscosity Range	DIN Cup 4 50 ~ 100 sec	0	기존과 동일
9	1 pair Extra roller		0	
10	Air filter	헤파 필터 유무	0	기존과 동일 (헤파 필터)
11	Resist tank with max/min level detection		0	잉크 수위 확인 가능토록 개선됨
12	User specified uncoated edges along the longitudinal sides		0	기존과 동일
13	Chain drive sensor control		0	기존과 동일
14	Panel counter for shift/day/week		0	기존과 동일
15	Modem remote maintenance hardware	타업체 적용 여부 확인	0	모뎀은 설치되어 있으나 독일과의 시차 차이로 인하여 사용은 어려울 것으로 판단됨
16	Over voltage protection		0	기존과 동일
17	Emergency device in case of power failure		0	기존과 동일
18	UPS for PC - PLC Temperature controller	기존 장비 차이점 확인	0	기존 UPS와 성능 유사
19	Maintenance functions PC-Screen	기존 장비 차이점 확인	0	기존과 동일
20	Temperature display at Cooling zone		0	기존과 동일
21	Squeezing out of rubber roller in stand by mode		0	기존과 동일
22	Vacuum cleaner for chain drive		0	체인 이물질 제거가 용이토록 Vacuum pump 설치
23	전압	220V, 3phase (no nature), 60hz	0	400V 승압용 Transformer 설치
24	Control PC 위치	2m 거리 확인	0	확인결과 미조치 사항으로 개선 요청 후 완료 확인
25	Side cover of dryer	행거 방식 확인	0	행거 방식으로 제작 확인
26	LPR ink filter housing	2 units with filter as a bypass	0	2 units 설치 확인
27	Gripper spring material	기존 장비 차이점 확인	0	재질 변경 확인
28	Liquid tank 개방 유무	기존 장비 차이점 확인	0	개방 가능 개선 확인
29	건조단 헤파필터 교체 방법 변경	기존 장비 차이점 확인	◎	교체 방식은 개선되었으나 큰 차이는 없음
30	PC 소프트웨어 업그레이드 사항	기존 장비 차이점 확인	0	기존과 동일
31	냉각기 박판 이송 가이드 설치 건	LPR 2호기 설치 가능 여부 확인	N/G	파트 구매 시 설치 가능

번 호	체크 사항	S사	체크	비 고
32	매뉴얼 (영문)	3부 확인	0	영문 매뉴얼 3부
33	Trouble shooting guide	프로비즈 번역 확인	0	프로비즈 번역 예정
34	Turn around time for re-grooving 보증 건	적용 일정 확인	0	SYSTRONIC에서 2세트를 보유하는 것으로 협의 완료
35	2 pairs of Emergency roller	당사 or 프로비즈 보유 가능 여부 확인	N/G	
36	프로비즈 보유 예정 spare part list		◎	국내 구매 가능한 파트를 제외한 중요 파트 보유건 협의 예정

번 호	체크 사항	체크	비 고
37	Coating roller 작동 상태	0	기존과 동일
38	Inlet roller 작동 상태	0	Inlet Roller와 베어링 연결부의 정비가 용이하게끔 개선 조치
39	Conveyer chain 구동 상태	0	체인 스프링 재질 개선 조치
40	Conveyer 작동 상태	0	기존과 동일
41	Doctor roller 구동 상태	0	기존과 동일
42	건조단 건조 온도 콘트롤 상태	×	한국과 독일의 전기 주파수가 틀린 관계로 장비 히팅 테스트는 불가능
43	냉각기 구동 벨트 작동 상태	0	벨트 및 박판 이송 가이드 등 개선 조치
44	Coating room 상단 필터 사이즈	0	확인 완료
45	건조기 하부 프리 필터 규격	0	스페어 파트에 프리필터 포함 시킴
46	Control box 설치 위치 상태	0	Control box 위치가 당사의 LAY OUT과 일치하지 않아서 개조 요청 → 개조 완료
47	Coater 각종 도어 오픈용 KEY 확인	0	스페어 key 1개 접수
48	건조단 필터 도어 KEY 확인	0	스페어 key 1개 접수
49	LPR 2호기 Conveyer 속도 감소건 확인	0	7월말 SYSTRONIC 엔지니어 방문 시 점검
50	LPR 2호기 Conveyer 폭 감소건 확인	0	7월말 SYSTRONIC 엔지니어 방문 시 점검 및 당사 설비팀 조치 병행
51	LPR 2호기 Conveyer 퓨즈 건 확인	0	당사 전압 불안정으로 인한 과전류 통전으로 퓨즈 단락 - 설비팀 조치사항
52	LPR 2호기 Conveyer 체인 구동 불안정 건 확인	0	7월말 SYSTRONIC 엔지니어 방문 시 점검
53	Roll Grooving 업체명	×	Roll Grooving 업체에서 Grooving에 관련된 사항은 업체 보안 사항으로 공개를 절대 거부한 관계로 정보 확인 불가능 → 당사의 roller 문제에 대하여 자세한 사항을 전달 조치
54	업체 전화번호 및 정보	×	
55	Roll Grooving 방법	×	
56	Roll Grooving 장비 명	×	

■ LPR Coater Spare part Check List

4. Feb 2003

No	Desination	Part No	Q'ty	CHECK
1	Airflow sensor	3 mbar / SY29728	1	0
2	Spreading roller	N/A	1	0
3	Contactor	7.5 kw / SY327486	1	0
4	Inductive Proximity S/W	SY221002	3	0
5	Contactor	4 kw / SY22244	1	0
6	Fan (inside muffle)	SY168443	1	0
7	Filter for air supply dryer	SY362889 SY362913	1	0
8	Filter for air supply coater	SY30726	1	0
9	Filter 10㎛ for LPR	SY370999	1	0
10	Fine Fuse for Power supply 24V	1 Amp / SY108647	2	0
11	Fuse for Power supply 25V	20 Amp / SY267146	2	0
12	Heater element	1.5 kw / SY179515	1	0
13	Relay	SY337485	2	0
14	Round belt (exit table)	ϕ3 / SY18564	1	0 (10m 길이로 요청)
15	Safety temperature limiter	SY45393	1	0
16	Thermocouple K-type	3 mm / SY277038	1	0
17	Thyristor load Relay (SSR for heater)	50 Amp / 400 V / SY63008	1	0

■ 내층 LPR COATING 실 LAY-OUT

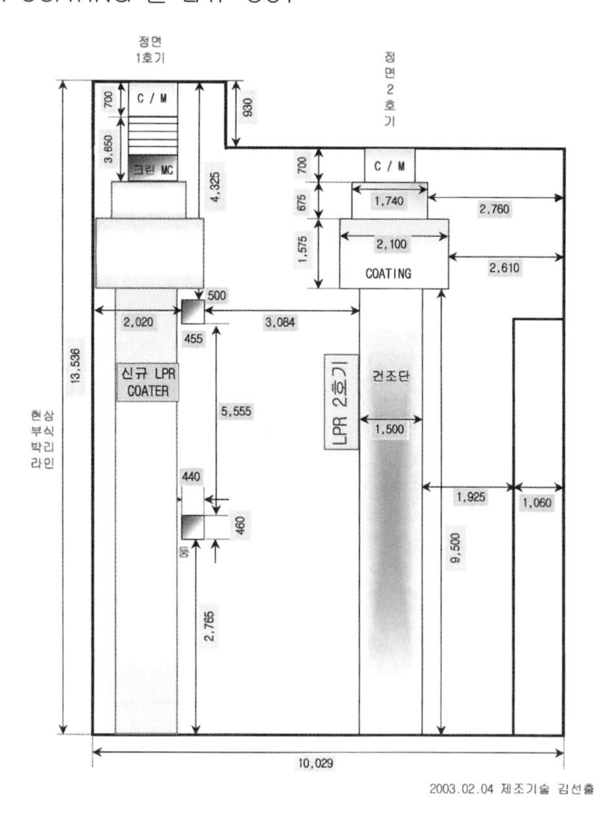

8-2 LPR INK TEST

1. 목적

내층 현상단에서 발생하는 Ink Sludge 발생을 최소화하여 품질을 향상시키기 위함.

2. Test 진행 방법

업체별 Pre-Coating 제품을 접수 받아 당사 자동 노광기에 적용.

광량별 Test 진행 후 현상, 부식 Speed는 현 양산 제품의 작업 조건을 그대로 적용.

각 관량대별 회로폭을 측정하여 15%이내의 회로폭 감소를 보이는 노광량을 기준으로 설정함.

S.S.T는 Test 단계에서는 무의미하다고 판단되어 측정하지 않음.

3. 의견

3개사 Test진행 결과 Goo-Chemical의 LPR Ink가 당사 적용 가능함.

국내에서 제조되는 Ink를 적용하는 것이 타당하나 국내 제조업체는 능력이 부족한 상태로 품질 대응이 가능하면서 가격 대응이 가능한 Goo-Chemical LPR Ink를 Test하도록 하겠습니다.

※ 별첨 1 : Maker별 기본 사양

※ 별첨 2 : 자동 노광기 노광량별 회로폭

※ Fig 1 : JDJE0067ZA 적용 결과.

※ Fig 2 : LPR Ink Test 일정.

▷ 별첨 1. Maker별 기본 사양

업체별	모델명	INK Type	막두께	비 고
Goo-Chemical	MH-1332	Non-Filter	10~11㎛	Filter Type 제조
EPC	EPC-100	Non-Filter	10~11㎛	Filter Type 제조 안함
HTP	DiaEtch120AD	Non-Filter	10~11㎛	Filter Type 제조 안함

▷ 별첨 2. 자동 노광기 노광량별 회로폭

업체명	100/100㎛	60mJ	70mJ	80mJ	90mJ	100mJ	110mJ	120mJ
Goo- Chemical	상단		64	63	69	64		
	하단		92	89	92	89		
EPC	상단	61	69	67	70	63	68	77
	하단	72	82	76	81	78	80	90
HTP	상단			20	39	46	38	
	하단			31	51	56	47	

▷ Fig 1. JDJE0067ZA 적용 결과.

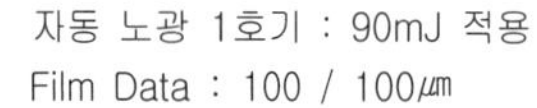

자동 노광 1호기 : 90mJ 적용
Film Data : 100 / 100㎛
현상 후 : 115 ± 3㎛
박리 후 : 86 ± 3㎛

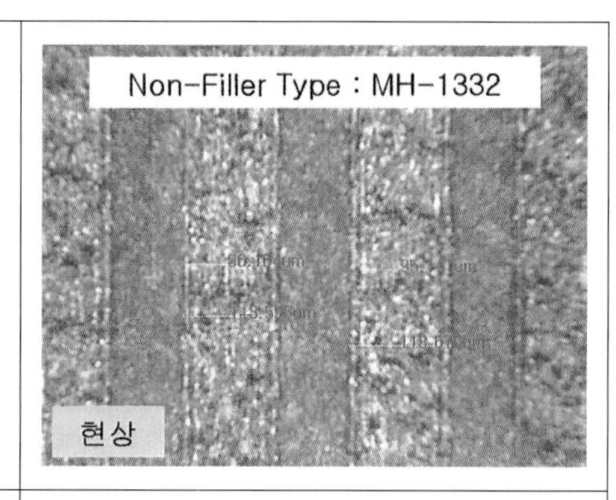

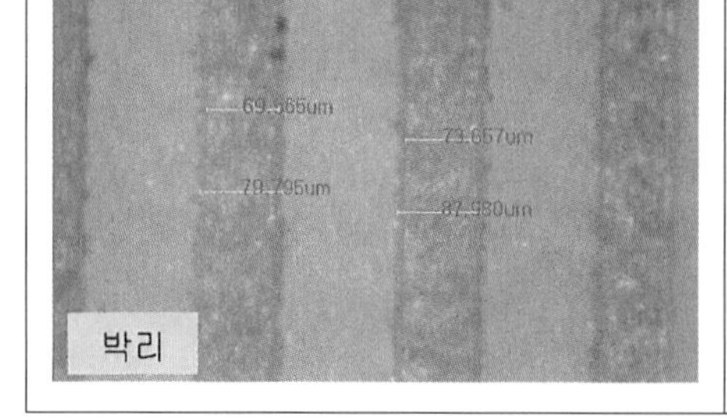

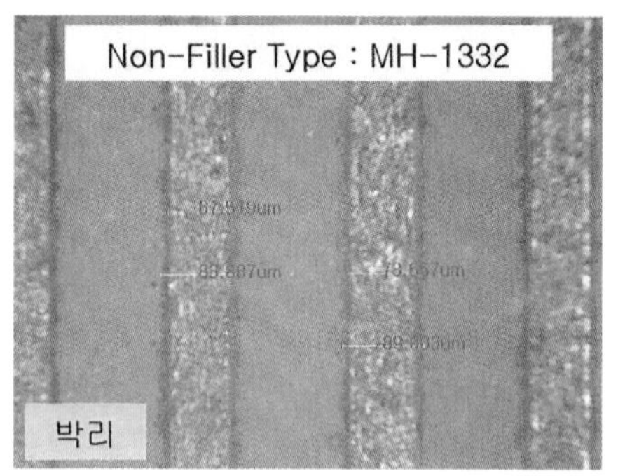

▷ Fig 2. LPR Ink Test 일정.

구분	5월					6월		
	1주	2주	3주	4주	5주	1주	2주	3주
Sample Test			05/19					
준양산 Test					05/27			
양산 Test							06/10	

05/19 : 재공 제품 중 일부 (최소 5 Card 진행) 제품을 양산 진행하여 AOI 검사까지 진행.

LPR 도포 완료한 300PNL의 Sticky 현상 확인.

내층 현상 Conveyer에서의 Slipely 현상 확인.

05/27 : 약 10일간 양산 적용하여 AOI 수율 집계.

LPR Ink 현장 원단위 확인.

06/10 : 양산 적용.

8-3 LPR 두께 측정기 셋팅 방법

순서	키 조 작	표 시 부	조 작 해 설
1	FUNC	N 0002 Fe F ㎛ MEA	FUNC키를 누른다.
2	SUB CAL 0	0 CAL	SUB CAL키를 누른다.
3	① ENT ⋮ ⑩ ENT	0 CAL ⋮ 1F CAL	미리 준비된 제로판(동박)에 PROBE를 누른채로 ENT(입력)키를 정확하게 10회 누른다. · 소지 : 측정대상과 동일재료. 형상의 것
4	ENT	N 0002 Fe ㎛ MEA	PROBE를 공중으로 향한 상태로 ENT(입력)키를 누른다. 최초의 표시로 돌아온다.
5	FUNC	N 0002 Fe F ㎛ MEA	FUNC 키를 누른다.
6	FOIL CAL 0	S. NO N 0 Fe ㎛ CAL	FOIL CAL키를 누른다.

순서	키 조 작	표 시 부	조 작 해 설
7	제로판에 의한 조정 (5회 정도 측정)	① S. NO N 0 / Fe 0.1 ㎛ / CAL ② S. NO N 0 / Fe 0.5 ㎛ / CAL ⋮ ⑤ S. NO N 0 / Fe 0.1 ㎛ / CAL	제로판(동박)를 5회 정도 측정한다. 측정마다 부자(벨)이 울린 측정치를 표시한다. · 소재(동박)에 의해서는 왼쪽의 표시예(제로판에 가까운 측정치)와는 크게 다른 수치가 표시되는 일이 있지만 순서 9, 10에 의해서 설정치에 셋팅되기 때문에 그대로 조작을 계속한다.
8	ENT	S. NO N 0 / Fe — — — ㎛ / CAL	PROBE를 공중으로 향한 상태로 ENT(입력)키를 누른다. 표시부는 ---을 표시한다.
9	SUB CAL 0	N 0002 / Fe 0 ㎛ / MEA	제로판(동박)의 피막두께(0㎛)를 입력한다.
10	ENT	S. NO N 1 / Fe ㎛ / CAL	ENT(입력)키를 누르면 수치(0)이 지워지고 S.NO가 0에서 1로 바뀌기 때문에 표준판에 의해 조정으로 이동된다.
11	표준판 (40㎛)에 의한 조정 (5회 정도 측정)	① S. NO N 1 / Fe 40.1 ㎛ / CAL ② S. NO N 1 / Fe 40.5 ㎛ / CAL ⋮ ⑤ S. NO N 1 / Fe 39.9 ㎛ / CAL	제로판(동박)에 40㎛의 표준판을 위에 놓고 5회 정도 측정한다. · 소재에 의해서는 사용한 표준판의 두께와는 크게 다른 측정치를 표시하는 일이 있지만 순서 13, 14에 의해 설정 값에 셋팅되기 때문에 그대로 조작을 계속한다.

순서	키 조 작	표 시 부	조 작 해 설
12	ENT	S. NO N 0 Fe — — — ㎛ CAL	PROBE를 공중으로 향한 상태로 ENT(입력)키를 누른다. 표시부는 ---를 표시합니다.
13	※ SUB CAL 0 ↓ SUB CAL 0 ↓ SUB CAL 0 ↓ SUB CAL 0	S. NO N 1 Fe 40.0 ㎛ CAL	표준판의 두께(40.0㎛)를 입력한다.
14	ENT	S. NO N 2 Fe ㎛ CAL	ENT(입력)키를 누르면 수치(40.0)이 지워지고 S.N2로 바꿔기 때문에 2개의 항목의 표준판에 의해 조정

☞ 위와 같이 표준판에 의해 (100㎛, 400mm) 조정한다.

9. PSR & MARKING

- ▸ 9-1 PSR INK(4개사) 비교 TEST
- ▸ 9-2 PSR 인쇄 1회 & 2회시 INK 두께 TEST
- ▸ 9-3 정면기 불량 TEST
- ▸ 9-4 MICRO SOFT-ETCHING액 TEST
- ▸ 9-5 노광량 TEST
- ▸ 9-6 PSR 현상단 오염에 의한 층 돌기 재현 TEST
- ▸ 9-7 PSR INK 박리액 비교 TEST
- ▸ 9-8 FINE PATTERN을 위한 PSR 작업 TEST
- ▸ 9-9 0.4T 제품 전용 JIG제작
- ▸ 9-10 MARKING INK TEST
- ▸ 9-11 YELLOW MARKING INK 덜 빠짐 개선 TEST
- ▸ 9-12 UV AUTO-MARKING 인쇄공정도
- ▸ 9-13 자동 MARKING LINE 개선 TEST
- ▸ 9-14 AUTO-MARKING ERROR TEST
- ▸ 9-15 INK 떨어짐 개선 효과 분석
- ▸ 9-16 건조시간 및 광량 변화에 따른 INK 표면의 FILM자국 TEST
- ▸ 9-17 PIN법 노광 TEST

9-1 PSR INK(4개사) 비교 TEST

1. TEST 목적

PSR INK업체 4개사의 PSR Ink를 비교 Test하여 적합한 잉크를 선발하고, 이로 인한 불량 감소 및 작업의 안정성과 효율향상 및 Running Cost 절감에 목적을 둔다.

또, 현재 사용하고 있는 T사와의 비교 경쟁 가격 뿐 아니라 품질 향상에 활성화 할 수 있는 방안을 제시 한다.

2. TEST 방법

· 동일 모델을 선정 동일 작업 조건에서 작업 4개 잉크 사의 제품을 확인 표면 PSR 잉크 변색(열 충격, UV충격으로 인한) 및 PSR 잉크 Peel-Off를 중점으로 확인한다.

· 4개사 잉크를 비교하여 양산적용 여부를 확인한다.

▷ TEST 방법 :

· 각 잉크를 사용했을 때의 발생된 불량요인을 확인한다.

· 4개 잉크 사의 잉크를 사용한 완제품을 260, 288℃의 납조에 각 3, 5, 10초간 3회 Dipping시 PSR 잉크의 Feel-Off 및 UV 조사량에 따른 PSR의 Peel-Off, 180℃ Oven에서 1, 2시간 건조시의 Thermal Shock로 인한 PSR 변색을 확인한다.

또, 부가적인 내용으로 땜의 Under-Cut 및 Cross-Cut에 의한 Peel-Off를 확인한다.

Processing Procedure	
Mixing	Time : 20~30min. Holding Time : 20 ~ 30 min
Scrubbing	Buffer : #600(HD), #800(HD) Chemical Cleaning (Etch-Rate : 1.5~1.7)
Auto Screen Printing	120 Mesh, Sequeeze Duro : 70 Ink Thickness : 30±5㎛
Pre-Cure(1st)	80℃ 17min
Cooling	Last Pre-Cure Zone(65℃) : 5min Room Temperature : 20min
Auto Screen Printing	120 Mesh, Sequeeze Duro : 70 Ink Thickness : 30±5㎛
Pre-Cure(2nd)	80℃ 23min
Exposure	450~550mj/㎠ (1st, 2st 2Time)
Developmen	1.0±0.2wt% K2CO3, 30℃, Spray Pressure : 1-1(1.5±0.1Kgf/㎠) 1-2, 2-1, 2-2(1.9±0.1Kgf/㎠) Time : 52 Sec(Line 4m, Speed 4.6m/min)
Post-Cure	150℃ 50min
Marking Printing(1st, 2nd)	UV Marking, 1200mj/㎠ × 2Time
Reliablity Test Condition	The Properties After Post Curing
Surface Protective Coating	Flux Coating

3. TEST 결과 - 불량 유형

구분	TO사	F사	S사	SC사
검사 수량	1239	1285	885	590
불량 항목	불량 수량	불량 수량	불량 수량	불량 수량
S/R 누락	1			
미현상		1		
PSR 수리	49	199	42	117
Total 인쇄불량	1	1	0	0
타 공정 불량	39	32	13	47

1) Thermal Shock

▷ Test 방법

260℃, 288℃ 납조에 각 3, 5, 10초간 3회 Dipping 실시

Thermal Shock에 의한 PSR Ink Peel-Off 확인.

	260℃			288℃		
	3초	5초	10초	3초	5초	10초
TO사	○	○	○	○	×	×
F사	○	○	○	○	○	○
S사	×	×	×	×	×	×
SC사	○	○	○	○	○	○

2) 변색 Test

▷ Test 방법

최종 건조 이후 180℃ Oven에서 1, 2시간 Thermal Shock 이후의 PSR 변색

	160℃ 1시간	160℃ 2시간	180℃ 1시간	180℃ 2시간
	변색	변색	변색	변색
TO사	×	×	○	○
F사	×	○	○	○
S사	×	○	○	○
SC사	○	○	○	○

3) UV Shock

▷ Test 방법

700~800mj 광량의 경화기 통과에 따른 PSR 변색 및 Peel-Off

	UV 경화 횟수							
	1회		2회		3회		4회	
	변색	떨어짐	변색	떨어짐	변색	떨어짐	변색	떨어짐
TO사	×	×	×	×	×	×	×	×
F사	×	×	×	×	×	×	×	×
S사	×	×	×	×	×	×	△	×
SC사	×	×	×	×	×	×	×	×

4) UV Shock

▷ Test 방법

1200mj 이상 광량의 UV경화기 통과에 따른 PSR 변색 및 Peel-Off

	UV 경화 횟수							
	1회		2회		3회		4회	
	변색	떨어짐	변색	떨어짐	변색	떨어짐	변색	떨어짐
TO사	×	×	○	×	○	×	○	×
F사	○	×	○	×	○	×	○	×
S사	○	×	○	×	○	×	○	×
SC사	○	×	○	×	○	×	○	×

4. 결론 및 소견

· 동일 작업 조건에서의 최종 검사 결과 4개 업체 모두 동일한 수준의 결과를 얻을 수 있었다.

· 그러나 260℃, 288℃의 납조 Dipping Test에서는 F사의 FSR-8000 Top과 SC사 Photomage SPI-707G 2개 Ink가 우수함을 확인 할 수 있으며, TO사의 GP-30은 260℃ 납조 Dipping Test에서는 PSR Ink의 Peel-Off가 없으나, 288℃에서 5초 이상 3회 Dipping시 PSR Ink의 Peel-Off가 발생되었고, S사의 BSP-3000 KG-B99는 260℃ 납조 Dipping Test에서부터 PSR Ink의 Peel-Off가 발생되었다.

· 180℃ Oven에서 1, 2시간의 Thermal Shock에 대한 변색은 모두 확인 되었으나, TO사의 GP-30의 변색이 가장 적음을 확인 할 수 있다.

· UV Shock Test에서는 700mj 4번 통과 시 신원전자의 BSR-3000 KG-B99에서만 약간의 변색을 확인 할 수 있고, 다른 업체의 잉크는 변색 및 PSR의 Peel-Off에서 안정성을 확인 할 수 있었다.

위의 결과로 PSR Ink의 성능은 거의 비슷하나, 라인에서의 변색에 대한 것은 TO사의 GP-30이 우수하며, PSR Peel-Off에서는 F사의 FSR-8000 Top이 우수함을 확인 할 수 있다.

제품의 Lot 안정성 및 기술에 대한 대응력을 비교 한다면, TO사의 GP-30에 대해 양산적용이 가능할 것으로 생각 되며, 금번 Test에 대한 결과의 문제점에 대한 개선점을 확인하여 사용하는 것이 옳다고 판단됩니다.

9-2 PSR 인쇄 1회 & 2회시 INK 두께 TEST

1. PSR떨어짐에 의한 “PSR 2차 인쇄” 재처리 실시

2. 발생 수량

   TOTAL 972 PCS.

3. PSR 정상제품과 PSR 재처리제품의 PSR높이와 동박의 높이 비교

   SMT SHORT 발생 문제

4. 높이 비교 부위

   CONTROL I.C : 정상 & 재처리 제품.

   ARRAY BEAD : 정상 & 재처리 제품.

5. 결과 (첨부 사진 참조)

   CONTROL I.C부위의 PSR DAM 높이 편차 : 22.506㎛

   ARRAY BEAD부위의 PSR DAM 높이 편차 : 32.736㎛

정상 (CONTROL I.C)	재처리 (CONTROL I.C)

정상 (ARRAY BEAD)
42.967um
39.898um
재처리 (ARRAY BEAD)
47.059um
75.703um

9-3 정면기 불량 TEST

1. 목적

정면 작업 조건 / 설비적인 문제점 등을 개선하여 표면 불량률을 감소하기 위함임

2. 테스트 방법

1차 - 다양한 조건하에 정면만 실시하여 표면 조도 확인 (SEM 사진 촬영)

2차 - 정면이후 다양한 조건하에 후처리 실시하여 표면 조도 확인(SEM 사진 촬영)

3차 - 전 테스트 보드의 PSR/HAL 처리 후 잉크 떨어짐 확인(육안)

3. 테스트 결과 및 분석

3M 연구소 정면 조건 : 1800rpm, 2.5m/min, 1Ampere(3.5~4.5A)

본사 D/F 정면 1호기 조건 : 2.5m/min, 1~1.5Ampere(4.5~6A)

본사 D/F 정면 2호기 조건 : 1.38m/min, 1.1~1.0Ampere(9.1~10.1)

태성 정면기 조건 : 2.5m/min, 1.0Ampere

Soft etching 조건 : 에치레이트 0.5㎛(D/F 정면기)

에치레이트 2.0㎛(PSR 정면 1호기)

<table>
<tr><th rowspan="2">테스트 No.</th><th colspan="3">테스트 조건</th><th rowspan="2">테스트 결과 (SEM 분석 결과)</th><th rowspan="2">결과 분석</th></tr>
<tr><th>브러쉬 조건</th><th>정면 조건</th><th>에칭 조건</th></tr>
<tr><td rowspan="4">1-1</td><td rowspan="4">320hc/ 320hc/ 600hc/ 600hc</td><td rowspan="4">D/F 정면 1호기</td><td>에칭 전</td><td>가장 거칠고 깊은 정면 상태</td><td rowspan="4">정면이 너무 거칠고 넓게 형성, 에칭조건이 부적합할 경우, open/결손을 야기할 수 있음, 과다 에칭의 경우 표면이 가장 매끈하게 형성되는데, 이는 정면 시 조도가 균일하지 않은 것과 관련이 있음, 즉 거칠고 넓게 형성된 조도는 에칭이 균일하게 되지 않음을 보인다.</td></tr>
<tr><td>0.5㎛ 1회</td><td>균일 조도로 보기 힘든 표면 상태</td></tr>
<tr><td>0.5㎛ 2회</td><td>조도 거의 없음, 약간의 거친면</td></tr>
<tr><td>0.5/2.0㎛ 1회 씩</td><td>전반적으로 매끈한 표면</td></tr>
<tr><td rowspan="4">1-2</td><td rowspan="4">320hc/ 320hc/ 600hc/ 600hc</td><td rowspan="4">3M연구소 조건</td><td>에칭 전</td><td>폭이 좁고 조밀한 조도</td><td rowspan="4">조밀한 정면은 두 번의 에칭에도 조도면을 유지하지만, 에칭력이 4배 향상된 과다한 에칭처리 진행시는 조도면이 거의 사라짐을 보인다. 즉, PSR 잉크 떨어짐은 표면 산화와 관련된 것이지 정면으로 형성된 조도와는 거의 무관하다.</td></tr>
<tr><td>0.5㎛ 1회</td><td>균일한 조도가 형성된 표면</td></tr>
<tr><td>0.5㎛ 2회</td><td>조도의 굴곡이 조금 남아있음</td></tr>
<tr><td>0.5/2.0㎛ 1회 씩</td><td>거친면 사이의 옅게 남은 표면조도</td></tr>
<tr><td rowspan="4">1-3</td><td rowspan="4">320hd/ 320hd/ 600hd/ 600hd</td><td rowspan="4">3M연구소 조건</td><td>에칭 전</td><td>좁고 조밀한 조도</td><td rowspan="14">다양한 브러쉬 조건에도 불구 표면 조도가 거의 동일함. 마지막 브러쉬 600HC/HD의 차이를 거의 볼 수 없음.
그러나 에칭을 하였을 경우 사진상으로 판독하기 어려웠던 600HC/HD의 차이가 보임. 즉, 에칭 후 굴곡면이 HD에서 더욱 옅어지며, 에칭횟수와 조건이 커질수록 더욱 매끈한 표면이 형성됨을 보인다.</td></tr>
<tr><td>0.5㎛ 1회</td><td>일정한 굴곡형 조도</td></tr>
<tr><td>0.5㎛ 2회</td><td>굴곡형 조도가 옅게 형성됨</td></tr>
<tr><td>0.5/2.0㎛ 1회 씩</td><td>조도없이 거친면사이의 매끈한 표면</td></tr>
<tr><td rowspan="4">1-4</td><td rowspan="4">320hc/ 320hc/ 600hd/ 600hd</td><td rowspan="4">3M연구소 조건</td><td>에칭 전</td><td>좁고 조밀한 조도</td></tr>
<tr><td>0.5㎛ 1회</td><td>옅지만, 균일한 조도</td></tr>
<tr><td>0.5㎛ 2회</td><td>더욱 옅어진 조도 사이 일부 거친면</td></tr>
<tr><td>0.5/2.0㎛ 1회 씩</td><td>아주 옅은 조도 사이 매끈한 면</td></tr>
<tr><td rowspan="4">1-5</td><td rowspan="4">320hc/ 320hd/ 600hc/ 600hd</td><td rowspan="4">3M연구소 조건</td><td>에칭 전</td><td>좁고 조밀한 조도</td></tr>
<tr><td>0.5㎛ 1회</td><td>옅지만, 균일한 조도</td></tr>
<tr><td>0.5㎛ 2회</td><td>조도면 사이가 매끈해짐</td></tr>
<tr><td>0.5/2.0㎛ 1회 씩</td><td>약간의 조도에 거친면만 남음</td></tr>
<tr><td rowspan="4">1-6</td><td rowspan="4">320hd/ 320hd/ 600hc/ 600hc</td><td rowspan="4">3M연구소 조건</td><td>에칭 전</td><td>좁고 조밀한 조도</td></tr>
<tr><td>0.5㎛ 1회</td><td>옅지만, 균일한 조도</td></tr>
<tr><td>0.5㎛ 2회</td><td>조도면 사이가 매끈해짐</td><td rowspan="2">분석 뒷면에</td></tr>
<tr><td>0.5/2.0㎛ 1회 씩</td><td>조도는 거의 없으면, 굴곡면만 남음</td></tr>
</table>

테스트 No.	테스트 조건			테스트 결과 (SEM 분석 결과)	결과 분석
	브러쉬 조건	정면 조건	에칭 조건		
1-7	600hc/ 600hc/ 800hd/ 800hd	3M연구소 조건	에칭 전	아주 좁고 조밀한 조도	브러쉬가 800방대로 내려가자 에칭 전에는 사진상 판독하기 어려웠든 조도의 차이가 에칭 후 빠르게 표면 조도가 엷어지며, 사라져 일부 부분적으로 매끈한 표면을 형성함을 확인함 즉, 너무 조밀한 조도는 에칭력에 영향을 많이 받아 정작 PSR 전처리 공정이후에는 표면 조도가 거의 없음을 보임. 물론 표면 조도가 PSR 잉크 떨어짐에 심대한 영향을 미치지는 않음
			0.5㎛ 1회	엷지만 조밀한 조도	
			0.5㎛ 2회	조도 사이가 매끈해짐	
			0.5/2.0㎛ 1회 씩	조도 거의 없고 매끈한 표면	
1-8	600hd/ 600hd/ 800hd/ 800hd	3M연구소 조건	에칭 전	아주 좁고 조밀한 조도	
			0.5㎛ 1회	엷은 조도, 부분적으로 보이지 않음	
			0.5㎛ 2회	조도 사이가 매끈해짐	
			0.5/2.0㎛ 1회 씩	엷은 조도 사이가 전체적으로 매끈함	
1-9	320hc/ 320hc/ 600hc/ 600hc	D/F 정면 1호기	에칭 전	사진 촬영 없음	테스트 1-4번과 사진상 비슷한 형태를 띄는 것으로 보아 장비의 다른 차이에도 불구하고 Ampere가 1.0~1.5일 경우와 1.0~1.1일 경우의 차이가 표면의 조도 형성에 큰 영향을 준다고 판단됨 즉, 암페어가 너무 센 경우 균일한 조도가 형성되지 않음
			0.5㎛ 1회	엷은 조도, 부분적으로 보이지 않음	
			0.5㎛ 2회	엷은 굴곡면만 남음, 부분적 매끈함	
			0.5/2.0㎛ 1회 씩	전반적으로 아주 엷게 굴곡진 표면	
1-10	320hc/ 320hc/ 600hc/ 600hc	태성 정면기조건	에칭 전	사진 촬영 없음	테스트 4~5번 사진과 비슷한 형태로 에칭된 것으로 미뤄 거의 1A로 정면한 제품으로 판단되며, 특이한 면은 관측되지 않음, 즉 테스트 4~5번 조건과 거의 동일한 결과
			0.5㎛ 1회	엷은 조도, 부분적으로 보이지 않음	
			0.5㎛ 2회	엷은 굴곡면만 남음, 부분적 매끈함	
			0.5/2.0㎛ 1회 씩	아주 엷게 굴곡진 표면사이 매끈함	

4. 정면기의 문제점과 개선 사항

정면기	문제점	개선 사항
D/F 정면 1호기	1) 균일한 Ampere 관리가 되지 않음. 테스트 시 1.5A로 진행하였으나, 일정한 암페어 관리를 돕는 계기가 맞지 않음. 그로인해 과다 정면 발생 2) 작업자의 정면 시 조작 불량으로 과다 정면 및 설비 장애 발생 (ex. 오실레이션 축 부러짐) 3) 설비 점검 후 브러쉬 수평 불량 발생 4) 브러쉬 양쪽의 고정용 통롤러가 제품을 완전히 고정하지 못해 진동 및 소음이 심함	1) Ampere meter의 조정이 필요함 : 장비와 PLC 판넬의 표시 장치 동일화 2) 정면시 암페어의 균일한 관리 : 1.0A수준에서 일정한 조도 형성 3) 과다 정면을 방지하기 위한 작업자의 교육 : 정면 원리 및 본 테스트 보고서에 대한 교육 필요함 4) 설비팀 수리 이후 담당 관리자의 설비 확인 업무 시행 후 재가동 실시 : 설비 조치에 대한 확인은 담당 관리자가 꼭 해야 한다. 5) 기타 문제되는 기계적 문제 개선 6) 콘베어 속도를 조정하여 품질 향상 가능 : 현재 2.5m/min → 2.0m/min
D/F 정면 2호기	1) 콘베어의 구동 불량 : 밸트 타입 구동 모터의 과부하 2) 브러쉬 백업 롤러의 마모 3) 설비 과도한 진동 4) 콘베어 문제로 인한 표면 정면 불량 5) Soft etching 조건이 일정하지 않음	1) 과다 정면을 방지하기 위한 암페어 표준 재설정 및 작업자 교육 2) 기타 문제되는 장비 결함 제거 3) 에칭단에 판넬 투입량에 따른 신액 추입 장치 설치 4) 노후하여 진동이 큰 장비를 바닥이 튼튼한 곳에서 가동하는 것이 좋다. 즉, PSR 1호기와 교체, 생산량에 지장이 없음
PSR 정면 1호기	1) 표면 정면보다 표면 이물질 제거용으로 사용 2) 설비 위치가 견고한 지반위로 진동 등의 문제없음 3) 제품군이 정면을 치지 않는 LCD가 주류를 이룸에 따라 설비 가동율이 떨어짐 4) 에칭조건이 높아 재처리 시 미세도금 발생된다.	설비 상태가 양호함에도 불구하고 가동율이 떨어짐 D/F 정면 2호기와 PSR 정면 1호기의 정면단만 교체 사용 : 장비의 가동 효율 향상 현재 에치레이트 2.0㎛에서 1.0~1.5㎛ 수준으로 조정이 가능한지 테스트가 필요함

5. 결론

· 균일한 조도를 형성하기 위한 가장 큰 인자는 브러쉬 방수가 아닌, 부하량 즉, 투입된 암페어이며, 그 다음이 콘베어속도, 브러쉬 순이다.

· 외부 정면기들은 모두 1Ampere 정도의 부하를 주어 일정한 표면 조도를 형성한다.

· 전 테스트 보드에서 PRS공정과 HAL공정을 거친 후 잉크 떨어짐이 발생하지 않았다.

· D/F 정면 1호기는 과다 표면 정면상태로 에칭작업이 부적합 경우 많은 산발성 Open/결손 불량을 야기 할 수 있다.

· D/F 정면 2호기는 정면이 고르지 않고 에칭 조건의 폭도 큰 관계로 표면에 균일한 조도 형성이 어렵다. 즉, 불량으로 연결될 수 있다.

· PSR 정면 1호기는 콘크리트 바닥위에 설치되어 작업 조건이 좋고 설비적인 문제도 거의 없다. 단, 제품군에 따른 설비 가동율이 낮다.

· D/F 1호기는 작업 조건의 개선(부하량 조정, 콘베어속도 조절)으로 제품 표면 상태 개선이 가능하다.

· D/F 2호기는 바닥이 튼튼한 C동 3층에서 PSR 전처리용으로 사용하는 것이 좋다.

· PSR 1호기는 A동 3층에서 D/F용으로 사용하는 것이 좋은 장비를 많이 사용하는 합리적인 방안이다.

· D/F 2호기의 이동시 1판넬만의 투입으로 생산량 감소가 예상되나, 설비 가동시간이 많지 않은 관계로 생산량 목표 달성에 지장 없다.

· 위의 정면기 교체가 성공적으로 되면, D/F 공정을 위한 추가적인 정면기 구입이나, 설비 교체가 필요 없을 것으로 판단됩니다.

· 테스트 결과로 판단되는 최적의 D/F 정면 조건은 아래와 같습니다.

▷ 브러쉬 조건 : 320/320/600/600(High cut, High density 구분 필요 없음)
▷ 콘베어 속도 조건 : 2.0m/min(정면기 두 개 가동 시 위 속도로 생산 capa에 지장 없음)
▷ 정면 시 부하량 : 1.0Ampere
▷ 에칭 RATE : 0.4~0.7㎛(최적 0.5㎛)
▷ 기타 장비 진동 등의 설비적 문제없을 것

6. SEM 분석 사진

· DATA 출처 : 3M 연구소(한국), 배율: 5000배(에칭 전), 일진소재, 배율 : 3000배(에칭 후)

· 검사시료 : 각종 정면 조건이후의 표면 SEM 촬영, 3M브러쉬 사용, 3M연구소에서 정면처리

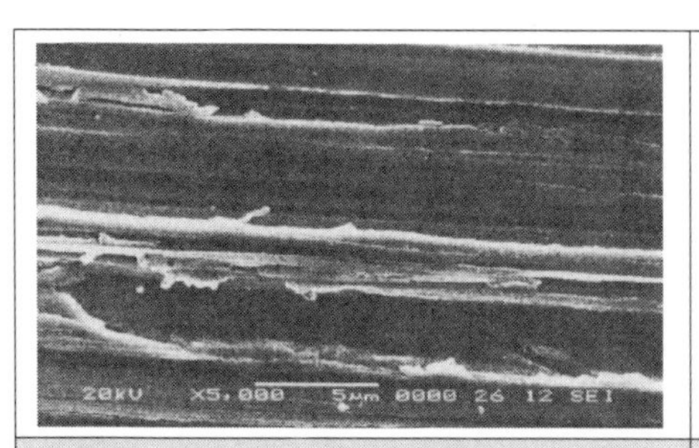	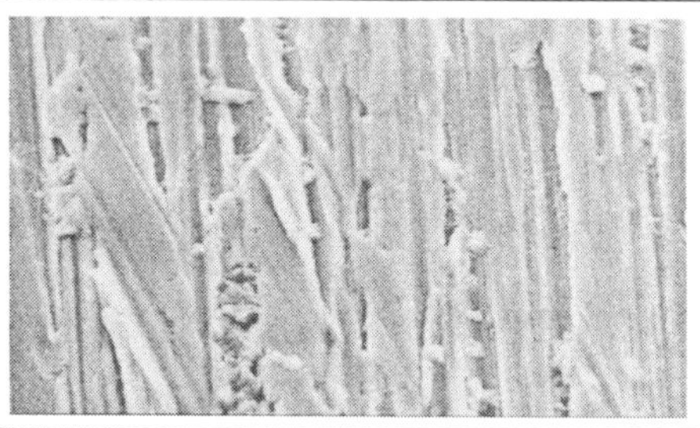
Test 1-1. 정면 1호기로 정면 (브러쉬 조건:320HC/320HC/600HC/600HC)	Test 1-1. D/F 에칭 실시 : Etch Rate 0.5㎛ (배율 : 3000)
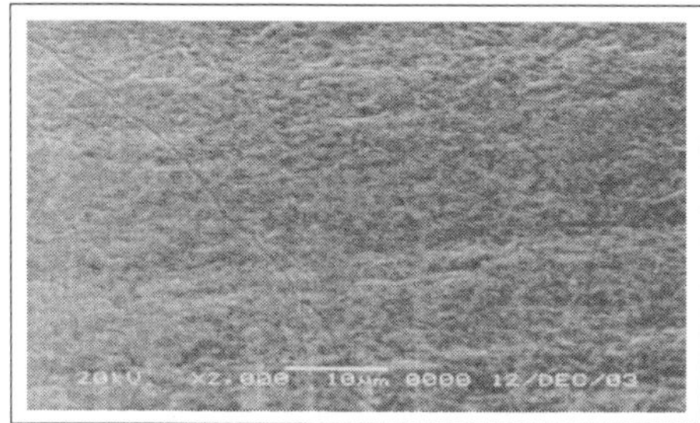	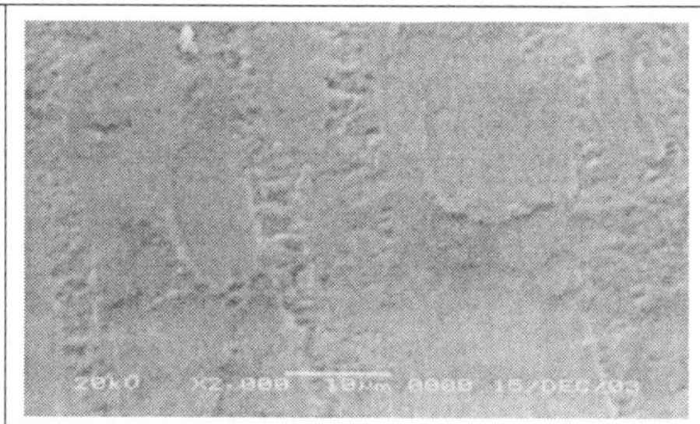
Test 1-1. D/F 에칭 2회 실시 : Etch Rate 0.5㎛ (배율 : 3000)	Test 1-1. DF + PSR 에칭 1회씩 실시 : Etch Rate 0.5/2.0㎛(배율 : 3000)
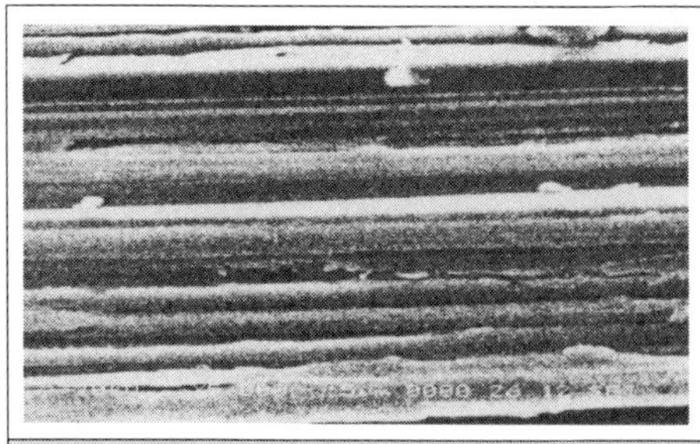	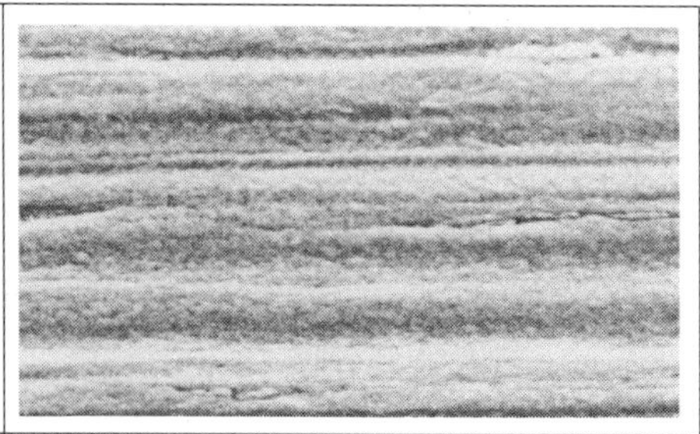
Test 1-2. 3M 정면기 (브러쉬 조건:320HC/320HC/600HC/600HC)	Test 1-2. D/F 에칭 실시 : Etch Rate 0.5㎛ (배율 : 3000)

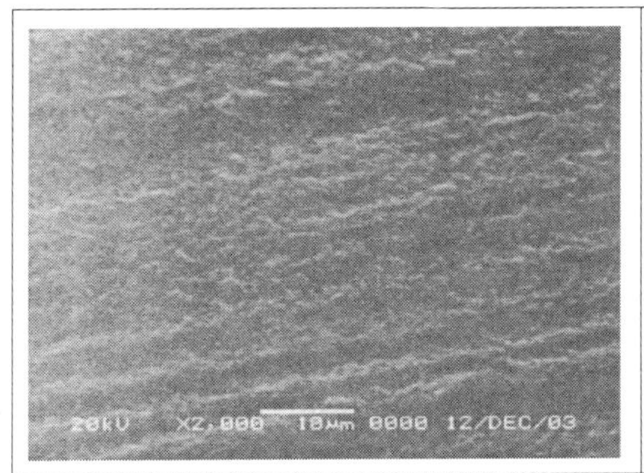

Test 1-2. D/F 에칭 2회 실시 : Etch Rate 0.5㎛ (배율 : 3000)

Test 1-2. DF + PSR 에칭 1회씩 실시 : Etch Rate 0.5/2.0㎛(배율 : 3000)

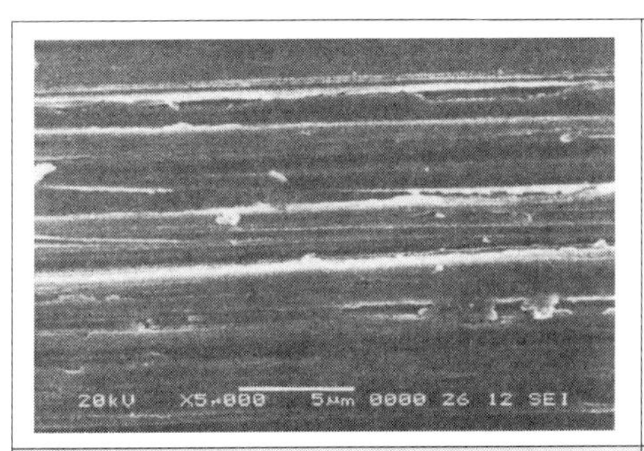

Test 1-3. 3M 정면기
(브러쉬 조건 : 320HD/320HD/600HD/600HD)

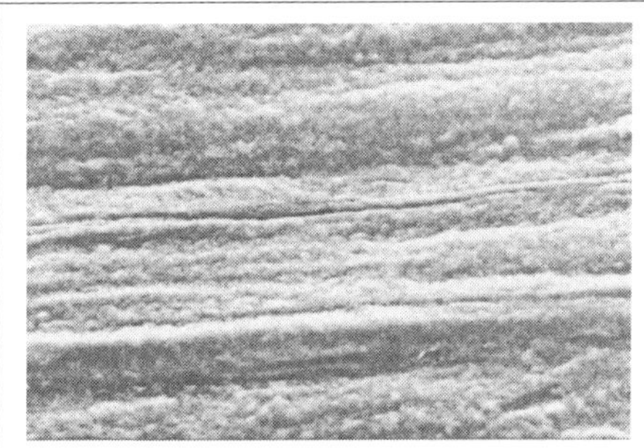

Test 1-3. D/F 에칭 실시 : Etch Rate 0.5㎛ (배율 : 3000)

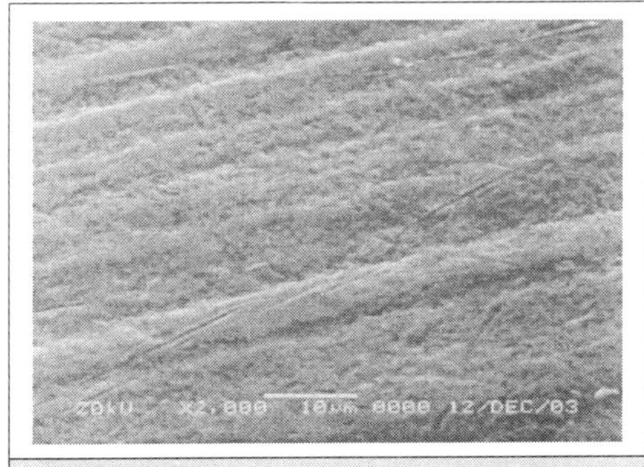

Test 1-3. D/F 에칭 2회 실시 : Etch Rate 0.5㎛ (배율 : 3000)

Test 1-3. DF + PSR 에칭 1회씩 실시 : Etch Rate 0.5/2.0㎛(배율 : 3000)

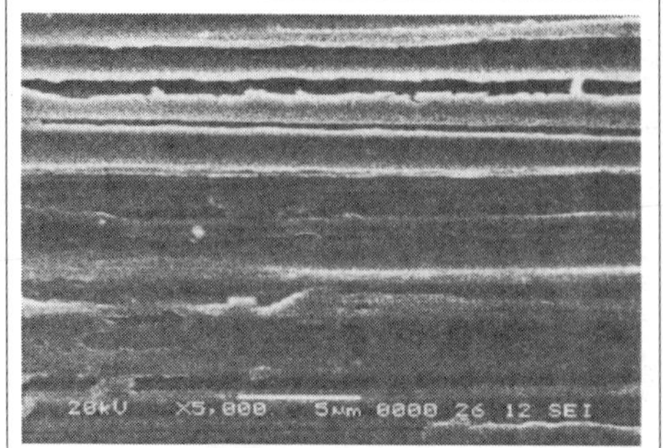

Test 1-4. 3M 정면기
(브러쉬 조건 : 320HC/320HC/600HD/600HD)

Test 1-4. D/F 에칭 실시 : Etch Rate 0.5㎛
(배율 : 3000)

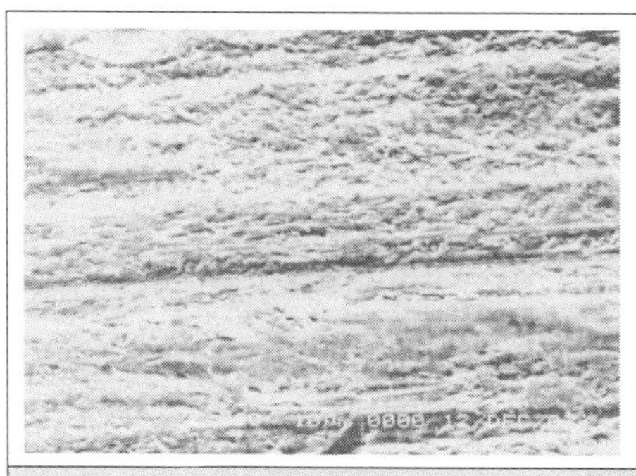

Test 1-4. D/F 에칭 2회 실시 : Etch Rate 0.5㎛
(배율 : 3000)

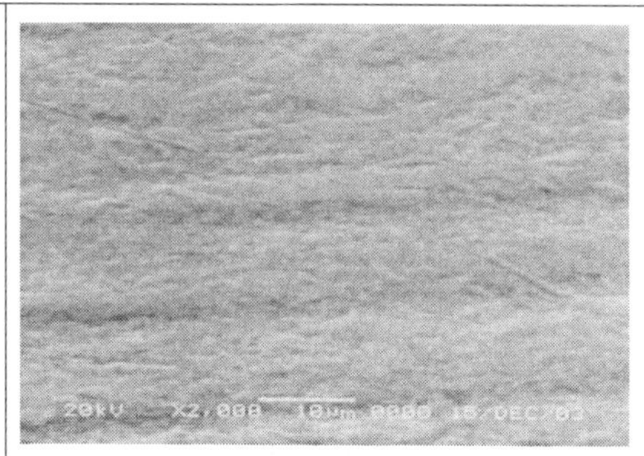

Test 1-4. DF + PSR 에칭 1회씩 실시 : Etch Rate 0.5/2.0㎛(배율 : 3000)

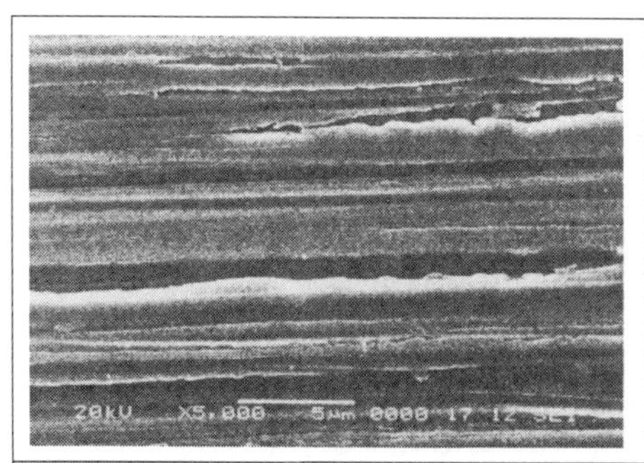

Test 1-5. 3M 정면기
(브러쉬 조건 : 320HC/320HD/600HC/600HD)

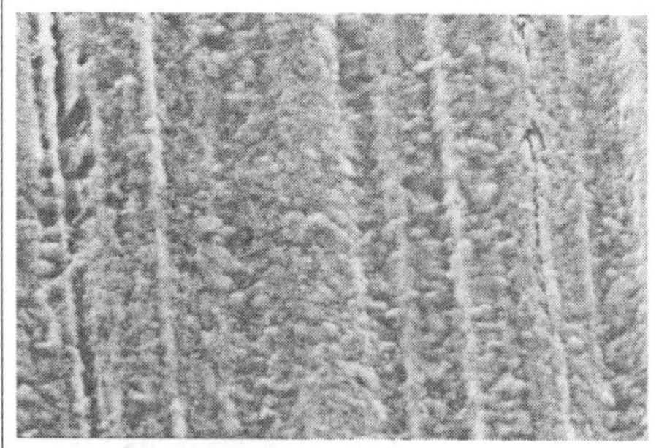

Test 1-5. D/F 에칭 실시 : Etch Rate 0.5㎛
(배율 : 3000)

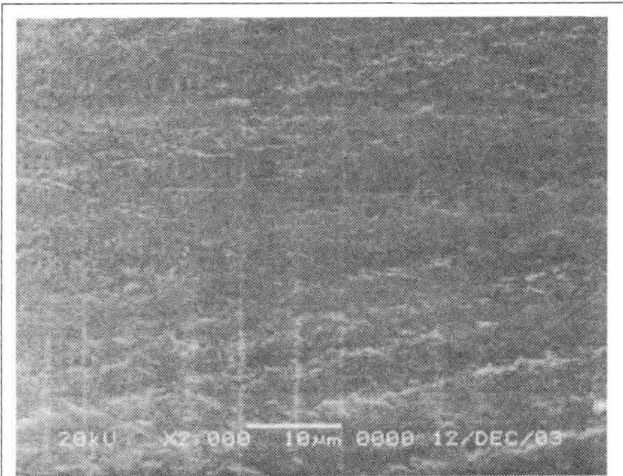

Test 1-5. D/F 에칭 2회 실시 : Etch Rate 0.5㎛ (배율 : 3000)

Test 1-5. DF + PSR 에칭 1회씩 실시 : Etch Rate 0.5/2.0㎛(배율 : 3000)

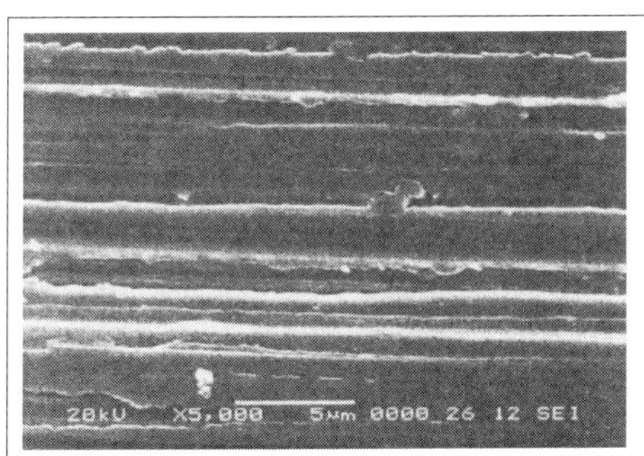

Test 1-6. 3M 정면기 (브러쉬 조건 : 600HD/600HD/800HC/800HC)

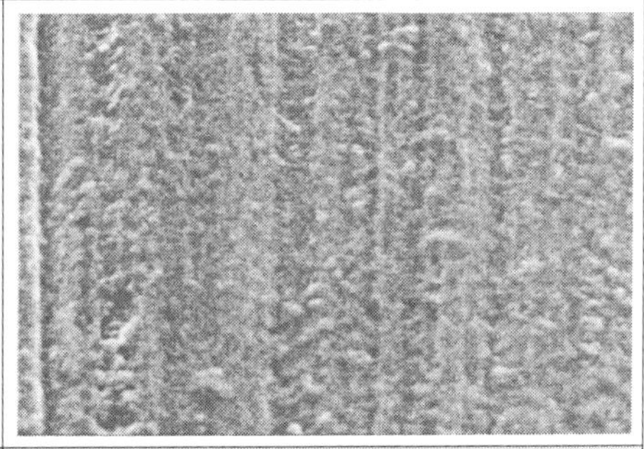

Test 1-6. D/F 에칭 실시 : Etch Rate 0.5㎛ (배율 : 3000)

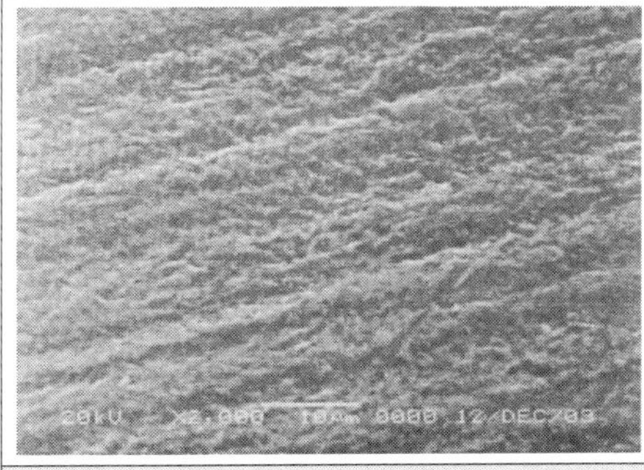

Test 1-6. D/F 에칭 2회 실시 : Etch Rate 0.5㎛ (배율 : 3000)

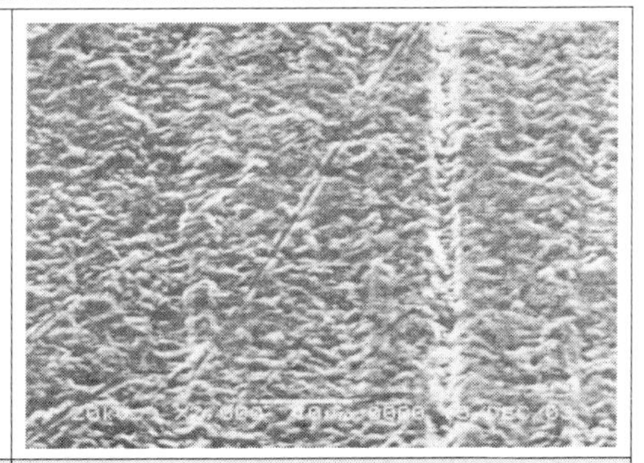

Test 1-6. DF + PSR 에칭 1회씩 실시 : Etch Rate 0.5/2.0㎛(배율 : 3000)

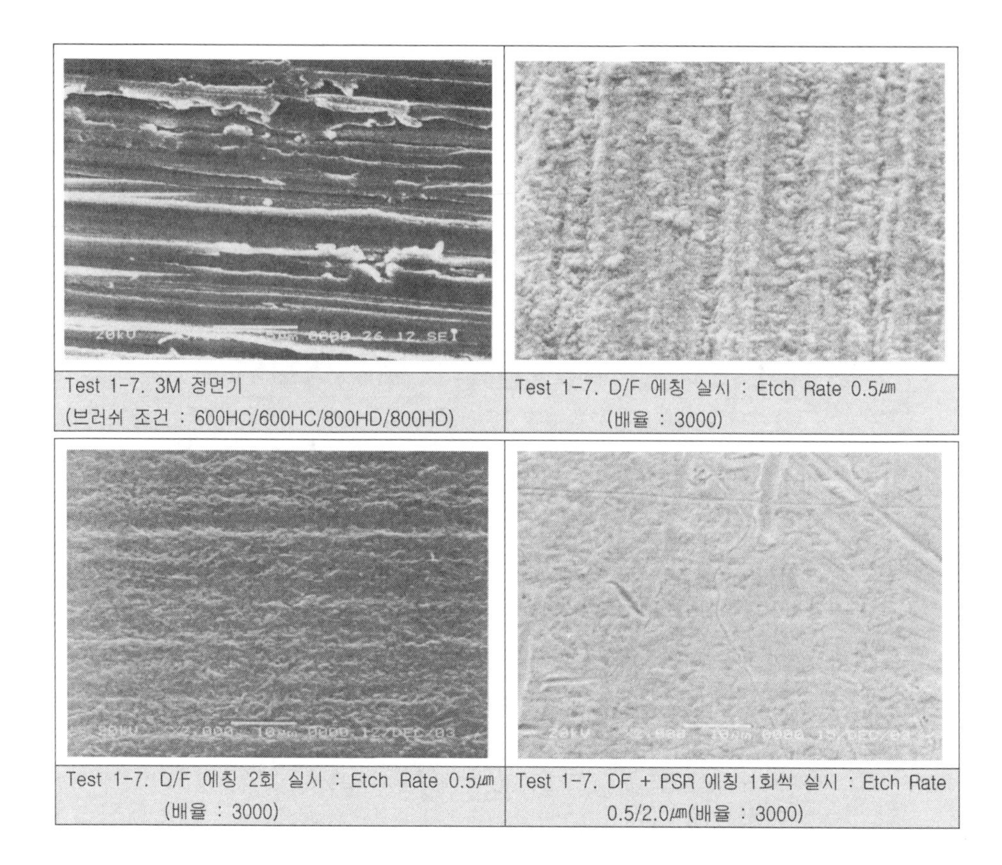

Test 1-7. 3M 정면기
(브러쉬 조건 : 600HC/600HC/800HD/800HD)

Test 1-7. D/F 에칭 실시 : Etch Rate 0.5㎛
(배율 : 3000)

Test 1-7. D/F 에칭 2회 실시 : Etch Rate 0.5㎛
(배율 : 3000)

Test 1-7. DF + PSR 에칭 1회씩 실시 : Etch Rate 0.5/2.0㎛(배율 : 3000)

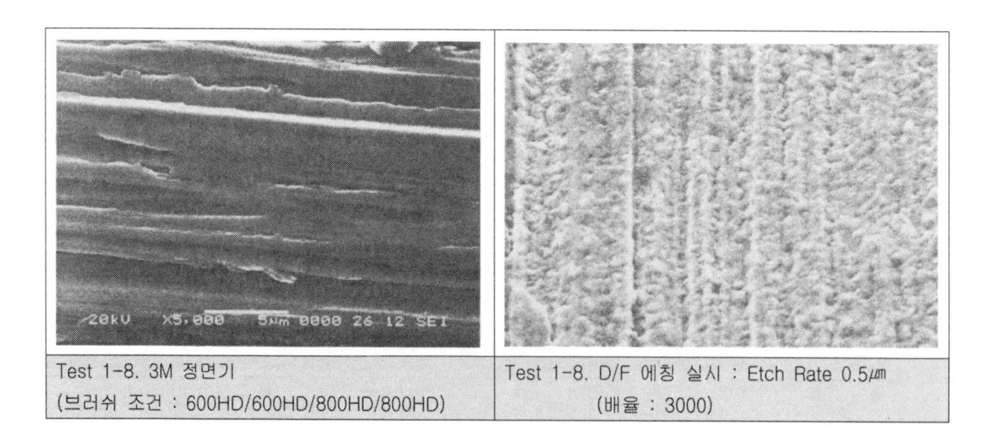

Test 1-8. 3M 정면기
(브러쉬 조건 : 600HD/600HD/800HD/800HD)

Test 1-8. D/F 에칭 실시 : Etch Rate 0.5㎛
(배율 : 3000)

Test 1-8. D/F 에칭 2회 실시 : Etch Rate 0.5㎛(배율 : 3000)

Test 1-8. DF + PSR 에칭 1회씩 실시 : Etch Rate 0.5/2.0㎛(배율 : 3000)

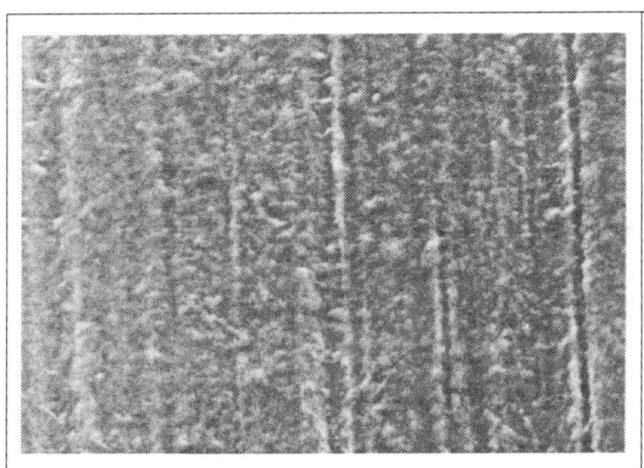

Test 1-9. D/F 에칭 실시 : Etch Rate 0.5㎛(배율 : 3000)

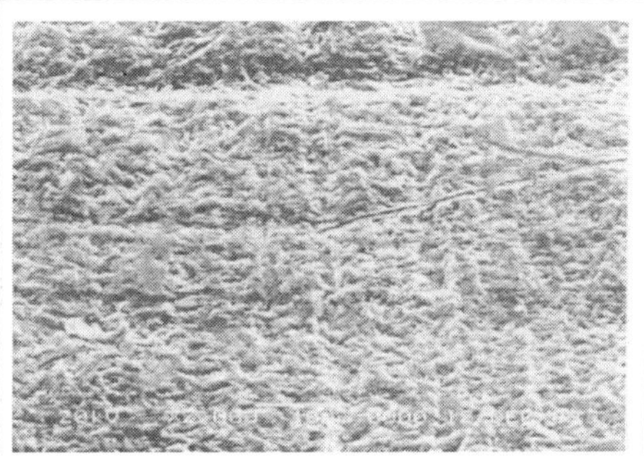

Test 1-9. D/F 에칭 2회 실시 : Etch Rate 0.5㎛(배율 : 3000)

Test 1-9. DF + PSR 에칭 1회씩 실시 : Etch Rate 0.5/2.0㎛(배율 : 3000)

Test 1-10. D/F 에칭 실시 : Etch Rate 0.5㎛ (배율 : 3000)

Test 1-10. D/F 에칭 2회 실시 : Etch Rate 0.5㎛ (배율 : 3000)

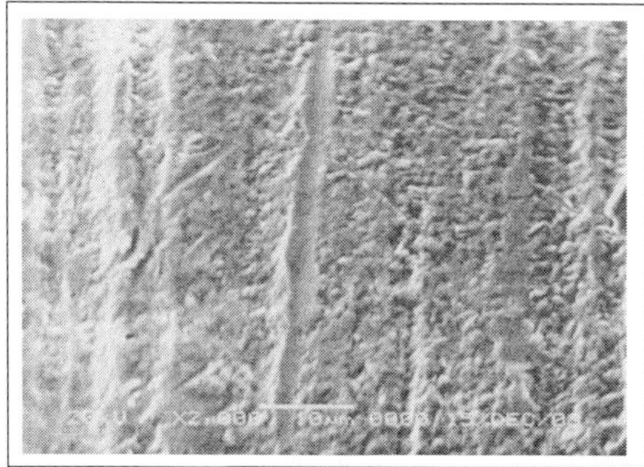

Test 1-10. DF + PSR 에칭 1회씩 실시 : Etch Rate 0.5/2.0㎛(배율 : 3000)

9-4 MICRO SOFT-ETCHING액 TEST

1. Test 목적

- 잉크 떨어짐 및 들뜸 불량에 대한 개선
- PSR 전처리(정면)후 제품 표면 조도 비교
  (산세, Micro Soft-Etching 비교)
- PSR 전처리(정면)에서 Micro Soft-Etching 적용 여부)

2. Test 방법

Micro Soft-Etching 적용 제품과 산수세 적용 제품과의 잉크 떨어짐.
들뜸 불량 비교 및 SEM을 이용한 조도 비교

		Brush	수세	Micro Soft-Etching	수세	산세	수세	건조
Test 제품 (정면 속도 : 2.2m/min)	HASL	1단 : 600 2단 : 800	4단	과황산나트륨 ($Na_2S_2O_8$,SPS : 70g/ℓ 황산(H_2SO_4) : 2wt%	4단	황산(H_2SO_4) : 3wt%	6단	80±5℃
	무전해 금도금	적용 안함	4단	과황산나트륨 ($Na_2S_2O_8$,SPS : 70g/ℓ 황산(H_2SO_4) : 2wt%	4단	황산(H_2SO_4) : 3wt%	6단	80±5℃
기존 제품 (정면 속도 : 2.2m/min)	HASL	1단 : 600 2단 : 800	4단	적용 안함	4단		12단	80±5℃
	무전해 금도금	적용 안함	4단	적용 안함	4단		12단	80±5℃

3. Test 결과

1) 제품에서의 잉크 떨어짐 및 들뜸 불량의 경우 기존 전처리 방법의 제품 불량유형에 대한 개선점 미흡.

▷ 무전해 금도금 제품의 경우

- 기존 생산 제품 : PSR 떨어짐 2Kit 발생
- Micro Soft-Etching 제품 : PSR 떨어짐 3Kit 발생

▷ HASL 제품의 경우

- 기존 생산 제품 : PSR 떨어짐 발생 안함
- Micro Soft-Etching 제품 : PSR 떨어짐 발생 안함

2) 표면(동박) 산화(무전해 금도금 제품)에 대해서는 발생하지 않았으며, 산화불량에 대해서는 개선점 확인

3) 전처리 후 제품 표면의 조도 형성에 대한 개선점 미흡.
산수세 제품과 Micro Soft-Etching의 SEM 사진 비교 결과 조도 형성에서 큰 차이점 없음

4. 결론 및 소견

· Micro Soft-Etching의 Etching Rate는 약 0.5㎛ 실시됨.

· 잉크 떨어짐 및 들뜸 등 표면 전처리에 대한 개선점은 미흡함.

· 그러나 표면 산화에 대한 점에서는 산수세 제품보다 개선됨.

· 표면 전처리 후 조도 형성의 경우 산수세 제품과

9-5 노광량 TEST

1. Test 목적

PSR 노광 작업 시 적정 노광량을 설정하여 DAM 떨어짐 및 이면 노광을 방지하여 생산성 및 품질을 향상시키기 위함이다.

2. Test 방법 및 작업 조건

1) TEST 방법

Test Board에 각각 150mj/㎠, 250mj/㎠, 300mj/㎠, 400mj/㎠, 500mj/㎠, 600mj/㎠ 노광량을 조사하여 DAM 떨어짐, Under-Cut, 이면 노광 발생여부 등을 분석하여 최적의 노광량을 설정한다.

Test Board	A(0.4T)	B(D/S 1.0T)	관리범위
노광기	수동노광2호기	10KW 산란광	
	Lamp 사용 시간	303시간	500시간
현상 조건	현상 온도	1 Chamber : 31℃	30~32℃
		2 Chamber : 31℃	
	Speed	3.5 m/min	
	Spray Time	1분 20초	
	농도 (K_2CO_3)	1 Chamber : 10.3g/ℓ	8~10g/ℓ
		1 Chamber : 9.8g/ℓ	

3. 측정 Point 및 측정 방법

측정 Point

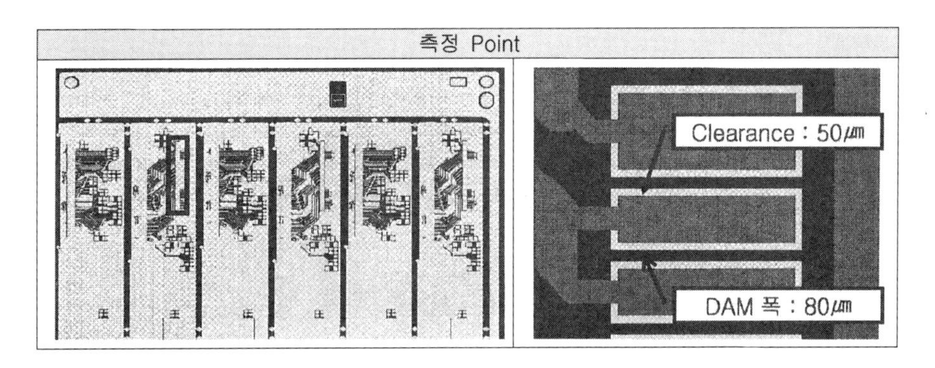

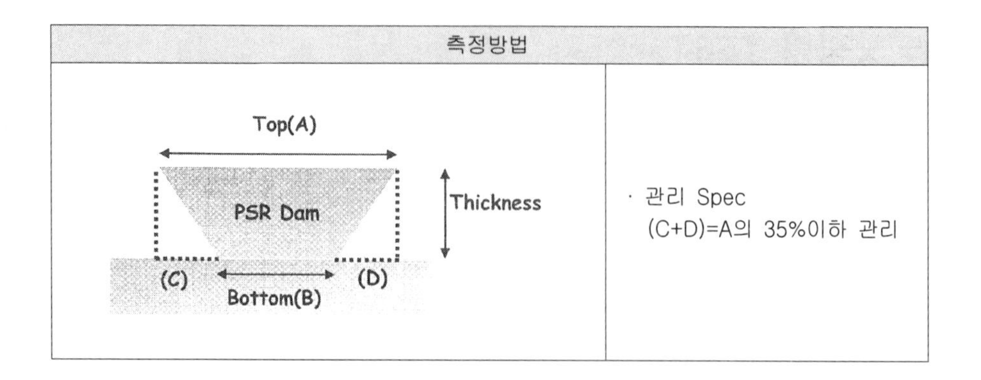

4. TEST 결과

1) Under-Cut

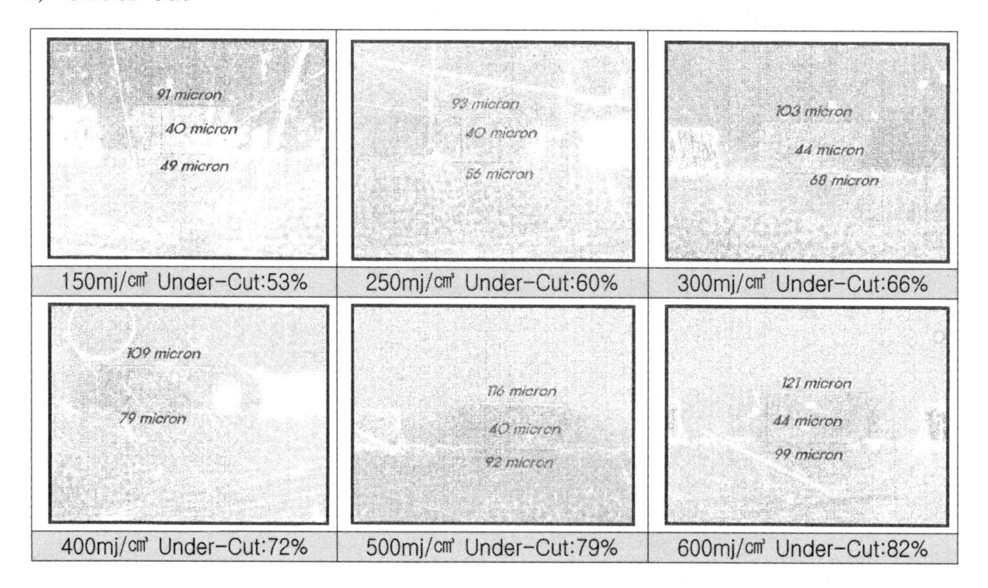

2) DAM

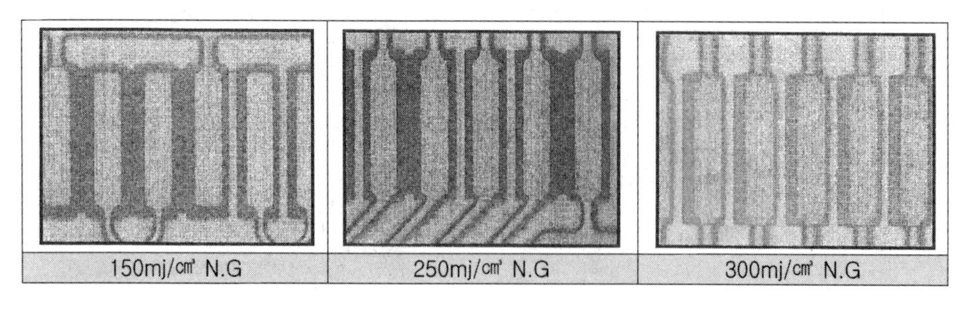

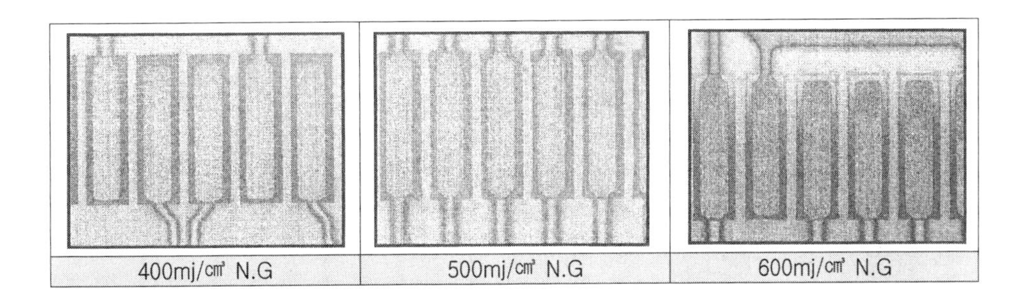

400mj/㎠ N.G | 500mj/㎠ N.G | 600mj/㎠ N.G

3) 이면노광

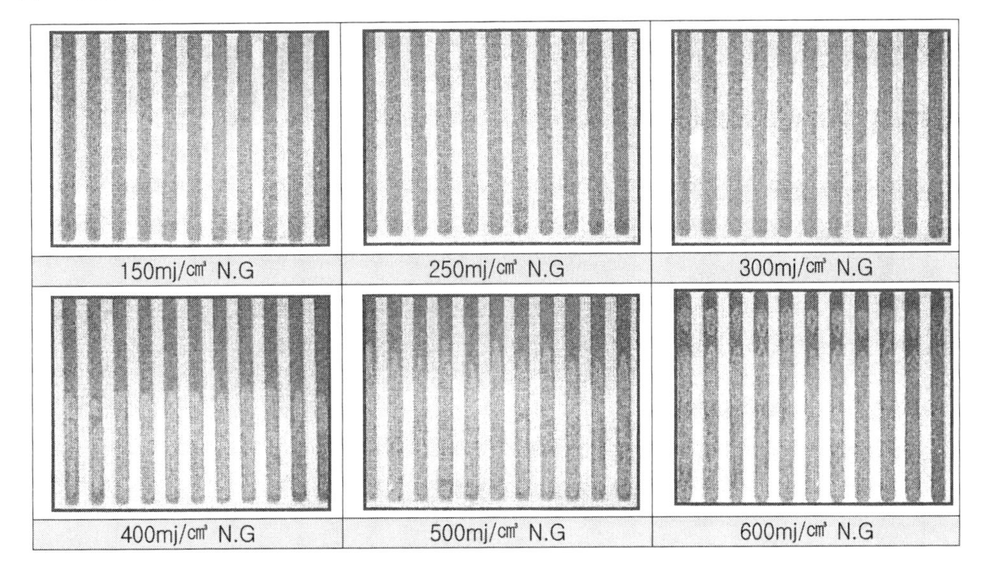

150mj/㎠ N.G | 250mj/㎠ N.G | 300mj/㎠ N.G

400mj/㎠ N.G | 500mj/㎠ N.G | 600mj/㎠ N.G

5 소견

- Test 진행 결과 DAM 떨어짐이면 노광 발생 여부, Under-Cut 분석하였을 때 300mj/㎠ 당사 적용 가능한 적정 노광량으로 판단됨.
- 상기 Test는 현상액의 영향은 고려하지 않은 노광량에 의한 Test 진행이므로 추후 현상조건과 노광량과의 미세관리가 필요함.
- Lamp 사용 기간, 마일러지 사용시간 등에 따라 노광량 및 Uniformity 변동폭이 심하니 광량측정기를 구매하여 주기적인 노광량 관리가 필요함.

6. 노광기 관리 방법

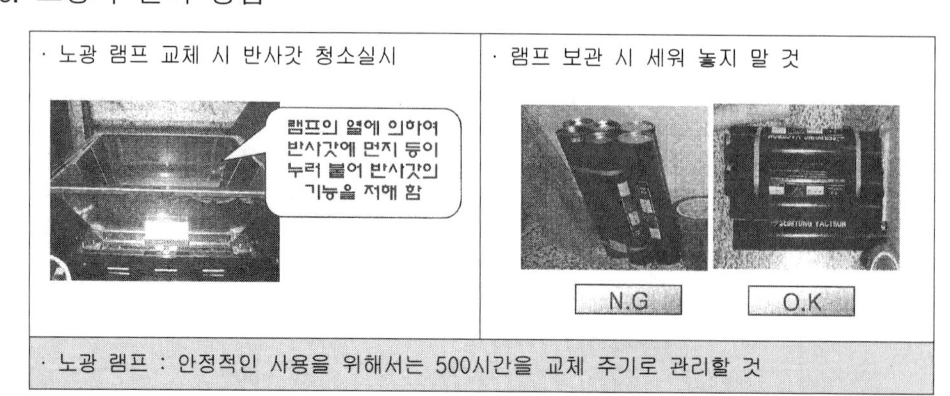
· 노광 램프 교체 시 반사갓 청소실시
램프의 열에 의하여 반사갓에 먼지 등이 누러 붙어 반사갓의 기능을 저해 함
· 램프 보관 시 세워 놓지 말 것
N.G
O.K
· 노광 램프 : 안정적인 사용을 위해서는 500시간을 교체 주기로 관리할 것

9-6 PSR 현상단 오염에 의한 층 돌기 재현 TEST

1. TEST 목적

LCD모델 TCP에서 발생하는 층돌기(이하 명칭 동일)와 같이 발생하는 불량 원인을 재현하여 인쇄공정을 개선하기 위함이다.

2. TEST 내용

1) TEST PNL을 준비하여 PSR 현상단에서 발생 가능성을 확인한다.
   : 넓은 면적의 층돌기 상태를 확인하기 위해 SOLDER MASK를 인쇄하지 않고 외층 중간 검사의 판넬 폐기품을 이용한다.

2) 현상액에 의한 전처리 레지스트 작용여부와 무전해 금도금 후 층 도금발생 여부를 확인한다.
   : 정면 → 현상 챔버1 → 현상 챔버 2만 통과 → 최종건조 → JET 정면 → 무전해 금도금 (SURFITECH, NEWTECH ELECTRONICS)

3) 스펀지 롤러 오염에 의한 전처리 레지스트 작용여부와 무전해 금도금 후 층 도금 발생여부를 확인한다.
   : 정면 → 스펀지 롤러만 통과 → 최종건조 → JET 정면 → 무전해 금도금 (SURFITECH, NEWTECH ELECTRONICS)

3. 재현 TEST 결과

1) 현상액에 의한 전처리 레지스트 작용여부와 무전해 금도금 후 층 도금발생 여부를 확인한다. (정면 → 현상 챔버 1 → 현상 챔버 2 → 최종건조 → 무전해 금도금)

① S사 무전해 금도금 후 결과

· S사 공정 PROCESS
(제품입고 → JET정면 → soft etching(ETCH RATE : 0.5㎛정도) → Ni 도금 → AU 도금)

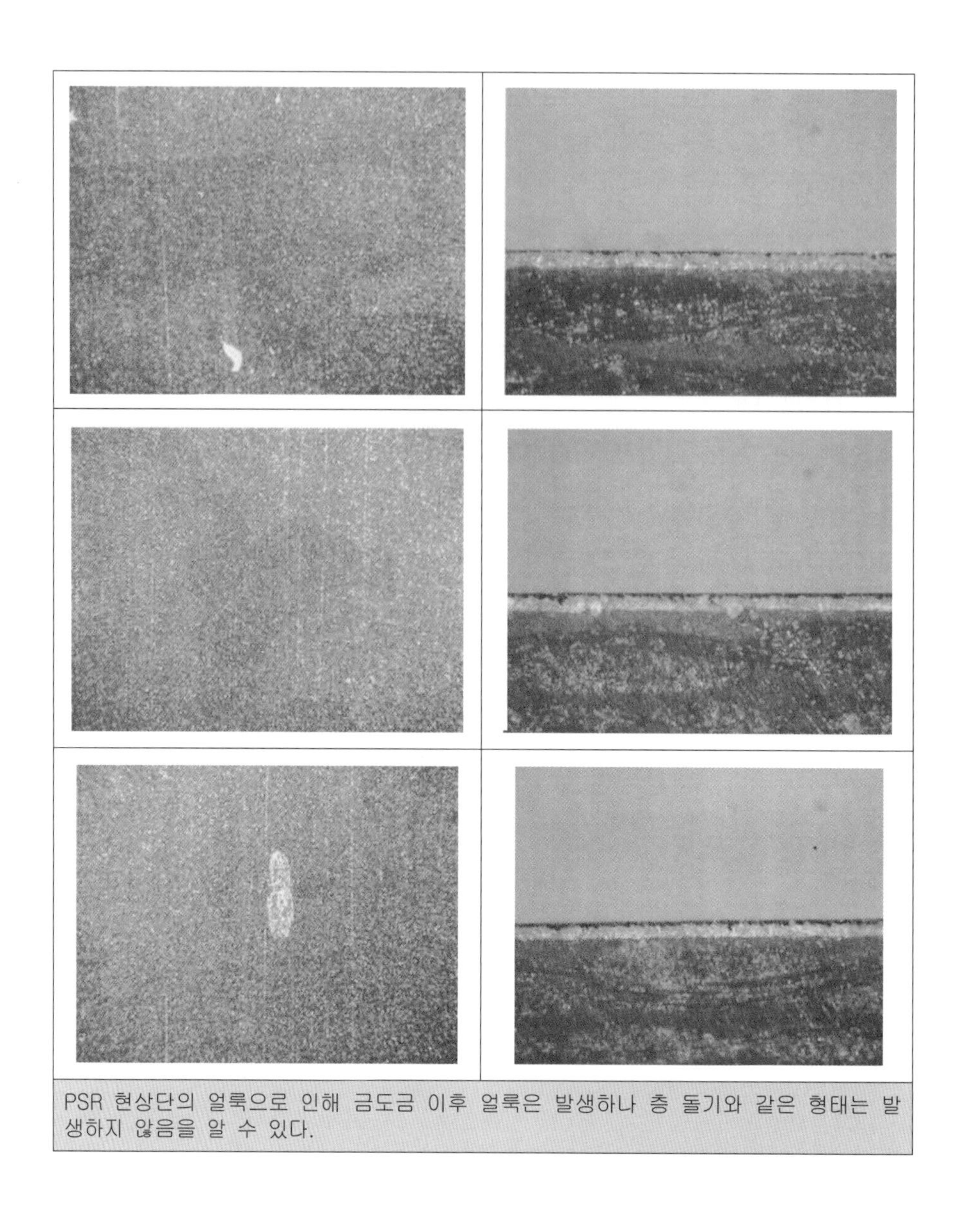

PSR 현상단의 얼룩으로 인해 금도금 이후 얼룩은 발생하나 층 돌기와 같은 형태는 발생하지 않음을 알 수 있다.

② N사 무전해 금도금 후 결과

· N사 공정 PROCESS

(제품입고 → 전처리(soft etching 1㎛) → soft etching(ETCH RATE : 1 ~ 2㎛) → Ni 도금 → AU 도금

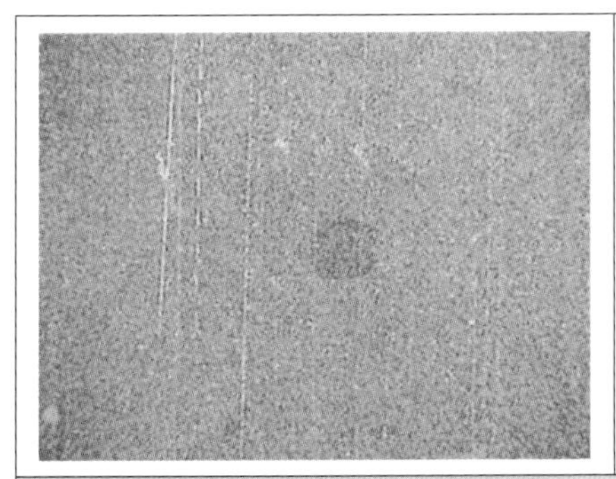	
앞의 S사와 같이 PSR 현상단의 얼룩으로 인해 금도금 이후 얼룩은 발생하나 층 돌기와 같은 형태는 발생하지 않음을 알 수 있다.	

2) 스펀지 롤러 오염에 의한 전처리 레지스트 작용여부와 무전해 금도금 후 층 도금 발생여부를 확인한다. (정면 → 스펀지 롤러만 통과 → 최종건조 → 무전해 금도금)

① S사 무전해 금도금 후 결과

· S사 공정 PROCESS

(제품입고 → JET정면 → soft etching(하이테크요청 ETCH RATE : 0.5㎛정도) → Ni 도금 → AU 도금)

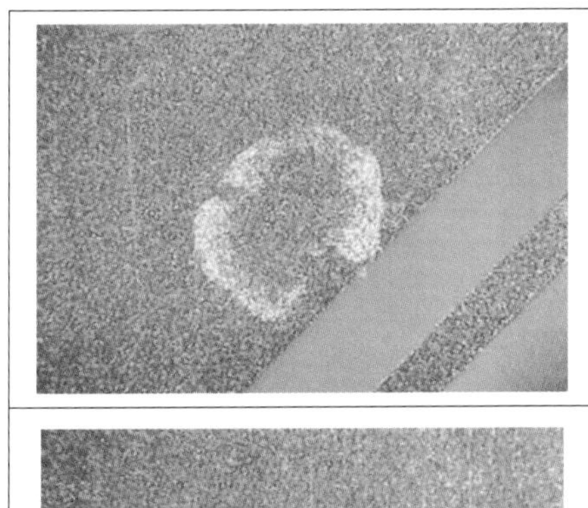	

스펀지 롤러 자국과 열산화로 인해 금도금 이후 얼룩은 발생하나 층 돌기와 같은 형태는 발생하지 않음을 알 수 있다.

② N사 무전해 금도금 후 결과

· N사 공정 PROCESS

(제품입고 → 전처리(soft etching 1㎛) → soft etching(ETCH RATE : 1 ~ 2㎛) → Ni 도금 → AU 도금)

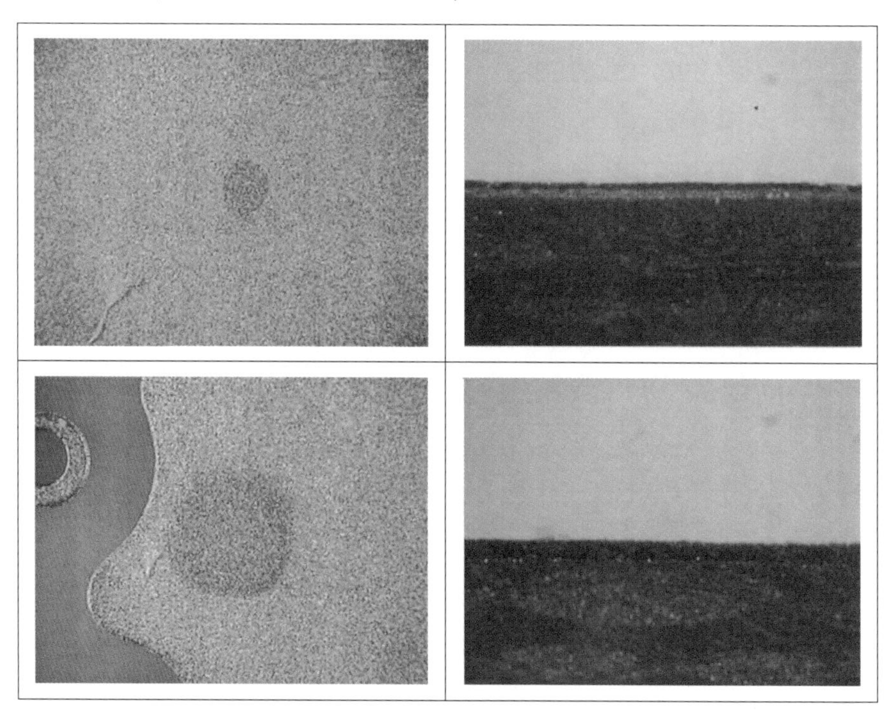

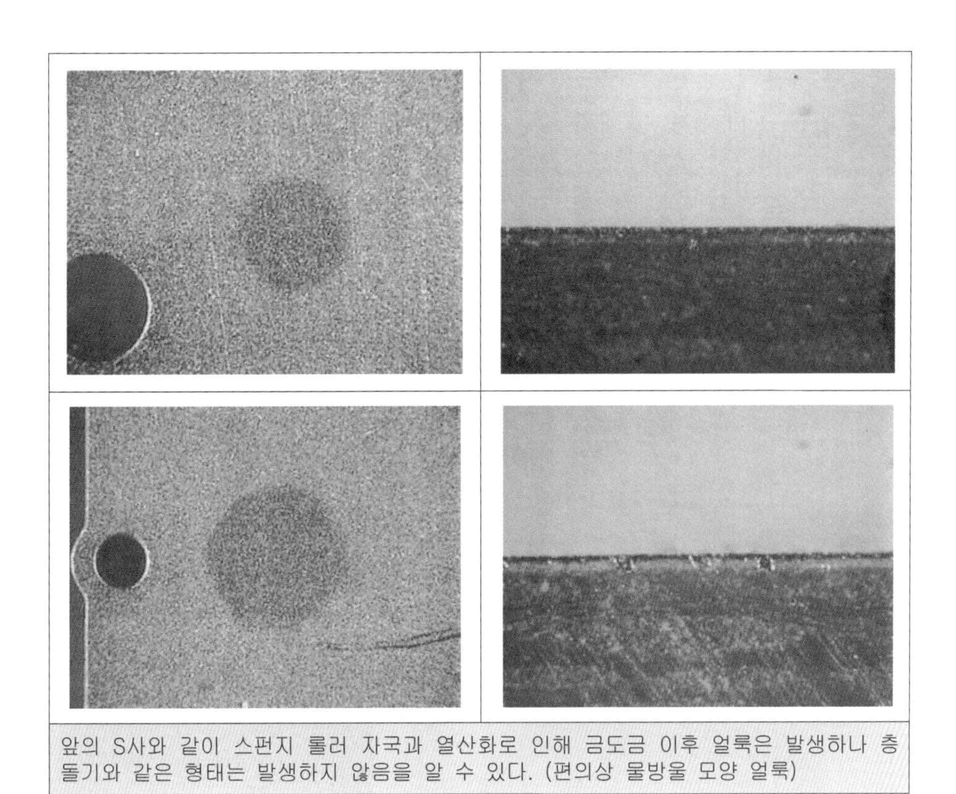

앞의 S사와 같이 스펀지 롤러 자국과 열산화로 인해 금도금 이후 얼룩은 발생하나 층 돌기와 같은 형태는 발생하지 않음을 알 수 있다. (편의상 물방울 모양 얼룩)

4. 결론

1) 현상단 (현상액 잔유물, 수세단, 스펀지 롤러 물방울)에 의한 층 돌기 발생은 없는 것을 확인 할 수 있음.

2) 최종건조 전 기판에 물기가 잔존할 경우 열산화로 인한 무전해 금도금 이후 얼룩이 발생할 수 있음을 확인함.

3) 당사 제품을 무전해 금도금하고 있는 S사와 N사의 무전해 금도금 품질을 비교해 볼 때 비슷한 현상액 잔유물과 수세단, 스펀지 롤러에 의한 물방울 모양의 산화 얼룩은 제거하는 능력이 S사가 뛰어남을 확인 할 수 있음. (S사 의견 - JET 정면의 우수성 : 관리 및 운영면)

4) 당사 JET정면과 무전해 금도금 업체의 JET정면(ONLY S사)、SOFT ETCHING (S사 1회 45초, N사 2회 1분 15초)등을 고려할 때 3~5㎛정도의 ETCHING이 이루어짐을 확인함.

5. 엔지니어 소견

1) 같은 KIT에서 발생한 층 돌기의 도금두께가 다르다.

인쇄반 현상액이나 수세단 액에서 발생한 것이라면 적어도 같은 KIT에서는 도편편차를 감안하더라도, 같은 표면처리 공정을 거친 제품이므로 층 돌기 부위의 두께는 같아야 한다. 그러나 현재 아래의 그림에서는 층 돌기의 두께는 다양하다.

따라서 이것은 현상단 이물질에 의한 것 이라기보다는 먼저 발생된 것이라고 보는 것이 합당할 것임.

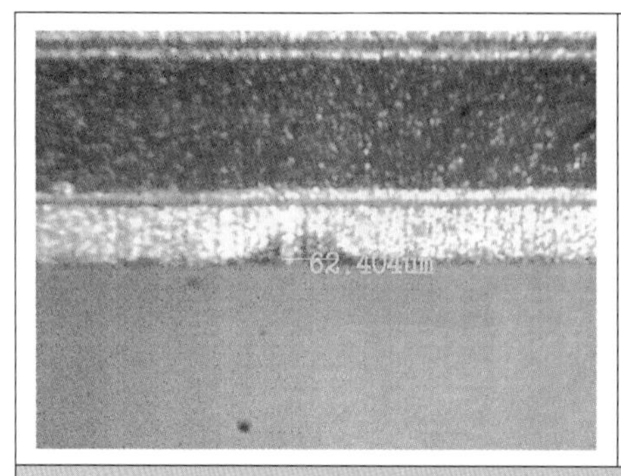

편차 : 10.231

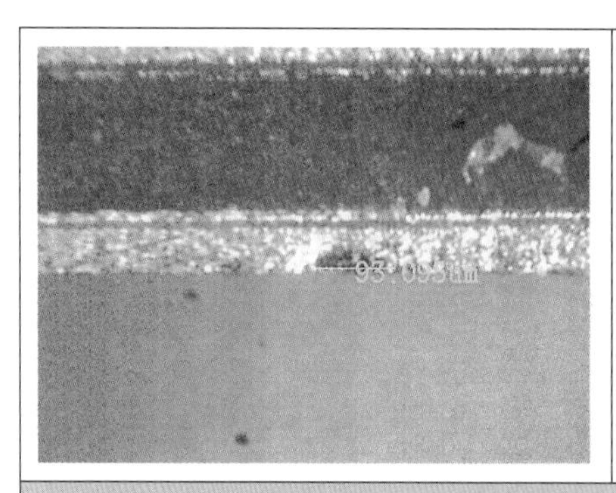

편차 : 4.092

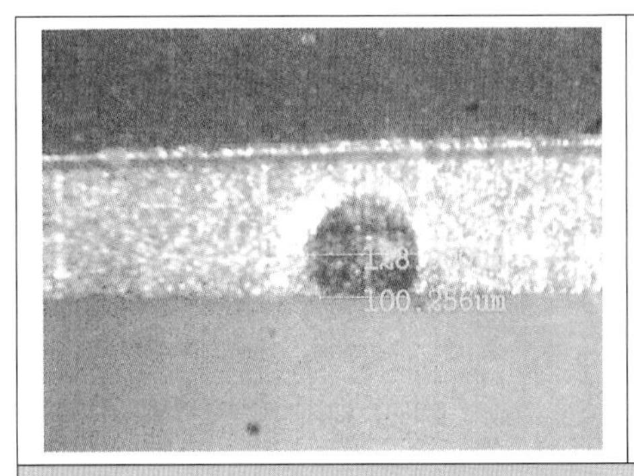

편차 : 7.161

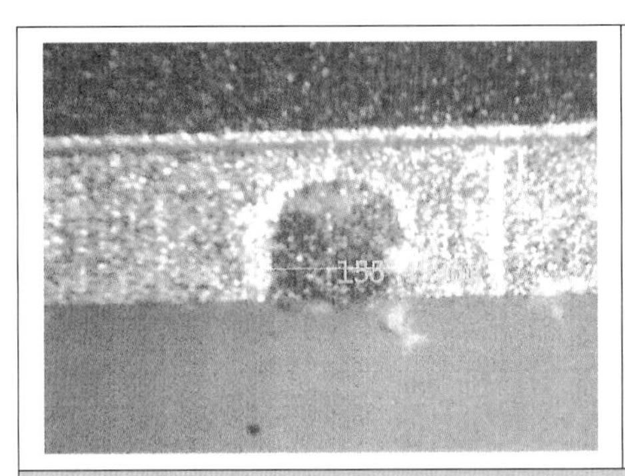

편차 : 2.046

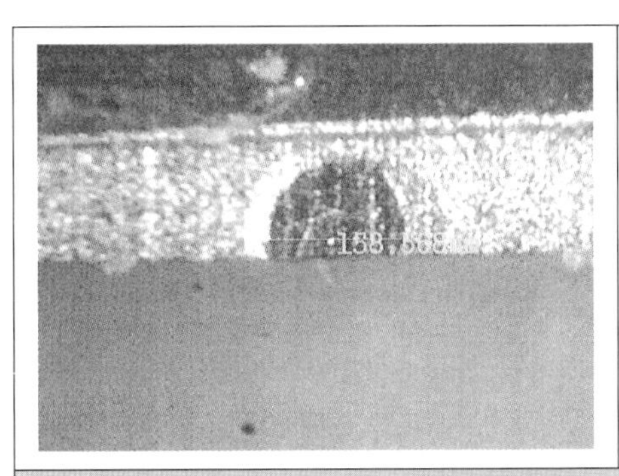

편차 : 7.161

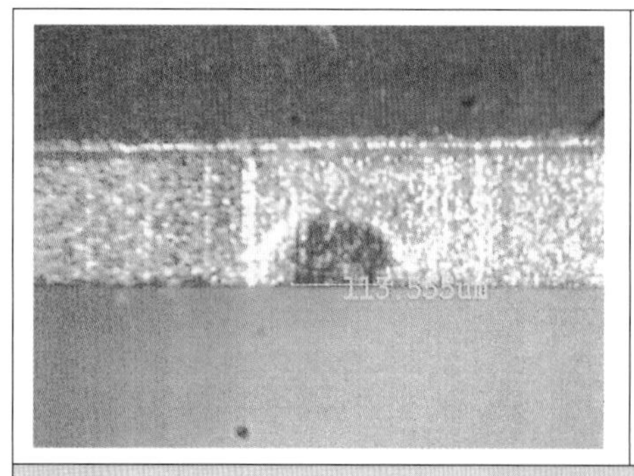

편차 : 8.184

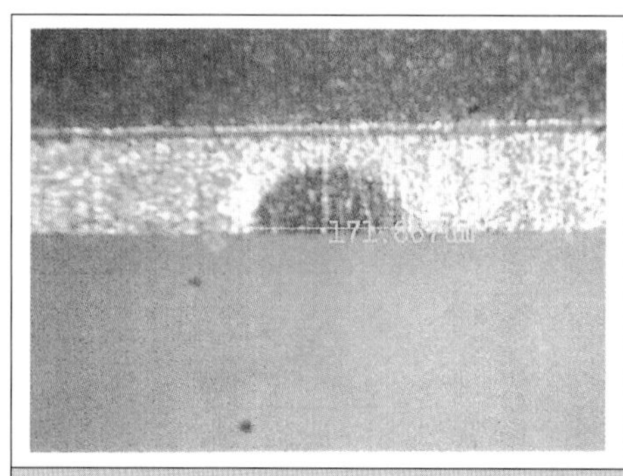

편차 : 7.161

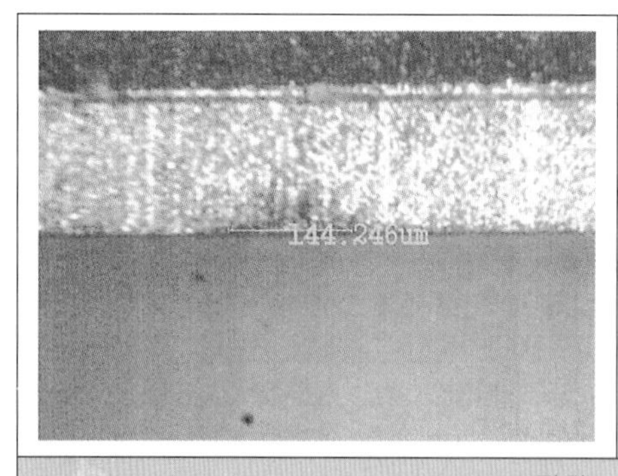

편차 : 6.138

2) 층 돌기의 두께가 6㎛ ~12㎛이상 발생하는 경우도 있다.

인쇄반 현상단의 이물질일 경우는 JET정면기의 정면작업을 방해하는 레지스트로 작용하기는 힘들다고 판단됨.

(단, 잉크 성분일 경우 정면 레지스트로 작용하나 층 돌기 부위에 무전해 금도금이 되지 않은 부위가 없으므로 배제함)

따라서 당사의 경우 JET정면(당사) → JET정면(ONLY S사) → soft etching(S사 1회 : 45초, N사 2회 : 1분 15초)을 감안한다면 3㎛~5㎛정도 정면 작업 되어진다고 판단됨.

그러나 층 돌기의 두께가 6㎛~12㎛이상 발생하는 경우도 있다.

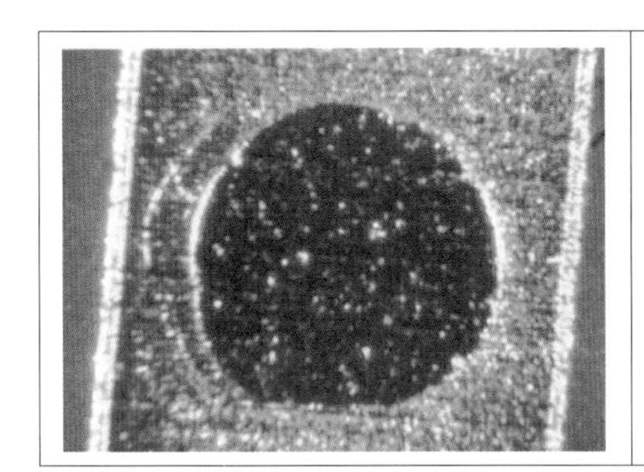

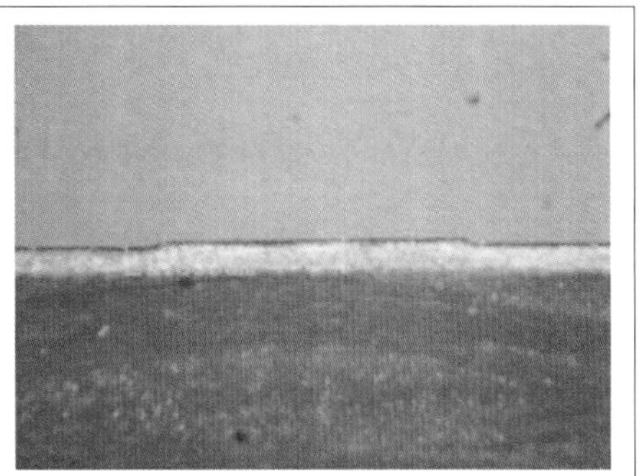

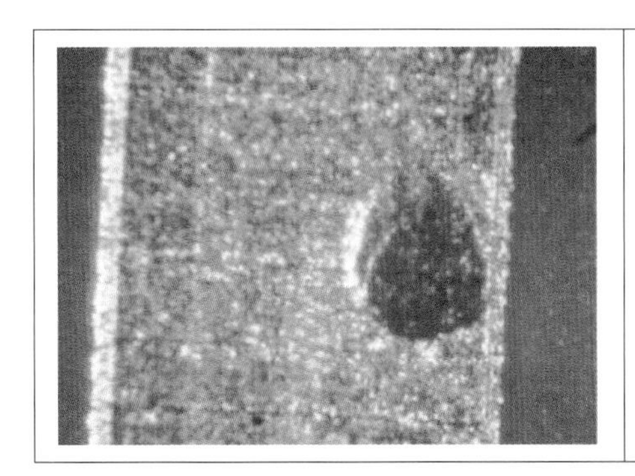

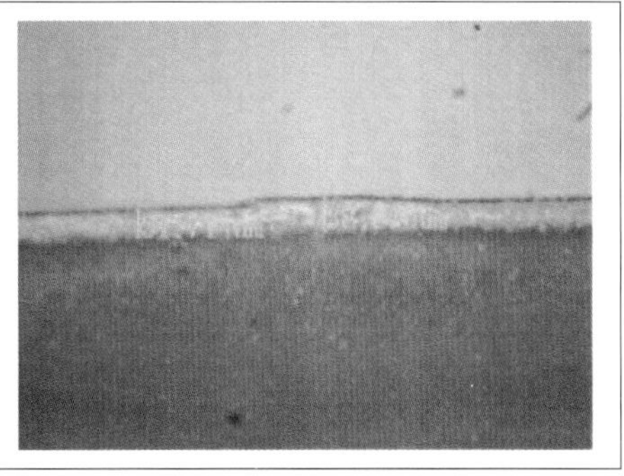

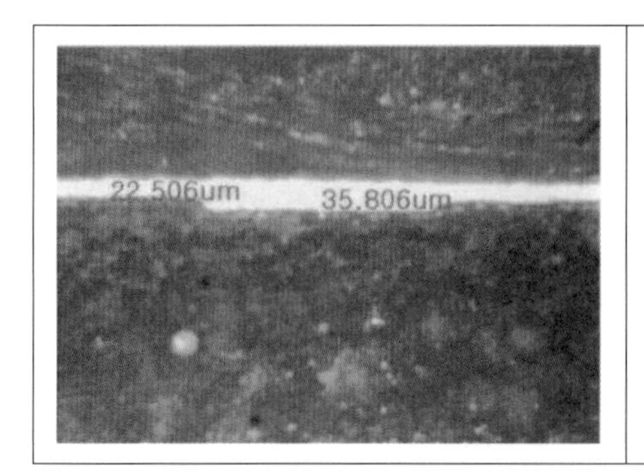

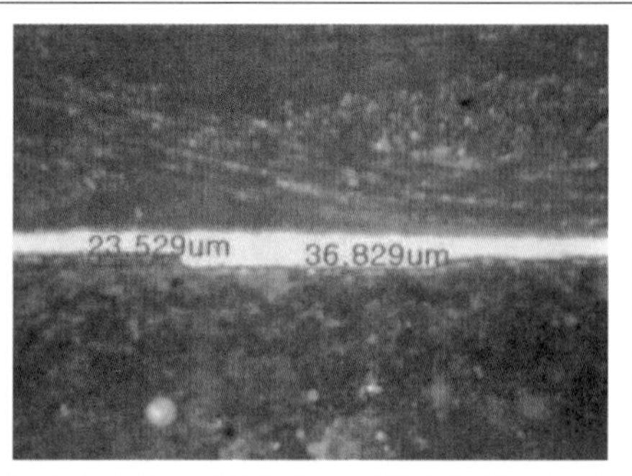

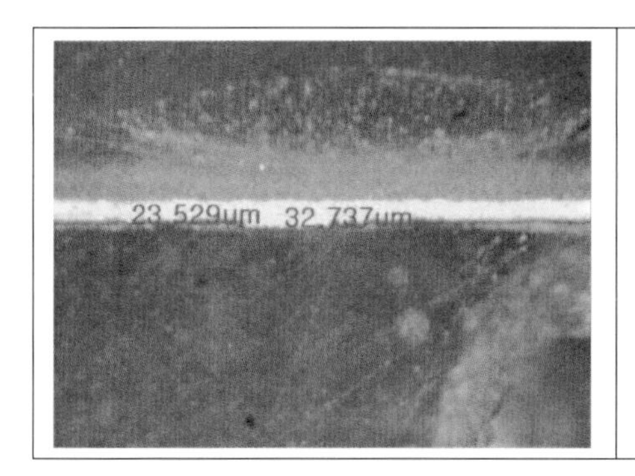

3) 층 돌기 위 표면의 조도형성 모양은 밸트 센더의 자국이 있다.

만일 인쇄반의 이물질에 의한 etching시 레지스트 작용 후 금도금시에는 도금이 되었다면 층 돌기 위 부위는 etching에 영향을 받지 않았으므로 층 돌기 위 부위의 조도(밸트 골 자국)가 더 깊어야 한다고 판단됨.

그러나 아래의 그림에서 보이는 것과 같이 층 돌기 위 보다 아래가 더 깊이 조도를 형성하고 있음. 따라서 etching이나 JET정면의 레지스트로 작용했다고 보기 힘듦.

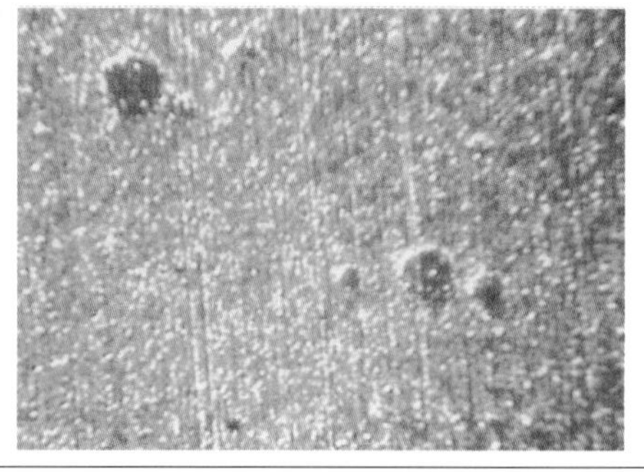

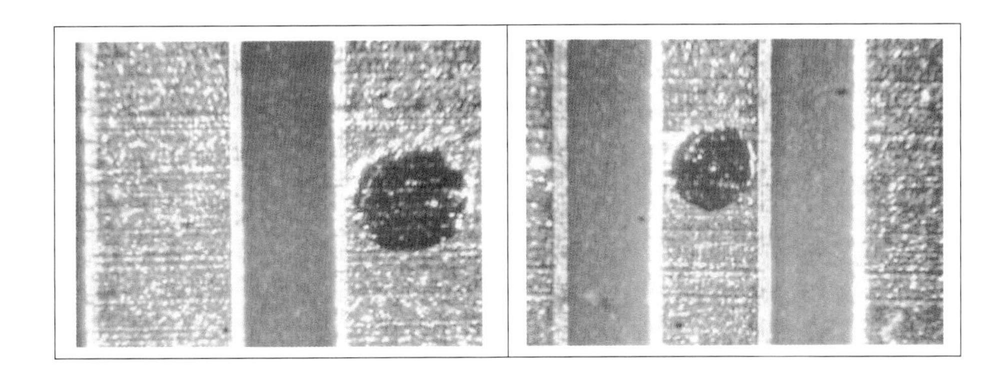

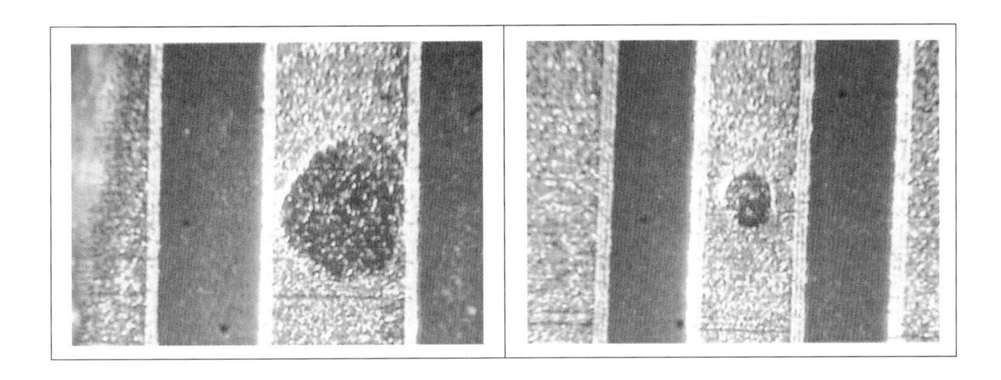

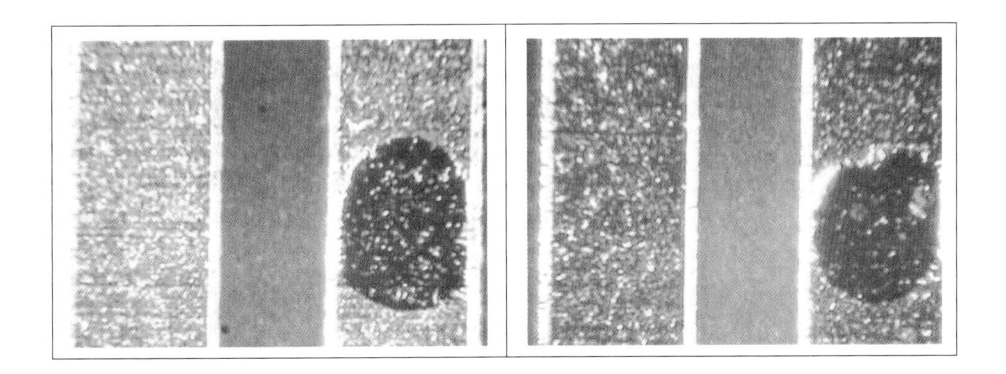

4) CROSS SECTION SEM 촬영 결과 이물질이 발견되지 않았음.

아래의 SEM 촬영 결과에서 보는 바와 같이 이물질 성분이 검출되지 않았으며, P(인)와 Nb는 무전해 금도금 전처리액에 함유되어 있다고 함.

그리고 대부분의 성분이 Cu, Ni이고 유기물(이물질)일 경우 C(탄소)성분이 금도금 경계층에서 검출되어야 하나 전혀 검출되지 않거나 극소량 검출됨.

따라서 인쇄반(현상액, 잉크성분) 이전에 발생된 것으로 판단됨.

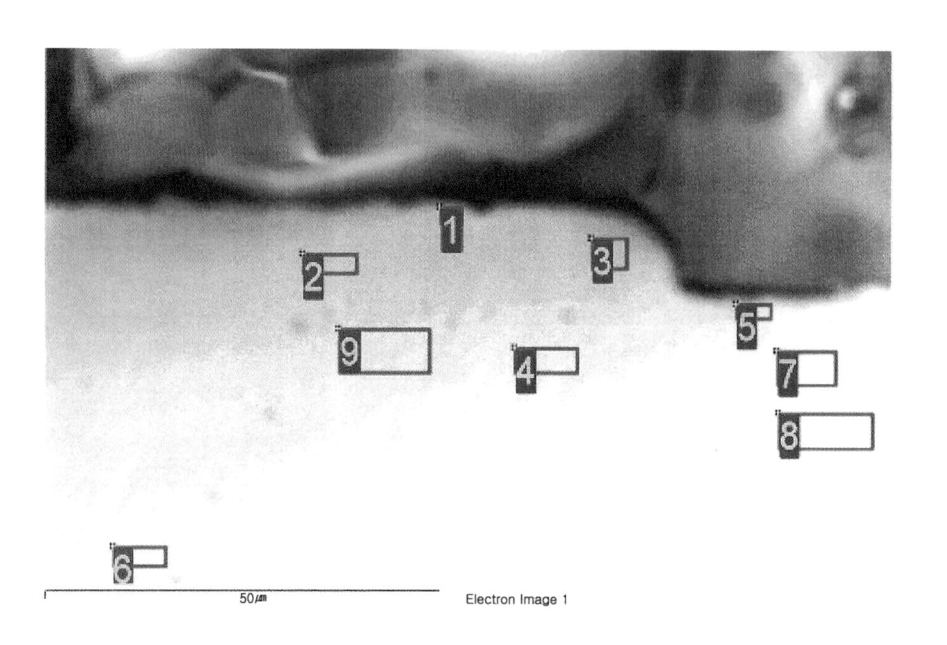

Processing option : Carton by stoichiometry(Normalised)

Spectrum	O	P	Ni	Cu	Nb	Au	C	Total
1	14.10	3.83	27.50	44.98	2.54		7.05	100.00
2		11.65	88.35				0.00	100.00
3		10.50	89.50				0.00	100.00
4				100.00			0.00	100.00
5		9.55	74.80	12.64			0.00	100.00
6				100.00			0.00	100.00
7		10.37	76.39	13.24			0.00	100.00
8				100.00			0.00	100.00
9				97.93			0.00	100.00
Max	14.10	11.65	89.50	100.00	2.54	3.01	7.05	
Min	14.10	3.83	27.50	12.64	2.54	2.07	0.00	

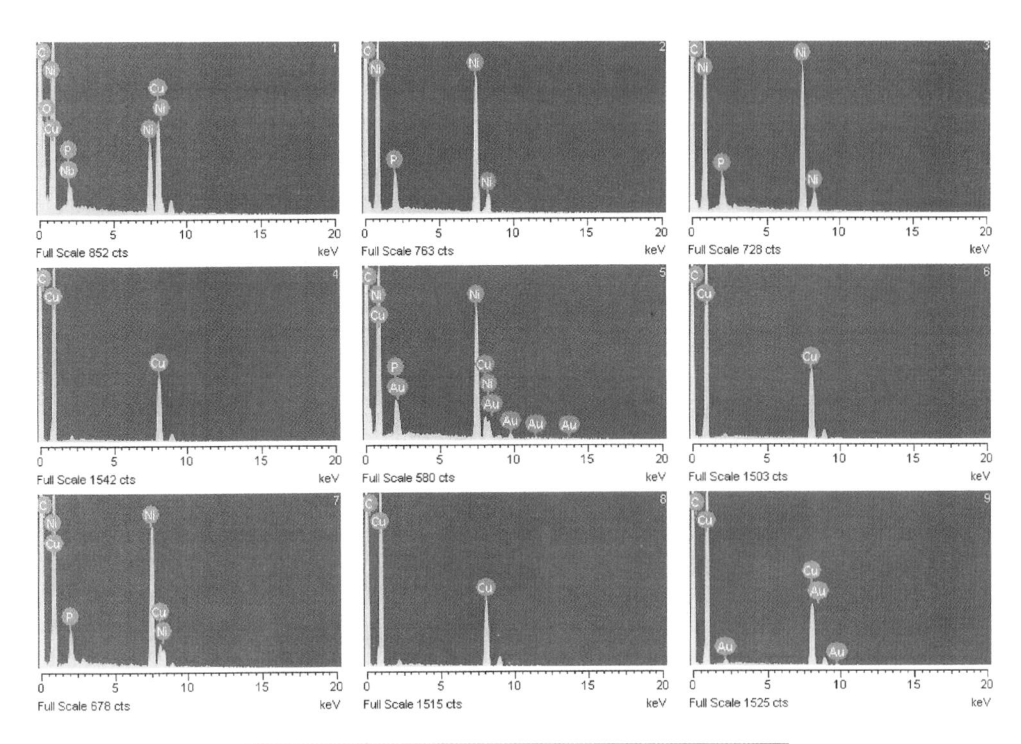

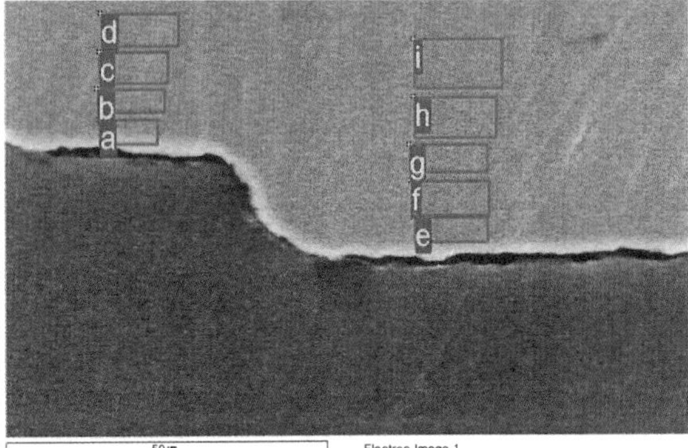

Processing option : Carton by stoichiometry(Normalised)

Spectrum	P	Ni	Cu	Nb	C	Total
a	9.82	79.74		10.44	0.00	100.00
b	11.36	78.90	9.74		0.00	100.00
c		18.22	81.78		0.00	100.00
d		6.80	93.20		0.00	100.00
e	13.40	86.60			0.00	100.00
f	9.35	49.77	40.88		0.00	100.00
g		8.58	91.42		0.00	100.00
h			100.00		0.00	100.00
i			100.00		0.00	100.00
Max	13.40	86.60	100.00	10.44	0.00	
Min	9.35	6.80	9.74	10.44	0.00	

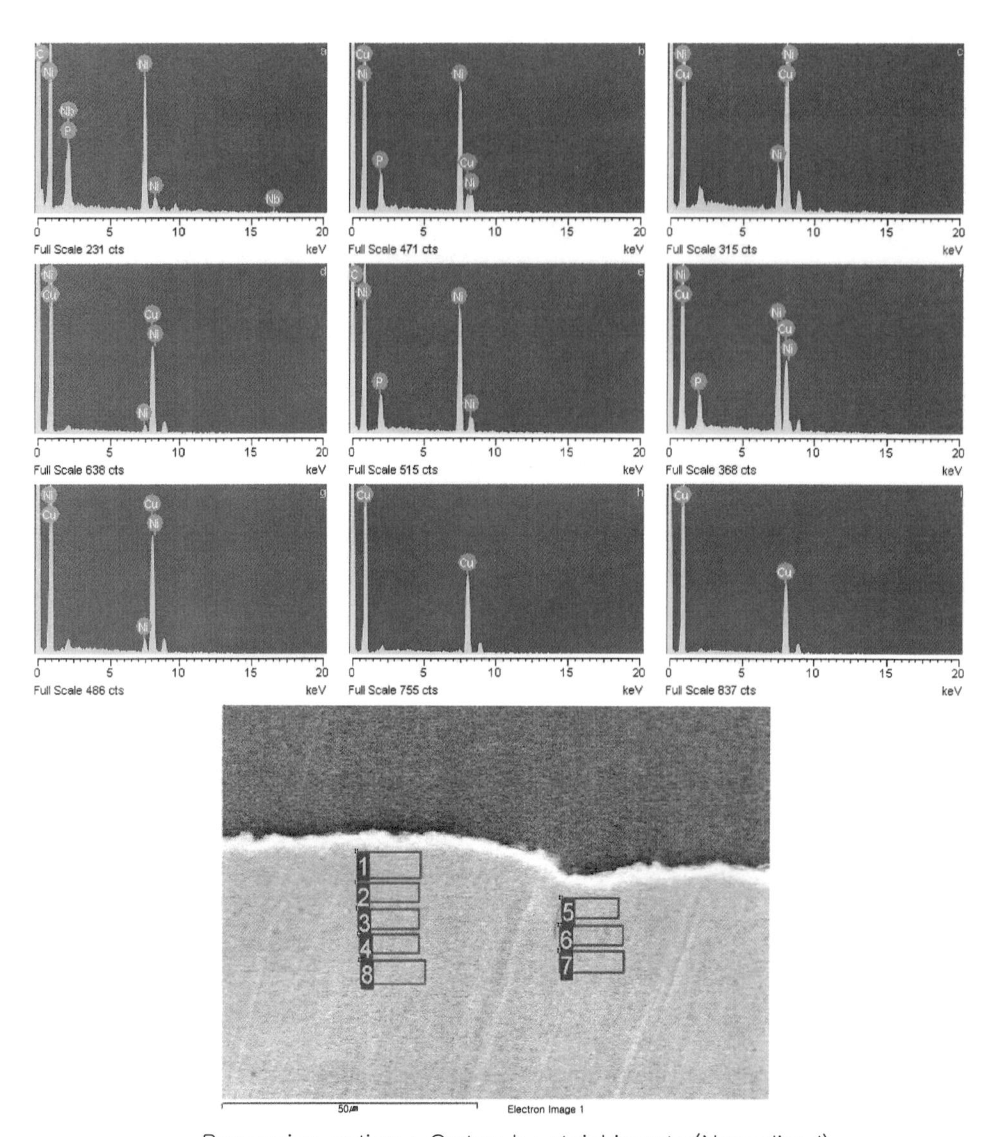

Processing option : Carton by stoichiometry(Normalised)

Spectrum	P	Ni	Cu	Nb	C	Total
1	12.74	87.26			0.00	100.00
2	11.63	83.55	4.82		0.00	100.00
3		7.46	92.54		0.00	100.00
4			100.00		0.00	100.00
5	11.08	88.92			0.00	100.00
6	8.61	66.90	24.49		0.00	100.00
7			100.00		0.00	100.00
8			97.67	2.33	0.00	100.00
Max	12.74	88.92	100.00	2.33	0.00	
Min	8.61	7.46	4.82	2.33	0.00	

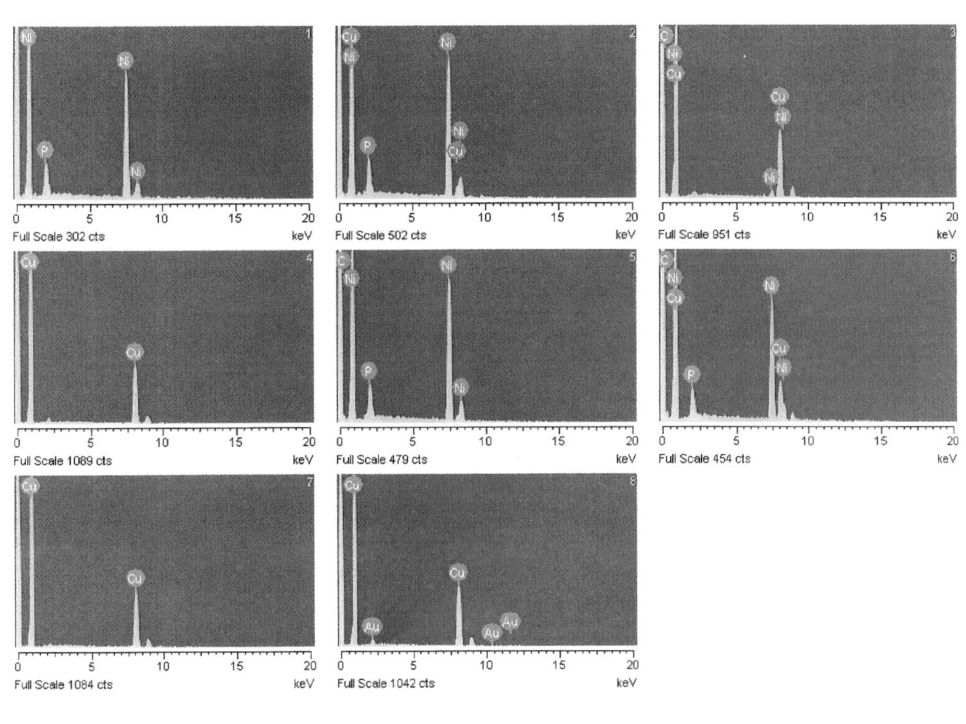

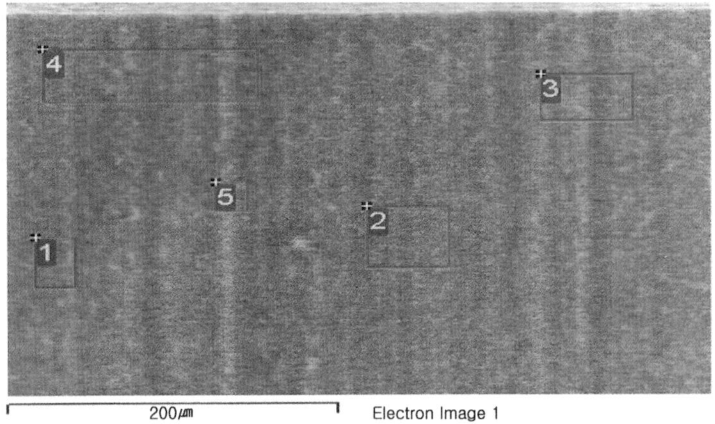

Processing option : Carton by stoichiometry(Normalised)

Spectrum	O	Ni	Nb	Tc	Pd	Pt	Au	C	Total
1	8.98	68.54	5.09	1.62		2.14	9.13	4.49	100.00
2	8.39	70.84	2.52		0.96	1.61	11.50	4.19	100.00
3	8.96	72.50			1.19		12.87	4.48	100.00
4	9.97	67.89	4.23	1.26		1.94	9.72	4.99	100.00
5	8.63	73.26				1.24	12.53	4.32	100.00
Max	9.97	73.29	5.09	1.62	1.19	2.14	12.87	4.99	
Min	8.39	67.89	2.52	1.26	0.96	1.24	9.13	4.19	

※ 참고 : 잉크에 의한 금도금 미도금

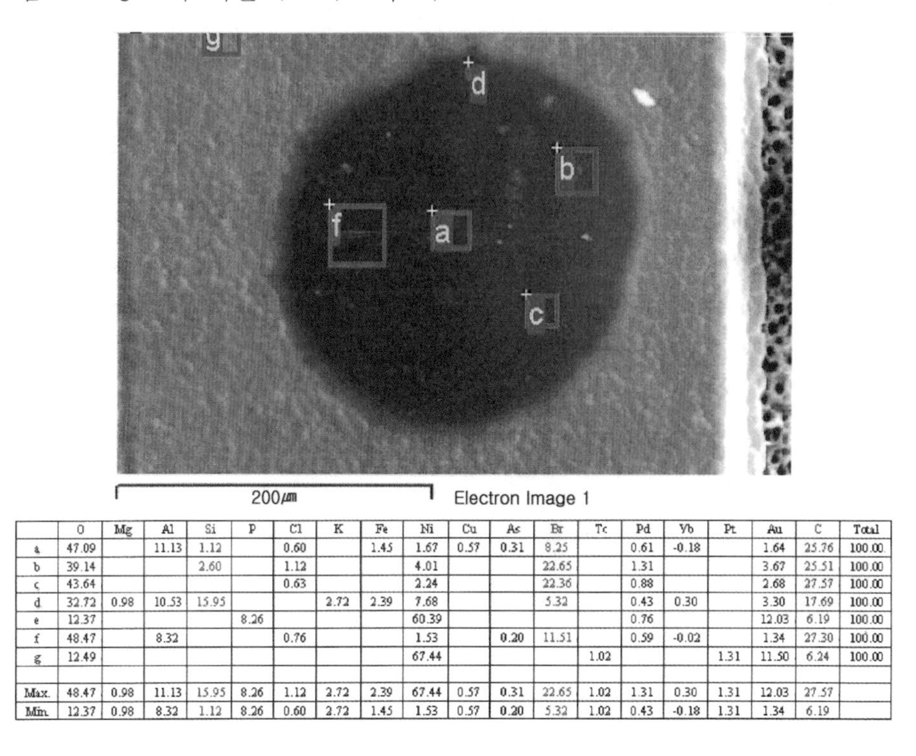

	O	Mg	Al	Si	P	Cl	K	Fe	Ni	Cu	As	Br	Tc	Pd	Yb	Pt	Au	C	Total
a	47.09		11.13	1.12		0.60		1.45	1.67	0.57	0.31	8.25		0.61	-0.18		1.64	25.76	100.00
b	39.14			2.60		1.12			4.01			22.65		1.31			3.67	25.51	100.00
c	43.64					0.63			2.24			22.36		0.88			2.68	27.57	100.00
d	32.72	0.98	10.53	15.95			2.72	2.39	7.68			5.32		0.43	0.30		3.30	17.69	100.00
e	12.37				8.26				60.39					0.76			12.03	6.19	100.00
f	48.47		8.32			0.76			1.53		0.20	11.51		0.59	-0.02		1.34	27.30	100.00
g	12.49								67.44				1.02			1.31	11.50	6.24	100.00
Max.	48.47	0.98	11.13	15.95	8.26	1.12	2.72	2.39	67.44	0.57	0.31	22.65	1.02	1.31	0.30	1.31	12.03	27.57	
Min.	12.37	0.98	8.32	1.12	8.26	0.60	2.72	1.45	1.53	0.57	0.20	5.32	1.02	0.43	-0.18	1.31	1.34	6.19	

※ 참고 : 유기물에 의한 금도금 미도금

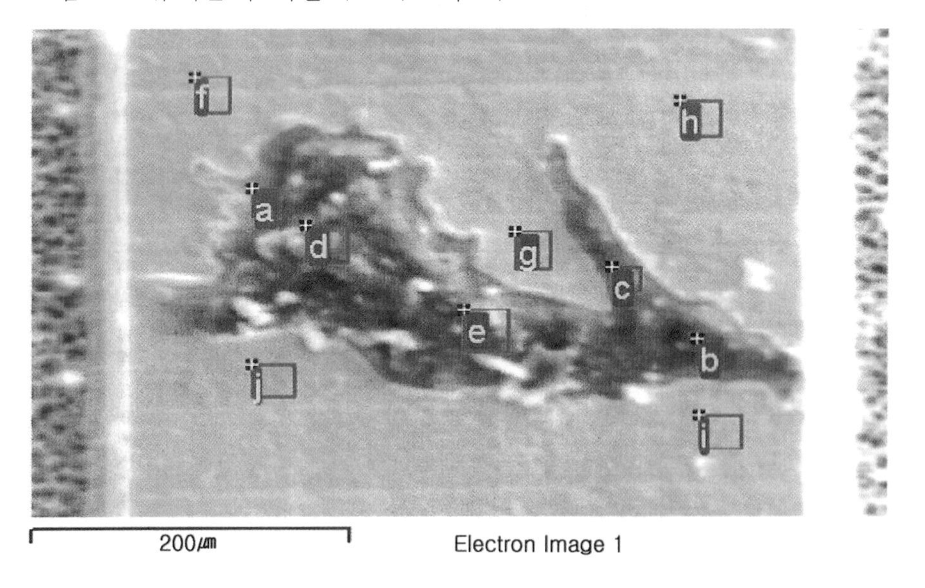

	O	Na	Al	Si	P	S	Cl	K	Ca	Ti	Fe	Ni	Cu	Nb	Tc	Pd	Pt	Au	C	Total
a	32.99		1.25	1.25									47.14					0.87	16.49	100.0
b	48.38		4.84	5.09									17.07					0.44	24.19	100.0
c	23.18											9.90	53.33					2.00	11.59	100.0
d	50.78	1.93	3.19	7.71		1.17	1.66	0.59	2.29	0.55	0.38	0.39	2.39			0.36		0.80	25.81	100.0
e	44.19		10.04	12.17			0.38	1.88	1.00		0.26	1.95	4.79			0.26		0.87	22.19	100.0
f												80.87		4.27	1.97		2.23	10.66	0.00	100.0
g												85.02						14.98	0.00	100.0
h												84.61			1.25			14.14	0.00	100.0
i												81.83	3.17				1.44	13.57	0.00	100.0
j					10.62							72.05	3.35					13.97	0.00	100.0

※ 참고 : 유기물 부착 후 인쇄로 현상에서 잉크 성분을 완전히 제거하지 못했음.

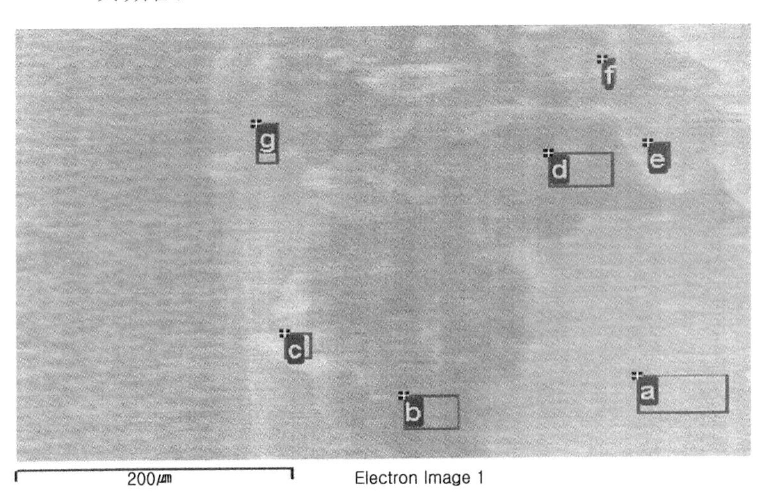

	O	Na	Mg	Al	Si	P	Cl	K	Ca	Ti	Fe	Ni	Cu	Br	Nb	Tc	Pd	Pt	Au	C	Total
a												74.63			5.73	2.44		3.12	14.09	0.00	100.0
b	50.73		0.85	3.47	7.66		1.08		1.06	0.36	0.40	0.34	7.02				0.38		1.02	25.64	100.0
c	43.88			2.64	1.93				0.68			15.64	1.23	3.21			0.93		7.13	22.74	100.0
d	34.51			4.17	6.37		1.15		0.72				34.52						1.03	17.54	100.0
e	7.76											42.71	35.00						10.65	3.88	100.0
f	49.99	7.94		0.40	1.64		5.42	1.34	0.51		0.27	0.94	3.42				0.44		1.34	26.35	100.0
g	19.65				2.43	8.40						24.99	32.80		0.17				1.72	9.83	100.0

상기 앞의 층 돌기의 두께 편차와 같은 KIT에서도 층 돌기 두께가 다르다는 점, SEM분석에서 잉크성분이나 유기물성분이 검출되지 않았다는 점, 그리고 층 돌기 위가 TCP보다 밸트 자국에 의한 조도가 약하다는 점을 고려할 때 밸

트 연마 공정 이전에 발생한 것이 밸트 연마 공정을 거치면서 현재의 형상을 형성한 것으로 판단됨.

6. 층 돌기 유형

상기 아래의 이물질 불량을 제외하고 층 돌기의 높이에 따라 밸트 연마 정도를 보여준다.

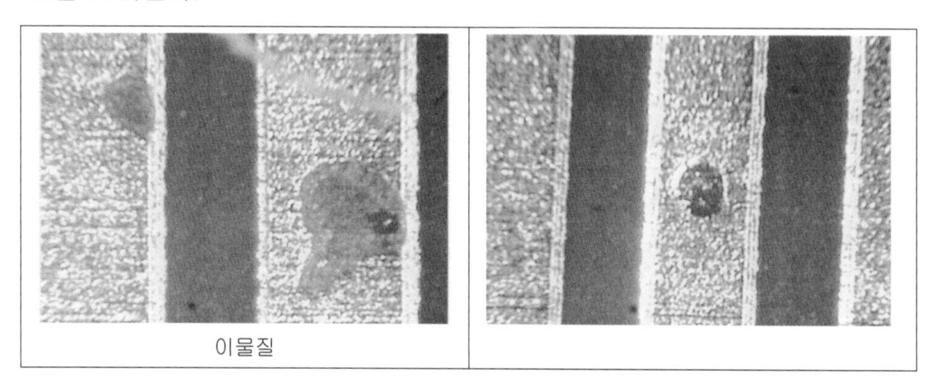

이물질

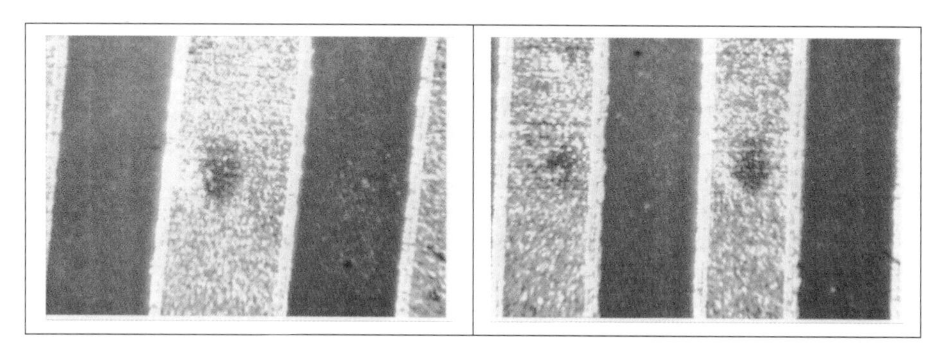

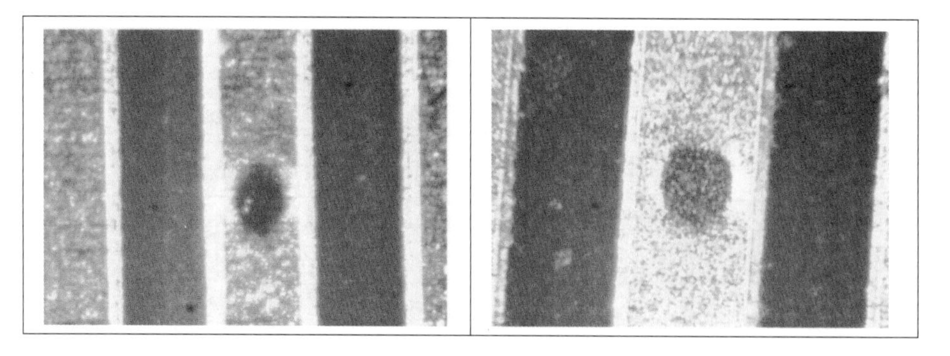

9-7 PSR INK 박리액 비교 TEST

1. Test 방법

1) 2EA회사 박리액 TEST 한국 아이디켐 PC-100 비교 TEST

① Test 조건

각각의 박리액을 80℃로 가열 Wet to Wet, Tenting, Build-Up 제품을 약 45분간 침적(동일 조건)시켜 박리 후의 결과 확인

② 결과 확인

박리액간 박리 상태 확인

→ 표면 박리 정도, 홀 속 잉크 박리 상태, 표면 상태, 박리 후 액 상태

2. Test 결과

1) 박리액 가열 침적 후 약 15분 후 두 가지 박리액 모두 박리 시작

2) 박리 방법

→ A사의 경우 경화된 PSR을 제품에서 분리하는 형태

→ B사의 경우 경화된 PSR을 제품에서 분해하는 형태

3) 표면 박리 정도

→ A사 : 세척 직전까지 약간의 경화된 PSR이 제품 표면에 부착되어 있음

→ B사 : 세척 전 박리액에서 PSR이 분해된 상태로 표면에 부착되어 있는 PSR 없음

4) 박리 후 홀 상태

→ A사 : Tenting 제품 홀 속 잉크 박리 상태 양호
Wet to Wet 제품 홀 속 잉크 박리 상태 불량
Build-Up 제품 기본 홀(ϕ0.35) 박리 상태 양호, ϕ0.25홀 박리 불량

→ B사 : Tenting 제품 홀 속 잉크 박리 상태 양호
Wet to Wet 제품 홀 속 잉크 박리 상태 불량(TM-100에 비해 양호)

(동일 면적 홀 막힘의 경우 TM-100 55개 중 20개 막힘, PC-100 55개 중 12개 막힘)
Build-Up 제품 기본 홀(Φ0.35) 박리 상태 양호, Φ0.25홀 박리 양호

5) 표면 상태
→ A사 : 금 도금 표면 이물질 형성
→ B사 : 금 도금 표면 이물질 없음

6) 박리 후 액 상태
→ A사 : 박리 후 PSR 피막 잔존(박리액의 부유물질로 잔존)
→ B사 : 박리 후 PSR 분해로 잔존물 침전(박리액 밑으로 침전)

3. Test 결론

1) 80℃ 가열 박리액 침전 시 두 제품 모두 15분경과 후 박리 시작

2) 박리 진행 시간은 같으나 박리 Type이 다름 (그림 1, 2참조)
→ A사 : 경화된 PSR 분리 형태
→ B사 : 경화된 PSR 분해 형태
분리되는 형태의 경우 제품에 다시 부착될 수 있는 요소를 제공
(박리 후 잔존물이 박리액상에 부유함)
분해되는 형태의 경우 침전되며, 잔존물의 크기가 아주 미세함

3) 표면 박리 정도
→ A사의 경우 박리 후 수세미 등으로 표면을 닦아 세척함
미세 회로와 표면에 불필요한 Stress 작용
→ B사의 경우 박리 후 일반 물로 고압 수세(3~5kg/㎠)로 박리 완료
작업 시간 단축 및 작업 방법 수월함

4) 박리 후 홀 상태(그림 3, 4 참조)

→ A사에 비해 B사의 경우 Tenting, Wet to Wet, Build-Up 제품 모두 홀 속 잉크 박리 상태 양호.

5) 단자 금도금 표면의 경우 A사의 경우 표면에 이물질이 형성되는 것에 비해 B사의 경우 표면 이물질 발생하지 않음(그림 5, 6 참조)

박리액 모두 금도금, HASL 제품에는 좋지 않으나 TM-100의 경우 심함

6) 두 제품 모두 미즐링에 대한 부분은 Test 하지 못함

가열 온도를 100℃정도까지 올렸으나, 미즐링은 두 제품 모두 발생하지 않음.

7) 두 제품을 비교 Test한 결과 박리 조건은 같이 하였으나, 박리 결과는 B사의 제품이 A사보다 우수하다고 판단 됨.

위 자료는 Lab Test의 결과이므로 실제품에 대한 Test 진행 후 박리액 교환여부를 결정하는 것이 안전하다고 생각됨.

그림1. A사 | 그림2. B사

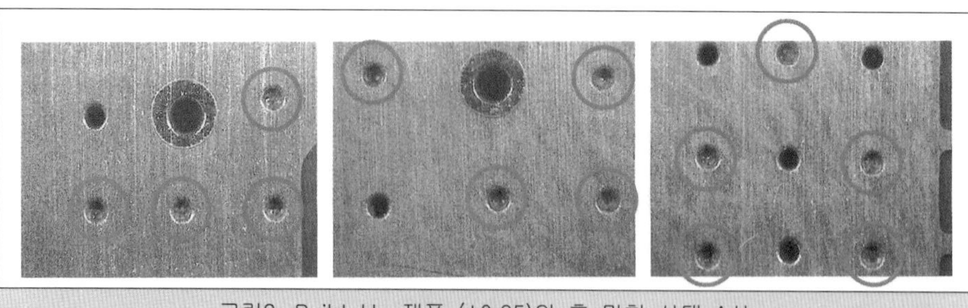
그림3. Build-Up 제품 (ϕ0.25)의 홀 막힘 상태 A사

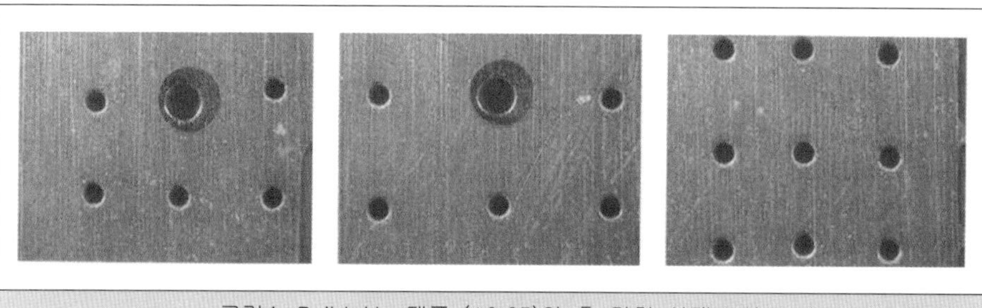
그림4. Build-Up 제품 (ϕ0.25)의 홀 막힘 상태 B사

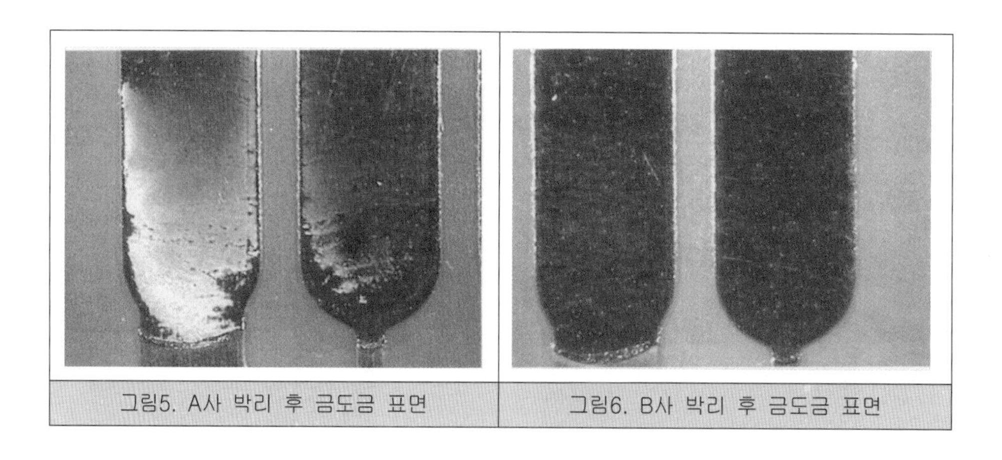
그림5. A사 박리 후 금도금 표면

그림6. B사 박리 후 금도금 표면

9-8 FINE PATTERN을 위한 PSR작업 TEST

1. FINE PATTERN의 정의

1) PIN 間 2 LINE = PIN 間 2 本 = 2 LPC(LINE PER CHANNEL) = 2 LINE

2) FINE의 의미 → IC PIN 사이에 지나가는 LINE 수

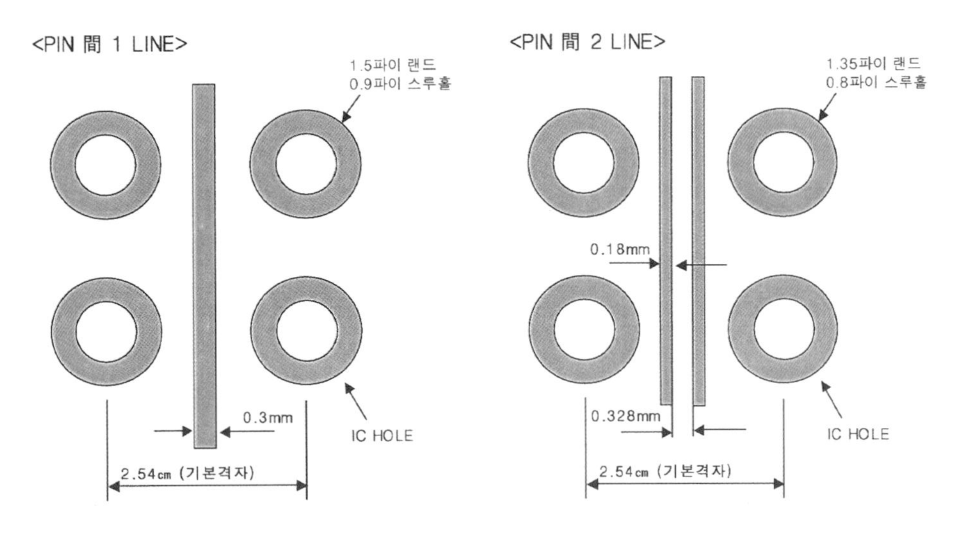

3) Clearance와 DAM 관계

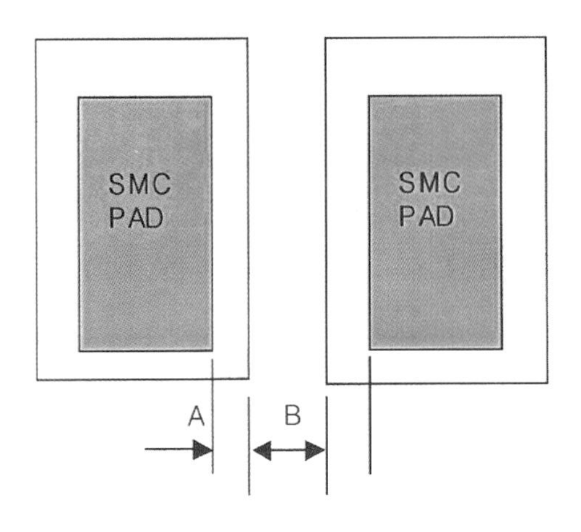

항목		고밀도	초 고밀도
A	Clearance	2MIL	1.0~1.5MIL
B	PSR DAM	5~6MIL	3~4MIL

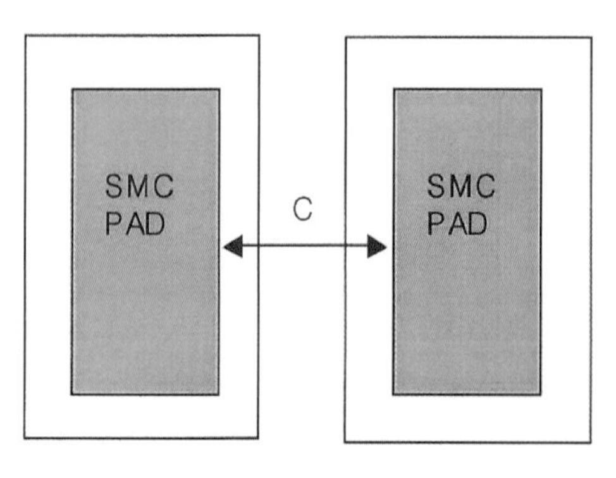

C Size	Clearance	DAM
8 mil 이상	2 mil	4 mil 이상
7 mil	2 mil	3 mil
6 mil	1.5 mil	3 mil
5 mil	1.25 mil	2.5 mil

4) BGA SPEC 관련 주의사항

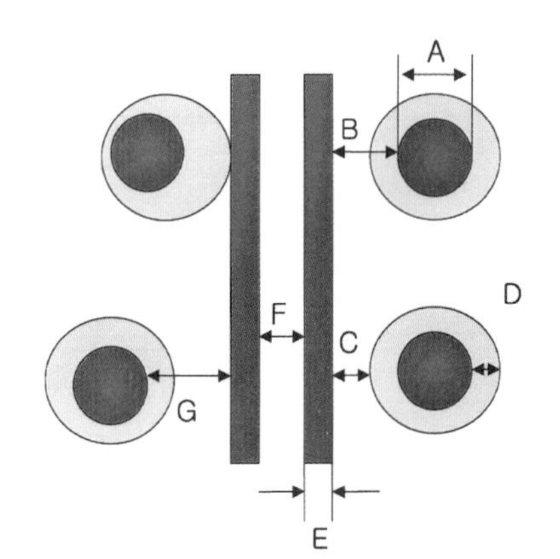

Master Data		작업용 A/W		
A	23	A	25.5	
B	5	B	3.5	→4.5로 변경
C	4	C	1.5	
D	1	D	1.75	
E	5	E	5.75	
F	5	F	4	
G	7	G	5.5	→4.5로 변경

※ BGA Pitch ; 50mil Pitch

5) 일반적 고밀도 제품과 초고밀도 제품의 구분

항목	일반 고밀도 제품	초고밀도 제품
회로폭	0.15~0.13 mm	0.10~0.07 mm
SPACE	0.2 mm	0.15 mm
PIN 間 LINE	2~3 本	3~4 本
비아홀	0.5~0.4 mm	0.3~0.2 mm
층수	4~10	12층 이상
ASPECT RATIO	5~6	10 이상
PSR DAM	6~4 MIL	3 MIL 이하

2. FINE PATTERN 작업을 위한 중점 관리 사항

1) BRUSH 관리

· FOOT PRINT 체크 (FOOT MARK 체크)

브러쉬의 상태를 파악하여 사전에 제품에 미치는 영향을 방지

→ FINE PATTERN을 작업하기 위해서는 관리 범위를 10 ~ 12mm

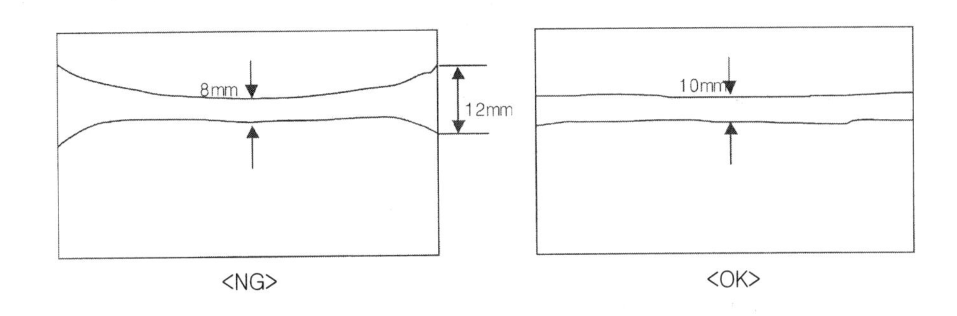

· DRESSING 전, 후 HOLE CORNER 상태 분석

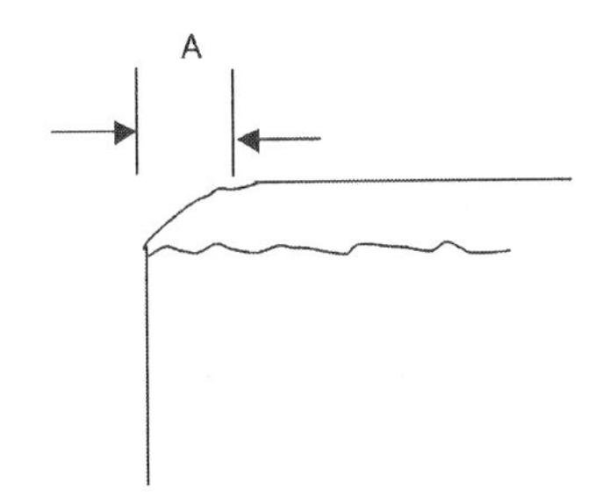

		1회 정면	2회 정면	3회 정면
2.0m/min	드레싱 전	35㎛	53㎛	18㎛
	드레싱 후	25㎛	35㎛	10㎛
2.5m/min	드레싱 전	28㎛	35㎛	7㎛
	드레싱 후	15㎛	17.5㎛	2.5㎛

2) SOFT ETCHING 관리

· ETCH RATE를 2회/일 이상 분석하여 관리

· 수세수의 오염도를 분석하고 관리 (2회/일 교체 및 청소)

3) 건조기 관리

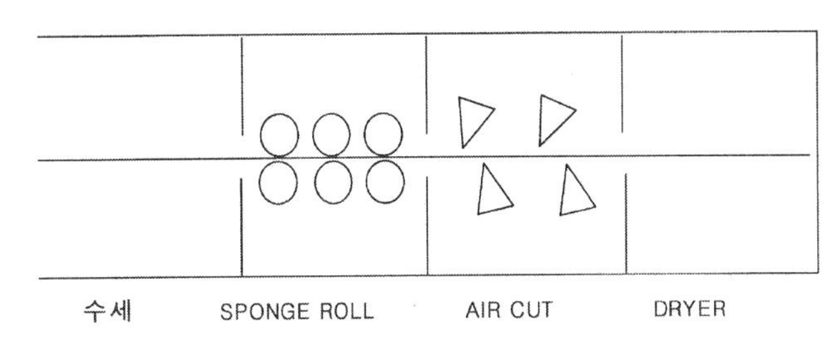

· SPONGE ROLL : 2회/일 이상 물 공급 및 세척
점검 → 물이 마르거나 과다하지 않은지 수시로 확인

· AIR KNIFE : AIR KNIFE를 통과한 제품에 물이 마르지 않을 경우
KNIFE GAP, KNIFE의 높이, 블로워의 세기, 블로워 호스 파손여부

제품이 AIR KNIFE를 통과 후 홀 속과 표면의 수분이 98%이상 제거 되어야 함

4) BLOWER 관리

· BLOWER 관련되는 FILTER → 1회/일 교체 또는 청소

· BLOWER 내부 청소 → 1회/월 분해하여 청소

5) 인쇄 세미큐어 공정

① 잉크 믹싱 : 일반교반기 → 진동교반기

② 인쇄 작업 전 반드시 제품 크리닝 실시

③ 믹싱 후 잉크 시간 관리 → 24시간 경과한 제품

④ WET TO WET 인쇄의 경우 홀 속 잉크 문제로 자주 검사

⑤ 세미큐어 온도 관리

· 1회/주 실제온도 체크를 확인 (상, 하 온도편차 최소화)

· 세미큐어 내부 청소 → 1회/주

· 세미큐어와 포스트큐어는 설비를 분리하여 바람직함

9-9 0.4T 제품 전용 JIG 제작

1. JIG 제작의 목적

1) 박판의 경우 인쇄 작업 시 Hole속으로 잉크가 통과하여 다음 제품을 인쇄 때 불량 발생을 감소하기 위함
2) 스크린 망에 제품이 붙음으로 발생되는 불량 및 작업성 개선
(인쇄되는 면적이 넓음으로 붙는 것을 방지하기 위해 스크린 망과의 이격 거리가 높음)
3) 수율로 인해 제품 PNL의 대형화에 따른 인쇄 작업성 개선
4) 인쇄 속도 증가로 인한 생산성 향상
5) PSR 편심 불량 개선

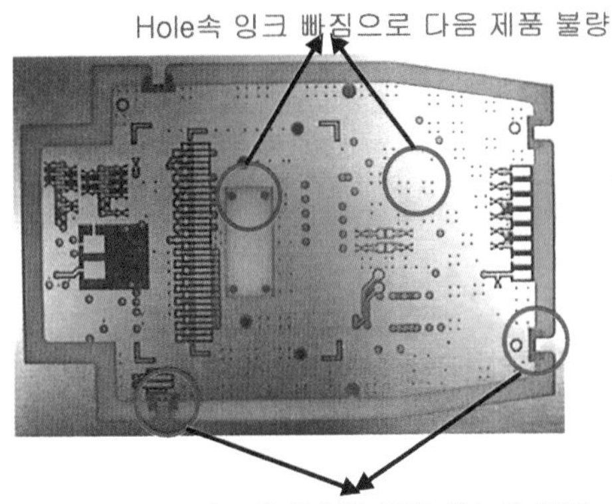

2. JIG 제작 및 Test

1) JIG 두께 : 0.6, 0.8T
2) JIG Hole 크기 : 드릴 Hole 기준 편측 + 250㎛(Via-Hole 제외)
3) 스크린 망 : Hole 망(Hole 크기의 경우 드릴 Hole 기준 편측 - 75㎛)

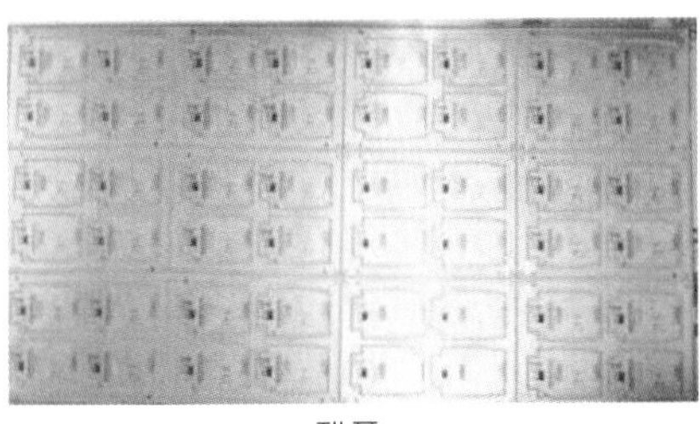
제품

JIG

3. 결과

1) JIG 사용으로 인한 생산성 향상

스크린 망과 제품이 붙지 않기 때문에 인쇄 속도 향상

2) 잉크 빠짐에 대한 작업 Loss 감소

박판(0.4T)의 경우 인압으로 인해 PSR잉크가 Hole을 통과 인쇄기 면판 청소시간 감소

3) 스크린 망의 Hole Size 축소로 PSR 편심 불량 감소

드릴 Hole 기준 편측 - 75㎛ 축소 작업 준비 시간 단축 및 인쇄 시 스크린망의 늘어남으로 인한 편심 감소로 인한 동노출 발생원인 감소

4) PNL 대형화에 따른 작업성 및 생산성 향상

4. 개선 사항

	Test	개선 사항	비고
스크린망	드릴 Hole 기준 편측 -75㎛	Test와 동일	변동 사항 없음
일반 Hole	드릴 Hole 기준 편측 +250㎛	Test와 동일	변동 사항 없음
Via-Hole	Closs	Open 드릴 Hole 기준 편측 +100㎛	통과된 잉크로 인해 JIG 청소 필요
크기	제품 : 388×60㎜ Gig : 340×610㎜	제품 : 388×608㎜ Gig : 338×598㎜	뒷면 그림 참조
두께	0.6, 0.8T	0.4T	1T이상 제품 아대 작업 필요

5. 업무 협조 사항

1) 규격 관리

① 스크린 망 : 현재 사용되고 있는 Hole망의 Hole Size 축소(드릴 기준 편측 - 75㎛)에 따른 제판 Film 및 스크린 망 제판 재출력

② JIG 제작에 따른 Gig용 드릴 Data 수정

2) DRILL 공정

① JIG용 PNL 드릴 작업

3) 생산 관리

① JIG용 원판 투입(JIG Size에 맞는 제단 필요)

4) 외층 D/F

① 동박 부식

9-10 MARKING INK TEST

< S-200W 변색 재현 TEST>

자료 : TAIYO INK

1. 목적

Marking(S-200 W) 변색 원인으로 추정되는 Soft-Etching액과 Pre-flux에 의한 영향 및 경화시간/HASL에 의한 변색 Test를 통해 변색 경향을 확인하고자 함

2. Test 방법

1) 열에 의한 변색 Test

기판제작(9EA) → Marking 인쇄 → 150℃×20min, 60min, 120min, 180min 경화 → 각 경화 시간별 1EA씩 ⓐ HASL 미실시 ⓑ HASL 1회 ⓒ HASL 3회

2) 약품별 변색

Soft-Etching액(H_2O_2 10wt%, H_2SO_2 20wt%), OSP Flux를 각각 Test 기판에 도포 한 것과, 아무것도 도포하지 않은 기판을 각각 265℃ × 60s에서 방치

3) 경화제 혼합비율별/경화시간별

비율별(주제 : 경화제, 100:6, 100:8, 100:10), 시간별(5min, 10min, 20min, 40min)

시편 제작 후 265℃ × 60s에서 방치

4) Marking 막 두께별

막 두께별 Test 기판 제작 후 265℃×60s에서 방치

5) 약품 처리 조건 별

① 無 → 265℃ × 60s

② Soft-etching(3min) → 265℃ × 60s

③ Soft-etching(3min) → 수세 → OSP 1회 → 265℃ × 60s

④ Soft-etching(3min) → 수세 → OSP 3회 → 265℃ × 60s

3. Test 결과

1) 열에 의한 변색 Test

<table>
<tr><th>구 분</th><th>150℃ ×
20min</th><th>150℃ ×
60min</th><th>150℃ ×
120min</th><th>150℃ ×
180min</th></tr>
<tr><td>HASL 미실시</td><td colspan="4" rowspan="3">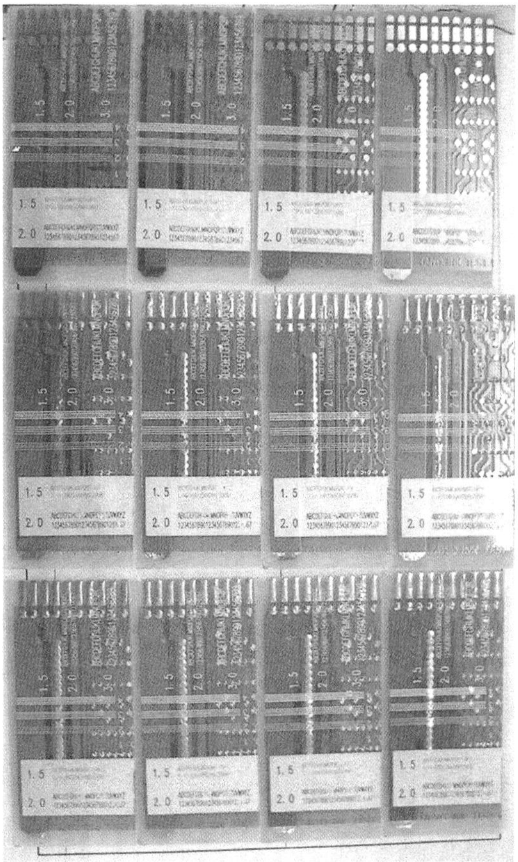</td></tr>
<tr><td>HASL
[265℃ × 10sec × 1회]</td></tr>
<tr><td>HASL
[265℃ × 10sec × 3회]</td></tr>
</table>

경화시간 경과에 따라 HASL횟수에 따라 변색 정도가 증가하는 경향은 있으나 심한 변색이 발생하지 않음.

2) 약품별 변색

구분	無처리	soft-Etching 도포	OSP Flux 도포
색상	-	짙은 갈색	투명한 회색

3) 경화제 혼합비율별/경화시간별

		5min	10min	20min	40min
혼합 비율	100:6	○	○	○	○
	100:8	○	○	○	○
	100:10	□	□	□	□

4) Marking 막 두께별

구 분	①	②	③	④
측정 막두께	13.31㎛	19.41	24.40	28.84
변 색	○	□	△	×

5) 약품 처리 조건 별

구 분	①	②	③	④
변 색	□	×	△	×

4. 결론

1) Spec보다 과도한 열에 노출시켰을 때, 다소의 변색 경향성은 보이는 변색 정도는 심하지 않음.(경화시간이 많을수록 HASL 횟수가 많아질수록 변색 발생)
2) 약품의 열에 대한 색상변화를 관찰한 결과, Soft-Etching액이 짙은 갈색을 띔
3) 경화부족에 대한 변색정도는 없어 보이며, 경화제기 많이 혼합되었을 때, 다소 변색되어 보임.
4) Marking Ink의 막 두께가 두꺼워 질수록 변색이 많이 됨.
5) ② Soft-Etching 후 수세하지 않았을 때와 OSP를 여러 번 도포하였을 때 변색되어 보임.

상기 결과 1)과 4)는 열에 의한 황변 가능성을 보여주며, 특정 온도 이상에서 특정 시간이상이 유지 되었을 때 변색이 쉽게 진행되는 것으로 보이며, 막 두께가 두꺼울수록 더욱 쉽게 변색이 관찰되는 것으로 보여짐.

2)와 5)는 Making과 Reflow 사이의 공정에 사용되어지는 약품이 White marking의 변색원인이 될 수 있는 가능성을 보여줌.

■ S-200 W의 변색 발생 및 개선

W　　　　　　　　　　WLF

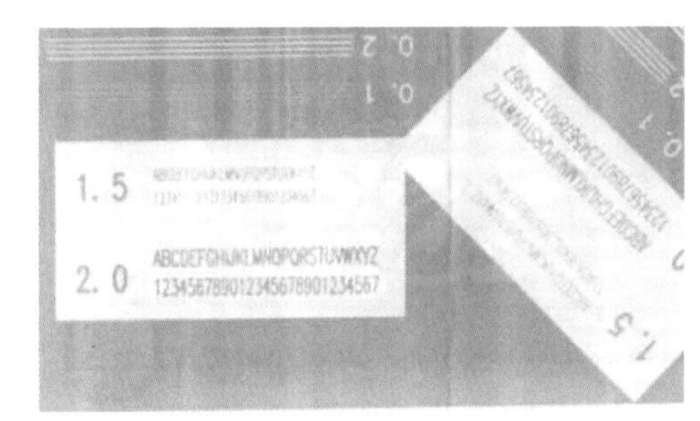

265℃ 3min floating

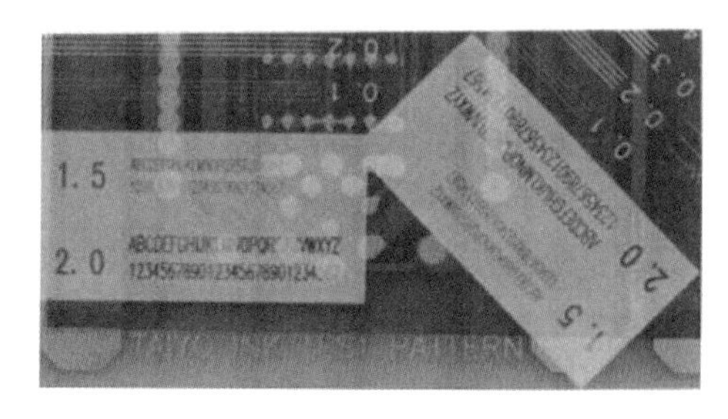

After gold plate (120℃×95%R.H×48Hr)

9-11 YELLOW MARKING INK 덜 빠짐 개선 TEST

1. Test 목적

Yellow Marking Ink의 유기 용제 증발로 인한 판막힘으로 인한 잉크 덜빠짐 불량 감소

2. Test 방법

1) #250 Mesh의 스크린 망사 사용으로 망사의 Opening을 확보
2) #350 Mesh의 스크린 망사의 제품(외주 제품)과 비교
3) 동일 잉크 사용 및 동일 인쇄 조건
4) 잉크의 퍼짐 및 잉크의 선예도 확인

3. Test 결과

검사 수량 : 1206pcs

양품 수량 : 1195pcs

불량 수량 : 11pcs

불량 내용 : M/K 번짐 2pcs, M/K 덜 빠짐 1pcs, 기타 불량 8pcs

4. 결론

1) #250Mesh 망사를 사용할 경우 #350Mesh 망사에 비해 Opening이 좋음으로 인해 Ink의 빠짐성이 우수함
2) 1)의 이유로 Yellow Marking Ink의 유기용제(Solvent 성분)의 증발에 대해 Radusa (B.C)의 첨가 없이도 작업성에 대해 문제 발생 없음.
3) Opening의 확보가 우수함으로 인쇄된 Marking잉크의 두께가 #350Mesh보다 높기 때문에 잉크 Color 뚜렷함
4) 인쇄된 Marking 식자의 선예도는 #350Mesh 망사보다 떨어짐
5) 망사의 특성상 식자의 잉크 퍼짐성은 #350Mesh 망사보다 떨어짐

Test 결과 #350Mesh 망사를 사용한 제품에 비해 인쇄된 식자의 잉크 퍼짐성

으로 육안으로 식별로는 확인되지 않은 선예도는 떨어지지만, 작업의 안정성 및 작업성으로 볼 때 #250 Mesh 망사를 사용하는 것이 좋다고 생각됩니다. #250 Mesh 망사를 사용할 경우 Yellow Ink에 대한 외주 비용 절감의 효과도 크다고 생각합니다.

5. 타사 제품

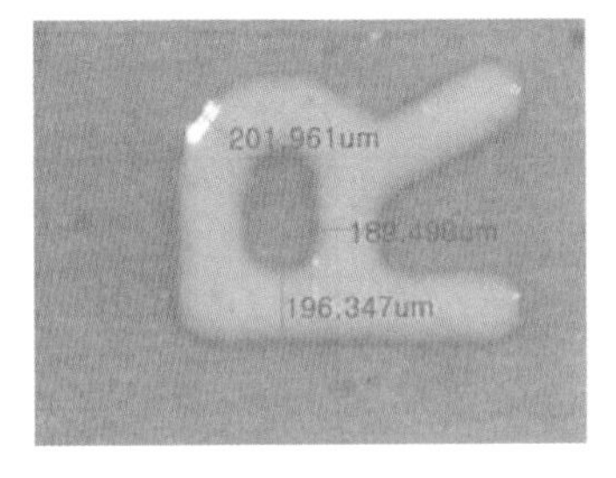

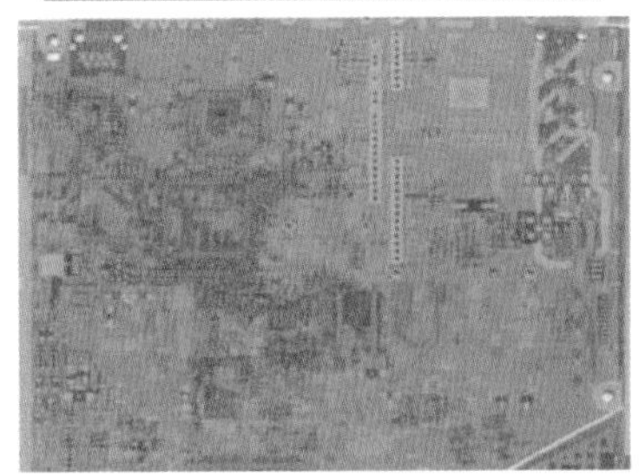

6. 당사 제품

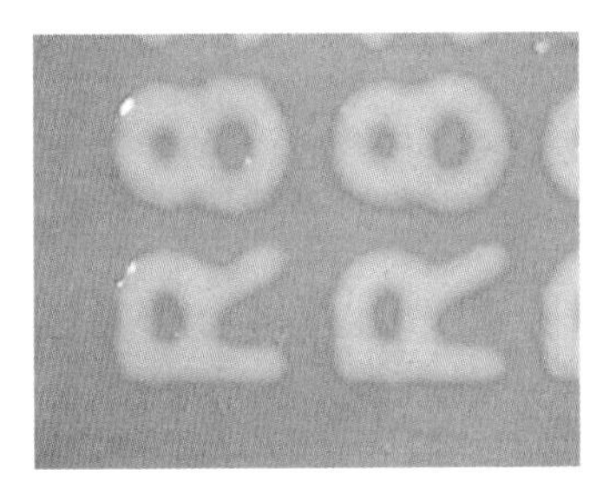

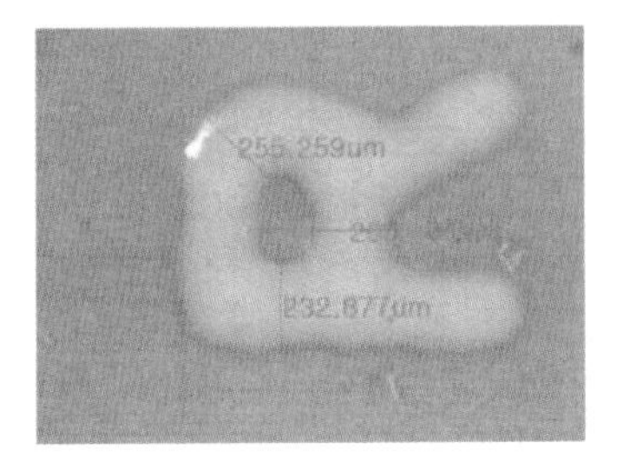

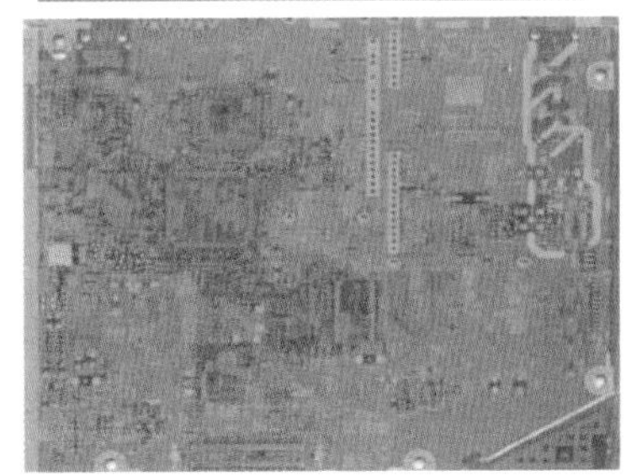

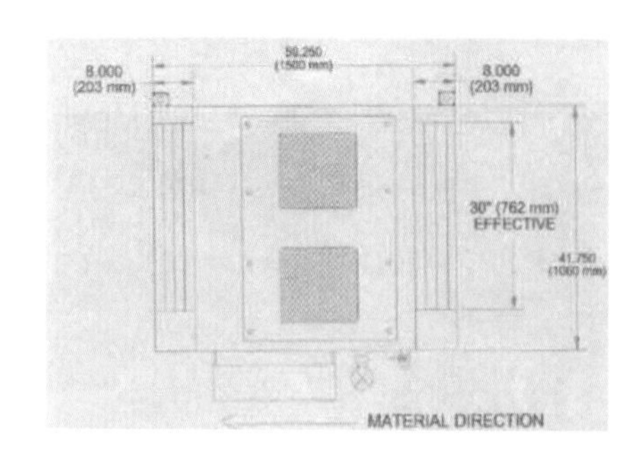

■ Ramjet Dryer

현재 우리 회사의 PSR 정면 1호기 건조단의 건조는 스펀지 롤러를 거친 후 Air Knife를 통과하여 건조하게 되어있습니다.

IT 무역 자료에 의하면 이러한 건조 시스템은 스펀지 롤러의 상태나 재질에 따라 오염이 발생하거나 기판에 손상을 주기도 하여 관리면에서 많은 주의가 요구되며, Air Knife부를 지나면서 히터에 의해 가열되어 있는 공기를 분사하여 강제 건조되는 방식입니다.

이때 여기서 나오는 가열된 공기에 의해 기판상의 수분이 급속히 증발하여 물방울무늬의 오염을 남기거나 산화된 경우가 많이 발생하며 박판의 경우 열충격으로 인하여 변형이 발생하기도 합니다.

이에 반해 Ramjet의 경우는 스펀지 롤러 없이 작업되므로 오염의 발생을 줄일 수 있으며 낮은 압력에서 많은 양의 상온의 공기를 분사하여 기판상의 수분은 물론 기판 홀 내부의 수분까지 완전히 제거 가능하다 합니다.

Ramjet의 노즐은 수직형으로 바람을 불어주는 것이 아닌, 첫째 노즐은 가운데 노즐 쪽으로 꺾여 있는 형태이고, 두 번째 노즐은 수직방향으로 바람을 불어주도록 되어 있습니다. 그리고, 세 번째 노즐은 첫째 노즐과 반대 방향(가운데 노즐 방향)쪽으로 꺾여 있었으며, 밑에 설치된 노즐 역시 위에 있는 노즐과 같은 방향을 하고 있었습니다. 위의 그림에 나타나 있듯이 크기는 우리 건조기보다 작은 크기였지만, 기주 산업에 설치된 것은 정면기 건조단이 아닌 Flux에 설치된 Ramjet이였습니다.

IT무역의 자료의 내용도 맞다고는 생각되지만, 정면기 건조단으로 설치된 Ramjet 의 성능을 확인하고 싶고, 데모 모델을 선정하여 현재 LINE에 실험적으로 설치하여 우리 LINE과의 적성을 검토해야 함.

9-12 UV AUTO MARKING 인쇄 공정도 (ULTRA - VIOLET)

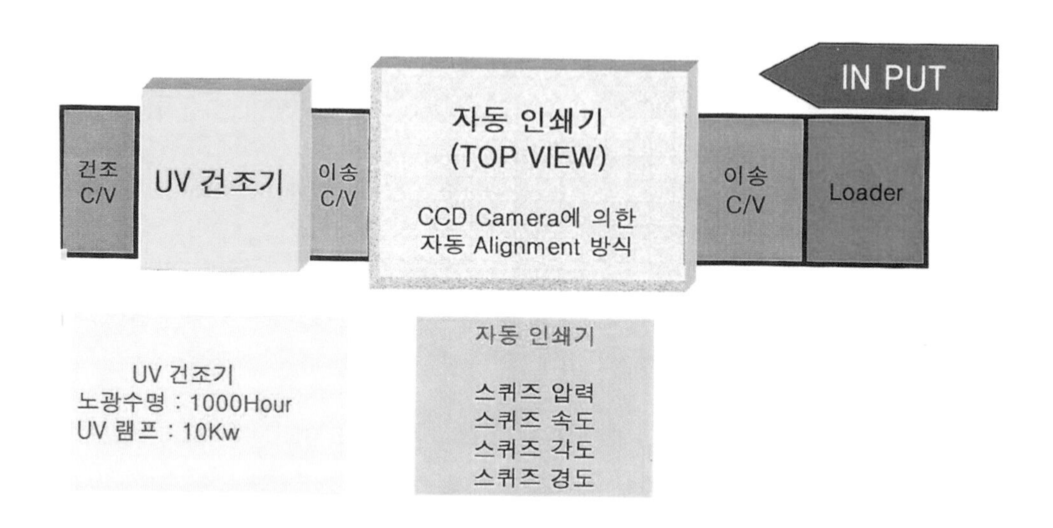

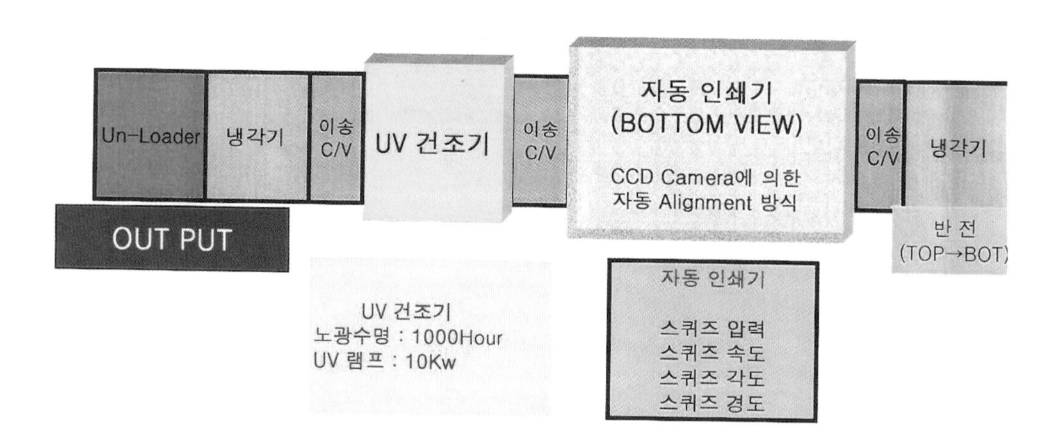

9-13 자동 MARKING LINE 개선 TEST

1. 목적

· HASL 제품의 UV Shock로 인해 발생되는 PSR Ink의 Peel-Off 방지.

· 반자동 Marking 제공해소 및 생산성 향상, 품질 향상.

· 장비 가동율 향상. (박판 제품 제공 증가)

2. 개선 공정 및 개선 목표

자동 UV Marking Line에서의 1.0T 이하 제품 생산.

3. 개선 활동 내용

개선 부분	개선 건 수	미개선 건 수
제품 투입 부	2	1
UV 경화기	1	
자재	1	
제품 배출부	1	
TOTAL	5	1

4. 개선 내용

1) 제품 투입 부 제품 걸림

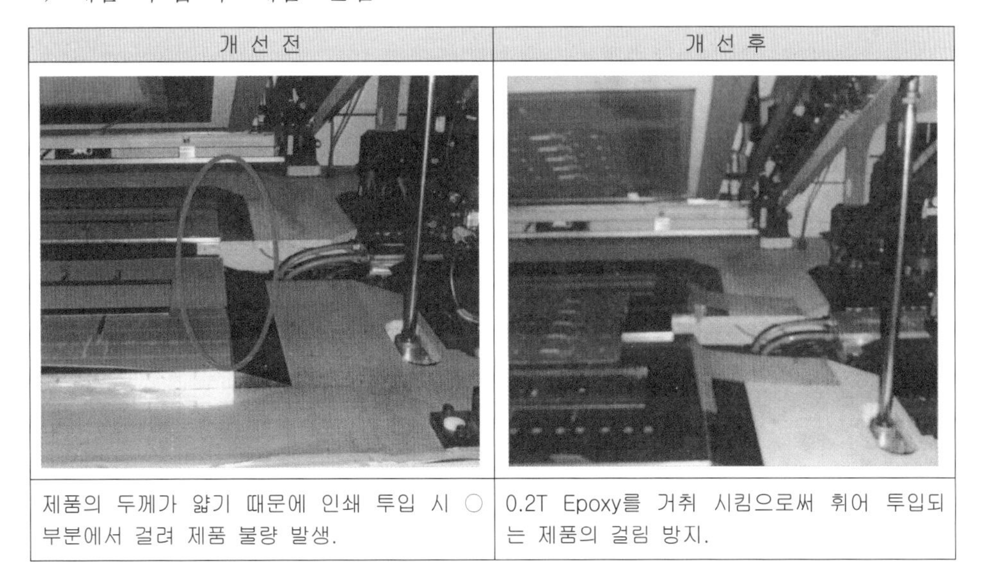

개 선 전	개 선 후
제품의 두께가 얇기 때문에 인쇄 투입 시 ○ 부분에서 걸려 제품 불량 발생.	0.2T Epoxy를 거취 시킴으로써 휘어 투입되는 제품의 걸림 방지.

2) Centering시 제품 휨 발생

개 선 전	개 선 후
	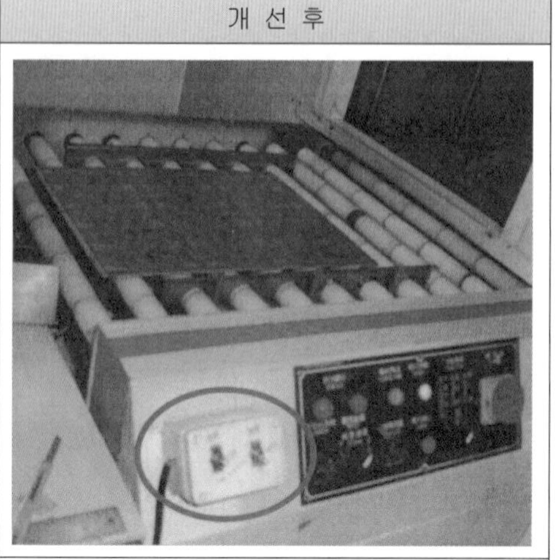
Centering M/C 조절 불가로 제품 휘어 투입 및 이로 인한 불량 발생.	Air 조절 기능 설치로 박판, 후판 제품 투입시 제품의 휘는 현상 방지.

3) Alignment시 제품 휨으로 제품 틀어짐 발생(미개선 사항)

개 선 전	개 선 후
	진행 중
제품이 휘어 있을 경우 Griper에서 Error발생 제품 틀어짐으로 편심 발생 및 제품으로 인해 제판망 찢어짐 발생.	Griper에서 발생되는 Error 요인을 제거함으로 제품 틀어짐으로 발생되는 편심 및 찢어짐 발생 감소

4) UV 건조 속도 변경

개 선 전	개 선 후
노광량 1200mj/㎠ 이상	0.6T 미만 : 700~1000mj/㎠ 0.6T 이상 : 1000~1200mj/㎠
제품의 두께 때문에 박판 제품의 경우 UV Shock 및 Thermal Shock로 PSR Ink의 Peel-Off 및 제품 파손 발생.	PSR Peel-Off 및 제품 파손 방지.

5) UV 경화 잉크 변경

개 선 전	개 선 후
Black UV 경화 잉크 변경 기존 : Tamura USI-210C-3	변경 : Korea Taiyo UVR-182
	Marking Ink 원가 절감 및 구매 원활

6) Stop-Bar 제거

개 선 전	개 선 후

박판 제품 배출 시 제품의 크기(338×608)로 제품 걸림 발생. Scratch불량의 원인.	후속 제품의 배출 원활함 및 걸림 발생 감소. Scratch 불량 감소.

5. 개선 효과

1) 1.0T 이하 제품 Capacity 증대

2) 품질 향상

① 반자동 Marking 인쇄의 경우 Marking Ink 건조 시 Rack 사용으로 Racking시 제품의 휨 발생.

② 자동 Marking 인쇄는 Conveyor Type으로 제품 이동이 수평으로 진행되며, 이로 인한 Racking이 필요 없으며, Racking으로 발생되는 제품의 휨을 방지, 후공정에서의 작업 능력 향상.

반자동 인쇄 후 Racking

자동 인쇄 인쇄

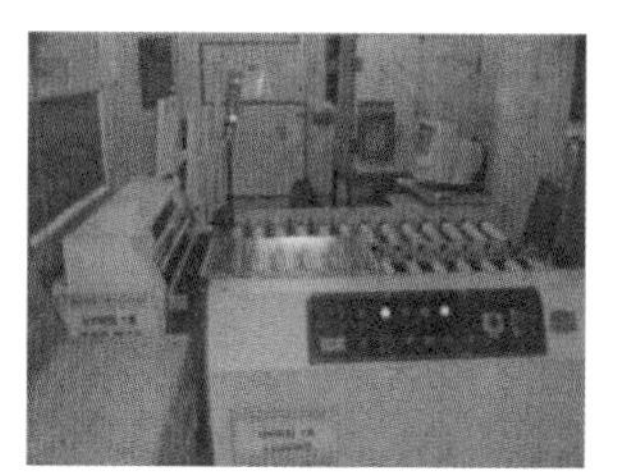
자동 인쇄 투입

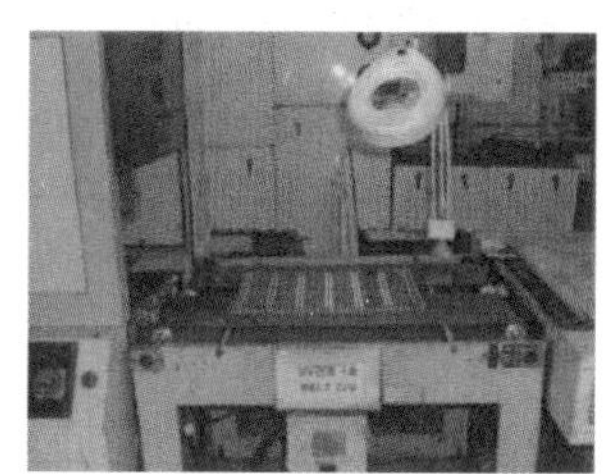
자동 인쇄 건조

3) 취급 불량 감소

① Conveyor 이동으로 Racking에 대한 취급용이

② Racking 사용으로 인한 Scratch 불량 감소.

9-14 AUTO-MARKING ERROR TEST

1. 현상

1) 카메라(CCD) 인식 범위

센터링을 하였을 때 카메라의 인식범위 안에 인식 마크가 들어와야 하나 자동 마킹에서만 인식 마크가 외곽(그림의 붉은색 부분)으로 쏠리는 현상이 다량 발생함.

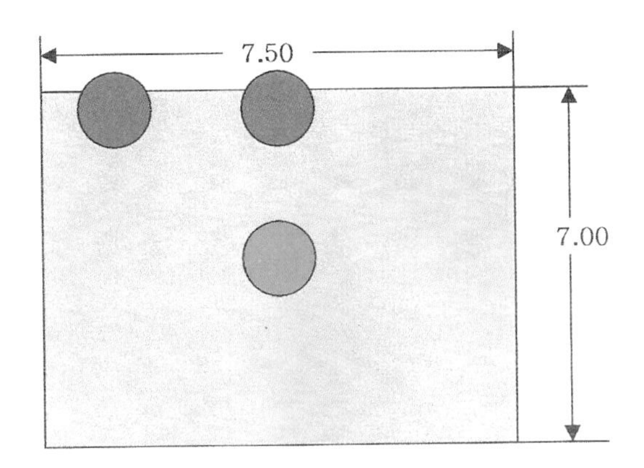

2. 원인

1) 재단 사이즈 불일치

현재 후판의 경우 대단히 좋으나 박판(0.4-0.8) 양면의 경우 사이즈 불일치로 인하여 30% 가까이 에러 발생.

2) 드릴 가공 시 쏠림 현상

SAMPLE 제품 (외주가공)의 경우처럼 원점 가공홀 불일치로 드릴 전체가 쏠림

3) 자체의 결함

① 인식 마크가 너무 큼

1호기는 BOT면을 작업하는 장비로 BOT면에 인식마크가 없어 홀을 인식마크로 사용하다보니 인식마크가 너무 커 에러 발생

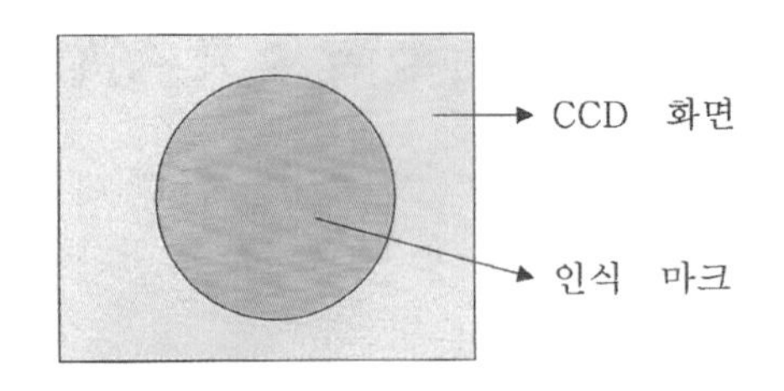

② 센터링 부재

제품이 센터링 후 카메라 부분에 진입되어 2차 센터링이 이루어져야 하나 마킹 1호기에는 센터링 기능이 없음(PSR 1, 2호기 마킹 2호기에는 있음)

3. 대책

1) 인식 마크를 작게하여 카메라 인식범위를 넓힘

인식 마크 2.0mm일 경우 : 2.5mm이상 벗어날 경우 에러 발생

인식 마크 1.0mm일 경우 : 3.5mm이상 벗어날 경우 에러 발생

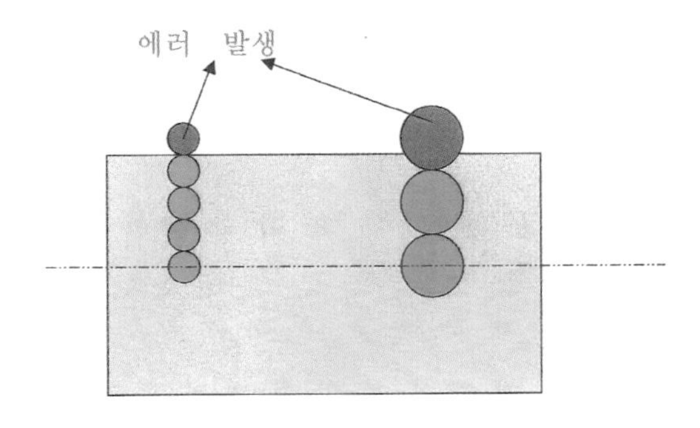

SAMPLE 제품은 BOT면 인식마크가 없어 2.00mm 홀을 인식마크로 사용하므로 에러 발생 확률이 높음.

2) 자동 마킹 카메라 인식용 타갯트를 삽입

· 1.0mm가 가장 적당

· 누차에 걸쳐 개선제안서를 작성하였으나 해결이 되지 않음

3) 센터링 부재

수차에 걸쳐 개선제안서(작업자 및 현장 조장) 작성을 하였으나 장비 제작

및 기타 원인으로 설치가 이루어지지 않음

4) 대책

제품이 에러가 발생하는 원인을 파악 후 그에 맞게 제품을 셋팅하여 작업

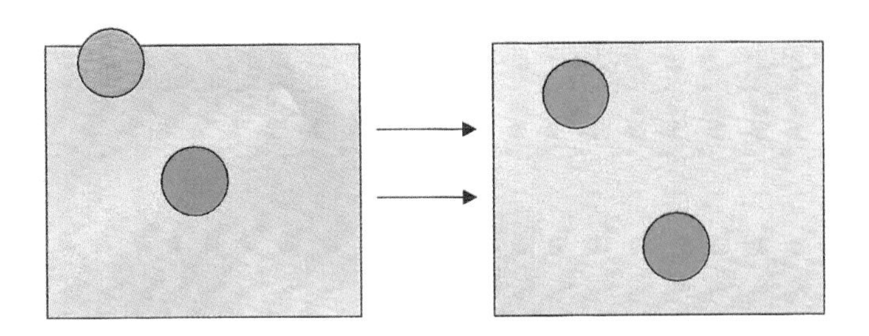

1차 셋팅을 정중앙에 오게 셋팅을 하였는데 위와 같은 에러가 발생 시 센터링을 조절하여 에러가 난 제품도 카메라 화면에 들어오게 셋팅

9-15 INK 떨어짐 개선 효과 분석

1. 목적

VIA-HOLE 주위 잉크 들뜸불량을 근절시키기 위해 정면기 AIR-CUT단 개조 전·후 효과를 파악함으로써 개선 효과를 분석하기 위함이다.
(단, AIR-KNIFE 교체 및 GAP조정은 완료되었음)

2. 개선내용

1) 개선 전 : AIR-CUT단 RAM-JET방식

■ RAM JET 평면도

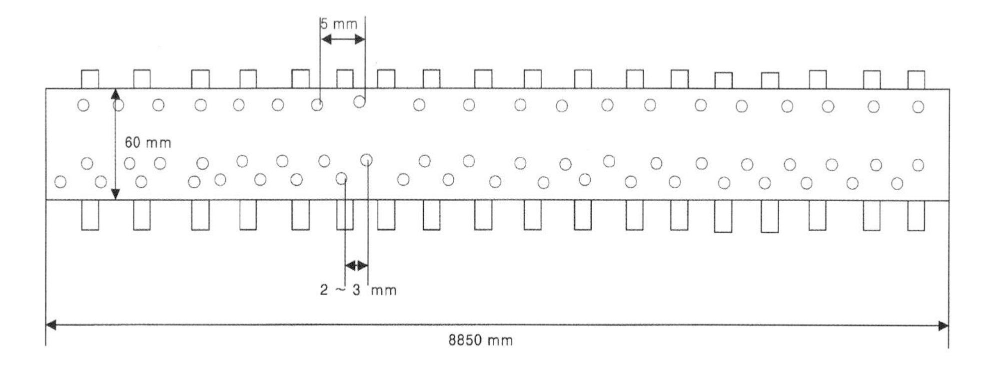

2) 개선 전 RAM JET 실물사진

■ RAM JET 사진

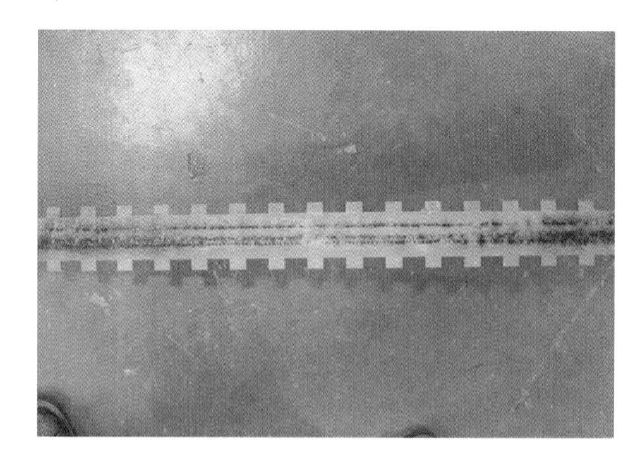

3) 개선 전 문제점

· VIA-HOLE속의 수분이 완전히 제거되지 않았음.

· HOLE속의 수분가 얇은 산화 피막을 형성하여 잉크의 밀착력을 감소시킴.

· HASL 공정의 열충격에 의해 산화된 부위 잉크 들뜸 발생.

· VIA-HOLE속의 수분은 홀 속 잉크의 CRACK 및 잉크볼을 유발함.

4) 개선 전 불량 사진

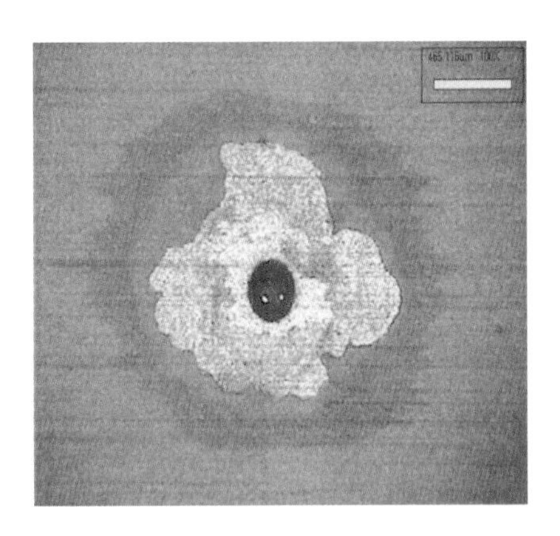

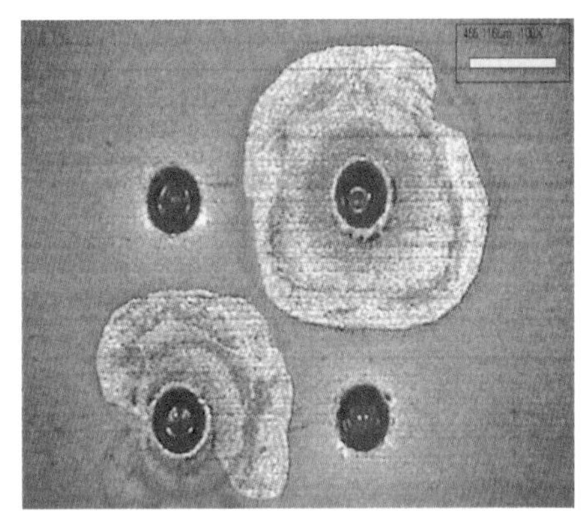

5) 개선 후 : AIR-CUT단 RAM-JET방식

■ AIR-KNIFE 평면도

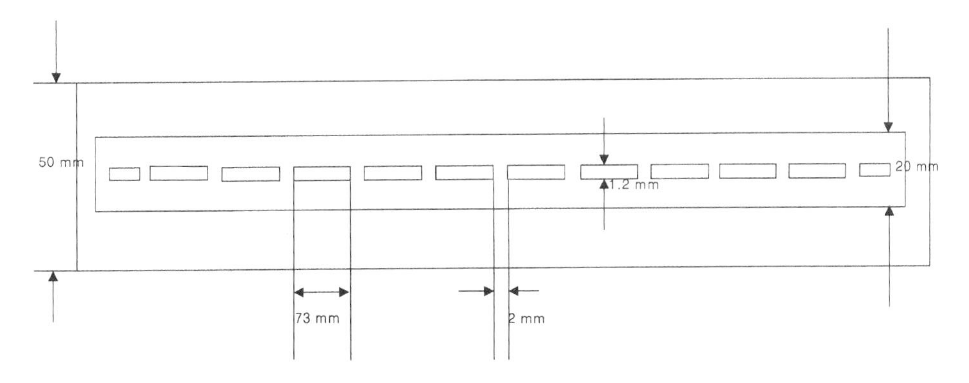

6) 개선 후 AIR-KNIFE 실물 사진

■ AIR-KNIFE 사진

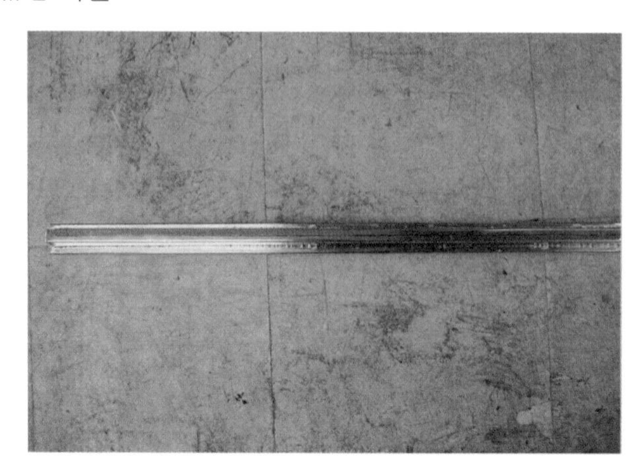

3. 기타 개선 내용.

· 정면기 언로더 회전식 냉각기의 냉각 FAN 추가 설치.

· 스펀지 롤러단 확충 및 교체주기 강화. (1회/일)

· 정면기 건조단 온도 상승.

· 정면 속도 감소 (2.5m/min → 2.2 m/min)

· 수세단 filter 교체 (망 filter → 재판 screen)

· 정면 후 인쇄대기 시간 20분

9-16 건조시간 및 광량 변화에 따른 INK 표면의 FILM자국 TEST

1. Test 목적

INK표면에 발생하는 film자국의 정확한 원인을 파악하고 이에 대한 대책실행 및 해결을 위함이다.

2. Test 방법

· 시편 : CCL(회로 형성치 않음.)

· 조건 : 일반 pre-cure조건 [80℃, 20min/40min(앞면/뒷면)], pre-cure시간 20min 추가조건.

3. Test 결론

본 Test결과 film자국만 고려한다면 건조시간을 증가시킴으로써 없어질 수 있으나 미현상의 문제가 대두되기 때문에 단순 건조시간 증가만으로는 불가할 것으로 판단됨.

4. 결과

*건조온도 : 80℃

노광량(mJ/㎠) / 건조 시간		300 mJ/㎠	500 mJ/㎠	800 mJ/㎠	999mj/㎠ (Max)
20(앞)/40(뒤) [min] 현 작업 조건	Film 자국	中	大	小	
	미현상	大	無	無	
	Under-Cut	大	中	中	
40(앞)/60(뒤) [min] 건조시간을 20분 추가	Film 자국	無	無	無	無
	미현상	中	中	中	大
	Under-Cut	中	中	中	大

9-17 PIN법 노광 TEST

1. 완제품에서 쏠림 불량의 판정기준

· D/F 불량의 예 → 하기와 같이 비아홀 랜드가 쏠린 방향으로 SMC PAD 도 쏠려 PSR 작업 시 정확하게 하였으나 PAD에 올라탐 불량 발생

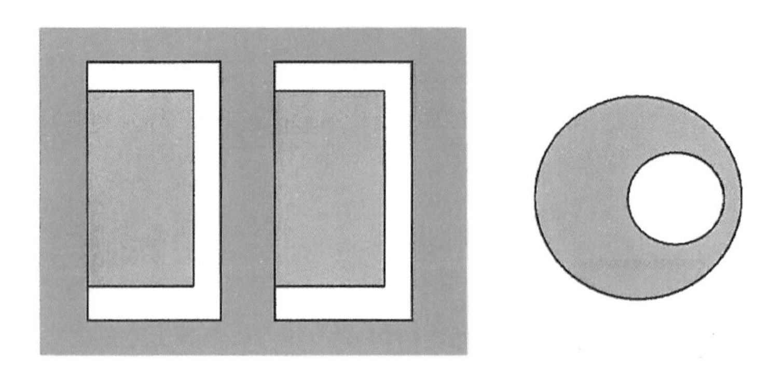

· PSR 불량의 예 → 하기와 같이 비아홀 랜드가 정확하게 맞음에도 불구하고 SMC PAD 부분에 PSR이 쏠려 PAD에 올라탐 불량 발생

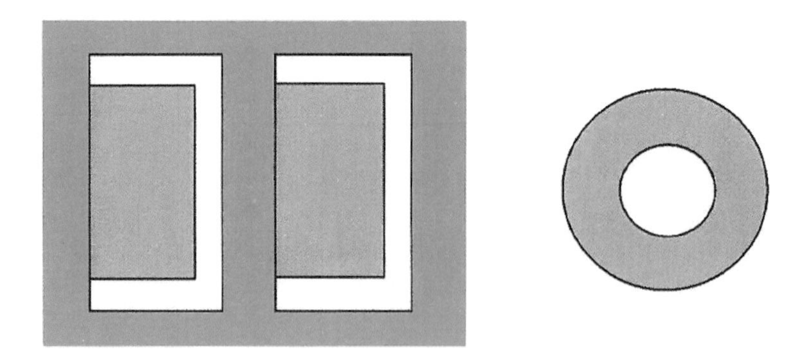

2. PSR PIN법 노광 작업 결과

(PCS)

작업수량	편심불량	D/F편심	PSR편심
600	519	415	104
	100%	80%	20%

· 상기와 같이 PSR PIN법으로 TEST한 결과 작업수량 중 편심불량이 87% 발생하였고 편심불량 중 PSR 편심보다 D/F 편심이 더 많이 발생하여 D/F 편심을 줄여야만 PSR PIN법 노광으로 양면 작업이 가능함.

· D/F 편심을 개선하기 위해서는 PIN법 또는 자동노광기 사용을 적극 검토하여 진행해야 함.

3. 일본 S社의 PSR사양

■ SMC PAD위 PSR OVERLAP 사양

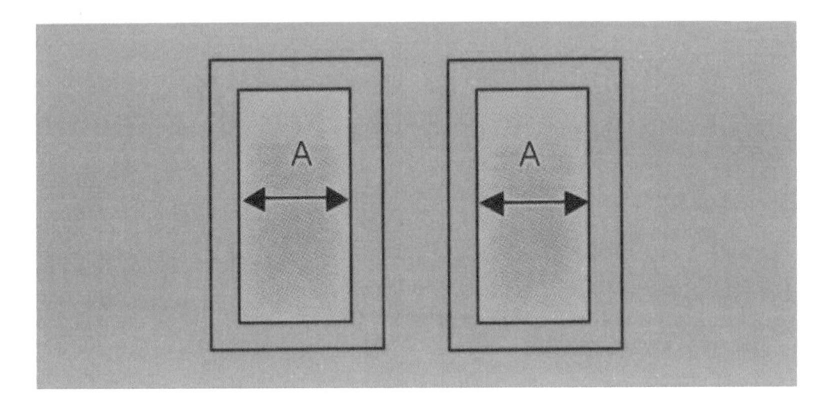

· S社에서 주어진 사양은 A : 280~320㎛내에 들어가면 이상 없음

· 동박위의 PSR OPEN은 A/W FILM보다 1~1.5MIL 줄어듦으로 작업 전 A/W FILM을 1~1.5MIL을 키워서 작업을 진행함

1) 세부 PSR 사양

	에칭 품질관리 기준	PSR 품질 관리 기준		
BGA	PAD (하단기준) 370-430㎛ (390best)	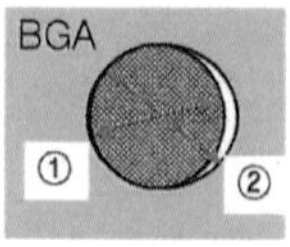 BGA ① ②	① : PSR 쏠린 경우 짧은쪽 지름 : PSR OPEN 사이즈	① : 최소 320㎛ ② : 330 - 370㎛ (360best)
QFP	PAD (하단기준) 280-320㎛ (300best)	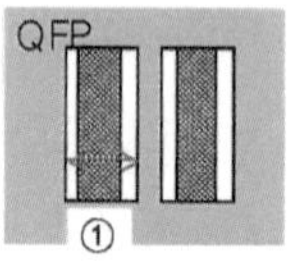 QFP ①	① : PSR OPEN 사이즈	① : 380 - 420㎛ (400-410best) PSR이 PAD로 올라타지 않게 관리
SON	PAD폭 (하단기준) 넓은쪽 폭 390-430㎛ 좁은쪽 폭 340-380㎛	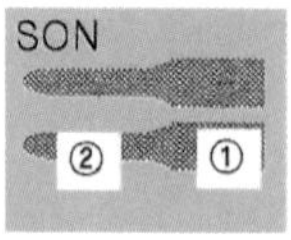 SON ② ①	① : PSR OPEN 사이즈 (넓은 쪽) ② : PSR OPEN 사이즈 (좁은 쪽)	① : 280 - 320㎛ (넓은 쪽) ② : 230 - 270㎛ (좁은 쪽)

10. VIA-HOLE 처리

10-1 VIA-HOLE 메꿈

1. PSR의 발전 방향

· VIA 메꿈이 된 제품과 되지 않은 제품은 표면에 큰 차이점이 있으며 누가 보더라도 VIA 메꿈이 된 제품을 선호

· 현재는 기능성 문제로 VIA를 메꾸어 주지만 앞으로는 제품의 아름다움을 위해 VIA를 메꾸어 시장을 선점

· VIA를 완벽히 메꾸어 준다면 후발주자와의 질적인 면에서 우위를 점하고 선발업체와 간격을 좁히는 좋은 기회

2. 현재의 VIA 메꿈 방법

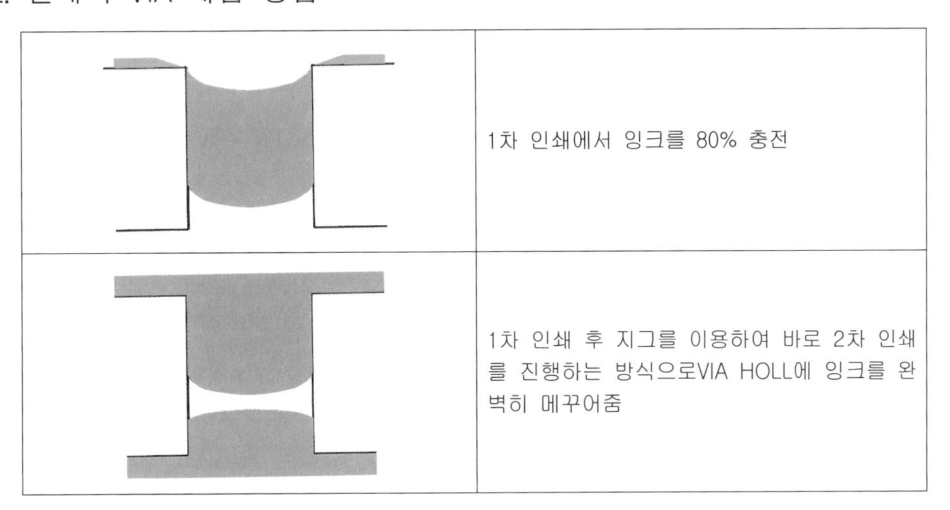

	1차 인쇄에서 잉크를 80% 충전
	1차 인쇄 후 지그를 이용하여 바로 2차 인쇄를 진행하는 방식으로VIA HOLL에 잉크를 완벽히 메꾸어줌

3. 현재 방법의 문제점

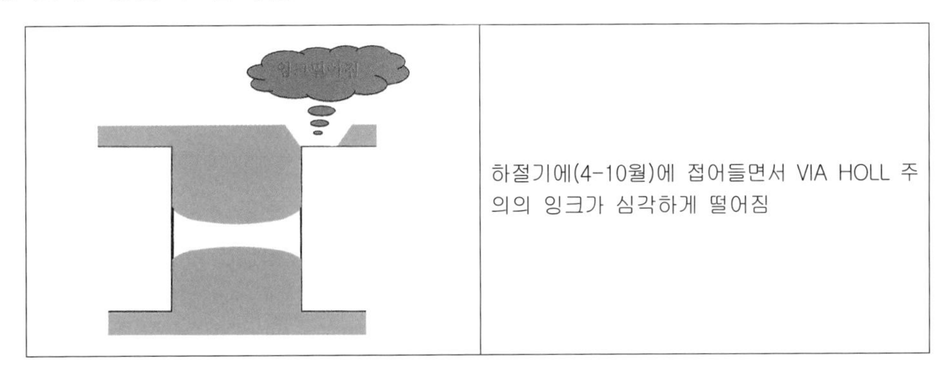

	하절기에(4-10월)에 접어들면서 VIA HOLL 주의의 잉크가 심각하게 떨어짐

시행 대책 : 소프트애칭 시행 → 금지 → 시행. 애어 컷 : 램젯 → 애어 나이프 변경. 건조단 브로워 용량 증대. 정면 속도 3.6 → 2.4 → 1.5. 건조온도 90도 → 60도. 인쇄 후 건조 35분 → 45분 → 40분. 노광량 증가. 노광 필름 교체주기. 최종 건조온도 상승. 마일러지 교체 주기. 잉크 점도 변경

4. D사의 VIA 메꿈 방법

1차 인쇄 → 건조 → 2차 인쇄 → 건조 → 노광

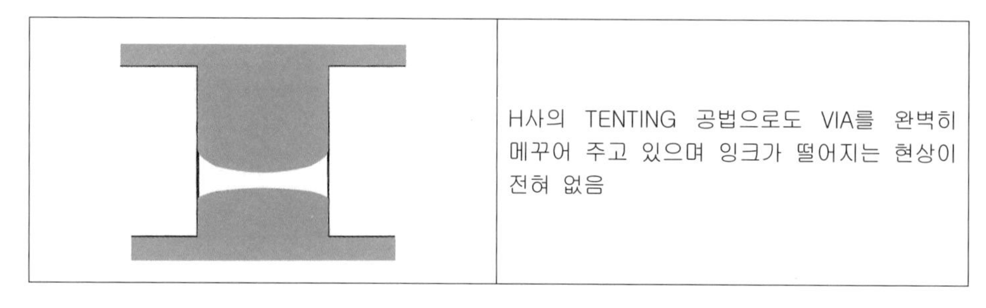

H사의 TENTING 공법으로도 VIA를 완벽히 메꾸어 주고 있으며 잉크가 떨어지는 현상이 전혀 없음

같은 방법으로TEST를 진행하였으나 VIA를 메꾸는데 실패

5. 실패의 근본 원인

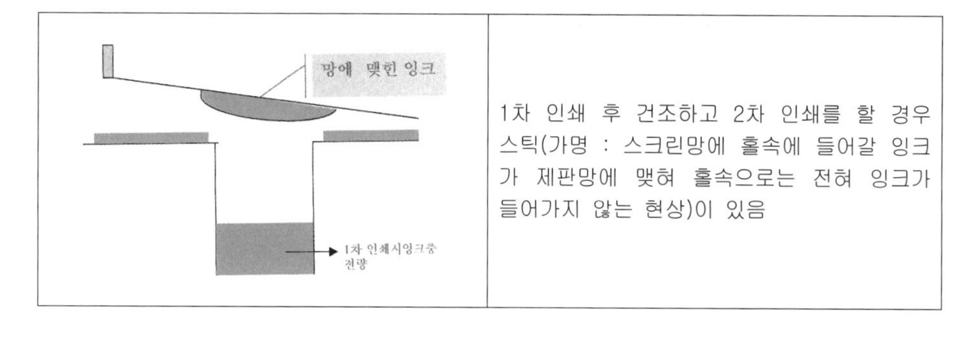

망에 맺힌 잉크
1차 인쇄시잉크중 전량
1차 인쇄 후 건조하고 2차 인쇄를 할 경우 스틱(가명 : 스크린망에 홀속에 들어갈 잉크가 제판망에 맺혀 홀속으로는 전혀 잉크가 들어가지 않는 현상)이 있음

위와 같은 현상은 1차 인쇄시에도 나타나는 현상이지만 미미하게 나타나고 홀이 막혀있는 상태에서는 심각하게 나타남

6. 대책

1) 제판망에 잉크와 친화력이 없는 물질로 코팅처리

이론상 가능하나 코팅물질은 찾는데 상당한 어려움 존재

2) 제판망에 VIA HOLL보다 작은(-50μm) 유제망 형성

1차 인쇄 시 100% VIA를 메꾸고 2차 인쇄 시 소량만 잉크가 흘러 들어가게 함

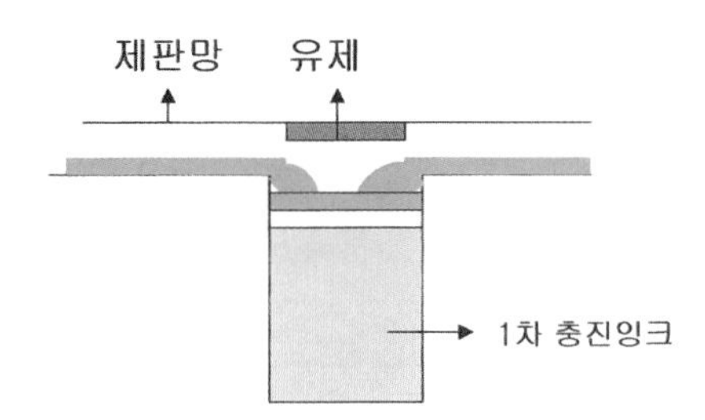

10-2 TENTING PROCESS

1. 적용 방법

1) 스크린 MESH

120 mesh 사용

2) 잉크 종류 및 점도

① G-800, G-25

② 점도는 현재 사용하고 있는 것과 차이 없음 (원액 그대로 사용, 희석제를 혼합할 경우 최대 1%를 초과하지 않음)

3) 잉크 MIXING

진공 믹서기 사용(잉크에 포함되어 있는 톨루엔 성분을 완전히 제거하고 부드럽게 하기 위함)

4) 스퀴즈 경도

① 경도 : 70도

② 각도 : 45도 각도이며 연마된 부분이 앞 쪽으로 하여 인쇄

5) VIA HOLE ZIG

① 2.4T의 EPOXY판 또는 백보드 사용

② 모든 VIA HOLE POINT를 2.0ø로 드릴

③ SIZE : 회사의 MAXIMUM SIZE 기준해서 제작

D사의 경우는 800 × 800㎟으로 제작하여 사용

6) FILM

드릴+2mil의 HOLE 메꿈 제판 FILM 제작

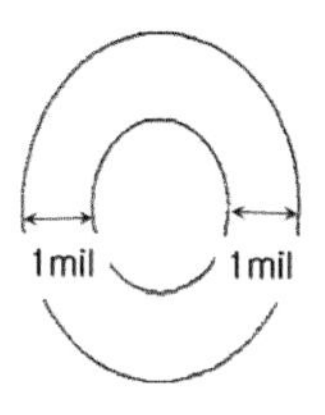

7) GUIDE 적용

① PIN 방식의 인쇄

② 가이드 핀 4개 사용

8) 스크린 유제막 두께

현재 D사에서는 관리하지 않음(두께는 큰 상관이 없으며 외주 업체에서 제작 중)

9) 인쇄 방법

① SIZE에 따른 인쇄 방법

· PNL SIZE가 300×200㎟인 경우 : 2도 인쇄

· PNL SIZE가 한 쪽이 550㎜이상인 경우 : 3도 인쇄

(HOLE만 메꾸어 주는 TENTING PROCESS 적용)

※ 원판 4등분일 경우 3도 인쇄를 해야 함

② 인쇄 횟수

· C/S면을 위로해서 인쇄 (QFP 있는 곳)

· 1번만 인쇄 (2 TOUCH 인쇄 : 잉크가 거의 차야 함)

③ 인쇄기

반자동 인쇄기만 사용 중

④ 인쇄 스피드 및 압력

일반적인 인쇄 방법과 동일함

10) 건조 조건

① HOLE POINT 인쇄 후 SEMI-CURE : 82℃에서 21분 건조

※ LS전자의 경우는 150℃에서 40분 건조 후 정면 공정 처리함

② POST-CURE

STEP-CURE를 해야만 CRACK이 생기지 않고 잉크 터짐이 없음

(80℃에서 20분 건조 → 120℃에서 20분 건조 → 150℃에서 30분 건조)

※ D사는 BOX OVEN기에 CONTROLLER를 달아서 처리함

11) TENTING처리 가능한 두께

① 1.2T 이상에서 2.0T까지만 TENTING PROCESS 적용

② 2.4T 이상은 VIA HOLE TENTING 불가

→ SOLDER STOP 또는 OVEN 시켜야 함

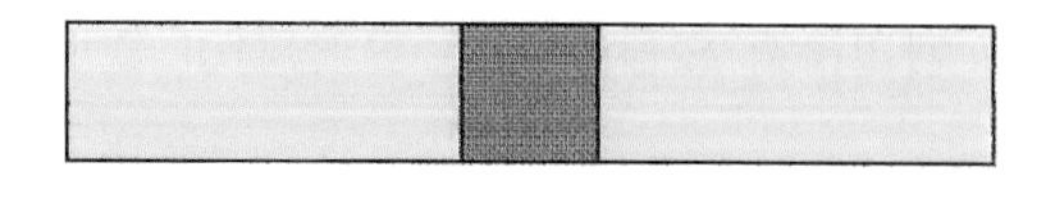

TENTING PROCESS

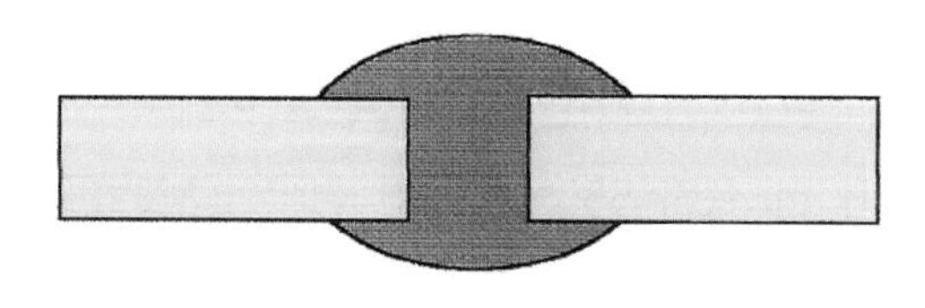

SOLDER STOP

■ VIA HOLE TENTING(VIA HOLE 속 메꿈) 기준

<table>
<tr><th colspan="3">항 목 / 제 품 구 분</th><th>HAL</th><th>무전해금도금, FLUX</th><th>비 고</th></tr>
<tr><td rowspan="8">인쇄
횟수</td><td rowspan="4">자 동</td><td rowspan="2">1.0T 미만</td><td>POINT 인쇄 : 안함</td><td rowspan="2">POINT 인쇄 : 안함</td><td rowspan="10">* POINT 인쇄가 없으면 POINT 인쇄용 JIG를 제작안함</td></tr>
<tr><td>일반인쇄 : 2회</td></tr>
<tr><td rowspan="2">1.0T 이상</td><td>POINT 인쇄 : 1회</td><td rowspan="2">일반자동인쇄 : 2회</td></tr>
<tr><td>일반인쇄 : 2회</td></tr>
<tr><td rowspan="4">수 동</td><td rowspan="2">1.0T 미만</td><td>POINT 인쇄 : 안함</td><td rowspan="2">POINT 인쇄 : 안함</td></tr>
<tr><td>일반인쇄 : 2회</td></tr>
<tr><td rowspan="2">1.0T 이상</td><td>POINT 인쇄 : 1회</td><td rowspan="2">일반수동인쇄 : 1회</td></tr>
<tr><td>일반인쇄 : 1회</td></tr>
<tr><td colspan="3">MIN HOLE ø</td><td colspan="2">* 최종 HOLE ø 를 원칙적으로 0.4ø 이하로 작업
* 0.65ø 이상 제품은 TENTING을 실시 안함</td></tr>
<tr><td colspan="3">BGA 장착 B/D</td><td colspan="2">* HAL 제품은 100% VIA TENTING 실시</td></tr>
</table>

10-3 WET-TO-WET PROCESS

공정	항목	채택사항
제판	MESH	#100
정면	속도	2.5~3.5m/min
	세기	600(2EA), 800(2EA)
인쇄	속도	반자동5호기(지정):1.5m/min
		반자동6호기(지정):1.6m/min
	B/D와 SCREEN간의 높이	0.8㎝
	BC량	25㎖
	압력	6㎏/㎡
SQEEZE	각도	30°
	경도	70
INK	종류	TAIYO(다양한 제품 TEST 제품)
CASLON PIN	EA/PNL	90EA정도(507*607기준):PNL SIZE에 따라 다양함
PSR 노광	노광량	UPPER LAMP:500mmg/%㎠
		LOWER LAMP:470mmg/%㎠
현상	속도	4m/min
	현상액 농도	1%(소다회)
M/K	속도	1차-반자동1호기(지정):3m/min
		2차-반자동2호기(지정):3m/min
건조	PRE-CURE	80°, 20분
	POST-CURE	150°, 50분

※ 참조 : 상무님 지시 없이 임의로 변경 할 수 없음

■ 두께 및 Hole Size 별 Wet to Wet 작업 표준

	Aspect Ratio	2	3	4	5	6	7	8
1.0	Hole/Size (최소 hole)	0.50	0.35	0.25	0.20			
	스퀴즈각도/속도/인압/횟수	75/0.1/0.4MPa-20/1	75/0.1/0.6MPa-20/1	불가	불가			
	스퀴즈각도/속도/인압/횟수	75/0.1/0.35MPa-5/1	75/0.1/0.35MPa-5/1					
1.2	Hole Size	0.60	0.40	0.30	0.25	0.20		
	스퀴즈각도/속도/인압/횟수	75/0.1/0.4MPa-20/1	75/0.1/0.4MPa-20/1	75/0.1/0.6MPa-20/1	불가	불가		
	스퀴즈각도/속도/인압/횟수	75/0.1/0.35MPa-5/1	75/0.1/0.35MPa-5/1	75/0.1/0.35MPa-5/1				
1.4	Hole Size	0.70	0.45	0.65	0.30	0.25	0.20	
	스퀴즈각도/속도/인압/횟수	75/0.1/0.4MPa-20/1	75/0.1/0.4MPa-20/1	75/0.1/0.6MPa-20/1	75/0.1/0.6MPa-20/1	불가	불가	
	스퀴즈각도/속도/인압/횟수	75/0.1/0.35MPa-5/1	75/0.1/0.35MPa-5/1	75/0.1/0.35MPa-5/1	75/0.1/0.35MPa-5/1			
1.6	Hole Size	0.80	0.55	0.40	0.35	0.30	0.25	0.20
	스퀴즈각도/속도/인압/횟수	75/0.1/0.4MPa-20/1	75/0.1/0.4MPa-20/1	75/0.1/0.6MPa-20/1	75/0.1/0.6MPa-20/1	75/0.1/0.6MPa-20/1	불가	불가
	스퀴즈각도/속도/인압/횟수	75/0.1/0.35MPa-5/1	75/0.1/0.35MPa-5/1	75/0.1/0.35MPa-5/1	75/0.1/0.35MPa-5/1	75/0.1/0.35MPa-5/1		
1.8	Hole Size	0.90	0.60	0.45	0.40	0.35	0.30	0.25
	스퀴즈각도/속도/인압/횟수	75/0.1/0.4MPa-20/1	75/0.1/0.4MPa-20/1	75/0.1/0.4MPa-20/1	75/0.1/0.6MPa-20/1	75/0.1/0.6MPa-20/1	75/0.1/0.6MPa-20/1	불가
	스퀴즈각도/속도/인압/횟수	75/0.1/0.35MPa-5/1	75/0.1/0.35MPa-5/1	75/0.1/0.35MPa-5/1	75/0.1/0.35MPa-5/1	75/0.1/0.35MPa-5/1	75/0.1/0.35MPa-5/1	
2.0	Hole Size	1.00	0.65	0.50	0.40	0.35	0.30	0.25
	스퀴즈각도/속도/인압/횟수	75/0.1/0.4MPa-20/1	75/0.1/0.4MPa-20/1	75/0.1/0.6MPa-20/1	75/0.1/0.6MPa-20/1	70/0.07/0.6MPa-20/2	70/0.07/0.6MPa-20/2	불가
	스퀴즈각도/속도/인압/횟수	75/0.1/0.35MPa-5/1	75/0.1/0.35MPa-5/1	75/0.1/0.35MPa-5/1	75/0.1/0.35MPa-5/1	70/0.07/0.35MPa-5/2	70/0.07/0.35MPa-5/2	
2.2	Hole Size	1.10	0.75	0.55	0.45	0.35	0.30	0.30
	스퀴즈각도/속도/인압/횟수	불가	75/0.1/0.4MPa-20/1	75/0.1/0.4MPa-20/1	75/0.1/0.6MPa-20/1	70/0.07/0.6MPa-20/2	70/0.07/0.6MPa-20/2	70/0.07/0.6MPa-20/2
	스퀴즈각도/속도/인압/횟수		75/0.1/0.35MPa-5/1	75/0.1/0.35MPa-5/1	75/0.1/0.35MPa-5/1	70/0.07/0.35MPa-5/2	70/0.07/0.35MPa-5/2	70/0.07/0.35MPa-5/2
2.4	Hole Size	1.20	0.80	0.60	0.50	0.40	0.35	0.30
	스퀴즈각도/속도/인압/횟수	불가	75/0.1/0.4MPa-20/1	75/0.1/0.4MPa-20/1	75/0.1/0.4MPa-20/1	75/0.1/0.6MPa-20/1	70/0.07/0.6MPa-20/2	70/0.07/0.6MPa-20/2
	스퀴즈각도/속도/인압/횟수		75/0.1/0.35MPa-5/1	75/0.1/0.35MPa-5/1	75/0.1/0.35MPa-5/1	75/0.1/0.35MPa-5/1	70/0.07/0.35MPa-5/2	70/0.07/0.35MPa-5/2

	Aspect Ratio	2	3	4	5	6	7	8
2.6	Hole Size	1.30	0.85	0.65	0.50	0.45	0.35	0.35
	스퀴즈각도/속도/인압/횟수	불가	75/0.1/0.4MPa-20/1	75/0.1/0.4MPa-20/1	75/0.1/0.4MPa-20/1	75/0.1/0.6MPa-20/1	70/0.07/0.6MPa-20/2	70/0.07/0.6MPa-20/2
	스퀴즈각도/속도/인압/횟수		75/0.1/0.35MPa-5/1	75/0.1/0.35MPa-5/1	75/0.1/0.35MPa-5/1	75/0.1/0.35MPa-5/1	70/0.07/0.35MPa-5/2	70/0.07/0.35MPa-5/2
2.8	Hole Size	1.40	0.90	0.70	0.55	0.45	0.40	0.35
	스퀴즈각도/속도/인압/횟수	불가	75/0.1/0.4MPa-20/1	75/0.1/0.4MPa-20/1	75/0.1/0.4MPa-20/1	75/0.1/0.6MPa-20/1	75/0.1/0.6MPa-20/1	70/0.07/0.6MPa-20/2
	스퀴즈각도/속도/인압/횟수		75/0.1/0.35MPa-5/1	75/0.1/0.35MPa-5/1	75/0.1/0.35MPa-5/1	75/0.1/0.35MPa-5/1	75/0.1/0.35MPa-5/1	70/0.07/0.35MPa-5/2
3.0	Hole Size	1.50	1.00	0.75	0.60	0.50	0.45	0.40
	스퀴즈각도/속도/인압/횟수	불가	75/0.1/0.4MPa-20/1	75/0.1/0.4MPa-20/1	75/0.1/0.4MPa-20/1	75/0.1/0.6MPa-20/1	75/0.1/0.6MPa-20/1	70/0.07/0.6MPa-20/2
	스퀴즈각도/속도/인압/횟수		75/0.1/0.35MPa-5/1	75/0.1/0.35MPa-5/1	75/0.1/0.35MPa-5/1	75/0.1/0.35MPa-5/1	75/0.1/0.35MPa-5/1	70/0.07/0.35MPa-5/2
3.2	Hole Size	1.60	1.05	0.80	0.65	0.55	0.45	0.40
	스퀴즈각도/속도/인압/횟수	불가	불가	75/0.1/0.4MPa-20/1	75/0.1/0.4MPa-20/1	75/0.1/0.6MPa-20/1	75/0.1/0.6MPa-20/1	70/0.07/0.6MPa-20/2
	스퀴즈각도/속도/인압/횟수			75/0.1/0.35MPa-5/1	75/0.1/0.35MPa-5/1	75/0.1/0.35MPa-5/1	75/0.1/0.35MPa-5/1	70/0.07/0.35MPa-5/2
3.4	Hole Size	1.70	1.15	0.85	0.70	0.55	0.50	0.45
	스퀴즈각도/속도/인압/횟수	불가	불가	75/0.1/0.4MPa-20/1	75/0.1/0.4MPa-20/1	75/0.1/0.6MPa-20/1	75/0.1/0.6MPa-20/1	75/0.1/0.6MPa-20/1
	스퀴즈각도/속도/인압/횟수			75/0.1/0.35MPa-5/1	75/0.1/0.35MPa-5/1	75/0.1/0.35MPa-5/1	75/0.1/0.35MPa-5/1	75/0.1/0.35MPa-5/1
3.6	Hole Size	1.80	1.20	0.90	0.70	0.60	0.50	0.45
	스퀴즈각도/속도/인압/횟수	불가	불가	75/0.1/0.4MPa-20/1	75/0.1/0.4MPa-20/1	75/0.1/0.6MPa-20/1	75/0.1/0.6MPa-20/1	75/0.1/0.6MPa-20/1
	스퀴즈각도/속도/인압/횟수			75/0.1/0.35MPa-5/1	75/0.1/0.35MPa-5/1	75/0.1/0.35MPa-5/1	75/0.1/0.35MPa-5/1	75/0.1/0.35MPa-5/1
3.8	Hole Size	1.90	1.25	0.95	0.75	0.65	0.55	0.50
	스퀴즈각도/속도/인압/횟수	불가	불가	75/0.1/0.4MPa-20/1	75/0.1/0.4MPa-20/1	75/0.1/0.6MPa-20/1	75/0.1/0.6MPa-20/1	75/0.1/0.6MPa-20/1
	스퀴즈각도/속도/인압/횟수			75/0.1/0.35MPa-5/1	75/0.1/0.35MPa-5/1	75/0.1/0.35MPa-5/1	75/0.1/0.35MPa-5/1	75/0.1/0.35MPa-5/1
4.0	Hole Size	2.00	1.35	1.00	0.80	0.65	0.55	0.50
	스퀴즈각도/속도/인압/횟수	불가	불가	75/0.1/0.4MPa-20/1	75/0.1/0.4MPa-20/1	75/0.1/0.6MPa-20/1	75/0.1/0.6MPa-20/1	75/0.1/0.6MPa-20/1
	스퀴즈각도/속도/인압/횟수			75/0.1/0.35MPa-5/1	75/0.1/0.35MPa-5/1	75/0.1/0.35MPa-5/1	75/0.1/0.35MPa-5/1	75/0.1/0.35MPa-5/1

10-4 HOLE PLUGGING PROCESS

1. TYPE별 PROCESS

NO	구분 방법		A-TYPE	B-TYPE	C-TYPE
1	특징	공법	아나우메	동시인쇄	일반공정
		INK	특수잉크(PLUGGING 전용잉크)	일반잉크	일반잉크
		인쇄	3회	2회	3회
		치구	GLASS EPOXY	CASLON PIN사용 SAMPLE BOARD 사용	GLASS EPOXY
2	공정		도금 ↓ 산처리 ↓ HOLE검사(VOLD) ↓ PLUGGING ↓ PRE-CURE - 80°, 30분 - 120 °, 30분 ↓ D/F정면(별도정면기) ↓ POST-CURE(150°, 30분) ↓ 산세 ↓ 외층 IMAGE ↓ PSR 일반 PRECESS	PSR정면 ↓ PSR양면인쇄 ↓ PRE-CURE(80°,21분) ↓ 노광 ↓ 현상 ↓ POST-CURE(150°,40분)	PSR정면 ↓ PLUGGING(C/S) ↓ PRE-CURE(80°,25분) ↓ 인쇄(C/S) ↓ PRE-CURE(80°,30분) ↓ 인쇄(S/S) ↓ PRE-CURE(80°,30분) ↓ 노광 ↓ 현상 ↓ POST-CURE - 80°, 30 - 120°, 30분 - 150°, 40분
3	장점		잉크볼이 없음	작업생산성의 극대화	공정이 단순
			납볼 없음	일반잉크 사용으로 생산단가 감소	일반잉크 사용으로 생산단가 감소
			plugging이 완벽함	공정이 단순해짐	
				잉크볼, 납볼이 없음	
4	단점		생산공정이 복잡함	작업자의 숙련이 필요함	인쇄잉크량 및 건조에 따라 잉크볼, 납볼, PSR들뜸 발생 우려
			시간이 많이 소요	지그와 기판이 안 맞을시 고정핀자국 발생	
			브러쉬 정면상태가 좋아야 함		현상기 중간에서 꺼내 BOX건조기로 STEP건조시키는 불편이 있음
			전용잉크사용으로 비용이 많이 듬		
			연마가 덜 될시 후공정에 영향		
5	작업 현황		약 800PNL 작업 중 *삼성000154:312PNL불량 (161PNL재처리, 151PNL폐기) *시그마컴, VANTA:300PNL 불량	700PNL 작업 중	
6	추진 방향		2월까지 진행공법	연수 후 채택결정	동시 인쇄공정이 안정화 될 때까지 진행

2. HOLE PLUGGING 조건

1) 인쇄조건

① 인쇄기 : SERIA SEMI-AUTOMATIC PRINTER

② SQUEEZEE

경도 70도

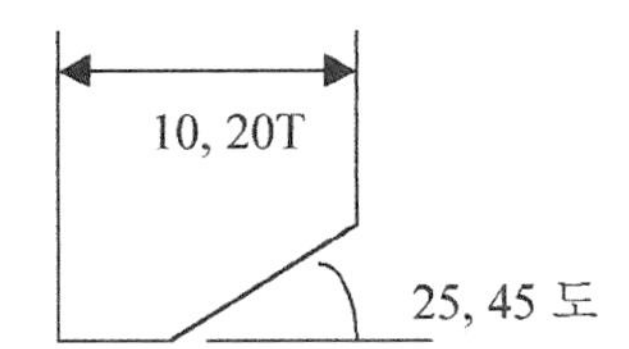

③ SCREEN PATTERN : DOT PRINTING

SCREEN MESH : PET #100

OPENING DIAMETER : HOLE SIZE의 1.5~2배

유제막 두께 : 25~50㎛

④ 인쇄기 압력 : 40~60KG_f/㎠

⑤ SQUEEZEE SPEED : 1.5 ~ 3㎝/sec

⑥ SQUEEZEE PRESSURE : 3~6㎜

⑦ SQUEEZEE ANGLE : 75도

⑧ SQUEEZEE BIAS : 0~5도

⑨ CLEARANCE : 1~2.5㎜(기판과 SCREEN 간격)

⑩ OFF-CONTACT : 15㎜

2) Pre-cure condition(필요시)

Hot air convection oven : 50℃, 20분 → 80℃, 20분 → 120℃, 20분

· stack cure가 중요함

3) 연마(필요시)

연마기 : buff-scrubbing or sand-belt

buff : hole-plugging 전용 연마제 (3M, tsunoda) #320, 2rolls

sand-belt : #400

연마조건 : buff 회전속도 - 1,800rpm에서 1.2m/min

sand-belt-3.5KG_f/㎠에서 2.5~3m/min

4) Post-cure(필요시)

Hot air convection oven : 150℃, 30~60분

5) HOLE PLUGGING

① HOLE PLUGGING INK에 따른 HOLE 단면

인쇄 조건 및 INK	HOLE 단면 사진		
INK : DB4 인쇄 속도 : 0.5~0.7 ㎝/sec	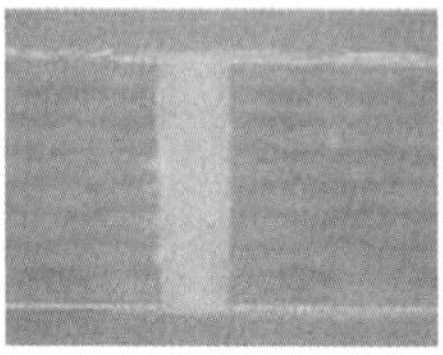	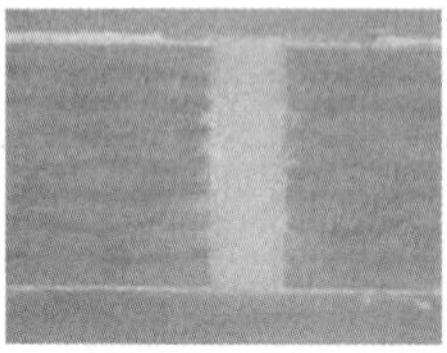	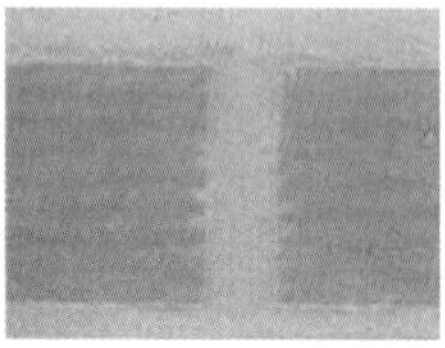
INK : BD2 인쇄 속도 : 2.5~3.0 ㎝/sec (WET-TO-WET 방식)	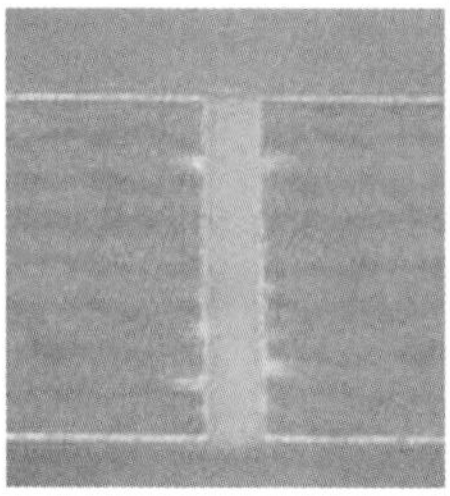	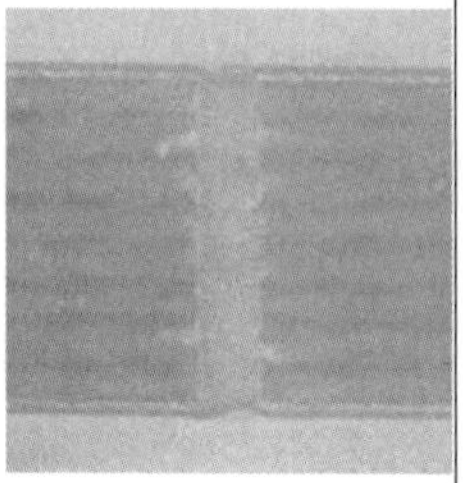	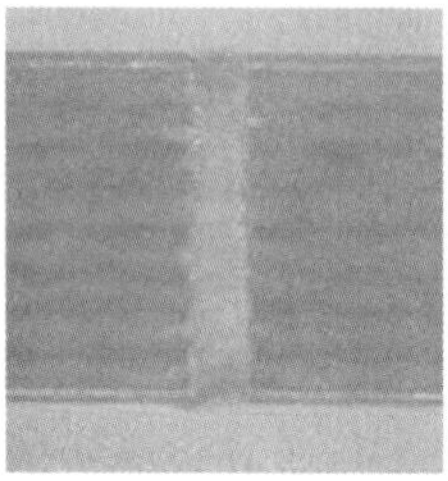
INK : G25K (인쇄 후 150℃ 경화)			
인쇄 조건	SCREEN 유제막 : 25㎛ SCREEN OPENING DIAMETER : 400㎛ BOARD HOLE DIAMETER 및 두께 : 300㎛, 1.6T SQUEEZEE 압력 : 3.5㎜(G25K 6mm) SQUEEZEE ANGLE : 75도 SQUEEZEE BIAS : 5도 SQUEEZEE 경도 : 70도 CLEARANCE : 1㎜ OFF-CONTACT : 15㎜		

② SQUEEZEE별 HOLE PLUGGING TEST 결과

· 경도 70° R-TYPE

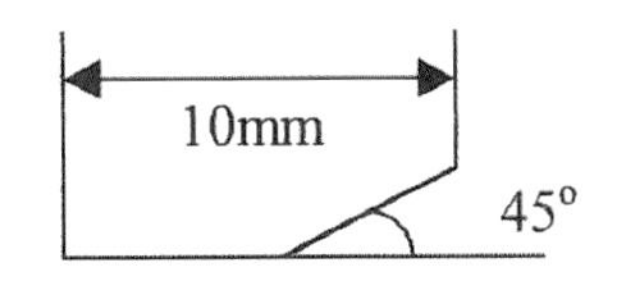

→ 50% 충진

· 경도 60° R-TYPE

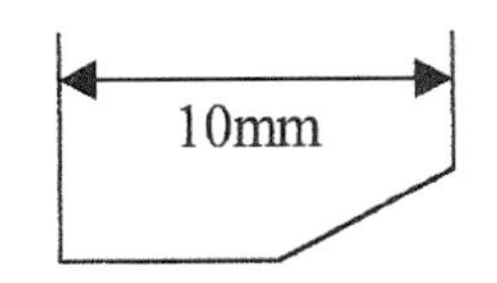

→ 1.0㎝/sec인 경우 1회 인쇄로 70%로 충진됨

· 경도 70° Debo-squeezee

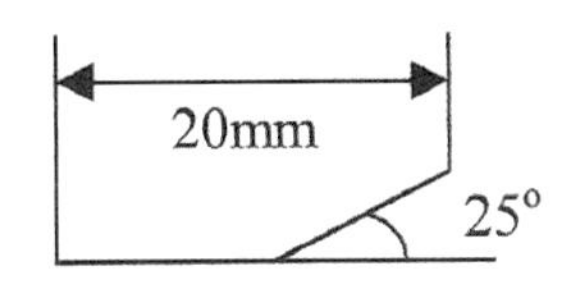

→ 제일 안정적으로 충진됨

③ HOLE PLUGGING 정도에 따른 신뢰성 평가 결과

WET TO WET 방식 또는 INK 경화 후 표면 연마없이 PSR 인쇄 시 내열성

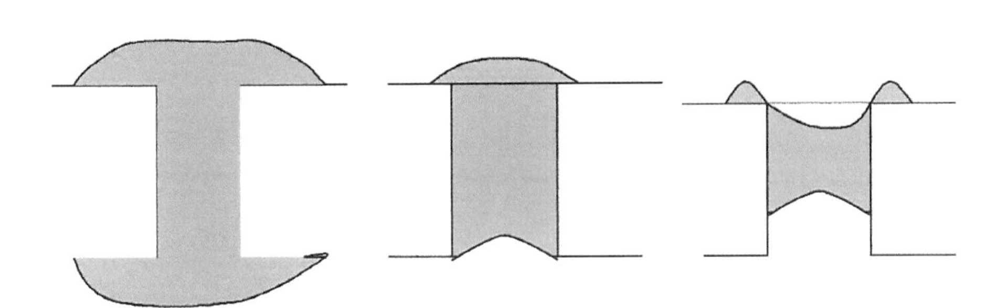

과다 충진 HOLE PLUGGING INK 번짐 및 외관 불량 내열성	90~110% 충진(가장 좋음)	60~70% 충진 SOLDER BALL& GOLDEN BALL 발생 내열성

3. VIA HOLE PLUGGING(플러깅) 작업지침

1) 명칭변경

VIA HOLE 메꿈을 VIA HOLE PLUGGING(플러깅)으로 변경

2) VIA HOLE PLUGGING(플러깅) 해당모델

3) 사용잉크

일반 PSR 4000 G25K 잉크

4) 규격관리 협조사항

① 위 해당 모델에 한해 ZIG 제작 및 작지표시 요망

② ZIG 규격 : 두께 2.4T, HOLE ⌀ : 2.0⌀

③ 작업지시서에 VIA HOLE PLUGGING(플러깅) 유, 무 표시 요망

5) 작업순서

① PSR 정면 - PSR 2도 인쇄(지그 대고 VIA HOLE 및 TOP면 인쇄)

② STEP 건조 - BOT면 인쇄 - STEP 건조 - PSR 노광 - PSR 현상

③ PSR 최동 STEP 건조 - M/K

4. PLUGGING 작업/검사 기준

1) 작업지시

① 표면서 BGA, QFP가 있을 경우 100% PLUGGING 지시

② 삼성(구미, 수원)제품 100% PLUGGING 지시

③ LG(구미)

④ 그 외 PLUGGING을 요구하는 업체 MODEL

2) 검사기준

① VIA-HOLE 주위 SOLDER 및 INK BALL이 있으면 안됨.

② BGA 주위

3) 그림

① PLUGGING 상태

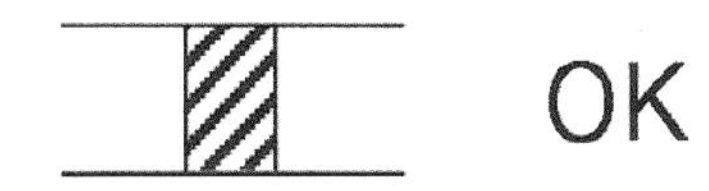

② SOLDER 또는 INK BALL

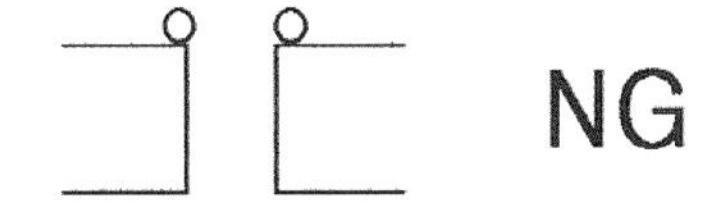

③ HOLE 속 SOLDER

5. D사의 plugging 공법

1) wet to wet 방식

도금 → D/F정면 → 외층L/A → 외층노광 → 외층부식 → (중검) → PSR정면 → TOP면 인쇄 → (인쇄 시 지그와 PIN사용:Router에서 제거되어지는 부분에 삼각형의 PIN으로 B/D를 지지함) → BOT면 인쇄 → 건조(78~80℃, 21~25분 : 1.6T, ½Oz 기준 : 기포가 서서히 빠져나가게 하기 위함) (25분, 20z이상) → PSR노광 → PSR현상 → M/K → 최종건조(150℃, 40분 : 1.6T기준)

2) 아나우메방식

도금 → D/F정면 → VIA HOLE PLUGGING인쇄 → 건조(80℃, 30분:130℃, 35분) → D/F외층정면 → 건조(160℃, 40분) → D/F외층정면 → 외층L/A → 외층부식 → (중검) → PSR정면 → PSR TOP면 인쇄 → 건조(80℃, 25분) → PSR BOT면 인쇄 → 건조(80℃, 30분) → PSR노광 → 현상 → 최종건조(150℃, 40~50) → M/K

3) VIA HOLE 이 0.3Φ 이상인 제품(2.0이상)

PSR정면 → PSR인쇄 → 일반건조(TOP면, BOT면:30℃, 30분씩) → PSR 노광 → 현상 → 최종완전 → 50℃ → M/K

↓ (승온구간 6분)

105℃ (유지구간 6분)

↓ (승온구간 26분)

150℃ (유지구간 45분)

↓ (하강구간 20분)

실온

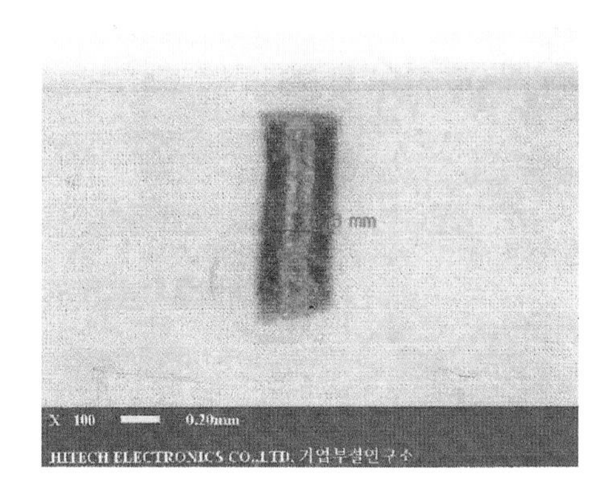

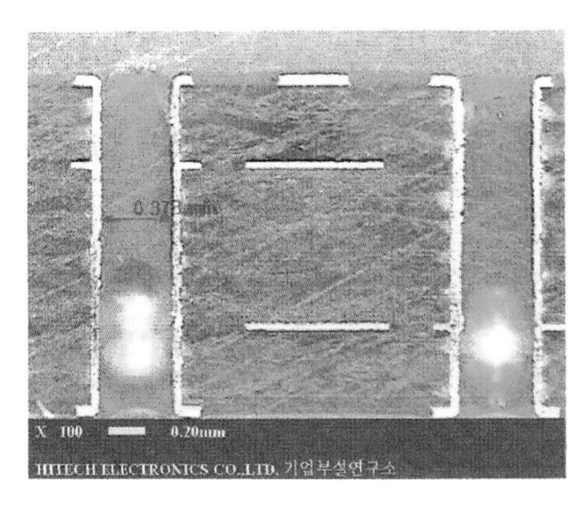

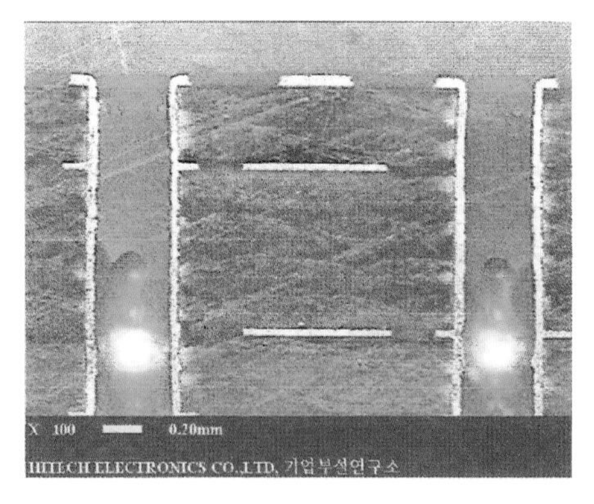

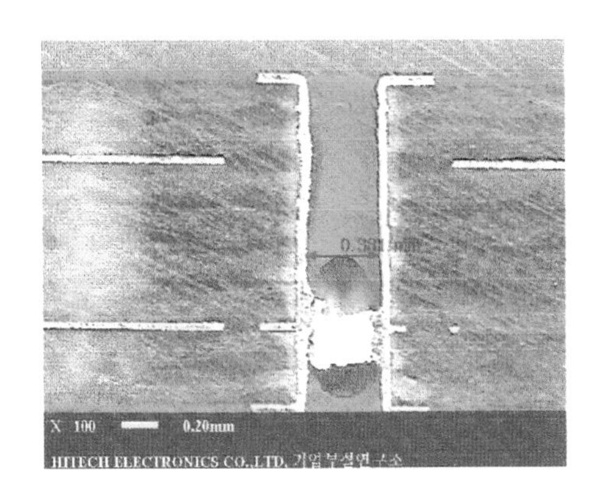

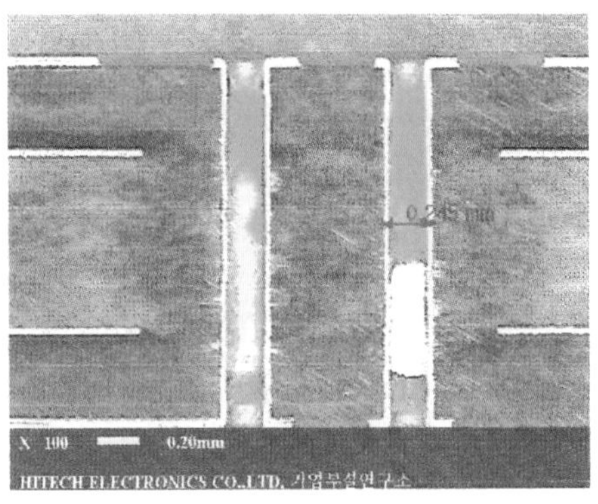

6. Build up 전용잉크(BD2) 사용 결과

1) 방법

① VIA HOLE 인쇄 후 일반건조 : 150℃ 50분

② VIA HOLE 인쇄 후 STEP 건조 : 80℃ 20분 - 120℃ 20분 - 150℃ 40분

2) 결과

① VIA HOLE 인쇄 후 일반건조 : 충진 된 잉크가 수축이 많이 있음

② VIA HOLE 인쇄 후 STEP 건조 : 잉크의 수축이 적고 기포가 적음

▷ 위쪽 : 일반건조, 아래쪽 : step 건조

10-5 VIA HOLE 충진 PROCESS TEST(OSP제품)

1. TEST 목적

- 최근 Issue화 되고 있는 OSP 공정에서의 Via Hole 단선 불량을 예방하고 PSR 충진 공법에 따른 Via Hole 충진 정도를 확인하고 Process를 정립하고자 함.
- 1차 테스트에 이어 Point 인쇄, Double Squeegee 인쇄 방법으로 2차 테스트를 실시하여 조건 재정립

2. TEST 방법

- Model : A MODEL
- PNL Size : 406 × 510 (10PNL)
- Thickness : 1.6T 1/1 oz
- Via Hole : 0.3Φ

PSR 충진 공법		Screen	Mesh	적용 Ink	JIG	수량
Normal-Tenting	Test #1 (1회 인쇄)	Point	#110	Normal Ink	사용안함	5PNL
Normal-Tenting	Test #2 (2회 인쇄)	Point	#110	Normal Ink	사용안함	5PNL

3. PROCESS 비교

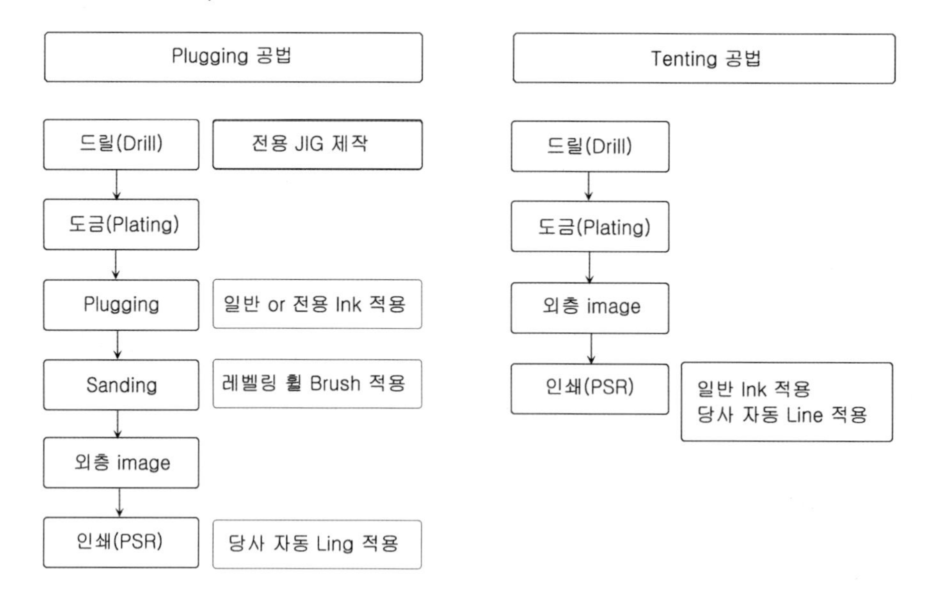

4. Test 결과

1) 작업 조건 비교

PSR 충진 공법		스퀴지 압력	스퀴지 각도	스퀴지 속도	도포 횟수
Normal-Tenting	Test #1 (인쇄 1회)	앞 날 19 뒷 날 25	80°	2 ㎜/s	Double (1회)
	Test #2 (인쇄 2회)	앞 날 19 뒷 날 25	75°	3.5 ㎜/s	Double (2회)

2) 건조 조건 비교

Plugging	Test #1	Post-cure : 150℃, 30分
Plugging	Test #2	Step-cure : ① 80℃, 20分 ② 120℃, 20分 ③ 155℃, 60分
Normal-Tenting	Test #3	Semi-cure : ① 77℃, 22分 ② 77℃, 22分 Post-cure : ③ 155℃, 60分
Multi-Tenting	Test #4	

3) Tenting Method Via Hole Section 비교

▷Tenting Method [인쇄 1회]

▷Tenting Method [인쇄 2회]

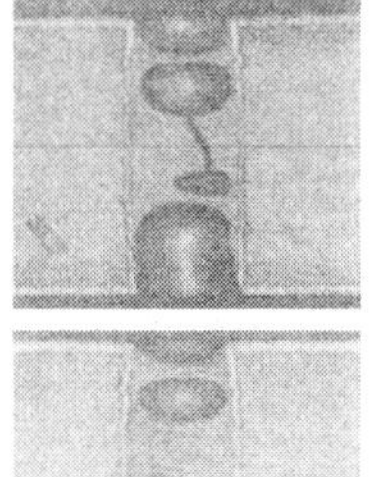
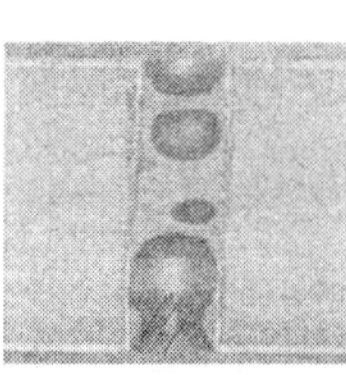
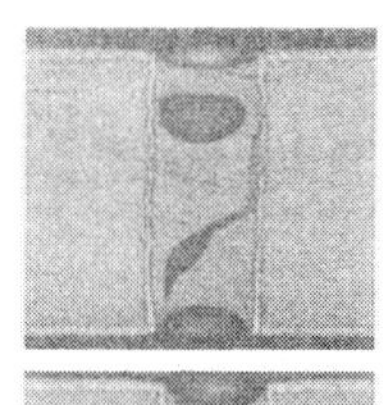

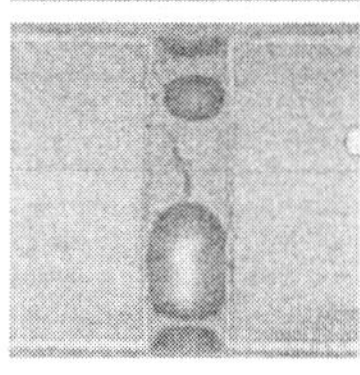
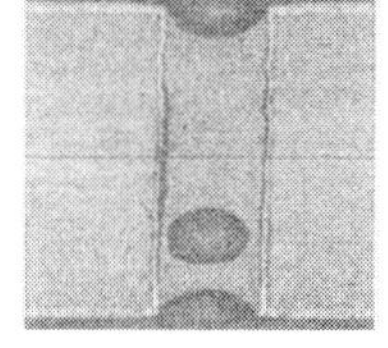
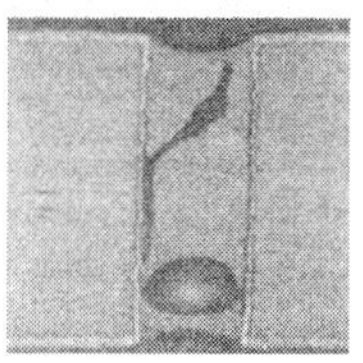

Tenting Method [인쇄 1회] 약 60% 충진	Tenting Method [인쇄 2회] 약 80% 충진

5. 결과 분석 및 소견

1) Test 결과 분석

① Normal Tenting Method

· Double Squeeze로 Point 인쇄 1회 충진
· Hole 속 기포는 형성 되나 Hole 충진에는 이상 없음
· #100 또는 #110 제판망으로 작업 조건 수립
· 양산 적용 시 인쇄 Speed 저하로 생산성 저하 예상됨
☞ 반자동 작업 조건 (Tack-Time)으로 생산량 예상치 계산.

	Normal 작업	Tenting 작업	생산량
Tack Time	17 Sec	27 Sec	37% 저하
日 작업량	5,082 PNL	3,200 PNL	
月 작업량	152,460 PNL	96,000 PNL	

10-6 표면품질과 VIA-HOLE INK 충진관계 비교 TEST

1. 무전해 금도금후 표면 품질 형태

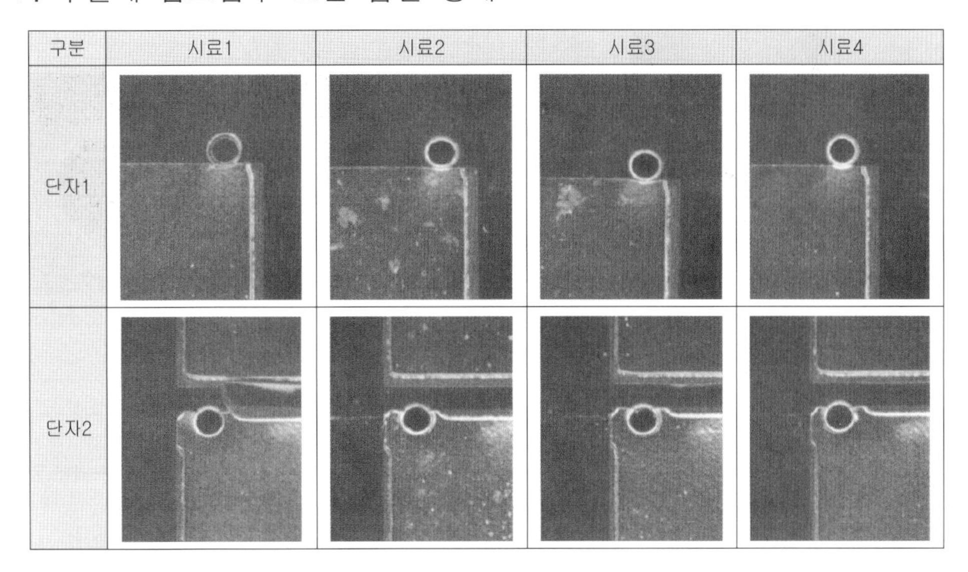

구분
시료1
시료2
시료3
시료4
단자1
단자2

2. 표면 품질과 비아홀 잉크 충진 형태

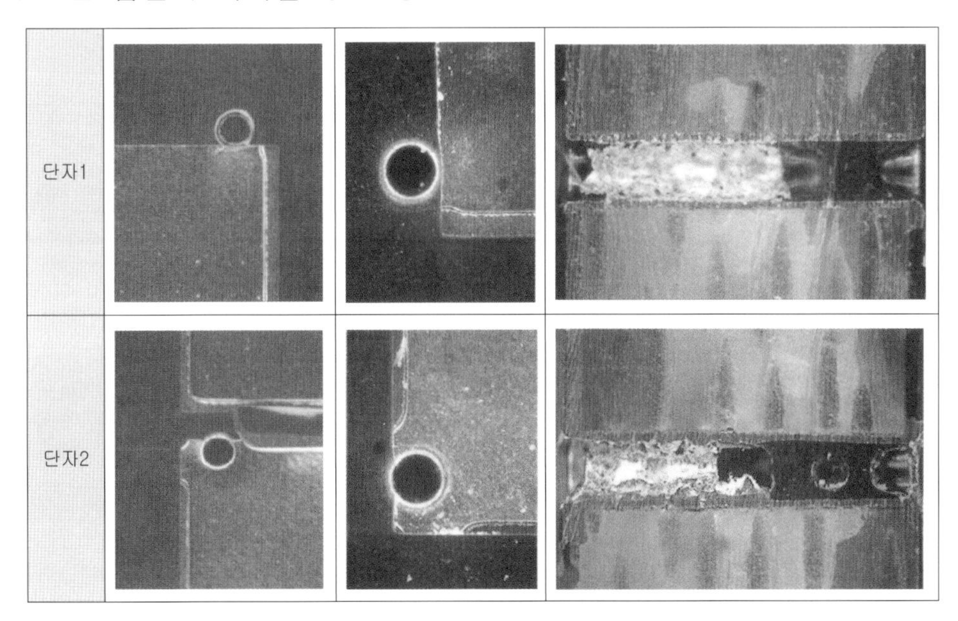

3. 비아홀 잉크 충진 비교

단자1	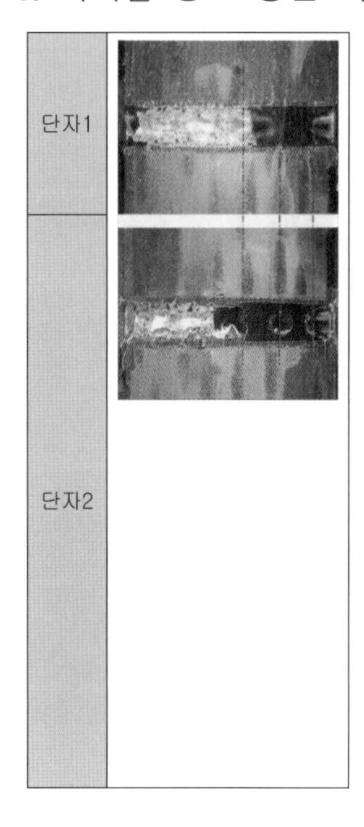
단자2	

▷ GERBER(ART WORK)DATA비교

구분	단자1	단자2
도형	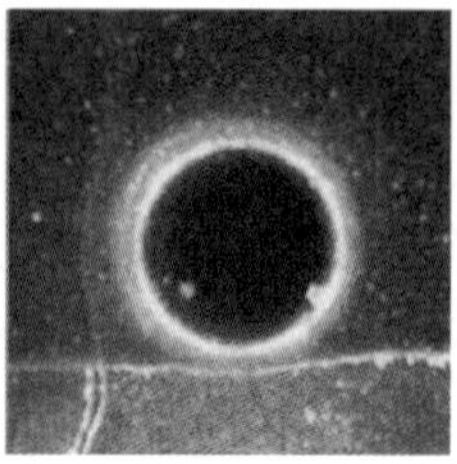	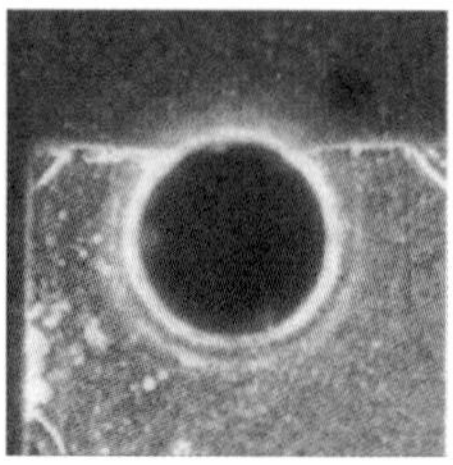
포인트	X	O
시사점	좌측 M-Section 사진처럼 S/M랜드 유무에 따른 잉크 충진도 차이 발생. - S/M랜드가 없을 경우 인쇄 시 홀속으로 유입된 잉크는 노광-현상 이후 홀속에 잔존 - 본 시료의 분석 결과 S/M랜드가 있는 포인트보다 홀속 충진량은 상대적으로 50%정도 감소	

	구분	BURR	제거 후	비교 분석
시사점	단자1			표면 품질에 영향을 줄 수 있는 것은 도형에서 처럼 패드와 근접한 홀의 S-Resist와 관계에 따라서 영향을 줄 수 있다. 즉, 단자1의 경우 충진량은 50%수준이며, 홀 입구의 잉크로 인하여 정면 등 도금 전처리 관정에서 유입된 용액 등의 영향으로 흘러 내린듯한 형상을 나타냄. -단자2화 같이 포인트 형성(노광-현상 공정에서의 제거) 또는 유사한 개선활동이 필수적으로 전개되어야 할 것.
	단자2			

4. 비아홀 비교

<table>
<tr><th colspan="2">구분</th><th>도형</th><th>시사점</th></tr>
<tr><td colspan="2">X-10</td><td> 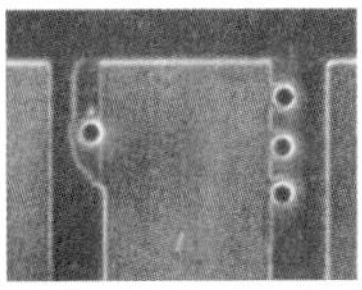</td><td>▷ 본 시료의 S/M의 형태
<table><tr><th>구분</th><th>백송1</th><th>타 업체</th><th>비고</th></tr><tr><td>도형</td><td> </td><td> 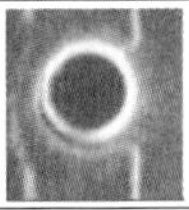</td><td>분석 시료와 대조적 형태를 나타냄</td></tr></table></td></tr>
<tr><td rowspan="2">X-20</td><td>포인트1</td><td> 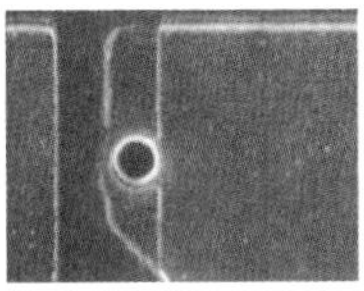</td><td rowspan="2">▷ 홀 입구의 잉크로 인하여 니켈 도금 이전에 유입된 용액이 "니켈존"에서 부분적으로 토출.

▷ 용액의 순환 방식 및 보드의 방향
<table><tr><th>구분</th><th>백송1</th><th>타 업체</th><th>비고</th></tr><tr><td>도형</td><td> 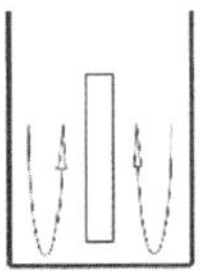</td><td> 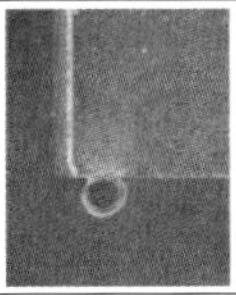</td><td> 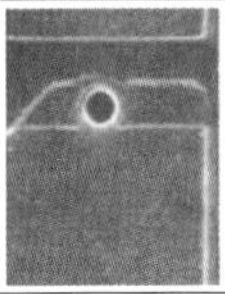</td></tr><tr><td>결과</td><td colspan="3">▷ 용액은 아래서 위쪽으로 순화되어 우측의 그림과 같이 근접한 홀의 위치(방향)에 따라서 표면 품질에 영향을 초래.</td></tr></table></td></tr>
<tr><td>포인트2</td><td> 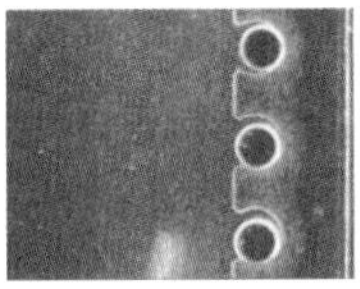</td></tr>
</table>

5. 당사의 작업 재규정 이행

<table>
<tr><th colspan="2" rowspan="2">구분</th><th colspan="2">도형</th><th rowspan="2">시사점</th></tr>
<tr><th>DOWN 상태</th><th>UP 상태</th></tr>
<tr><td>1</td><td>니켈존</td><td> </td><td> </td><td>니켈(A+B)</td></tr>
<tr><td>2</td><td>전처리</td><td> </td><td> </td><td>탈지/에칭/촉매</td></tr>
<tr><td colspan="2">시사점</td><td colspan="3">1. Shocking 장치의 정상적인 가동
· 각 용액 탱크에 설치 부착된 Shocking 장치의 정상적으로 가동하여 홀속으로 유입된 실용 유해한 요인들의 제거.
· 작동으로 인한 홀속까지 용액의 전이가 되어 품질의 신뢰성을 확립.</td></tr>
</table>

10-7 HOLE PLUGGING TEST(IVH)

1. Plugging 인쇄 목적

1) I.V.H가 포함된 Build-Up 진행 시 2차 적층 후 자연 메꿈이 되지 못하여 I.V.H에 함몰이 발생하게 되어 회로 형성 시 Open을 발생시켜 I.V.H을 열경화성 ink로 충진시켜 2차 적층 후에도 함몰을 방지하기 위함이다.

2) 일반 적으로 1차 적층 후의 두께가 0.8t가 넘을 경우 자연 메꿈이 되지 못하여 함몰의 가능성이 크고 특히 RCC 사양이 아닌 Pre-preg를 사용할 경우 resin의 함유량이 적기 때문에 2차 적층 후에 I.V.H에 함몰의 정도가 심하게 나타날 수 있음

3) 공정 Process (B-Type, 8L)

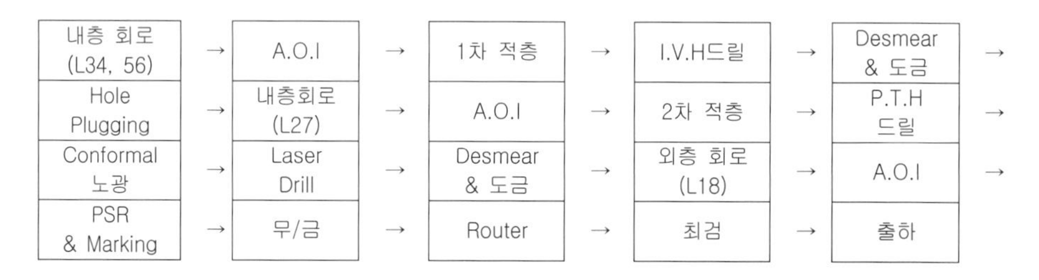

2. Test Method

반자동인쇄기	BUILT-IN	스퀴즈 속도 : 1.8(volume)	스퀴즈 각도 : 15°	스퀴즈 압력 : 18(gage)
제판	80 mesh	0.4ϕ	-	-
JIG	1.2t	2ϕ	-	-
INK	TAIYO	THP-100DRT	-	-
작업 panel	0.79t	0.25ϕ	-	-

JIG

제판

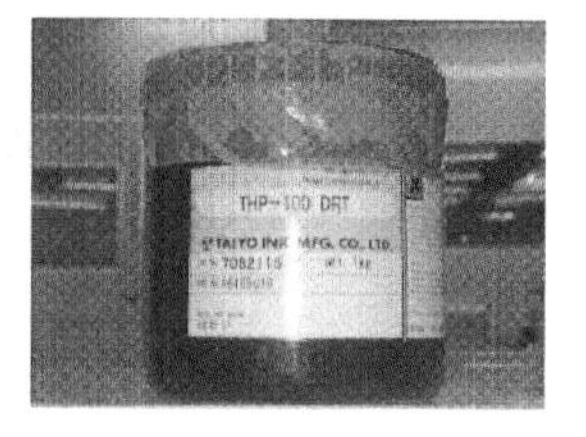

INK

3. Test Result

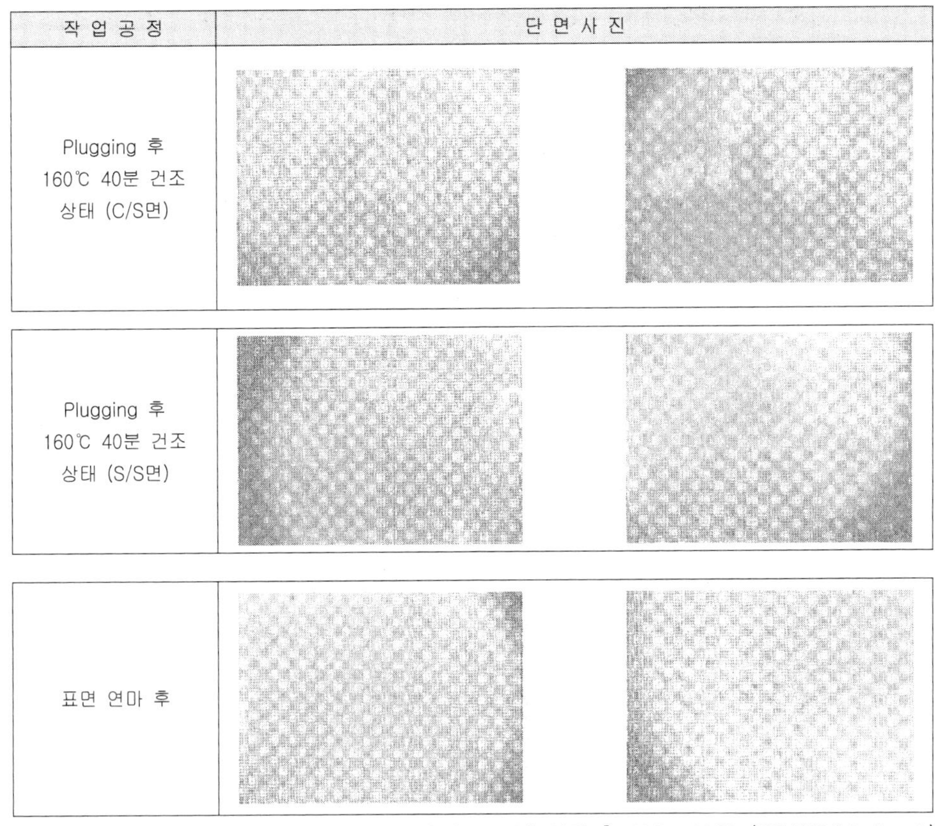

작 업 공 정	단 면 사 진
Plugging 후 160℃ 40분 건조 상태 (C/S면)	
Plugging 후 160℃ 40분 건조 상태 (S/S면)	
표면 연마 후	

▷ 표면 연마 : PSR 수동 인쇄 Line 정면기 5~6회 연마 [#600, #800 (TSUNODA Brush)

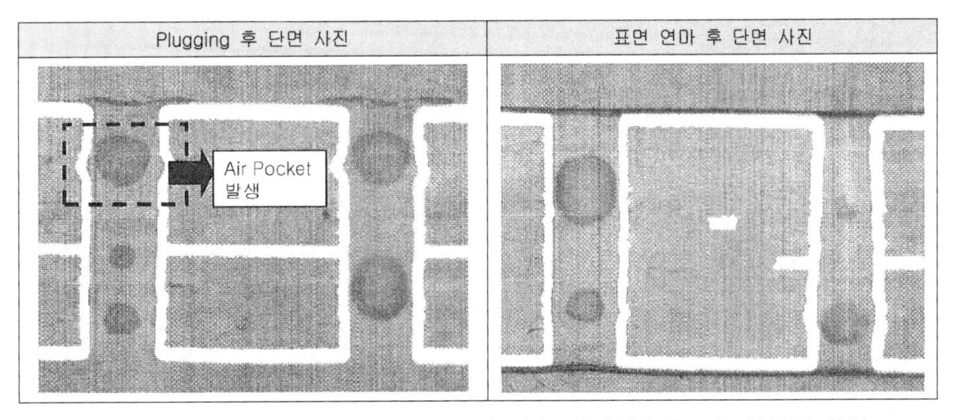

Plugging 후 단면 사진	표면 연마 후 단면 사진

▷ Micro-Section 결과 Air Pocket이 발생한 것은 원칙적으로 1회 인쇄를 하여 Plugging 작업을 하여야 하나 4~5회 인쇄작업에 의하여 Air-Pocket이 발생함

4. 소견

1) Build-Up 공법에서 2차 적층에서 함몰을 막기 위하여 충진 공법을 진행한 결과 양호한 결과를 얻음

2) 충진 결과 Hole 내부에 Air Pocket이 발생함

· 이는 1회 인쇄에 의하여 완전 충진을 시켜야 하나 작업 방법 및 Tool 준비 미흡에 의하여 4~5회의 인쇄 작업에 의해 Hole 충진을 시킴

· 개선안으로는 ① JIG를 1.2t → 2.0t로 변경
② 제판의 Hole Size 0.4 → 0.6ϕ로 변경
③ 필요 시 데보 스퀴즈 검토
④ 스퀴즈 압력 및 각도 재설정

3) 표면 연마를 위한 전용 장비를 보유하지 않아 수동 인쇄 Line의 Buffer Brush를 이용하여 5~6회 연마를 실시함.
Hole Plugging 및 B.V.H Mode 등을 작업하기 위한 Belt 연마기 검토 필요

4) 표면 연마 및 건조(160℃, 40分)에 따른 Scale 변화량에 대한 대응 필요

5. 적용 Model

Customer	A사	Model	A Model	TYPE	8L-B TYPE

▷ Lay-Up Structure

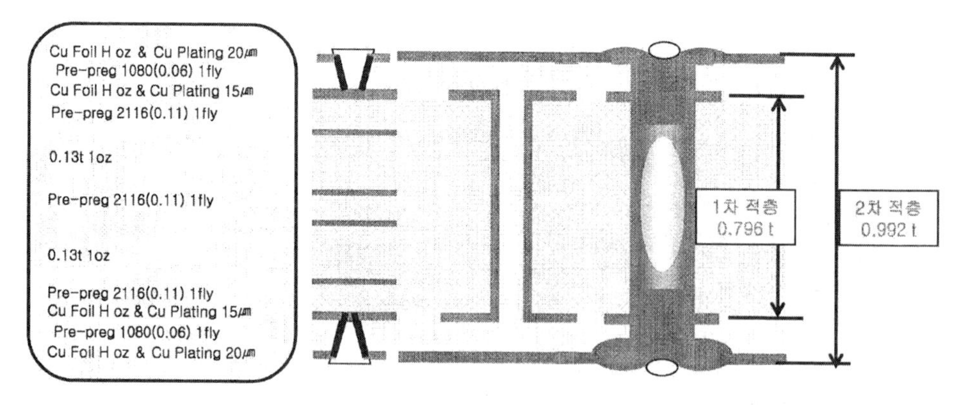

6. Hole Plugging Process

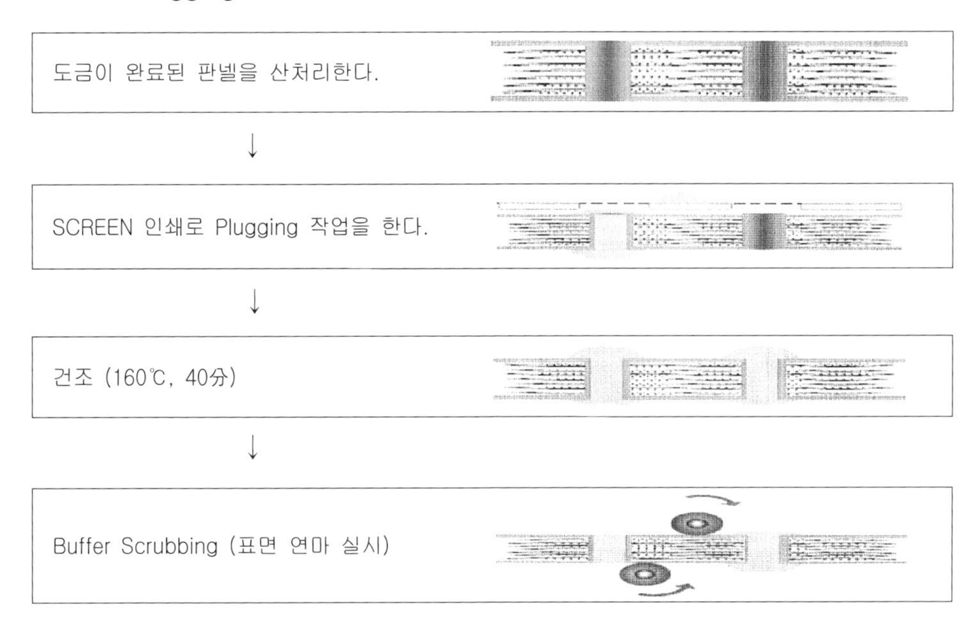

도금이 완료된 판넬을 산처리한다.
↓
SCREEN 인쇄로 Plugging 작업을 한다.
↓
건조 (160℃, 40分)
↓
Buffer Scrubbing (표면 연마 실시)

7. INK 비교

· 특성 비교

	Plugging INK	P.S.R INK
Maker	TAIYO	O.T.C
Product Name	THP-100 DRT	R-500 2GAK
Color	White	Green
Viscosity	500± 100dP S	190 ±30 Ps
Solid Content	99.9%	75wt%

· Process 비교

P.S.R INK	전처리 → 1차 인쇄 → Pre-Cure (75~80℃, 20~25分) → 2차 인쇄 → Pre-Cure (75~80℃, 20~25分) → 노광 → 현상 → Post Cure(150~160℃, 20~25分)
Plugging INK	전처리 → Plugging 인쇄 → Cure (160℃, 40分) → Buffer Scrubbing

10-8 HOLE PLUGGING TEST(외층)

1. Test 결과

· 2차 동도금 11PNL 진행

· 총 99Kit(11PNL : 9연배열) 중 60Kit 선 진행

· BBT Pass : 60Kit 중 59Kit

· 최종 검사 : 99Kit 중 6Kit 외관 불량

1Kit → Micro Section 사용

5Kit → 금도금 거침

2. 결론

· 외층 형성 후 양품 진행율이 매우 좋음

· Hole-Plugging의 경우 Ink의 종류에 따라 Hole 속 함몰 등의 불량 발생 (Taiyo Ink HBI-200DB4).

· Plugging Ink의 특성을 확인 후 Hole-Plugging 실시 (THP-100DX1 사용)

· 차 후 Plugging Ink Test 후 당사에 적합한 잉크로 진행예정

· 양산 진행 시 Plugging 및 2차 도금, Belt-Sending의 공수 증가 및 이로 인한 생산 식간을 증가 할 것이나, 제품 생산에 대해서는 위의 3공정에서만 주의 한다면 다른 큰 문제는 없을 것으로 판단 됨.

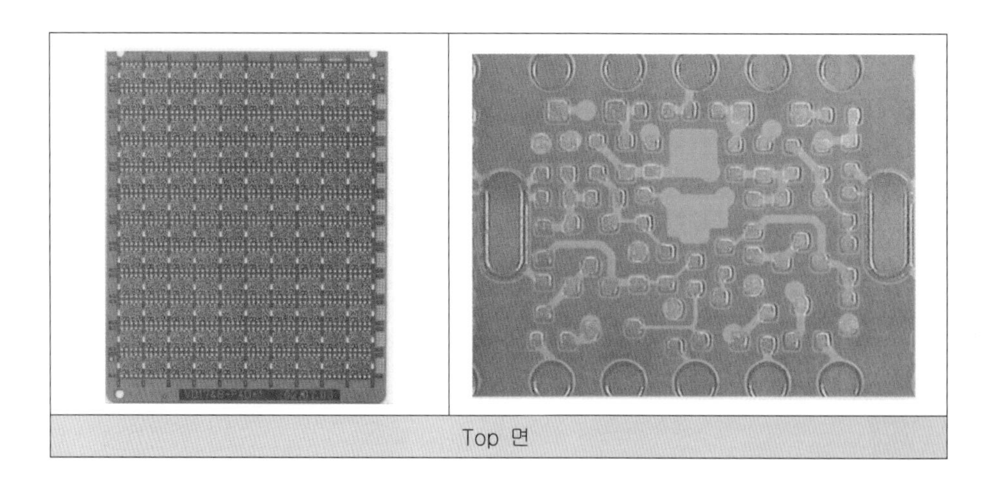

Top 면

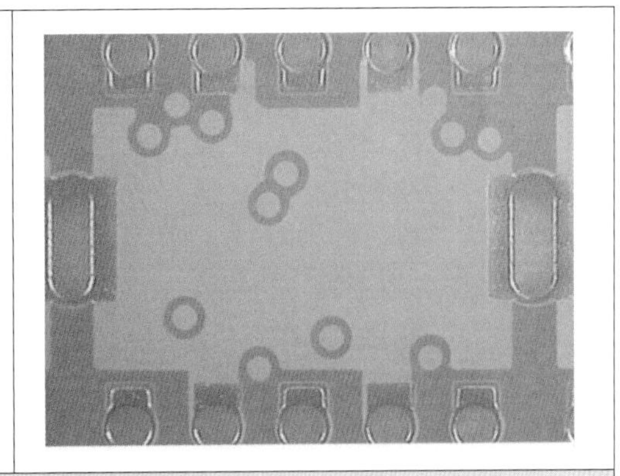

Bot 면

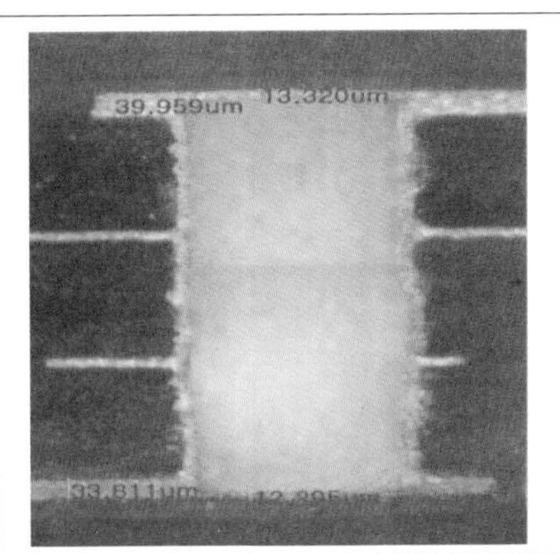

RSR 밑 Hole 상태

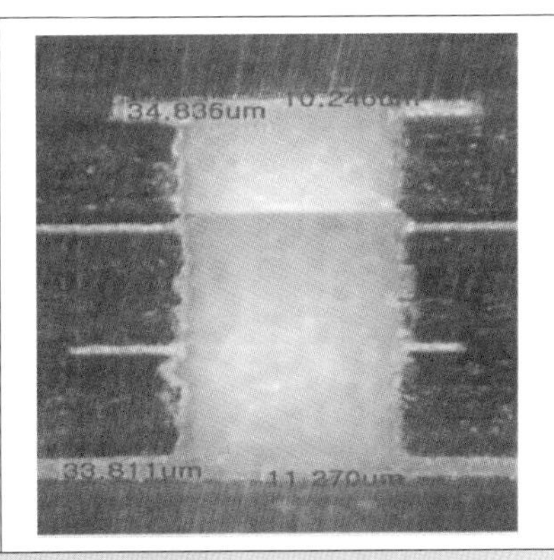

PAD 밑 Hole 상태

3. Hole-Plugging 진행 순서

· CAM → 재단 → 내층 회로 형성 → Oxide → Lay-Up → Trim → 드릴 → 1차 도금

<u>1차 도금</u> : 표면 20㎛ 도금

⇩

<u>PSR 정면</u> : 일반적인 정면 상태 Brush(#600→#800) → Soft-Etching (과수, 황산 Type. Etch-Rate : 1.8~2.5㎛ → 수세 → 건조

⇩

<u>Hole-Plugging 인쇄</u> : 인쇄 후 Hole 속으로 함몰 되지 말 것

⇩

<u>Plugging Ink Semi-Cure</u> : 120℃ 40분

⇩

<u>2차 도금 전 Belt-Sanding</u> : #600(1회) → #800(1회)

Hole속 Plugging Ink와 표면 도금 상태의 레벨이 같을 것

⇩

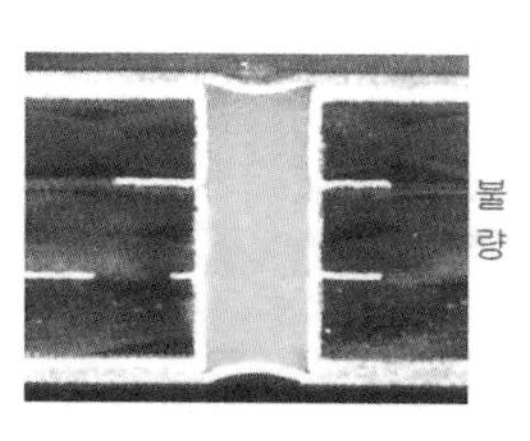

<u>Plugging Ink Post-Cure</u> : 150℃ 50분(최종 건조 후 Hole 속 Ink의 함몰이 없을 것)

⇩

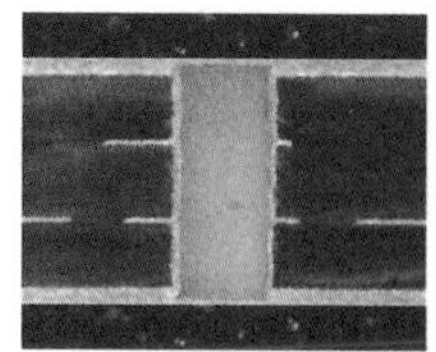

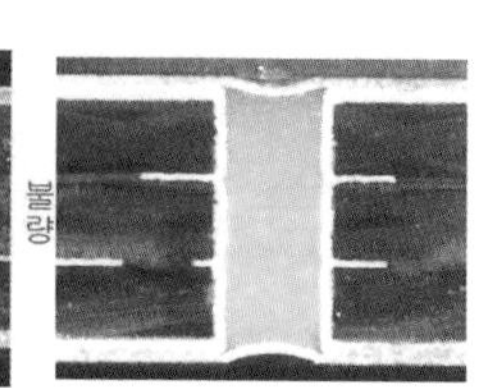

2차 도금 : 표면 20㎛ 도금(최종 건조 후 Hole속 잉크 함몰 시 2차 도금 함몰 없을 것)

⇩

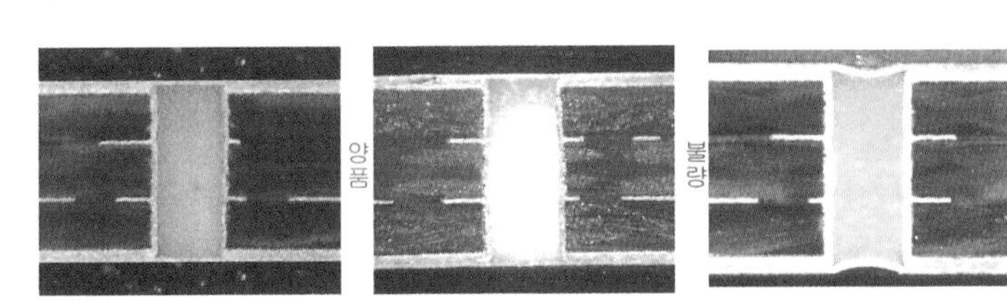

2차 도금 후 Belt-Sanding : #800 1회(제품 표면 상태 확인 후 1~2회)

⇩

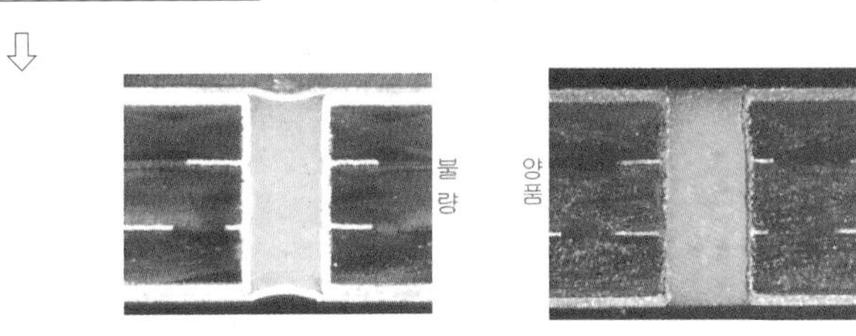

Belt-Sanding 후 표면 도금이 얇을 경우 외층, PSR, 금도금 전처리(정면)시 Hole 위 부분의 도금 층이 Etching되어 없어질 경우 발생

2차 Belt-Sanding 후 표면 도금 두께 약 15~17㎛ 유지

외층 회로 형성 : 일반적인 외층 회로 형성 방법

정면 → D/F 라미네이션 → D/F노광 → D/F현상 → 외층 부식

⇩

PSR 인쇄 : 스크린 인쇄를 이용한 PSR 인쇄(최종 건조 후 Hole 위 함몰 없을 것)

정면 → PSR 인쇄 → PSR 노광 → PSR 현상 → 최종 건조

⇩

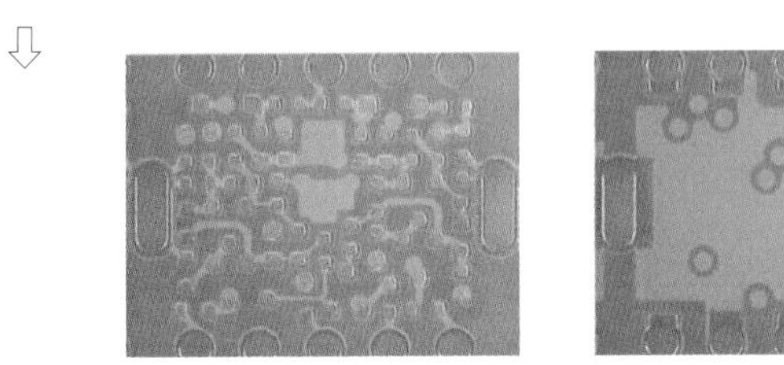

<u>무전해 금도금</u> : 2차 도금 후 제품 표면 레벨을 위해 Belt-Sanding으로 표면이 거칠
금도금 시 금도금 거침 주의

⇩

<u>Router → BBT → 최종검사 → 출하 검사 → 휨교정 → 포장</u>

■ 완성된 제품의 Hole-Plugging 상태

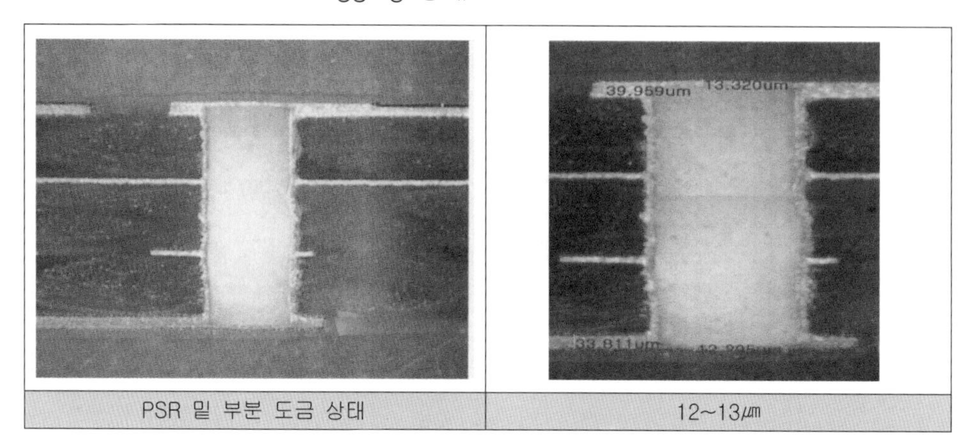

PSR 밑 부분 도금 상태	12~13㎛

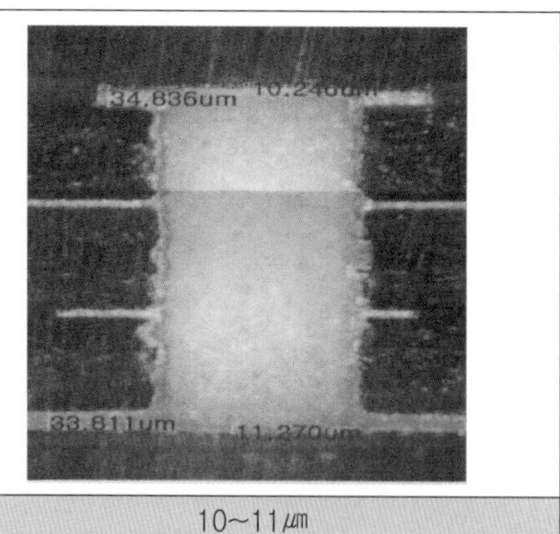

PAD 부분 도금 상태	10~11㎛

4. Hole-Plugging 진행 시 주의 공정

1) Hole-Plugging 인쇄

Plugging 인쇄 후 Semi-Cure 후 Plugging 잉크가 Hole보다 양쪽이 높게 인쇄 되어야 한다.

Plugging 인쇄 후
Semi-Cure 상태

Plugging 인쇄는 Bot면으로 인쇄하여 Top면 부분쪽으로 잉크가 튀어 나오게 함.
Semi-Cure후 1차 Belt-Sanding으로 동박 표면과 Plugging Ink와의 Level을 같게 하여 Post-Cure를 진행함

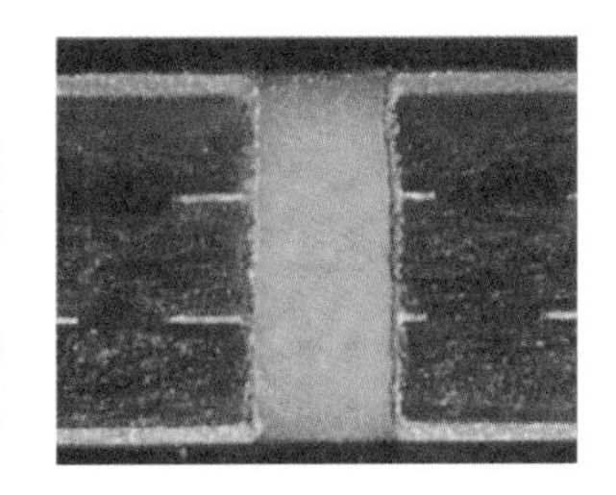

1차 Belt-Sending 후 상태

2) 1차 Belt-Sanding

Belt-Sanding은 #600으로 1회 진행으로 동박 표면과의 Level을 같게 한 다음 #800으로 표면을 다듬는 방식으로 진행한다.

#600으로만 진행시 표면이 거침이 심함.

3) Plugging Ink Post-Cure

최종 건조 후 Plugging Ink의 Hole 안으로의 함몰이 없어야 한다.

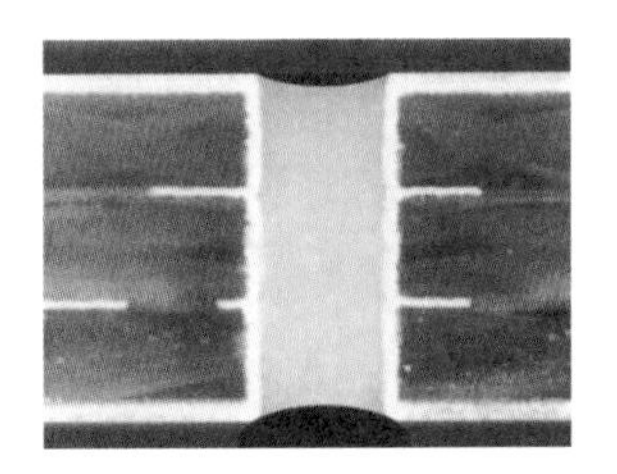

Hole 속 잉크가 함몰된 상태

최종 건조 후 Plugging Ink가 함몰 될 경우(좌측 사진) 2차 도금 진행 시 함몰된 모양으로 2차 도금이 진행(오른쪽 사진)됨.

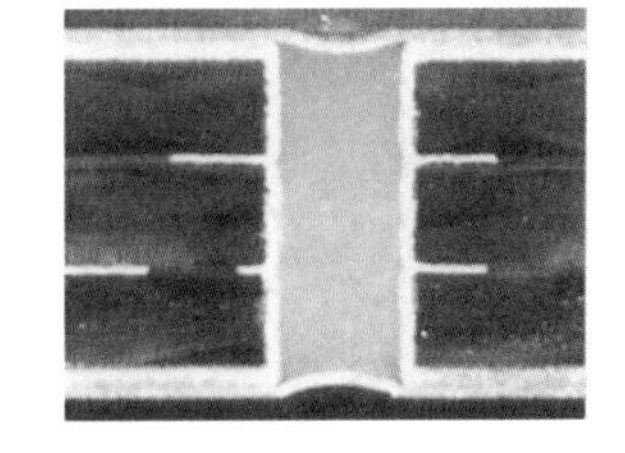

함몰되어 도금이 진행 된 상태

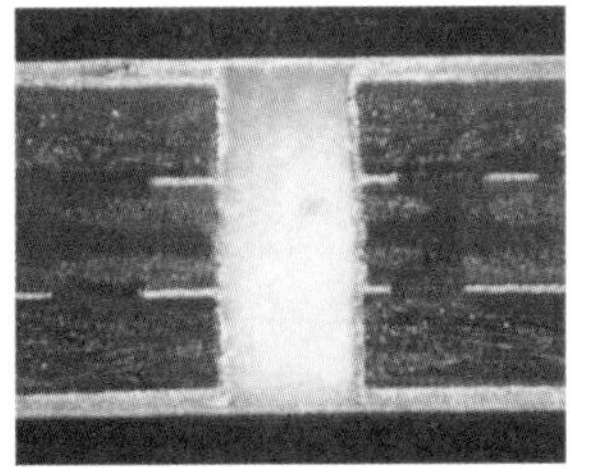

정상적인 Hole Plugging Post-Cure 후 2차 도금 상태

4) 2차 동도금 및 2차 Belt-Sending

2차 동도금 시 표면이 약 20㎛ 정도로 도금 되어야 하며 2차 Belt-Sending 후 도금 표면이 약 17㎛ 존재하여야 한다.

또, Belt-Sending시 Hole 위 부분의 도금층은 다른 표면에 비해 약하기 때문에 Belt-Sending 후 떨어지지 않도록 주의한다.

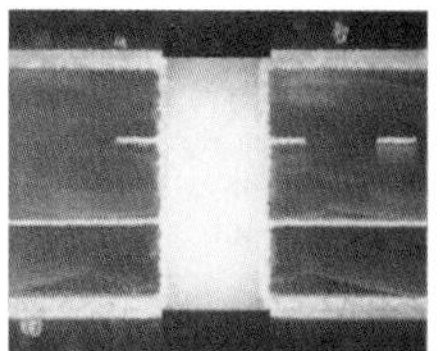

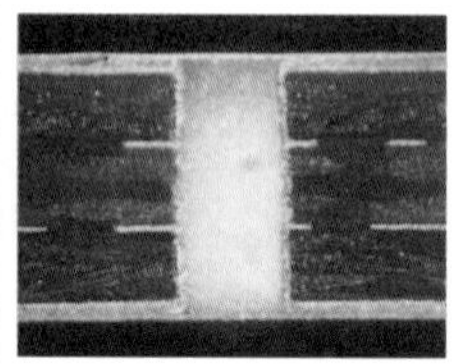
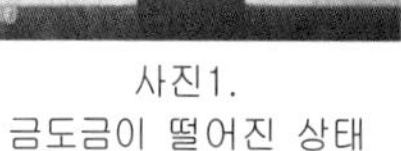

사진1. 금도금이 떨어진 상태	사진2. 도금이 얇은 상태	사진3. 금도금이 얇은 상태	사진4. 정상적인 상태

① Plugging Ink의 주성분은 Epoxy로 2차 동도금 후 Hole속 Ink위의 도금의 Peel값이 다른 표면에 비해 떨어짐으로 (약 $0.5kgf/㎠$) Belt-Sending 시 주의해야 한다(사진 1).

② 2차 동도금이 20㎛이하로 도금 될 경우 Belt-Sending 및 외층 정면, PSR정면, 금도금 정면에서의 2차 동도금이 Etching되어 최종적으로 Hole 위 부분에 금도금이 얇게 존재하거나 (사진2), 금도금이 되지 않는 경우가 발생 된다(사진3).

5) 무전해 금도금

무전해 금도금 거칩이 없어야 한다.

금도금 거칩은 금도금 자체에서 발생하는 경우도 있지만, 동도금 표면 거칩으로 인해 발생하는 경우도 발생한다.

※ 동도금 거칩으로 인한 거칩 불량 개선 방법

→ 2차 동도금 후 2차 Belt-Sending(#600 1회, #800 1회)에 의해 거칩이 발생함으로, Jet-Scrubbing 처리를 통하여 동도금 거칩을 줄임

→ 2차 동도금 후 2차 Belt-Sending 후 고운 (#1200 이상) Send-Paper를 사용하여 표면 거칩을 줄임

5. 불량 유형

1) Plugging Ink Post-Cure 후 Hole속 함몰 (Taiyo Ink HBI-200DB4)

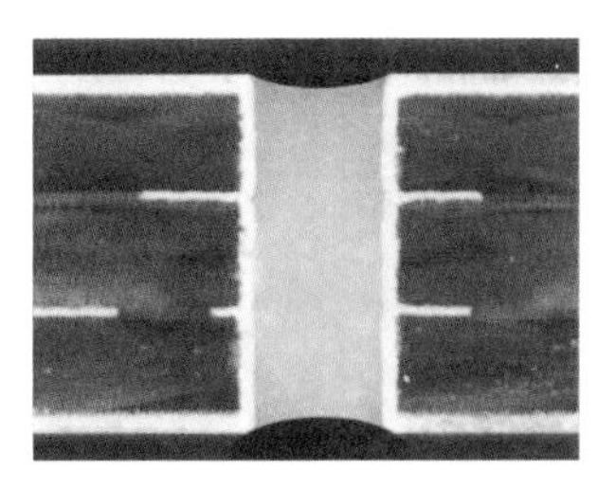

2) 함몰된 Ink위의 도금 형성(2차 도금 함몰)

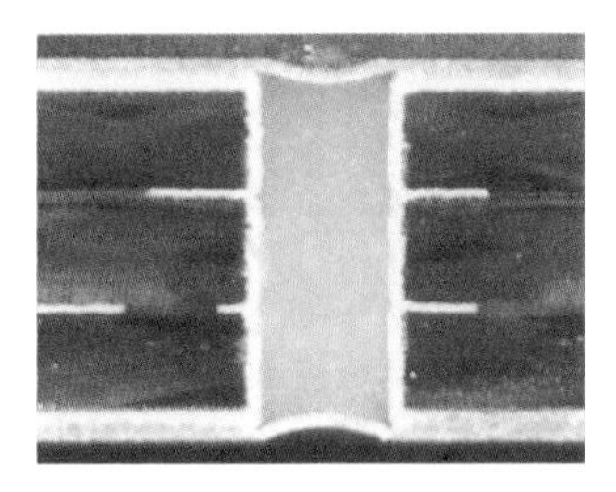

3) 2차 Belt-Sending 후 2차표면 동도금 두께 불량

4) 2차 Belt-Sending 후 Hole 위 부분 2차표면 동도금 떨어짐 불량

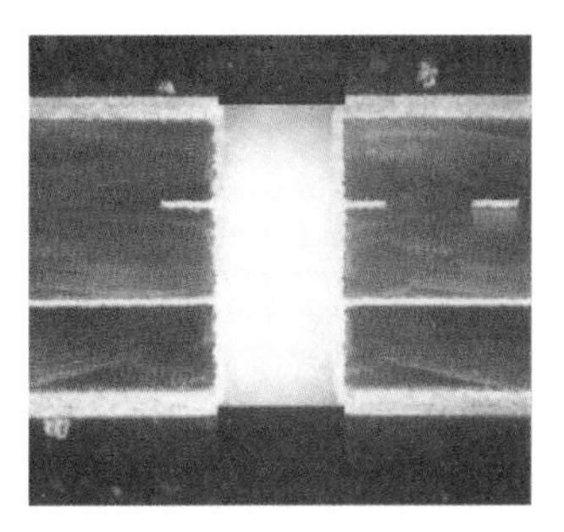

5) 2차 Belt-Sending 후 2차 동도금 떨어짐으로 인한 금도금 불량

6. Thermal Shock Test

1) Test 방법

→ 288℃ Solder Port에 약 10초간 Dipping.

2) Test 결과

→ Thermal Shock 결과 Hole 속 Plugging Ink의 Crack 및 Hole 터짐 없음.

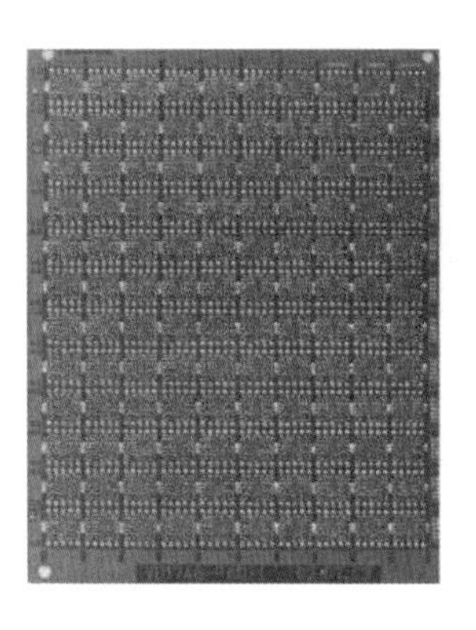

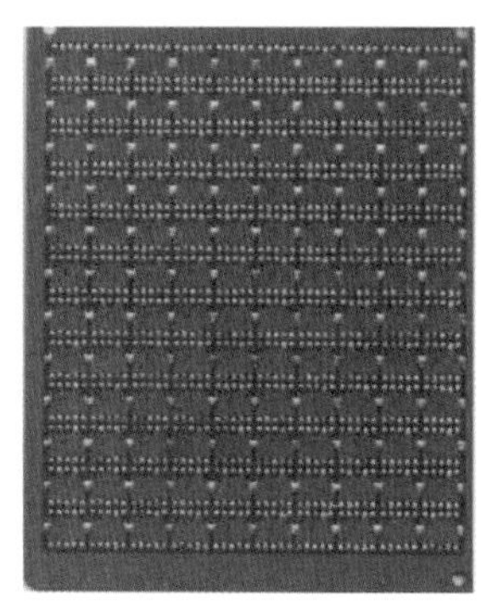

7. Hole-Plugging Ink Test

1) Ink 종류

① Japan Taiyo Ink 사 HBI-200DB4

② Japan Taiyo Ink 사 THP-100DX1

2) Ink 특성

	HBI-200DB4	THP-100DX1
Color	Green	White
Mixing Ratio	Main Agent : 80 Hardener : 20	Single-Component
Viscosity	450dPa·s	800dPa·s
Cure Condition	Pre-Cure : 120℃ 60min Post-Cure : 150℃ 60min	Pre-Cure : 130℃ 45min Post-Cure : 150℃ 60min
Life	2months	3months

3) Test 결과

· 동일 조건

	HBI-200DB4	THP-100DX1
인쇄 작업성	우수	떨어짐(고점도)
Belt-Sending	우수	우수
건조성	우수	우수
Post-Cure 상태	불량(Hole 속 함몰)	우수(평탄도 유지)
도금 밀착성	0.5kgf/㎠	0.5kgf/㎠

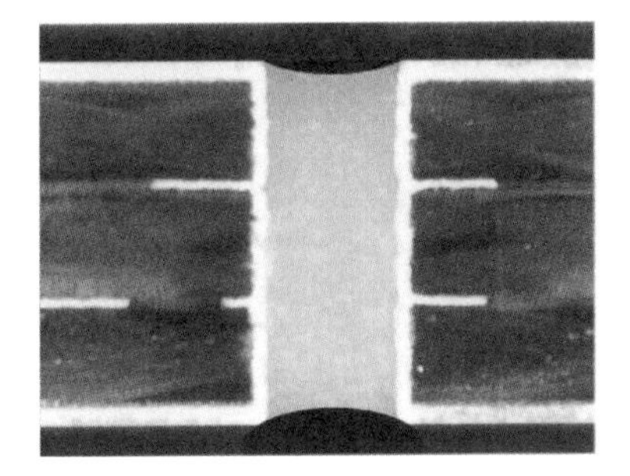
HBI-200DB4

THP-100DX1

8. 결론

· 작업성에서는 잉크의 점도가 낮은 DB4가 좋으나 결과적으로는 Post-Cure후 Hole속 함몰로 인하여 불량 유발.

· DX1의 경우 인쇄 작업성은 나쁘나(고점도로 DB4의 약 2배) Post-Cure 후에도 도금 표면과의 평탄성이 매우 우수함.

· 2차 동도금 시 Hole-Plugging Ink위의 도금이 떨어지는 불량을 막기 위해서는 동도금과의 밀착성이 우수한(Peel Strength) 잉크 선택하여야 할 것으로 생각됨. (사용한 THP-100DX1 Ink도 큰 무리는 없다고 판단 됨)

· 2차 도금 후 표면의 거칠음을 줄이기 위해서는 Jet-Scrubbing 처리를 하여 금도금 거침을 개선하는 것이 좋다고 판단 됨.

· 차후 산영 잉크사(PHP-900), Peters사(PP 2795SD)와 비교 Test하여 품질과 생산성 면에서 더 우수한 제품으로 생산 하여야 할 것입니다.

10-9 VIA-HOLE PLUGGING 제품표면의 PLUGGING INK 잔사 TEST

1. 목적

D/F 정면공정에서 plugging잉크 잔사에 의한 불량발생 가능성을 검토 및 via hole plugging process를 확립하기 위함이다.

2. 현상황

1) via hole plugging잉크 잔사로 인한 open 불량 발견됨. [FIG. 1~3참조]

- via hole plugging제품 표면의 plugging 잉크 잔사가 자동 L/A 크린롤러에 묻어나옴. (size:about 50×30㎛ 이하) [1LOT당 9~18 point정도]
- 제품표면에 묻은 plugging잉크 잔사가 자동 L/A 크린롤러에 의해 전량 제거되지 않음.
- 부식 후 Pattern부위에 open 발생함.

2) 현재 via hole plugging제품의 표면에 이물질(via hole내의 수분으로 보여짐)이 D/F 정면공정 후 묻어나옴. [FIG.4~6 참조]

전량 육안검사 결과 총 투입량 : 162PNL 중 15PNL의 제품 표면에 산화현상 발견됨. (9.25%, about 10%정도)

이로 인해 부식 후 pattern부위가 산화되는 문제 발생함 → 부식 후 산세로 산화 부분 제거 가능함.

3. 결론

- D/F 정면공정 후 전 제품의 표면에 plugging잉크 잔사가 묻어 나오는 것이 아니라 단지 10%정도만이 묻어나옴.
- D/F 정면공정 후 전량 검사를 통하여 이를 분리한다고 하여도 계속적인 양산 체제에서는 검사 및 재처리 등의 작업량 LOSS가 너무 많음.
- 브러쉬단 수세 탱크 청소 및 수세수 교환, 브러쉬 교체 등 역시 작업성을 떨어뜨릴 것임.

· via hole plugging용 기계정면(브러쉬 정면)공정을 별도로 증설하는 것이 최상의 방법이라고 판단됨.

· 추가로 증설될 2단 브러쉬(4축) 경우 H.C 9S-VF(#320) - H.C 9S-SF(#600)를 장착하는 것이 좋음 [위 브러쉬 사양은 현재 사용중인 브러쉬 사양보다 경도를 증대시킨 사양임. (현재 경도 : 7S)]

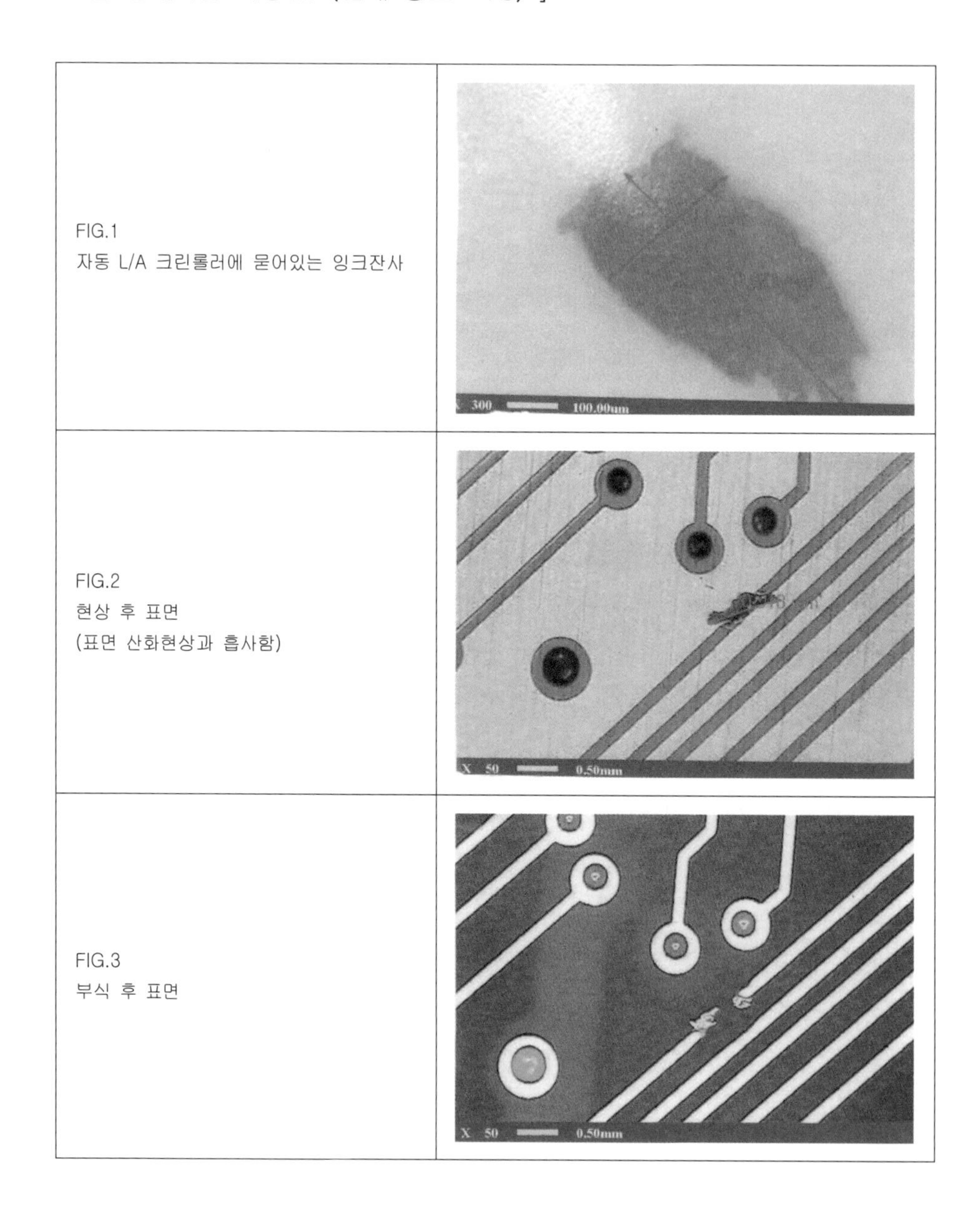

FIG.1
자동 L/A 크린롤러에 묻어있는 잉크잔사

FIG.2
현상 후 표면
(표면 산화현상과 흡사함)

FIG.3
부식 후 표면

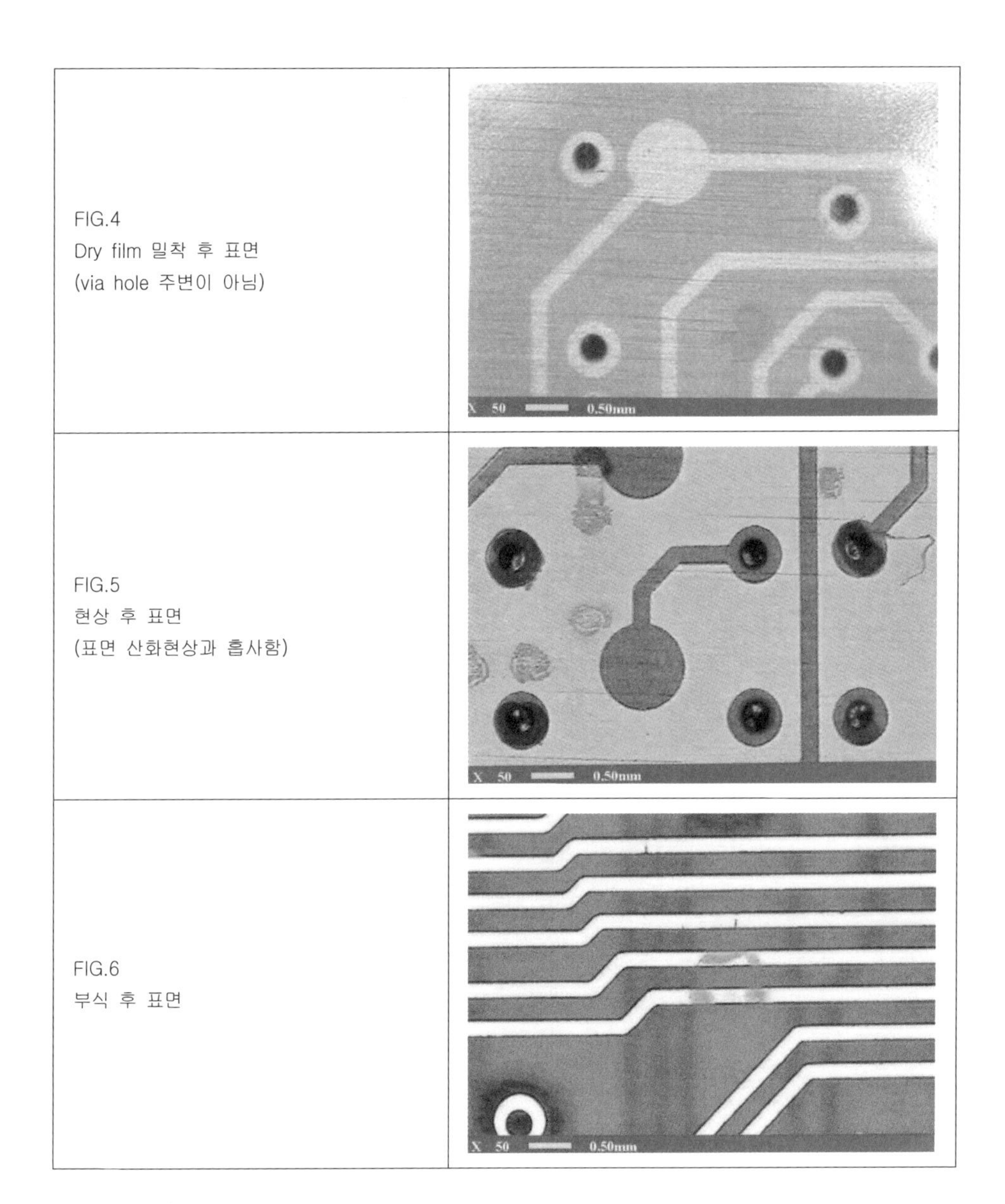

FIG.4
Dry film 밀착 후 표면
(via hole 주변이 아님)

FIG.5
현상 후 표면
(표면 산화현상과 흡사함)

FIG.6
부식 후 표면

10-10 WET-TO-WET 공정 자동화

1. 작업 공정

· 정면

· 1차 인쇄

· 1차 건조

· 2차 인쇄

· 2차 건조

· 노광

· 현상

· 최종 건조

2. 사용 잉크

· G 25K

· 레듀샤 첨가

· 목적

▷ 잉크의 점도를 낮추어 VIA HILL에 잉크가 많이 빠질 수 있게 함

▷ 사용량 : 잉크 1㎏ - 레듀샤 200㎖

3. 정면

· 브러쉬 작업 후 산세

· 소프트 에칭 사용 금지

· 목적

▷ 수세를 보강하여 산기를 충분히 제거하여 잉크 떨어짐 불량을 예방

▷ 브러쉬 - 수세 - 산세 - 수세(3단) - 수세(1단) - 수세(5단)

▷ 최종 수세단이 짧아 산기가 충분히 제거되지 않을 우려가 있음

4. 1차 인쇄

1) 인쇄 각도

기존 : 17도 변경 : 25도 정도 작업 중 변경

▷ 반자동 인쇄와 같이 각을 충분히 주어 많은 잉크가 빠지게 함

2) 인쇄 압력

압력 또한 충분히 주어 스퀴즈 날이 아닌 스퀴즈 등으로 작업

3) 기존 방법과의 차이점

· 기존 : 2회 인쇄(2개의 스퀴즈로 2회 인쇄)

· 변경 : 스크레퍼 장착으로 1회 인쇄

▷ 1차 인쇄를 할 경우 백망으로 작업하는 효과가 있으므로 VIA HOLL은 많은 잉크를 뺄수는 있으나 부품 HOLL에도 많은 잉크가 빠져 HOLL속 잉크의 불량 원인을 미연에 방지

5. 1차 건조

· 기존 : 건조 6단 모두 사용

· 변경 : 6개중 마지막 6단 사용금지

▷ 잉크의 경화를 약하게 하여 2차 인쇄 시 잉크가 밀리는 현상을 일으켜 VIA HOLL에 잉크를 충분하게 채워주기 위함

6. 2차 인쇄

· 기존 : 스퀴즈 2개 장착으로 2회 인쇄

· 변경 : 스크레퍼 장착으로 1회 인쇄

▷ 2회 인쇄를 할 경우 SKIP은 예방할 수 있으나 잉크의 점도를 많이 낮추어 놨기 때문에 부품홀에도 잉크가 새어 HOLL 속 잉크의 불량을 유발할 우려가 있음

7. 반자동 인쇄와의 차이점

** 그림 참조 **

· 그림과 같이 한쪽면에는 VIA HOLL 주위로 기존의 TENTING과 같이 약간의 SKIP이 발생함

· 원인

2차 인쇄 시 1차 충진 된 잉크가 건조가 되지 않으면 2차 인쇄 시 밑으로 밀리면서 주위가 완전히 도포가 되나 자동라인에서는 이미 건조가 되어 잉크가 굳어 밀리는 현상이 매우 약함

· 해결 방법

인쇄를 할 경우 BOT(S/S)면을 먼저 인쇄하고 TOP(C/S)면을 나중에 인쇄하여 TOP(S/S)면에서는 절대 SKIP이 발생하지 않게 함

8. 작업자 배정

· 자동 인쇄를 가장 잘하는 작업자 1인

· 반자동에서 WET TO WET 작업을 하여 본 작업자 1인

· 정면 작업자

▷ 실패와 성공의 여부를 결정할 가장 중요한 요소로 매우 신중한 결정 후 선택

■ 반자동 인쇄와의 차이점

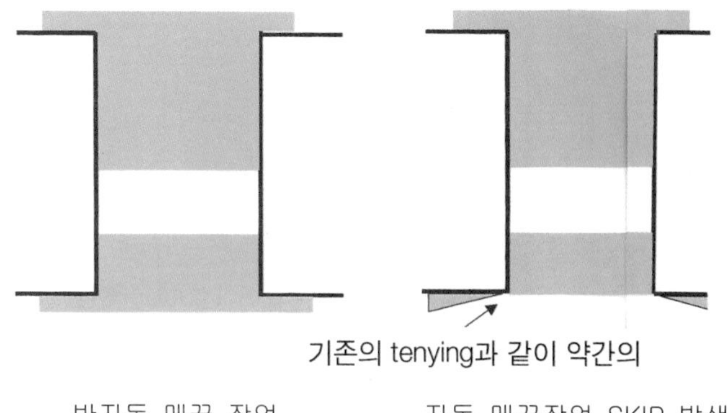

반자동 메꿈 작업 자동 메꿈작업 SKIP 발생

10-11 EQUIPMENT FOR PSR RELIABILITIES

No.	장비명	목적	사건
1	EDX	Can use X5000 (max) to scan the surface and elements	
2	SEM	Can help us to analyse the elements on S/M and raw material	
3	TMA	base research and check the CTE & Tg of S/M	

No.	장비명	목적	사건
4	FTIR	base research and check the polymerization of both of UV-cure and Thermal-cure	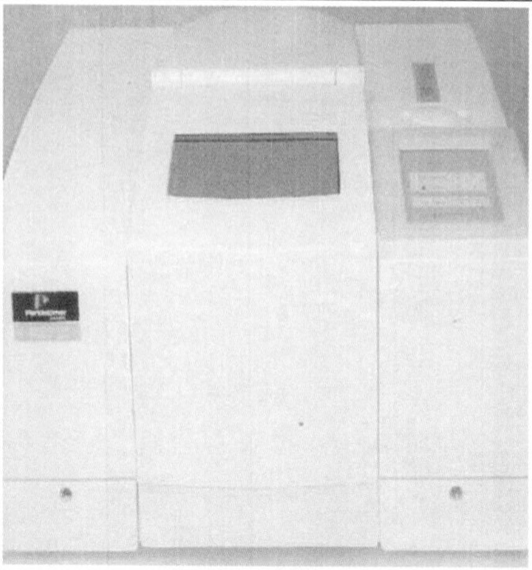
5	PCT	base research and reliability test	
6	WATER ABSORPTION RATE MEASUREMENT	base research and check the water content inside S/M	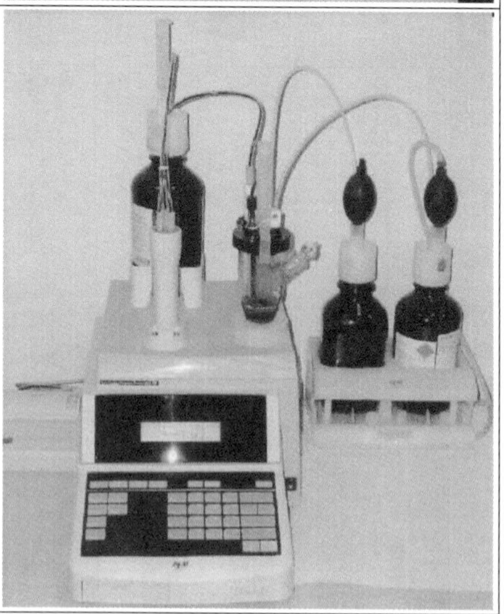

No.	장비명	목적	사건
7	SURFACE ROUGHNESS METER	check the surface roughness of PCB after pretreatment	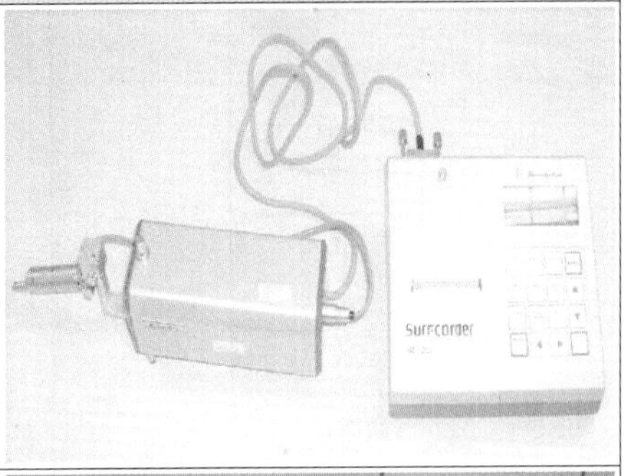
8	VISCOSITY METER	daily IPQC and QA Check	

11. 표면처리분석

- 11-1 ENIG 신뢰성 TEST
- 11-2 PCB OSP 표면처리 신뢰성 TEST
- 11-3 Ni+Au PLATING층의 분리현상 및 결함분석
- 11-4 BLACK PAD 신뢰성 TEST
- 11-5 FLUX공정, HOLE속 ATTACK 조건 TEST

11-1 ENIG 신뢰성 TEST (ELECTROLESS Ni IMMERSION GOLD)

자료 : YMT Co.Ltd

1. TEST 항목

No.	Items	Test Conditions	Evaluations	Results
1	Solderability · As-received · After reflow (3 items) (peek temp. 265℃)	- Wetting Balance	Wetting force	OK
2	Chip Shear Test	- Base ; Rigid Board - Chip Size ; 1608, Shear Height ; 300㎛	Shear strength	OK
3	Ball Shear Test	- Base ; Rigid Board - Ball Size ; 0.3㎜ (Pb-free solder ball), Push Height ; 100㎛	Shear strength	OK
4	Scratch Test	- Parket Pen Test	Scratch degree	OK
5	Wire Pull Test	- Wire Pull Test at pad	Delamination part	OK
6	Porosity Test	- Dipping in Nitric Acid (12%) * 5min.	No corrosion on surface	OK
7	Solder Spread Test	- Solder ball spread after reflow	Solder ball spread	OK
8	Solderability Test	- 260℃, 3sec. solder pot dipping after dry and reflow	Solder wettability	OK
9	Thickness Deviation and Roughness Test	- Micro-section of pad	Thickness deviation and roughness	OK

2. SEM 결과 분석

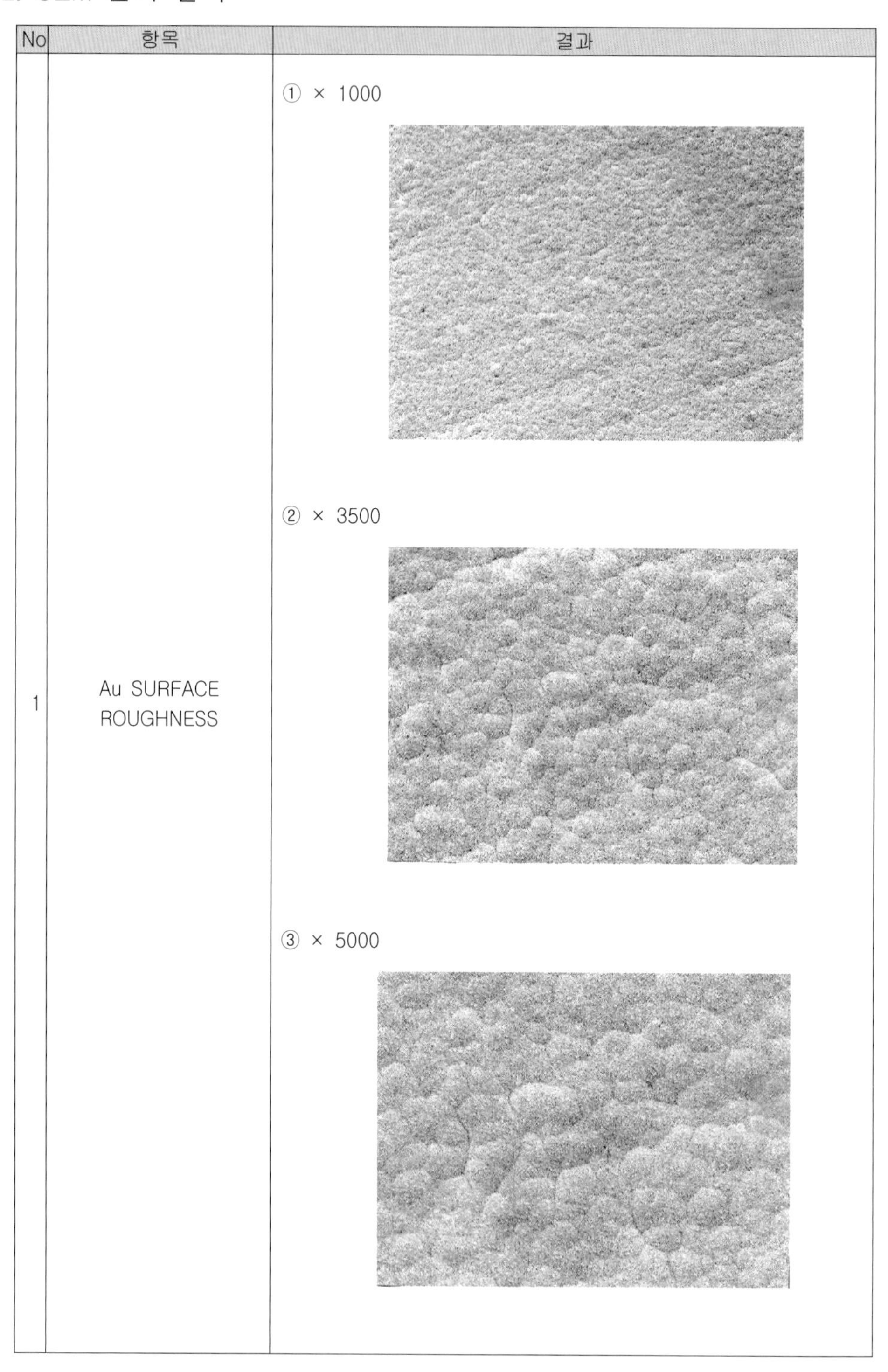

No	항목	결과
1	Au SURFACE ROUGHNESS	① × 1000 ② × 3500 ③ × 5000

No	항목	결과
2	Ni SURFACE (After Au STRIPPING)	① × 1000 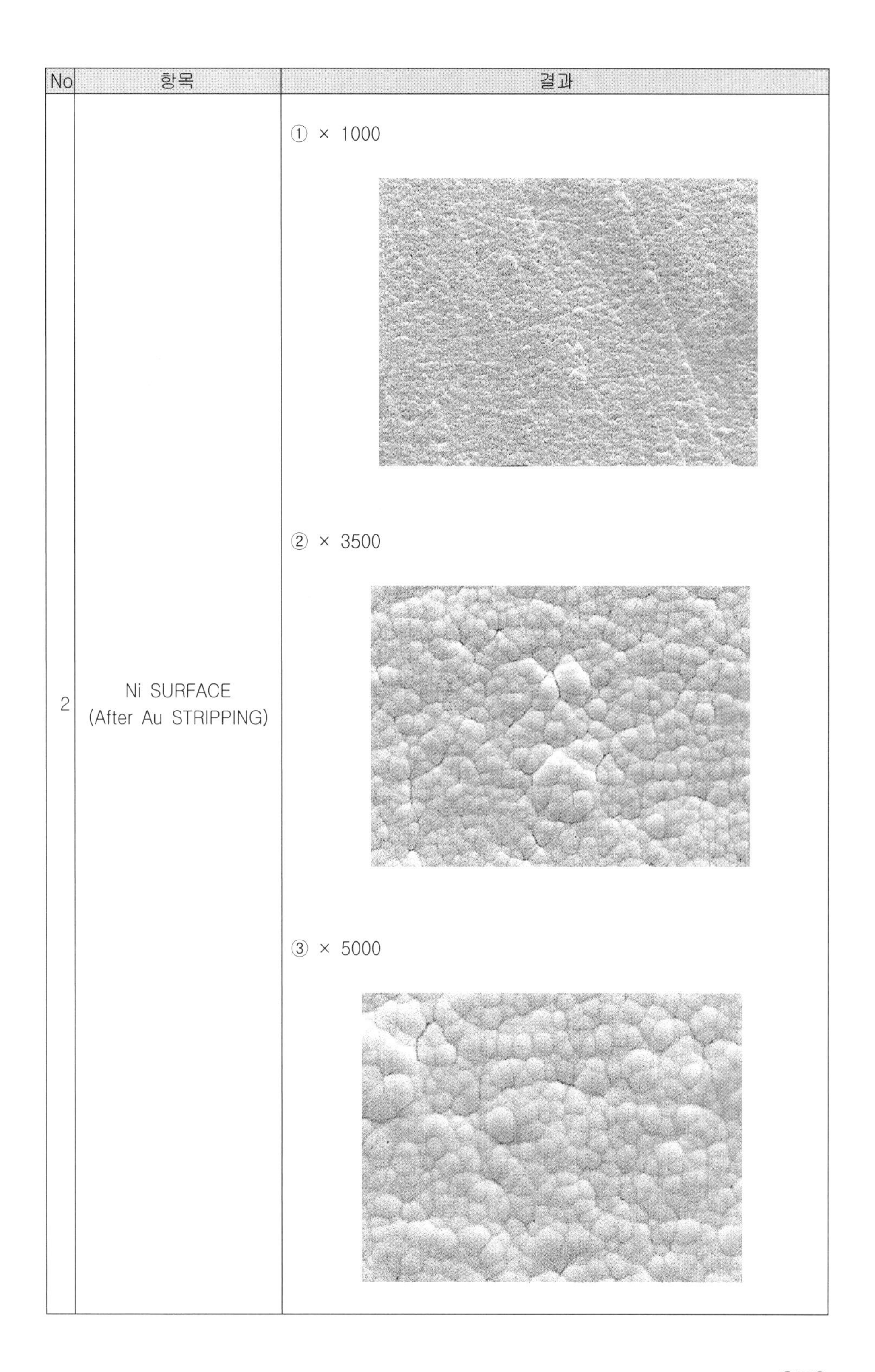 ② × 3500 ③ × 5000

No	항목	결과
3	REFLOW TEST (AFTER Au STRIPPING THCL DIPPING)	Au stripping → Dipping into 10% HCl solution (10 sec.) → Reflow (Peak Temp. 265℃, 5 times) - REFLOW TIME 별 사진 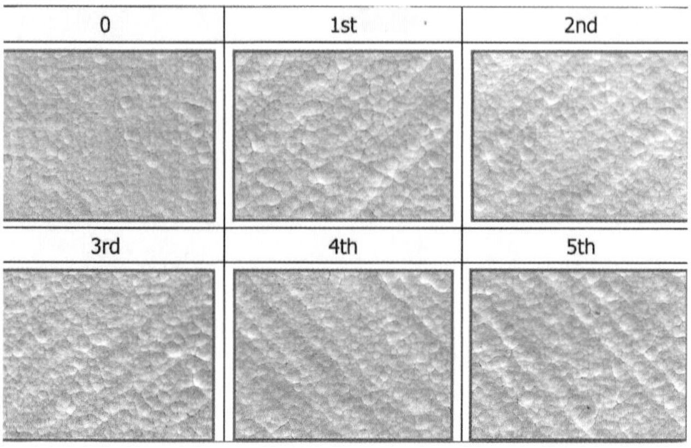 0 | 1st | 2nd 3rd | 4th | 5th
4	Ni-P DEPOSIT "N To" (Photos × 3500)	Electroless Nickel Plating : 85℃ × 20 min. 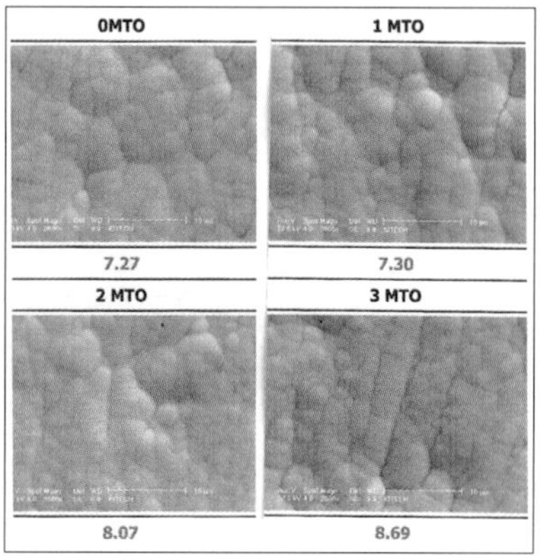 0MTO | 1 MTO 7.27 | 7.30 2 MTO | 3 MTO 8.07 | 8.69
5	AFTER Au PLATING	Electroless Nickel : 85℃ × 20min. Immersion Gold : 85℃ × 8min. 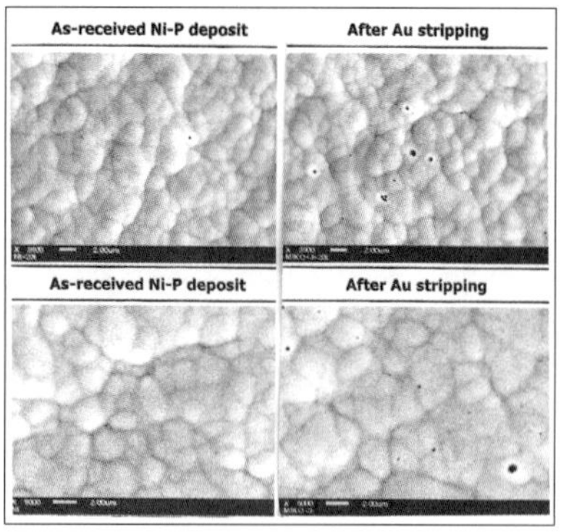 As-received Ni-P deposit | After Au stripping As-received Ni-P deposit | After Au stripping

3. 결과

<table>
<tr><th>No</th><th>항목</th><th>방법</th><th>사진</th><th>결과</th></tr>
<tr><td>1</td><td>사양 및 조건</td><td>Wetting Balance
① Equipment
: SAT-5100 (Rhesca)
② Solder pot temp. 280℃
③ Pb-free solder :
Sn-3Ag-0.5Cu(Alphametal)
④ Flux : EF 9301
(Alphametal, No clean type)
⑤ Sample : thickness Ni 3㎛,
Au 0.07㎛
⑥ Reflow : peak temp. 265℃</td><td></td><td>OK</td></tr>
<tr><td>2</td><td>CHIP SHEAR</td><td>① Base : Rigid Board
② Sample : ENIG
③ Chip Size : 1608,
Shear Height : 300㎛</td><td><table><tr><th></th><th>Min.</th><th>Max.</th><th>Ave.</th></tr><tr><td>ENIG</td><td>2328</td><td>3512</td><td>3005</td></tr></table></td><td>OK</td></tr>
<tr><td>3</td><td>BALL SHEAR</td><td>① Base : Rigid Board
② Sample : ENIG
③ Ball Size : 0.3㎜
(Pb-free solder ball),
Push Height : 100㎛</td><td>(until : gram)<table><tr><td>NO</td><td>1</td><td>2</td><td>3</td><td>4</td><td>5</td></tr><tr><td>ENIG</td><td>508</td><td>462</td><td>490</td><td>446</td><td>449</td></tr></table><table><tr><td>NO</td><td>6</td><td>7</td><td>8</td><td>9</td><td>10</td></tr><tr><td>ENIG</td><td>465</td><td>510</td><td>453</td><td>480</td><td>452</td></tr></table><table><tr><td>NO</td><td>11</td><td>12</td><td>13</td><td>14</td><td>15</td></tr><tr><td>ENIG</td><td>434</td><td>424</td><td>413</td><td>449</td><td>438</td></tr></table><table><tr><td>NO</td><td>16</td><td>17</td><td>18</td><td>19</td><td>20</td><td>AVG</td></tr><tr><td>ENIG</td><td>413</td><td>437</td><td>406</td><td>431</td><td>394</td><td>448</td></tr></table></td><td>OK</td></tr>
<tr><td>4</td><td>SCRATCH</td><td>PAKER PEN SCRATCH TEST</td><td> 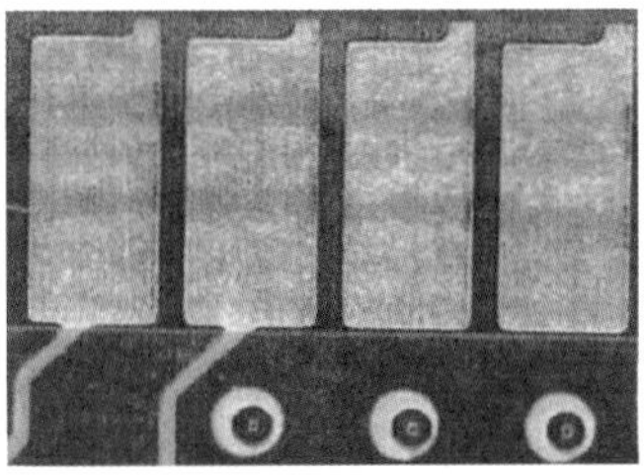</td><td>OK</td></tr>
<tr><td>5</td><td>WIRE PULL</td><td>· Spec. 1.4kgf/㎠
· Observation of delamination part</td><td> </td><td>OK</td></tr>
</table>

No	항목	방법	사진	결과
6	POROSITY	·12% Nitric Acid, 5min. dipping	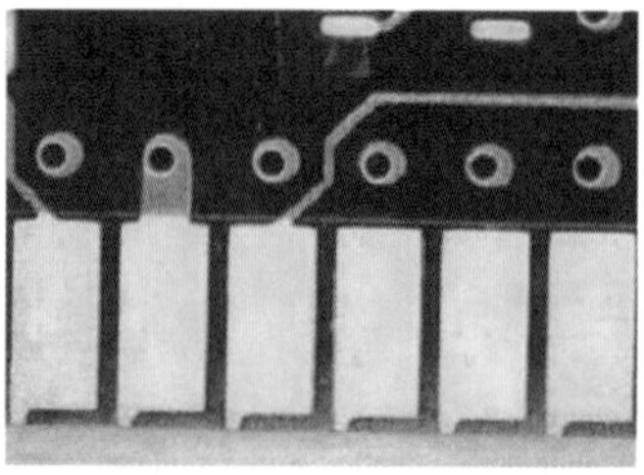	OK
7	SOLDER SPREAD	· Solder ball spread after reflow	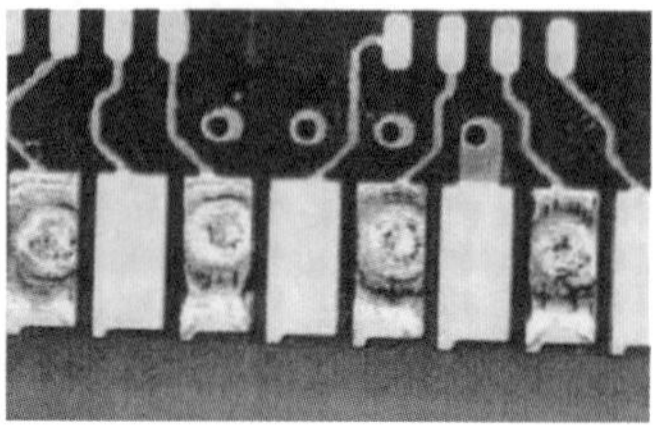	OK
8	SOLDER ABILITY	DIPPING 260°, 3sec	① AFTER DRY (10°, 2hour) 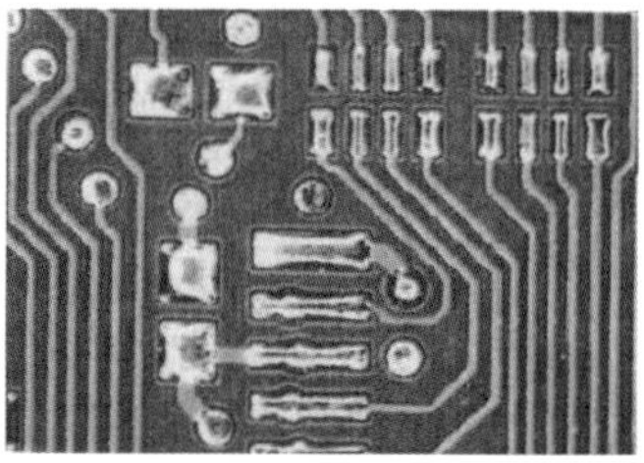 ② AFTER 2 TIMES REFLOW (PEAK temp 245℃) 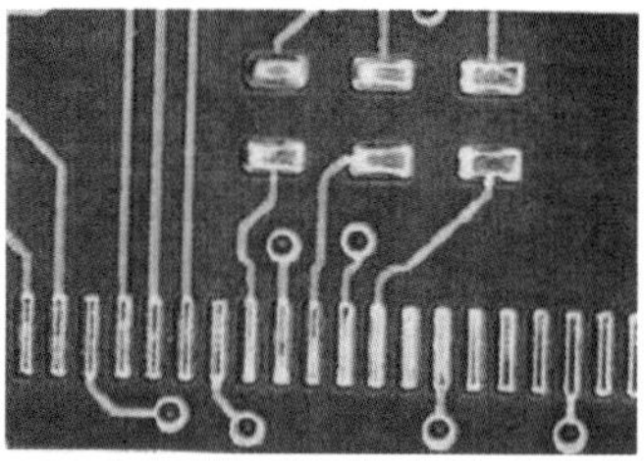 ③ AFTER DRYER(110°, 2hour) and 2 times REFLOW (245℃) 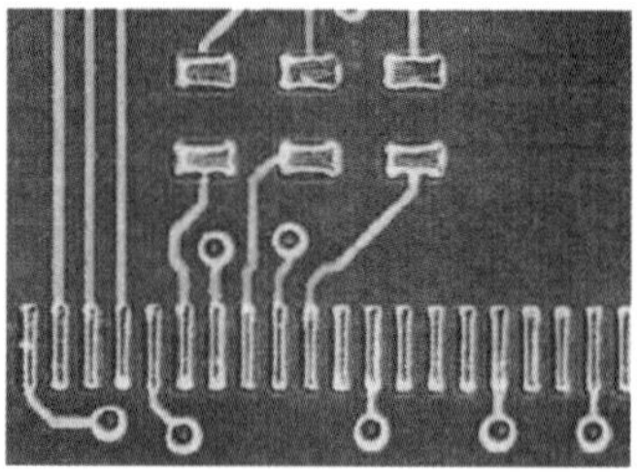	OK

No	항목	방법	사진	결과
9	THICKNESS DEVIATION	· Micro-section of pad · Ratio of length of bottom over length of top	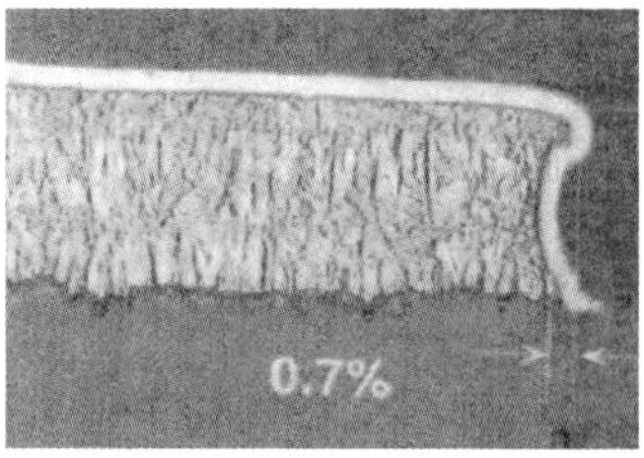	OK
10	ROUGHNESS	Observation by micro-section of pad	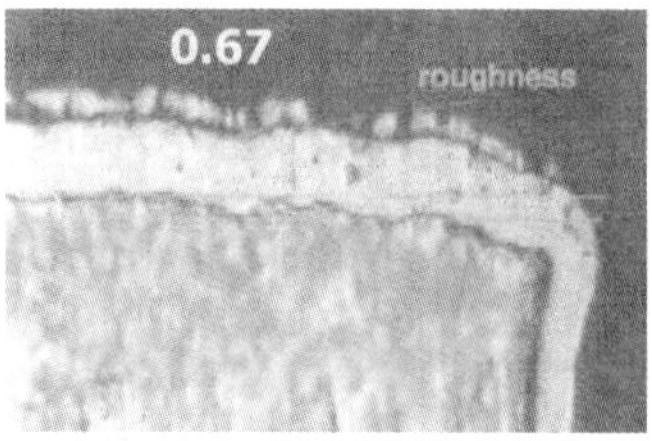	OK

11-2 PCB OSP 표면처리 신뢰성 TEST

1. PCB 표면처리 요구 미래

	· 일정한 평면유지 · 장기간 신뢰성 - Strong Solder Joint - Electrical Performance	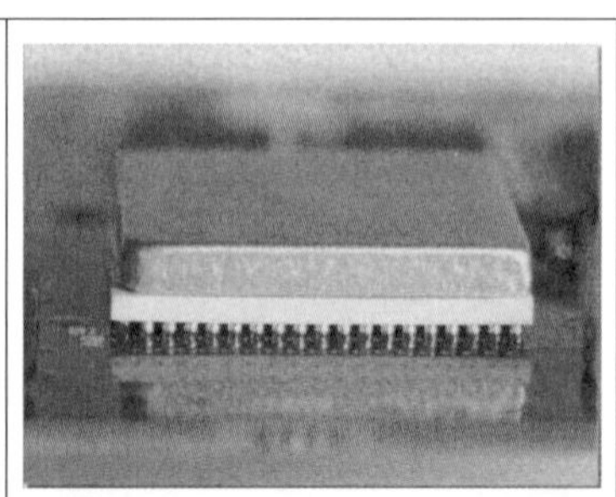
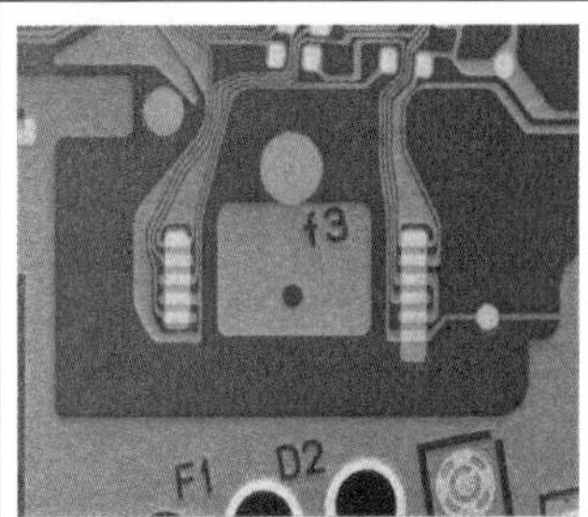	· 낮은 접촉 저항 - EMI Shielding - Tip & Key Contacts - Press Fit Connectors · Wire Bondable	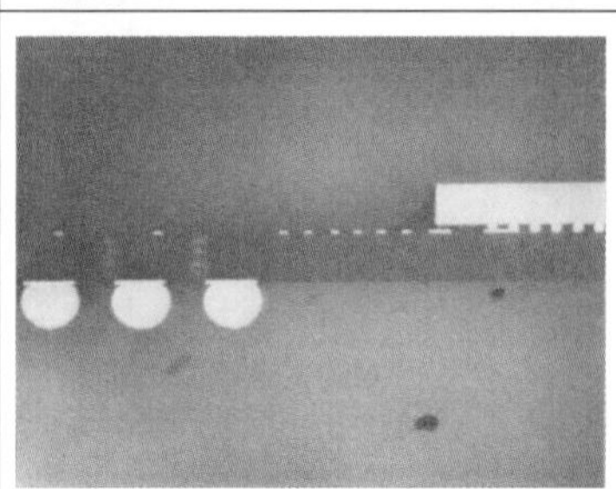

2. OSP의 장점

· 선택적 coating, 재작업 용이성, Auto Line 편이성

· 환경 친화적임(유독성 없음)

· FINE PATTERN 가능

· 납(Pb)의 사용없음

· 유지 및 생산성 높음

· 폐수처리 용이함

· 인화성 제거

· Cost 감소, 수평장비 사용으로 작업 용이성

3. 유기성(ORGANIC)을 응용한 표면처리 종류 및 특징

1) 특징

Type	Thickness	Shelf Line	Number of Reflows	Flux Compatibility	비고
Inhibitor	50-200 Ä	3-6 Months	1	All	수용성
Rosin/Resin Pre-flux	1-2 Microns	6-12 Months	3 Maximum	Rosin/Resin	내열성
OSP	0.2 - 0.5 Microns (2000-5000 Ä)	12 Months	3 Minimum	All	수용성 내열성

2) Assembly 작업 시 비교

P = Poor / F = Fair / G = Good / E = Excellent

Assembly Type / Soldering Flux Type		Inhibitors	Rosin/Resin Pre-Fluxes	OSPs
Single-Sided SMT				
	Rosin	E	E	E
	No-Clean	E	E	E
	Water-Soluble	E	P	E
Single-Sided Wave				
	Rosin	E	E	E
	No-Clean	G	F	E
		E	P	E
Single-Sided SMT				
	Rosin	P	E	E
	No-Clean	P	E	E
	Water-Soluble	F	P	E
Mixed Technology				
	Rosin	P	E	E
	No-Clean	P	F	G
	Water-Soluble	F	P	E

4. OSP의 Mechanism

- Substituted Benzimidazole Type

- Coating Deposition Mechanism

- 동(Cu)와 공유 결합
- 유기 금속 결합형태 (두께 1500A 이상)
- Benzimidazole의 형성으로 요구되는 최종 두께를 이룸

· Types
- Inhibitors
  benzotriazoles
  imidazoles
- Organic Solderability
  Preseratives
  substituted benzimidazoles

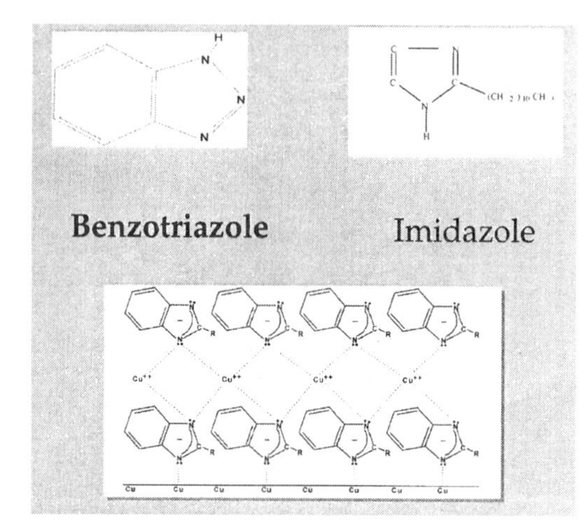

· Benefits
- 비용절감
- 작업용이
- 속성 Coating

5. OSP PROCESS

1) 일반공정

중압수세	공정설명	작업조건	비고
중압수세	Epoxy, 이물질 제거	압력 3~4㎏/㎠	
SOFT e/t	1~2㎛ 표면 에칭에 의한 조도 형성 및 산화막 제거	황산 : 80±20㎖/l 과수 : 60±20㎖/l	
PRE-COATING	균일한 Coating을 위한 전처리	농도 : 100±10%	
건조	표면 물기 제거		
COATING	동표면 유기막 형성	산성도 농도 : 100±10% 농도 : 100±10% Ph : 2.6±0.3	
건조	제품 표면 물기제거		

2) LINE 비교

LOAD	H사	S사
LOAD	AUTO LOAD & 두께 감지 SYSTEM	수 동 (사 람)
중압수세	표면 이물질 제거(EPOXY)	無
CLEANER / ETCH	ETCH RATE 1~2㎛ 관리	ETCH RATE 1㎛ 이상 관리
수세 3단	ETCHING 후 수세	ETCHING 후 수세
AIR BLOWER	표면 물기 제거	無
PRE-COAT	COATING 전 동표면 균일 처리 약품명 : ENTEK PC-1030	無
수세 4단	PRE COATING 후 수세	無
AIR KNIFE / DRY	COATING 전 표면 물기 제거	COATING 전 표면 물기 제거
COATING	막두께 : 0.2~0.5㎛ 관리 약품명 : ENTEK PLUS CU-106A(X)	막 두께 : 0.2~0.5㎛ 관리 약품명 : MAC SEAL CL-5010N
DIP 수세	DIP TYPE 수세	無
수세 3단	COATING 후 수세	COATING 후 수세
AIR KNIFE / DRY	완 전 건 조	완 전 건 조
UN LOAD	AUTO UN LOAD	수 동 (사 람)

6. 막두께 관리

· 막두께 : 0.2~0.5㎛

0.2 미달 시 냉땜 원인 유발

막 두께 coupon 시편 제작 후 라인에 OSP 처리 후 5% HCL 25㎖에 녹인 후 분광광도계 270nm에서 측정 후 Factor 값을 곱한다.

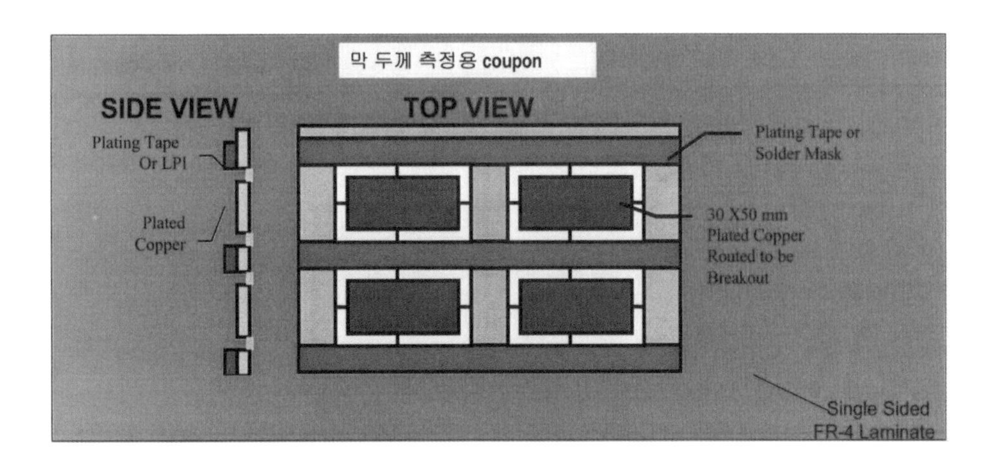

7. 유형

TYPE	Thickness	수용성 여부	내열성 여부	REFLOW 온도	REFLOW 회수
POSIN/RESIN PRE-FLUX	1~2㎛	지용성	내열성		MAX 3회
OSP(당사적용)	0.2~0.5㎛	수용성	내열성	220℃	MIN 3회
Pb-FREE OSP	0.3~0.5㎛	수용성	고내열성	260℃	MIN 3회

PRE-FLUX 개발 시 송진 성분의 Rosin/Resin 개열의 FLUX가 사용되었으나 REFLOW시 FLUX 잔사 등의 문제로 수용성인 OSP가 개발되었으며 현재 모든 FLUX는 수용성과 Reflow시 열에 의한 영향을 줄이고자 내열성 특성을 요구하게 되었다.

따라서 현 FLUX 특성은 수용성과 내열성의 특성을 가지고 있다.

8. MAKER 별 종류

Series	제조원	제조국적	국내 판매처	특성	비고
ENTEK	Enthone-OMI	미국	아트켐	내열성 수용성	미주 및 유럽선호 엘지전자 사용중
Cu-coat	삼화 연구소	일본	위즈코트	내열성 수용성	일본, 국내 선호 대덕 등 국내 사용처 많음
GLICOAT	SHIKOKU	일본	다이요	내열성 수용성	일본 선호

※ FLUX(OSP)는 ENTEK처리, Cu-COAT처리, GILCOAT 처리 등 약품명으로도 불리며 업체에서 지정하여 처리되는 경우도 있음.

9. 보관기간 및 보관상태에 따른 신뢰성

· Minimum 12개월 (온도 : 20~30℃, 습도 : 40~70%)
  - 실제 생산 후 보관 상태 확인 후 검증
  - Accelerated Aging Test 검증

· Accelerated Aging Test 방법
  - 순수한 Steam Aging Test 배제됨
  - 40℃, 90% Rh, 1000Hour

- 65℃, 95% Rh, 24Hour
- 35℃, 95% Rh, 96Hour

10. 표면처리 OSP TEST

1) HASL의 대체용으로써 OSP의 장점

① 미세피치 SMD 솔더링의 수율 향상

② 재료비 측면에서 비용 절감

→ 금속 코팅이 없고 PCB 제조 공정 간편

③ 환경 문제 해결

→ 무연 및 최소 독성 또는 무독성 폐기물

2) SMT시 공정 TEST 항목 및 결과

① PCB 납땜성 test

(a) test 조건

· 열 편위 운동 (Thermal excursion)을 시킨 후 wave soldering 실시

(b) test 결과

· 젖음성 및 Pull through 결과 이상 무

② 내 환경 test (수명 TEST)

(a) test 조건

· Rh 95%, 7일간 방치 (Accelerated Aging)후 접착 경화

· 동일 제품 reflow 후 soldering

(b) test 결과

· 젖음성 및 Pull through 결과 이상 무

③ 열 사이클링과 납땜성

(a) test 조건

· reflow 통과 후 wave soldering

(b) test 결과

· 1회 reflow : 납땜성 양호

· 2회 reflow : 납땜성 양호

· 3회 reflow : 납땜성 떨어짐

· 4회 reflow : coating 분해 후 납땜성 심하게 떨어짐

※ 코팅 두께에 따라 납땜성 영향을 줄 수 있음

④ 질소/공기 IR REFLOW 후 비교

(a) test process

· 접착경화 사이틀 → solder paste 인쇄 → SMT

(b) test 조건

test 1	질소 접착 경화	질소 reflow	공기 wave solder
test 2	공기 접착 경화	질소 reflow	공기 wave solder
test 3	질소 접착 경화	공기 reflow	공기 wave solder
test 4	공기 접착 경화	공기 reflow	공기 wave solder

(c) SMT Soldering test

· 결과

- test 조건 별 동일 수준 soldering 됨
- 공기 reflow : paste 산화물 생성

  산화물 → FLUX 활성화 방해 요지 있음.

  대책 : FLUX 활성화와 가용성 조정 문제 해결

· 결론

- 질소 reflow는 solder paste flux의 화학작용 및 기타 문제에 가장 안정된 SMT 방식이나 값이 고가임. 공기 reflow 방식의 최적화 및 연구 개발이 필요.

(d) Wave Soldering test 결과

· 검사 기준

100% PTH Pull Through, Via hole Pull Through, Pad 젖음 상태

※ wave soldering시 pull Through 중요 기준 이유

→ solder가 기판에 젖어들면서 모세관 현상이 생겨, solder를 PTH 벽을 통해 위로 밀어 올림에 따라 Annual ring까지 충분한 젖은 상태를 제공

· test 결과

test 1	Wetting성 양호
test 2	Wetting성 양호
test 3	Test1, 2에 비해 Wetting이 떨어 졌으나 wetting은 됨
test 4	Wetting성 불량. Via hole 주위 wetting성 떨어짐

· 결론

- 질소 reflow coating 분해 감소 시켰으며 전반적인 납땜성 향상시킴
- 코팅 두께에 따라 질소 reflow, 공기 reflow에 영향을 없을 수도 있음.
  → 코팅 두께에 따라 납땜성에 중요한 작용함
- reflow soldering과 wave soldering시 리드 time 영향을 줌
  reflow후 24시간 안에 wave soldering 진행 시 납땜성 최소화, 3주 경과 시 납땜성 심하게 떨어짐.

⑤ FLUX와 납땜성

· test 조건

- No Residue (무잔사) 열 profile 사용
- 2회 reflow 처리
- SMT면의 Land 부분 솔더면 향하게 진행

(a) 스프레이 플럭싱

· 결과 : 랜드 부분적으로 dewetting 생김
Via hole 최소한 채워짐
PTH hole 채워진 정도 다양함

※ 플럭스 공급량 늘려 TEST → PTH hole 채워진 정도는 개선되었으나 완벽한 수준 아님.

(b) 거품 플럭싱

· 결과 : 스프레이 플럭싱보다 상당한 개선 보임
PTH hole 100%
Via hole 90%

(c) wave 플럭싱

· 결과 : 우수한 wetting성 보임
과도한 플럭싱 보임
→ 플럭스 낭비와 청결문제 생김

※ PSR이 SMT에 미치는 영향
PSR이 PAD보다 높을 경우 표면장력에 의하여 solder가 wetting되기 어렵다. 이때 이중 wave를 하면 문제 해결할 수 있다.

3) OSP를 SMT 공정에 도입하려면

① No Residue (무잔사) 솔더링 기술과 양립가능

② 혼합기술(PTH+SMT)을 대신할 만한 제품

③ 열 사이클 최대 2회로 제한

3회 일 경우 사용하는 재료와 공정변수 주의

4) 최상의 납땜성을 위한 고려사항

① 납땜성에 부정적인 영향을 주지 않은 저장 수명은 6개월임.

② Reflow 회수는 coating에 영향 준다.

③ 코팅의 두께는 열 사이클에 내구력을 향상 시킬 수 있지만 두께가 두꺼울수록 젖음 시간도 길어진다.

④ 질소 Reflow 열 편위 운동은 공정재료의 불완전상을 상쇄 할 수 있다.

⑤ 스프레이 플럭싱은 젖음성이 가장 나쁘다/

⑥ 수순한 주석, 주석 함량이 많을수록 젖음성이 증가한다.

11-3 Ni+Au Plating층의 분리현상 및 결함분석

1. 분리현상

1) 현황

결함 (시료 No-1)		시료 분석 관찰 포인트

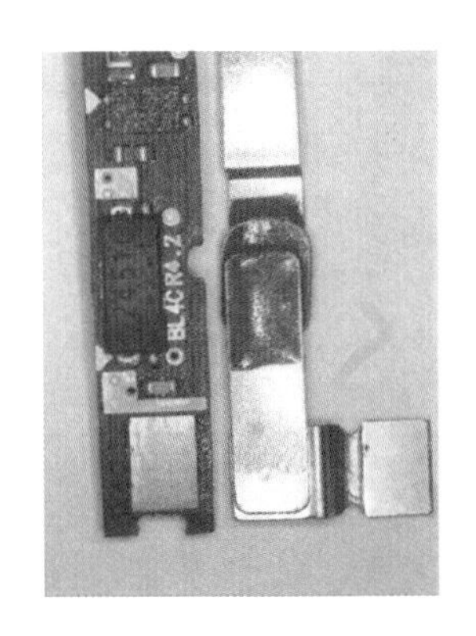

⇨

1. 금도금된 SMD LAND에서 Ni층과 Au층이 분리됨.

2. 본 제품과 같은 ENIG(무전해금 도금)의 구조는 아래 그림과 같음

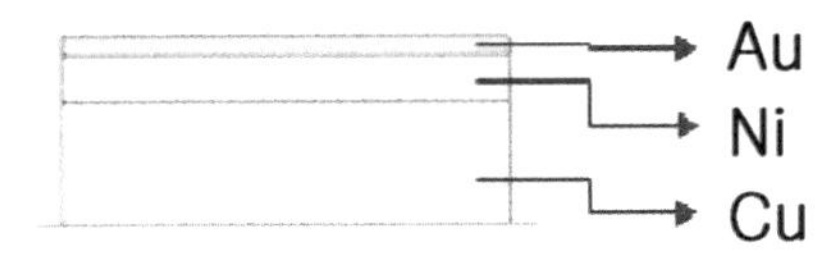

3. 좌측의 도형(사진 결함 시료 5EA)에서는 단락된 부품의 PAD이면에서처럼 무전해 금도금부에서 분리된 것으로 보임

2) 입수 시료 현황(사진)

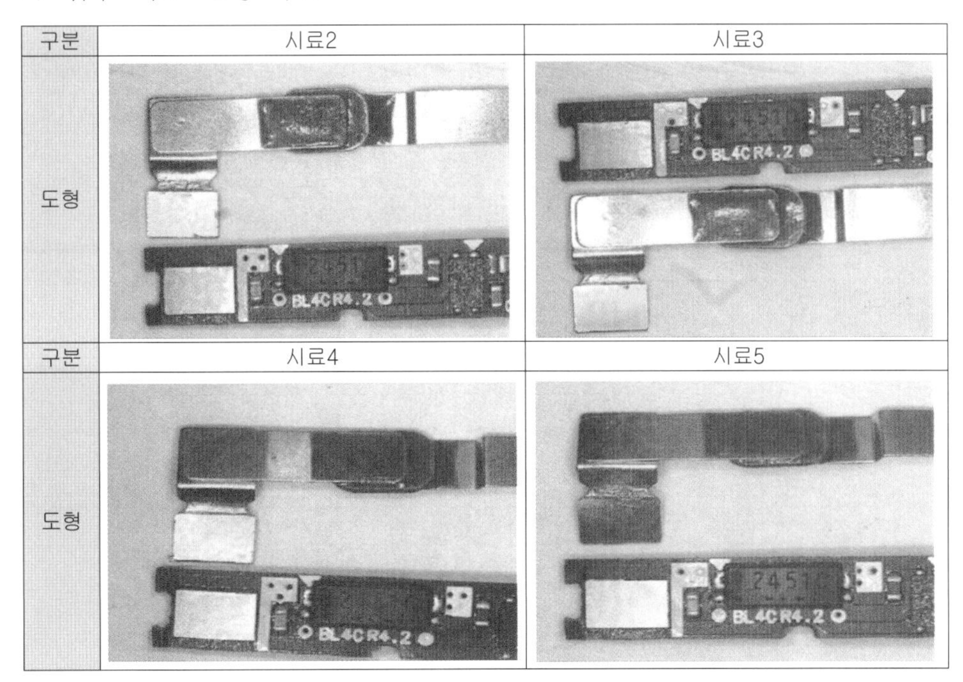

구분	시료2	시료3
도형		
구분	시료4	시료5
도형		

3) 작업 현황

① 판넬 크기.

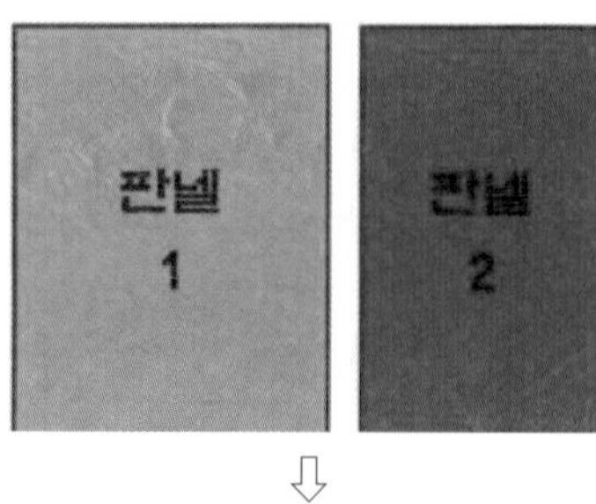

⇩

구분	가로	세로
판넬 1	415	320
판넬 2	415	215

② 일자별 작업 현황

일자	판넬구분	LOT NO	가로	세로	수량
11/2	1		415	320	122
11/2	2		415	215	179
11/2	1		415	320	200
11/5	2		415	215	98
11/5	1		415	320	100
11/7	2		415	215	187
11/7	1		415	320	185
11/11	1		415	320	100
11/12	2		415	215	247
11/12	1		415	320	147
11/17	1	091022-02	415	320	344
11/18	1		415	320	155
11/18	2		415	215	453
11/23	1	9092235	415	320	272
11/23	2	9092234	415	215	41
11/24	2		415	215	269
합계					3099

4) 금도금 Process

구분	CONTROL	라인 전경
도형		
Process	탈지-온수세-E/T-Pre Dip-Activator(촉매)-Post Dip-NiP(A)-NiP(B)-Au	
시사 포인트	· 상기와 같이 프로그램에 의해 라인이 작동되기 때문에 도금이 완료되어서 OUT-PUT되는 Basket이 출토되지 않고 다시 IN-PUT되는 경우는 없음 · 이는 프로그램상에서 FOOL-PROOF장치에 의해 제어되기 때문에 "2회"의 작업이 되는 경우는 발생되지 않음.	

5) 문제점

구분	시료 1	시료 2	시료 3	시료 4	시료 5
결함					
개론	· 일반적으로 금도금된 제품에 Solder Paste를 인쇄하여 부품을 장착하고, Reflow공정을 통과시켜 납땜을 완료하게 되는데 이때, 금은 Solder 속으로 확산되기 때문에 금을 찾아보기 어려움 · 이때 납땜면을 강제로 박리해 보면 니켈층에서 박리가 되는데, Solder면에 함유된 주석과 니켈과의 금속간 화합물이 형성됨 · 따라서 상기 결함 도형과 같이 PWB의 PAD에서 금 부분만 분리되는 현상은 무전해금 도금의 표면처리 업체로서는 상기의 사진 5매만으로 판정하기 난해함.				
결합의 궁금	· 이번 불량의 특성상 ① LOT성 대량 불량인지? ② 특수 요인에 의한 소량 불량인지? ③ Pack 완제품까지 전량 폐기해야 할 상황인지? ④ 선별만 하면 출하가 가능한지? 등 4가지에 사항에서 · 만약 상기 결함이 무전해금 도금에 의한 결과하면 그 발생 단위의 수량은 첫째, 1Kit/1Pnl ①,②/1Basket/1일 작업량으로 연결될 소지가 있지만 둘째, 무전해금 도금의 문제일 경우라도 제조 주기의 Lot성으로 연결되지는 않을 것으로 판단 · 상기 첫 번째의 경우도 순수한 가설에 의한 것. · 정확한 원인규명을 위해서는 시료의 분석에 의해서 이해를 얻어야 할 것으로 판단됨.				

2. 결함 분석

1) 현황

결함 (시료 No-1)

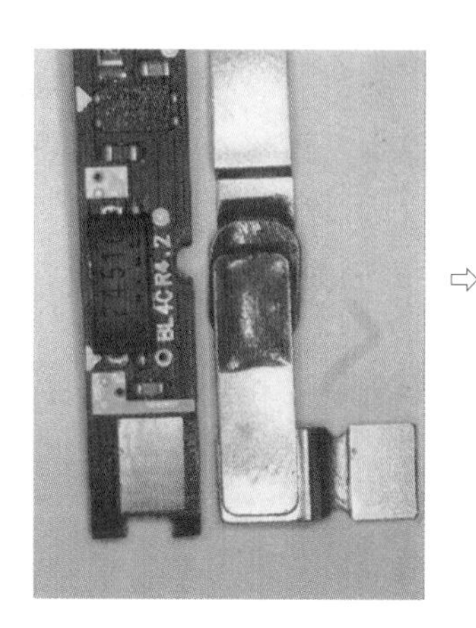

⇨

시료 분석 관찰 포인트

1. 금도금된 SMD LAND에서 Ni층과 Au층이 분리됨.

2. 정상적인 ENIG(무전해금 도금)의 구조는 아래 그림과 같음.

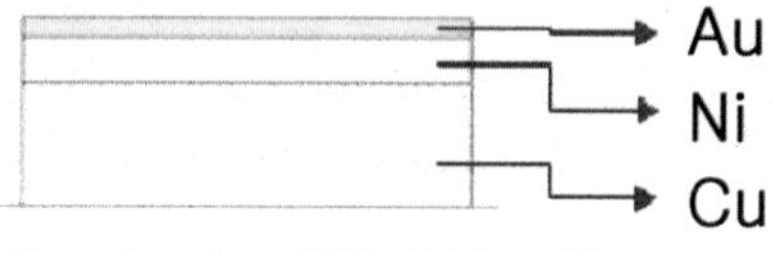

3. Micro Section 결과 도금 작업 오류로 정상적인 도금 작업이 아닌 2회 작업된 상태

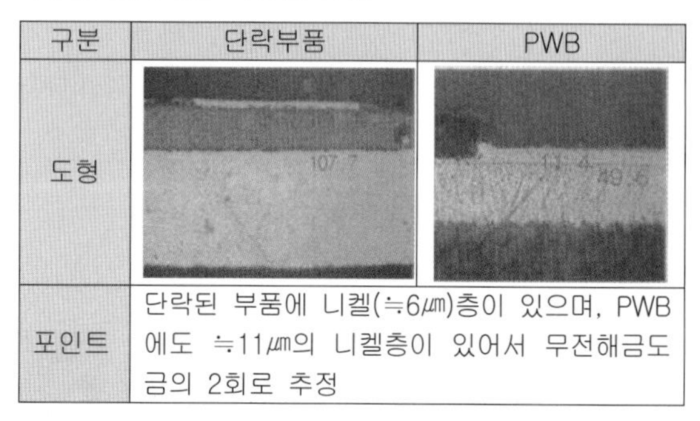

구분	단락부품	PWB
도형		
포인트	단락된 부품에 니켈(≒6㎛)층이 있으며, PWB 에도 ≒11㎛의 니켈층이 있어서 무전해금도금의 2회로 추정	

2) 원인 및 향후 관리 방안

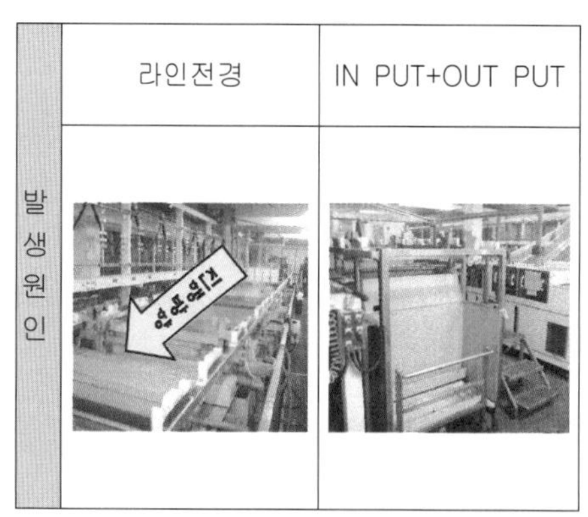

	라인전경	IN PUT+OUT PUT
발생원인		

⇨

1. 발생원인
   · 도금이 완료된 Basket를 출토시키지 못함.
   · 출토 대기의 Basket이 프로그램에 의해 2차로 In-Put되어 2회 도금이 진행됨.

2. 유출원인
   · 도금 두께 측정 Method 허술.

구분	세부내용
Method	Lot의 "N"과 관계없이 1회 · 문제 LOT의 유출 위험도 내포함

<table>
<tr><th rowspan="3">재발방지대책</th><th>구분</th><th>내용</th><th>방지대책</th><th>비고</th></tr>
<tr><td>1</td><td>2회
/도금
방지</td><td>· FOOL-PROOF장치 설치.
- 프로그램상에서 이와 같은 문제 발생의 근절을 위한 일환
<table>
<tr><th>구분</th><th>장치명</th><th>세부내용</th><th>비고</th></tr>
<tr><td>1</td><td>Alarm장치
부착</td><td>출토되지 않을 경우 20초 동안 "Alarm+경광등" 작동.</td><td>2009,12/E까지 설치 완료 예정</td></tr>
<tr><td>2</td><td>프로그램
변경</td><td>"Alarm"후 프로그램 작동 중단
- Alarm후 Sensor에 의해 In Put이 되지 않도록 수정</td><td>2009.12/E
PMC</td></tr>
</table></td><td>"09.12/E
PMC
LM 이수환</td></tr>
<tr><td>2</td><td>유출
방지</td><td>· 도금 두께 측정방법 개선
<table>
<tr><td rowspan="3"></td><th>구분</th><th>측정방법</th><td rowspan="3">1. 품질 안정화를 위해 Lot별에서 Basket별로 세분화.
2. 도금 두께를 측정함으로 문제 발생 시 식별리 용이
3. Basket별로 검증된 Data는 고객사와 공유
- 신뢰성을 확립</td></tr>
<tr><td>개선전</td><td>1회 Lot別</td></tr>
<tr><td>개선후</td><td>1회
Basket別</td></tr>
</table></td><td>"09.12.15~"
즉 실천
LM 문선필</td></tr>
</table>

11-4 BLACK PAD 신뢰성 TEST

1. 제목

BARE PCB 신뢰성 분석

2. PCB 처리현황

MODEL NO	PSR	표면처리	비고
11DPH-86A	BLACK INK	ENIG + 전해Au(HARD)	HALOGEN FREE 제품

3. 부적합 내용

→ Au PEEL - OFF

4. 부적합 발생원인

→ Ni도금 시 BLACK pad 발생 추정

5. 신뢰성 분석 현황

No	항 목	내용	결 과	
			합격	불합격
1	도금두께 측정	Ni (MIN 5.096 - MAX × 5.875㎛)	O	
		Au - 무전해 (MIN 0.031 - MAX 0.066㎛) - 전해 (MIN 0.716 - MAX 0.874㎛)	O	O
2	표면촬영	50X, 100X, 200X 촬영 BLACK PAD에 의한 무전해금도금 및 전해금도금 부위 PEEL-OFF 발생		O
3	SEM EDS 분석	흑화현상 분석결과 P (8.48 - 9.68 weight%) Ni (90.32 - 91.52 weight%)		O

6. BLACK PAD 원인

- Ni 도금액의 농도관리 미흡 (특히 P관리)
- 도금작업 시 속도 조절 MISTAKE (온도, ph관리)

· Ni 도금액 불순물 (Br, Cr등의 불순물)
· Au 도금층의 균열로 Ni층 부식발생
(PCB 내부의 잔류 응력 또는 충격에 의한 금도금층 균열)

7. 대책 및 조치 사항

1) 인 성분에 따른 영향

① 인 농도 성분이 저하 될 경우 : 2% 이하
인농도가 너무 낮을 경우 무전해 도금시 (무전해 금도금은 통상 치환용) Ni 도금층을 심하게 침식시키기 때문에 내부식성 저하되어 외부의 산, 알카리 온·습도, 열 등의 영향을 받기 쉬운 도금피막이 형성된다.
- 정 상 : 금도금을 용해하면서 금이 석출된다. 니켈도금 표면의 침식은 심하지 않다.
- 이 상 : 니켈도금표면의 침식은 심하고 핀홀상이 된다.

② 무전해 니켈도금 피막속의 인농도 성분이 매우 높아진 경우
12%이상 니켈도금 피막이 굳어져 물성적으로 무르고 약한 피막이 된다.

2) 무전해 니켈도금 조건에 따른 영향

① 니켈도금욕의 ph가 높다. ② 니켈도금액의 교반이 너무 강하다.
③ 니켈도금액의 금속 니켈 농도가 높다. ⑤ 니켈도금액의 불순물
- 도금액중의 S/M 성분이 용출해서 도금액을 오염시킴
- 도금 피막 중 그 성분이 잔존하여 Solder 젖음성을 저하시킴

3) 무전해 금도금 표면에 이물 부착 시

수세시에 유기물이나 Ca2+, Mg2+, Cl-, K+ 등의 무기물이 부착 유기물 또는 무기물이 금도금 표면에 부착된 경우 납미착이 생기기 쉬워진다.

4) 무전해 니켈, 금도금 두께 SPEC

① 일반적 SPEC : 니켈 4μ이상, 금 0.03μ 이상이 표준임
② SMT 실장의 장해를 고려해 니켈 5μ이상 (목표 7μ), 금 0.04 ~ 0.08μ (목표 0.06μ)을 권장한다.

5) 무전해 니켈 금도금 재처리 시 문제점

- 니켈층 핀홀 생성으로 인한 원인

① 니켈도금 후 Au도금 시 니켈은 Ni2+로 Au원자로 치환반응으로 도금이 된다.

② 이때 니켈도금층은 치환반응으로 인한 핀홀이 생성된다. 특히, 이 핀홀은 산화가 잘 됨.

③ 핀홀은 산화 시 열충격 후 peel-off 가능성

11-5 FLUX공정, HOLE속 ATTACK 조건 TEST

1. Test 목적 및 방법

1) Test 목적

① Flux 공정에서의 Hole 속 Soft-etching 잔류에 의한 Hole Attack 유형 및 영향력 평가

② Hole attack 발생 조건 검증을 통한 설비 개선방안 마련

2) Test 방법

① Flux 공정의 제품투입 방향에 따른 Hole Attack 재현 Test

	Flux 투입 조건	Flux 처리 조건
Test #1	정방향 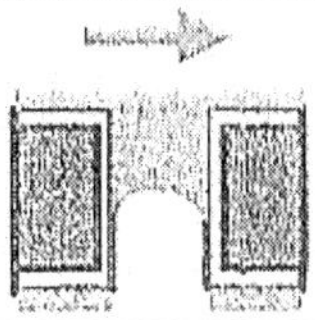	정상진행 [조건 1]
Test #2	역방향 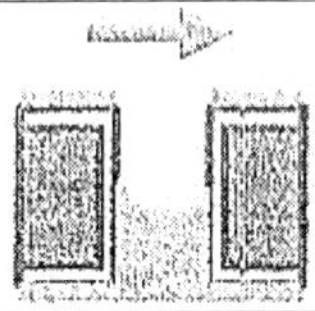	정상진행 [조건 1]
Test #3	역방향 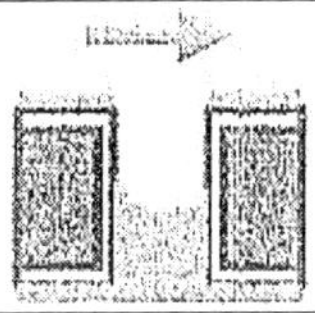	정상진행 [조건 2]
Test #4	정방향 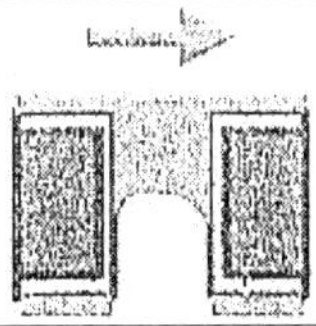	정상진행 [조건 2]
Test #5	역방향 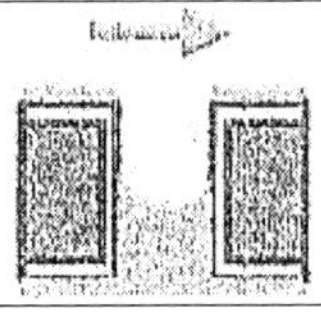	S/E 수세 생략 [조건 3]

조건 1 : S/E → 수세 → Flux → 건조
조건 2 : S/E → 수세 → Flux → 건조 → T/S
조건 3 : S/E → 수세/생략 → Flux → 건조 → T/S

② 동박 표면 soft-etching에 의한 Hole Attack 발생 조건 검토

동박 표면 soft-etching 1방울 잔류시켜 동박표면 attack 발생 조건 비교검토

2. Test 결론

1) Flux 공정의 soft-etching 잔류에 의한 영향성 평가

① hole attack 발생 가능 조건

조건 1. Flux 공정 또는 PSR 역인쇄 등에 의해 제품투입 역방향 투입될 것

조건 2. Hole 속 soft-etching의 잔류양이 많을 것

조건 3. 건조 등에 의해 잔류된 soft-etching액의 온도가 단시간 內 급격히 상승 될 것

→ 上記 3가지 조건이 모두 만족될 경우에만 hole attack 발생되는 것으로 사료됨

→ Hole attack이 발생되는 조건은 Flux 건조공정에서만 발생되어지며, 방치시간에 따라 진행성으로 hole attack 발생 미비

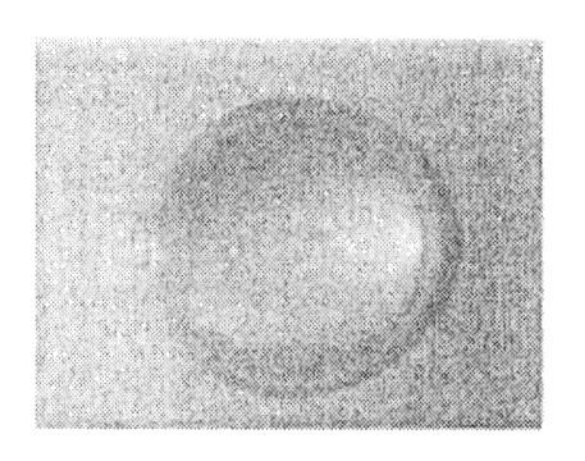

[건조 前]

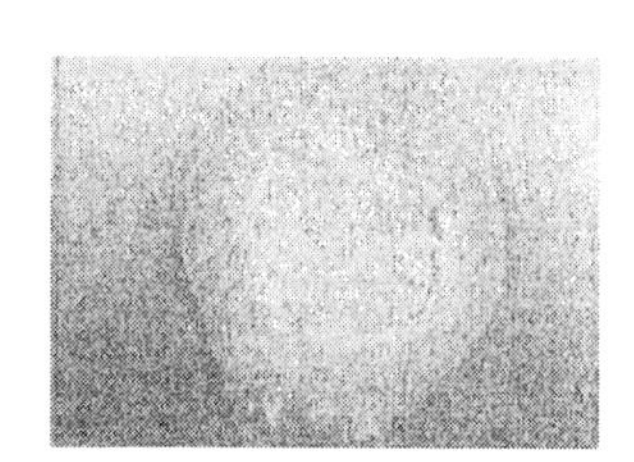

[완만한 건조 및 자연방치 결과]
→ 열충격 후 잔류물 흰색으로 변화

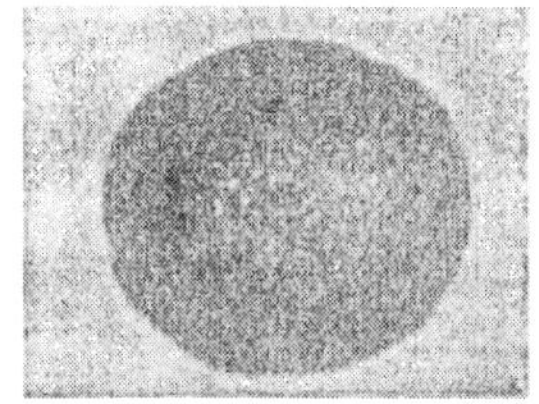

[급격히 온도 상승시켜 건조결과]
→ 열충격 후 잔류물 검은색으로 변화

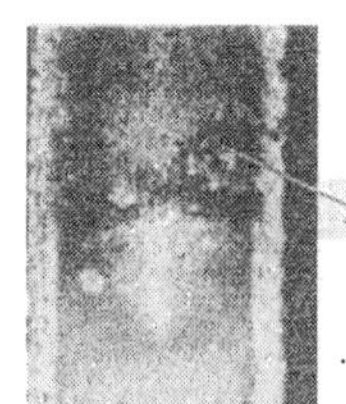

[실제 불량유형]
· Soft-etching 잔류 흔적 추정
· EDX 분석 진행 中

② 즉, Hole 속 Soft-etching 잔류량이 적을 경우에는 건조과정 中 완전 증발되어 추가적으로 hole attack 진행 불가

2) Flux Line 개선방안

① soft-etching : etch rate 감소 조정에 따른 온도상승에 의한 hole attack 완화

② 수세 : 탕세 도입 검토 필요

③ air knife : blower 용량 증가 시 Hole속 soft-etching 유입 가속화에 대한 검증 필요

④ Hot Dry : 現 IR 건조방식 → 열풍건조방식 검토 필요

3. Test 결과

1) Flux 공정의 제품투입 방향에 따른 Hole Attack 재현 Test

	Flux 투입 조건	Flux 처리 조건	Test 조건	Test 결과	비고
Test #1	정방향	정상진행 [조건 1]	1일 방치	Hole Attack 미확인	
Test #2	역방향	정상진행 [조건 1]	1일 방치	Hole Attack 미확인	
Test #3	역방향	정상진행 [조건 2]	5일 방치 후 baking	Hole Attack 확인	Baking 조건
Test #4	정방향	정상진행 [조건 2]	5일 방치 후 baking	Hole Attack 미확인	270℃, 60sec
Test #5	역방향	S/E 수세 생략 [조건 3]	5일 방치 후 baking	Hole Attack 확인	

조건 1 : S/E → 수세 → Flux → 건조
조건 2 : S/E → 수세 → Flux → 건조 → T/S
조건 3 : S/E → 수세/생략 → Flux → 건조 → T/S

▷ Test 결과

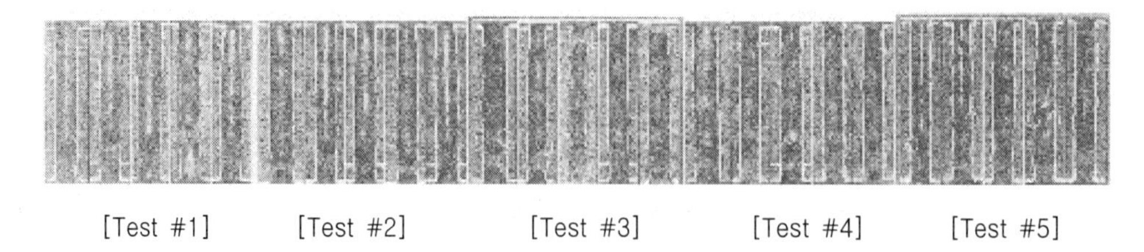

2) 동박 표면 soft-etching에 의한 Hole Attack 발생 조건 검토

	시료 #1	시료 #2	시료 #3	시료 #4	시료 #5
Baking 前					
Baking 後 [reflow 조건]					
Micro-section 결과 유형분석	x200	x200	x200	x200	x200
	x500	x500	x500	x500	x500

▷ baking에 의한 soft-etching의 급격한 온도 상승으로 인한 Attack 발생확인 되었으며, 검게 탄 흔적 발생시킴

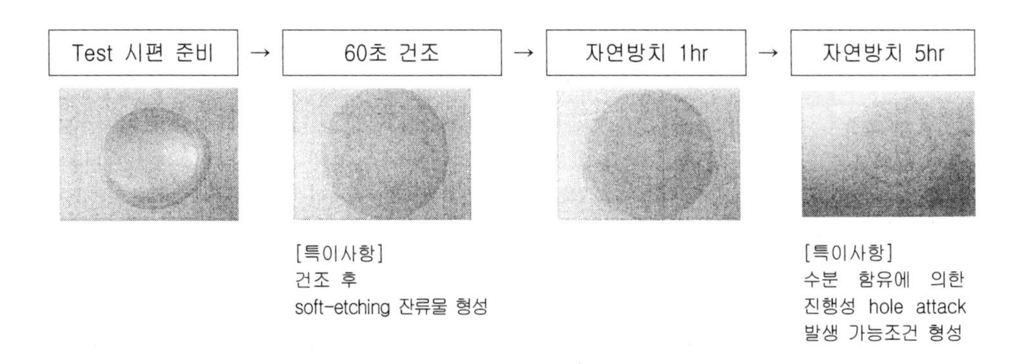

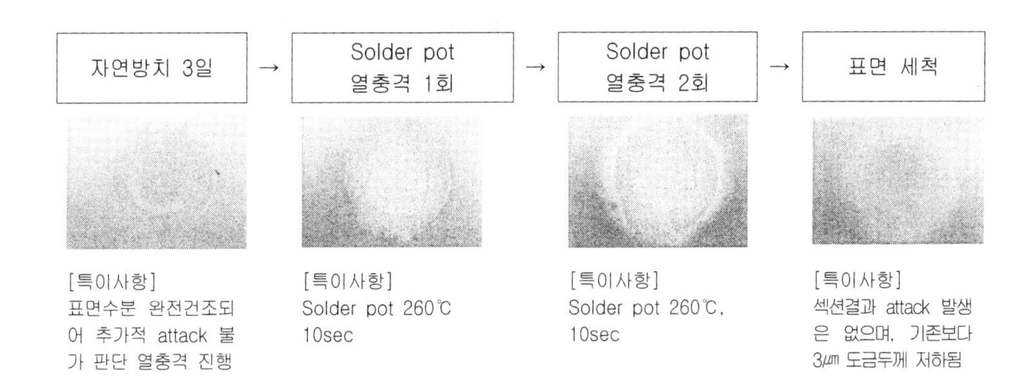

▷ soft-etching의 건조과정에서 잔류물 형성 확인되었으며, 자연방치에 따른 hole attack 미비

4. Hole Attack 사진 비교

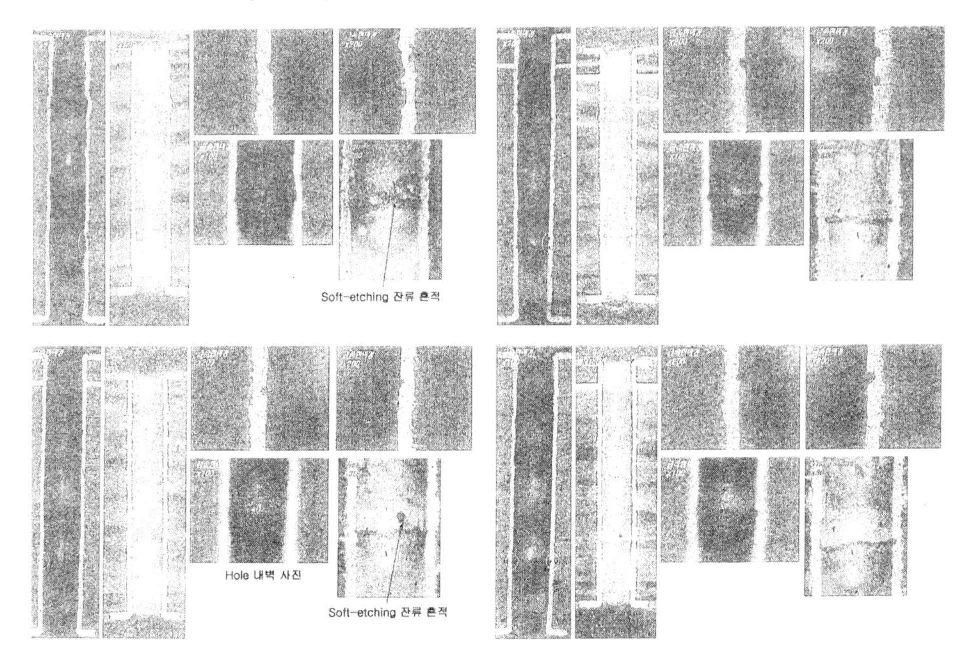

12. PEEL STRENGTH TEST

- 12-1 내층 PEEL STRENGTH TEST
- 12-2 Cu PEEL-OFF 신뢰성 분석
- 12-3 표면처리 조건에 따른 PEEL STRENGTH
- 12-4 BROWN OXIDE SPEED에 의한 TEST
- 12-5 BROWN OXIDE 후 방치시간에 따른 TEST
- 12-6 BGA PEEL-OFF TEST
- 12-7 PSR INK PEEL-OFF

12-1 내층 PEEL STRENGTH TEST

1. 내층 Peel Strength Test Board 제작 방법

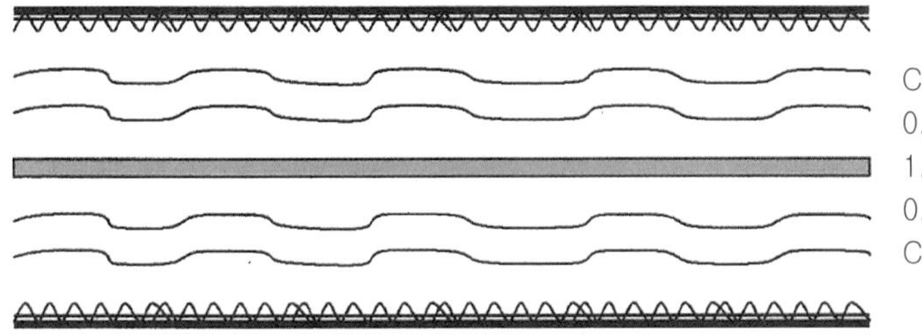

2. 내층 Peel Strength 측정 방법

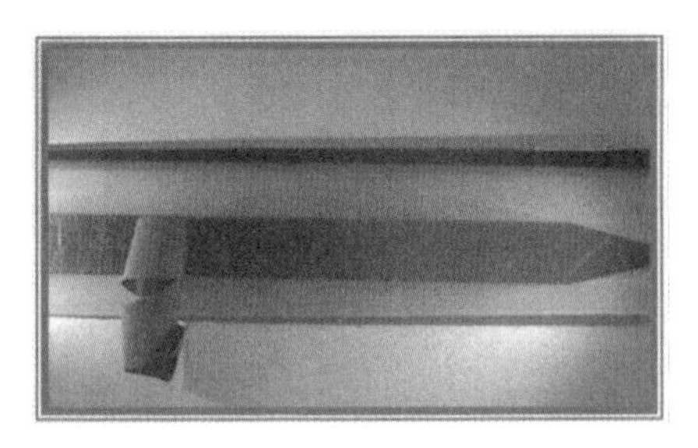

1. Press 완료된 Test Board 30㎜/100㎜로 절단한다.
2. 측정 부위 동박 10㎜ 절단한 후 주위의 동박을 제거한다.
3. 측정 부위를 Tester 장비에 고정시킨 후 Peel Strength를 측정한다.

3. 내층 Peel Strength Spec

- 90° 측정 : 0.7 ~ 0.9kg_f/㎠
- 45° 측정 : 0.49 ~ 0.63kg_f/㎠ (90° 측정 × 70%)

12-2 Cu PEEL-OFF 신뢰성 분석

1. 신뢰성 분석내용

· MICRO-SECTION → 도금두께 측정
· SEM촬영 → 표면 오염

2. 결과

NO	항 목	구 분	내 용
1	MICRO SECTION	표 면 도 금	1. BASE COPPER와 Cu PLATE층과의 층 분리 발생 → PEEL 값 낮음 발생 2. 전체적으로 도금두께 편차 심함 3. TOP면과 BOTTOM면의 도금 편차 심함 (A면 33^{83}㎛ C면 21^{89}㎛) 4. BASE COPPER와 PLATING사이가 미세하게 간격 발생
		HOLE 속 도금	표면두께와는 달리 HOLE속 두께는 LOW COPPER발생 (13^{27}㎛)
2	SEM 촬영	3 PANELS DUMMY 부위 촬영	표면에 이물질 발생 이물질로 인하여 PEEL OFF 발생예상

3. PEEL OFF 원인 대책

원 인	대 책
BASE COPPER위 즉 도금면의 오염	SEM촬영결과 표면의 이물질로 봐서 동박면의 CuO(산화구리), Cu2O3 들 수세시 완전제거
도금조건의 부적정	D/F 현상 후 반드시 동표면 S/E 실시
	도금 초기의 극단적인 약, 강 전류를 피함
	무전해 동도금시 석출도금을 향상 적당유지

4. 결론

PCB 표면에는 외부로부터 많은 오염이 될 수 있으므로 각 공정별 수세공정 있음 오염이라면 DRILL → 무전해 동도금 → D/F → 전해동도금을 거치면서 발생하며 완벽한 수세가 안 되었을 경우 SEM 촬영 시 표면에 O 또는 C가 발생함 제품이 완료된 후에는 완벽하게 오염물질의 내용을 확인하기는 어려움(재현 TEST 하기 전까지는) 금번 LOT의 경우는 도금공정에서 완벽한 표면 수세가 안 되어 발생한 것으로 판단됨

※ 참고 : O = 산소, S = 황, C1 = 염소, Ca = 칼슘, Cu = 동, Mg = 마그네슘, K = 칼륨, Br = 브롬

①번 사진 : SECTION한 시료를 MOLDING 전 표면 1차 POLISH시 제품이 BASE COPPER와 CU PLATE층과의 층 분리 발생(PEEL값 낮음)

②번 사진 : CU PLATE층 분리가 되는 더미부위 사진으로 제품 내부와 도금 두께 편차가 심함

③번 사진 : ②번 사진 확대한 사진으로 BASE와 PLATE층 사이가 미세하게 떨어져 있음이 의심됨

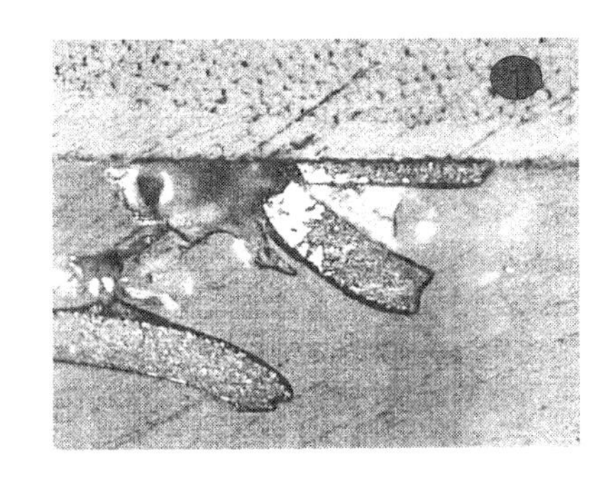

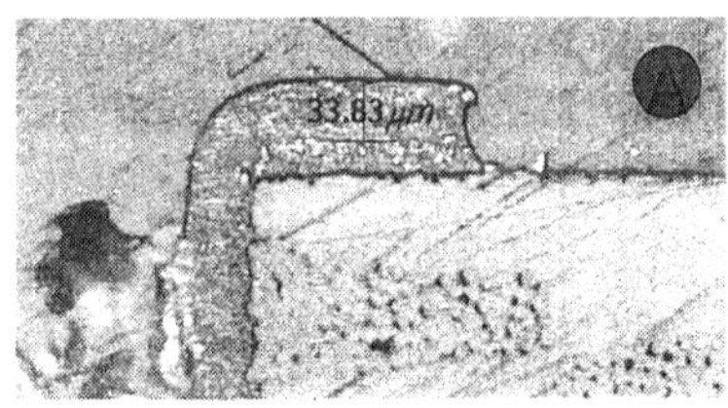

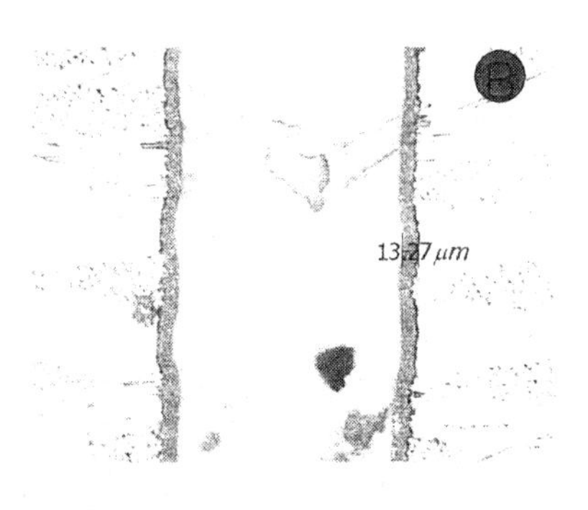

Ⓐ,ⓑ,ⓒ번 사진 : 제품 내부의 홀 사진
상하면의 도금 두께 편차가 10㎛이상 있으며 제품 내부와 더미간의 두께 편차 또한 심하다.

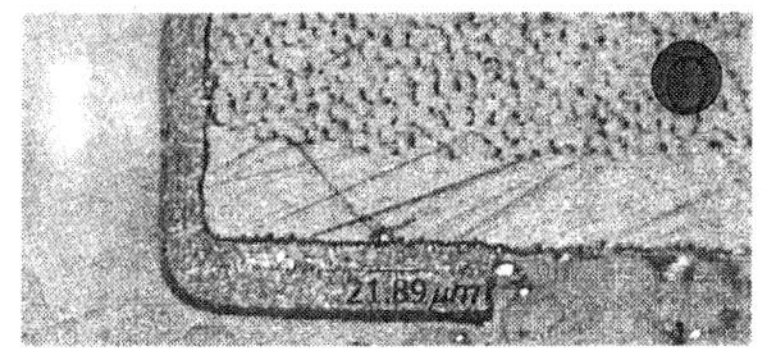

■ 시편 1

SE
WD15.0mm 15.0kV x500 100um
BSE2
WD15.0mm 15.0kV x500 100um
SE
WD15.0mm 15.0kV x500 100um
SE
WD15.0mm 15.0kV x500 100um
SE
WD15.0mm 15.0kV x3.0k 10um
SE
WD15.0mm 15.0kV x3.0k 10um
Spectrum 4
Full Scale 2255 cts Cursor: 0.000 keV
keV
Spectrum 5
Full Scale 2255 cts Cursor: 0.000 keV
keV

Element	Weight%	Atomic%
O K	17.77	44.09
S K	3.20	3.96
Cl K	2.21	2.47
Ca K	4.06	4.02
Cu L	72.77	45.46
Totals	100.00	

Element	Weight%	Atomic%
O K	29.15	54.06
Mg K	6.79	8.29
S K	5.33	4.93
K K	12.42	9.43
Ca K	6.08	4.50
Cu L	40.22	18.78
Totals	100.00	

■ 시편 2

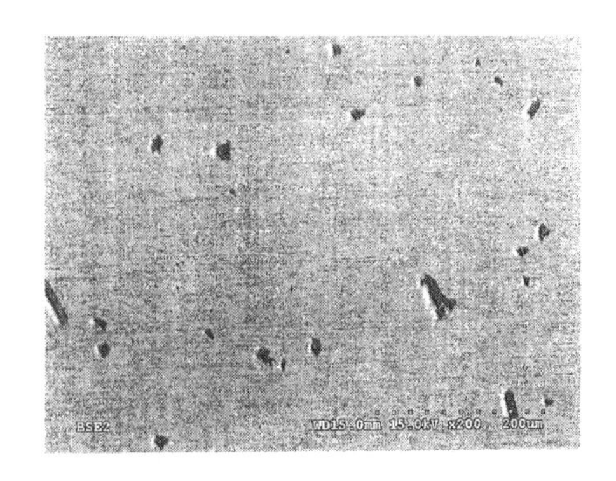

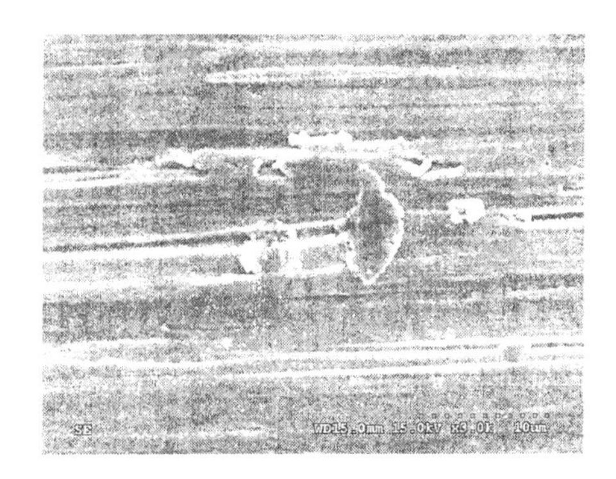

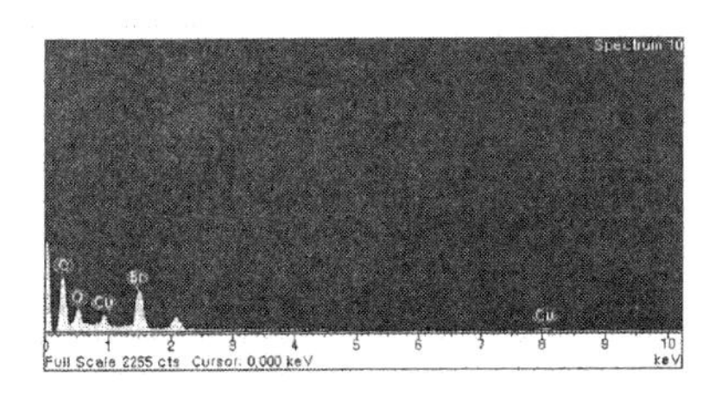

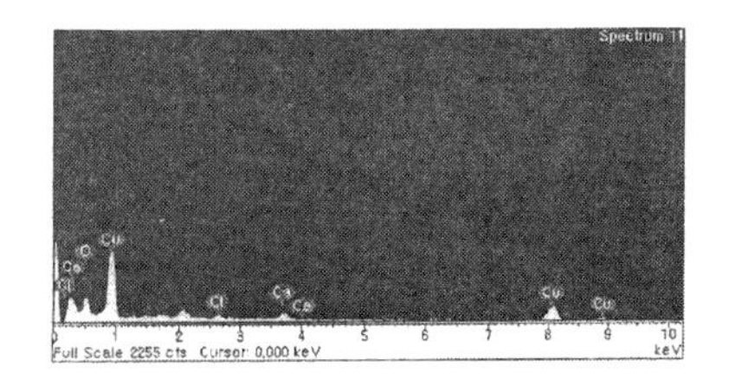

Element	Weight%	Atomic%
C K	56.69	76.72
O K	17.31	17.58
Cu L	7.68	1.97
Br L	18.32	3.73
Totals	100.00	

Element	Weight%	Atomic%
O K	19.67	47.91
Cl K	2.08	2.28
Ca K	5.04	4.90
Cu L	73.21	44.90
Totals	100.00	

■ 시편 3

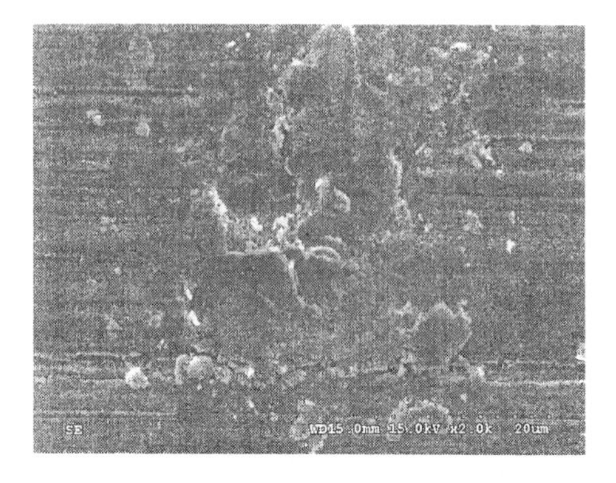

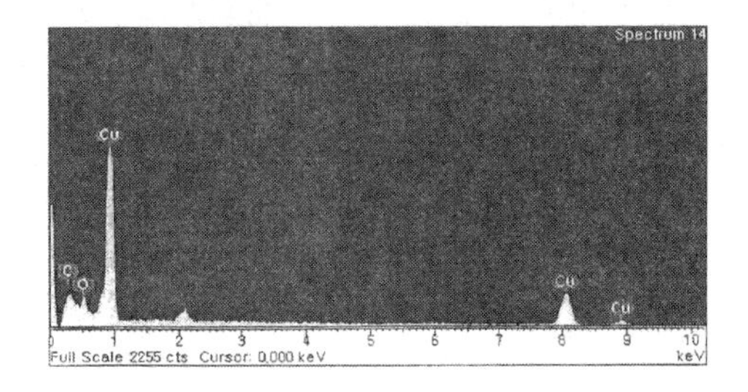

Element	Weight%	Atomic%
C K	19.37	50.18
O K	7.11	13.82
Cu L	73.52	36.00
Totals	100.00	

12-3 표면처리 조건에 따른 PEEL STRENGTH

1. Test 목적

· Oxide 진행 유, 무에 따른 Peel Strength Data

· 표면 처리 조건에 따른 Peel Strength Data

2. Test 방법

No	Test 항목	세부 항목
1	① Oxide 진행 X ② 표면 처리 조건 별 Peel Strength Data 측정	· Acid 표면 처리 후 Oxide 진행 X · Soft Etching 표면 처리 후 Oxide 진행 X · Brush 표면 처리 후 Oxide 진행 X · Brush + Acid 표면 처리 후 Oxide 진행 X · Brush + Soft Etching 표면 처리 후 Oxide 진행 후
2	① Oxide 진행 ② 표면 처리 조건 별 Peel Strength Data 측정	· Acid 표면 처리 · Soft Etching 표면 처리 · Brush 표면 처리 · Brush + Acid 표면 처리 · Brush + Soft Etching 표면 처리

3. Test 결과

1) 결과 분석

표면 처리 조건 별 Peel Strength Data

구분	ACID	Soft Etching	Brush	Brush + ACID	Brush + Soft Etching
Oxide 진행 하지 않음	0.150	0.150	0.160	0.165	0.195
Oxide 진행	0.800	0.850	0.670	0.920	1.000

※ Peel Strength 규격 (JIS)

Min 0.7 kg_f/㎝

2) 결론

① Oxide를 진행 하지 않은 5가지 조건은 JIS 규격을 만족하지 못함 (신뢰성 문제 발생)

② Brush만 사용하여 표면 조도를 형성하여 사용하기에는 부적합하며, 약품과 혼합하여 사용 시 효과가 있음이 확인됨.

③ 표면 처리 조건 별 Peel Strength Data는

Brush < ACID < S/E (Soft Etching) < Brush + ACID < Brush + S/E로 표면 처리 조건에 따른 Peel Strength 값의 차이가 있음이 확인됨.

3) 표면 처리에 따른 Peel Strength Data (배율 × 2000)

구 분	표면 처리 조건				
	ACID	S/E	Brush	Brush + ACID	Brush + S/E
Oxide 처리 X (배율 × 2000)		확인 중	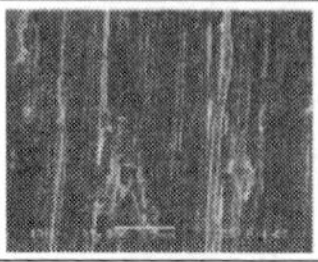		
Peel Strength	0.150	0.150	0.160	0.165	0.195
Oxide 처리 (배율 × 2000)	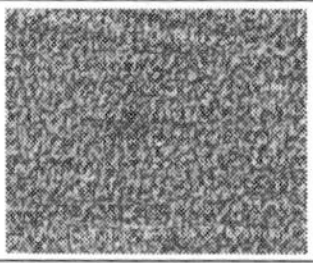	확인 중	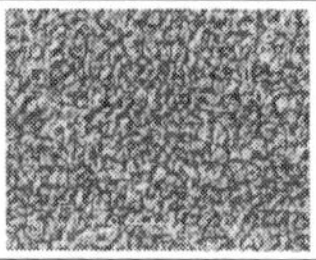	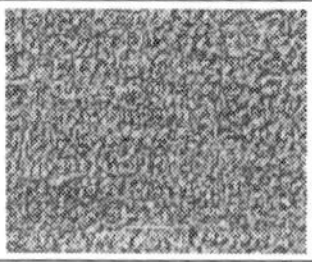	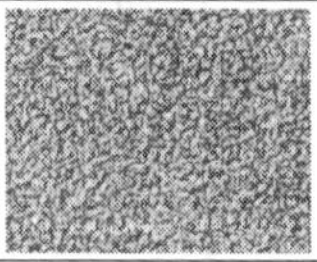
Peel Strength	0.800	0.850	0.670	0.920	1.000

※ Oxide를 처리하지 않고 표면 처리 조건 별 Peel Strength Data확인 결과

Brush ≒ ACID ≒ S/E (Soft Etching) ≒ Brush + ACID < Brush + S/E로

Brush + S/E 조건을 제외한 나머지 조건의 차이는 미미함.

4) 표면 처리에 따른 Peel Strength Data (배율 × 5000)

구 분	표면 처리 조건				
	ACID	S/E	Brush	Brush + ACID	Brush + S/E
Oxide 처리 X (배율 × 5000)	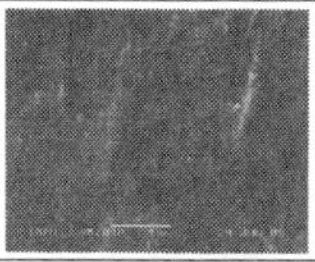	확인 중	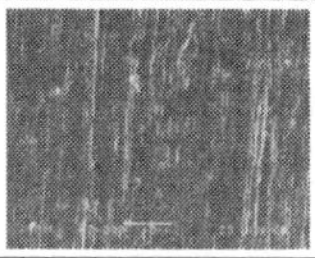		
Peel Strength	0.150	0.150	0.160	0.165	0.195
Oxide 처리 (배율 × 5000)	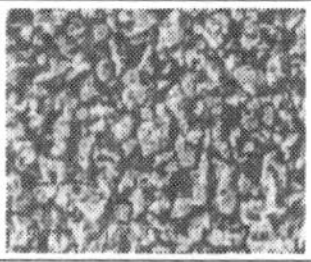	확인 중	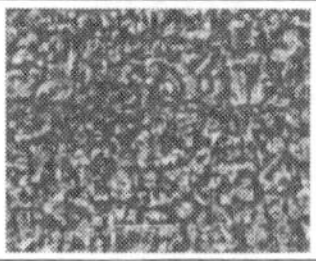	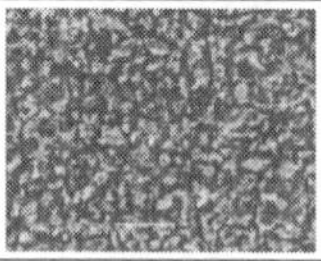	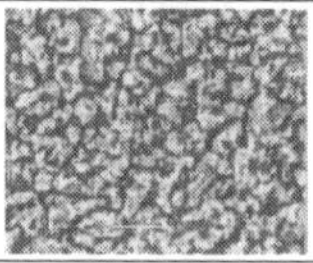
Peel Strength	0.800	0.850	0.670	0.920	1.000

※ 정상적인 Process를 진행하여 표면 처리 조건 별 Peel Strength Data 확인 결과

Brush < ACID < S/E (Soft-Etching) < Brush + ACID < Brush + S/E 순으로 확인됨.

12-4 BROWN OXIDE SPEED에 의한 TEST

1. Test 목적

당사 Oxide Line SPEED로 인해 Peel Strength값에 어느 정도 영향력을 가지고 있는지 확인하고자 Test Board를 투입하여 Test를 진행 하고자 함.

2. Test 방법

No	Test 항목	세부 항목
1	자재	· Sheng Yi #2116 Halogen Free 자재 · SPEED : 1.5 m/min · SPEED : 1.8 m/min · SPEED : 2.0 m/min · SPEED : 2.2 m/min · SPEED : 2.5 m/min · SPEED별 표면 조직 비교 · 288℃ 10초간 Floating Test 진행하여 Max 15 Cycle 까지 진행하여 Delamination 발생 여부 확인
2	Oxide SPEED별 Peel Strength	
3	표면 조직 비교	
4	Thermal Shock Test	

3. 결과 분석

1) 결과 분석

비교 항목	1.5 m/min	1.8 m/min	2.0 m/min	2.2 m/min	2.5 m/min
Peel Strength	0.640	0.590	0.560	0.490	0.465
표면 조직 비교	우 수	우 수	보 통	미 흡	미 흡
Thermal Shock Test (15 Cycle)	이상 없음	이상 없음	이상 없음	이상 없음	이상 없음
순 위	1	2	3	4	5
		현 Halogen 제품 Oxide 작업 조건			

2) 소견

Oxide Line SPEED에 따라 Peel Strength 값에 상당한 영향력이 있음이 확인되었음.

이는 표면 조직 상태가 Peel Strength 값에 영향력을 나타내는 자료임.

따라서 Oxide Line Speed를 임의로 변경하는 것은 품질 문제를 야기 시킬 가능성이 있기 때문에 지정한 Speed 외 별도의 Speed 조정이 필요할 경우 Test 진행하여 확인 할 수 있도록 관리함.

※ Oxide Line 표준 Speed → 일반 자재 : 2.0 m/min,
Halogen Free 자재 : 1.8 m/min

4. TEST 결과

1) Peel Strength 측정

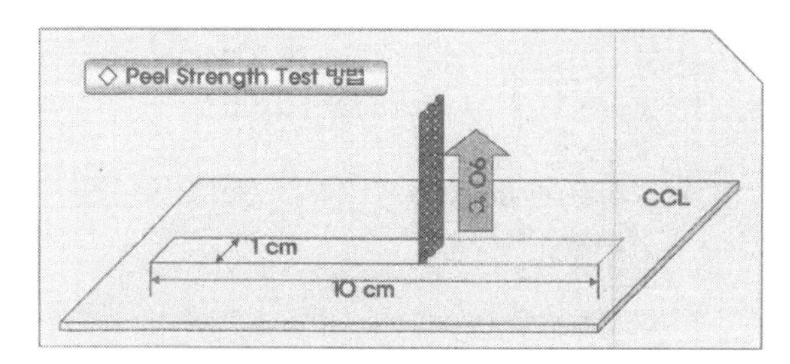

※ Peel Strength Test
· 내층 T/C의 Copper와 Pre-Preg의 밀착력을 측정
· 밀착력이 떨어질수록 Delamination의 발생확률이 높아짐

구 분	Oxide Line SPEED				
	1.5 m/min	1.8 m/min	2.0 m/min	2.2 m/min	2.5 m/min
시료 1	0.65	0.58	0.56	0.50	0.46
시료 2	0.63	0.60	0.56	0.48	0.47
시료 3	0.640	0.590	0.560	0.490	0.465

2) 표면 조직 비교

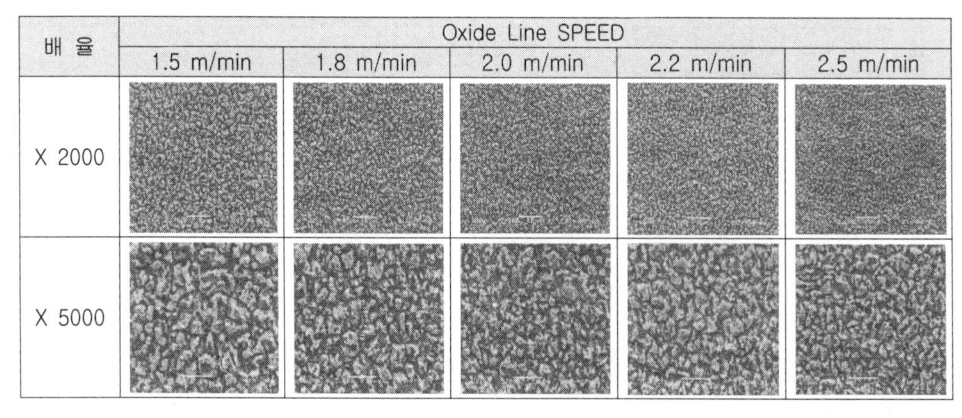

배 율	Oxide Line SPEED				
	1.5 m/min	1.8 m/min	2.0 m/min	2.2 m/min	2.5 m/min
X 2000					
X 5000					

※ 배율 X 2000로 확인 시 Oxide Line SPEED가 느려질수록 입자가 고르게 형성되어 있으며, 깊이의 편차가 적은 것으로 확인됨.

3) Thermal Shock Test

진행 방법 : 원판을 Oxide 처리하여 적층 후, 시편을 288℃ 10초간 Floating test 실시하여 Max 15 Cycle까지 진행하여 Delamination 발생 여부 확인

구 분	Oxide Line SPEED				
	1.5 m/min	1.8 m/min	2.0 m/min	2.2 m/min	2.5 m/min
TOP 면					
Bottom 면					
15 Cycle Floating 후 마이크로 섹션	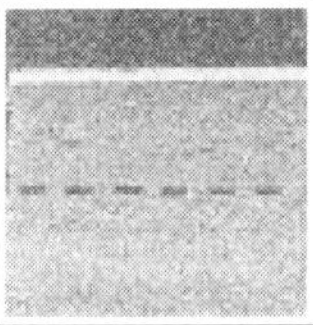	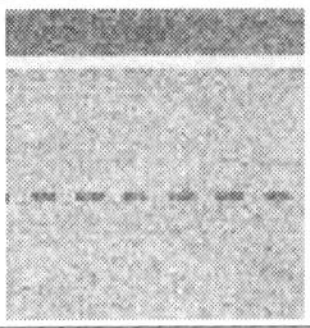	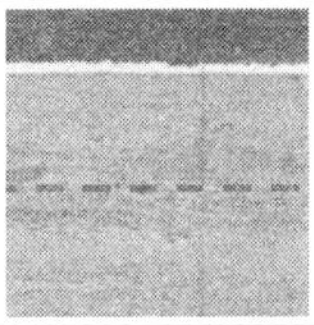	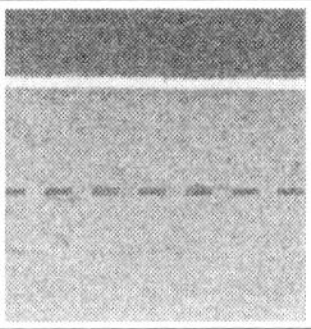	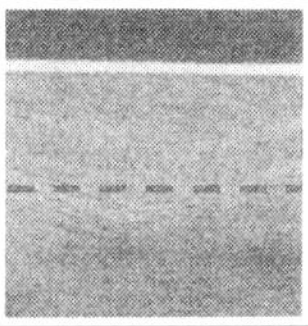

No Delamination

12-5 BROWN OXIDE 후 방치시간에 따른 TEST

1. TEST 목적

· OXIDE 후 방치 시간에 따른 PEEL STRENGTH 값의 변화 여부를 판단하기 위함.

· Shine More 자재의 H oz 동박에 대한 PEEL STRENGTH 값을 확인하기 위함.

2. TEST 방법

· Pre Preg 종류별 TEST COUPON 제작

· 방치 시간별로 원자재 업체에서 제시된 Press Cycle 적용

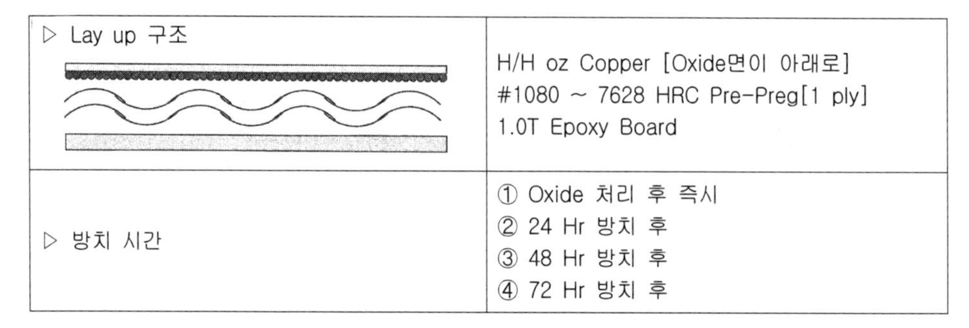

▷ Lay up 구조	H/H oz Copper [Oxide면이 아래로] #1080 ~ 7628 HRC Pre-Preg[1 ply] 1.0T Epoxy Board
▷ 방치 시간	① Oxide 처리 후 즉시 ② 24 Hr 방치 후 ③ 48 Hr 방치 후 ④ 72 Hr 방치 후

3. 측정 방법 및 규격

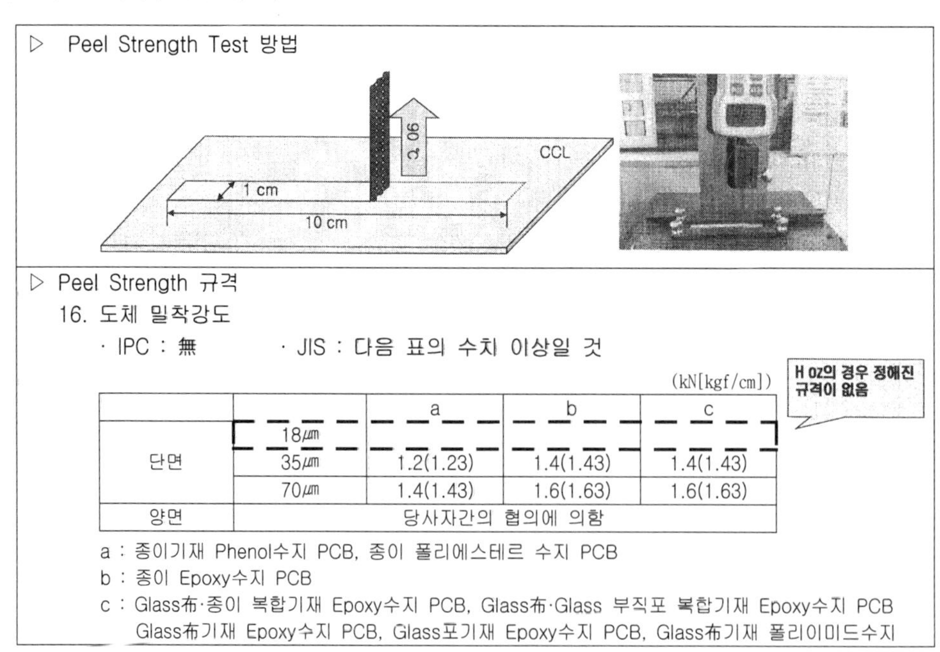

▷ Peel Strength Test 방법

▷ Peel Strength 규격

16. 도체 밀착강도

· IPC : 無 · JIS : 다음 표의 수치 이상일 것

(kN[kgf/cm])

H oz의 경우 정해진 규격이 없음

		a	b	c
단면	18㎛			
	35㎛	1.2(1.23)	1.4(1.43)	1.4(1.43)
	70㎛	1.4(1.43)	1.6(1.63)	1.6(1.63)
양면	당사자간의 협의에 의함			

a : 종이기재 Phenol수지 PCB, 종이 폴리에스테르 수지 PCB

b : 종이 Epoxy수지 PCB

c : Glass布·종이 복합기재 Epoxy수지 PCB, Glass布·Glass 부직포 복합기재 Epoxy수지 PCB
Glass布기재 Epoxy수지 PCB, Glass포기재 Epoxy수지 PCB, Glass布기재 폴리이미드수지

4. 결과 분석

1) 방치 시간별 변화율

· #1080 : 72 Hr 방치 시 - 0.015 Kgf/㎠

· #2116 : 72 Hr 방치 시 - 0.035 Kgf/㎠

· #7628 : 72 Hr 방치 시 - 0.055 Kgf/㎠

· #7628[HRC] : 72 Hr 방치 시 - 0.055 Kgf/㎠

① Shine More 자재의 H oz PEEL STRENGTH는 0.69 ~ 0.71 Kgf/㎠ 사이에 분포함.

② 방치 시간 별 PEEL STRENGTH값의 변화폭은 있으나 차이는 미미함.

※ OXIDE 처리 후 적층에서 최장 기간 방치 할 수 있는 경우의 시간은 72 Hr로 TEST 결과 방치 시간에 따른 Peel Strength값의 변화폭은 제품에 큰 영향을 미치지 못하는 것으로 확인됨.

5. TEST 결과

Maker	Pre Preg	Resin Content	방치 시간 별 PEEL STRENGTH							
			방치 없음		24 Hr 방치		48 Hr 방치		72 Hr 방치	
SHINE MORE	#1080	62%	0.63	0.64	0.62	0.63	0.62	0.62	0.62	0.62
			AVG: 0.635		AVG: 0.625		AVG: 0.620		AVG: 0.620	
	#2116	52%	0.64	0.68	0.65	0.67	0.64	0.66	0.63	0.62
			AVG: 0.660		AVG: 0.660		AVG: 0.650		AVG: 0.625	
	#7628	43%	0.70	0.69	0.68	0.67	0.66	0.64	0.65	0.63
			AVG: 0.695		AVG: 0.675		AVG: 0.650		AVG: 0.640	
	#7628 HRC	48%	0.71	0.69	0.66	0.65	0.63	0.62	0.64	0.65
			AVG: 0.770		AVG: 0.655		AVG: 0.625		AVG: 0.645	

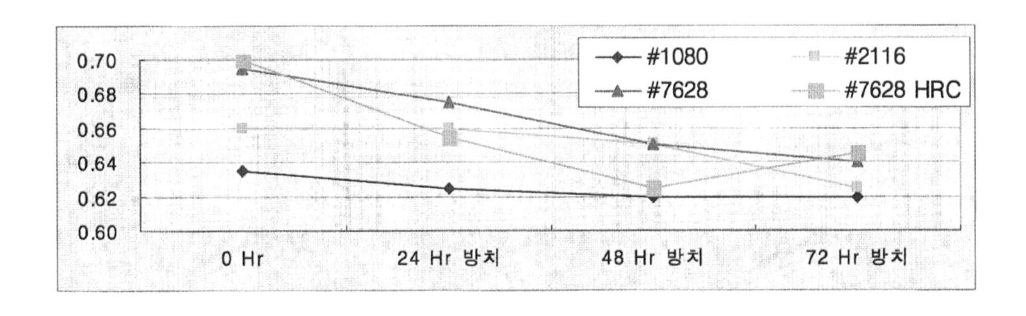

12-6 BGA PEEL-OFF TEST

1. TEST 1.

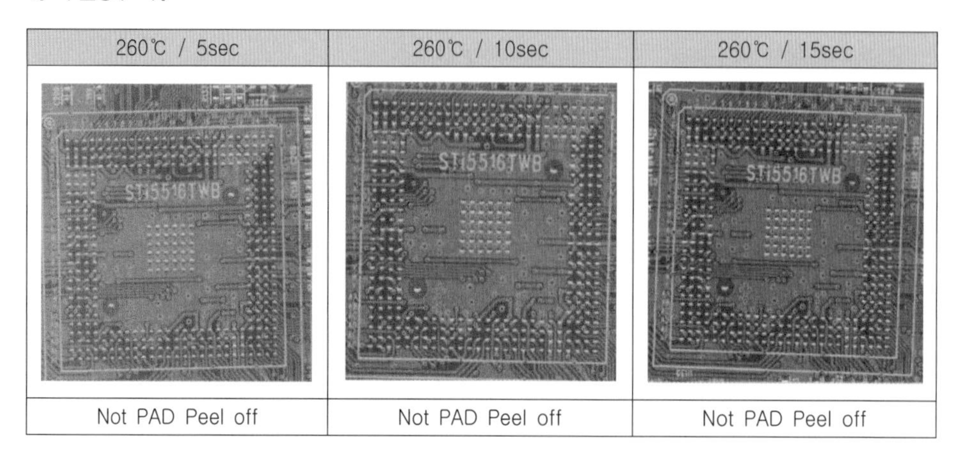

260℃ / 5sec	260℃ / 10sec	260℃ / 15sec
Not PAD Peel off	Not PAD Peel off	Not PAD Peel off

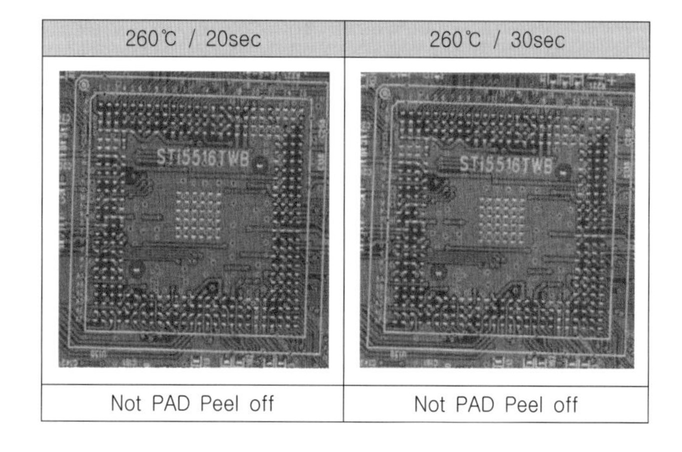

260℃ / 20sec	260℃ / 30sec
Not PAD Peel off	Not PAD Peel off

1) Test 목적

BGA 부분의 지속적인 PAD Peel Off 현상 발생에 의한 신뢰성 분석을 통해 본 Test의 목적이 있다.

2) Test 조건

동일한 Bare B/D를 260℃ 5sec~30sec동안 지속적 Test 실시

① Solder Temperature : 260℃

② Test Duration : 5 sec, 10 sec, 15 sec, 20 sec, 30 sec

3) Test 결과

260℃ 5, 10, 15, 20, 30 sec 동안 Solder Pot에 B/D 침적 진행 시 PAD Peel Off 현상 없음.

2. TEST 2.

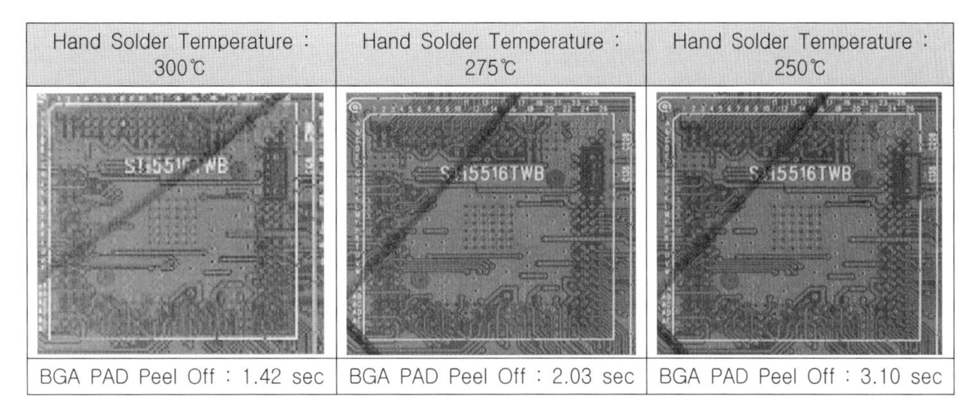

Hand Solder Temperature : 300℃	Hand Solder Temperature : 275℃	Hand Solder Temperature : 250℃
BGA PAD Peel Off : 1.42 sec	BGA PAD Peel Off : 2.03 sec	BGA PAD Peel Off : 3.10 sec

1) Test 조건

① Hand Solder : HAKKO 936 (Temperature Range : 200℃ ~ 480℃)

② Test Duration : 300℃, 275℃, 250℃

12-7 PSR INK PEEL-OFF

1. PSR PEEL OFF에 따른 POST-CURE 조건 TEST

1) Test 목적

- PSR Peel Off 현상에 따른 Post-Cure 및 PSR Ink에 따른 최적합 조건 수립.
- Post-Cure Speed 변화를 통해 Ink Curing 시간을 조절 PSR Peel Off 감소 여부 판단.
- Ink Curing 시간이 길어져 Peel Off 현상이 줄어든다면, 작업 조건 변경 검토.

2) Test 방법

- 1차 : PSR Box 건조기를 통해 Peel Off 현상을 최소화 할 수 있는 온도와 경화 시간을 TEST.
- 2차 : 생산성에 영향을 주지 않는 범위에서 Post-cure Speed별 판넬 치수측정 변화 TEST.
- 3차 : 실제 양산에 Poet-Cure Speed를 적용하여 치수 변화 TEST.

3) Test 결론 및 Engineer 소견

- 1차 TEST 결과 Box 건조기 160℃ 35분의 경화 시간이 가장 적합함
- 2차 TEST 결과 170, 200, 230mm/min에 따른 치수 불량 없음.
- 3차 TEST 결과 양산에 따른 치수변화 불량 없음.
- Post-Cure 작업 조건 변경 : 온도 162℃±5, Speed 185±15 (mm/min) 로 재수립.

4) 1차 BOX 건조 TEST

① PSR Ink Curing 문제로 인한 경화구간 부족으로 각각의 온도 별 경화

시간 별 TEST 진행.

현 양산 진행의 문제로 인해 Post-Cure로 TEST 불가 하므로, Box 건조기를 통해 온도와 경화 시간을 TEST.

▷ 각각 3 판넬씩 온도(140, 150, 160, 170℃), 경화시간(25분, 30분, 35분)을 TEST.

	25분	30분	35분	합 계
140 ℃	7 Point	6 Point	13 Point	26 Point
150 ℃	11 Point	7 Point	9 Point	27 Point
160 ℃	3 Point	3 Point	2 Point	8 Point
170 ℃	5 Point	4 Point	5 Point	14 Point

〈 결과 : 160℃의 35분 경화가 가장 이상적임 〉

② Post-Cure 건조 온도를 변경하여 PSR Peel Off 현상 확인.

기존	1st	2nd	3th	4th	5th	6th	7th	8th
	122℃	155℃	155℃	155℃	155℃	155℃	155℃	137℃
변경	1st	2nd	3th	4th	5th	6th	7th	8th
	125℃	162℃	162℃	162℃	162℃	162℃	162℃	140℃

▷ Post-Cure 온도를 현 155℃에서 162℃로 올려 Ink Curing 부족으로 인한 PSR 들뜸을 방지.

〈 결과 : 162℃에서 PSR Peel Off 현상 감소 〉

5) 2차 Post-cure Speed별 치수 측정 TEST

① 160℃ 35분에 맞는 Post-Cure Cycle을 설립

▷ 생산량에 영향을 주지 않는 범위에서 Conveyer Speed를 조절 Ink Curing Time을 늘림. (각각 10 판넬씩 진행)

※ 경화시간을 늘릴 경우 치수불량 문제가 생길 수 있으므로 치수 측정 TEST 병행

테스트 실행 시 온도 Pro-file을 측정하여 35분에 맞는 경화시간을 확인.

Speed(mm/min)	Test Speed(mm/min)	Yield(P/min)	Capacity(㎡/daily)
216 ~ 245	230	7	1672 ㎡
186 ~ 215	200	6	1433 ㎡
156 ~ 185	170	5	1194 ㎡

② 치수 측정 결과

(a) A MODEL (Speed=170㎜)

MAX	388.506	388..448	388.447	388.463	-0.058	-0.059	-0.043
MIN	388.435	388.376	388.381	388.393	-0.059	-0.054	-0.042
AVERAGE	388.490	388.420	388.420	388.436	-0.070	-0.070	-0.053
STDEV	0.012	0.016	0.013	0.014	0.004	0.001	0.002
RANGE	0.071	0.072	0.066	0.070	0.001	-0.005	-0.001

(b) A MODEL (Speed=200㎜)

MAX	388.510	388.438	388.441	388.457	-0.071	-0.068	-0.053
MIN	388.483	388.395	388.390	388.405	-0.087	-0.092	-0.078
AVERAGE	388.498	388.421	388.420	388.436	-0.077	-0.078	-0.062
STDEV	0.006	0.009	0.012	0.011	0.002	0.005	0.004
RANGE	0.027	0.043	0.051	0.052	0.016	0.024	0.025

(c) A MODEL (Speed=230㎜)

MAX	388.510	388.447	388.454	388.472	-0.063	-0.056	-0.038
MIN	388.484	388.390	388.386	388.406	-0.094	-0.098	-0.078
AVERAGE	388.500	388.425	388.426	388.445	-0.075	-0.074	-0.056
STDEV	0.007	0.013	0.016	0.016	0.007	0.010	0.009
RANGE	0.026	0.057	0.069	0.066	0.030	0.042	0.040

〈결과 : Post-Cure Speed 170, 200, 230 (mm/min)에서 치수 불량 없음〉

③ 온도 Pro-file에 따라 경화 시간 조사.

Test Speed (mm/min)	170	200	230
경화 시간	35분	30분	26분

〈결과 : Post-Cure Speed 170 ~ 200 작업 시 적합〉

6) Post-cure Speed별 양산 검증 TEST

① 160℃ 35분에 맞는 Post-Cure Cycle을 설립. (Speed 185±15)

▷ 생산량에 영향을 주지 않는 범위에서 Conveyer Speed를 조절 Ink Curing Time을 늘림.

※ 경화시간을 늘릴 경우 치수불량 문제가 생길 수 있으므로 Model 별 치수 측정 TEST 병행.

테스트 실행 시 온도 Pro-file을 하여 35분에 맞는 경화시간을 확인.

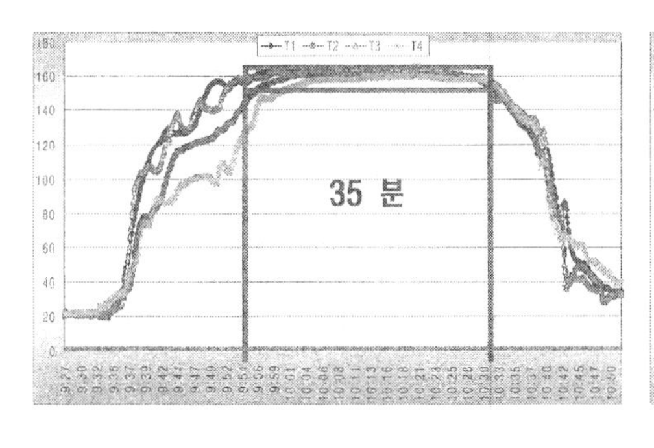

<Speed 170>

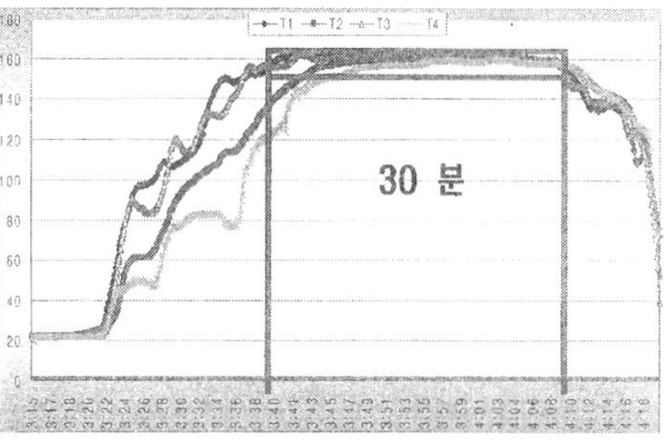

<Speed 200>

2. PSR PEEL-OFF (TIN 도금 후)

1) TEST 목적

· (White) Tin 도금 後 PSR 떨어짐 불량 개선을 위함. (대원테크 580-169-0)

· 당사 인쇄 공정조건 / PSR Ink의 Tin 도금 적합성 검토.

2) TEST 조건 및 방법

TEST 적용 INK	YSM-2002 GP30	OTC 2GAK(S)-7X	TAIYO PSR-4000 IT100
White Tin 도금	(주)화백엔지니어링	YOOJIN PLATECH	덕신틴코
TEST 방법	① 당사 적용중인 PSR(Normal Green) 2종류와 Tin 도금 전용 PSR Ink의 품질비교 ② Tin 도금 업체 3개社(약품 Type 別) 품질비교		
TEST 항목	PSR Adhesion (Taping Test에 의한 PSR Peel-Off 여부)		
TEST 조건	▶ Tin 도금 前 PSR Ink의 완전경화가 되도록 함. ① 전처리 : PSR 수동 전처리 Line → Brush + Soft Etching ② Ink 교반 시간 : 20분 ③ PSR 1, 2차 인쇄 : 수동 인쇄기 → Ink 도포두께 25㎛ 이상 ④ PSR 1, 2차 건조(Pre-Cure) : PSR Box 건조기 → 75℃ 20 min ⑤ PSR 노광 : 10Kw 수동 노광기(반평행광) → 노광량 500 mj/㎠ ⑥ PSR 현상속도 : 4.0 m/min (Na_2CO_3) ⑦ Post Cure : M/K Box 건조기 → 150℃ 70 min ▷ Tin 도금 前 Taping Test 실시 : PSR Peel-Off 없음 (PSR 완전경화 확인)		

3) TEST 결과 및 Engineer 소견

	YSM-2002 GP30 (일반제품 적용 중)	OTC 2GAK(S)-7X (LCD 제품 적용 중)	TAIYO PSR-4000 IT100 (Tin 도금 전용 PSR Ink)	비 고
H사	N.G.	N.G.	N.G.	PSR Ink는 MSA(유기산) Type Tin 도금 약품에 대한 내약품성이 떨어짐
Y사	2차 Test 要 (침적시간 : 4분)	N.G. (침적시간 : 5분)	2차 Test 要 (침적시간 : 5분)	Tin 도금 약품이 H_2SO_4 Type으로 PSR Attack 정도가 가장 약함
D사	N.G.	N.G.	N.G.	PSR Ink는 MSA(유기산) Type Tin 도금 약품에 대한 내약품성이 떨어짐
비고	당사 일반 Green 색상 PSR Ink는 Tin 도금 약품 Type에 상관없이 내약품성이 떨어짐		Tin 도금 전용 PSR Ink라 할지라도 MSA(유기산)Type Tin 도금 약품에는 내약품성이 떨어짐	

■ 사양변경 요청사항

연속으로 인접해 있는 3개의
Hole Land Mask Szie를
축소시켜 Hole Land 사이의
PSR 잔존폭을 넓힌다.

1. PSR Ink의 완전 경화 後 Tin 도금 실시하였으나, 전반적으로 Tin 도금 약품에 의하여 Cu/Sn 界面에 Attack을 받음 : Peel-Off 발생
   → 불량 발생 제품을 재처리, Test하여 결과가 양호하지 못한 것으로 판단됨. (Tin 도금 부위 공정 간 Soft-Etching, 박리 등 원인으로 (Cu面 두께 단차 발생함.)
2. Test 결과 Ink 別 Tin 도금 약품에 의한 내약품성은 IT100 > 2GAK(S) 7S > GP-30 순서로 나타나며,
3. Tin 도금 업체 別(설비타입/약품 Maker 차이) PSR Attack 정도는 D사>H사>Y사 순서로 나타남.
   → Y사 Tin 도금 Attack 정도가 낮은 이유는 타 업체와 달리 Tin 도금 약품이 H_2SO_4 Type인 원인으로 판단됨.
4. Y사社에서 A MODEL으로 Test 실시한 제품을 Tin 도금 4분 침적을 실시하였는데, 타 업체에서 가장 Attack을 받은 Ink GP-30의 Attack을 받은 정도가 덜 하였음.)
   → 소견 : 내약품성이 가장 강한 TAIYO PSR-4000 IT100 PSR Ink를 사용하고, Y사에서 Tin 도금 (침적시간 : 4분)을 실시한다면 PSR Peel-Off 불량을 개선할 수 있다고 판단됨. (2차 Test 진행 요)

4) REFLOW 조건

Zone	1	2	3	4	5	6	7	8
Setting 온도	160℃	220℃	260℃	160℃	250℃	260℃	255℃	260℃
	투입부	Zone 1	Zone 2	Zone 3	배출부	하단부	Side 부	

5) 결과

① Reflow Test 결과 기존의 사용중인 M-211(W1)Marking INK는 1회 Reflow부터 빛이 바라고 광택이 없어지며 Reflow 횟수가 증가할수록 보라색 빛을 띠는 정도가 심해짐

② Reflow Test 결과 개선 INK인 M-211(W)Marking Ink는 Reflow 횟수의 증가와 상관없이 1회부터 5회 Reflow까지 변색이 없고 동일한 색상을 나타냄

③ 기존의 Reflow 조건에서 각 Zone의 온도를 10℃ 상승 시켜 개선 INK인 M-211(W)Marking Ink로 Test한 결과 1회~3회 Reflow작업을 하여도 변색없이 동일한 색상을 나타냄

13. BUILD-UP 신뢰성 TEST

- 13-1 4층 A TYPE ①,②
- 13-2 4층 B TYPE
- 13-3 6층 A TYPE
- 13-4 6층 B TYPE ①,②
- 13-5 6층 E TYPE
- 13-6 8층 B TYPE
- 13-7 8층 E TYPE ①,②
- 13-8 10층 FILLED-VIA : SMART PHONE
- 13-9 BUILD-UP BOARD 불량 POINT TEST

13-1 4층 A TYPE ①, ②

1. 4층 A TYPE ①

1) PROCESS

No.	Process	Parameter	Remark
01	재 단	406*457(6/R)	Halogen Free 원판 사용
02	내층 image	Line/Space : 100/100	Scale X100.015 / Y100.020 SPEED 현상 3.4 / 부식 3.6
03	A.O.I		Open 1
04	적 층	Trimming Size 400*450	1/3 oz 동박 적용
05	드 릴	1-4L P.T.H Hole 가공 1 stack	Scale X100.000 Y100.000
06	C / F	Window Size 120㎛	Window 덜 열림 주의
07	Laser Drill	1-2L, 3-4L 0.12ф	
08	도 금	도금 두께 : 20~25㎛	Desmear Speed 1.3
09	외층 image	Line/Space : 100/100㎛ BGA : 275㎛	Scale X100.000 / Y100.000 SPEED 현상 2.8 / 부식 3.2
10	A.O.I		Open 2, Short 2
11	인 쇄	C/S , S/S Green Ink (Halogen Free)	Marking 번짐 주의
12	EING	NI : 3~7㎛ / Au : 0.03~0.08㎛	
13	Routcr		외주 미라클 전자 사양 (Kit 납품)
14	B.B.T		Yield : 96.76% (=418/432) 불량내역 : 완불 6, OPEN 5, Short 3
15	검사&출하	투입량 : 432kit 양품 : 250kit	Yield : 59.81% (=250/418) 불량내역 : Marking 번짐

2) 제품

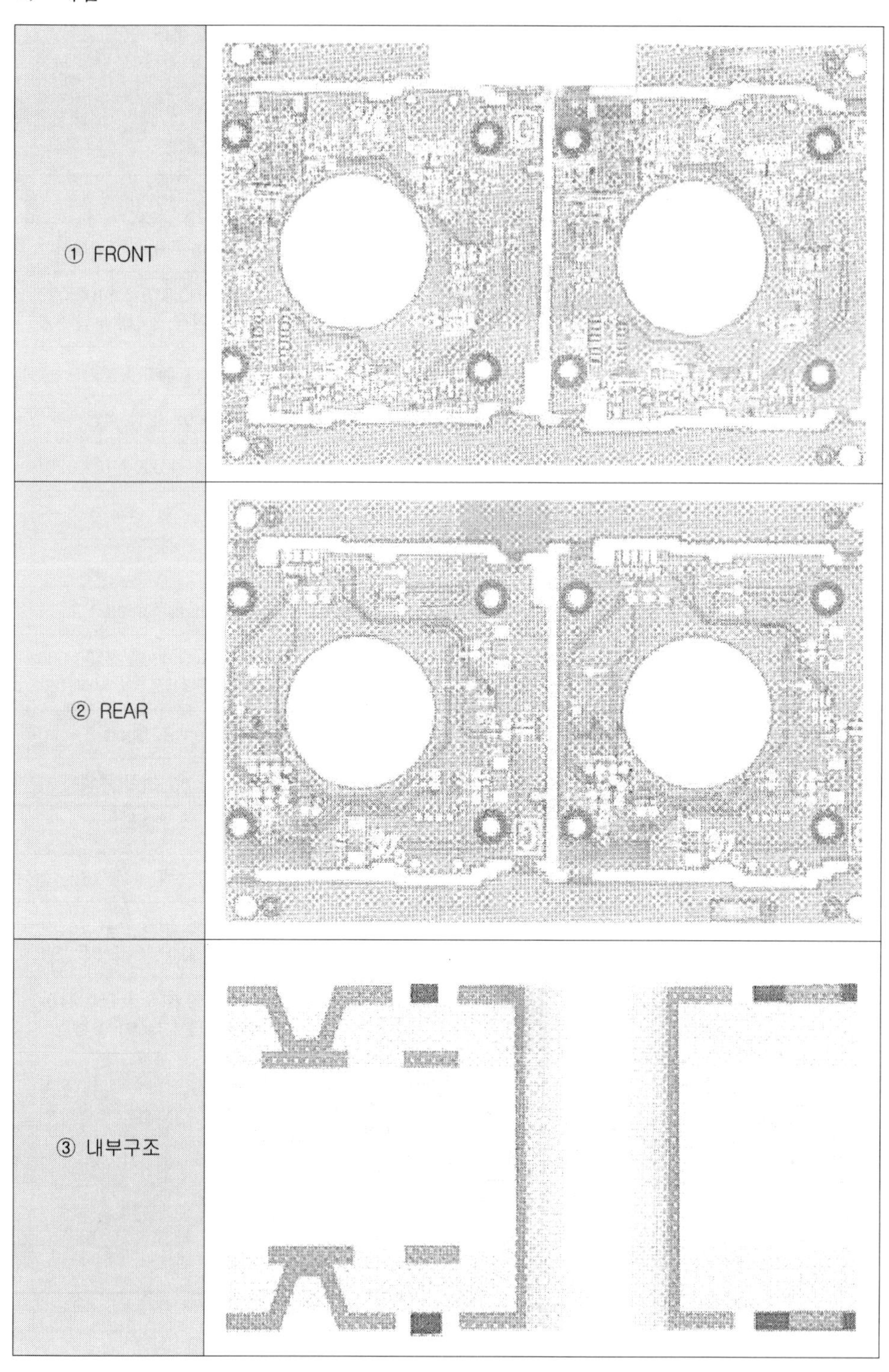

3) LAY-UP STRUCTURE

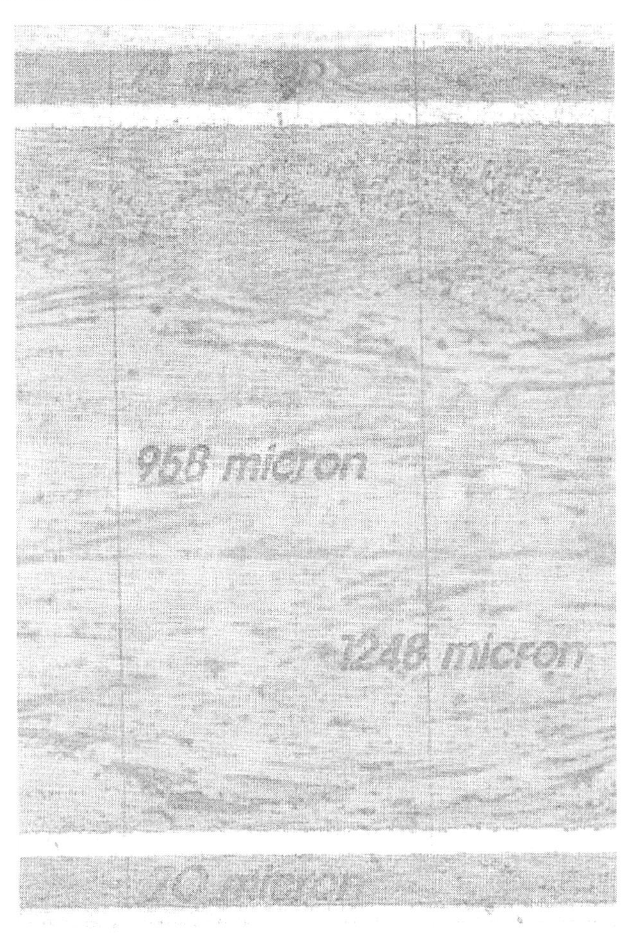

Layer	Name	Raw Material	이론 두께		실측 두께	
			Basic	Plating	Basic	Plating
	PSR		20		20	
1L	C/F	1/3Hoz	12	20	9	25
	P.P	#1080	65		71	
2L						
	T/C	1.0T 1oz	1,000		958	
3L						
	P.P	#1080	65		70	
4L	C/F	1/3Hoz	12	20	9	25
	PSR		20		20	
관리 두께		1.2T ± 10%	1.194		1.248	

4) LINE & SPACE

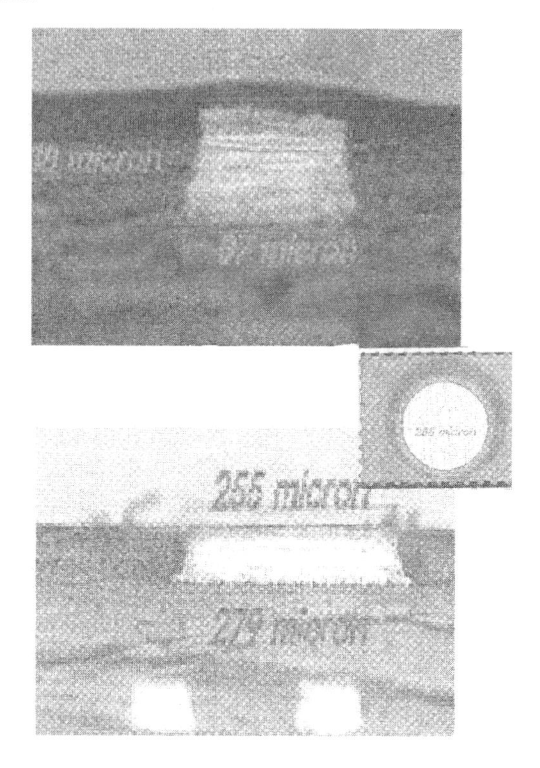

Factor	SPEC	Result
Pattern / Space	100 ± 200% (Bottom)	O.K
BGA Ball Pad	275 ± 20% (Top)	O.K

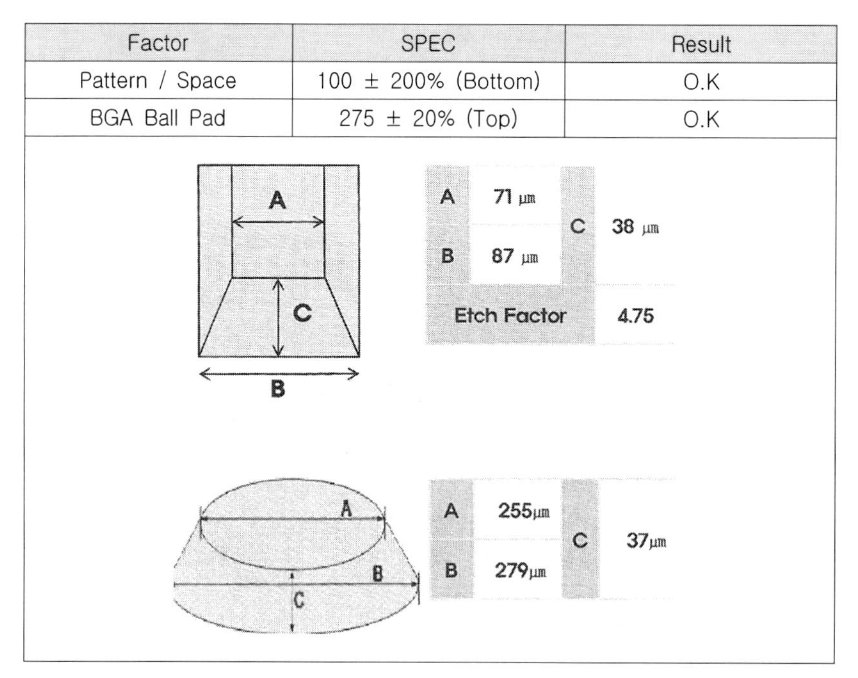

5) PLATING THICKNESS

① PTH

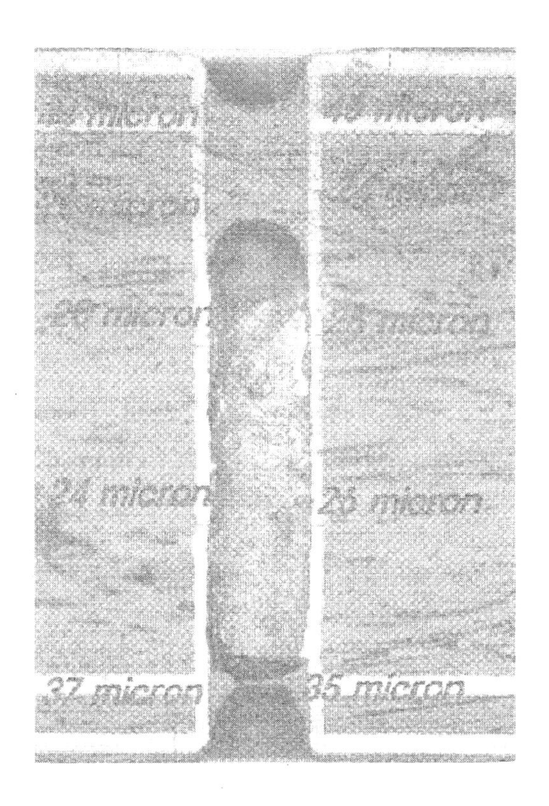

Factor	SPEC	Result
Surface	Min. 20㎛	O.K
Hole Wall	Min. 18㎛	O.K

A	32㎛	B	33㎛
C	26㎛	D	24㎛
E	28㎛	F	26㎛
G	24㎛	H	26㎛
I	25㎛	J	23㎛

② LVH

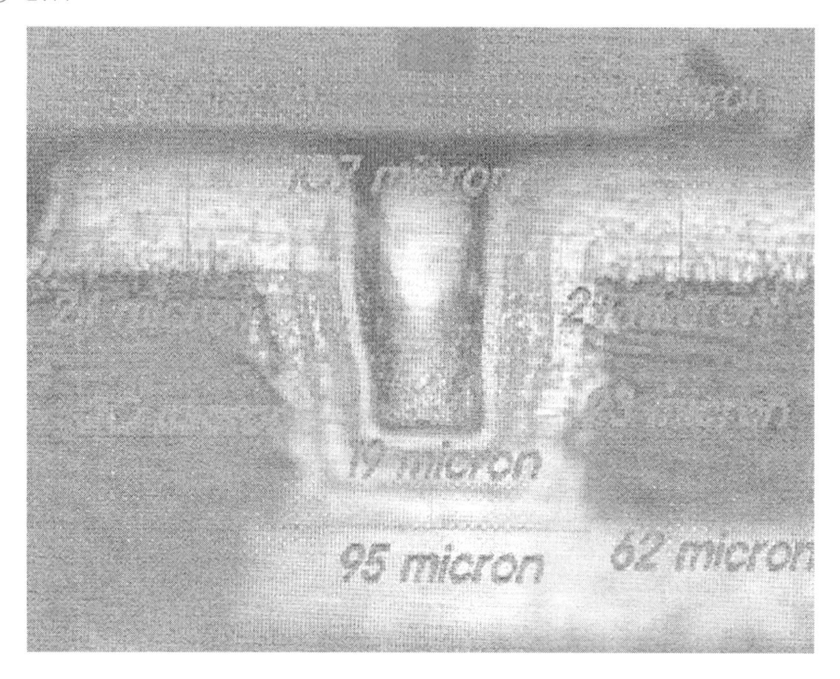

Factor	SPEC	Result
Surface	Min. 20㎛	O.K
Hole Wall	Min. 13㎛	O.K

A	33㎛	B	34㎛
C	24㎛	D	29㎛
E	20㎛	F	23㎛
G	19㎛		
H	62㎛		
I	95㎛		
J	107㎛		

2. 4층 A TYPE ②

1) PROCESS

No.	Process	Parameter	Remark
1	재 단	406*510	DOOSAN / Halogen Free
2	내층 image	D.E.S LINE SPEED 부식 3.6 현상 3.45	
3	A.O.I		
4	적 층 1~4L	Trimming Size 395*490	DOOSAN / Halogen Free
10	1~4 드 릴	1~4L P.T.H 가공 2stack 0.20ϕ	
11	CFM 노광	Window 0.10ϕ	
12	Laser Drill	1-2L 0.10ϕ	
13	도 금	Desmear Speed 1.3 도금 20~25㎛	
14	외층 image	D.E.S LINE SPEED 부식 3.2 현상 2.8	
15	A.O.I		
16	인 쇄	PSR : Green	TAITO INK PSR-4000 G23HFL
17	무전해 금도금	Ni : Min 3㎛ / Au : Min 0.03㎛	전해 금도금 面 Masking 처리
18	전해 금도금	Ni : Min 5㎛ / Au : Min 0.5㎛	무전해 금도금 面 Masking 처리
19	Router	허용공차 ±0.1mm	Router 가공 시간 : 35分/Kit
20	B.B.T	총 15Kit 중 OK:14 NG 1	Yield : 93.3%
21	검사 & 포장		

2) LAY-UP STRUCTURE

Layer	Name	Raw Material	이론 두께		실측 두께	
			Basic	Plating	Basic	Plating
1L	PSR		20		20	
	C/F	1/3 oz	12	20	12	20
	P.P	#106	45		49	
2L	T/C	0.2T H/H oz	236		238	
3L						
4L	P.P	#106	45		49	
	C/F	1/3 oz	12	20	12	20
	PSR		20		20	
관리 두께		0.4T ± 10%	0.390	mm	0.414	mm

3) LINE

Factor	SPEC	Result
Pattern / Space	100 ± 20% (Bottom)	O.K

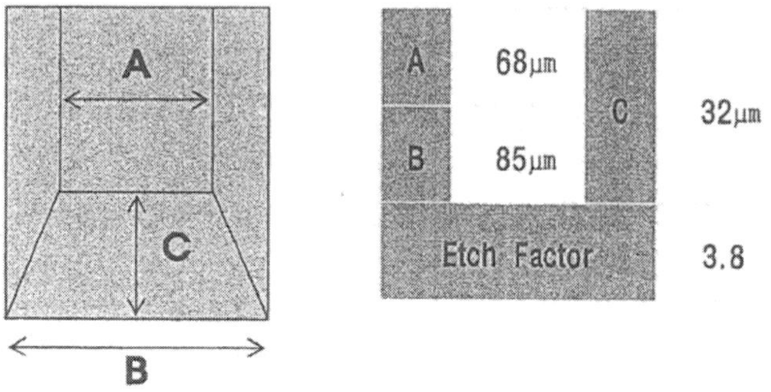

A
C
B

A 68㎛
B 85㎛
C 32㎛
Etch Factor 3.8

4) PLATING THICKNESS

Factor	SPEC	Result
Surface	Min. 20㎛	O.K
Hole Wall	Min. 18㎛	O.K

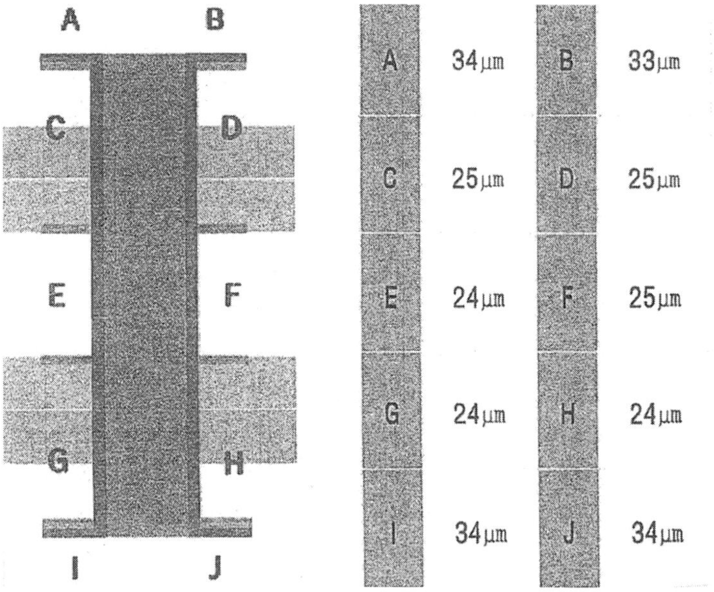

A B
C D
E F
G H
I J

A 34㎛ B 33㎛
C 25㎛ D 25㎛
E 24㎛ F 25㎛
G 24㎛ H 24㎛
I 34㎛ J 34㎛

5) LASER HOLE PLATING THICKNESS

Factor	SPEC	Result
Surface	Min. 18㎛	O.K
Hole Wall	Min. 13㎛	O.K

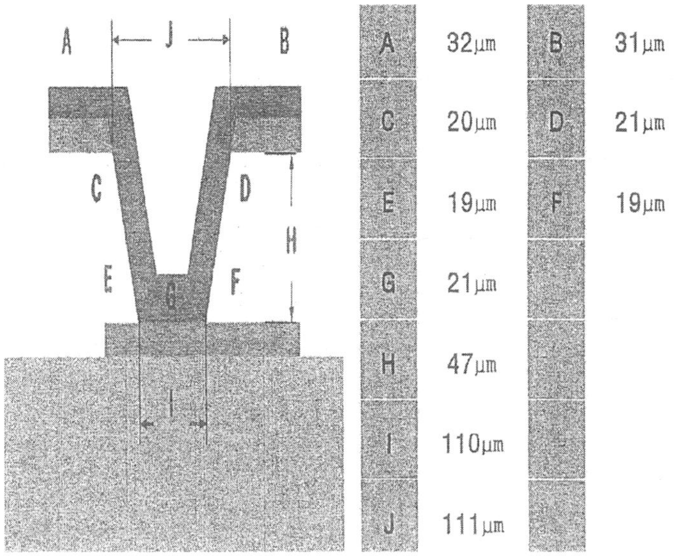

A	32μm	B	31μm
C	20μm	D	21μm
E	19μm	F	19μm
G	21μm		
H	47μm		
I	110μm		
J	111μm		

6) 표면처리 두께

	무전해금 도금		전해 금도금	
	Ni	Au	Ni	Au
1	3.936	0.045	5.51	0.56
2	4.054	0.038	5.81	0.57
3	3.919	0.039	5.47	0.60
4	3.887	0.036	5.48	0.59
5	3.904	0.037	5.56	0.55
평균	3.941	0.039	5.57	0.57
표준편차	0.065	0.004	0.14	0.02

13-2 4층 B TYPE

1. PROCESS

No.	Process	Parameter	Remark
01	재 단	406*515	
02	드 릴 (1)	2~3L I.V.H Hole 가공 2stack	Scale X100.015 Y100.020
03	도 금 (1)	도금 두께 15~20㎛	Desmear Speed 1.3
04	내층 image		현상 3.45 / 부식 3.6
05	A.O.I		Open 2
06	적층	Trimming Size 400*510	
07	드 릴 (2)	1-4L P.T.H Hole 가공 2 stack	Scale X100.000 Y100.000
08	Conformal	Window Size 120㎛	
09	Laser Drill	1-2L & 3-4L : 0.12ϕ	
10	도 금 (2)	도금 두께 20~25㎛	Desmear Speed 1.3
11	외층 image	L/S = 100/100	현상 2.8 / 부식 3.6
12	A.O.I		Short 2
13	인쇄	C/S, S/S Green Ink	
14	Router		
15	B.B.T		Yield : 96/96 = 100%
16	최종검사		Marking 번짐
17	OSP		
18	출하		

2. 제품

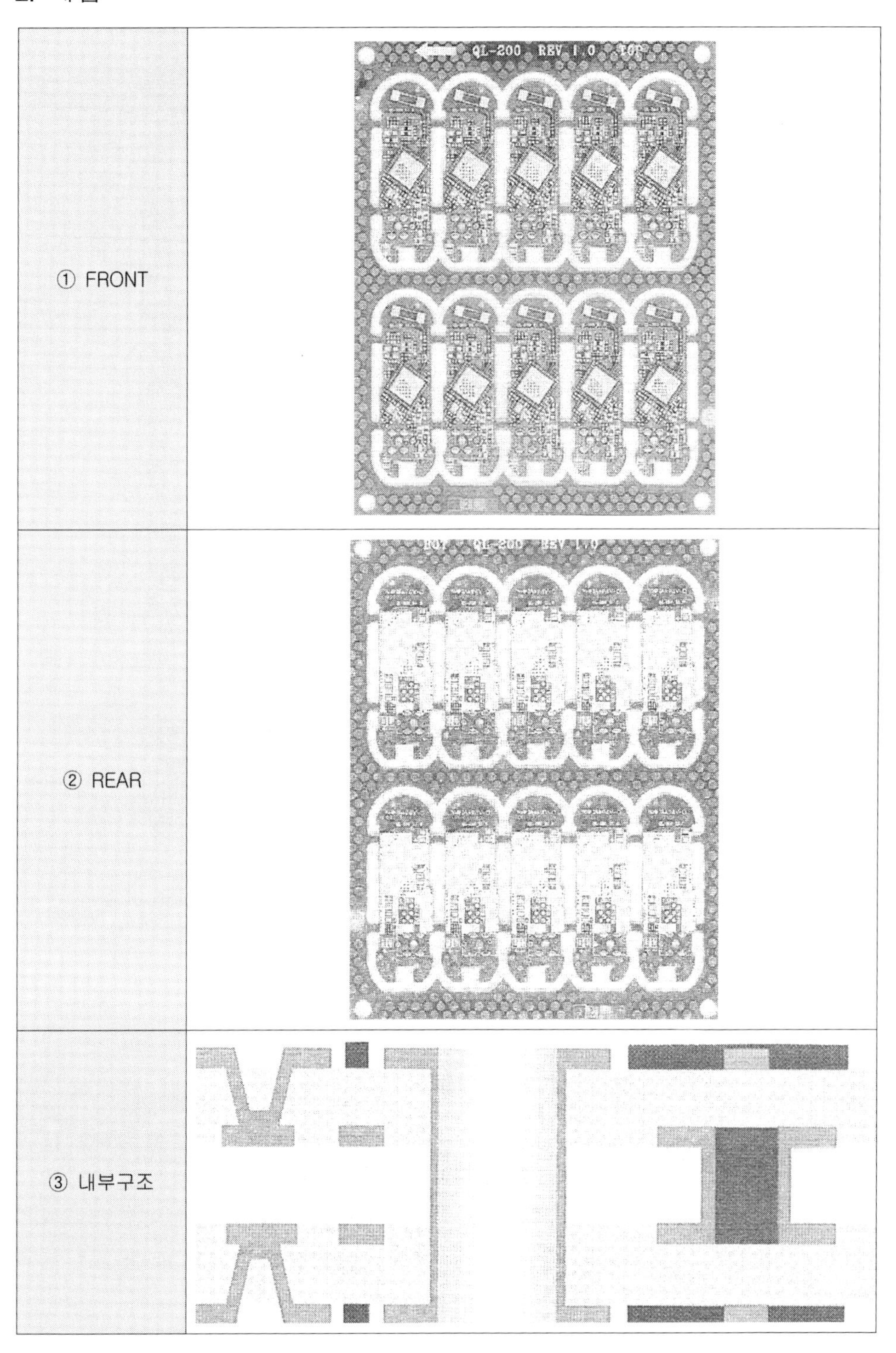

3. LAY-UP STRUCTURE

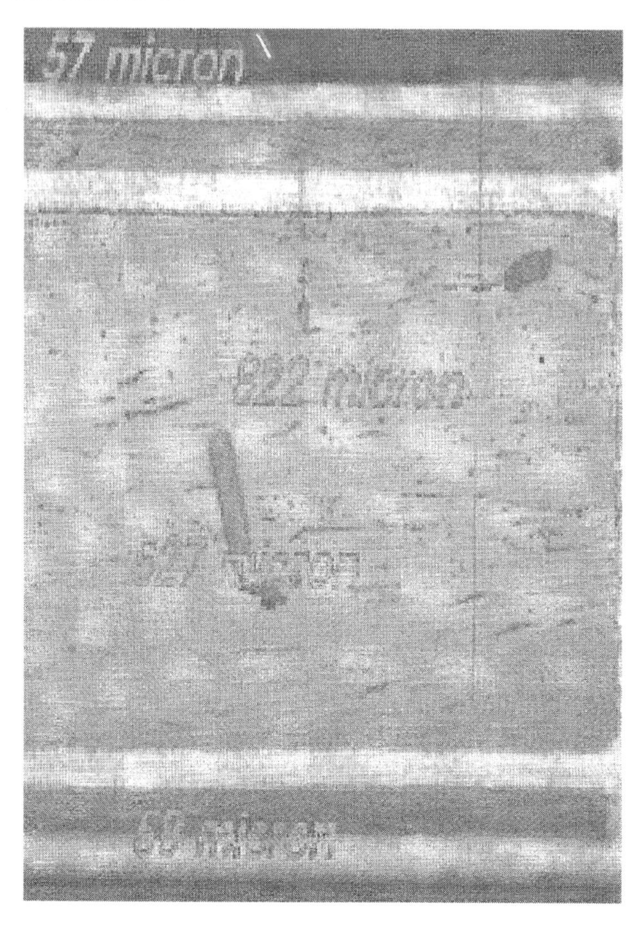

Layer	Name	Raw Material	이론 두께		실측 두께	
			Basic	Plating	Basic	Plating
	PSR		20		20	
1L	C/F	1/3Hoz	9		9	25
	P.P	#1080	65		57	
2L						
	T/C	0.5T H/Hoz	536		527	
3L						
	P.P	#1080	65		58	
4L	C/F	1/3Hoz	9		9	25
	PSR		20		20	
관리 두께		0.8T ± 10%	0.8		822	

4. LINE & SPACE

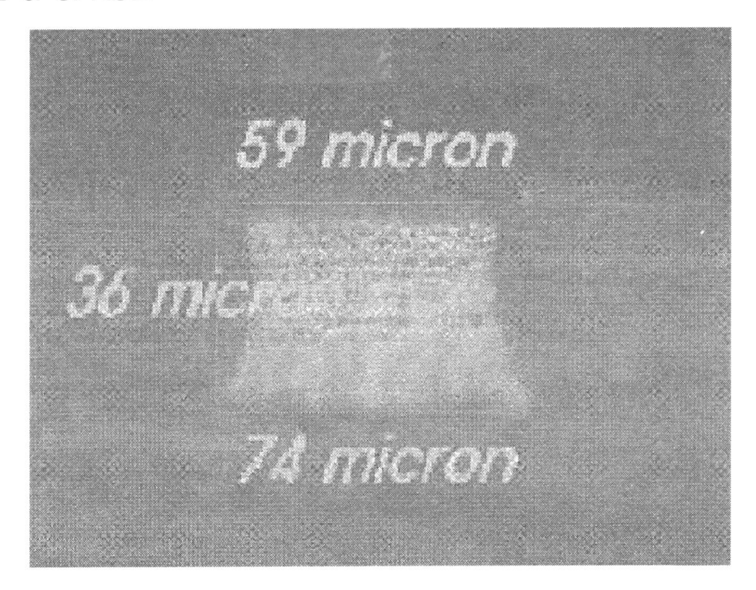

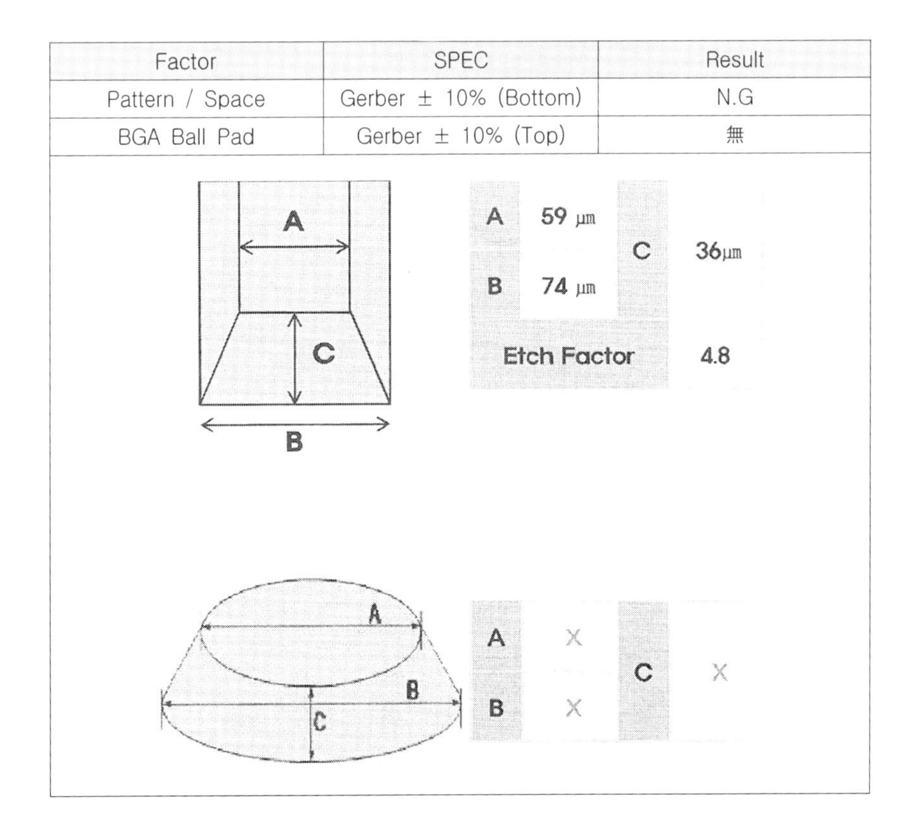

Factor	SPEC	Result
Pattern / Space	Gerber ± 10% (Bottom)	N.G
BGA Ball Pad	Gerber ± 10% (Top)	無

5. PLATING THICKNESS

1) IVH

Factor	SPEC	Result
Surface	Min. 20㎛	O.K
Hole Wall	Min. 15㎛	O.K

A B

C D

E F

G H

I J

A	37㎛	B	35㎛
C	22㎛	D	22㎛
E	21㎛	F	25㎛
G	22㎛	H	20㎛
I	41 ㎛	J	39 ㎛

2) PTH

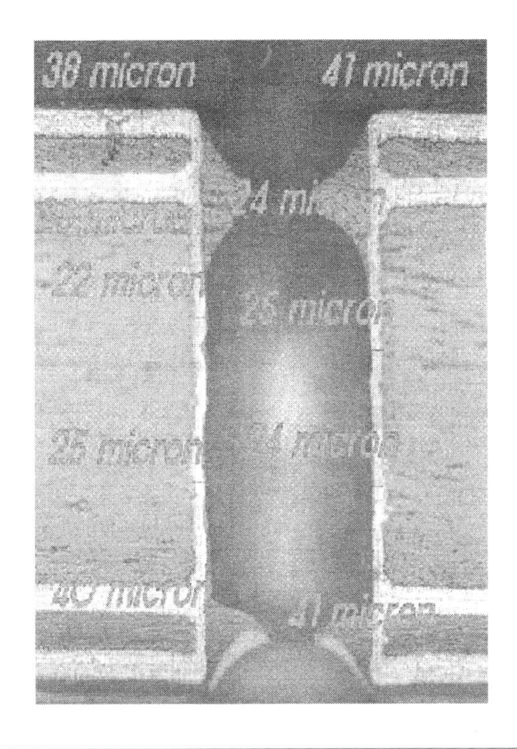

Factor	SPEC	Result
Surface	Min. 20㎛	O.K
Hole Wall	Min. 18㎛	O.K

A B
C D
E F
G H
I J

A	38㎛	B	41㎛
C	25㎛	D	24㎛
E	22㎛	F	25㎛
G	25㎛	H	24㎛
I	40㎛	J	41㎛

3) LVH

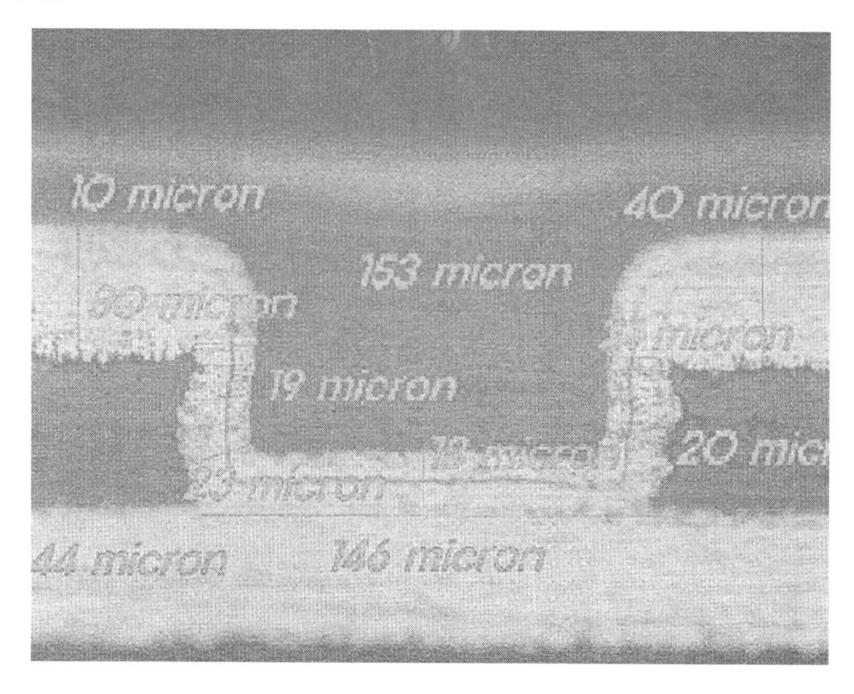

Factor	SPEC	Result
Surface	Min. 18㎛	O.K
Hole Wall	Min. 13㎛	O.K

A	40㎛	B	40㎛
C	19㎛	D	21㎛
E	23㎛	F	18㎛
G	18㎛		
H	44㎛		
I	146㎛		
J	153㎛		

13-3 6층 A TYPE

1. PROCESS

No.	Process	Parameter	Remark
01	재 단	406*510	
02	내층 image	D.E.S LINE SPEED 부식 3.6 현상 3.45	Scale X100.020 / Y100.040
03	A.O.I		OPEN 4, SHORT 1
04	적 층	Trimming Size 400*505	1/3 oz 적층 시 주의
05	드 릴	1-6L P.T.H 가공 2stack	Scale X100.000 / Y100.000
06	C / F	CONFORMAL 노광	
07	Laser Drill	Laser Drill Hole 가공 1-2L.5-6L 0.12Φ	
06	도 금	Dermear Speed 1.3 도금 20~25㎛	
07	외층 image	D.E.S LINE SPEED 부식 3.2 현상 2.8	1/3 oz 부식 진행 시 주의
08	A.O.I		OPEN 6, SHORT 2
09	인 쇄		
10	금도금	NI : 3~7㎛/ Au : 0.03~0.08㎛	무전해 금도금 : Min 0.03㎛관리
11	Router	공차 ± 0.15mm	외주 : 미라클 전자
12	B.B.T		Yield : ? (=15/?) 내역 : Pass 15 이후 잔량 미검사
13	검사&출하	양품출하 후 잔량 미 검	발주 수량 : 15KIT 양품KIT

2. 제품

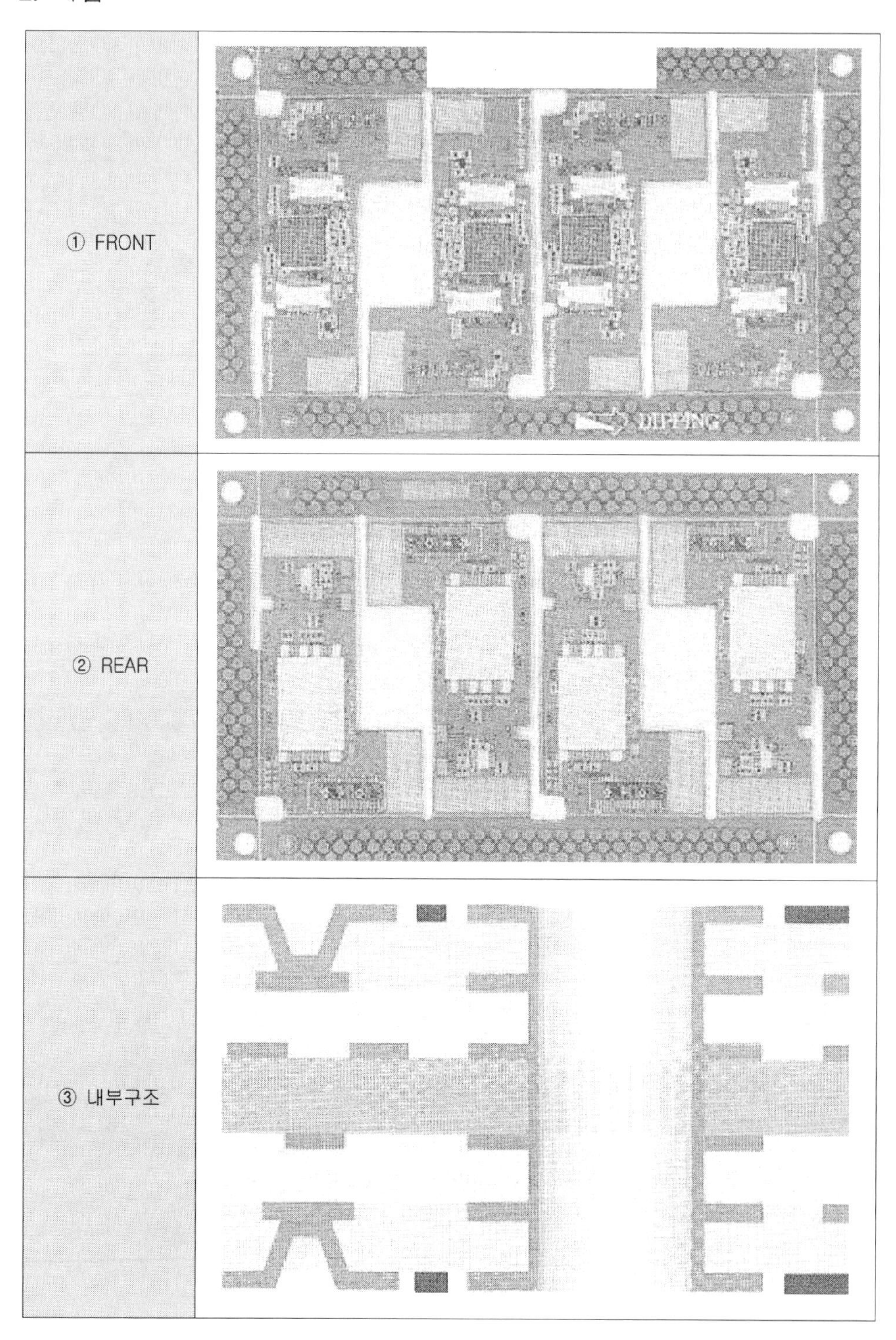

3. LAY-UP STRUCTURE

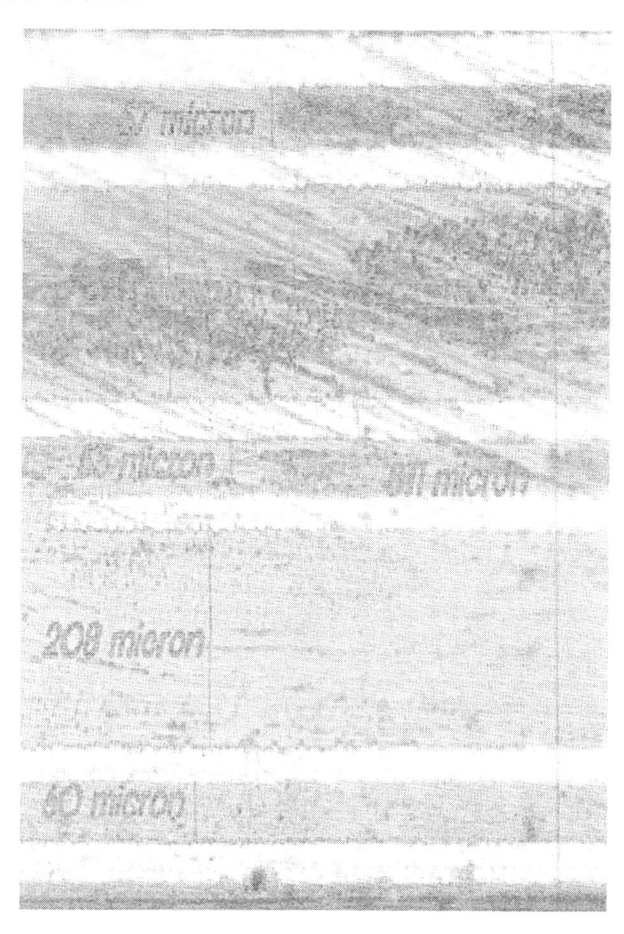

Layer	Name	Raw Material	이론 두께		실측 두께	
			Basic	Plating	Basic	Plating
	PSR		20		20	
1L		1/3Hoz	12		12	
	P.P	#1080	65		57	
2L	T/C	0.2T 1OZ	272		202	
3L						
	P.P	#1080	65		56	
4L	T/C	0.2T 1OZ	272		208	
5L						
	P.P	#1080	65		60	
6L	C/F	1/3 oz	12	20	12	20
	PSR		20		20	
관리 두께		0.8T ± 10%	803	mm	811	

4. LINE & SPACE

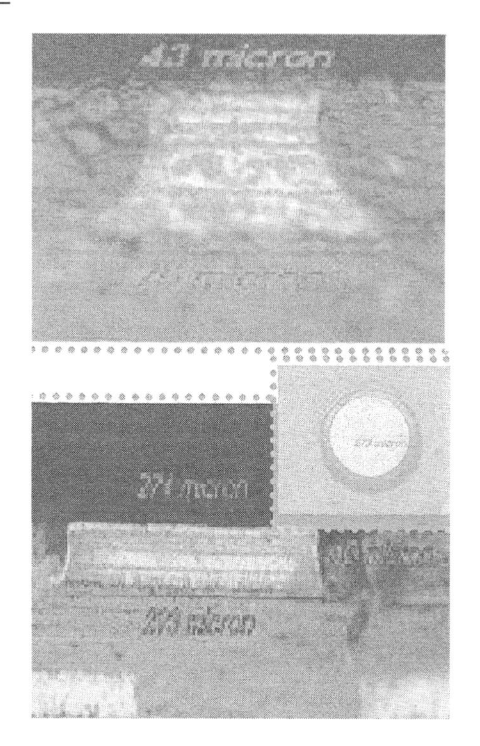

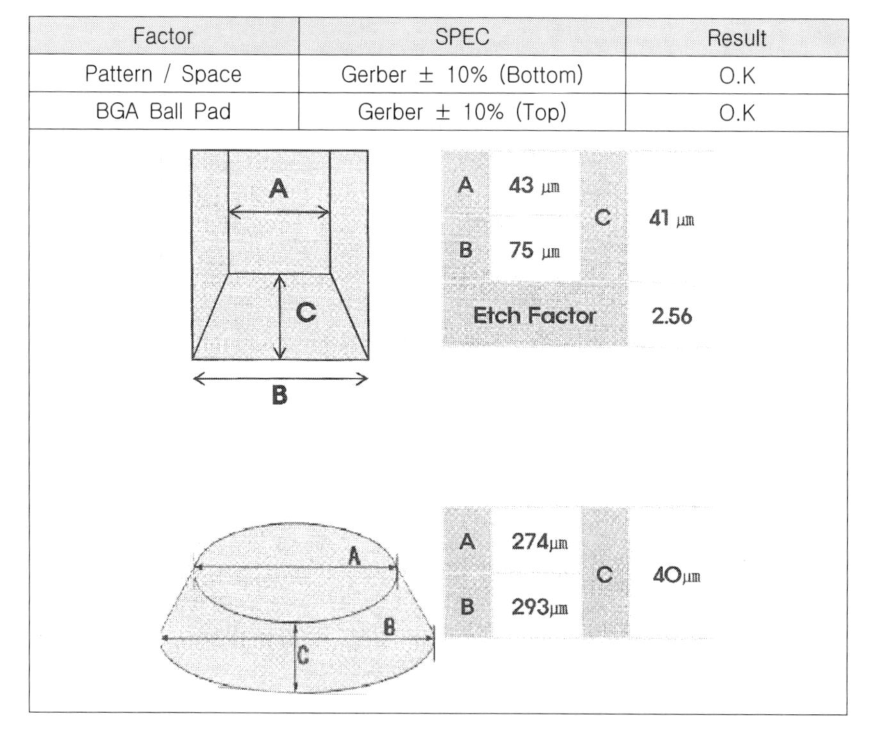

Factor	SPEC	Result
Pattern / Space	Gerber ± 10% (Bottom)	O.K
BGA Ball Pad	Gerber ± 10% (Top)	O.K

5. PLATING THICKNESS

1) PTH

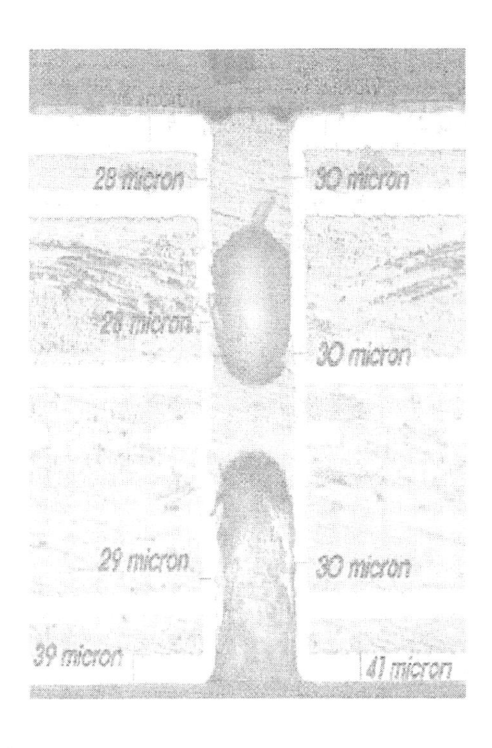

Factor	SPEC	Result
Surface	Min. 20㎛	O.K
Hole Wall	Min. 18㎛	O.K

A B
C D
E F
G H
I J

A	46㎛	B	45㎛
C	28㎛	D	30㎛
E	28㎛	F	30㎛
G	29㎛	H	30㎛
I	39㎛	J	41㎛

2) LVH

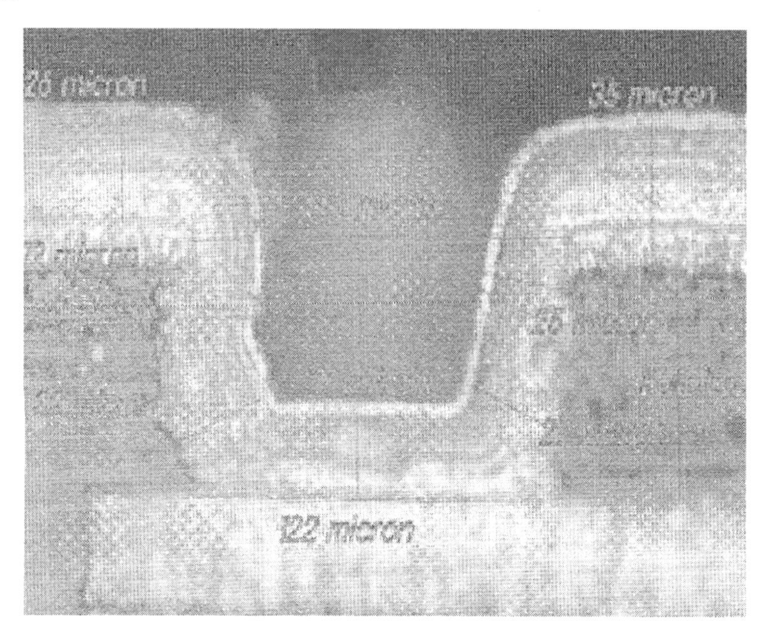

Factor	SPEC	Result
Surface	Min. 18㎛	O.K
Hole Wall	Min. 13㎛	O.K

A J B
C D
H
E F
G
I

A	38㎛	B	35㎛
C	26㎛	D	25㎛
E	32㎛	F	27㎛
G	19㎛		
H	56㎛		
I	122㎛		
J	130㎛		

13-4 6층 B TYPE ①, ②

1. 6층 B TYPE ①

1) PROCESS

No.	Process	Parameter	Remark
01	재 단	406*510(6 CUT)	
02	내층 image	D.E.S LINE SPEED 부식 3.6 현상 3.45	Scale X100.020 / Y100.040
03	A.O.I	Short 1	수리 無
04	적 층	Trimming Size 400*505	1/3 oz 적층 시 주의
05	드 릴	2-5L I.V.H 가공 2stack	Scale X100.020 / Y100.015
06	도 금	Dermear Speed 1.3	도금 15~20㎛
07	외층 image	D.E.S LINE SPEED 부식 3.6 현상 2.8	1/3 oz 부식 진행시 주의
06	A.O.I	Open 6, 미부식 3	수리 無
07	적 층	Trimming Size 395*500	1/3 oz 적층 시 주의
08	드 릴	1-6L P.T.H 가공 2stack	Scale X100.000 / Y100.000
09	C/F	CONFORMAL 노광	
10	Laser Drill	1-2L. 5-6L 0.12ϕ	
11	도 금	Dermear Speed 1.3	도금 20~25㎛
12	외층 image	D.E.S LINE SPEED 부식 3.6 현상 2.8	1/3 oz 부식 진행시 주의
13	A.O.I	폐기 36Kit, 수리 48Kit, 양품 12Kit	Silver 수리 진행
14	인 쇄	C/S , S/S Green	Marking 번짐 주의
15	금도금	NI : 3~7㎛ / Au : 0.03~0.08㎛	무전해 금도금 : Min 0.03㎛관리
16	Router	1차 Router 가공	외주 미라클 전자 사양 (Kit 납품)
17	B.B.T	30Kit 양품 구분 완료	양산수량 체크 후 Cross Section 실시
18	검사&출하	Marking 번짐 3kit	발주수량 : 100PCS

2) 제품

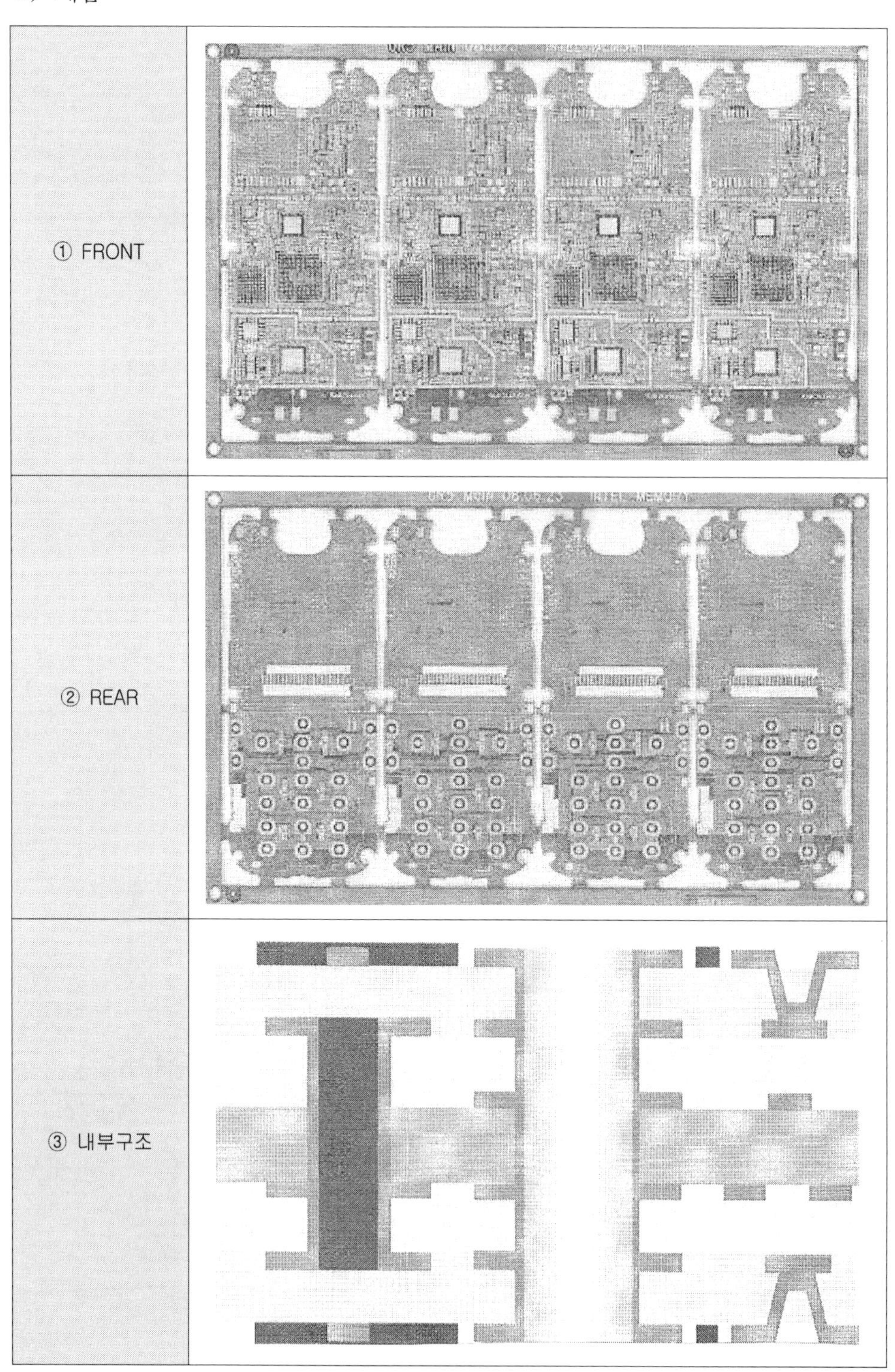

3) LAY-UP STRUCTURE

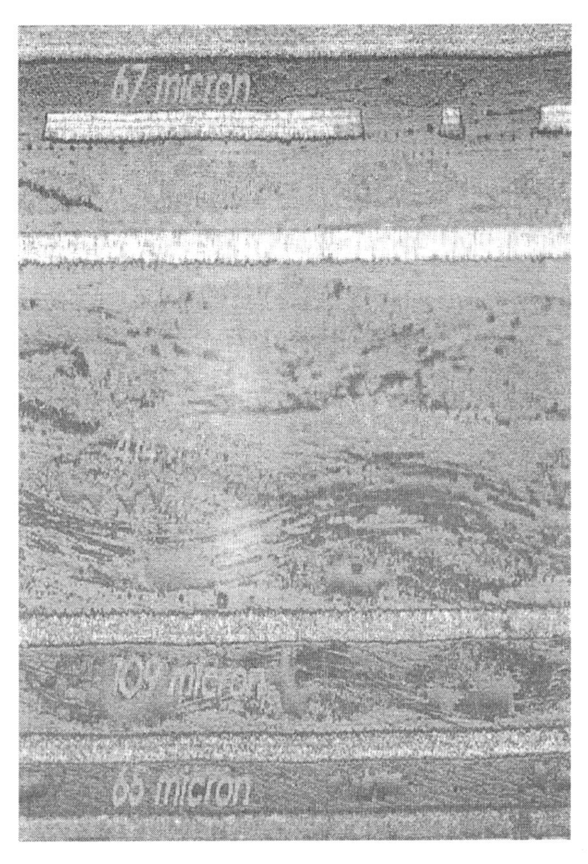

Layer	Name	Raw Material	이론 두께		실측 두께	
			Basic	Plating	Basic	Plating
	PSR		20		20	
1L	C/F	1/3 oz	9		9	25
	P.P	#1080	65		67	
2L	C/F	1/3 oz	9		9	20
	P.P	#2116	110		109	
3L						
	T/C	0.4T 1/1oz	436		414	
4L						
	P.P	#2116	110		109	
5L	C/F	1/3 oz	9		9	20
	P.P	#1080	65		65	
6L	C/F	1/3 oz	9		9	25
	PSR		20		20	
관리 두께		1.0T ± 10%	1.0		984	

4) LINE & SPACE

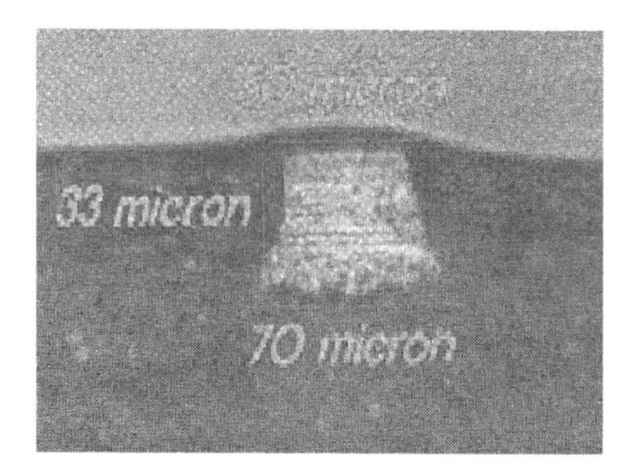

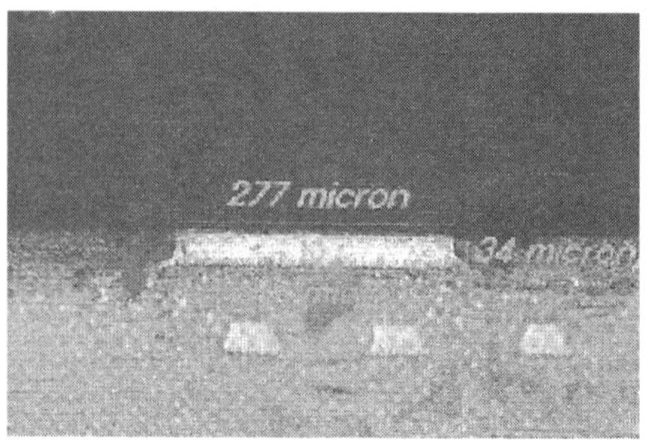

Factor	SPEC	Result
Pattern / Space	Gerber ± 10% (Bottom)	O.K
BGA Ball Pad	Gerber ± 10% (Top)	O.K

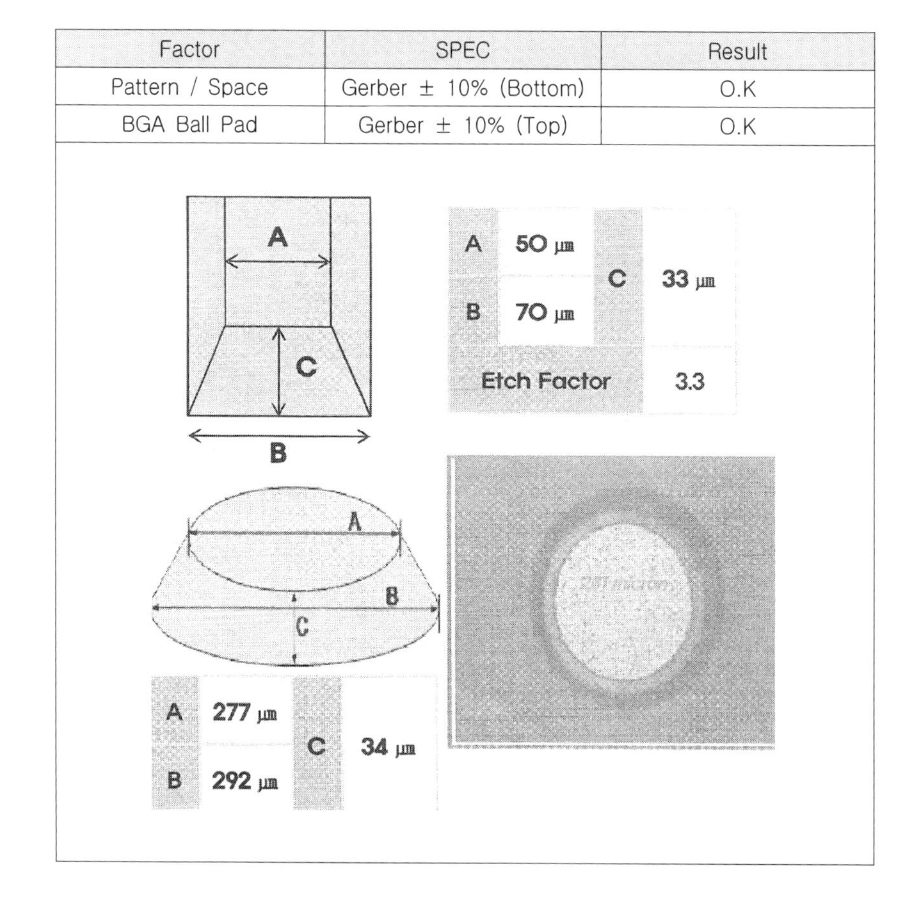

5) PLATING THICKNESS

① GVH

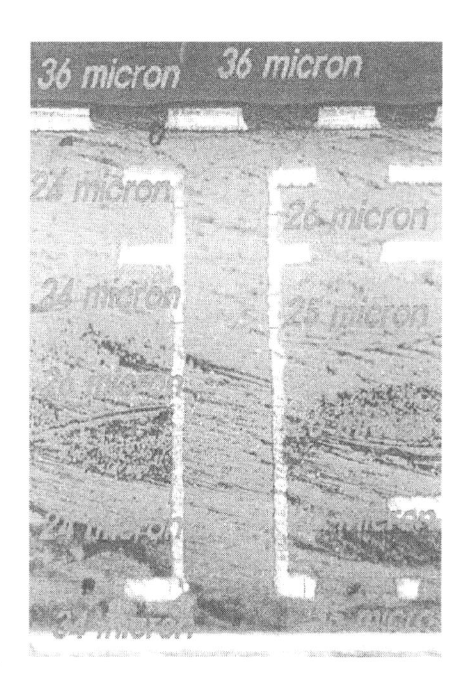

Factor	SPEC	Result
Surface	Min. 20㎛	O.K
Hole Wall	Min. 15㎛	O.K

A B

C D

E F

G H

I J

A	36㎛	B	36㎛
C	24㎛	D	25㎛
E	26㎛	F	26㎛
G	24㎛	H	28㎛
I	34㎛	J	35㎛

② PTH

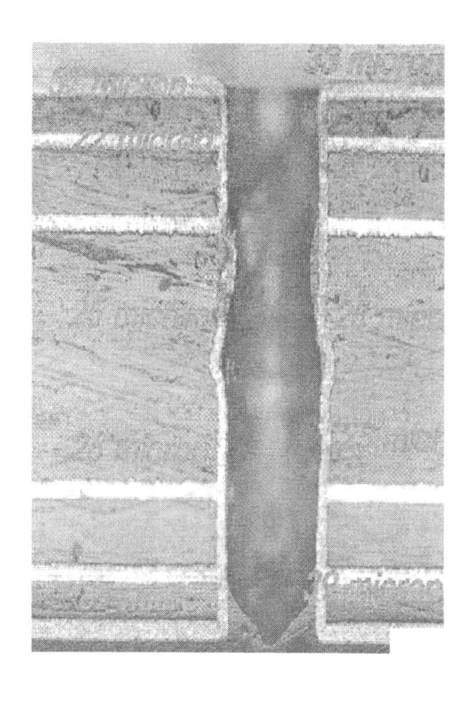

Factor	SPEC	Result
Surface	Min. 20㎛	O.K
Hole Wall	Min. 18㎛	O.K

A B

C D

E F

G H

I J

A	37㎛	B	33㎛
C	22㎛	D	21㎛
E	25㎛	F	25㎛
G	26㎛	H	25㎛
I	37㎛	J	39㎛

③ LVH

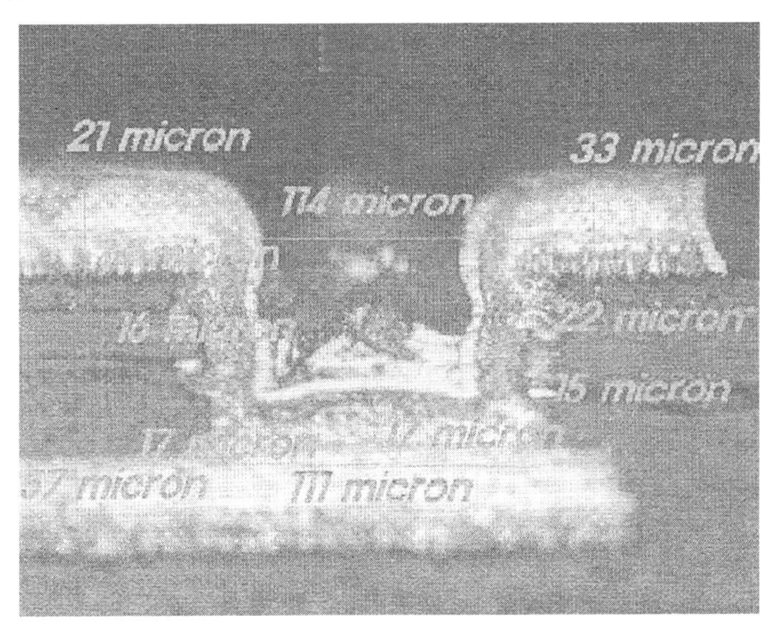

Factor	SPEC	Result
Surface	Min. 18㎛	O.K
Hole Wall	Min. 13㎛	O.K

A J B
C D
H
E F
G
I

A	36㎛	B	33㎛
C	16㎛	D	22㎛
E	17㎛	F	15㎛
G	17㎛		
H	57㎛		
I	111㎛		
J	114㎛		

6) IMPEDANCE

Description	Layer	Average	Max Z	Min Z
A-618 V5	2L	55.89	56.28	55.51
A-618 V5	2L	54.20	54.31	54.13
A-618 V5	2L	55.79	56.28	55.37
A-618 V5	2L	50.53	52.03	49.55
A-618 V5	2L	51.35	52.62	50.71
A-618 V5	2L	51.42	51.74	51.24
A-618 V5	2L	55.16	55.46	54.79
A-618 V5	2L	54.41	54.70	54.18
A-618 V5	2L	54.11	54.35	53.91
A-618 V5	2L	54.89	55.24	54.39
A-618 V5	2L	55.97	56.46	55.46
A-618 V5	2L	54.11	54.44	53.70
A-618 V5	2L	54.87	54.97	54.84
A-618 V5	2L	54.64	55.42	53.74
A-618 V5	2L	53.32	53.70	52.79
A-618 V5	5L	53.74	54.26	53.01
A-618 V5	5L	53.83	54.35	53.31
A-618 V5	5L	54.63	55.46	53.65
A-618 V5	5L	54.84	55.42	53.65
A-618 V5	5L	53.00	53.26	52.54
A-618 V5	5L	53.04	53.35	52.62
A-618 V5	5L	52.72	53.26	52.07
A-618 V5	5L	54.27	54.79	54.09
A-618 V5	5L	52.86	53.26	52.28
A-618 V5	5L	52.96	53.31	52.49
A-618 V5	5L	53.59	53.87	53.48
A-618 V5	5L	54.00	54.35	53.87
A-618 V5	5L	53.19	53.70	52.49
A-618 V5	5L	53.24	53.74	52.54
A-618 V5	5L	53.16	53.65	52.45

2. 6층 B TYPE ②

1) PROCESS

No	Process	Parameter	Remark
01	재 단	406*510	
02	내층 image	D.E.S LINE SPEED 부식 3.6 현상 3.45	Scale X100.020 / Y100.040
03	A.O.I		OPEN 3, SHORT 3
04	적 층	Trimming Size 400*505	
05	드 릴	2-5L I.V.H / 0.25ϕ / 2stack	Scale X100.020 / Y100.015
06	도 금	Dermear Speed 1.7 도금 15~20㎛	
07	외층 image	D.E.S LINE SPEED 부식 3.6 현상 2.8	
06	A.O.I	OPEN 5 SHORT 3	A.O.I 검사
07	적 층	Trimming Size 395*500	
08	드 릴	1-6L P.T.H / 0.25Φ / 2stack	Scale X100.000 / Y100.000
09	CFM 노광	Window 0.12ϕ	
10	Laser Drill	1-2L 5-6L	
11	도 금	Dermear Speed 1.7 도금 15~20㎛	
12	외층 image	D.E.S LINE SPEED 부식 3.2 현상 2.8	
13	A.O.I	OPEN 2 SHORT 4	
14	인 쇄		
15	외층 image		무전해 금도금 부위 노광 처리
16	DES 현상	D.E.S LINE SPEED 현상 2.8	
17	ENIG	NI 3~7㎛ / Au 0.03~0.08㎛	
18	DES 박리	D.E.S LINE SPEED 박리 1.0	
19	Router	허용공차 ±0.15mm	외주 미라클 전자 사양 (Kit 납품)
20	B.B.T		Yield 84.2:% (=32/38) 내역 : 검사 391KIT Pass 32 불량 6
21	OSP	Flux 외주처리	
22	검사&출하	25kit 출하	

2) 제품

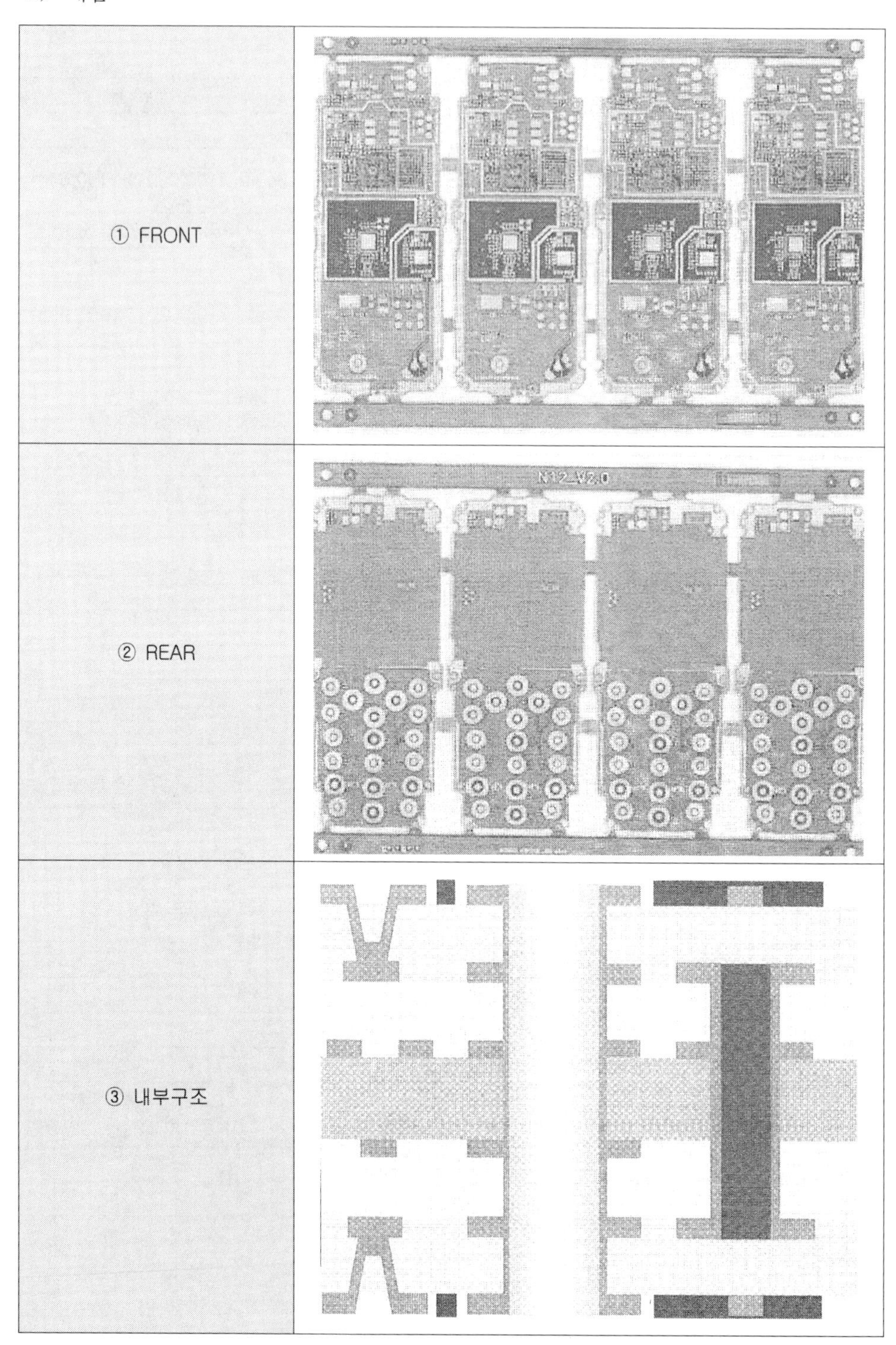

① FRONT
② REAR
N12_V2.0
③ 내부구조

3) LAY-UP STRUCTURE

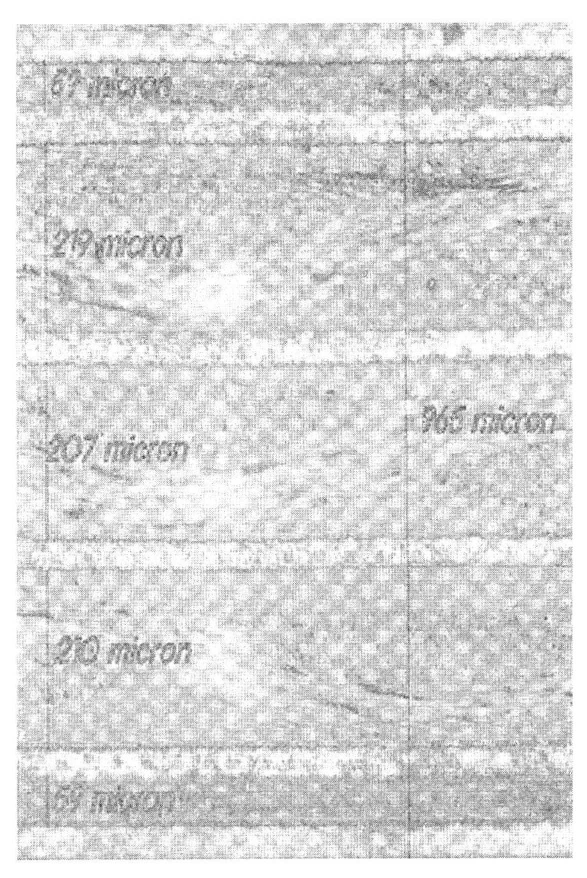

Layer	Name	Raw Material	이론 두께		실측 두께	
			Basic	Plating	Basic	Plating
	PSR		20		20	
1L	C/F	1/2 oz	18	20	18	20
	P.P	#1080	65		59	
2L	C/F	1/2 oz	18	20	18	20
	P.P	#7628 HRC	210		219	
3L	T/C	0.4T 1/1oz	270		207	
4L						
	P.P	#7628 HRC	210		210	
5L	C/F	1/2 oz	18	20	18	20
	P.P	#1080	65		59	
6L	C/F	1/2 oz	18	20	18	20
	PSR		20		20	
관리 두께		1.0T ± 10%	1.038	mm	965	mm

4) LINE & SPACE

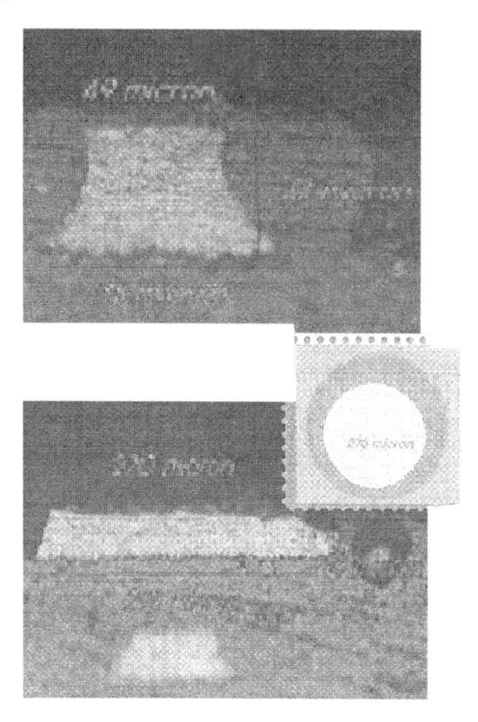

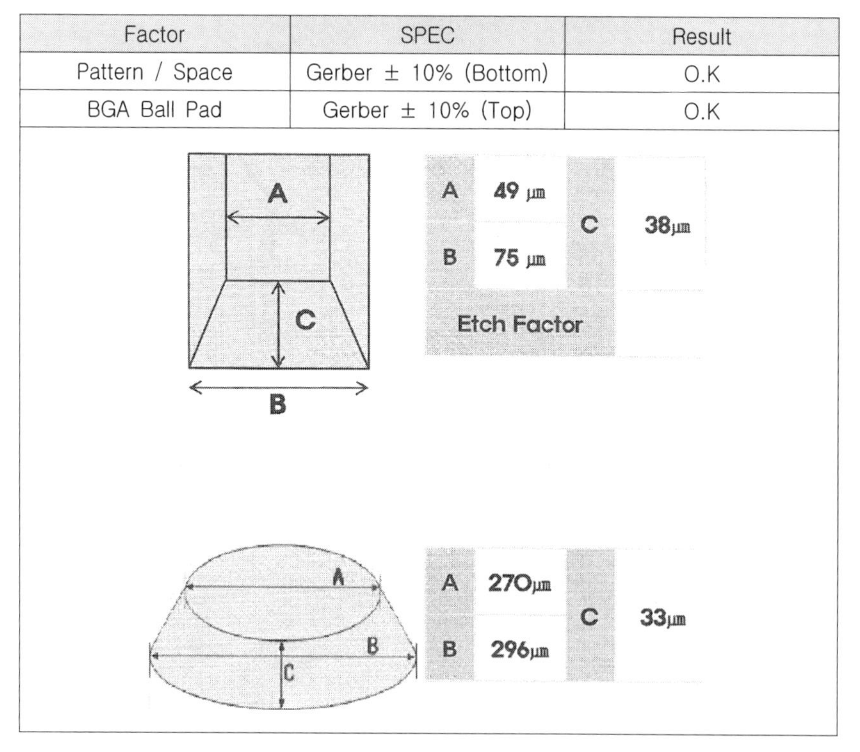

Factor	SPEC	Result
Pattern / Space	Gerber ± 10% (Bottom)	O.K
BGA Ball Pad	Gerber ± 10% (Top)	O.K

5) PLATING THICKNESS

① IVH

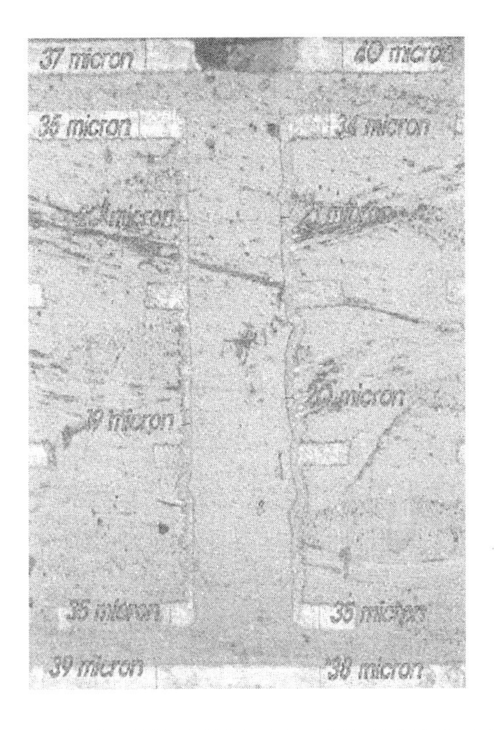

Factor	SPEC	Result
Surface	Min. 20㎛	O.K
Hole Wall	Min. 15㎛	O.K

A B
C D
E F
G H
I J

A	37㎛	B	40㎛
C	20㎛	D	21㎛
E	19㎛	F	20㎛
G	39㎛	H	35㎛
I	39㎛	J	38㎛

② PTH

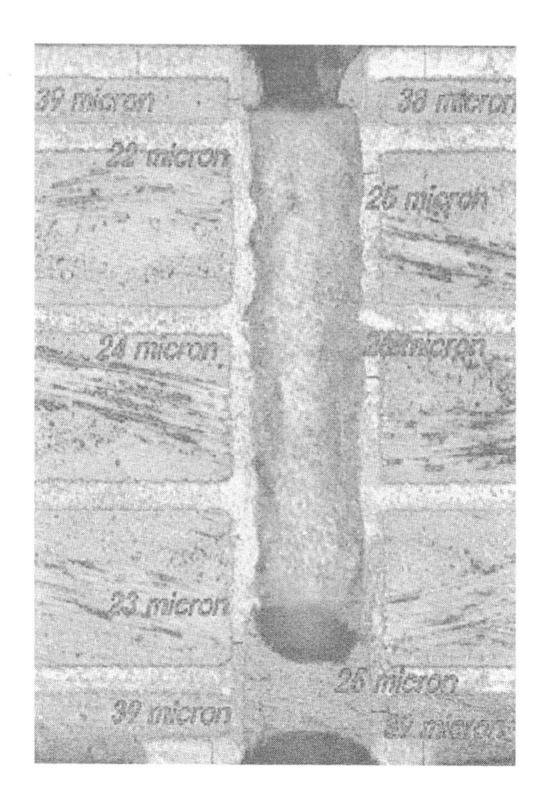

Factor	SPEC	Result
Surface	Min. 20㎛	O.K
Hole Wall	Min. 18㎛	O.K

A B
C D
E F
G H
I J

A	39㎛	B	38㎛
C	22㎛	D	25㎛
E	24㎛	F	26㎛
G	23㎛	H	25㎛
I	39㎛	J	39㎛

③ LVH

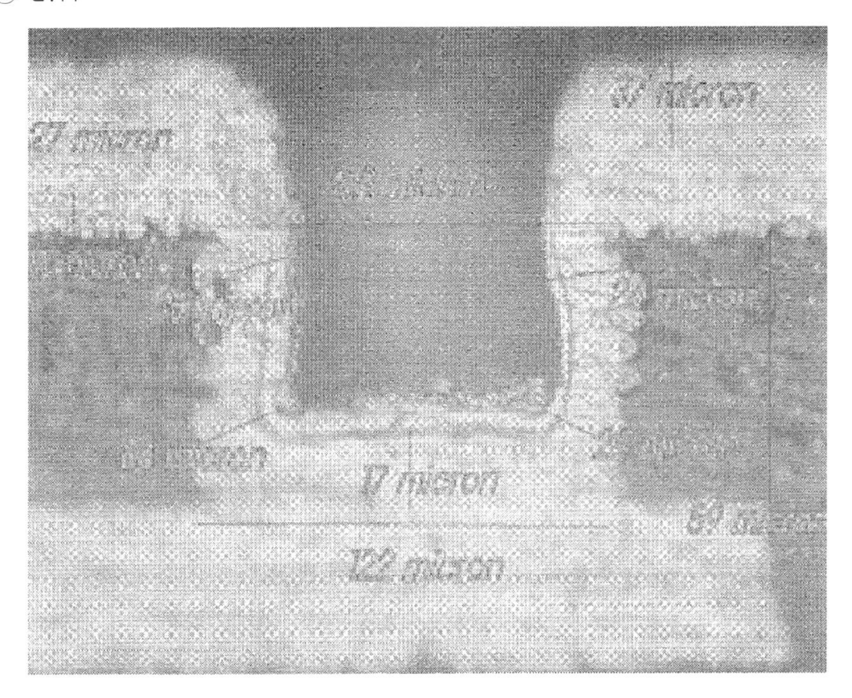

Factor	SPEC	Result
Surface	Min. 18㎛	O.K
Hole Wall	Min. 13㎛	O.K

A J B

C D

H

E G F

I

A	38㎛	B	37㎛
C	18㎛	D	24㎛
E	24㎛	F	22㎛
G	17㎛		
H	59㎛		
I	122㎛		
J	122㎛		

6) 양산 작업 시 개선 항목

① 아래 그림과 같이 Space가 좁아 외층 노광 시 UV빛이 침투하여 우측 사진처럼 잔류동에 의한 Short 불량을 유발함.
현재 대응 방안 검토 중

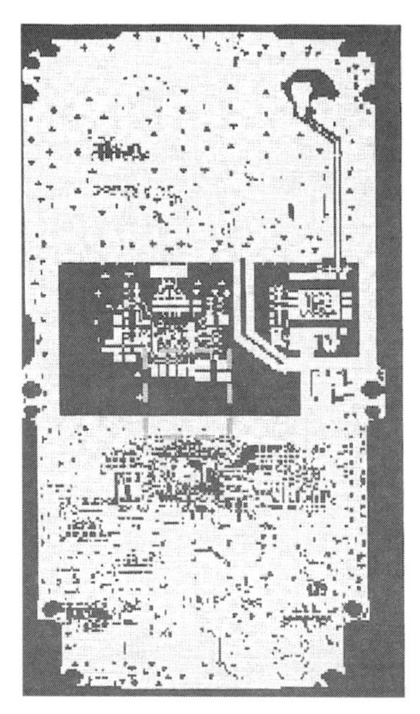

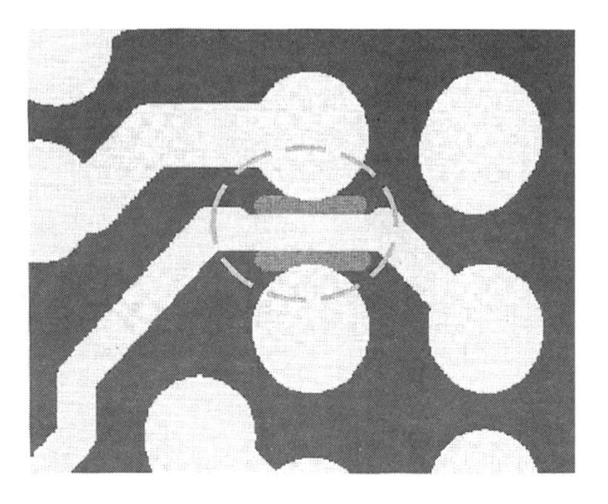

6L Pattern

Gerber Data : L/S = 75/50 ㎛

Edit Data (1) : L/S = 90/40 ㎛

Edit Data (2) : L/S = 70/60 ㎛

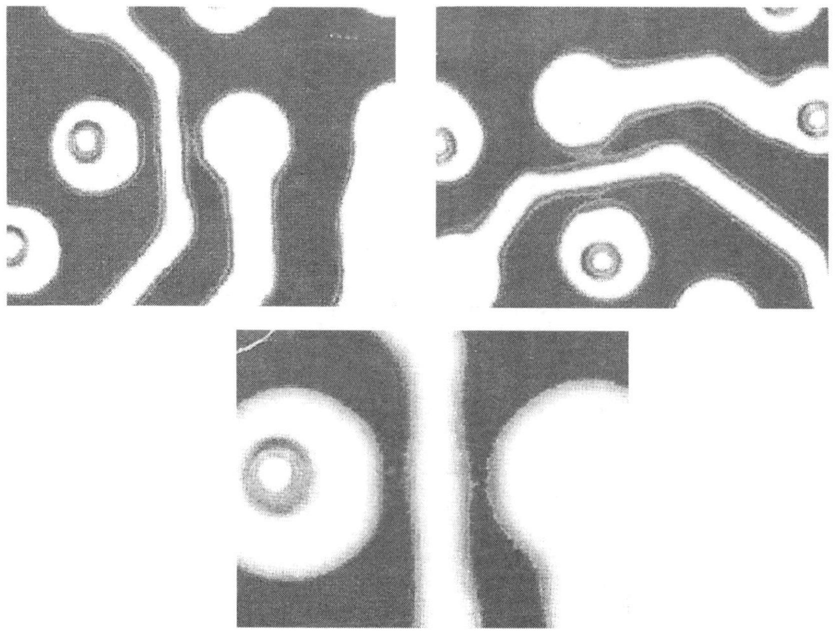

② 아래 사진과 같이 Dry Film 밀착 시 발생한 Air Pocket에 의해 금도금 작업 시 약품 침투에 의해 부분적으로 금도금이나 산화가 진행되는 현상 발생.

현재 대응 방안 검토 중.

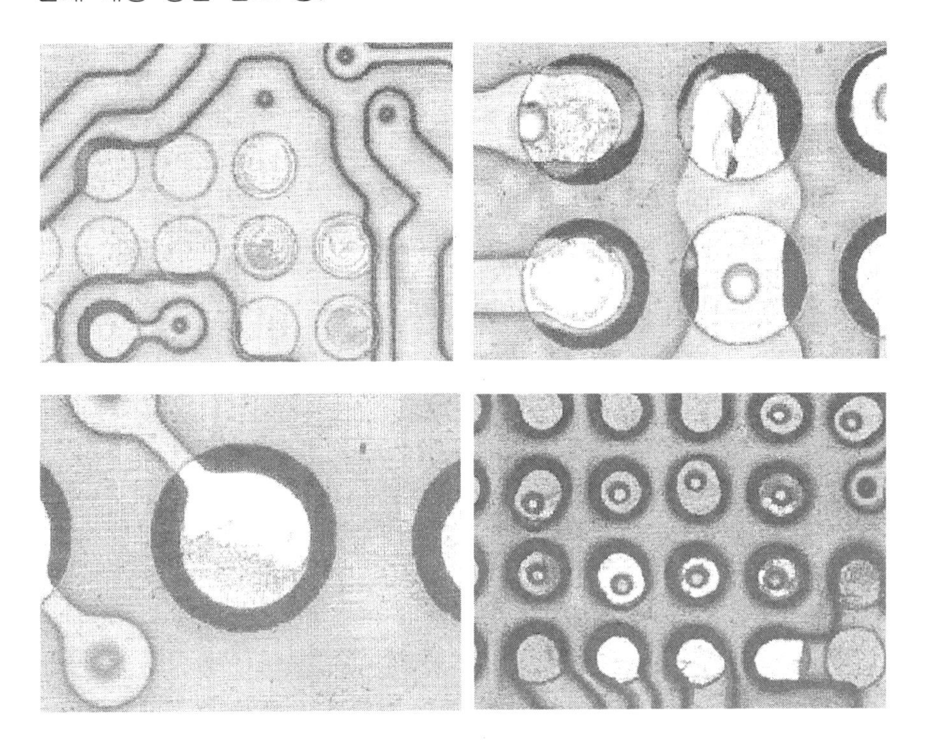

③ Half Through Hole Type으로 Router 가공 시 아래 사진과 같이 동박 Burr 발생 시 불량.

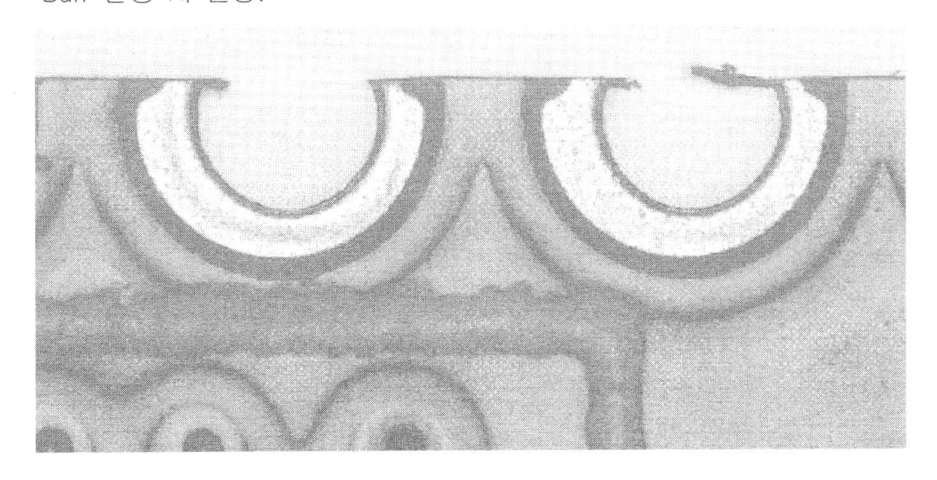

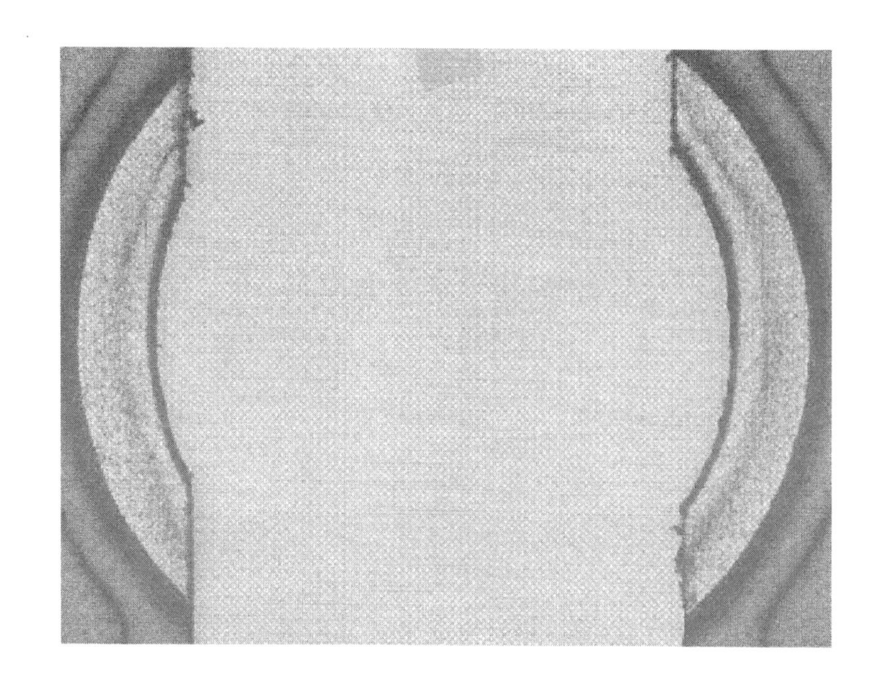

④ V-CUT

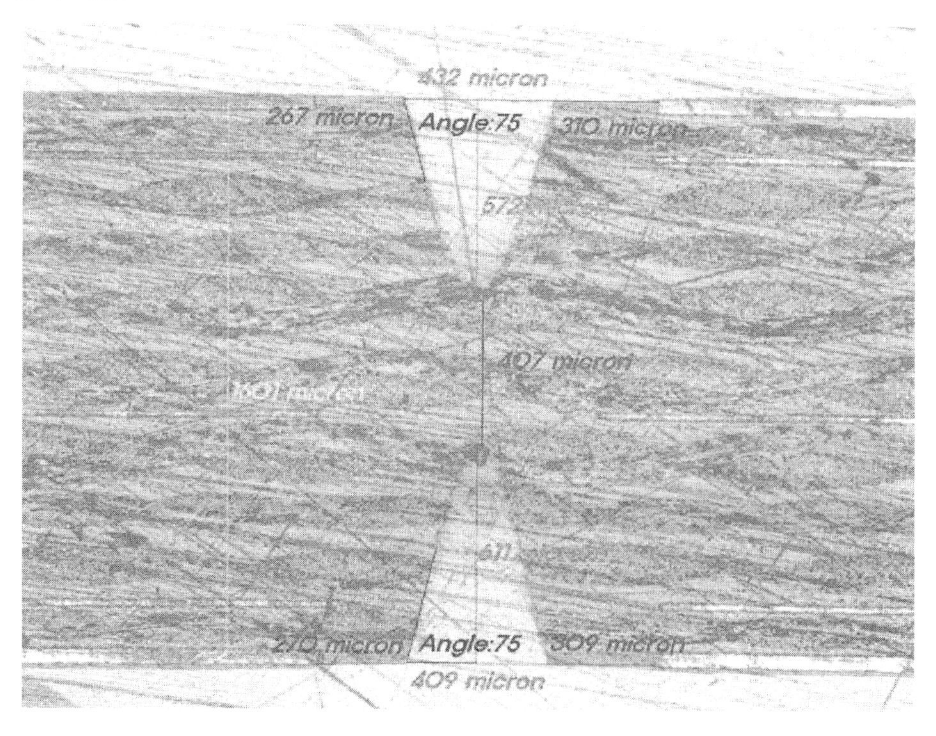
432 micron
267 micron
Angle:75
310 micron
572
407 micron
270 micron
Angle:75
309 micron
409 micron

13-5 6층 E TYPE

1. PROCESS

No.	Process	Parameter	Remark
01	재 단	406*510	
02	내층 image 3/4L	Line/Space : 75/75	Scale X100.020 / Y100.050 SPEED 현상 3.4 / 부식 3.6
03	A.O.I		Open 3, SHORT 4
04	적 층 2-5L	Trimming Size 400*505	1/3 oz 동박 적용
05	드 릴	2-5L I.V.H Hole 가공 2stack	1PNL 불량(오가공)
06	C/F	Window Size 120㎛	Window 덜 열림 주의
07	Laser Drill	2-3L, 4-5L 0.12ϕ	
08	도 금	도금 두께 : 15~20㎛	Dermear Speed 1.3
09	A.O.I		Open 5, Short 4
10	Plugging		Brush 정면 처리
11	외층 image 2/5L	Line/Space : 75/75㎛ BGA : 250㎛	Scale X100.020 / Y100.050 SPEED 현상 3.4 / 부식 3.6
12	A.O.I		Plugging 판넬 A.O.I 검사 不可
13	적층 1-6L	Trimming Size 395*500	1/3 oz 동박 적용
14	드 릴	1-6L P.T.H Hole 가공 2 stack	Scale X100.010 / Y100.030
15	C/F	Window Size 120㎛	Window 덜 열림 주의
16	Laser Drill	1-2L, 5-6L 0.12ϕ	
17	도 금	도금 두께 : 20~25㎛	Dermear Speed 1.3
18	외층 image 1/6L	Line/Space : 75/75㎛ BGA : 250㎛	Scale X100.010 / Y100.030 SPEED 현상 3.4 / 부식 3.6
19	A.O.I		
20	인쇄	C/S, S/S Green Ink	
21	ENIG	NI 3~7㎛ / Au 0.03~0.08㎛	
22	Router		외주 미라클 전자 사양 (Kit 납품)
23	V-CUT		
24	B.B.T		Yield 28.8:% (=68/236) 내역 : 검사 59KIT Pass 17 불량 42kit
25	검사&포장		발주 수량 : 20KIT 양품 17KIT

2. 제품

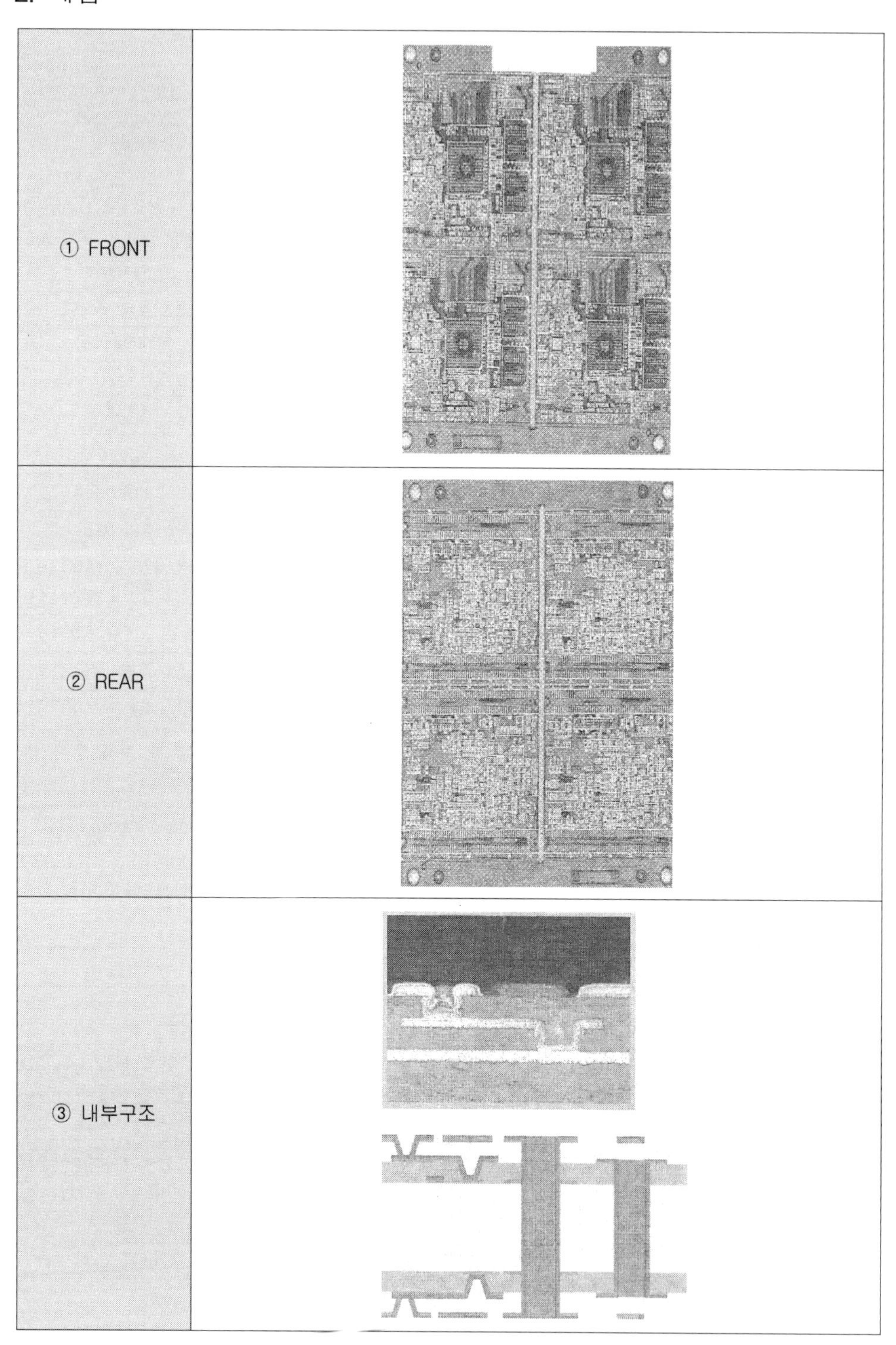

3. LAY-UP STRUCTURE

Layer	Name	Raw Material	이론 두께		실측 두께	
			Basic	Plating	Basic	Plating
	PSR		20		20	
1L	C/F	1/3 oz	12	20	12	25
	P.P	#1080	65		62	
2L	C/F	1/3 oz	12	20	12	20
	P.P	#1080	65		65	
3L	T/C	0.2T 1/1oz	1200		1171	
4L						
	P.P	#1080	65		65	
5L	C/F	1/3 oz	12	20	12	20
	P.P	#1080	65		64	
6L	C/F	1/3 oz	12	20	12	25
	PSR		20		20	
관리 두께		1.6T ± 10%	1.628	mm	1.627	mm

4. LINE & SPACE

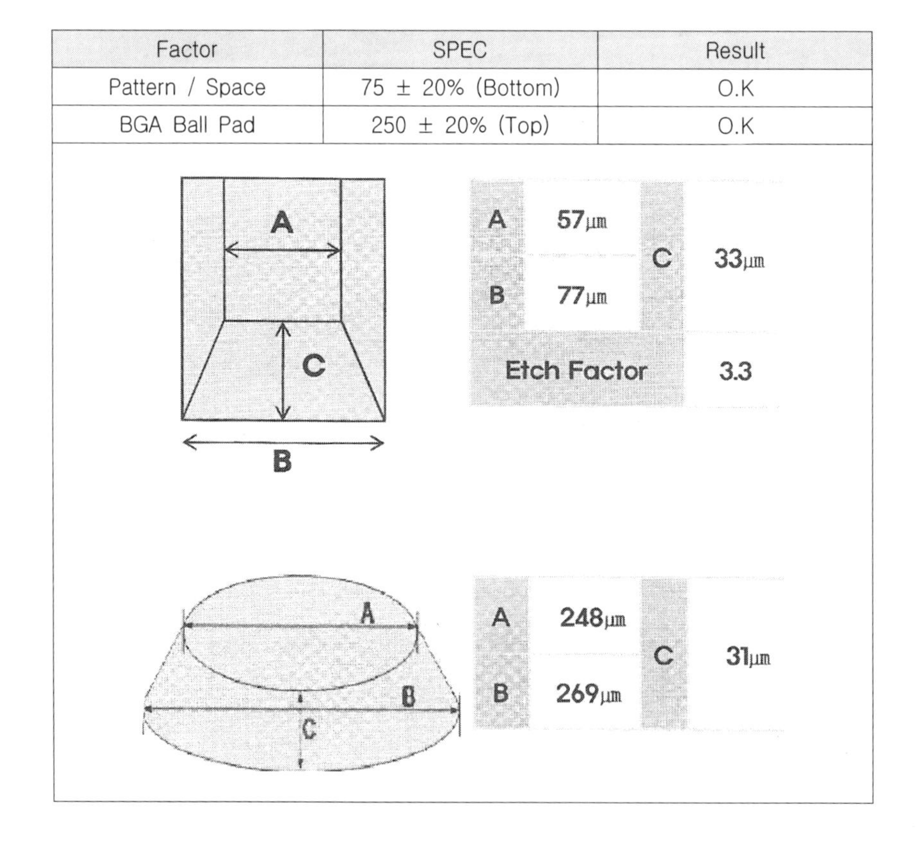

Factor	SPEC	Result
Pattern / Space	75 ± 20% (Bottom)	O.K
BGA Ball Pad	250 ± 20% (Top)	O.K

5. PLATING THICKNESS

1) IVH

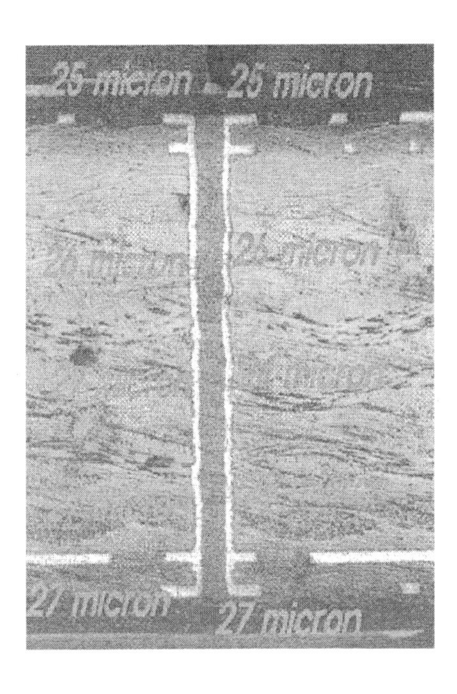

Factor	SPEC	Result
Surface	Min. 20㎛	O.K
Hole Wall	Min. 15㎛	O.K

A	25㎛	B	25㎛
C	26㎛	D	26㎛
E	27㎛	F	24㎛
G	27㎛	H	29㎛
I	27㎛	J	27㎛

2) PTH

Factor	SPEC	Result
Surface	Min. 20㎛	O.K
Hole Wall	Min. 18㎛	O.K

A	20㎛	B	19㎛
C	23㎛	D	23㎛
E	22㎛	F	23㎛
G	23㎛	H	23㎛
I	20㎛	J	19㎛

3) LVH

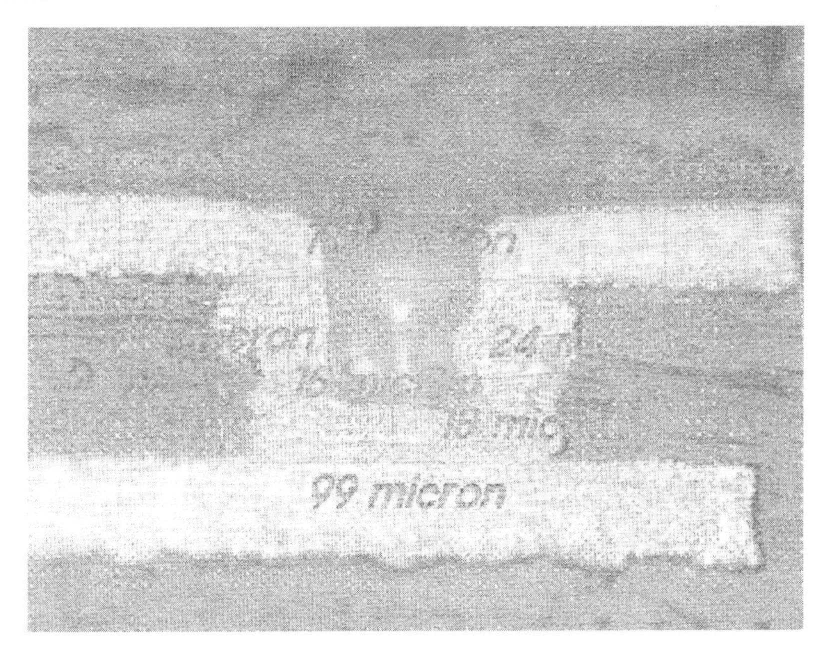

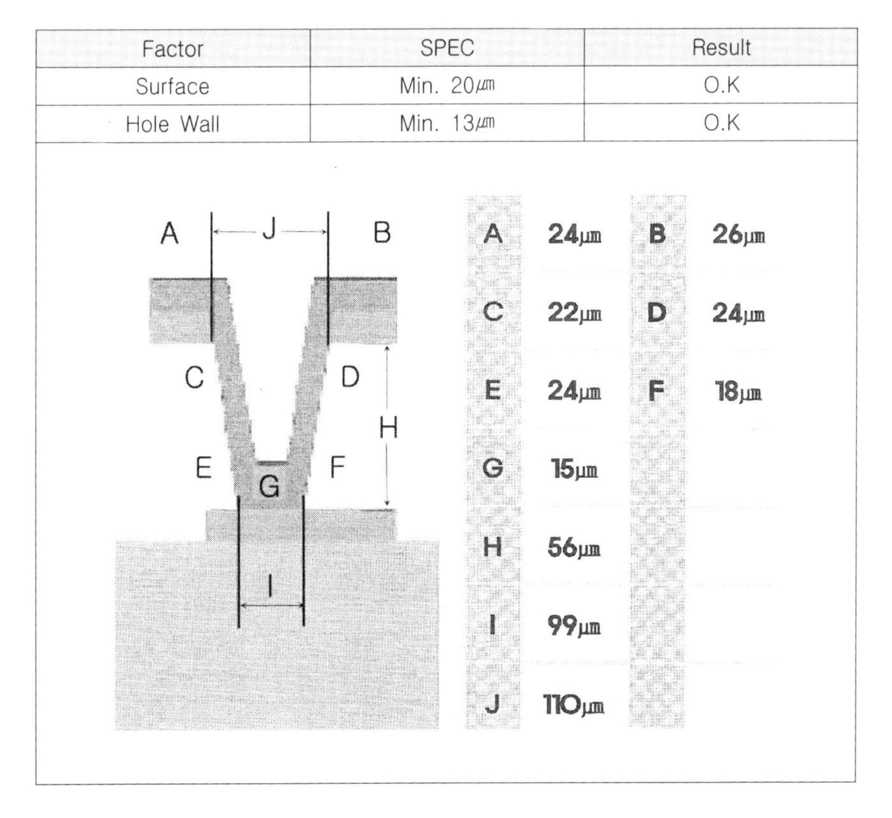

Factor	SPEC	Result
Surface	Min. 20㎛	O.K
Hole Wall	Min. 13㎛	O.K

13-6 8층 B TYPE

1. PROCESS

No.	Process	Parameter	Remark
01	재 단	406*510	
02	내층 image 3/4L, 5-6L	Line/Space : 100/100	Scale X100.020 / Y100.050 SPEED 현상 3.4 / 부식 3.6
03	A.O.I		Open 6, SHORT 5
04	적 층 2-7L	Trimming Size 400*505	1/3 oz 동박 적용
05	드 릴	2-7L I.V.H Hole 가공 1stack	Scale X100.000 / Y100.010
06	도 금	도금 두께 : 15~20㎛	Desmear Speed 1.3
07	Plugging		Brush 정면 처리
08	외층 image 2/7L	Line/Space : 100/100㎛	Scale X100.000 / Y100.010 SPEED 현상 3.4 / 부식 3.6
09	A.O.I	외주 수리	다발성 Open
10	적층 1-8L	Trimming Size 395*500	1/3 oz 동박 적용
11	드 릴	1-8L P.T.H Hole 가공 2 stack	Scale X100.000 / Y100.000
12	C/F	Window Size 120㎛	Window 덜 열림 주의
13	Laser Drill	1-2L, 7-8L 0.12Φ	Laser Drill
14	도 금	도금 두께 : 20~25㎛	Dermear Speed 1.3
15	외층 image 1/6L	Line/Space : 100/100㎛ BGA : 400㎛	Scale X100.000 / Y100.000 SPEED 현상 3.4 / 부식 3.6
16	A.O.I		sample 1PNL 진행 이상 無
17	인쇄	C/S, S/S Green Ink	
18	ENIG	NI 3~7㎛ / Au 0.03~0.08㎛	
19	Router		외주 미라클 전자 사양 (Kit 납품)
20	V-CUT		
21	B.B.T		Yield 21.1:% 내역 : 검사 48KIT Pass 11kit 불량 36kit
22	검사&포장		양품 11kit

2. 제품

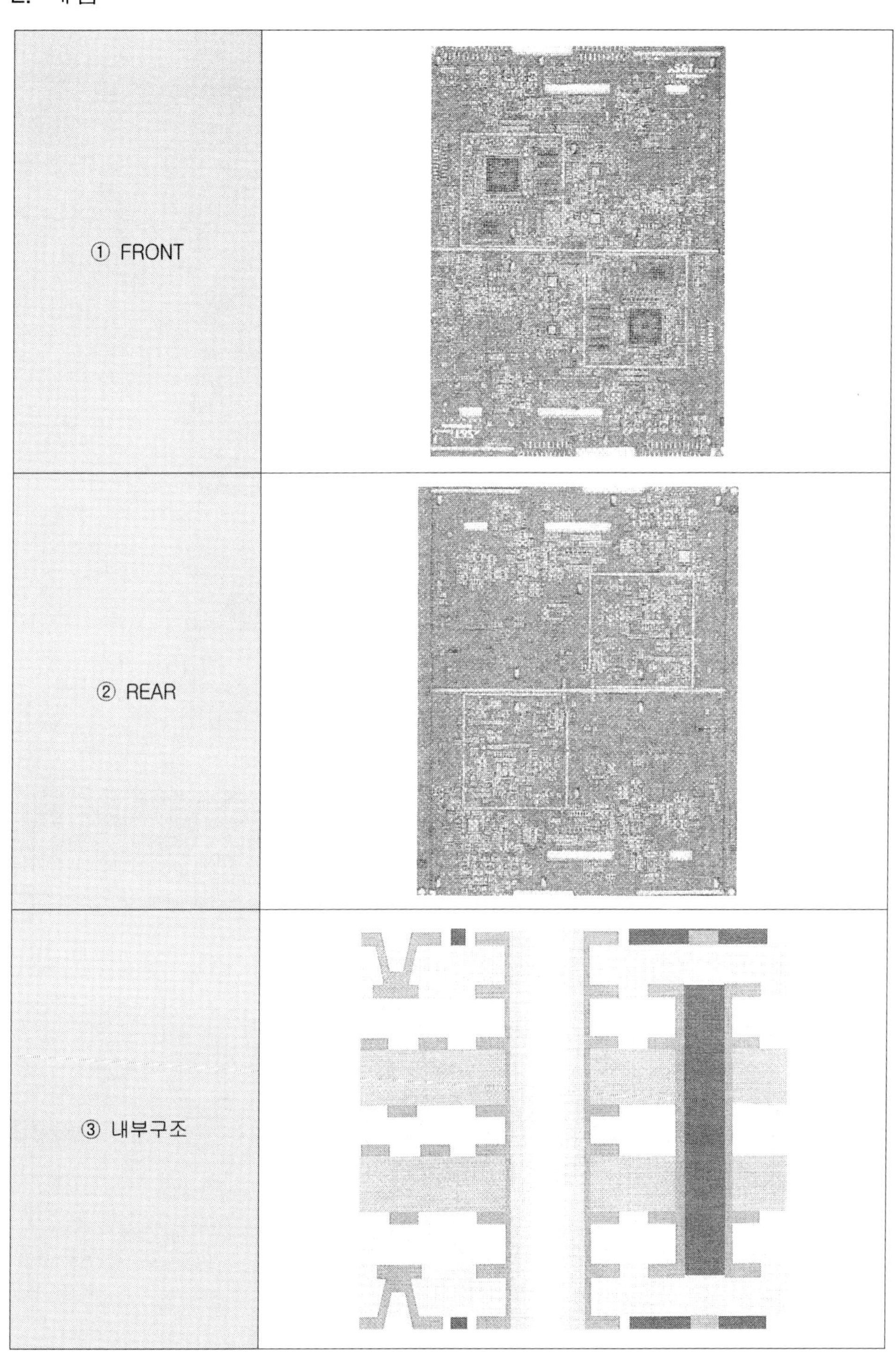

3. LAY-UP STRUCTURE

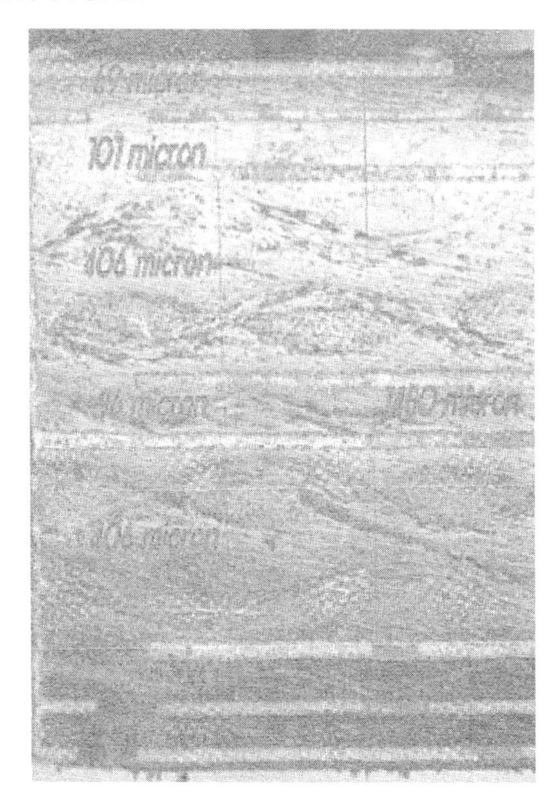

Layer	Name	Raw Material	이론 두께		실측 두께	
			Basic	Plating	Basic	Plating
	PSR		20		20	
1L	C/F	1/3 oz	12	20	12	
	P.P	#1080	65		69	
2L	C/F	1/3 oz	12	20	12	
	P.P	#2116	110		101	
3L	T/C	0.4T 1/1oz	470		476	
4L						
	P.P	#2116	1140		96	
5L	C/F	0.4T 1/1oz	470		476	
6L	C/F					
	P.P	#2116	110		99	
7L	C/F	1/3 oz	12	20	12	
	P.P	#1080	65		67	
8L	C/F	1/3 oz	12	20	12	
	PSR		20		20	
관리 두께		1.0T ± 10%	1488	mm	1480	mm

4. LINE & SPACE

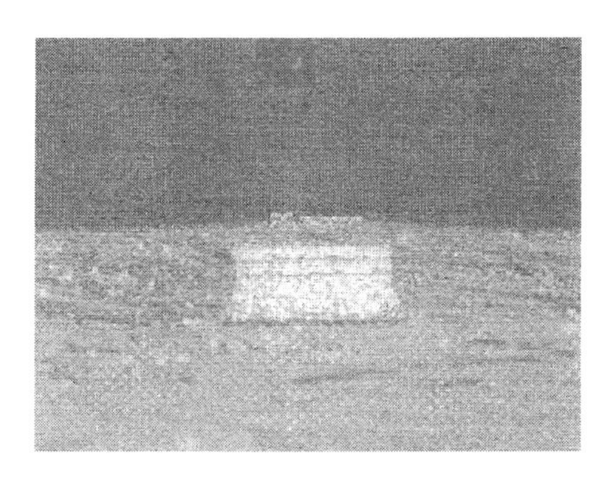

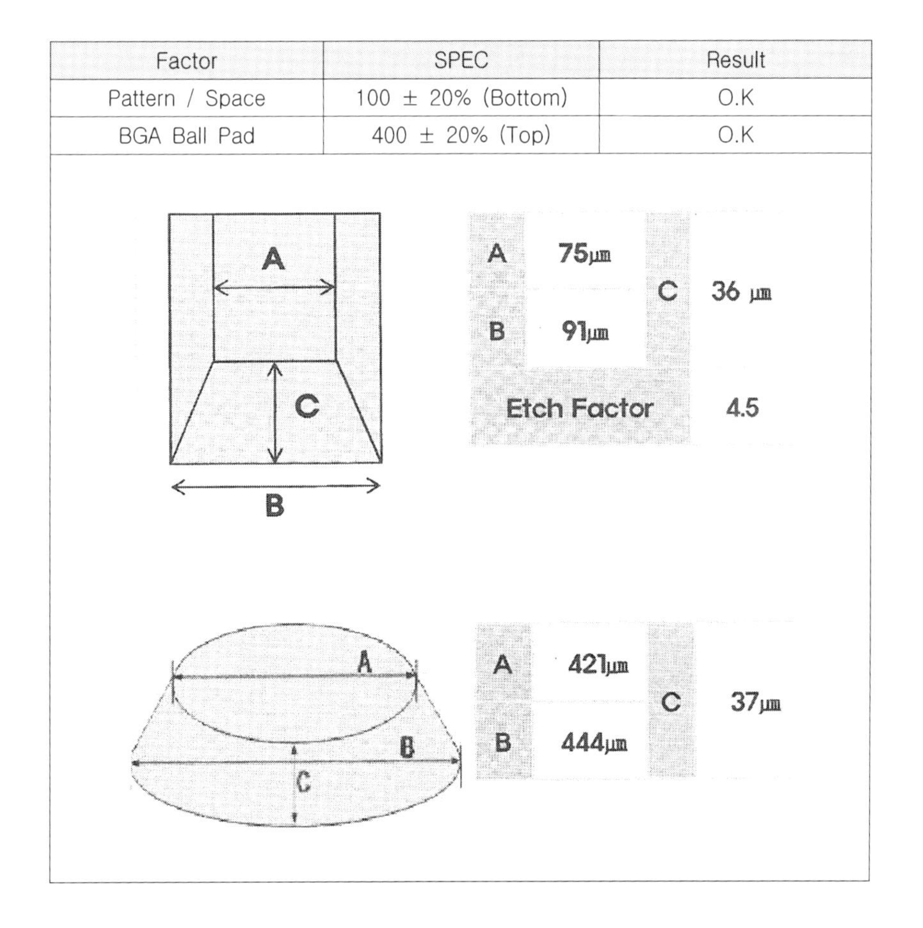

Factor	SPEC	Result
Pattern / Space	100 ± 20% (Bottom)	O.K
BGA Ball Pad	400 ± 20% (Top)	O.K

5. PLATING THICKNESS

1) IVH

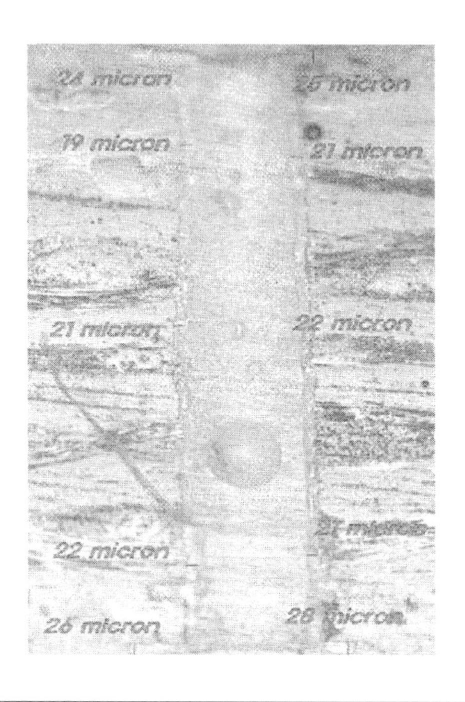

Factor	SPEC	Result
Surface	Min. 20㎛	O.K
Hole Wall	Min. 15㎛	O.K

A	24㎛	B	25㎛
C	19㎛	D	25㎛
E	21㎛	F	21㎛
G	22㎛	H	21㎛
I	26 ㎛	J	28㎛

2) PTH

Factor	SPEC	Result
Surface	Min. 20㎛	O.K
Hole Wall	Min. 18㎛	O.K

A B

C D

E F

G H

I J

A	39㎛	B	38㎛
C	22㎛	D	23㎛
E	21㎛	F	23㎛
G	21㎛	H	21㎛
I	38㎛	J	38㎛

3) LVH

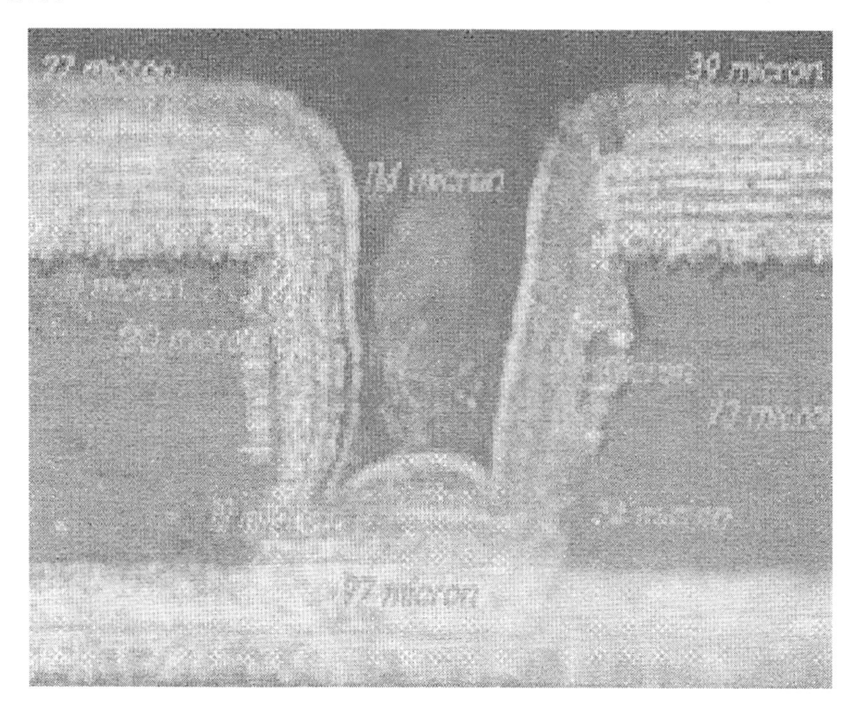

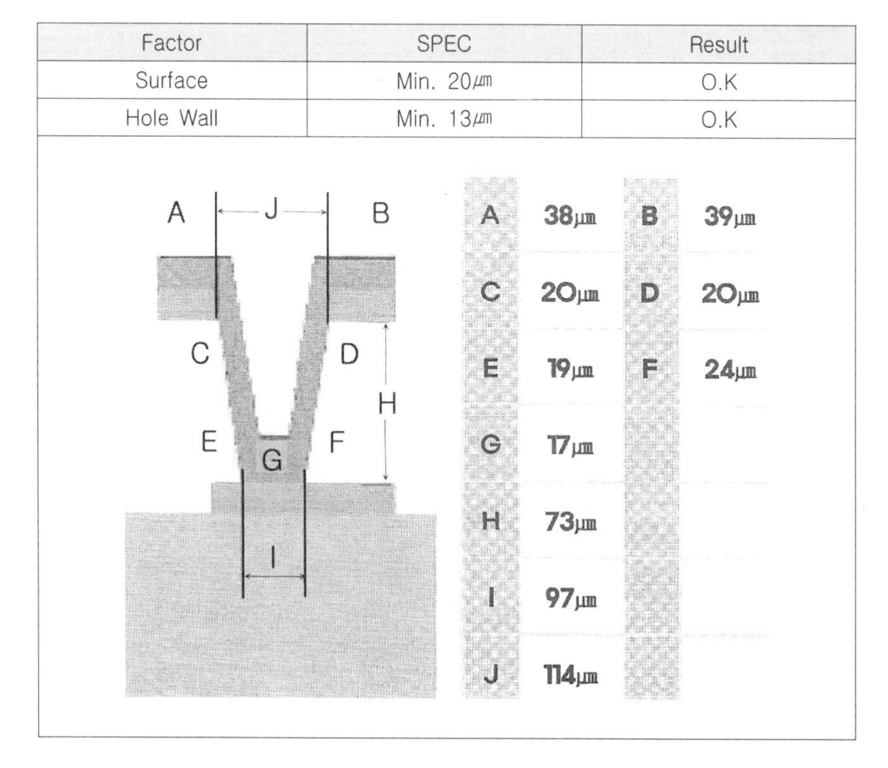

Factor	SPEC	Result
Surface	Min. 20㎛	O.K
Hole Wall	Min. 13㎛	O.K

4) LVH 불량 사례

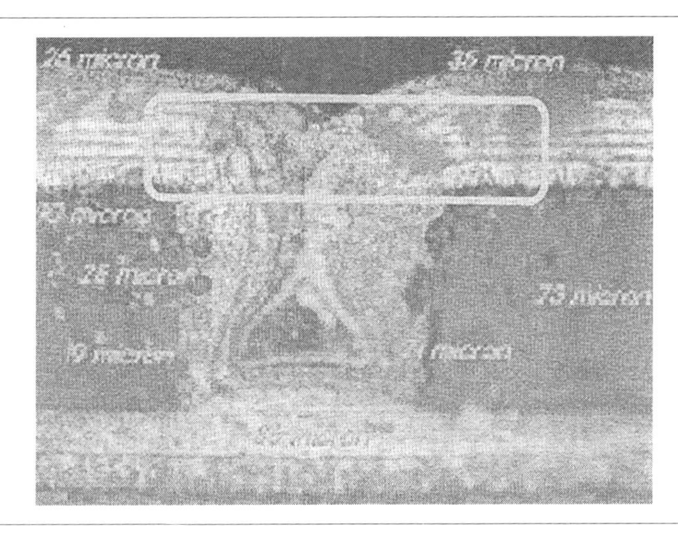

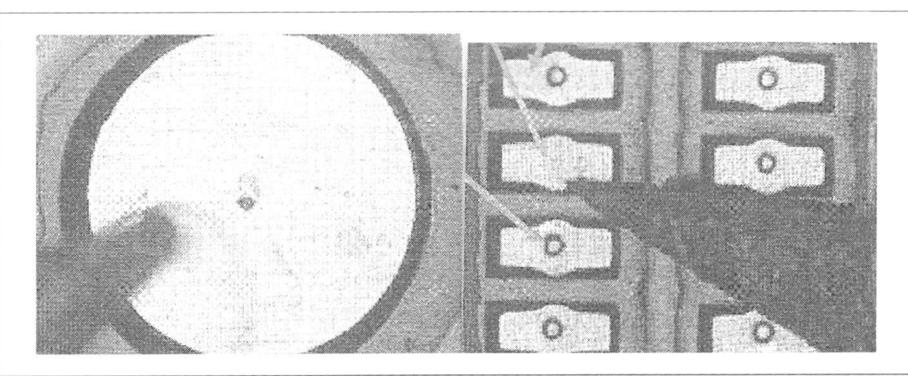

원인 : 노광 작업 시 진공불량으로 정상가공 HOLE도 WINDOW SIZE 작게 열려 발생

13-7 8층 E TYPE ①, ②

1. 8층 E TYPE ①

1) PROCESS

No.	Process	Parameter	Remark
01	재 단	415*540	H/F 자재 사용
02	내층 image	D.E.S Line SPEED 부식 3.6 현상 3.45	Scale X100.030 / Y100.090
03	A.O.I		
04	적 층 2-7L	Trimming Size 375*525	1/3 oz 동박 적용, H/F 자재 사용
05	2-7 드 릴	Guide Drill (IVH Hole 없음)	Scale X100.030 / Y100.045
06	1차 CFM 노광	Window 0.10Φ	Scale X100.040 / Y100.055
07	Laser Drill	2-3L, 5-6L 0.10Φ	
08	도 금	Dermear Speed 1.3 도금 15~20㎛	
09	2-7 image	D.E.S Line SPEED 부식 3.2 현상 2.8	Scale X100.040 / Y100.055
10	A.O.I		
11	적층 1-8L	Trimming Size 365*505	1/3 oz 동박 적용, H/F 자재 사용
12	1-8 드릴	1-8L P.T.H 가공 2stack 0.25Φ	Scale X100.020 / Y100.010
13	2차 CFM 노광	Window 0.10Φ	Scale X100.030 / Y100.020
14	Laser Drill	1-2L, 7-8L 0.10Φ	
15	도 금	Dermear Speed 1.3 도금 20~25㎛	
16	외층 image	D.E.S Line SPEED 부식 3.2 현상 2.8	Scale X100.030 / Y100.020
17	A.O.I		
18	인쇄		
19	B.B.T		Yield 88.0%(81/92) 내역 : 양품 81, 불량 11
20	Router	허용공차 ± 0.15mm	
21	PLUX		
22	검사&포장		
23	출하		

2) LAY-UP STRUCTURE

Layer	Name	Raw Material	이론 두께		실측 두께	
			Basic	Plating	Basic	Plating
	PSR		20		20	
1L	C/F	1/3 oz	12	20	12	20
	P.P	#1080 H/F	65		71	
2L	C/F	1/3 oz	12	20	12	20
	P.P	#1080 H/F	65		64	
3L 4L	T/C	0.1T 1/1 oz H/F	170		162	
	P.P	#1080 H/F	65		62	
5L 6L	T/C	0.1T 1/1 oz H/F	170		161	
	P.P	#1080 H/F	65		61	
7L	C/F	1/3 oz	12	20	12	20
	P.P	#1080 H/F	65		67	
8L	C/F	1/3 oz	12	20	12	20
	PSR		20		20	
관리 두께		0.8T ± 10%	0.833	mm	0.821	mm

3) LINE & SPACE

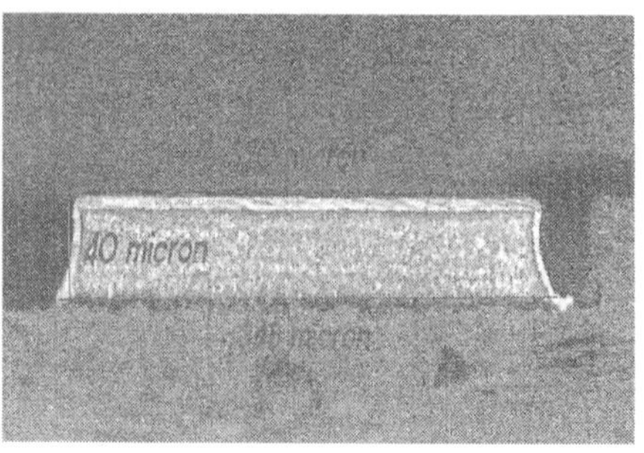

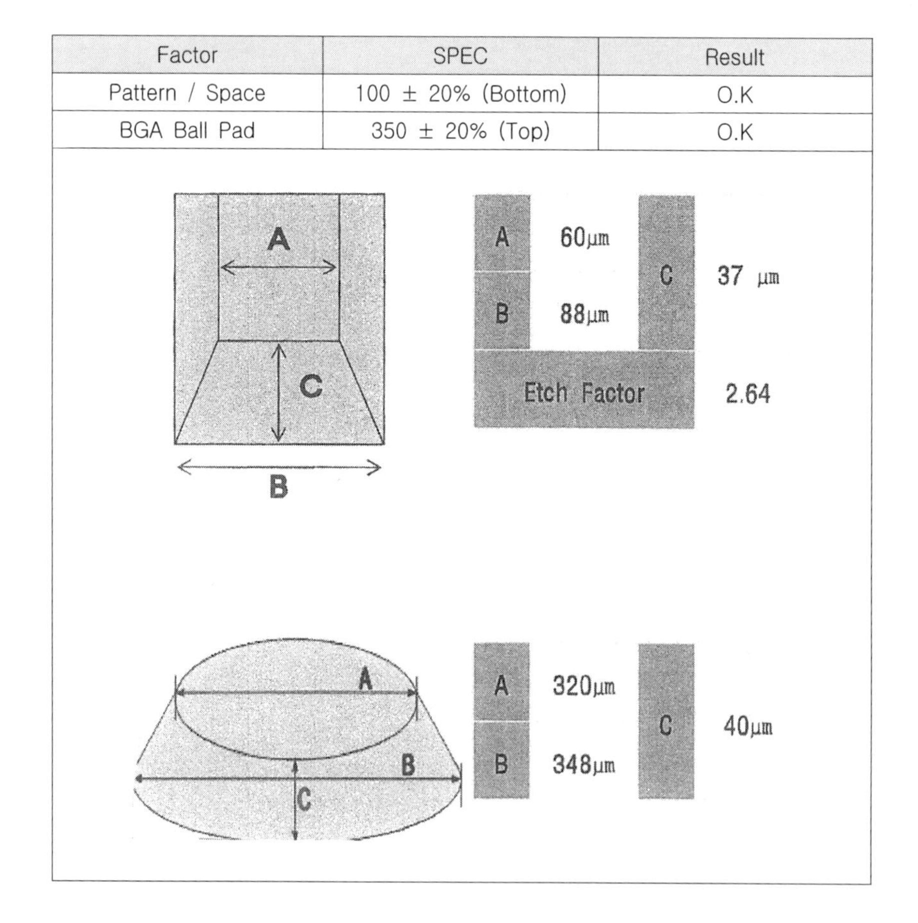

Factor	SPEC	Result
Pattern / Space	100 ± 20% (Bottom)	O.K
BGA Ball Pad	350 ± 20% (Top)	O.K

4) PLATING THICKNESS

① PTH

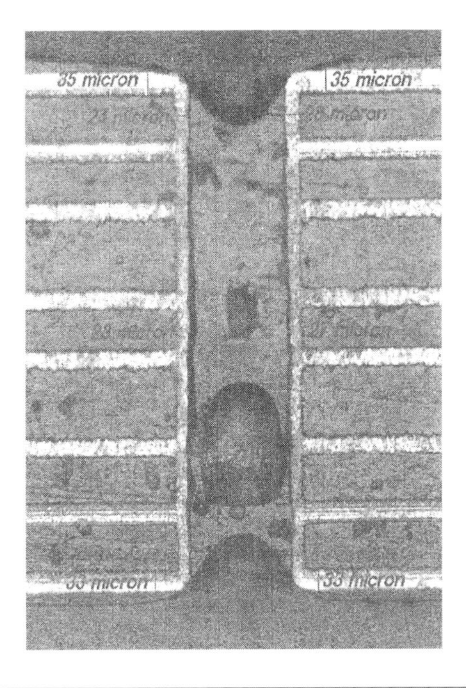

Factor	SPEC	Result
Surface	Min. 20㎛	O.K
Hole Wall	Min. 18㎛	O.K

A B
C D
E F
G H
I J

A	35㎛	B	35㎛
C	24㎛	D	28㎛
E	23㎛	F	27㎛
G	21㎛	H	23㎛
I	33㎛	J	33㎛

② LVH

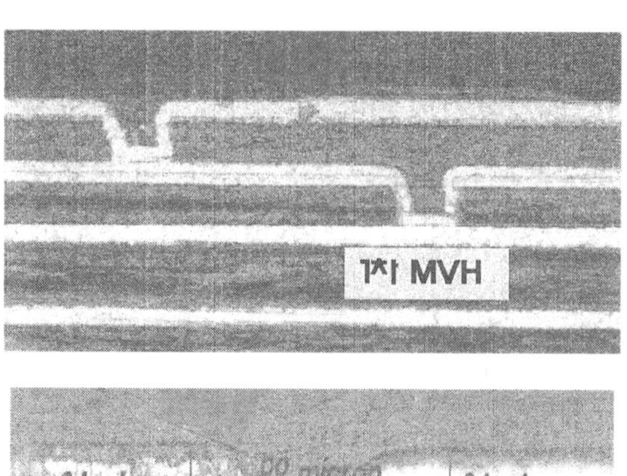

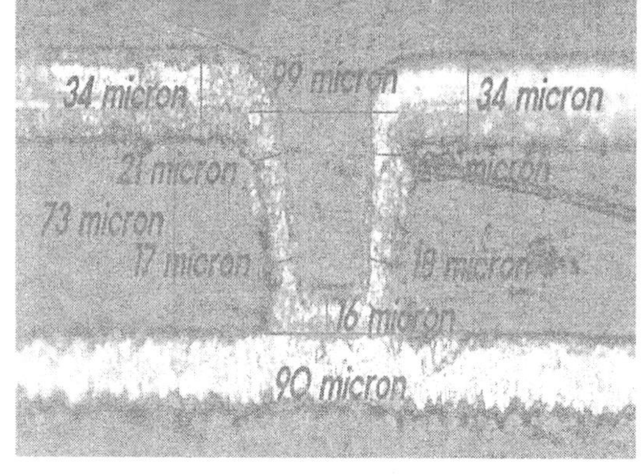

Factor	SPEC	Result
Surface	Min. 18㎛	O.K
Hole Wall	Min. 13㎛	O.K

A	34㎛	B	34㎛
C	21㎛	D	20㎛
E	17㎛	F	18㎛
G	16㎛		
H	73㎛		
I	90㎛		
J	99㎛		

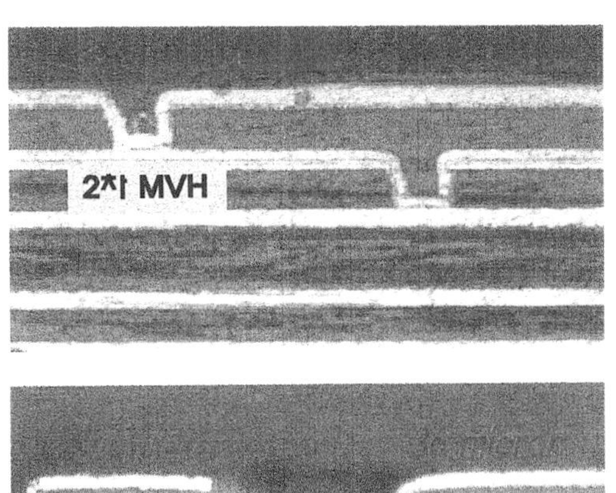

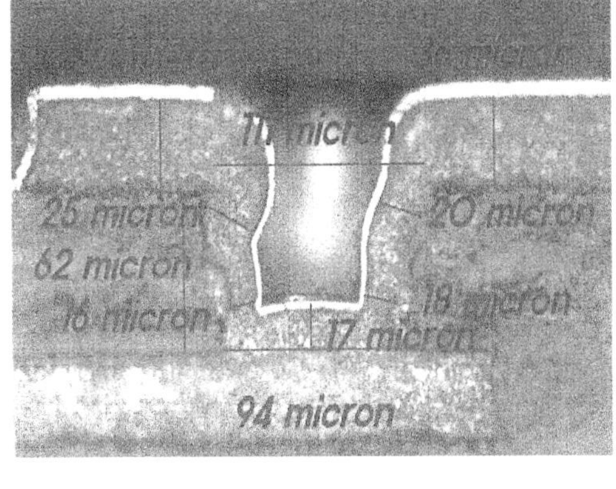

Factor	SPEC	Result
Surface	Min. 18㎛	O.K
Hole Wall	Min. 13㎛	O.K

A	34㎛	B	36㎛
C	25㎛	D	20㎛
E	16㎛	F	18㎛
G	177㎛		
H	62㎛		
I	94㎛		
J	111㎛		

2. 8층 E TYPE ②

※ SMART-PHONE

NO	TEST ITEM	SPEC	UNIT	RESULT(Min)		DECISION	REMARK
1	Hole-walls copper Plating Thickness	Min 20㎛	㎛	Min	23.92	OK	3/7
				Max	26.39	OK	
				Ave	25.43	OK	
2	Solder Mask Thickness	Min 30㎛	㎛	Edge	16.68	OK	5/7
				Center	19.86	OK	
3	Thermal stress Test	Baking(135℃, 1hr) Solder Pot (288℃, 10sec, 1cycle)	-	-		OK	6/7
4	Solderability Test	Solder Pot(245℃±5℃) 3~4초 동안 침적. (Wetting Min 95%)	%	-		OK	7/7

■ Hole-walls copper Plating Thickness

Hole

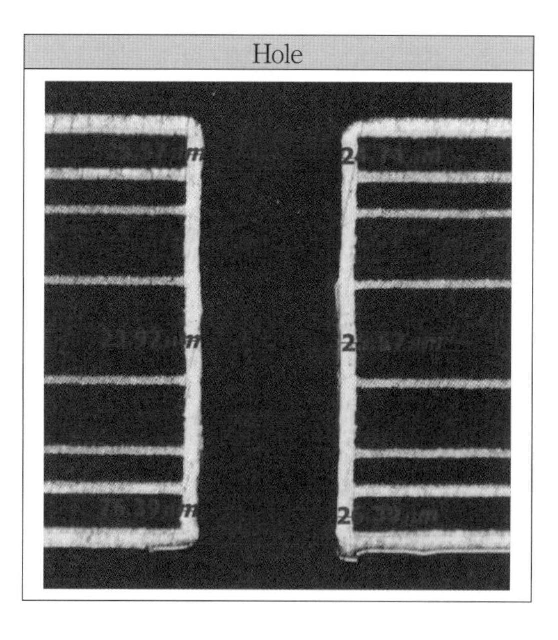

(Unit : ㎛)

No	Hole	Results
1	25.57	OK
2	24.74	OK
3	23.92	OK
4	25.57	OK
5	26.39	OK
6	26.39	OK

Min	Max	Average
23.92	26.39	25.43

[Plating Thickness, Copper Surfaces and Hole-walls] : IPC 6012-3.26

■ Hole-walls copper Plating Thickness (Buried Blind Via Hole)

LAYER 2-7	LAYER 1-2/2-3

(Unit : ㎛)

No	L 2-7	L 1-2/2-3	Result
1	23.92	27.22	OK
2	25.57	28.87	OK
3	23.09	20.62	OK
4	23.92	22.27	OK
5	23.92		OK
6	23.09		OK

Min	Max	Average
20.62	28.87	24.25

[Plating Thickness, Copper Surfaces and Hole-walls]:IPC 6012-3.2.6

■ Solder Mask Thickness

Solder Mask Thickness

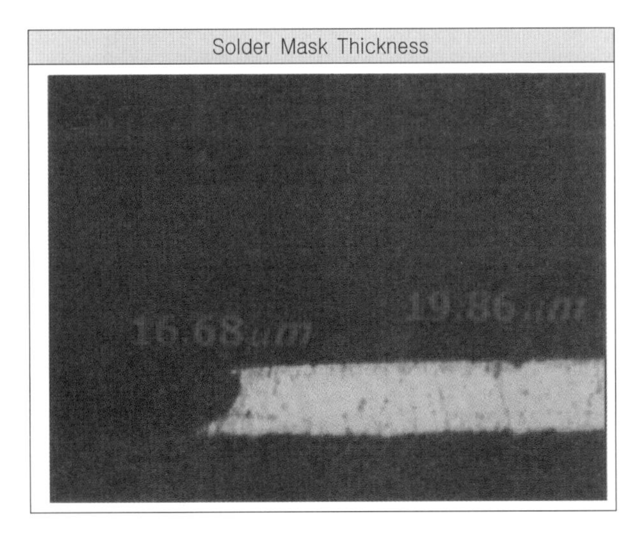

(Unit : ㎛)

No	Edge	Center
1	16.68	19.86
2	16.83	20.24
3	16.94	20.37
4	17.32	20.83
5	17.45	20.52

Edge		
Min	Max	Average
16.68	17.45	17.04
Center		
Min	Max	Average
19.86	20.83	20.36

[Specitication : Min 3㎛ (EOS)]

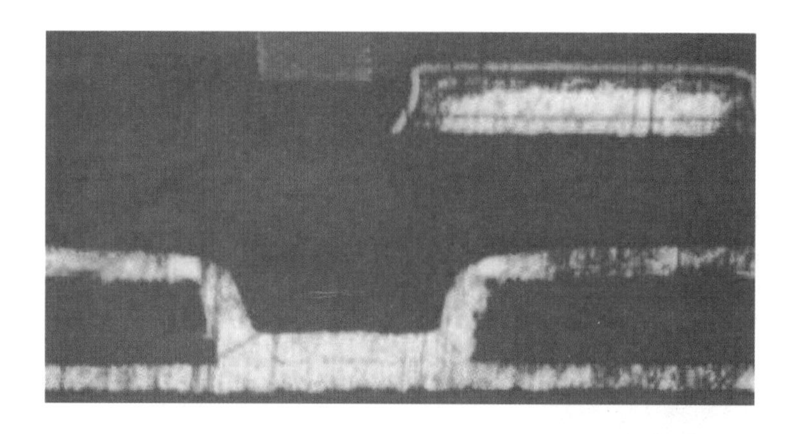

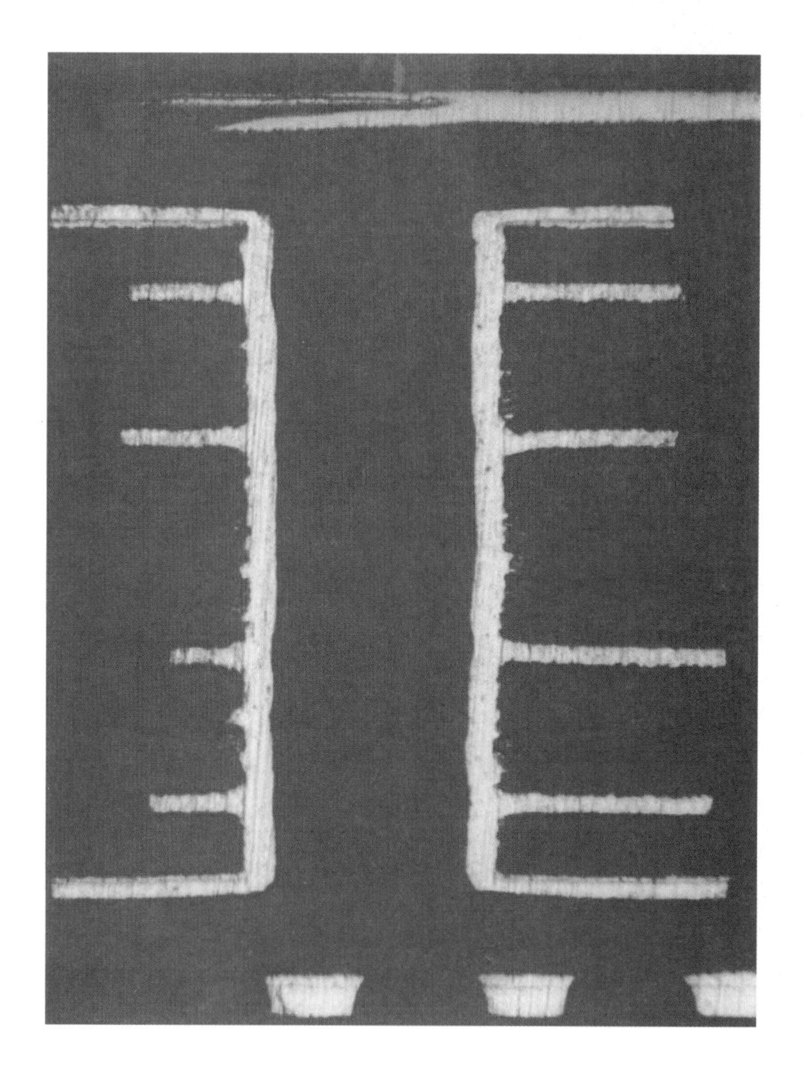

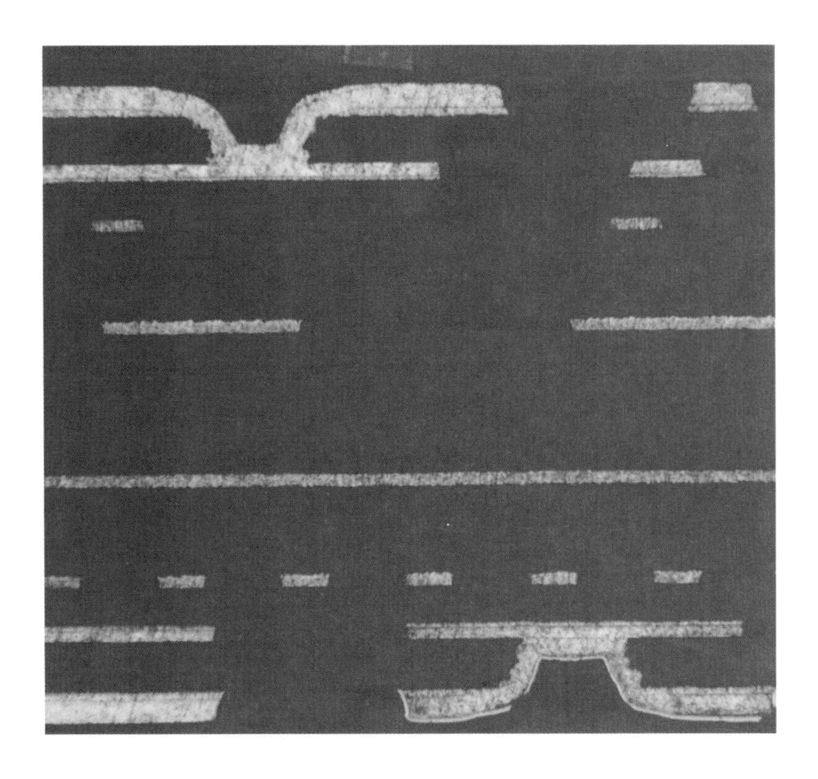

■ Thermal stress Test

Thermal stress Test

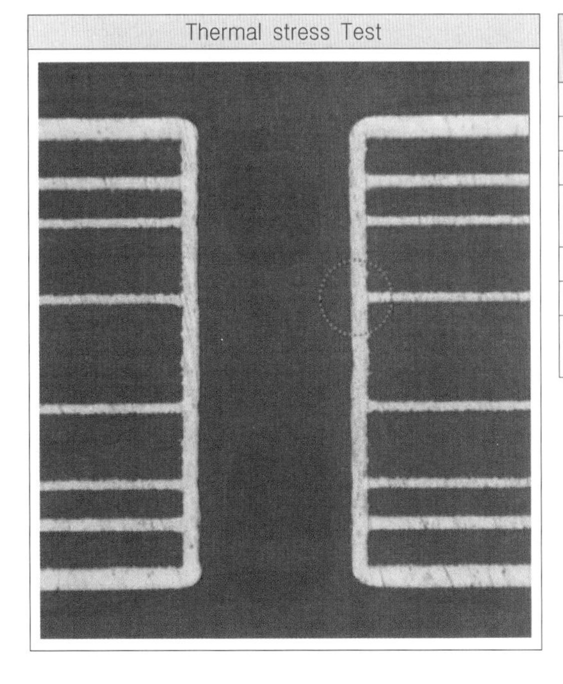

Characteristic	Results	
	Pass	Fail
Inter Plane Separation	OK	
Copper Voids	OK	
Burrs and Nodules	OK	
Barrel Cracks, Corner Cracks	OK	
Laminate Voids	OK	
Delamination	OK	
[Solder Pot (288℃ ± 5℃, 10sec, 1Cycle] IPC TM-650 2.6.8		

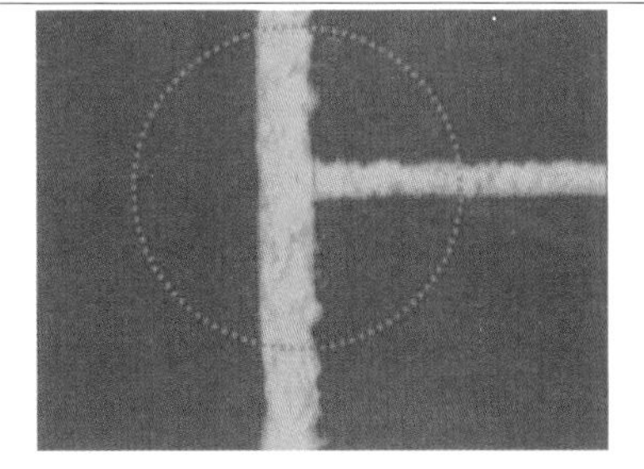

■ Thermal stress Test

[Solderability Test] IPC TM-650 2.4.12
- Solder Pot (245℃±5℃, 3~5sec, 1cycle), (Wet of pad and Hole : Min95%)

Solderability Test
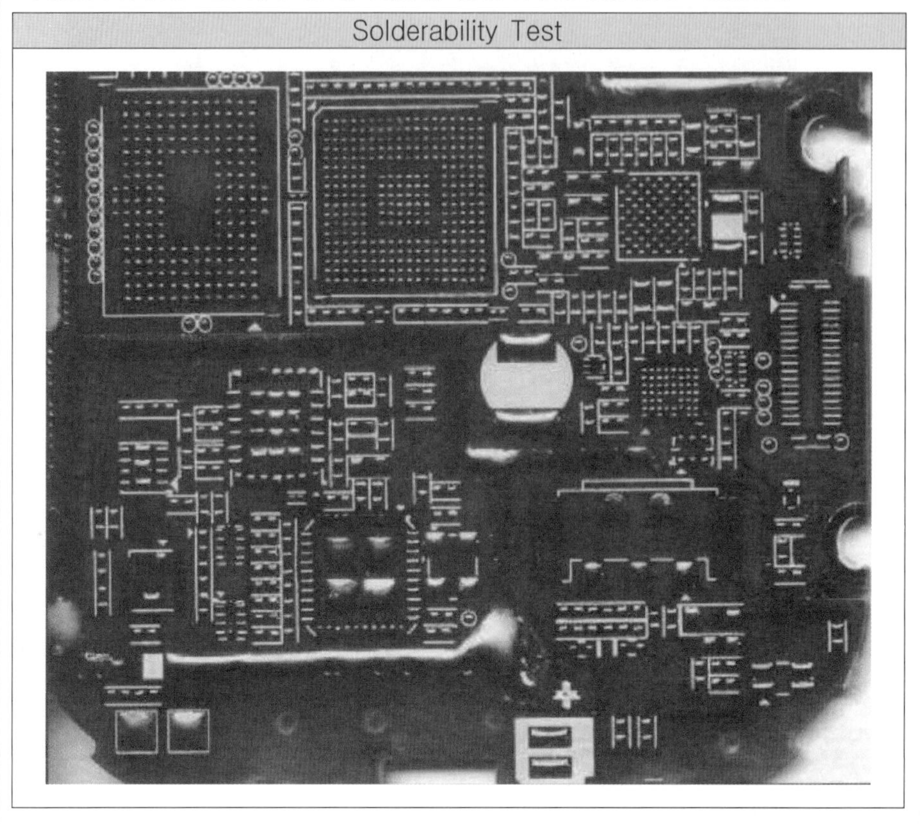

13-8 10층 FILLED-VIA : SMART PHONE

※ SMART-PHONE

NO	TEST ITEM	SPEC	UNIT	RESULT(Min)		DECISION	REMARK
1	Hole-walls copper Plating Thickness	Min 20㎛	㎛	Min	23.09	OK	3/7
				Max	24.74	OK	
				Ave	23.92	OK	
2	Solder Mask Thickness	Min 30㎛	㎛	Edge	20.84	OK	5/7
				Center	22.49	OK	
3	Thermal stress Test	Baking(135℃, 1hr) Solder Pot (288℃, 10sec, 1cycle)	-	-		OK	6/7
4	Solderability Test	Solder Pot(245℃±5℃) 3~4초 동안 침적. (Wetting Min 95%)	%	-		OK	7/7

■ PLATING THICKNESS

Hole

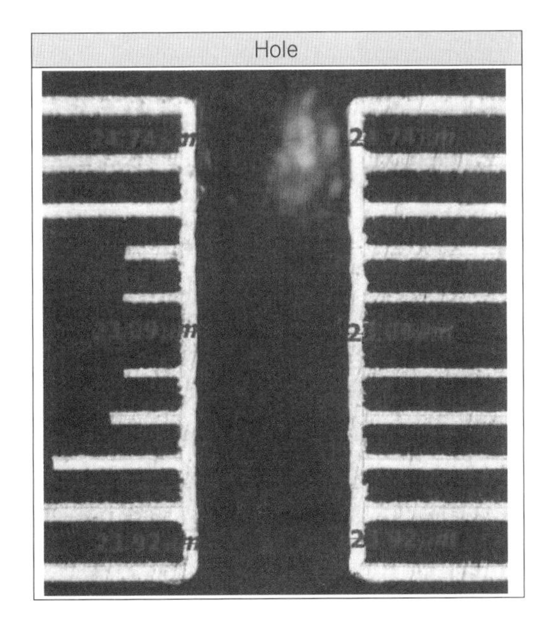

(Unit : ㎛)

No	Hole	Results
1	24.74	OK
2	24.74	OK
3	23.09	OK
4	23.09	OK
5	23.92	OK
6	23.92	OK

Min	Max	Average
23.09	24.74	23.92

[Plating Thickness, Copper Surfaces and Hole-walls]:IPC 6012-3.26

■ Hole-walls copper Plating Thickness (Buried / Blind Via Hole)

LAYER 4-7	LAYER 7-10

(Unit : ㎛)

No	L 2-7	L 7-10	Result
1	23.09	23.92	OK
2	23.92	22.27	OK
3	23.09		OK
4	23.09		OK

Min	Max	Average
22.27	23.92	23.23

[Plating Thickness, Copper Surfaces and Hole-walls]:IPC 6012-3.2.6

■ Solder Mask Thickness

Solder Mask Thickness

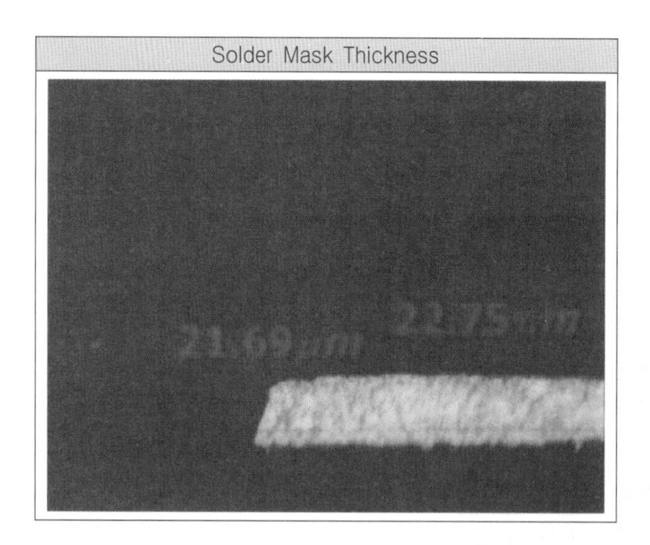

(Unit : ㎛)

No	Edge	Center
1	21.69	22.75
2	21.51	23.64
3	20.84	23.28
4	21.12	22.49
5	21.27	22.93

Edge		
Min	Max	Average
20.84	21.69	21.29
Center		
Min	Max	Average
22.49	23.64	23.02

[Specification : Min 3㎛ (EOS)]

■ Solder Mask Thickness

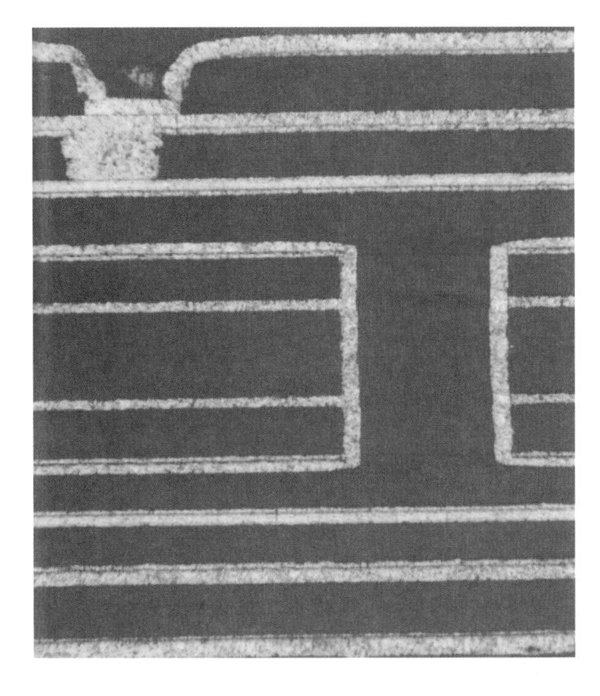

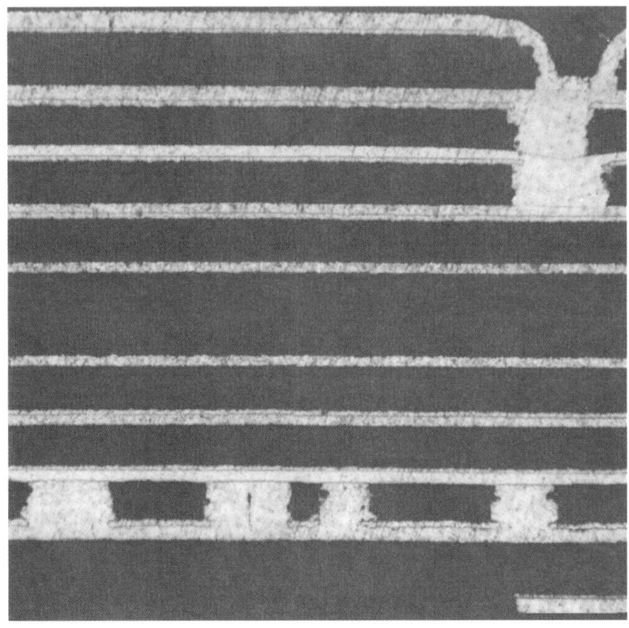

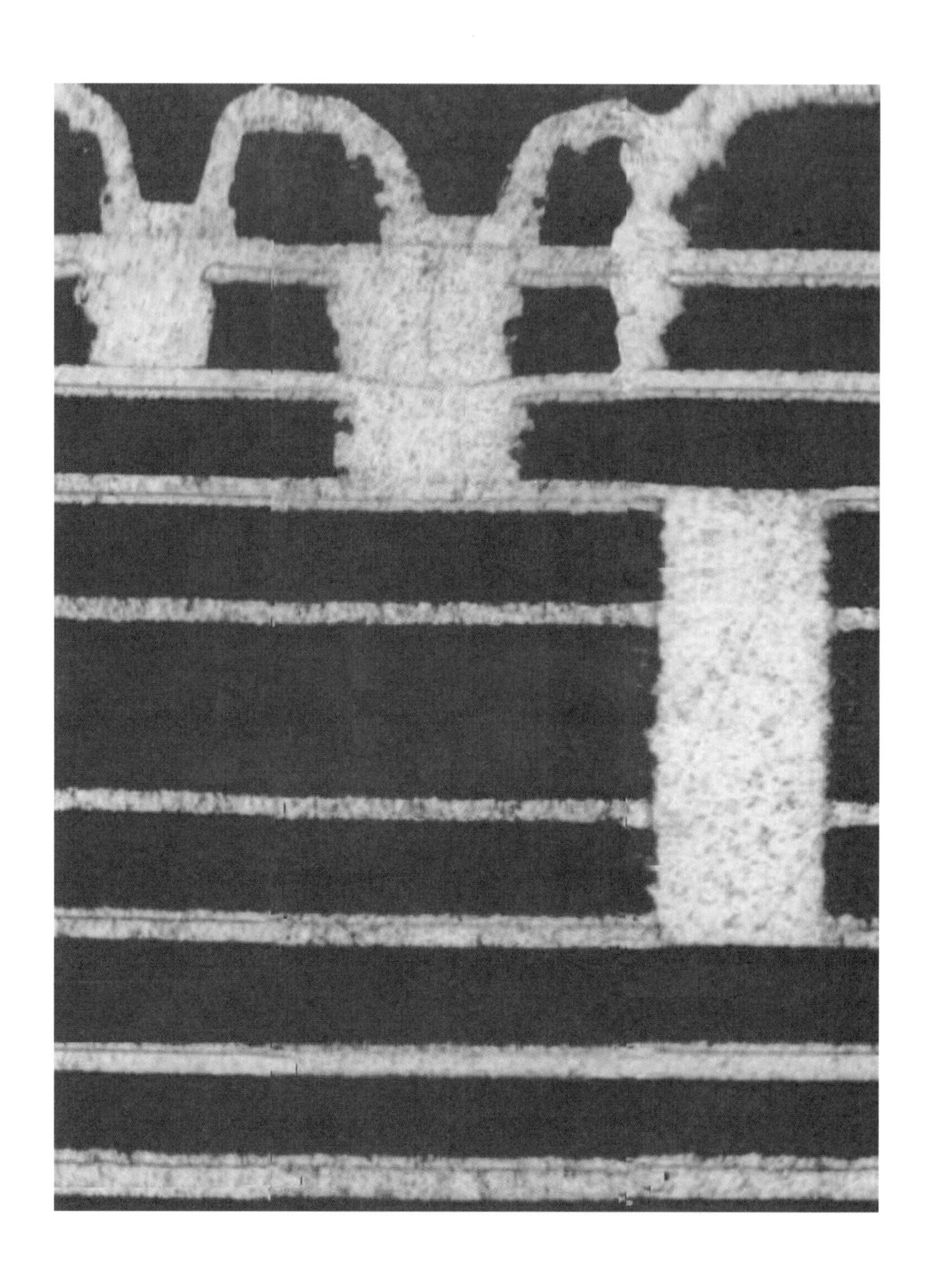

■ Thermal stress Test

Thermal stress Test

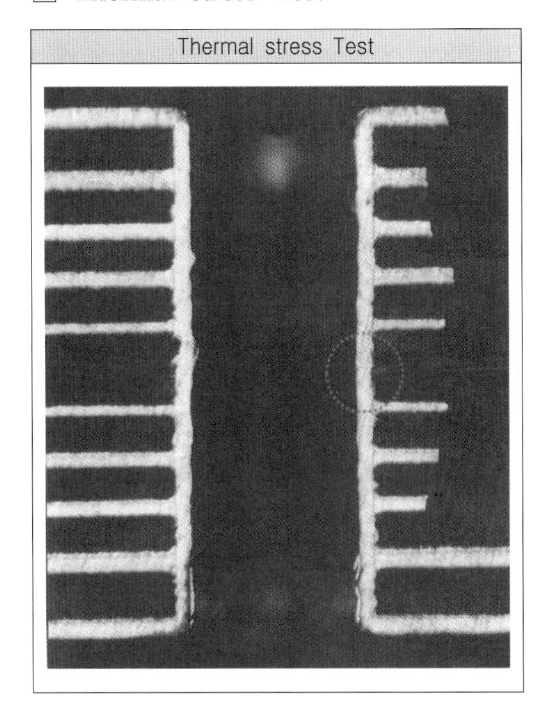

Characteristic	Results	
	Pass	Fail
Inter Plane Separation	OK	
Copper Voids	OK	
Burrs and Nodules	OK	
Barrel Cracks, Corner Cracks	OK	
Laminate Voids	OK	
Delamination	OK	
[Solder Pot (288℃ ± 5℃, 10sec, 1Cycle] IPC TM-650 2.6.8		

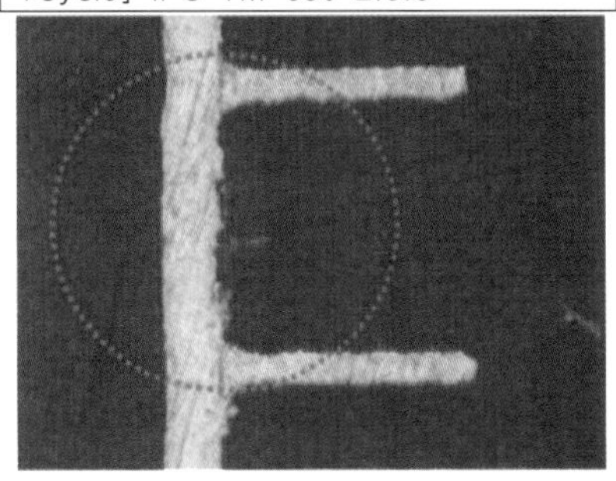

■ Solderablility Test

[Solderablility Test] IPC TM-650 2.4.12
-Solder Pot (245℃±5℃, 3~5sec, 1cycle), (Wet of pad and Hole : Min95%)

Solderability Test

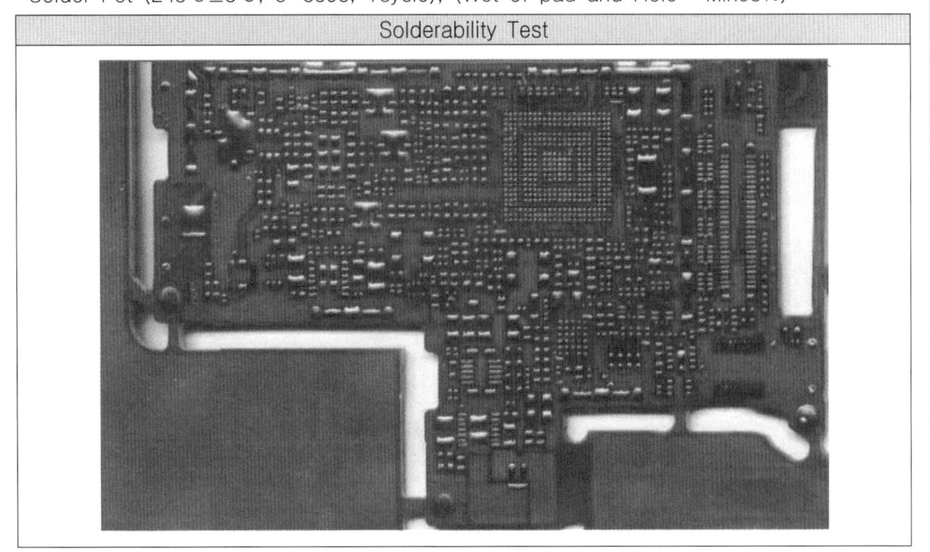

13-9 BUILD-UP BOARD 불량 POINT TEST

1. 불량 point section

1) 불량 point section (1)

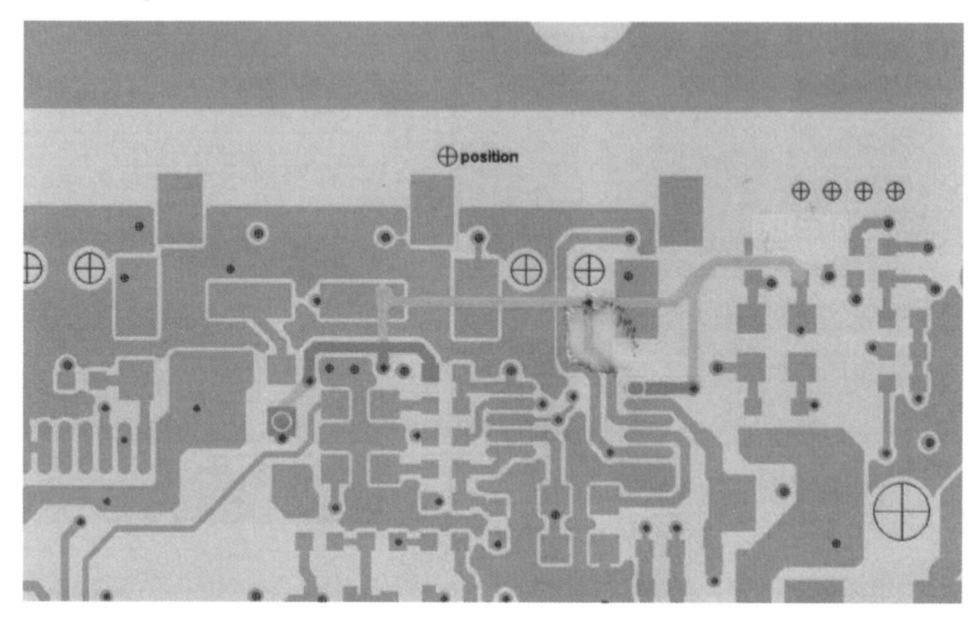

불량 POINT로 의심되는 부분 1번째 시료

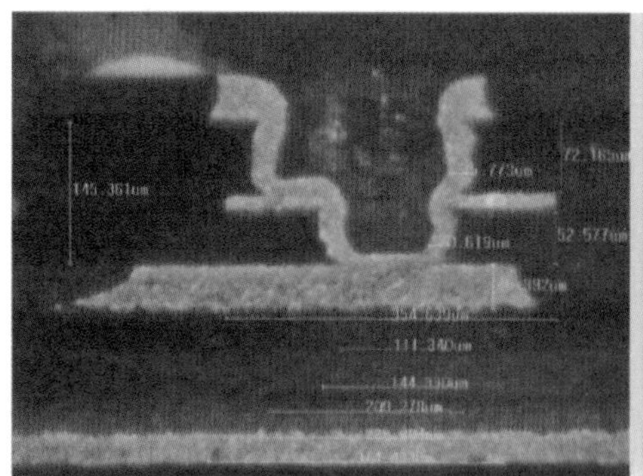

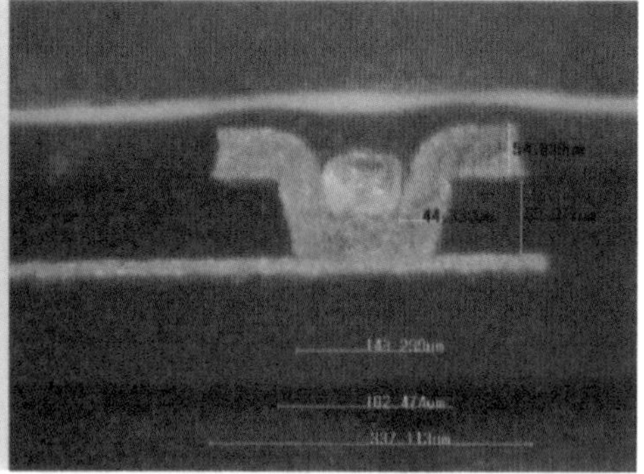

SECTION 사진

2) 불량 point section (2)

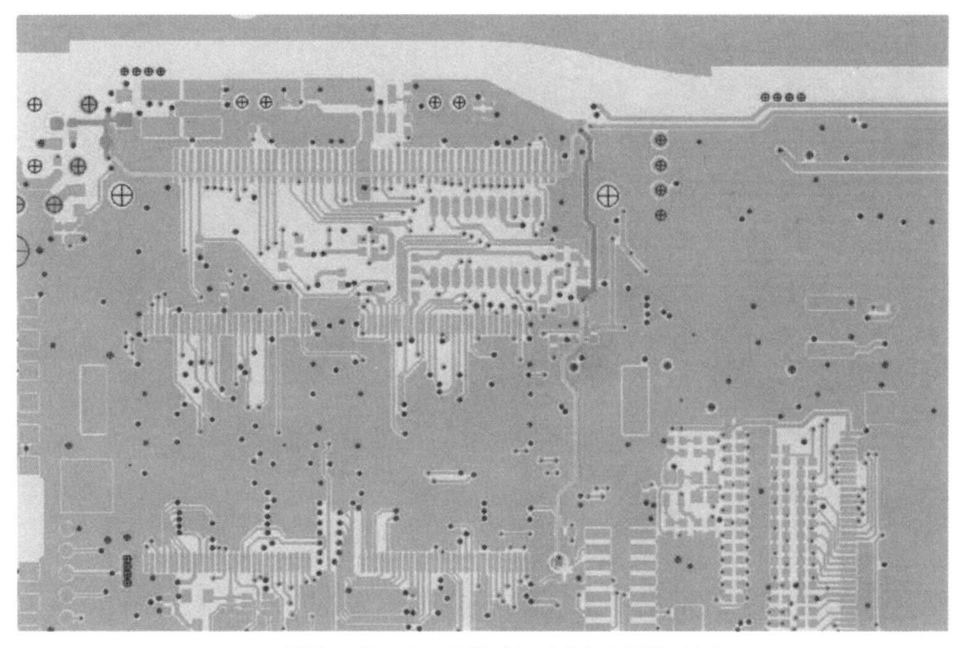

불량 POINT로 의심되는 부분 2번째 시료

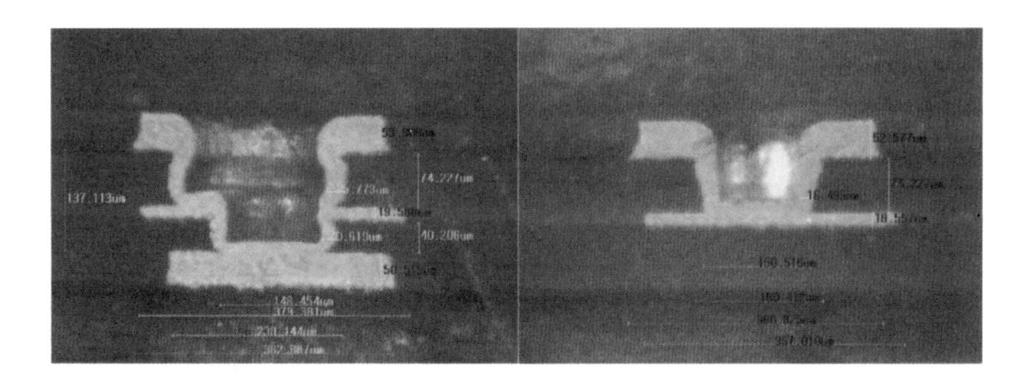

SECTION 사진

2. 원인 분석 목적

1) 목적

① 제품 납품 이후 TEST과정에서 OPEN으로 의심되는 부분이 1~3층간 VIA로 간주하고 1차 납품 시 양품으로 분류되어 고객측으로 유출되었던 물량을 재BBT하여 불량으로 판정난 시료들의 불량 POINT를 섹션해 보았다.

② 1차 BBT시 양품판정으로 고객에 납품했던 부품 실장 제품에 대해서 신뢰성 확보 문제가 대두되어 재BBT를 실시하고 그 불량 POINT를 분석해 보아 PCB불량 여부를 판별하기 위함이다.

③ PCB 불량이 맞을 경우 1차 BBT에서 양품으로 판정난 경위와 재BBT에서 불량으로 판정난 경위를 분석하여 정확한 유출 경위를 조사하기 위함이다.

④ PCB 불량일 경우 1~3층간 Laser hole의 신뢰성 여부를 보기 위해 파괴검사를 통한 섹션 분석을 하였고 laser drill 상태와 도금 상태의 2가지 인자를 파악하기 위함이다.

⑤ laser via가 아닌 기타 내층에서의 회로 open일 가능성도 아울러 조사하였다.

* 참고 사진

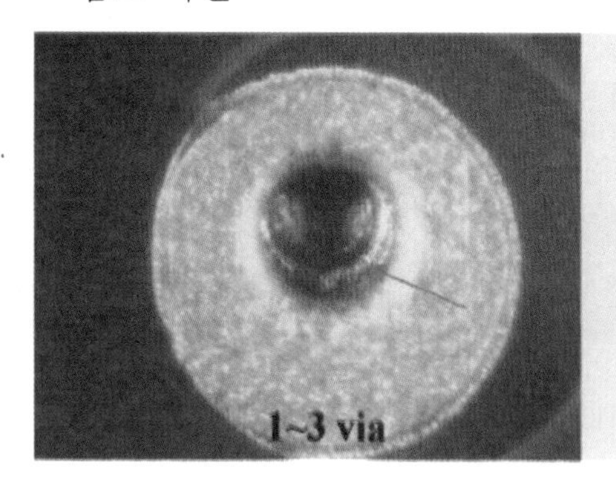

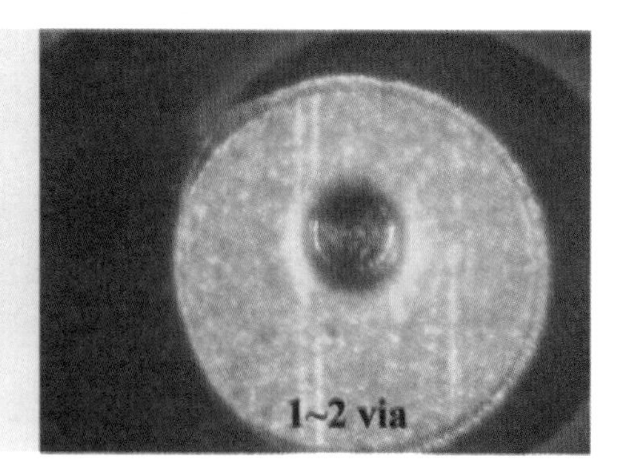

→ 재 BBT시 불량 Point로 의심되는 부분의 외형 사진 : 1~3부위에서 2층의 Land 보임은 앞서 section 사진에서 보듯이 홀 신뢰성 확보를 위해

홀 size 축소를 한 후 작업에 들어간 것으로 1층 보다 좁은 형상으로 open과의 연관성과는 무관하다.

3. 분석 point

* 재 BBT후 불량 point로 지정된 부분의 1~3 VIA에서 불량으로 분류될 수 있는 인자는 앞서 기술한 바와 같이 ① 1~3층간의 Laser drill 상태 및 resin 잔존 여부 ② 도금 상태 및 crack, smear, void 등으로 간추려 볼 수 있다.

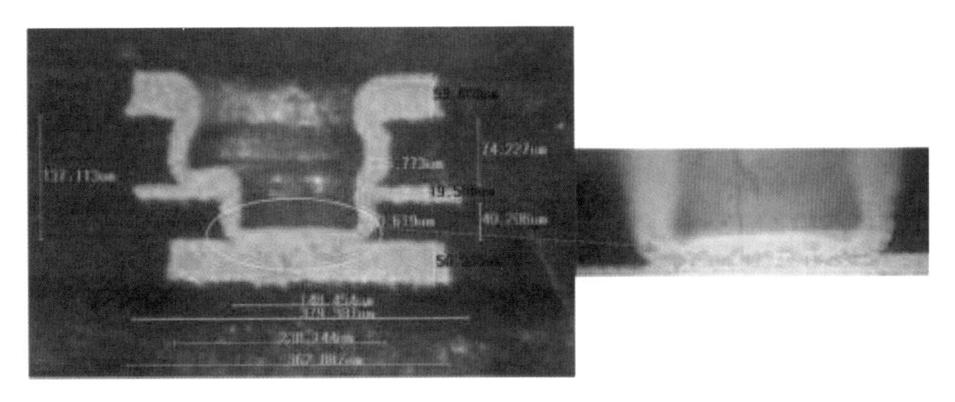

13층간 섹션 사진　　　　　확대사진

〈결과〉

- 도금 두께 상태 → 층간 25.8㎛(1~2층), 20.6㎛(2~3층)으로 안정적임.
- Resin 잔존 및 smear 존재 여부 → 확대 사진에서 보듯이 밀착성이 양호하고 resin 잔류는 없음
- Void 및 crack 생성 여부 → 상태 이상 없음
- Laser drill 상태 → 2층의 land 터짐 방지를 통한 홀 속 신뢰성 증진을 위해 2층면이 좁게 작업에 들어가므로 2층면 land에서 반사된 laser beam 영향에 의한 약간의 barrel shaped 형상이 있지만 영향력은 약하다.

4. 결론

① PCB불량으로 의심하고(특히 불량 POINT에서 1~3 VIA 부분)불량 분석에 착수한 결과 도금 상태, Laser drill 상태 등 문제점이 발견되지 않았다.

② 그렇다면 PCB불량이 없는데도 1차 BBT PASS와 재BBT N.G 그리고 부품 실장 후 작동 오류의 상관관계를 전적으로 PCB 불량으로 판정할 수는 없다.

③ 당사는 BBT PASS로 양품 판정을 받은 PCB를 고객측에 납품하였고, 부품 실장 후 작동 불가로 PCB 결함을 의심하여 재 BBT 포함 2차례의 작업 결과 N/G로 판정 난 부분에 대해서는 1차적으로 양/불 선별에 오점을 드러낸 BBT 업체측의 책임 소재가 크다고 보여진다.

④ 그러나, 재 BBT시 N/G로 판정된 수량 중 불량 Position 분석에서 불량 point를 찾을 수 없어 PCB결함을 증명할 다른 분석 방법이 없다. 재BBT시 N/G와 부품 실장 후 TEST시 N/G에 따른 PCB 불량 의심은 가장 보편적으로 행하고 있는 불량 판정 제품의 파괴 검사를 통한 섹션 분석으로 찾을 수 없었다.

⑤ PCB 불량의 결함을 증명하기 위한 분석 결과는 실패하였다. 즉, 몇 개의 시료 분석 결과 재 BBT N/G POINT에서 결함이 발견되지 않았다는 것이다.

14. 품질 비교 및 대책 TEST

- ▸ 14-1 CLEAN ROOM PARTICLE 측정
- ▸ 14-2 PATTERN OPEN 및 BUBBLE 재현 및 유효성 TEST
- ▸ 14-3 CONNECTOR HOLE BURR 제거 TEST
- ▸ 14-4 LAND(COPPER) 소멸분석
- ▸ 14-5 박판 치수 TEST
- ▸ 14-6 FILM 신축 TEST
- ▸ 14-7 내 · 외층 SHORT 발생 비교 TEST

14-1 CLEAN ROOM PARTICLE 측정

1. 내층 CLEAN ROOM 측정

1) 목적

내층 CLEAN ROOM의 효율적인 Particle 관리를 위한 정기적 측정 및 개선 대책을 마련하기 위함

2) Particle 측정

· Clean Room 내 particle 측정 실시

· 측정 장비 : Particle counter(GT-521)

3) 측정 방법

① 1 CUBIC FT 측정법 : 측정기 주변 1 CUBIC FT안의 파티클 수량을 측정

② 30초 ACTUAL 측정법 : 30초간 측정기 주변의 파티클을 수집하여 수량을 측정

③ 60초 ACTUAL 측정법 : 60초간 측정기 주변의 파티클을 수집하여 수량을 측정

- 파티클 측정 방법 기준 : 60초 ACTUAL 측정법

4) 결과

① Particle 측정결과 : 60초 ACTUAL 측정법

측정 공정	Pariticle 입자 크기 (size)		비 고
	0.5㎛ 이상	1.0㎛ 이상	
크린룸 출입부	12,129	703	
외층 연결 리프트 전면	20,510	1,798	
리프트 조어 개방	25,021	2,310	
LPR 2호기 언로더	24,948	2,242	
자동 노광 3초기 로더	23,547	1,581	
자동 노광 언로더	59,017	10,801	
크린룸 내부 평균	28,296	3,042	
자동 노광 1호기 내부	28,896	4,871	
자동 노광 2호기 내부	6,288	729	
자동 노광 3호기 내부	5,733	624	
자동 노광 내부 평균	13,639	2,075	

② 크린룸 내부 측정 결과에 따르면 전체적으로 파티클 관리 상태는 양호함

③ 외층과 연결되는 리프트 도어를 개방 여부에 따라 파티클 수량이 약 1.5배 이상 차이 발생

④ 크린룸 출입부에서 내부 안쪽으로 위치할수록 파티클 농도가 짙어짐을 볼 수 있으나 이는 크린룸 내부 안쪽에 집중 설치된 크린유니트 및 항온 합습기, 에어컨에 의한 에어의 집중 현상으로 추정됨

⑤ 노광기 내부에 설치된 필터 종류에 따른 파티클 농도가 큰 차이가 있음을 볼 수 있음

* 파티클 측정 상세 데이터 첨부 참조

5) CLEAN ROOM 개선 대책

① 크린룸 내부 설치 가동중인 크린 유니트 및 항온 항습기의 필터를 전량 검사하여 HEPA FILTER로 교체

② 외층과 연결되 리프트 내부에 환풍기를 설치하여 리프트 가동 여부에 관계없이 리프트 내부의 에어를 외부로 배기 조치

③ LPR 언로더의 개구부를 최대한 마감처리하여 외부 먼지 유입 최소화

④ 크린룸과 현상단 로더 출입부인 패스박스의 도어에 도어체크 설치

⑤ 크린룸 출입부의 패스박스에서 에어 샤워중에는 도어가 수동으로 개방이 불가능하게끔 조치

⑥ 자동 노광기 관리 방안

(a) 자동 노광기 내부의 램프 및 블로워가 설치된 부분과 프레임간의 개구부를 완전 마감처리

(b) 자동 노광기 내부 상단에 설치되어 에어컨으로부터 유입되는 부분의 필터를 MEDIUM FILTER에서 전량 HEPA FILTER로 교체하여 노광기 내부로 유입되는 0.3㎛ 이상되는 파티클을 차단조치

(c) 자동 노광기 내부 하단에 설치되어 급기 덕트로부터 유입되는 부분을 개조하여 전량 HEPA FILTER로 설치

(d) 자동 노광기 프레임의 냉각을 위하여 설치된 에어컨 필터를 점검하여 이상 발견 시 보수 조치 및 주 1회 필터 청소 주기 설정

(e) 자동 노광기 램프의 냉각을 위하여 설치된 급기 덕트의 외부 유입부 (현재

폐수장 주변) 위치 변경 검토 및 PRE-FILTER 보강 조치

(f) 자동 노광 프레임 및 필름 Cleaning시 현재 프로텍스와 알코올 사용을 무진 천과 필름 전용세척제 도입 검토

구 분	1 CUBIC FT					
	1회 측정		2회 측정		평 균	
	0.5㎛ 이상	1.0㎛ 이상	0.5㎛ 이상	1.0㎛ 이상	0.5㎛	1.0㎛
D/F 10호기	20,260	3,690	20,400	4,300	20,330	3,995
평행 노광기	5,400	1,110	5,840	1,240	5,620	1,170
D/F 8호기	116,470	22,360	139,910	26,950	128,190	24,655
D/F 7호기	174,110	29,610	179,940	30,250	177,025	29,930
LPR #2 Unloader	178,530	22,090	145,900	20,870	162,215	21,480
LPR #1 Unloader	110,820	15,310	116,310	19,160	133,565	17,235
LIFT 전면	207,880	42,420	163,950	30,490	185,915	36,455
LIFT DOOR 개방					0	0
자동노광 #1 Loader	186,740	35,110	186,050	34,580	186,395	34,845
자동노광 #2 Loader	147,480	27,770	138,320	26,070	142,900	26,920
자동노광 #3 Loader	154,080	27,360	129,000	21,570	141,540	24,465
자동노광 #1 Unloader	301,520	61,380	216,440	41,950	258,980	51,665
자동노광 #2 Unloader	235,660	40,650	232,150	41,970	233,905	41,310
자동노광 #3 Unloader	246,810	43,480	246,020	42,110	246,415	42,795
자동노광 #1 내부	155,680	24,430	173,860	28,000	164,770	26,215
자동노광 #2 내부	101,880	18,030	93,200	14,620	97,540	16,325
자동노광 #3 내부	89,540	17,210	86,820	15,730	88,180	16,470
자동노광 #1 내부 상부 급기	39,320	2,340	34,260	2,580	26,790	2,460
자동노광 #1 내부 하부 급기	34,520	2,560	32.440	2,480	33,480	2,520
크린룸 평균	160,028	28,556	147,261	26,175	153,644	27,365

구 분	30초 ACTUAL 측정법					
	1회 측정		2회 측정		평균	
	0.5㎛ 이상	1.0㎛ 이상	0.5㎛ 이상	1.0㎛ 이상	0.5㎛	1.0㎛
D/F 10호기	3,288	288	3,411	297	3,350	293
평행 노광기	532	47	511	47	522	47
D/F 8호기	12,952	1,470	14,022	1,513	13,487	1,492
D/F 7호기	16,418	1,778	15,661	1,773	16,040	1,776
LPR #2 Unloader	11,984	1,371	11,577	1,189	11,781	1,280
LPR #1 Unloader	11,615	1,140	13,311	1,422	12,463	1,281
LIFT 전면	11,844	1,617	11,246	1,562	11,545	1,590
LIFT DOOR 개방	28,109	5,183	29,496	5,762	28,803	5,473
자동노광 #1 Loader	14,821	2,371	13,291	2,052	14,056	2,212
자동노광 #2 Loader	10,377	1,467	10,554	1,528	10,466	1,498
자동노광 #3 Loader	11,693	1,653	11,631	1,627	11,662	1,640
자동노광 #1 Unloader	15,916	2,844	15,929	2,913	15,923	2,879
자동노광 #2 Unloader	16,916	3,503	19,395	3,694	18,113	3,374
자동노광 #3 Unloader	15,947	2,859	11,856	1,847	13,902	2,353
자동노광 #1 내부	13,739	2,277	8,858	1,483	11,299	1,880
자동노광 #2 내부	3,877	626	4,422	745	4,150	686
자동노광 #3 내부	2,570	414	3,364	526	2,967	470
자동노광 #1 내부 상부 급기						
자동노광 #1 내부 하부 급기						
크린룸 평균	13,984	2,084	13,952	2,091	13,968	2,087

구 분	60초 ACTUAL 측정법					
	1회 측정		2회 측정		평균	
	0.5㎛ 이상	1.0㎛ 이상	0.5㎛ 이상	1.0㎛ 이상	0.5㎛	1.0㎛
D/F 10호기	11,842	729	12,415	676	12,129	703
평행 노광기	1,215	81	1,250	95	1,233	88
D/F 8호기	22,820	1,509	21,883	1,458	22,352	1,484
D/F 7호기	30,362	1,983	30,417	2,135	30,390	2,059
LPR #2 Unloader	22,411	2,041	27,484	2,443	24,948	2,242
LPR #1 Unloader	39,997	2,924	44,541	3,041	42,269	2,983
LIFT 전면	20,967	1,912	20,052	1,683	20,510	1,798
LIFT DOOR 개방	30,436	3,042	19,606	1,578	25,021	2,310
자동노광 #1 Loader	17,832	1,273	18,264	1,485	18,048	1,379
자동노광 #2 Loader	17,990	1,190	21,147	1,782	19,569	1,486
자동노광 #3 Loader	24,122	1,617	22,972	1,544	23,547	1,581
자동노광 #1 Unloader	42,355	7,150	43,080	7,327	42,718	7,239
자동노광 #2 Unloader	58,750	11,468	59,284	10,133	59,017	10,801
자동노광 #3 Unloader	29,145	3,763	25,522	3,202	27,334	3,483
자동노광 #1 내부	26,145	4,288	30,934	5,454	28,896	4,871
자동노광 #2 내부	6,578	813	5,998	645	6,288	729
자동노광 #3 내부	5,758	549	5,708	698	5,733	624
자동노광 #1 내부 상부 급기						
자동노광 #1 내부 하부 급기						
크린룸 평균	28,387	3,123	28,205	2,961	28,296	3,042

2. 외층 CLEAN ROOM PARTICLE측정

1) 목적

3층 clean room의 효율적인 Particle 관리를 위한 정기적 측정

[Particle counter(GT-521), 2002.09.27. 구매한 휴대용측정기기]

2) Particle 측정

clean room 내 particle 측정 실시

3) 결론:

① Particle 입자크기(size)

Room	Particle 입자크기(size)		측정결과		비고
	0.5㎛ 이상 (average)	1.0㎛ 이상 (average)	0.5㎛ 이상 (average)	1.0㎛ 이상 (average)	
이동 통로1	112,320	4,975	253,441	4,588	
외층 D/F room	26,290	2,175	70,729	1,560	
자동노광기 내부	333	27	5,801	74	
이동통로2	63,937	5,502	108,854	3,155	

② Room별 양압 유지 상태 양호함. (이동통로 particle 더 높음)

③ D/F room 10,000 class 유지 계획 추진 사항

개선방안	비고
1. 항온항습기 외부유입덕트 필터 2중(Pre, medium)으로 교체	완료
2. 필터 교체주기: Pre-filter 교체→3회/주 (월, 수, 금) Medium filter 교체→1회/2개월	실시
3. 장비별 담당자 : 항온항습 1호기→김요한 과장 항온항습 2,3호기→서영실 대리	실시
4. 흡입구 pre filter size 확대→외곽 틈부분 제거.	실시
5. 장비별 책임자 지정 - D/F 공정 서영실 대리 : 항온항습 2호기, 항온항습 3호기, 항온항습 4호기 - PSR 공정 김요한 과장 : 항온항습 1호기, 항온항습 5호기 (구clean unit 5), clean unit3호기, clean unit 4호기	실시
6. Punching duct 교체 (2회에 걸쳐 완료 예정)	미결
7. Punching duct 교체 후 주기적인 maintenance : 1회/월 - 김요한 과장, 서영실 대리	미결
8. 정기적 particle 측정 : 1회/2주	실시
9. 터널식 건조기 개폐구 보강 - 기존의 비닐→조립식 판넬로 완전 이원화 실시. - 박영환 대리	미결

4) Clean room내 particle 측정 결과

- 측정장비 : Particle counter(GT-521) , ㈜SIBATA
- 장비 SET UP : ①particle size = 0.5㎛, 1.0㎛

Room	측정위치	Particle입자크기(size)		비고
		0.5㎛ 이상	1.0㎛ 이상	
이동통로 1	1	67,815	6,571	
	2	98,280	4,958	
	3	115,283	4,989	
	4	167,901	3,382	
	average	112,320	4,975	
외층 D/F room	5	28,509	1,554	
	6	24,879	905	
	7	30,564	1,555	
	8	40,965	2,464	
	9	32,584	1,853	
	10	45,399	2,747	
	11	35,041	2,823	
	12	37,122	3,083	
	13	25,495	2,511	
	14	16,708	1,703	
	14	287	20	자동노광(1-A)frame내부
	15	11,885	1,319	
	15	335	13	자동노광(1-B)frame내부
	16	15,090	2,072	
	16	488	59	자동노광(2-A)frame내부
	17	14,713	1,539	
	17	223	14	자동노광(2-B)frame내부
	18	14,191	1,806	
	average	26,290	2,175	
이동 통로 2	33	68,632	5,141	
	34	143,842	4,057	
	35	226,411	4,961	
	36	50,603	7,849	
	average	63,937	5,502	

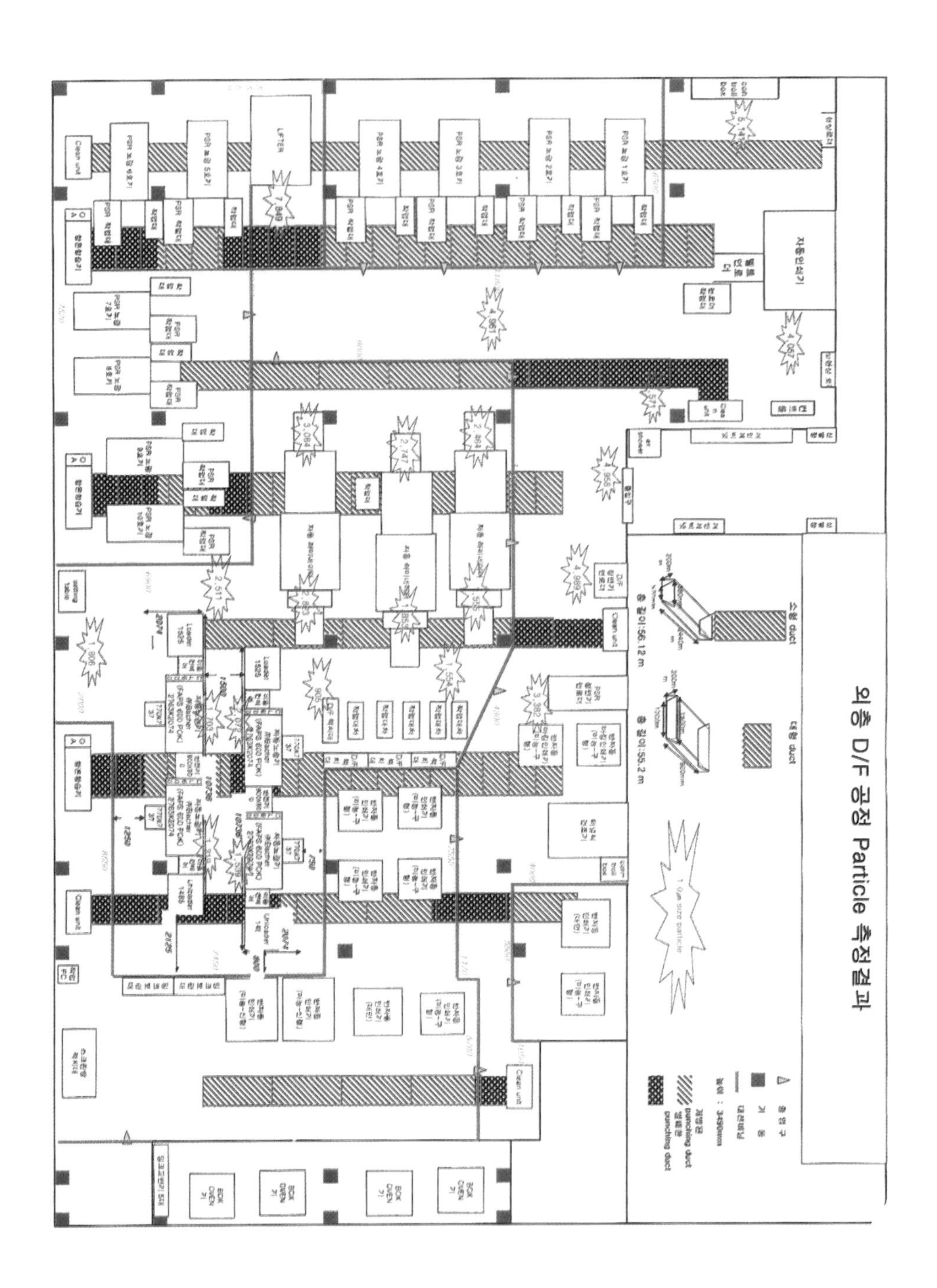
외층 D/F 공정 Particle 측정결과
소형 duct
대형 duct
총 길이:56.12 m
총 길이:55.2 m
1.0㎛ size particle

3. 적층 CLEAN ROOM PARTICLE 측정

1) 목적

적층실 cleaner room particle 관리를 통한 불량을 최소화 하는데 있다.

2) 측정 일자

3) 측정방법

측정 장비 Particle counter(GT-521)을 이용하여 lay-up 실 및 동박 재단실 0.5㎛ 이상, 1㎛ 이상 60초 측정함

4) Particle 측정 data

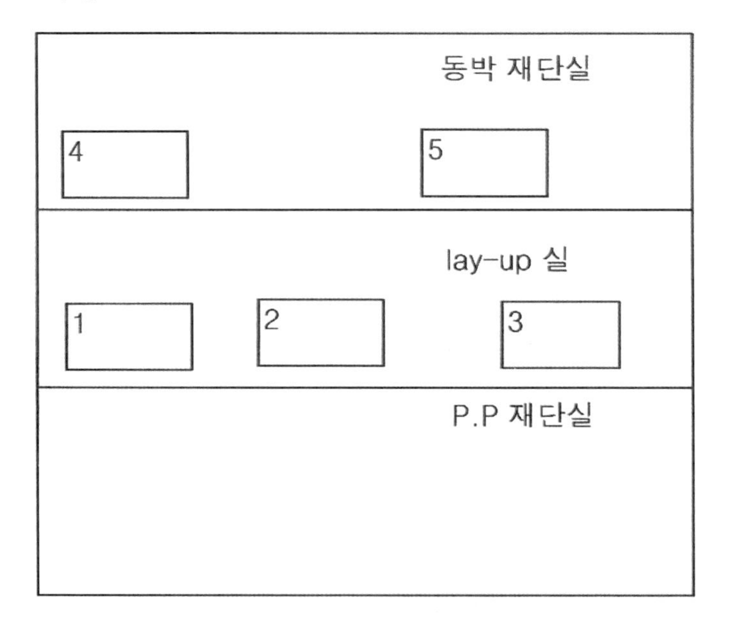

측정 위치	0.5㎛이상	1㎛이상
1	54509	6460
2	23146	2871
3	19725	2344
4	101843	11645
5	105397	11911

5) 결과

① lay-up 실 관리 대체로 양호한 것으로 판단됨

② 동박 재단기내부는 관리 미흡함

원인 : 동박 재단시 동박가루 발생으로 인하여 오염되는 것으로 판단 됨

대책	비고
동박 재단기 바닥 끈끈이 설치 	동박가루 및 분진 흡착
sus 이동 바닥 판 끈끈이 설치 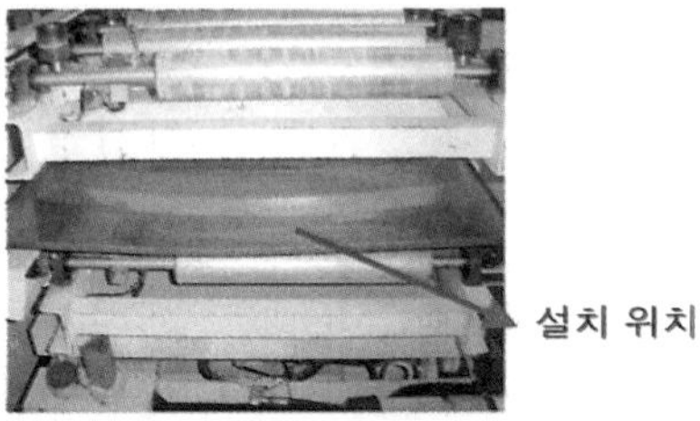	동박가루 및 분진 흡착
동박 이동 롤러 바닥 끈끈이 설치 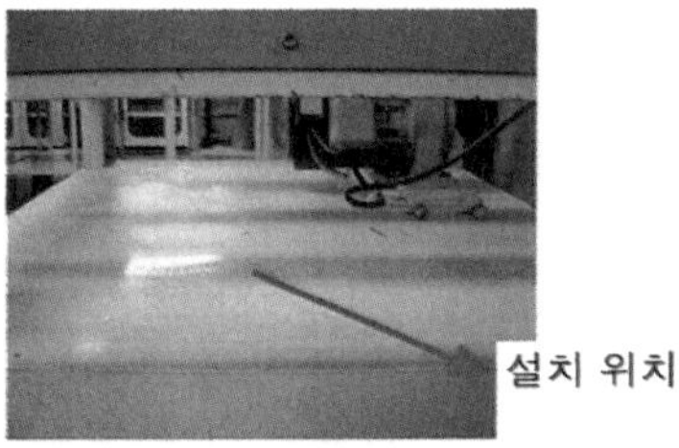	동박가루 및 분진 흡착
동박 재단기 콘베어 clean롤러설치 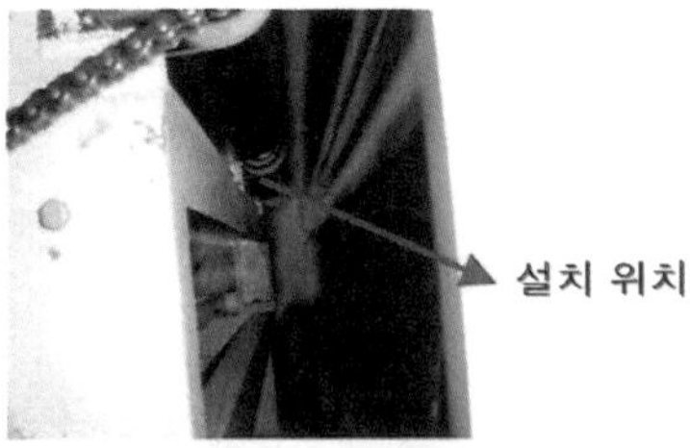	동박가루 및 분진 흡착
평 콘베이어 표면 이물질 제거 주기 재교육 및 시행 철저 주기 4회/일	동박가루 및 분진 흡착

4. Clean Room 기류방식

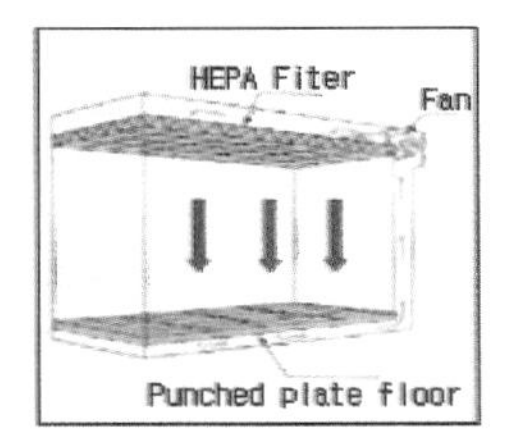

① 수직층류방식(LAMINAR DOWN TYPE)

淸淨度	換氣回數	特徵
CLASS 100~1,000	CLASS 100: 200~500회/hr CLASS 1,000: 50~100회/hr	• 가장 높은 청정도를 유지할 수 있다. • 생산프로세스의 변경이 용이하고 장치의 배치가 용이하다. • 보존관리가 용이하다. • 설비비가 고가이다. • 장치가 대형이고 건축상 제한이 있다.

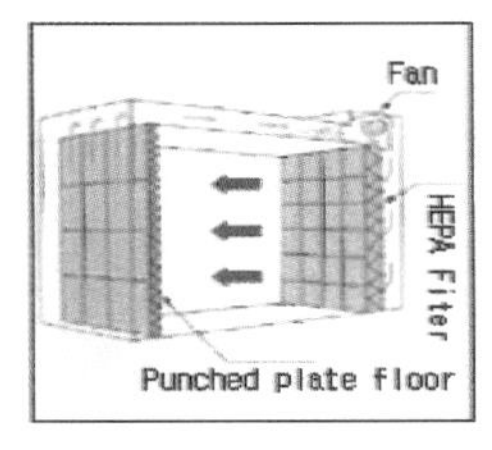

② 수평층류형식 (LAMINAR CROSS TYPE)

淸淨度	換氣回數	特徵
CLASS 100~1,000	CLASS 100: 200~500회/hr CLASS 10,000: 30~50회/hr	• 구조적으로 간단하다. • 비교적 높은 청정도를 유지할 수 있다. • 상부에 비해 하부의 청정도가 떨어진다. • 장치의 배치, 사람이나 물건출입에 상세한 관리가 필요하다.

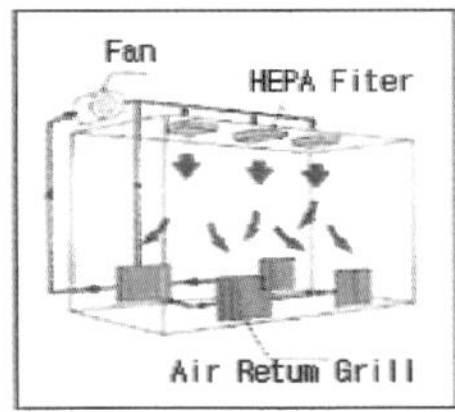

③ 난류형식 (CONVENTIONAL TYPE)

淸淨度	換氣回數	特徵
CLASS 100~1,000	CLASS 100: 30~50회/hr CLASS 100,000: 20~30회/hr	• 가장 염가이고 설비가 용이하다. • 관리가 용이하다. • 장치가 자유롭다. • 높은 청정도를 유지할 수가 없다.

14-2 PATTERN OPEN 및 BUBBLE 재현 및 유효성 TEST

1. 재현 Test Method

1) Pattern Open Test

· Test 목적

SMT 조건에 의한 Pattern Open 발생 여부 재현 Test 및 검증

No	Test ITEM	Test Method	수량	비고
1	Reflow Test	· Test#1 Pre-baking + Reflow 2회 + BBT · Test#2 Test#1 제품 + Reflow 추가 3회 + BBT	10PCS 10PCS	· IR-Reflow Test를 통한 Trace Open 발생 재현
2	Manual Soldering Test	· Test#1 Reflow Test#1 제품 + Manual Soldering 2회/5회 + BBT · Test#2 Reflow Test#2 제품 + Manual Soldering 2회/5회 + BBT	10PCS 10PCS	· Manual Soldering Test를 통한 Trace Open 발생 재현

2) Bubble Test

· Test 목적

Bubble 문제 발생에 대한 재현 Test 및 개선 대책 수립 유효성 평가를 위한 개선 前 현상 분석 차원

No	Test ITEM	Test Method	수량	비고
1	Reflow Test	· Test조건 - Reflow 2회 + Manual Soldering 2회/5회 - Reflow 2회 + Manual Soldering 2회/5회	10PCS 10PCS	· PATTERN Open 재현 Test 진행시 병행 검증

2. 재현 Test 결과 (Reflow-Pattern Open)

1) Reflow Test (5/27)

· Test 목적

SMT 1st Process로서 양산 동일 조건으로 반복 Test 진행하여 Pattern Open 발생 여부 재현 Test 및 검증

Test Process	Reflow	BBT
Test Process		
Test 조건 및 수량	· Test#1 Pre-baking+Reflow 2회(10 PCS)	· Test#1 : BBT (10 PCS)
	· Test#2 Test#1제품+Reflow추가3회(10 PCS)	· Test#2 : BBT (10 PCS)
Test 결과	· Reflow Test 완료 후 전기적인 이상 유무 (Trce Open) 검증을 위해 BBT 실시 결과 이상 없음.(Trace Open 발생 없음)	

3. 재현 Test 결과 (Reflow-Bubble)

1) Reflow Test

· Test 목적

SMT 1st Process로서 양산 동일 조건으로 반복 Test 진행하여 Bubble 발생 여부 재현 Test 및 검증

Test Process	Reflow	Defect 사진
Test Process		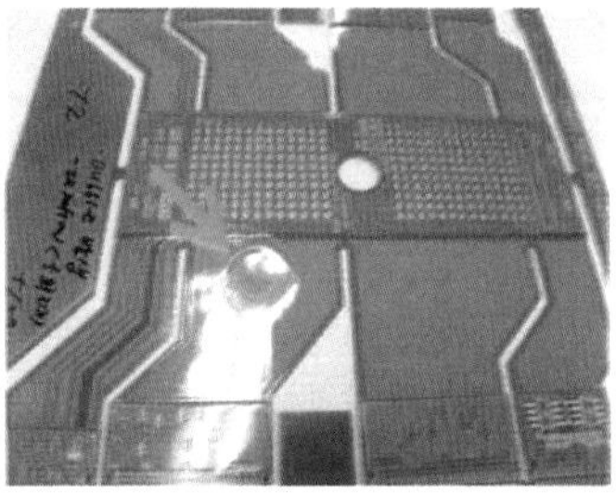
Test 결과	· Reflow 재현 Test 통해 Bubble 발생 여부 확인 결과 Test #1 Reflow 조건에서는 이상 없음. · Test#2 Reflow 조건 Test 진행 中 Reflow 5회 Test 과정에서 Bubble 1 PCS발생확인.	

4. 재현 Test 결과 (Manual Soldering)

1) Manual Soldering Test

· Test 목적 : SMT 2nd Process로서 양산 동일 조건으로 반복 Test 진행하여 Trace Open 발생 여부 재현 Test 및 검증

Test Process	Manual Soldering	BBT
Test Process	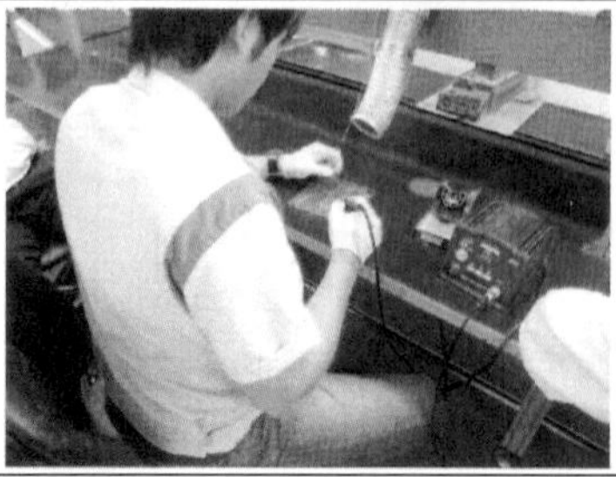	
Test 조건 및 수량	· Test#1 IR-Reflow Test#1 제품+Manual Soldering 2회/5회 (5PCS/5PCS)	· Test#1 : BBT (10 PCS)
	· Test#2 IR-Reflow Test#2 제품+Manual Soldering 2회/5회 (5PCS/5PCS)	· Test#2 : BBT (10 PCS)
Test 결과	· Manual Soldering Test 완료 후 전기적인 이상유무 (Trace Open)검증을 위해 BBT 실시 결과 Test#2 제품에서 Trace Open 2 PCS 발생 확인. · Manual Soldering Test 과정에서 Bubble 품질문제 발생 여부 병행 확인 결과 이상 없음.	

5. X-Section분석

1) X-Section분석결과

구분	단면사진(50X)	단면사진(100X)	단면사진(500X)
#1-1	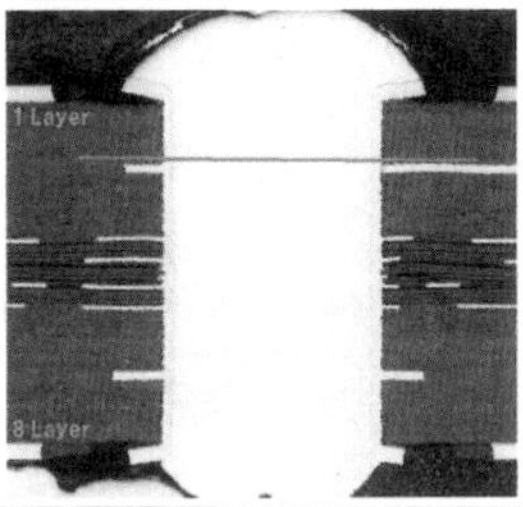 1 Layer 8 Layer		
분석결과	· Test#1 제품 BBT 이상 없으며, 추가로 X-Section 분석 결과 상기 사진과 같이 2 Layer 일부 Cu 도금층 계면 사이 Separation문제 발생 확인. (Hole 전체 Cu 도금층 中 일부분 Separation 문제가 발생되어 Trace Open 문제로 연결되지 않음) · 내층 Core가 수평 상태에서 일부 아래쪽으로 Bend 현상 발생 추가 확인.		

2) X-Section분석결과

구분	단면사진(50X)	단면사진(100X)	단면사진(500X)
#1-2	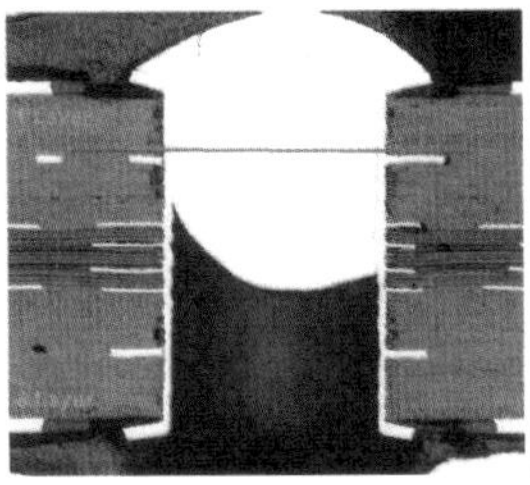	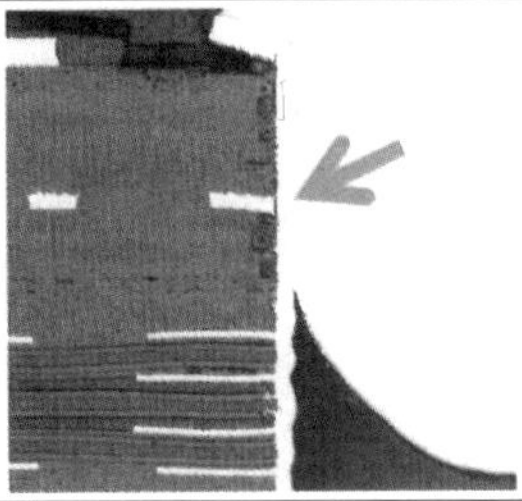	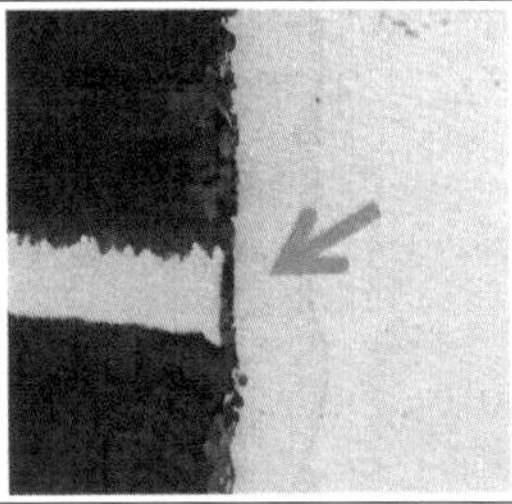
분석결과	· Test#1 제품 BBT 이상 없으며, 추가로 X-Section 분석 결과 상기 사진과 같이 2 Layer 일부 Cu 도금층 계면 사이 Separation문제 발생 확인. (Hole 전체 Cu 도금층 中 일부분 Separation 문제가 발생되어 Trace Open 문제로 연결되지 않음) · 내층 Core가 수평 상태에서 일부 아래쪽으로 Bend 현상 발생 추가 확인.		

3) X-Section분석결과

구분	단면사진(50X)	단면사진(100X)	단면사진(500X)
#2-1	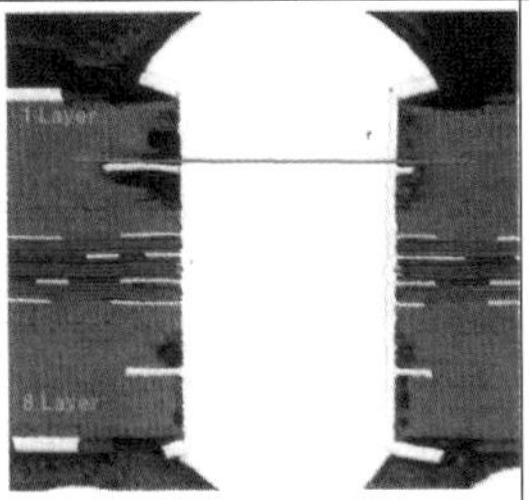		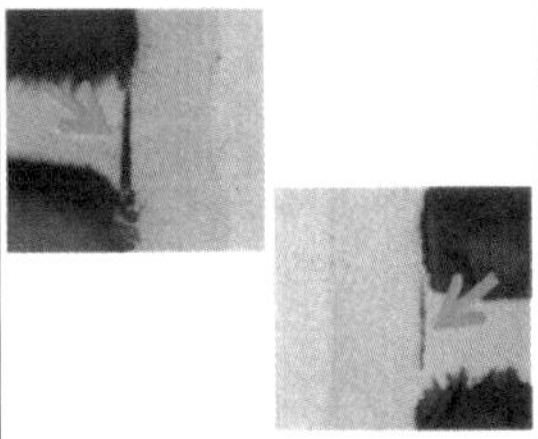
분석결과	· Test#1 제품 BBT Trace Open 불량 X-Section 분석 결과 상기 사진과 같이 2 Layer Cu 도금층 계면 사이 Separation문제 발생 확인. (Trace Open 문제) · 내층 Core가 수평 상태에서 일부 아래쪽으로 Bend 현상 발생 추가 확인.		

4) X-Section분석결과

구분	단면사진(50X)	단면사진(100X)	단면사진(500X)
#2-2	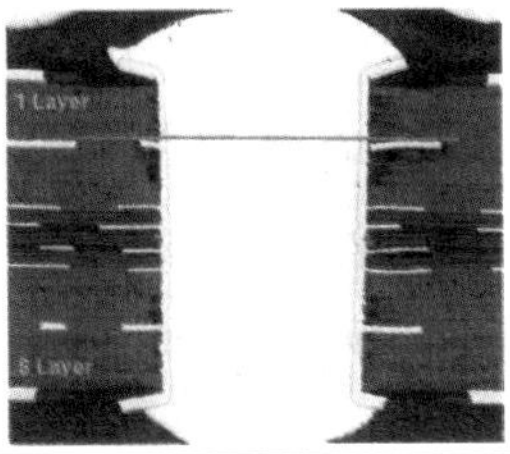	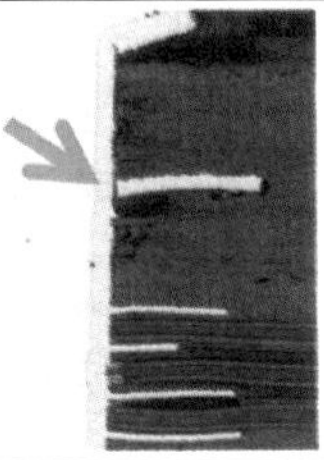	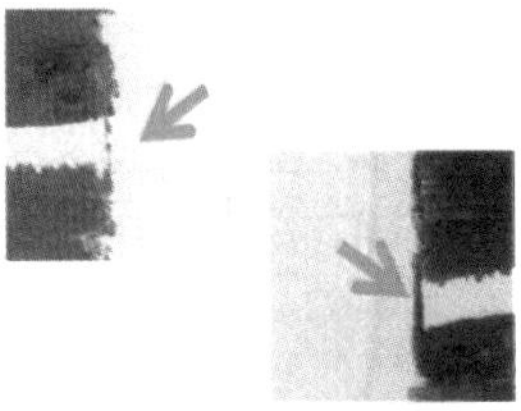
분석결과	· Test#1 제품 BBT Trace Open 불량 X-Section 분석 결과 상기 사진과 같이 2 Layer Cu 도금층 계면 사이 Separation문제 발생 확인. (Trace Open 문제) · 내층 Core가 수평 상태에서 일부 아래쪽으로 Bend 현상 발생 추가 확인.		

6. 종합결론

1) Pattern Open 문제 관련 SMT 조건

(Reflow + Manual Soldering)재현 Test 결과

Test ITEM	Test Method	수량	Test 결과
Reflow Test	· Test#1 : Pre-baking + Reflow 2회 + BBT · Test#2 : Test#1 제품 + Reflow 추가 3회 + BBT	10PCS 10PCS	· Test#1 : 이상없음 · Test#2 : 이상없음
Manual Soldering Test	· Test#1 : Reflow Test#1 제품 + Manual Soldering 2회/5회 + BBT · Test#2 : Reflow Test#2 제품 + Manual Soldering 2회/5회 + BBT	10PCS 10PCS	· Test#1 : 이상없음 · Test#2 : Trace Open 2 PCS 발생

▷ Pattern Open 관련 SMT조건 Test 결과 Reflow 열충격은 크게 영향을 미치지 않았으며, Manual Soldering 열충격이 Trace Open 문제와 직접적으로 관련 있는 것으로 확인됨. (Manual Soldering Test#2 이후 분석 과정에서 Trace Open 2 PCS 발생)

→ X-Section분석결과 Cu도금층 계면 Separation 문제 및 내층 Core Bend 현상이 기존 JABIL 고객사에서 발생된 불량 시료와 유사함.

→ Manual Soldering Test#1 에서도 Trace Open 불량과 결부되지 않을 정도 수준의 일부 Cu 도금층 계면 Separation 문제 및 내층 Core Bend 현상이 확인됨.

2) Bubble 문제 관련 SMT 조건 (Reflow)재현 Test 결과

Test ITEM	Test Method	수량	Test 결과
Reflow Test	· Test조건 Reflow 2회 + Manual Soldering 2회/5회 Reflow 2회 + Manual Soldering 2회/5회	10PCS 10PCS	· Reflow 5회째 Test 과정에서 Bubble 1 PCS 발생

▷ Bubble 문제 재현 Test 결과 Reflow 5회째 1 PCS가 발생되었으며, Manual Soldering Test 진행 결과 추가 발생 없음.

3) 상기 Pattern Open 및 Bubble 문제 관련 재현 Test 결과를 종합해 보았을 때 SMT 정상 작업 조건에서는 동일 문제가 재현되지 않은 것

으로 추정되며, 극한 재현 Test에서 동일 문제가 재현된 것으로 판단됨.(Reflow 5회/Manual Soldering 5회)

→ 단, Pattern Open 재현 Test 中 Test#1 조건 (Reflow 2회+Manual Soldering 2회) 수준에서 Trace Open 유사 현상이 재현된 것으로 보았을 때 Manual Soldering 열충격에 대한 SMT Process 추가 검토가 필요할 것으로 사료됨.

→ Bubble 문제 관련 Test 결과 現 Test Lot가 문제는 없는 것으로 판단되나, 旣 수립된 개선 대책 향후 Lot가 적용을 통해 추가 검증 예정.

첨부1. SMT Test 조건

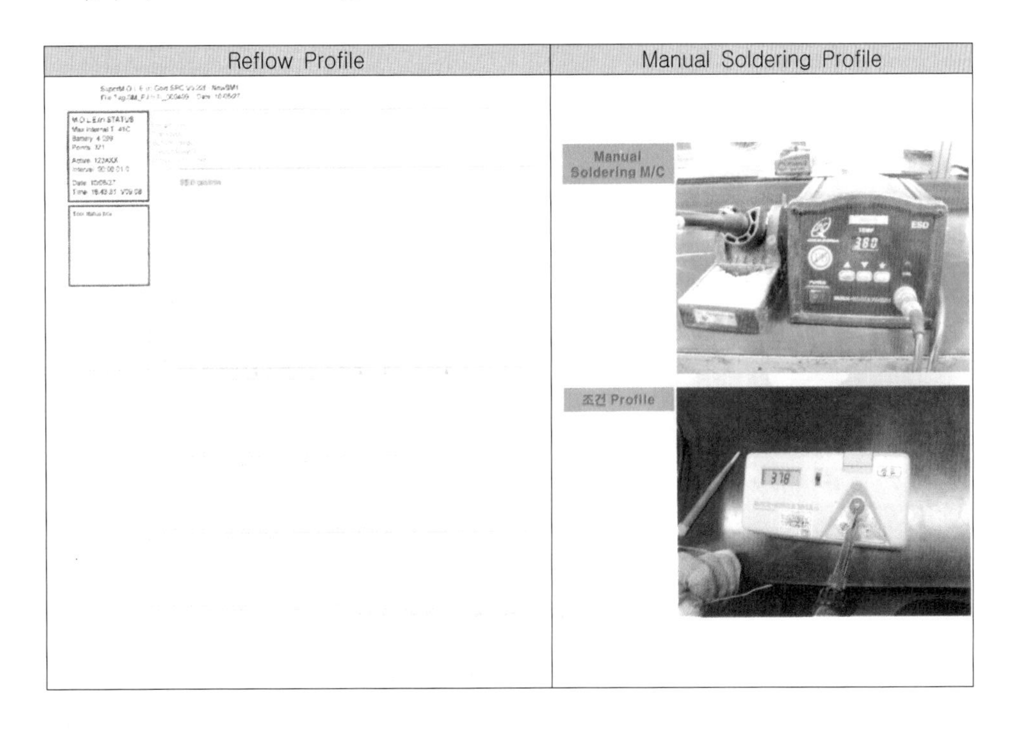

14-3 CONNECTOR HOLE BURR 제거 TEST

1. 목적

Connector Hole Burr 제거를 통한 공정 Loss 제거 및 고객 Complain 해소

2. Test 방법 및 결과

· 2.0Φ 드릴 ⇒ 1.0Φ 역방향 가공 ⇒ 1.6Φ 정방향 가공
Burr 발생. (별첨.1참조)

· 1.5Φ 드릴 ⇒ 1.6Φ 정방향 가공 ⇒ 2.0Φ 드릴
Burr 발생. (별첨.2참조)

· 2.0Φ 드릴 ⇒ 1.6Φ 정방향 가공 ⇒ 1.5Φ 사선 가공
Burr 없음. (별첨.3참조)

3. 효과 파악

· 유형

기존 1.0Φ 역방향 가공이 없어지므로 인하여 Stack 상승 및 Cycle Time 감소의 효과를 얻음.

· 무형

Burr 발생으로 인한 고객 Claim 및 제거를 위한 Loss Time 의 Zero

Model	Thic.	Stack	Cycle Time		Array		장비 1대당 생산성		개선 효과
			순수 작업	준비 작업	P/S	E/P	㎡/Hr·4축	sec/KIT	
6870C-0006H	0.6	6	26'48"	02'50"	7	3	8.34	24.69	약 33% 상승
		7	20'23"				12.42	16.58	

첨부.1 : 정상가공 (변경 전)

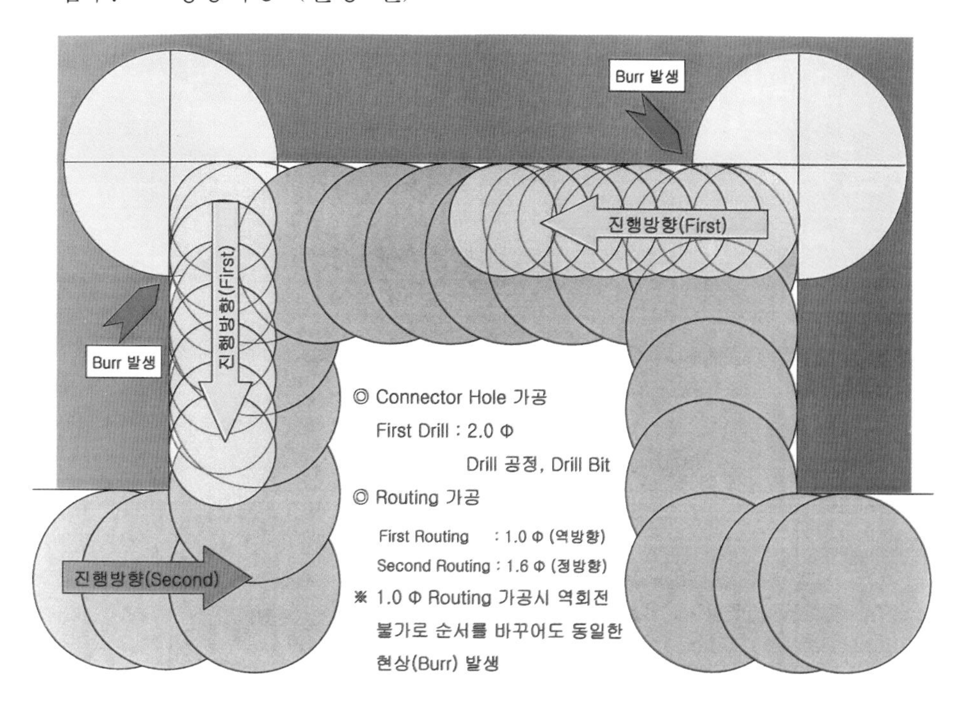
Burr 발생
진행방향(First)
진행방향(First)
Burr 발생
◎ Connector Hole 가공
First Drill : 2.0 Φ
Drill 공정, Drill Bit
◎ Routing 가공
First Routing : 1.0 Φ (역방향)
Second Routing : 1.6 Φ (정방향)
진행방향(Second)
※ 1.0 Φ Routing 가공시 역회전
불가로 순서를 바꾸어도 동일한
현상(Burr) 발생

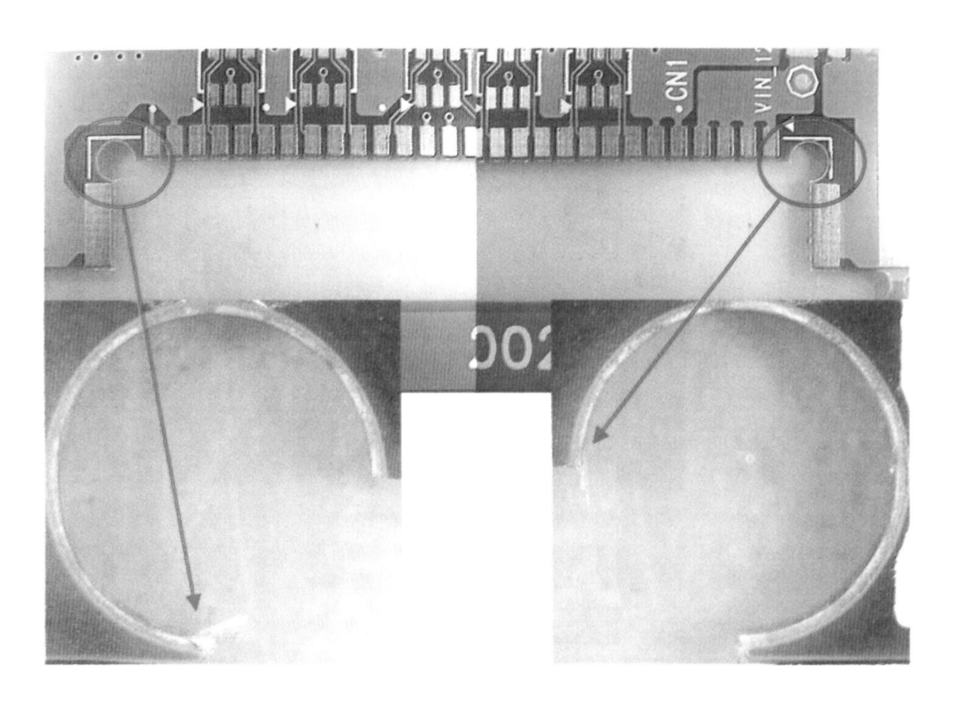
CN1

첨부.2 : Test 가공. i

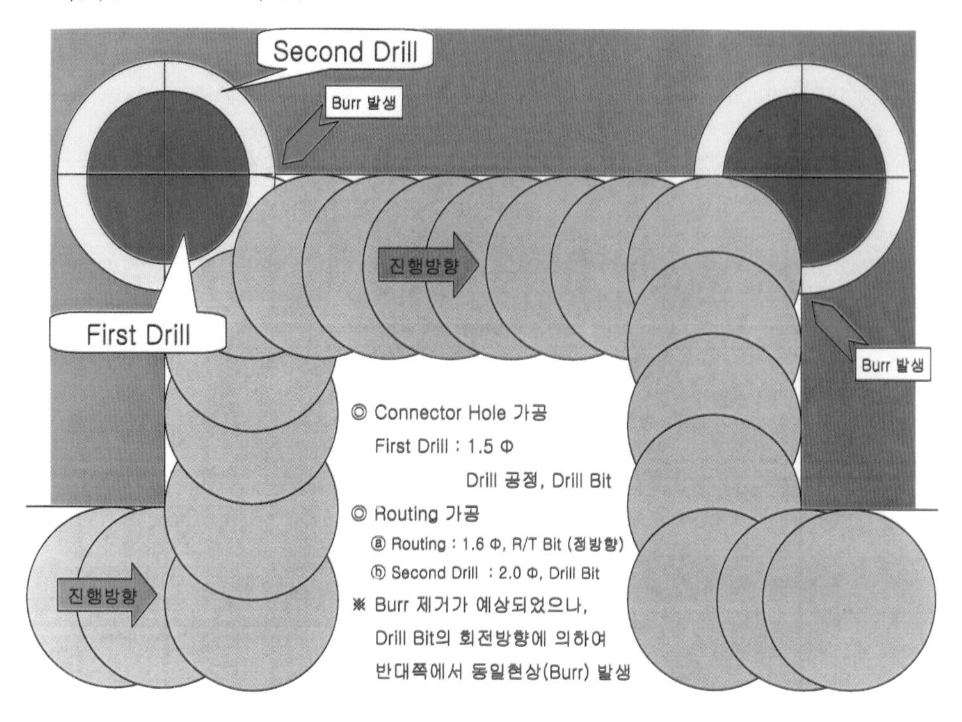
Second Drill
Burr 발생
진행방향
First Drill
Burr 발생
◎ Connector Hole 가공
First Drill : 1.5 Φ
Drill 공정, Drill Bit
◎ Routing 가공
ⓐ Routing : 1.6 Φ, R/T Bit (정방향)
ⓑ Second Drill : 2.0 Φ, Drill Bit
※ Burr 제거가 예상되었으나,
Drill Bit의 회전방향에 의하여
반대쪽에서 동일현상(Burr) 발생
진행방향

첨부.3 : Test 가공. ii-1

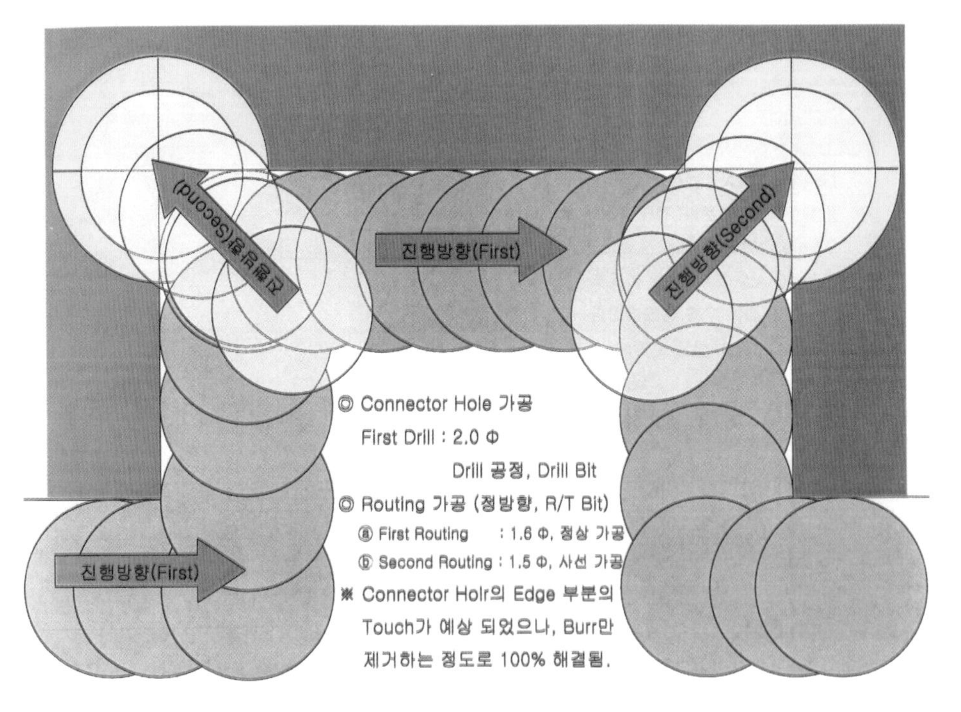
진행방향(Second)
진행방향(First)
진행방향(Second)
◎ Connector Hole 가공
First Drill : 2.0 Φ
Drill 공정, Drill Bit
◎ Routing 가공 (정방향, R/T Bit)
ⓐ First Routing : 1.6 Φ, 정상 가공
ⓑ Second Routing : 1.5 Φ, 사선 가공
※ Connector Holr의 Edge 부분의
Touch가 예상 되었으나, Burr만
제거하는 정도로 100% 해결됨.
진행방향(First)

첨부.3 : Test 가공. ii-2

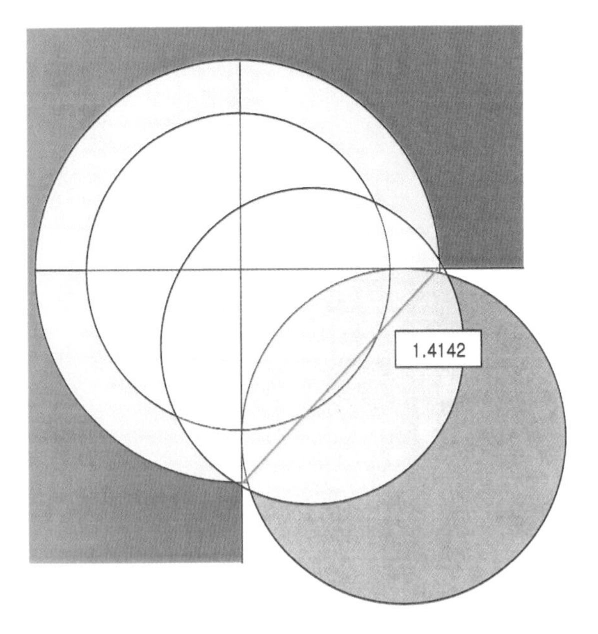

◎ 정상 Route 가공 시 Connector Hole의 빗면의 거리는 1.4142mm이다.

◎ 1.5Φ R/T Bit로 사선 가공을 할 경우 Edge면의 약 43㎛이 Touch 되게 된다. 여기에 Spindle의 Run Out(약 30㎛)을 감안하였을 경우 최대 80㎛ Touch로 Edge면 손상 없이 충분히 Burr를 제거할 수 있다.

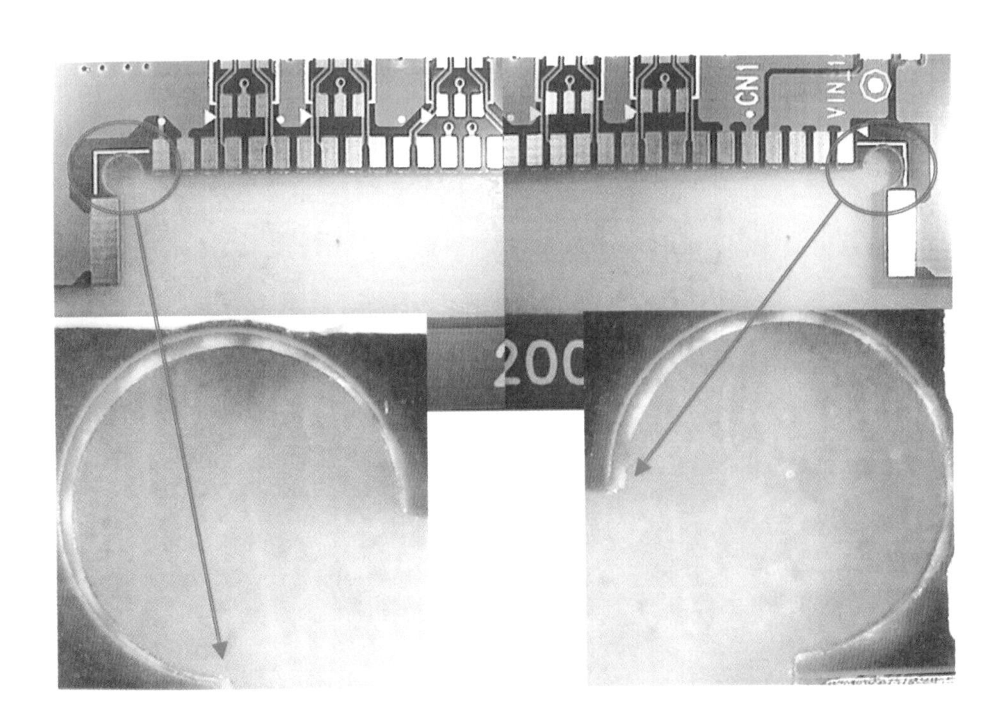

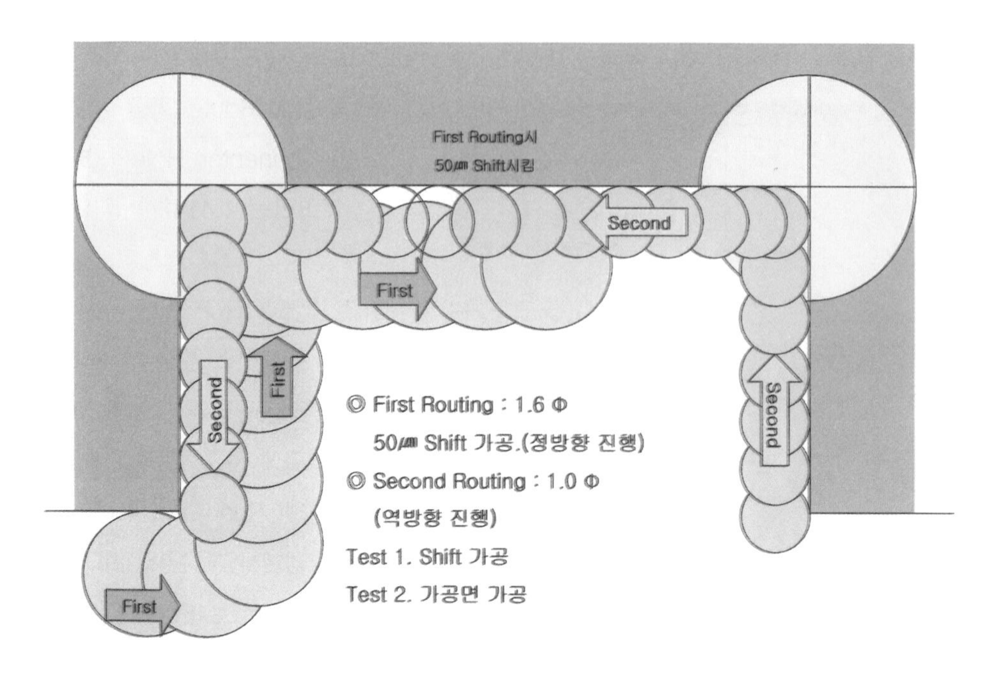
First Routing시
50㎛ Shift시킴
Second
First
First
Second
Second
First
◎ First Routing : 1.6 Φ
50㎛ Shift 가공.(정방향 진행)
◎ Second Routing : 1.0 Φ
(역방향 진행)
Test 1. Shift 가공
Test 2. 가공면 가공

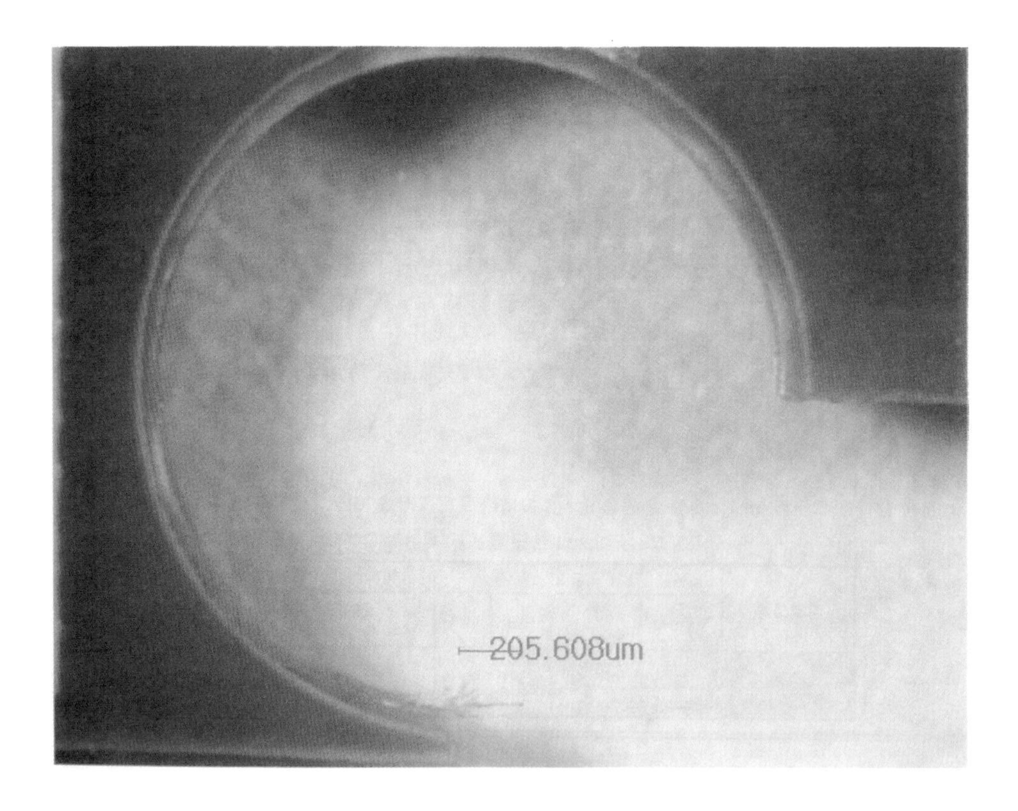
205.608um

14-4 LAND(COPPER) 소멸분석

1. PCB 사양 및 신뢰성 분석 내용

층수	표면처리	신뢰성 분석
2	OSP	표면검사 MI CRO-SECTION SEMIEDS 분석 OSP 재현 TEST

2. 불량 유형 및 분석결과

1) 불량 Mode : HOLE LAND 소멸

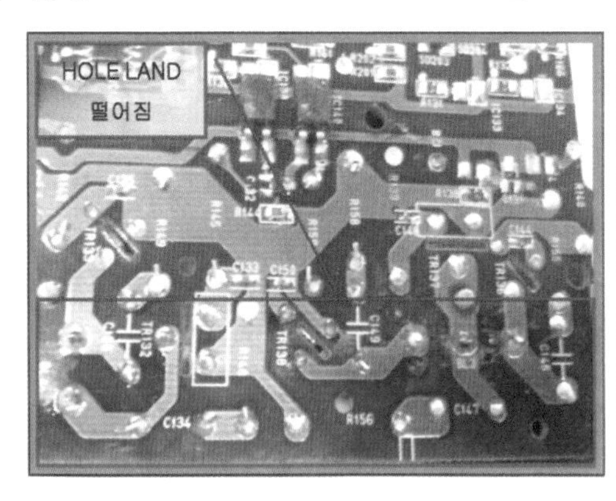

▷ 이상 발생 Point

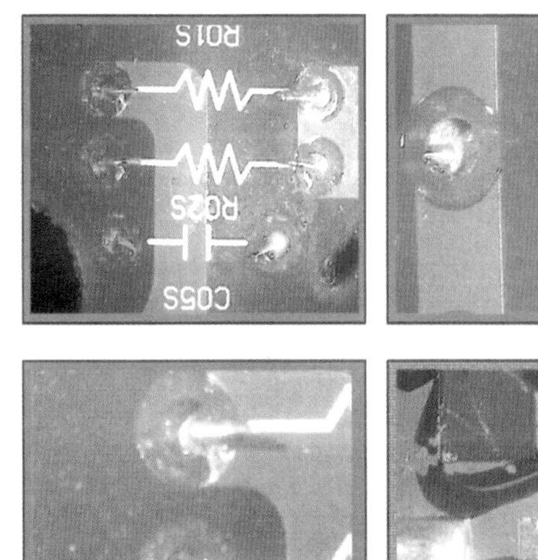

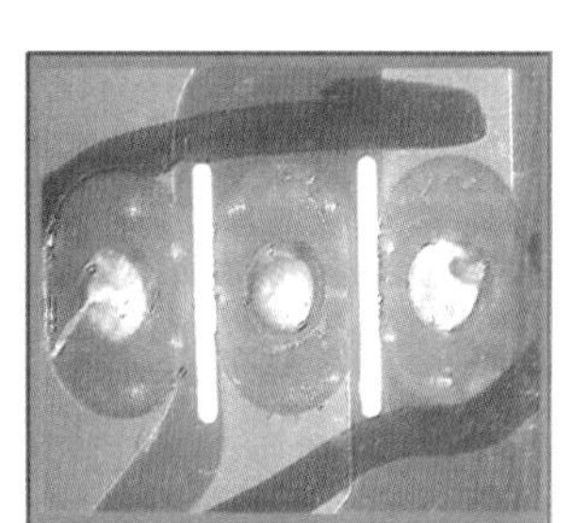

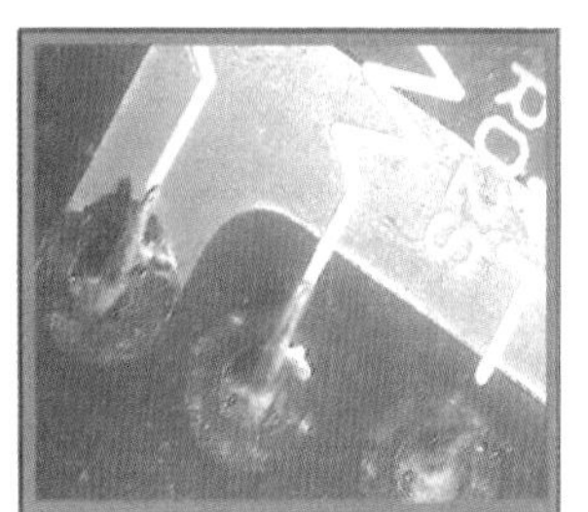

2) 이상 발생 Point 표면 Section 결과

3) 정상 Point Section (부품 삽입 후) 결과

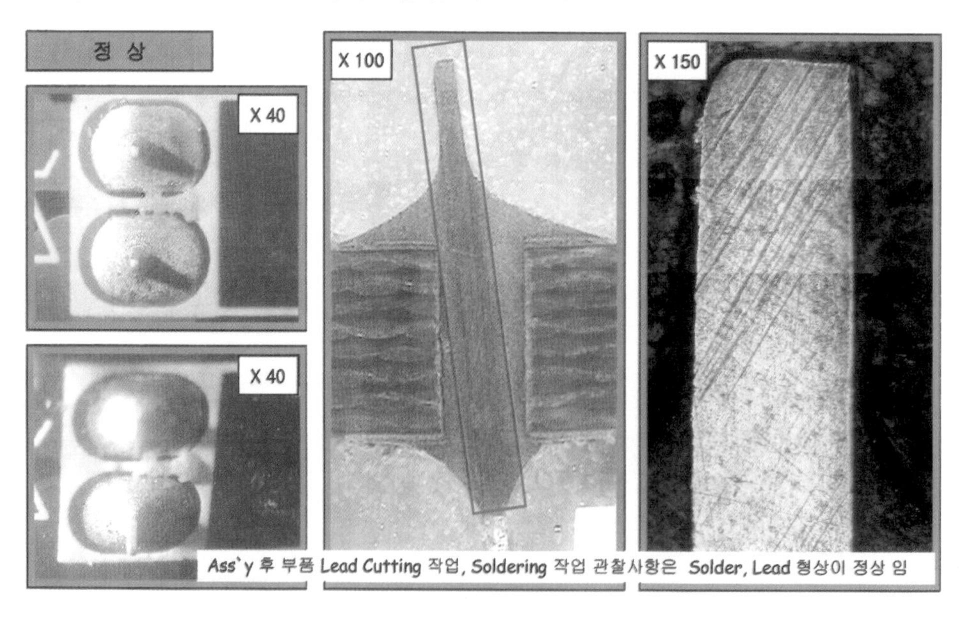

4) 이상발생 Point Section (부품 삽입 후) 결과

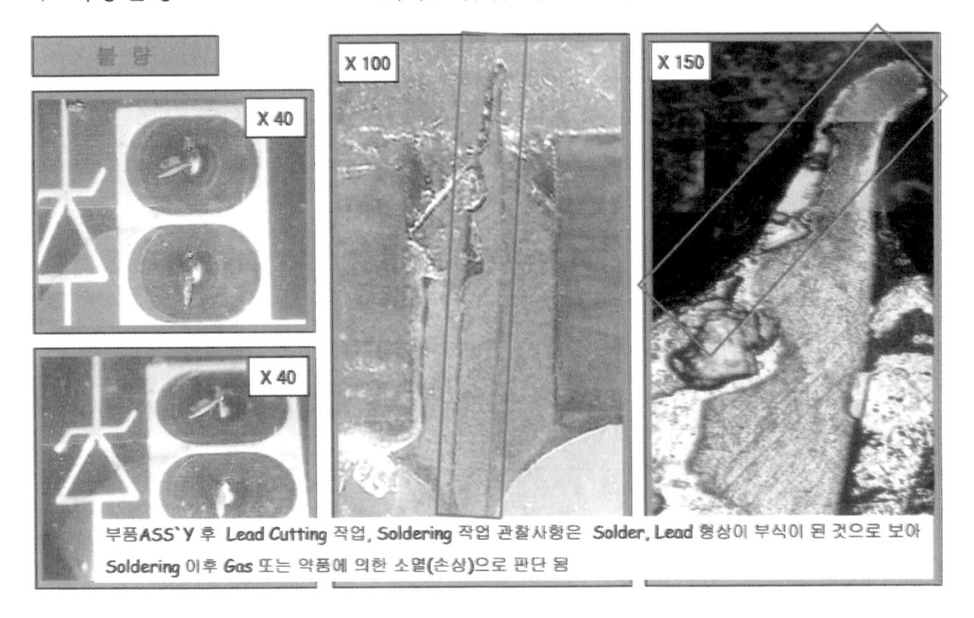

불 량
X 40
X 40
X 100
X 150
부품ASS`Y 후 Lead Cutting 작업, Soldering 작업 관찰사항은 Solder, Lead 형상이 부식이 된 것으로 보아
Soldering 이후 Gas 또는 약품에 의한 소멸(손상)으로 판단 됨

3. SEM(Scanning Electron Microscope) 촬영/EDX(Energy Dispersive X-ray) 성분분석

· 목적 : PSR 이후 부식이 일어난 것으로 추정으로 SEM/EDX 성분분석 및 OSP LINE 재현성

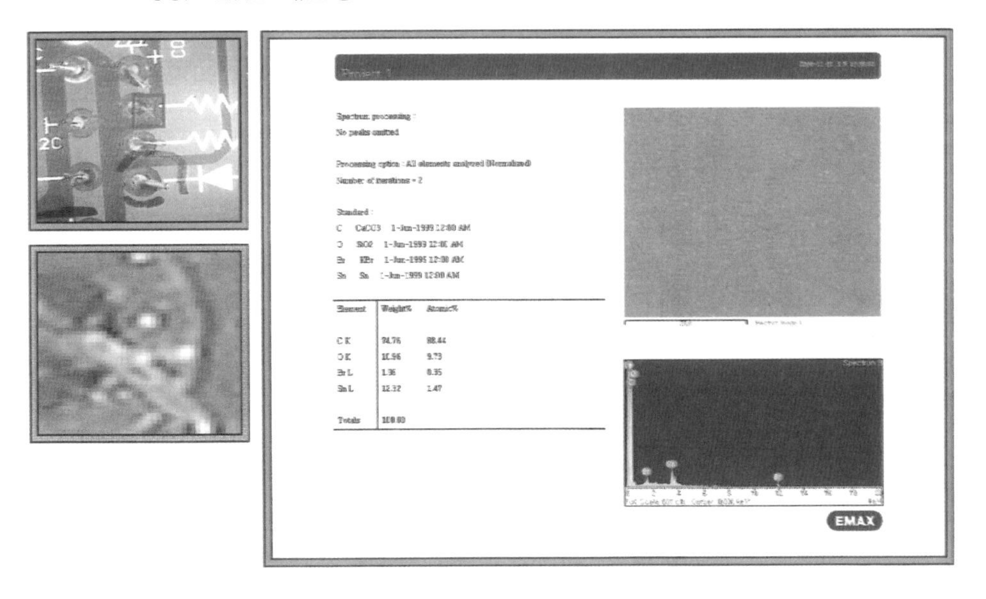

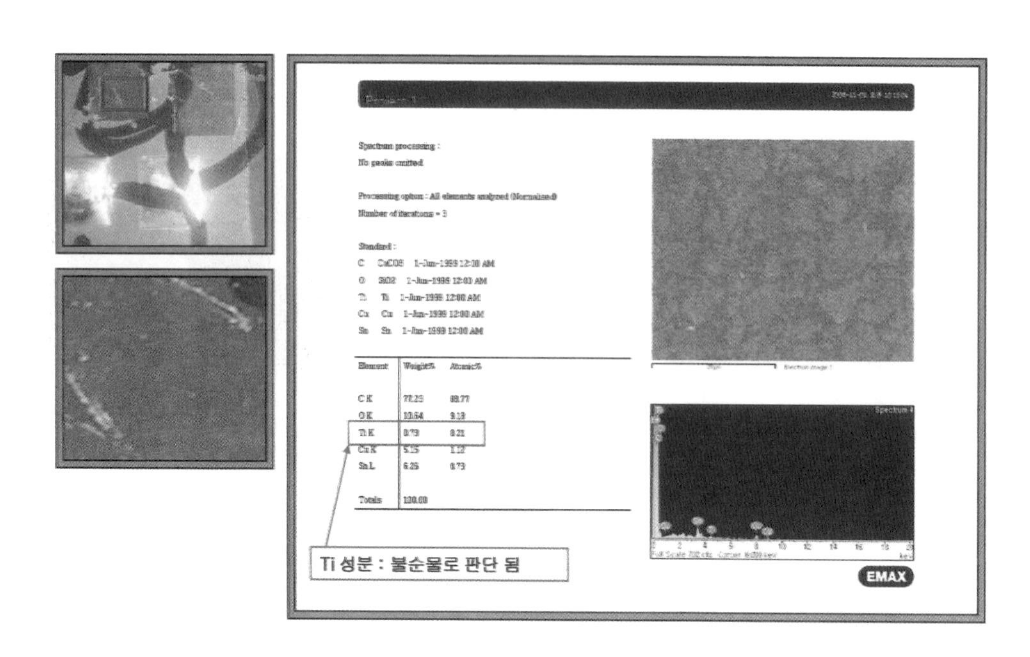

Spectrum processing :
No peaks omitted

Processing option : All elements analyzed (Normalised)
Number of iterations = 3

Standard :
C CaCO3 1-Jun-1999 12:00 AM
O SiO2 1-Jun-1999 12:00 AM
Ti Ti 1-Jun-1999 12:00 AM
Cu Cu 1-Jun-1999 12:00 AM
Sn Sn 1-Jun-1999 12:00 AM

Element	Weight%	Atomic%
C K	77.25	88.77
O K	10.64	9.18
Ti K	0.73	0.21
Cu K	5.15	1.12
Sn L	6.25	0.73
Totals	100.00	

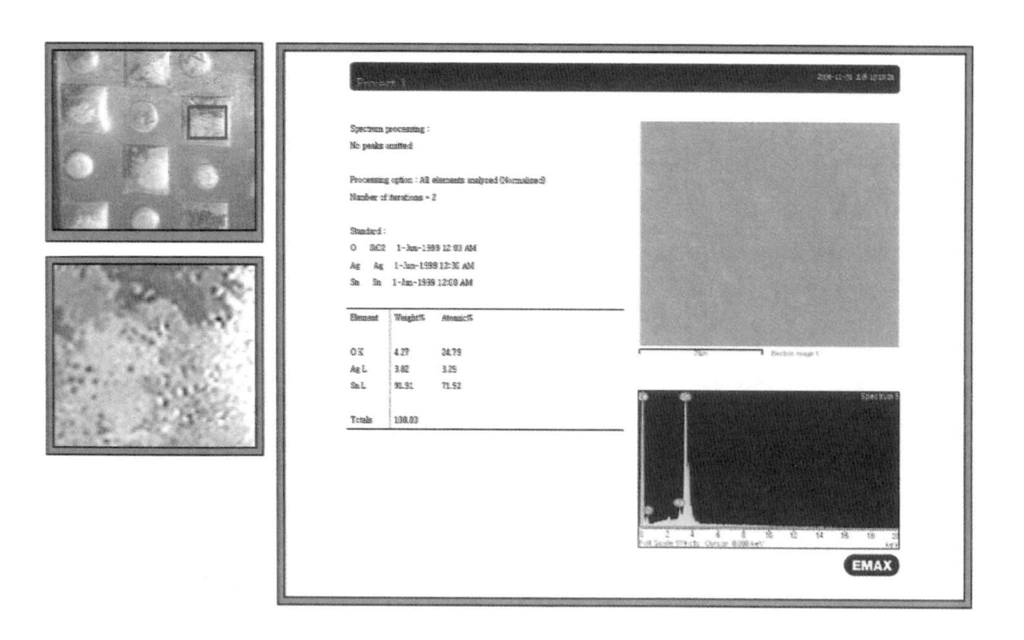

Spectrum processing :
No peaks omitted

Processing option : All elements analyzed (Normalised)
Number of iterations = 2

Standard :
O SiO2 1-Jun-1999 12:00 AM
Ag Ag 1-Jun-1999 12:00 AM
Sn Sn 1-Jun-1999 12:00 AM

Element	Weight%	Atomic%
O K	4.27	24.79
Ag L	3.82	3.29
Sn L	91.91	71.92
Totals	100.00	

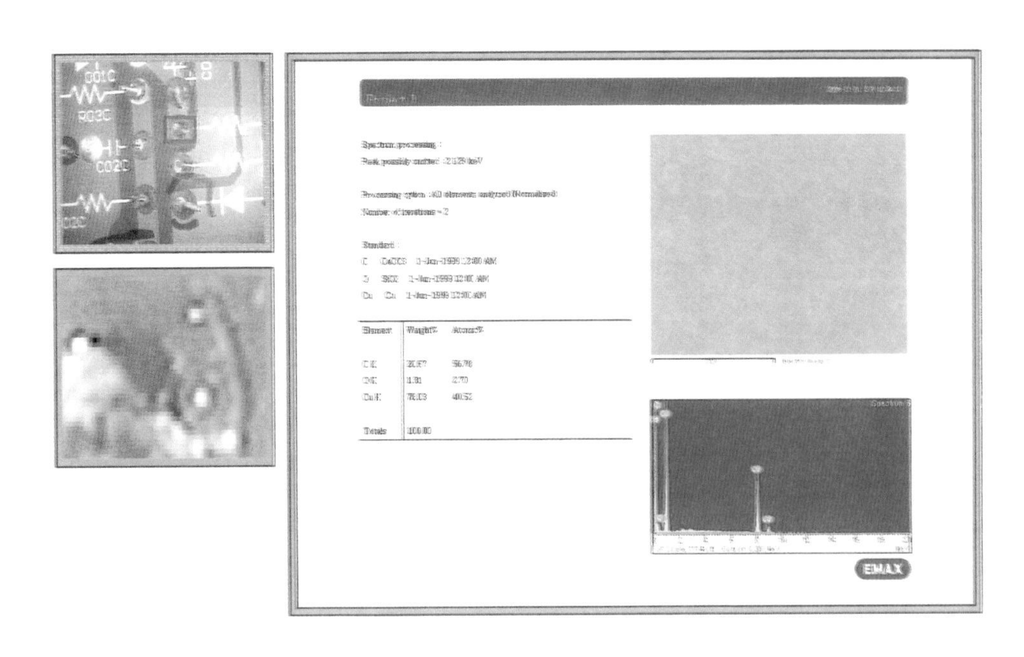

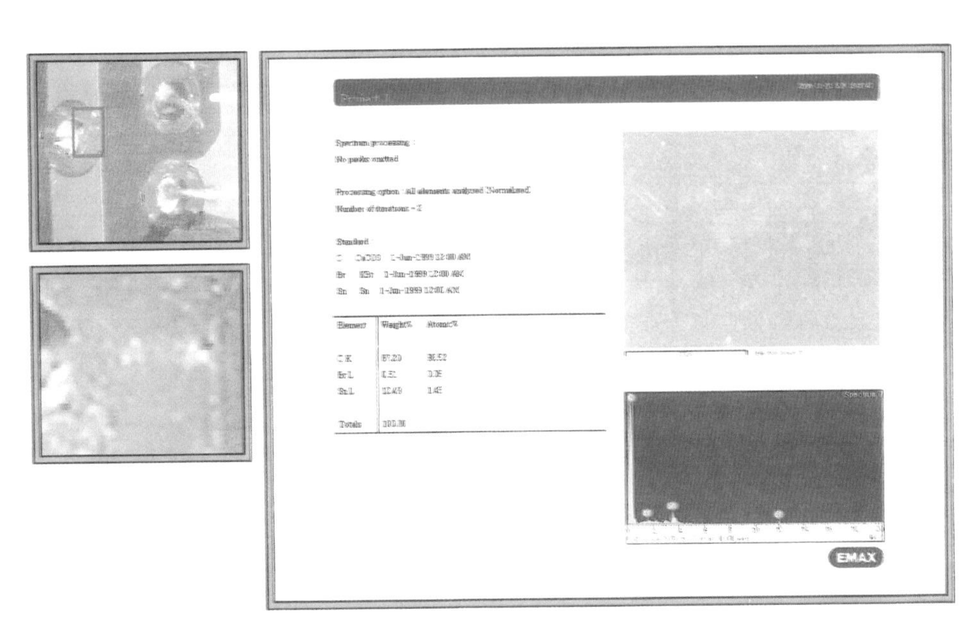

※ 분석결과 : EDX 분석결과 SMT/PCB 고유의 성분인 PSR Ink (Br), Solder (Sn Ag Cu) 이외의 별 다른 성분이 검출 되지 않는 것으로 나타남.

4. OSP LINE 재현성 TEST

1) PSR 이후 부식 고정에 대한 재현성 Test (OSP Line)

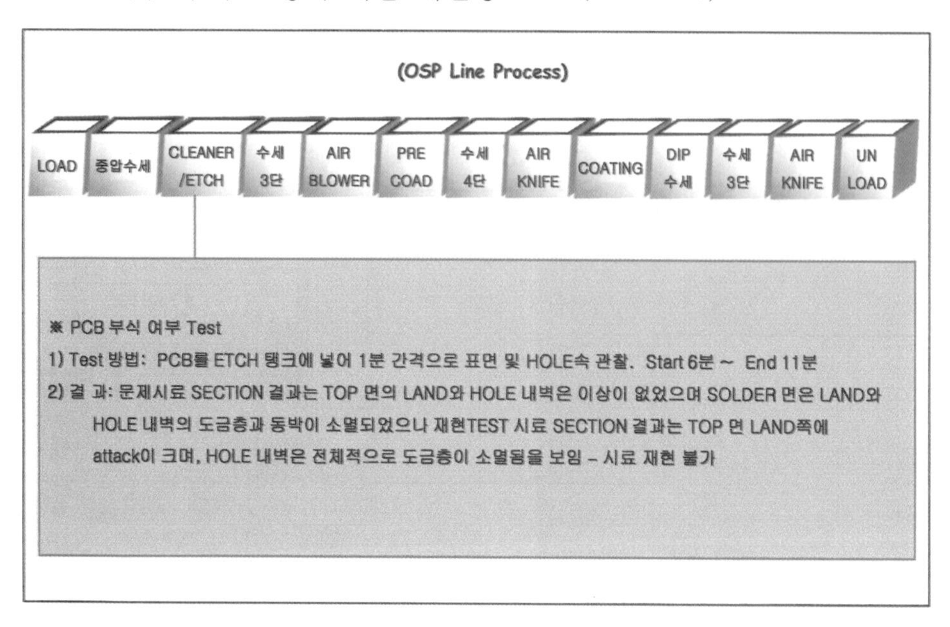

(OSP Line Process)
LOAD
중압수세
CLEANER /ETCH
수세 3단
AIR BLOWER
PRE COAD
수세 4단
AIR KNIFE
COATING
DIP 수세
수세 3단
AIR KNIFE
UN LOAD
※ PCB 부식 여부 Test
1) Test 방법: PCB를 ETCH 탱크에 넣어 1분 간격으로 표면 및 HOLE속 관찰. Start 6분 ~ End 11분
2) 결 과: 문제시료 SECTION 결과는 TOP 면의 LAND와 HOLE 내벽은 이상이 없었으며 SOLDER 면은 LAND와 HOLE 내벽의 도금층과 동박이 소멸되었으나 재현TEST 시료 SECTION 결과는 TOP 면 LAND쪽에 attack이 크며, HOLE 내벽은 전체적으로 도금층이 소멸됨을 보임 – 시료 재현 불가

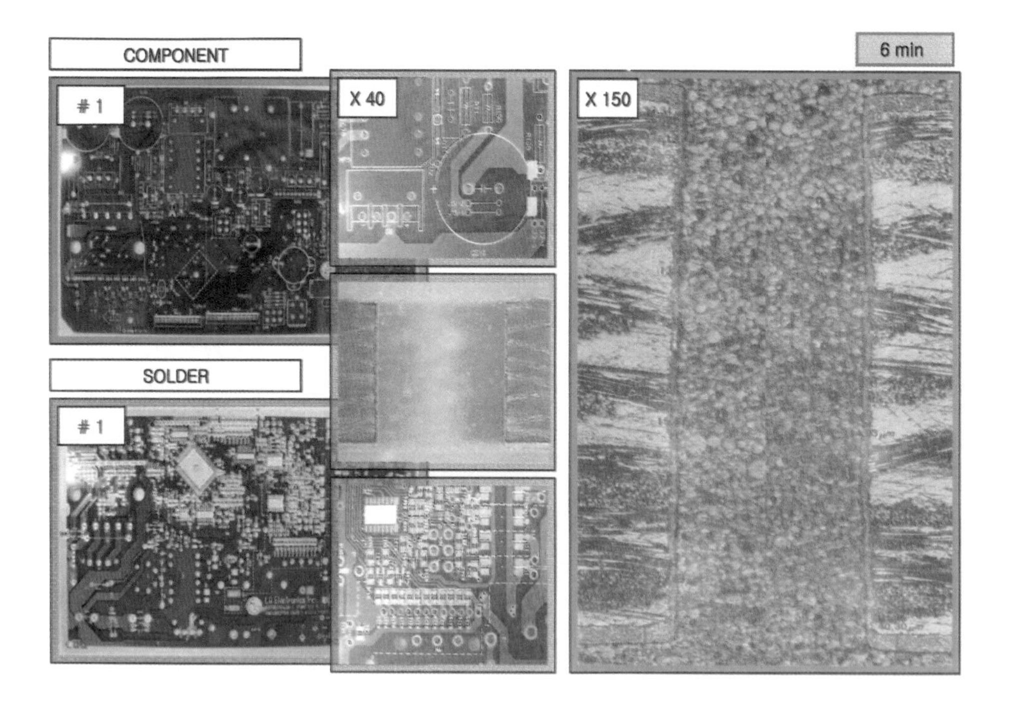

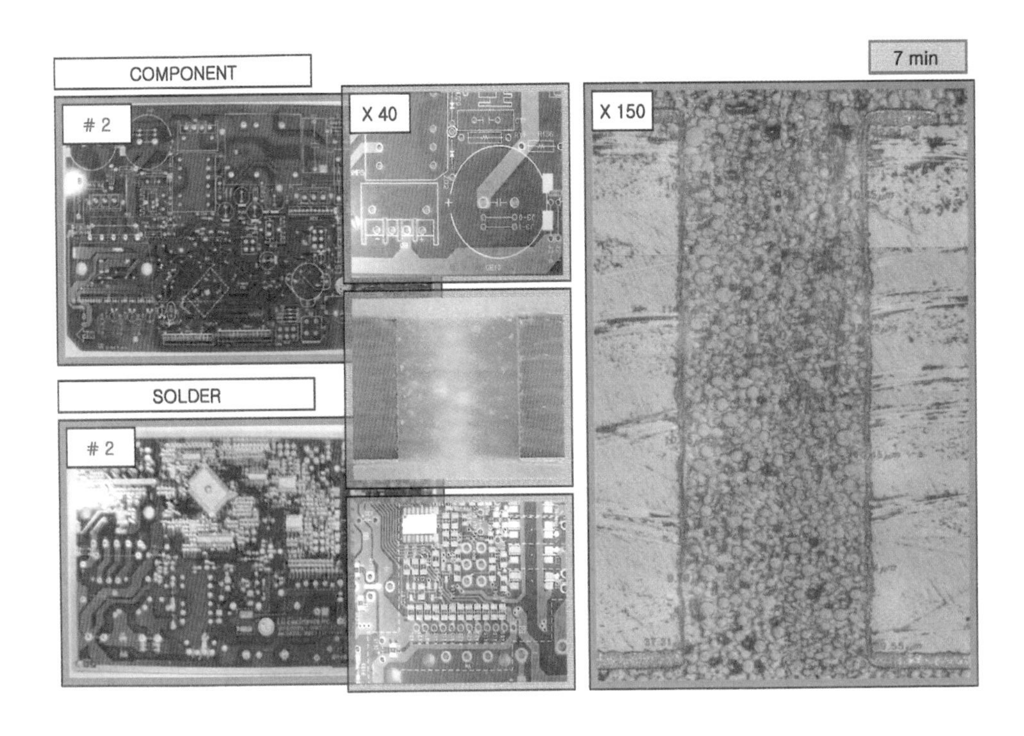
COMPONENT
2
X 40
X 150
7 min
SOLDER
2

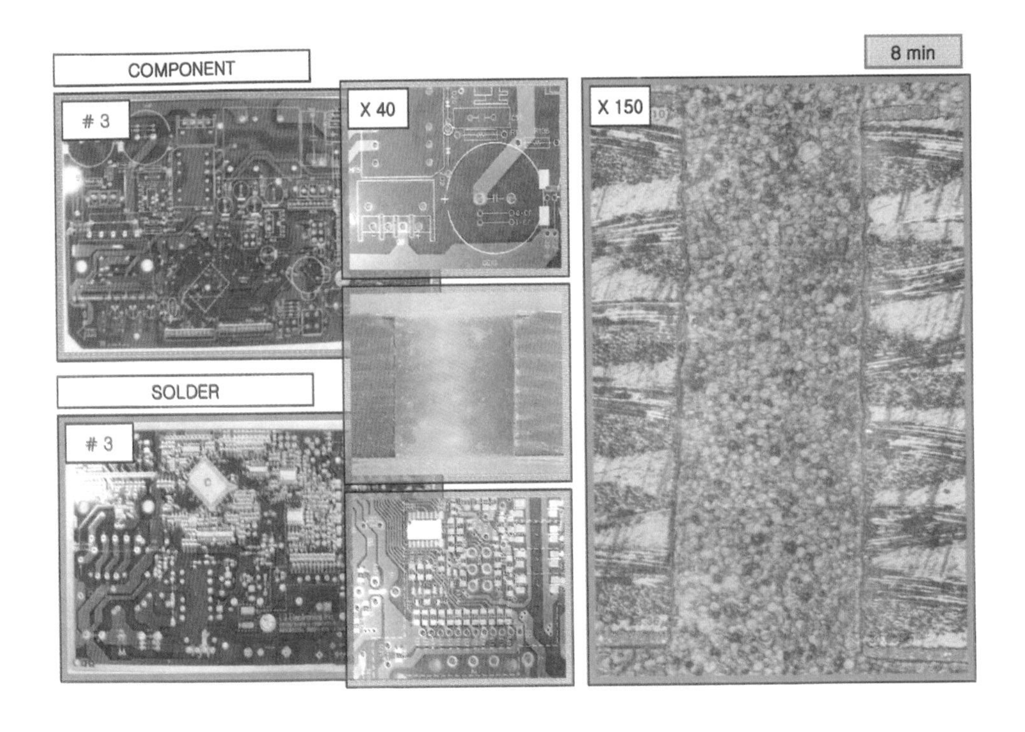
COMPONENT
3
X 40
X 150
8 min
SOLDER
3

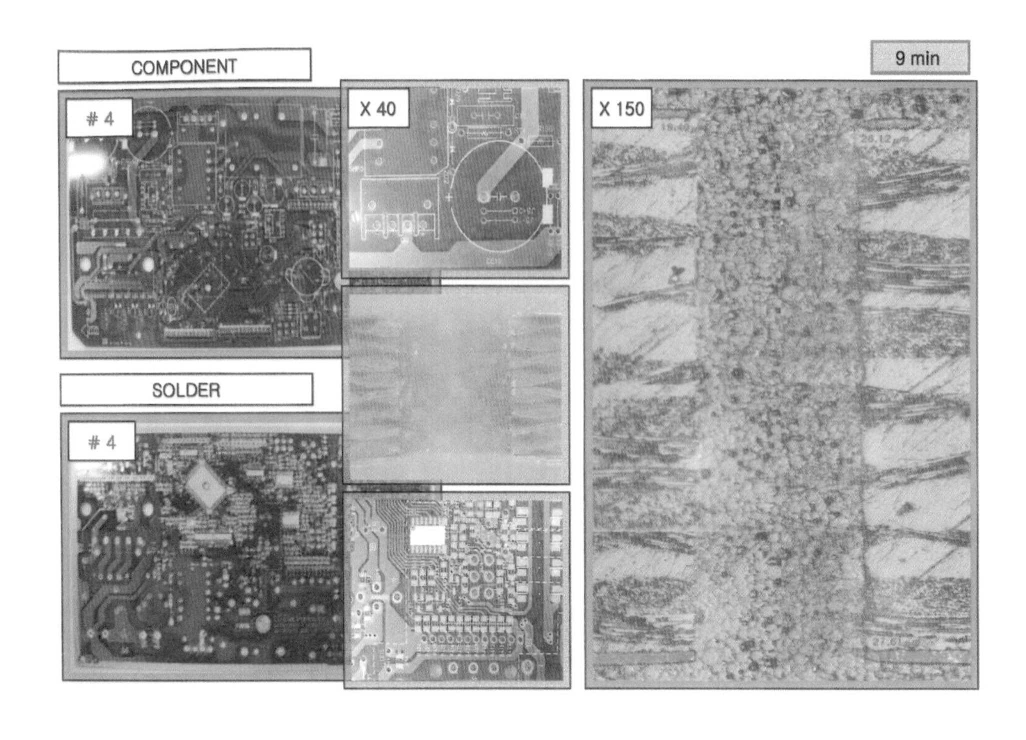
COMPONENT
4
X 40
9 min
X 150
SOLDER
4

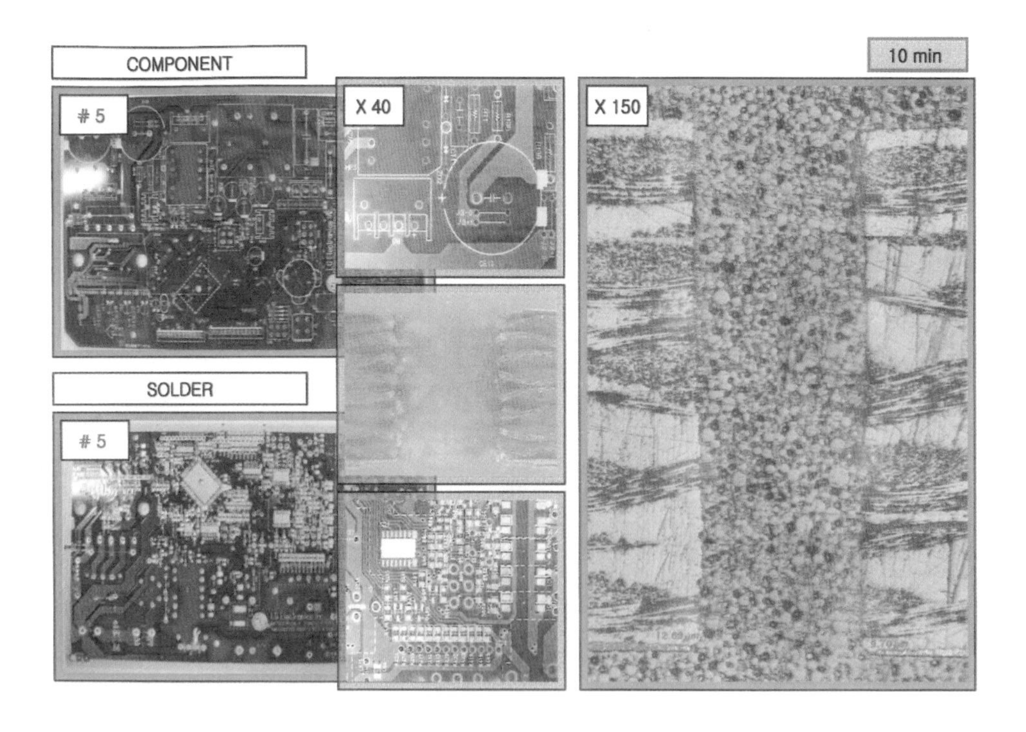
COMPONENT
5
X 40
10 min
X 150
SOLDER
5

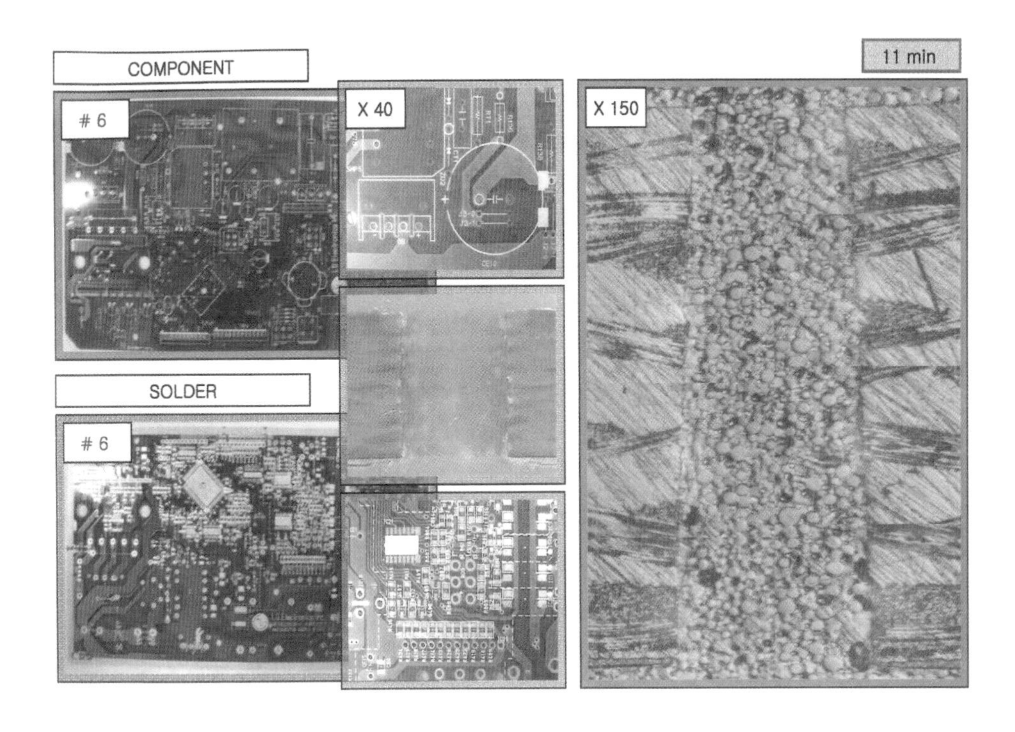

2) Ass' y 제품 HOLE LAND 소멸/부식 여부 Test (PSR 이후 불량 추정)

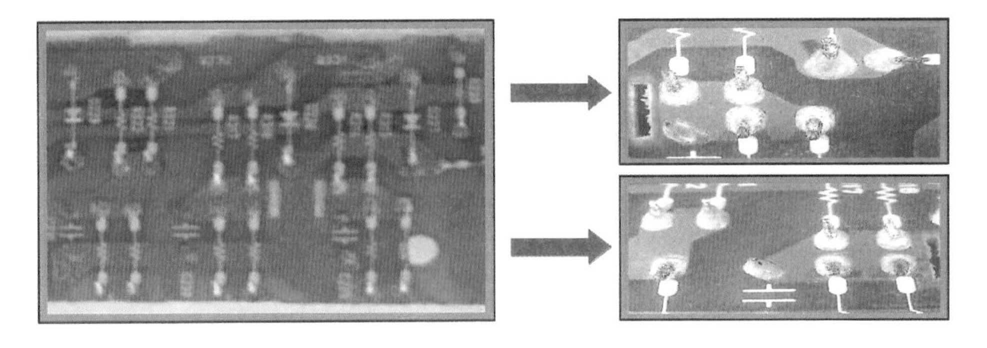

시료의 재현을 위하여 ETCH액에 60min 동안 방치하였으나 재현이 불가하였음. LEED 소멸현상은 보이지 않았고 LAND 부위는 Attack을 받지 않는 현상을 보였음.

5. 분석 및 Test 결과

· 문제 Point 이외의 다른 부위 또는 반대편 도금두께 이상 없음.

· PSR 이후 불량이라고 추정이 되나 PCB OSP (Flux) 공정의 Soft Etching 은 아님.
[ASS'Y 후 Copper, Solder(납), 부품리드가 동시에 Attack(영향)을 받아 소멸된 것으로 사료됨]

6. 의견

HOLE LAND 소멸 관련하여 분석 및 TEST 결과 PCB 제품 상태의 불량으로 단순 판단하기는 어려우며 향후에 제품 진행 사항을 지켜보고 동일 유형 불량 발생에 대해서 지속적으로 유의 관찰하며 더 많은 시료 확보를 통해 정확한 원인 분석이 필요할 것으로 사료됩니다.

14-5 박판 치수 TEST

1. Reflow 후 48hr 치수 보증 관련 Test 진행

1) Test 관련 : S사 원판 2 sheet (4 Cut)에 대한 Proto type 진행하여 Reflow 후 48hr 도면 대비 PCB 치수 분포 및 보증 여부 결정
→ 최종적인 Bare 치수 및 Reflow 후 48hr 치수에 대한 평가 및 Data 재 보정 검토와 치수 보증 가능 여부 판단

2) Test 조건 : Drill + 40㎛ 보정, Image 보정 0로 작업 설정

3) 추가 사항 : 고객사 SMT Reflow 장비 조건과 당사 Reflow 장비 조건의 정합 Test 동시 진행 및 검증 평가 실시

4) 치수 분포 관련 고객 요구 사항

▷ T1 SPEC 기준

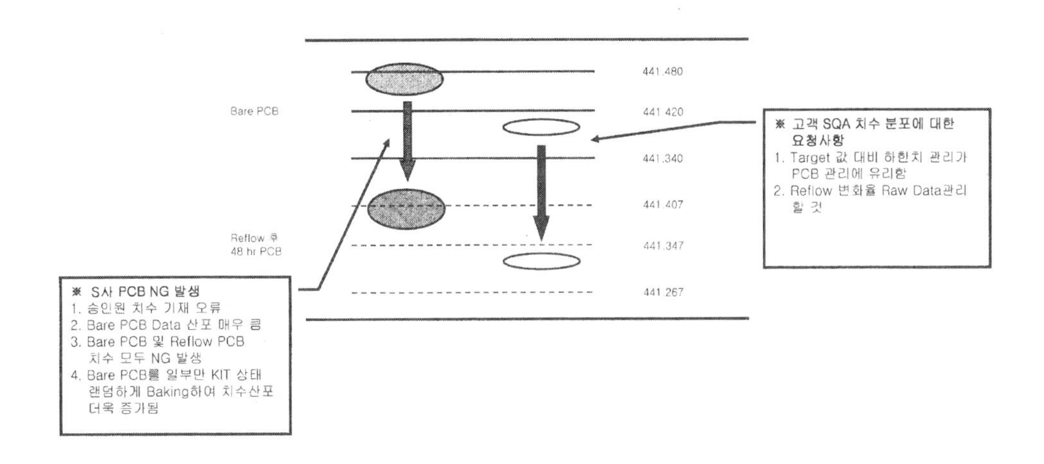

2. Bare PCB 최종품에 대한 결과

1) 공정 변화율 및 최종 Data 분석 결과 Image Data는 현재 Bare PCB 치수 및 Reflow 후 48hr 치수 모두 만족함
2) Drill Data는 현재 +40㎛ 상태도 Target 값으로 우수한 편이나, 자기 재고를 감안하여 Image와 동일한 관리를 위해 +20㎛으로 재수정 필요함.

TCP Pad Center 간 거리 (T1)		항목	측정값	SPEC 대비 치수 분포
Bare PCB SPEC	441.420	Maximum	441.441	-0.027
		Minimum	441.368	
		Average	441.393	
		Stdev	0.009	
		Range	0.043	
Guide hole 간 거리 (T3)		**항목**	**측정값**	**SPEC 대비 치수 분포**
Bare PCB SPEC	439.940	Maximum	439.977	-0.002
		Minimum	439.904	
		Average	439.938	
		Stdev	0.016	
		Range	0.073	

Guide hole 간 거리(T3)	Gerber Data	드릴 보정	드릴 후	도금 후	부식 후	AOI 후 (전수 수리)	인쇄 후 (PSR+ MK)	최종품 (금도금+ 최종 수세)	Reflow 후 48 hr
Max			측정 Point 오 측정	440.001	440.050	439.991	439.933	439.977	439.908
Min				439.937	439.954	439.900	439.879	439.904	439.937
Ave	439.94	439.98		439.966	439.990	439.937	439.908	439.938	439.870
Stdev				0.017	0.019	0.022	0.014	0.016	0.018
Range				0.064	0.096	0.091	0.053	0.073	0.072
공정 변화율		0.040		-0.014	0.024	-0.053	-0.030	0.030	-0.068
특이사항						S/M Film 수리 보정율	부식 양품은 -0.083 추정		

3. Reflow 후 48hr 분석 및 고객 &당사 Reflow 장비 정합화 결과

측정항목	Bare PCB SPEC		441.420	항목	측정값			변화율		비고
					Reflow 전	Reflow 후 24 hr	Reflow 후 48 hr	Reflow 후 24hr	Reflow 후 48 hr	
최 외곽 TCP Pad Center 간 거리 (T1)	USL	0.060	441.480	Max	441.398	441.330	441.340	-0.063	-0.053	SMT사 Reflow 실시품
				Min	441.368	441.277	441.287	-0.099	-0.087	
	LSL	-0.080	441.340	Ave	441.384	441.303	441.316	-0.081	-0.068	
				Stdev	0.007	0.013	0.011	0.010	0.008	
	Reflow 후 48 hr SPEC		441.347	Range	0.030	0.053	0.053	0.035	0.033	
				Max	441.411	441.371	441.371	-0.045	-0.034	PCB사 Reflow 실시품
	USL	0.060	441.407	Min	441.379	441.294	441.305	-0.089	-0.079	
				Ave	441.397	441.324	441.335	-0.074	-0.063	
	LSL	-0.080	441.267	Stdev	0.007	0.016	0.016	0.013	0.013	
				Range	0.032	0.069	0.066	0.044	0.044	

측정항목	Bare PCB SPEC		439.940	항목	측정값			변화율		비고
					Reflow 전	Reflow 후 24 hr	Reflow 후 48 hr	Reflow 후 24hr	Reflow 후 48 hr	
Guide hole 간 거리 (T1)	USL	0.080	440.020	Max	439.977	439.897	439.908	-0.063	-0.053	SMT사 Reflow 실시품
				Min	439.904	439.825	439.837	-0.100	-0.089	
	LSL	-0.080	439.860	Ave	439.940	439.859	439.870	-0.08	-0.071	
				Stdev	0.017	0.018	0.018	0.010	0.009	
	Reflow 후 48 hr SPEC		439.867	Range	0.073	0.072	0.072	0.037	0.036	
				Max	439.975	439.899	439.910	-0.022	-0.010	PCB사 Reflow 실시품
	USL	0.080	439.947	Min	439.96	439.818	439.829	-0.092	-0.081	
				Ave	439.937	439.864	439.874	-0.072	-0.061	
	LSL	-0.080	439.787	Stdev	0.016	0.018	0.018	0.016	0.016	
				Range	0.069	0.081	0.081	0.070	0.071	

1) 승인원 및 고객 요구 SPEC에 대한 일정 분포 만족하나, 일부 Data 재 수정하여 양산 LOT 투입 실시 예정

2) LOT의 Range 폭이 Reflow oven을 거칠수록 더욱 커지기 때문에 추가적으로 현재의 부식 ±20㎛ 에서 ±15㎛ 롤 추가 검토 필요함

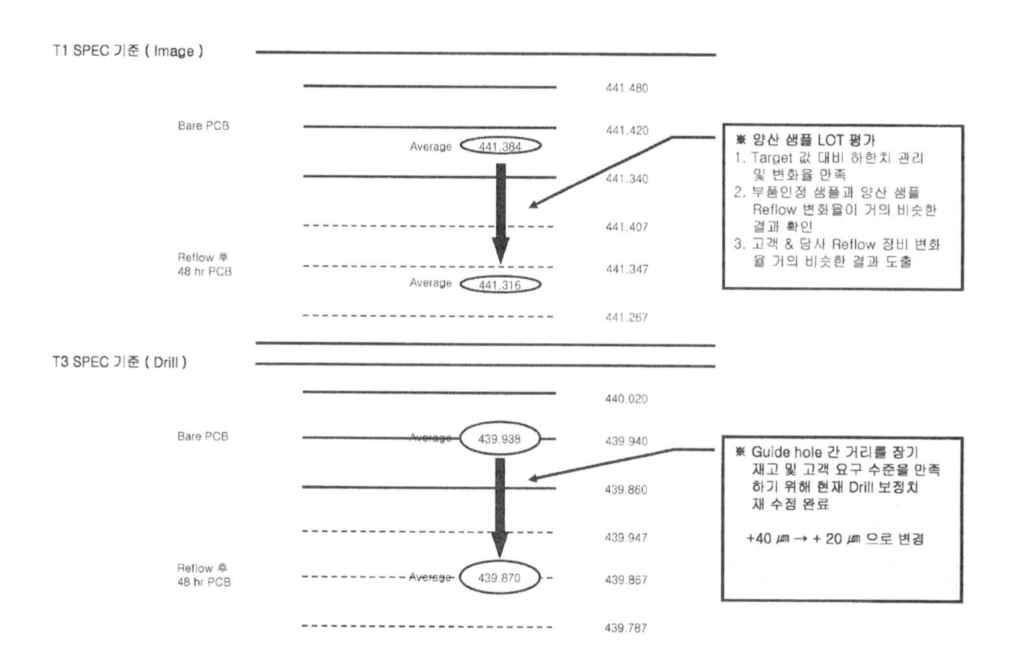

4. 원판 별 비교 분석 (2개 회사)

1) Test 조건 : S 사 2차 샘플과 동일한 Drill & Image 조건으로 SI 원판 양산 Test 실시

2) Drill 보정 + 40㎛, Image 보정 0 로 작업 설정

3) 원판 Test 결과 : S원판과 SI원판의 치수 차이는 거의 없는 것으로 판단됨 (단, 0.7T 원판 외 다른 두께 진행시 재 Test 필요함)

최 외곽 TCP Pad Center 간 거리	Bare PCB SPEC	S 1차 샘플	S 2차 샘플	SI 양산 1차	Reflow 후 48 hr SPEC	S 1차 샘플	S 2차 샘플	SI 양산 1차
Maximum		441.433	441.421	441.411			441.341	441.340
Minimum		441.366	441.376	441.368			441.310	441.287
Average	441.420	441.407	441.399	441.393	441.347		441.326	441.316
Stdev		0.018	0.015	0.009			0.011	0.011
Range		0.067	0.045	0.043			0.031	0.053
Average-SPEC		-0.013	-0.021	-0.027				
보정 관련 이력 사항		× 보정 +0.02	× 보정 0	× 보정 0				

최 외곽 TCP Pad Center 간 거리	Bare PCB SPEC	S 1차 샘플	S 2차 샘플	SI 양산 1차	Reflow 후 48 hr SPEC	S 1차 샘플	S 2차 샘플	SI 양산 1차
Maximum		439.928	439.942	439.977				439.908
Minimum		439.913	439.908	439.904				439.837
Average	439.940	439.949	439.922	439.938	439.867			439.870
Stdev		0.022	0.010	0.016				0.018
Range		0.068	0.033	0.073				0.072
Average-SPEC		0.009	-0.018	-0.002				
보정 관련 이력 사항		× 보정 +0.06	× 보정 +0.04	× 보정 +0.04				

4) Data 보정 관련

자재 비교	드릴(㎛)	IMAGE (Scale)	TCP PAD 방향	부식 Taeget	부식범위	원판 방향
S	+40	×100.002, Y 100	×방향	441.440	441.42-46	결방향
SI	+40	×100, Y100.01	×방향	441.420	441.40-44	결방향

5. 모델의 Reflow 후 48 hr 진행에 대한 종합 결론

1) 본 양산 모델의 Reflow 후 48 hr 치수에 대한 양산 Test 결과 양산화 진행에 산포만 작게 관리할 경우 양산화 가능함

2) 고객으로 샘플 제작 요청 들어오는 모든 모델에 대해서 종합적인 치수 검토 및 Raw Data 관리 필요함
   → 자재 및 사양&생관 샘플 진행에 적극적인 협조가 동반되어야 함.

3) 고객사와 당상 Reflow 후 48 hr 결과를 송부받아 Raw Data화 실시

4) S원판과 SI원판과의 0.7 T H/H 원판 비교 Test 결과 큰 유의차는 없었음
   → 양산 투입 진행에 전혀 무리없음. 단, 다른 두께 진행 시 재 Test 필요함

14-6 FILM 신축 TEST

1. 테스트 목적

사용 필름의 품질을 비료 테스트하여 보다 나은 제품을 선정하기 위함

2. 테스트 필름 종류

· 코닥 ERF-7

· 코닥 SO903

3. Test 결과

· ERF-7 변화 범위

- 장축 : 584.9705~585.04 (최대 69.5㎛ 변화)
- 단축 : 484.9945~485.0435 (최대 49㎛ 변화)

· SO903 변화 범위

- 장축 : 584.9845~585.0265 (최대 42㎛ 변화)
- 단축 : 482.02~484.9865 (최대 33.5㎛ 변화)

4. 의견

코닥측에서 제공한 정보 및 당사에서 테스트 결과를 비교하여 볼 때 기존 필름(ERF-7)보다 교체 검토중인 필름 (SO-903)의 품질이 온, 습도 변화에 상대적으로 신축범위가 적었으며 안정화되었음 실제 TEST를 통해 알 수 있었다.

따라서, 사용 필름을 온습도에 안정성이 높은 ERF-7에서 SO903으로 변경해야 한다.

5. 테스트 방법

동일한 CAM DATA로 2종의 필름을 출력하여 필름실에서 1주일간 방치하며 4시간 단위로 필름의 스케일 변화 정도를 측정 비교실시.

6. 참고(코닥 자료 제공) : 온, 습도변화에 따른 필름의 신축율

· 온도 : 0.0018% / ℃ (SO903, ERF-7 공통)

· 습도

(a) EFR-7

Unprocessed : 0.0013% per %RH , Processed :0.00126% per %RH

(b) SO903

Unprocessed : 0.0011% per %RH , Processed :0.0009% per %RH

14-7 내 · 외층 SHORT 발생 비교 TEST

1. 목적

   내층 SHORT 불량 판정에 대하여 지난 수개월간의 테스트 데이터를 비교 분석하기 위함임

2. 분석 모델 : A

3. 분석 내용

· 모델특징
· 최근 3개월간 내·외층 공정 불량 분석
· 테스트 i - 외층 AOI 검사 실시에 따른 BBT 수율 효과 분석
· 테스트 ii - 내층 L2, L3 AOI 검사 실시에 따른 BBT 수율 효과 분석

4. 모델 특징

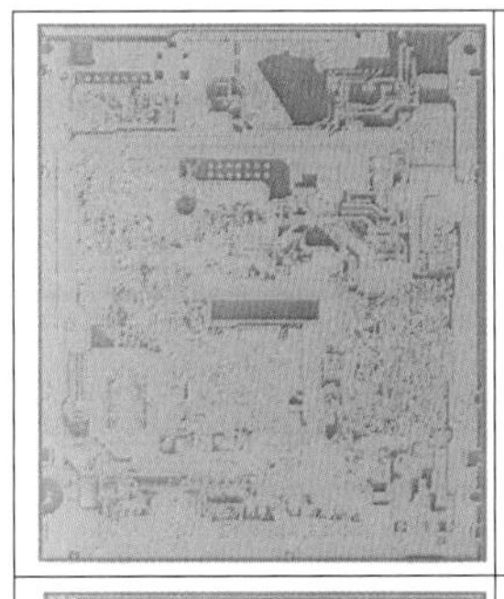	LAYER1(외층) SIGNAL PATTERN Min 회로폭 :175㎛ Min 회로간격 :91㎛ AOI 검사 실시 여부 : 무검사 진행		LAYER4(외층) SIGNAL PATTERN AOI 검사 실시 여부 : 무검사 진행
	LAYER2(내층) SIGNAL PATTERN Min 회로폭 :160㎛ Min 회로간격 :90㎛ AOI 검사 실시 여부 : 100% AOI 검사 실시	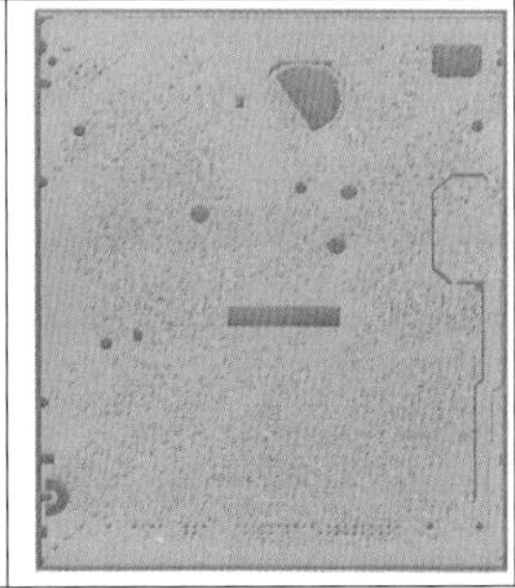	LAYER4(외층) GROUND PATTERN AOI 검사 실시 여부 : 무검사 진행

5. 최근 3개월간 A모델의 내, 외층 공정 불량 분석

구분	생산SM (내층 생산 기준)	OPEN/결손		SHORT		합계	
		SM	불량율	SM	불량율	SM	불량율
내층	14,516.28 SM	65.93 SM	0.45%	151.58 SM	1.04%	217.51 SM	1.50%
외층		116.31 SM	0.80%	54.95 SM	0.38%	171.26 SM	1.18%

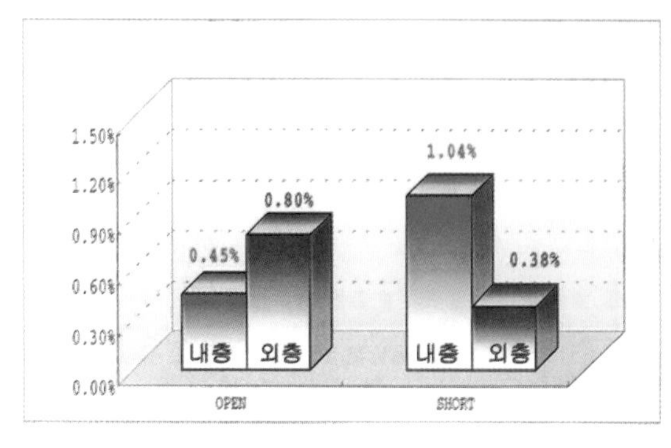

· OPEN 불량의 경우 외층이 내층에 비하여 약 2배정도 높음
· SHORT 불량의 경우 내층이 외층에 비하여 약 3배정도 높음
· 내층 : L2-AOI 검사, L3-무검사 진행
· 외층 : L1, L4-양면 무검사 진행

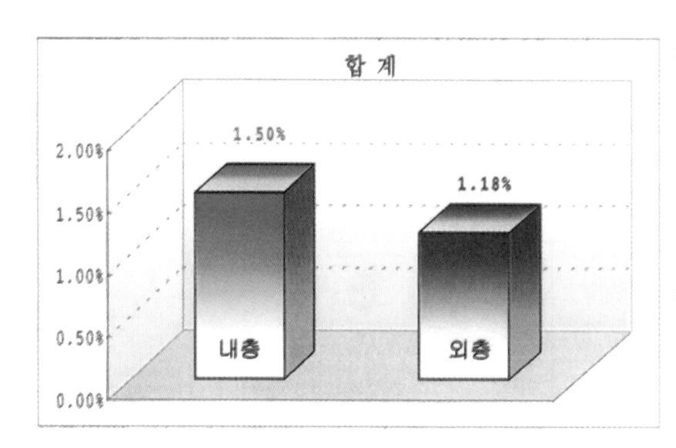

· OPEN, SHORT 를 합계한 불량률에서도 내층이 외층에 비하여 불량률이 약 27% 더 높게 나오고 있음
· 내층이 외층에 비하여 불량률이 더 높은 이유는 SHORT 불량률의 차이 때문에 발생하는 것임

6. 테스트 i - 외층 AOI 검사 실시에 따른 BBT 수율 효과 분석

1) 테스트 방법

구분	LAYER	테스트 i	일반 작업 조건	비고
내층검사방법	LAYER2	AOI 검사	AOI 검사	
	LAYER3	무검사 진행	무검사 진행	
외층검사방법	LAYER1	AOI 검사	무검사 진행	
	LAYER4	AOI 검사	무검사 진행	

① 테스트 LOT 선정 : 인쇄 대기중인 동 모델 4카드 (600판넬) 선정

② 외층 검사 실시 : 내층 중검에서 외층 L1,4 양면 AOI 검사 및 수리 실시
- 불량률 및 수율 산출

③ 공정 진행 : 외층 양면 수리 완료 후 나머지 공정인 인쇄, 외형 가공 진행

④ BBT 검사 : BBT에서 공정별 불량률 산출

2) 외층 LAYER1,4 - AIO 검사 결과 (검사 : 내층 중검)

- 검사 판넬 수량 : 600 판넬, 검사 KIT 수량 : 2,400KIT

수량 : 불량 포인트

구분	OPEN	결손	핀홀	SHORT	잔류동	덧살	폐기	합계
LAYER1	56	274	70	40	40	56	26	562
LAYER4	68	110	16	40	62	73	26	395
합계	124	384	86	80	102	129	52	957

구분	총 검사 판넬	양품 판넬	수리 판넬	폐기KIT
판넬수량	600	252	298	50
점유율	100.0%	42.0% (AOI 직행율)	49.7%	8.3%

3) BBT검사 결과

구분	OPEN		SHORT		ISOLATION SHORT
	내층	외층	내층	외층	내층 정리 예정
불량KIT 수량	3	8	28	0	3
KIT 불량율	0.13%	0.34%	1.18%	0%	0.13%

4) 테스트 결과 분석

① 평소에 외층 무검사로 진행하는 동 모델을 AIO 검사해본 결과 이전 페이지에 나와 있는 대로 OPEN, SHORT 불량 발생이 상당함을 알 수 있다.

구분	OPEN	결손	핀홀	SHORT	잔류동	덧살	폐기	합계
LAYER1	56	274	70	40	40	56	26	562
LAYER4	68	110	16	40	62	73	26	395
합계	124	384	86	80	102	129	52	957

② OPEN 불량이 SHORT 불량에 비하여 약 55% 높은 것을 알 수 있으며 이번 600판넬 2,400KIT의 AIO 검사 시에 총 957번의 수정칼 내지는 수리 작업이 이루어졌다.

③ 물론 위의 불량 포인트는 판넬위의 모든 불량을 체크한 것이기 때문에 1KIT 안에 여러 포인트의 불량이 있을 수 있다는 전제를 생각 하여야만 한다.

④ OPEN 이던 SHORT 불량이던 간에 KIT위에 단 한 포인트라도 존재할 경우 그 KIT는 BBT에서 불량으로 판정되므로 위의 불량 포인트로 BBT 패스율까지 추정하는 것은 무리가 있었다.

⑤ 만약 LAYER1을 기준으로 발생한 불량 포인트로 BBT 불량률을 산출한 결과와 최근 3개월간의 외층 불량과의 비교 자료는 다음과 같아.

구분		OPEN	SHORT
테스트 (AOI 검사)	LAYER 1	56	40
	불량률	2.33%	1.67%
3개월 평균	외층	0.80%	0.38%

▷ AOI 검사에서는 발견되는 SHORT 불량을 수리하지 않고 진행함에도 불구하고 BBT에서는 불량이 왜 감소하는지 이유를 알 수 없다.

⑥ 테스트 모델의 BBT 결과와 최근 3개월간의 내외층 불량률 비교

구분		OPEN		SHORT		ISOLATION SHORT
		내층	외층	내층	외층	내층 정리 예정
테스트 모델 BBT 결과	불량KIT 수량	3	8	28	0	3
	KIT 불량률	0.13%	0.34%	1.18%	0%	0.13%
최근 3개월 불량률		0.45%	0.80%	1.04%	0.28%	
최근 3개월 불량률 대비 증감률		71%감소	58%감소	5%증가	100%감소	

⑦ 내층 중검에서 외층을 AOI 검사 후 BBT를 한 결과 내층 OPEN은 71% 감소하였고, 외층 OPEN은 59% 감소한 것을 확인할 수 있었다.

⑧ 반면에 SHORT 불량의 경우 내층은 오히려 9%가 증가하였고, 외층은 SHORT 불량이 ZERO인 것으로 판정되었다. 이외에 미세 쇼트인 ISOLATION SHORT가 0.13%가 있었는데 보통 당사에서는 MLB의 ISOLATION SHORT는 내층으로 정리되고 있다.
(양면 제품의 ISOLATION SHORT는 외층으로 정리되나 MLB의 ISOLATION SHORT는 전량 내층으로 정리되는 점 또한 이해할 수 없는 불량 정리 항목이다. MLB의 ISOLATION SHORT는 과연 내층에서만 발생하고, 외층에서는 전혀 발생하지 않는다는 기준을 도대체 누가 세웠는가?)

⑨ 외층을 AOI검사 및 수리 후 BBT 결과 내층의 OPEN 불량률이 감소한 것도 이해하기 힘든 부분이다. 만약 20~30%의 불량 감소율이 이었다면 테스트라는 특수성 때문이라고 생각할 수 있지만 71%의 감소율은 어떻게 분석해야 할지 보고자도 난감하다.
외층 OPEN을 수리하고 BBT를 했는데 내층이 감소했다는 결과는 그동안 외층 OPEN이 내층으로 판정나는 오류가 있었다는 사실로 받아들여도 될지 모르겠다.

⑩ 외층 OPEN 감소율 59%라는 것은 외층 OPEN 불량을 미리 중검에서 수리한 효과로 볼 수 있다. (수리 : 외층 중검)

⑪ SHORT 불량의 경우 내층 SHORT 불량은 9%정도 증가한 결과를 확인하였으므로 이번 테스트에서는 외층을 수리하였을 때도 내층 SHORT 불량 감소를 기대할 수 없다고 추정할 수 있다.

7. 테스트ii - 내층 L2, L3 AOI검사 실시에 따른 BBT 수율 효과 분석

1) 테스트 방법

구분	LAYER	테스트 i	일반 작업 조건	비고
내층검사방법	LAYER2	AOI 검사	AOI 검사	내층만 검사 방법 변경
	LAYER3	AOI 검사	무검사 진행	
외층검사방법	LAYER1	무검사 진행	무검사 진행	외층은 변함 없음
	LAYER4	무검사 진행	무검사 진행	

① 테스트 LOT 선정 : 내층 검사 대기중인 동 모델 10카드 (1,600판넬) 선정

② 내층 검사 실시 : 내층 중검에서 외층 L2, 3 양면 AOI 검사 및 수리 실시
- 불량률 및 수율 산출

③ 공정 진행 : 외층은 일반 작업 조건대로 무검사 진행 후 BBT까지 별도 관리 진행

④ BBT 검사 : BBT에서 공정별 불량률 산출

2) 내층 LAYER2,3 - AIO 검사 결과 (검사 : 내층 중검)

- 검사 판넬 수량 : 1,600 판넬, 검사 KIT 수량 : 6,400KIT

수량 : 불량 포인트

구분	OPEN	결손	핀홀	SHORT	잔류동	덧살	폐기	합계
LAYER2	260	1,010	16	316	649	353	4	2,608
LAYER3	3	2	0	2	93	55	0	145
합계	263	1,012	16	318	732	408	4	2,753

3) BBT검사 결과

구분	OPEN		SHORT		비고
	내층	외층	내층	외층	
불량KIT 수량	42	48	65	35	
KIT 불량율	0.66%	0.75%	1.02%	0.55%	

4) 테스트 결과 분석

① 내층 L2, L3의 패턴이 상이한 만큼 불량 포인트 검출 결과도 대족적인 결과를 볼 수 있었다.

구분	OPEN	결손	핀홀	SHORT	잔류동	덧살	폐기	합계
LAYER2	260	1,010	16	316	649	353	4	2,608
LAYER3	3	2	0	2	93	55	0	145
합계	263	1,012	16	318	732	408	4	2,753

② 예상대로 SIGNAL PATTERN인 L2의 불량 포인트가 GROUND PATTERN인 L3에 비하여 약 18배의 불량을 확인하였다.

③ 평소에 무검사로 진행하는 L3의 불량중 BBT에서 불량으로 판정나는 OPEN과 SHORT 불량이 테스트 전에 생각했던 것보다 적었다는 점을 확인하였으며, 이는 현재의 검사 방식인 무검사 방식이 도 모델의 적합한 검사 방법이라는 것을 알 수 있었다.

④ 만약LAYER2을 기준으로 발생한 불량 포인트로 BBT 불량률을 산출한 결과와 최근 3개월간의 내층불량과의 비교 자료는 다음과 같다.

구분		OPEN	SHORT
테스트 (AOI 검사)	LAYER 2	260	316
	불량률	4.07%	4.94%
3개월 평균	내층	0.45%	1.04%

⑤ 물론 위의 불량 포인트는 판넬위의 모든 불량을 체크한 것이기 때문에 1KIT 안에 여러 포인트의 불량이 있을 수 있다는 전제를 생각하여야만 한다.

⑥ OPEN 이던 SHORT 불량이던 간에 KIT 위에 단 한 포인트라도 존재할 경우 그 KIT는 BBT에서 불량으로 판정되므로 위의 불량 포인트로 BBT 패스율까지 단순 비교하는 것은 무리가 있었다.

⑦ 테스트 모델의 BBT 결과와 최근 3개월간의 내외층 불량률 비교

구분		OPEN		SHORT		비고
		내층	외층	내층	외층	
테스트 모델 BBT 결과	불량KIT 수량	42	48	65	35	
	KIT 불량률	0.66%	0.75%	1.02%	0.55%	
최근 3개월 불량률		0.45%	0.80%	1.04%	0.38%	
최근 3개월 불량률 대비 증감률		47% 증가	6% 감소	2% 감소	45% 증가	

⑧ 내층 OPEN 불량은 테스트 결과 오히려 최근 3개월 평균보다 47%가 증가되었으며, 외층 OPEN은 근 변함없는 결과를 볼 수 있었다.

⑨ 반면에 내층 L3을 전수 AOI 검사하였음에도 불구하고 내층 SHORT 불량률 2% 감소는 굳이 L3면까지 AOI 검사를 할 필요가 없는 것으로 생각할 수 있다.

⑩ 외층 SHORT 불량은 최근 3개월 평균보다 45% 증가된 결과를 확인하였다.

⑪ 결과적으로 내층 L2,3 면을 전수 AOI 검사하고 외층을 무검사로 진행하여 BBT를 한 결과 내층 OPEN 불량과 외층 SHORT 불량 증가라는 이해할 수 없는 결과를 확인하였다.

8. 결론

· 본 보고자가 전달하고자 하는 내용을 한 문장으로 요약하자면 다음과 같으며, 이를 증명하기 위하여 이번 테스트와 보고서를 작성하는 것이다.

① 내층에서 작업하는 제품은 일부 모델을 제외하고는 AOI 전수 검사를 실시하여 양품만 후 공정으로 인계하지만 BBT 검사를 하게 되면 외층에 비하여 SHORT 불량률이 높게 나오는 것을 이해할 수 없다.

② 외층은 내층에 비하여 일부 모델만 AOI 검사를 실시하고 있으므로 불량품이 분명히 SKIP 되어 후 공정으로 진행되지만 BBT 에서는 내층에 비

하여 SHORT 불량이 적은 것으로 판정되는데 이 또한 이해할 수 없다. 저알 SHORT 불량이 없어서 BBT 에서 SHORT 불량이 낮은 것인가?

③ DOUBLE SIDE 모델에서 발생하는 ISOLATION SHORT는 외층으로 정리되지만 MLB 에서 발생하는 ISOLATION SHORT는 모두 내층으로만 정리되는 것에 대하여 이해할 수 없다.

④ REPAIR 공정에서 내, 외층 불량을 100% 선별이 가능하지 않으며, 최근 점점 감소되고 있는 REPAIR 인원으로는 정확한 공정 불량 판정이 더욱 힘든 상태이다.

⑤ 만약 내층 또는 외층 표면에 아주 미세하게 SHORT 내지는 동 잔사가 있는 상태에서 외층 표면으로 PST 잉크가 덮이고 또 그 위에 복잡하고 범위가 넓은 마킹 잉크가 덮어진다면 REPAIR 에서 그런 모델의 불량 판정을 정확하게 할 수 있는것인가?

· 금번 테스트를 통하여 얻은 몇 가지의 소득이라고 할 만한 내용은 다음과 같다.

① 외층에서 발생하는 OPEN, SHORT 불량이 BBT 에서는 외층 불량으로 판정되지 않을 가능성이 있다.

② 외층 불량을 중검에서 AOI검사 및 수리할 경우 BBT 에서 판정되는 내층 불량 감소가 가능하다.

③ 테스트 결과는 아니지만 ISOLATION SHORT의 고정 불량 판정 기준의 재확립이 필요하다.

④ 여러 가지 원인이 있겠지만 검사 공정에서 제품을 100% AOI 검사와 수리를 하여도 BBT 에서는 불량으로 판정될 수가 있다.

⑤ 외층 SHORT 포인트를 검사 공정에서 수리를 하여도 내층 SHORT 불량은 감소한다는 보장은 없다.

· 결론적으로 본 보고자가 확인하고자 했던 테스트 결과는 나오지가 않았다. 비슷한 결과치를 추정할 수는 있었지만 확실한 그거가 될 수 있는 데이터는 얻을 수 없었기에 자신있게 결론을 내리기에는 부족한 점이 있었다.
하지만 가장 큰 소득으로 말할 수 있는 점은 외층을 검사와 수리를 했을 때 분명히 내층 OPEN 이든 SHORT 불량이든 감소할 수 있다는 점을 확인하였으며, 외층 불량을 REPAIR 공정에서는 내층 불량으로 판정할 오류가 있다는 점을 또한 확인하였다.
물론 상기 결론에 대하여 이번 테스트 모델이 전 모델의 대표성을 가지고 있어야 된다는 전제 조건이 있기는 하지만 본인의 생각으로는 모델 나이도와 물량으로 봐서 충분히 대표성을 띄고 있을것으로 판단된다.

· 내층을 담당하는 엔지니어로서 항상 고민을 거듭하고 있는 문제인 내층 SHORT 개선 방안은 내층에서만 개선이 이루어진다고 해서 절대 SHORT 불량이 감소할 수는 없다. 이 문제는 내층뿐만이 아니라 내층 이후의 공정과 불량 판정 공정, 그리고 품질 관리팀의 불량 인식이 바뀌지 않는 한 절대 개선이 어려울 것으로 판단된다.

15. 신뢰성 분석

15-1 PCB 종합 ①,②,③,④,⑤,⑥

1. 종합 신뢰성 분석 ①

1) 회사명 : 000

2) 분석수량 : BARE BOARD 8PCS 16POINTS

(분석 POINT는 회사에서 지정)

3) PCB 사양

MODEL NO	REV NO	PART NO	기판두께	표면처리	PSR/MK	표면 A/W	LAYER
XM AMP	1	3042000944	1.6T	FLUX (OSP)	양면	QFP BGA	4

4) 분석내용

① POINT 지정 (B/D당 2POINTS) → 회사 지정

② MICRO - SECTION

(a) 부위 CUT

(b) MOLDING

(c) MICRO- SCOPE 육안분석

(d) 사진촬영

5) 분석결과

범례 : 0 → 양호함

시료 NO	주기	TEST NO	동도금두께(㎛/MIN)		ROUGHNESS (㎛)	VOID	SMEAR	검사 내용	신뢰성
			SURFACE	HOLE속					
1	09-40	1-1	57.46	23.88	23.88	O	O	ROUGHNESS 및 미세한 NAIL HEAD 발생	O
		1-2	56.72						
2	09-40	2-1	45.52	13.43	37.31	O	O	ROUGHNESS 심함으로 인한 동도금두께 얇음 1POINT 도금 겹침 발생	O
		2-2	44.78	16.42	41.04				
3	09-41	3-1	57.46	27.61	8.96	O	O	양호함	O
		3-2	58.96	26.12	5.22				

시료 NO	주기	TEST NO	동도금두께(㎛/MIN)		ROUGHNESS (㎛)	VOID	SMEAR	검사 내용	신뢰성
			SURFACE	HOLE속					
4	09-41	4-1	43.28	14.18	10.45	O	O	HOLE속 동도금 두께 얇음 부분적 약품 스밈으로 HOLE속 도금 결손	O
		4-2	41.04	17.16	16.42				
5	09-42U	5-1	56.72	21.64	15.67	O	O	양호함	O
		5-2	56.87	21.64	10.45				
6	09-42M	6-1	52.99	19.40	23.13	O	O	HOLE속 동도금 두께 얇음	O
		6-2	56.22	16.42	14.18				
7	09-42 KU-1	7-1	57.46	20.15	14.93	O	O	양호함 단 1POINT HOLE속 이물로 동도금 결손 발생	O
		7-2	59.70	24.63	19.40				
8	09-42 KU-1	8-1	57.46	20.90	15.67	O	O	양호함	O
		8-2	56.72	20.15	17.16				

6) 평가

NO	유형	원인	의견
1	HOLE속 ROUGHNESS	1. DRILL PARAMETER ① RPM ② IN FEED RATE ③ RTR 2. DRILL BIT 3. STACKING 표준	1. HOLE속 ROUGHNESS는 15-20㎛ 까지는 허용범위이며 그 이상 발생시에도 동도금만 SPES 범위면 신뢰성에 문제가 없다고 판단 (HDI 제품 제외) 2. 시료 NO2(09-40) 제품이 제일 심함 3. 전체적으로 DRILL 공정 개선 필요 시료 NO3(09-41) 수준 요구 희망
2	HOLE속 동도금두께	1. 동도금 PARAMETER ①전류밀도	1. 기판두께 1.6T 기준으로해서 동도금 두께는 MIN 25㎛가 제일 양호함 ① MIN 20㎛ → 일반적 신뢰성 문제없음 ② MIN 11㎛ → HOLE속 ROUGHNESS가 SPEC범위면 일반적으로 신뢰성 문제없음 단 동도금두께 PARAMETER 변경으로 MIN 20㎛ 이상 관리 요망 ③ 9㎛ 이하 → 신뢰성 보증 어려움 2. 기판두께에 따라 HOLE속 도금두께 다름
3	HOLE속 EPOXY 겹침	DRILL작업 시 BIT 파손등으로 GLASS EPOXY 거칠어짐	1. 2-2 HOLE에서 1POINT 발생하였으나 VOID(OPEN)까지는 연결안됨
4	HOLE속 약품침투	FLUX 작업 시 HOLE속 PSR 끝부분위에 부분적 약품침투로 부분적 결손 발생	1. FLUX 작업 시 재처리가 발생할 경우 별도 관리 요망 2. 액 침투가 심한 경우 VOID(OPEN) 또는 CRACK 까지 발생 가능
5	HOLE속 이물질	DRILL 또는 동도금시 이물질이 붙어있다가 동도금후 떨어짐으로 HOLE속 결손	1. VOID(OPEN)까지는 발생 안함 2. DRILL 작업 시 EPOXY 잔사 및 동도금 TANK의 이물질 관리 요망

7) 결론

① 주기별로 HOLE속 CONDITION 다름

② DRILL 및 동도금 공정관리 필요함

③ PCB APPLICATION에 따라 다르겠지만 SAMPLE 시료 확인결과 일반적으로 ASS'Y이후 신뢰성에는 큰 문제가 없다고 판단됨

8) 첨부

① MICRO-SECTION PHOTO → 8 SHT 20POINT

② MOLDING 시료 → 15ea

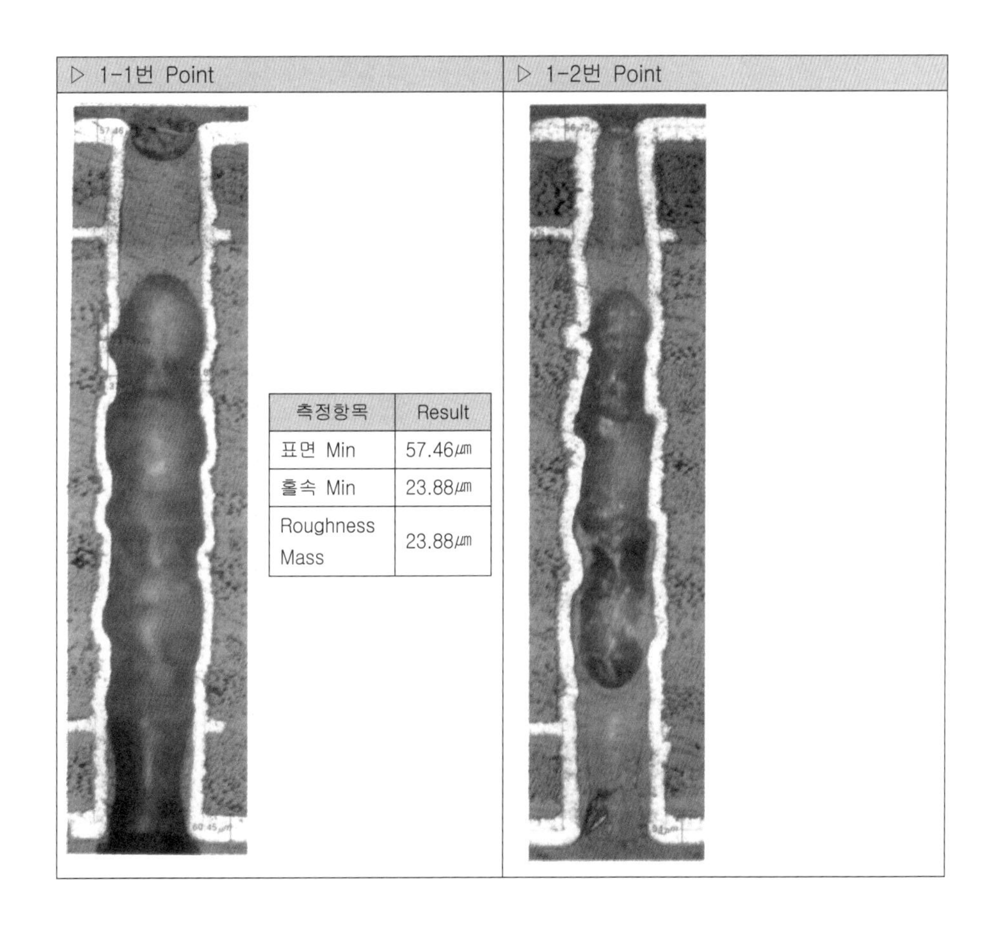

▷ 1-1번 Point

▷ 1-2번 Point

측정항목	Result
표면 Min	57.46㎛
홀속 Min	23.88㎛
Roughness Mass	23.88㎛

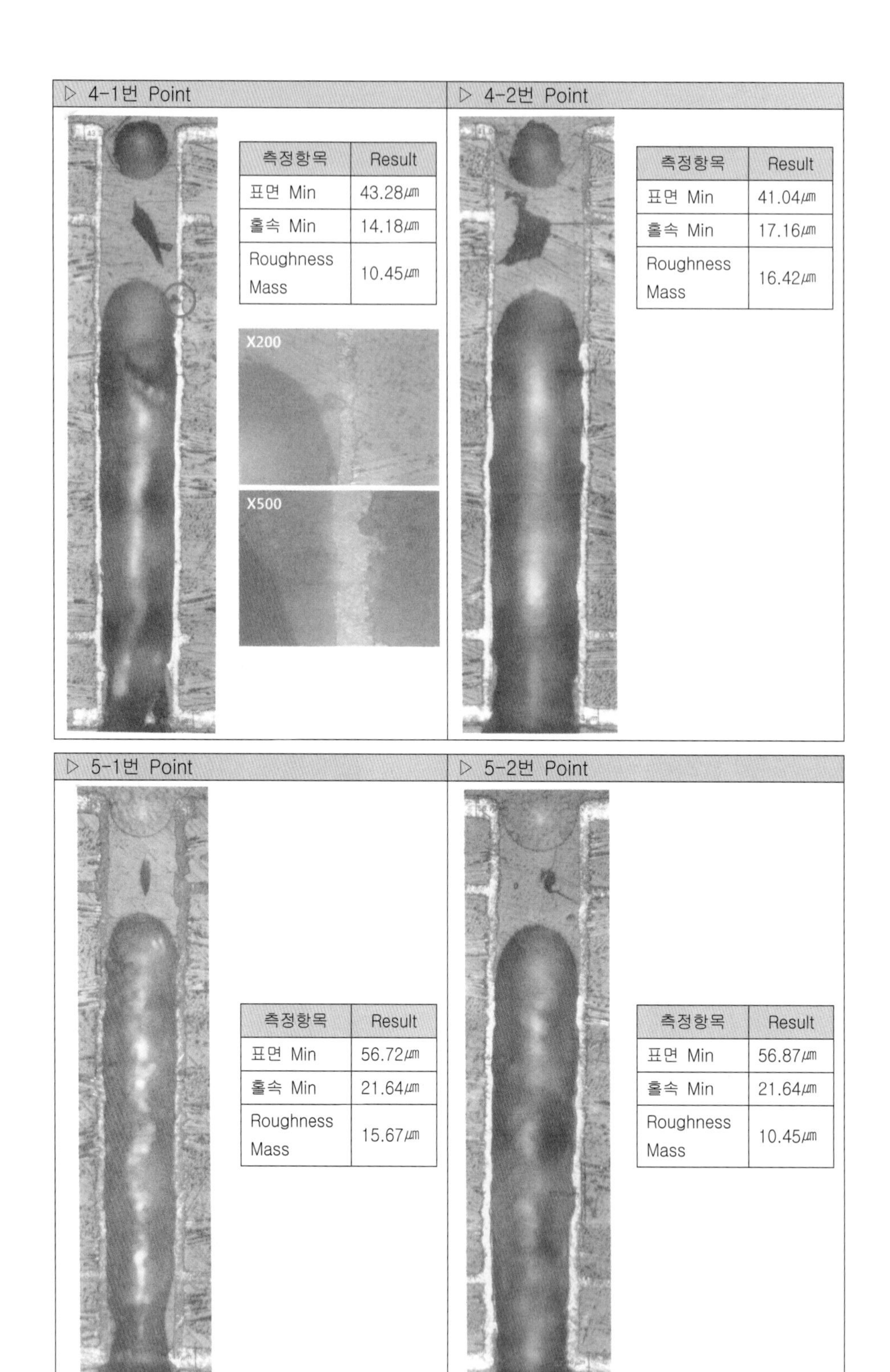

▷ 4-1번 Point

측정항목	Result
표면 Min	43.28㎛
홀속 Min	14.18㎛
Roughness Mass	10.45㎛

▷ 4-2번 Point

측정항목	Result
표면 Min	41.04㎛
홀속 Min	17.16㎛
Roughness Mass	16.42㎛

▷ 5-1번 Point

측정항목	Result
표면 Min	56.72㎛
홀속 Min	21.64㎛
Roughness Mass	15.67㎛

▷ 5-2번 Point

측정항목	Result
표면 Min	56.87㎛
홀속 Min	21.64㎛
Roughness Mass	10.45㎛

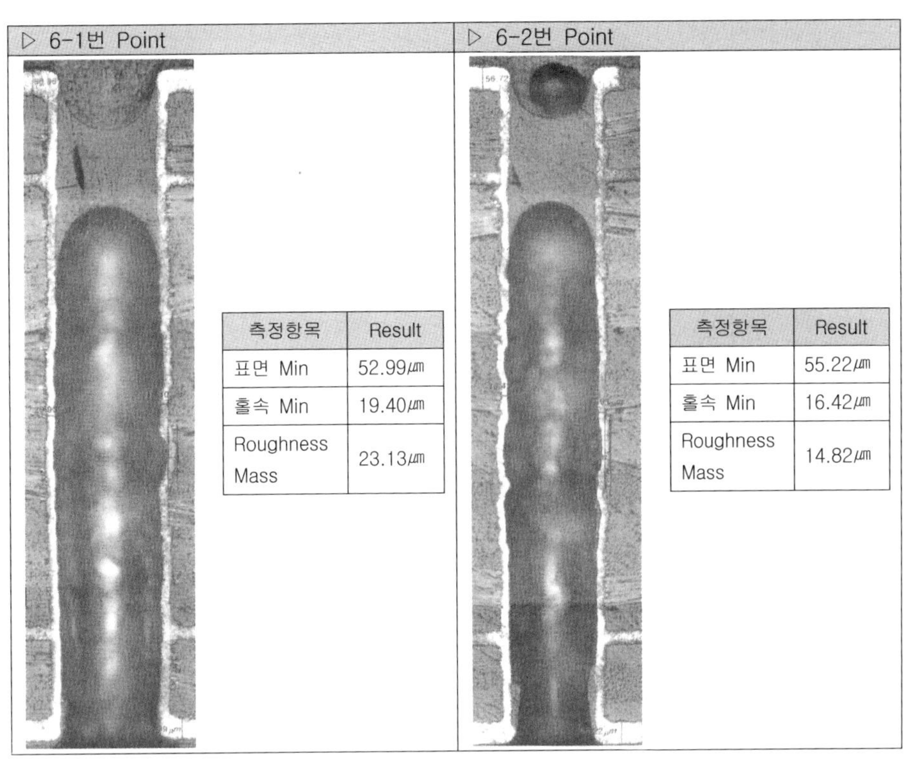

▷ 6-1번 Point

측정항목	Result
표면 Min	52.99㎛
홀속 Min	19.40㎛
Roughness Mass	23.13㎛

▷ 6-2번 Point

측정항목	Result
표면 Min	55.22㎛
홀속 Min	16.42㎛
Roughness Mass	14.82㎛

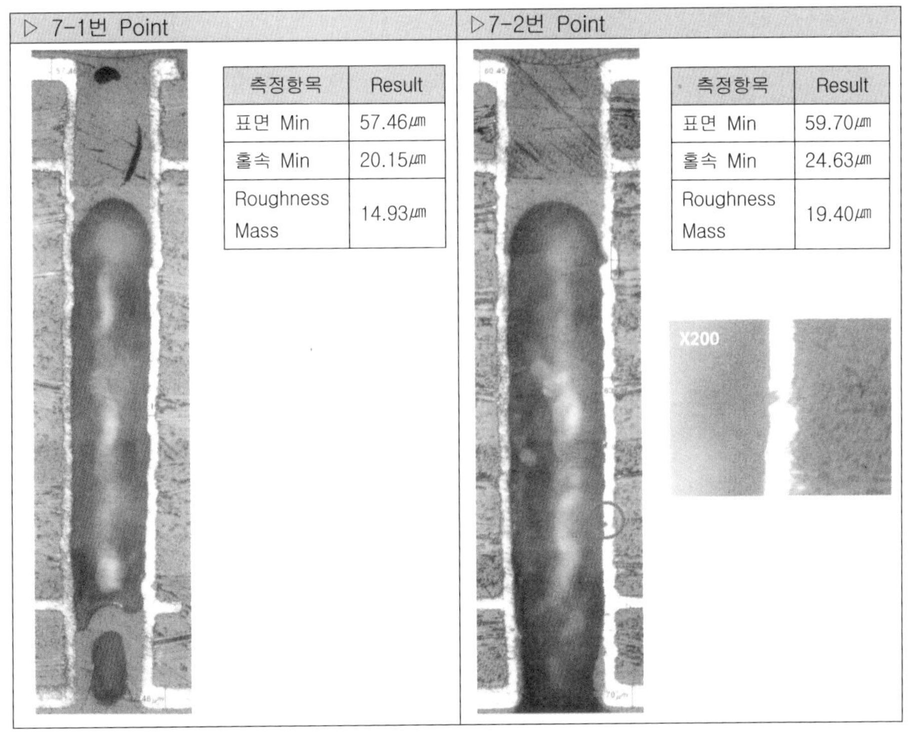

▷ 7-1번 Point

측정항목	Result
표면 Min	57.46㎛
홀속 Min	20.15㎛
Roughness Mass	14.93㎛

▷7-2번 Point

측정항목	Result
표면 Min	59.70㎛
홀속 Min	24.63㎛
Roughness Mass	19.40㎛

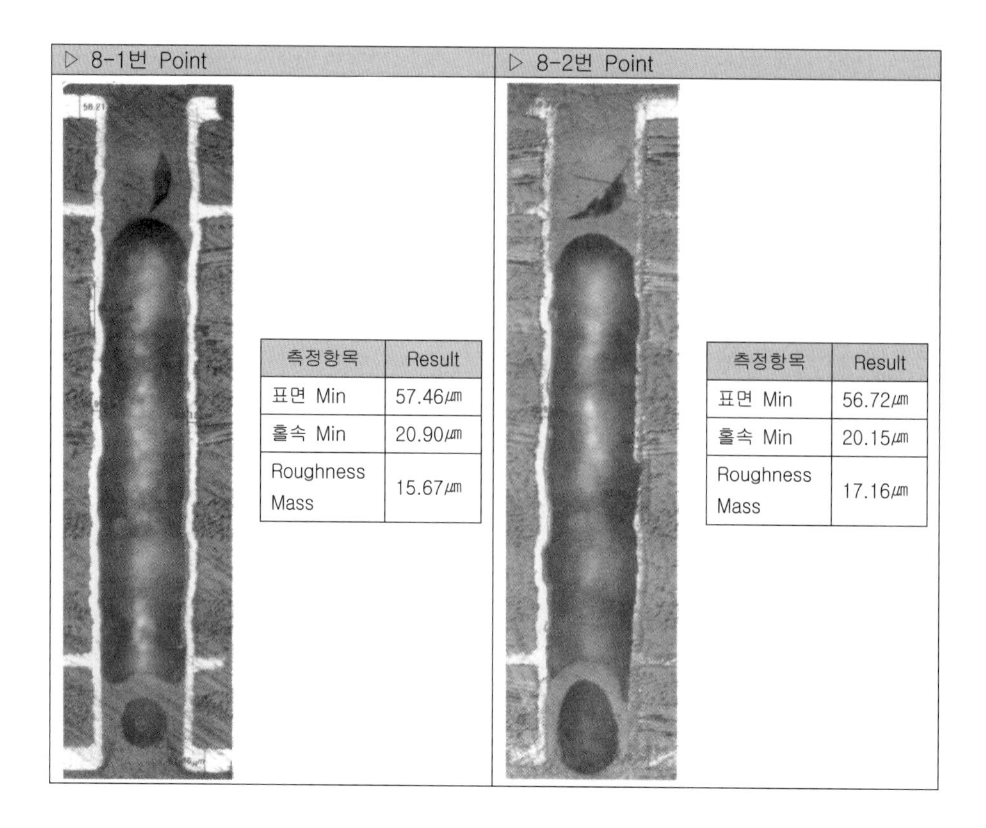

▷ 8-1번 Point

측정항목	Result
표면 Min	57.46㎛
홀속 Min	20.90㎛
Roughness Mass	15.67㎛

▷ 8-2번 Point

측정항목	Result
표면 Min	56.72㎛
홀속 Min	20.15㎛
Roughness Mass	17.16㎛

2. 종합 신뢰성 분석 ②

TECHNICAL REPORT
(RELIABILITY INSPECTION)

TEST ITEM	A	B	C
층간 두께	609.5㎛	609.6㎛	692.3㎛
HPL	홀 속 도금두께 최소 (MIN 17.4 ㎛)	홀 속 도금(22.4㎛) 상단부분 도금(25.2㎛)	상단부분 도금두께 최소(MIN 6.1㎛)
PSR두께	44.1㎛	38.9㎛	36.8㎛
회로 폭	57.4㎛	49.9㎛	44.1㎛
PATTERN	100.4㎛	100.4㎛	99.1㎛
Plating Through Hole	49.1㎛	44.1㎛	29.7㎛
표면상태	OK	OK	표면이 고르지 못함 (홀 속 약간에 돌기현상)
LAND상태	불량	불량	불량
최종결과	다른 제품에 비해 과도금	전반적으로 양호	일부분 미세도금

<table>
<tr><td>• PO1207UA VER 2.0</td><td>층간두께</td></tr>
<tr><td>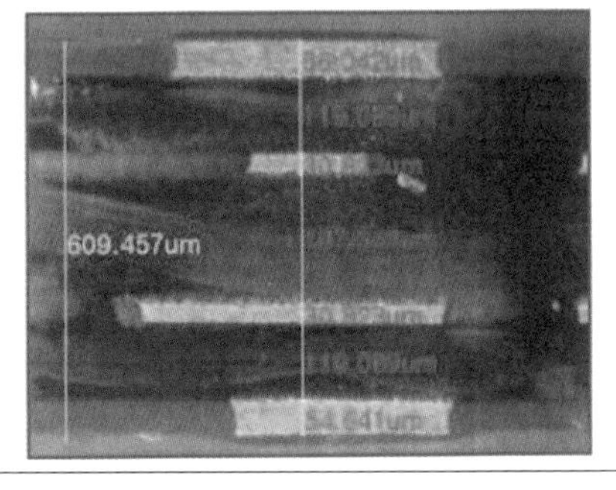
</td><td>• 3개 제품 층간 두께 -양호-</td></tr>
<tr><td>• PO163UA VER 2</td><td>• VN1885X28DKB VX1885-23-1 030627 VER 23.1</td></tr>
<tr><td>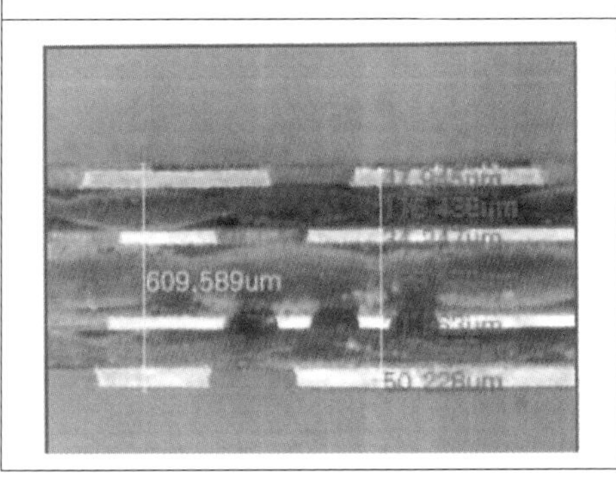
</td><td>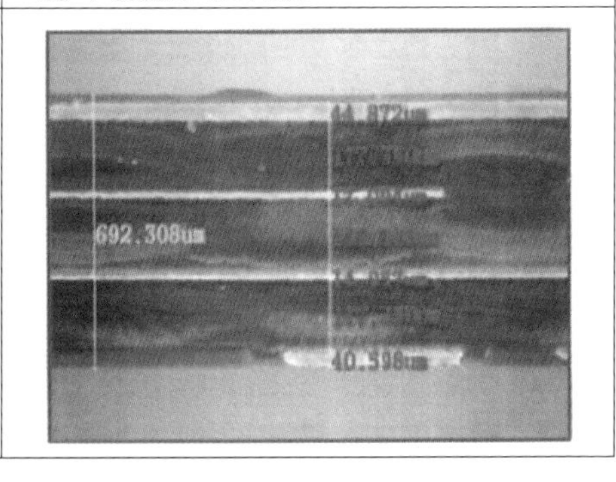
</td></tr>
</table>

<table>
<tr><td>• PO1207UA VER2.0</td><td>HPL</td></tr>
<tr><td>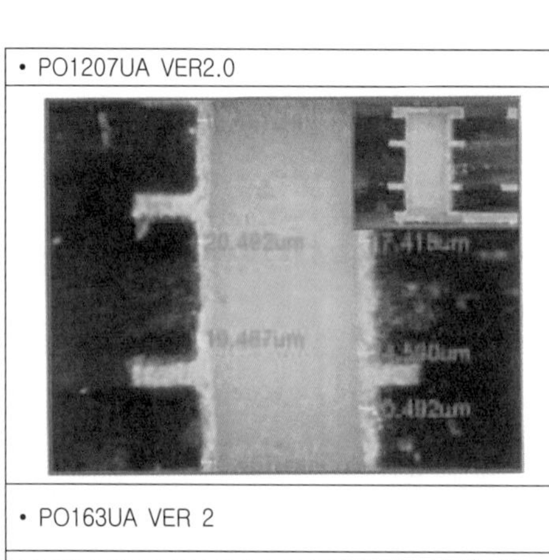</td><td>• PO1207UA VER 2.0
HOLE속 도금두께(Min 17.4㎛)
• PO163UA VER 2 -이상 무-
• 030627 VER 23.1
상부도금두께 (Min 6.1㎛)</td></tr>
<tr><td>• PO163UA VER 2</td><td>• VN1885X28DKB VX1885-23-1 030627 VER 23.1</td></tr>
<tr><td>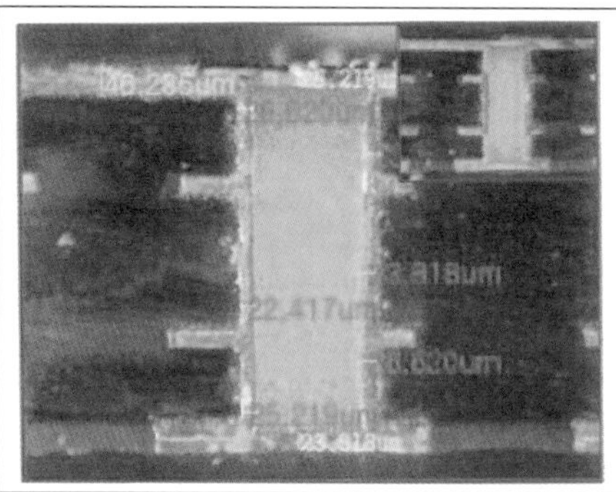</td><td>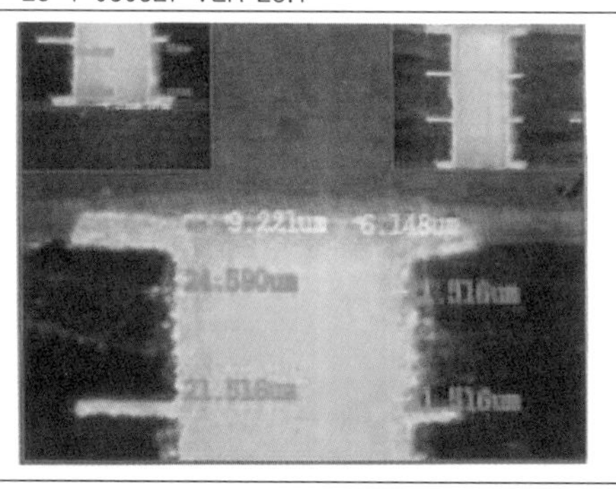</td></tr>
</table>

<table>
<tr><td>• PO1207UA VER 2.0(1)</td><td>PSR두께</td></tr>
<tr><td>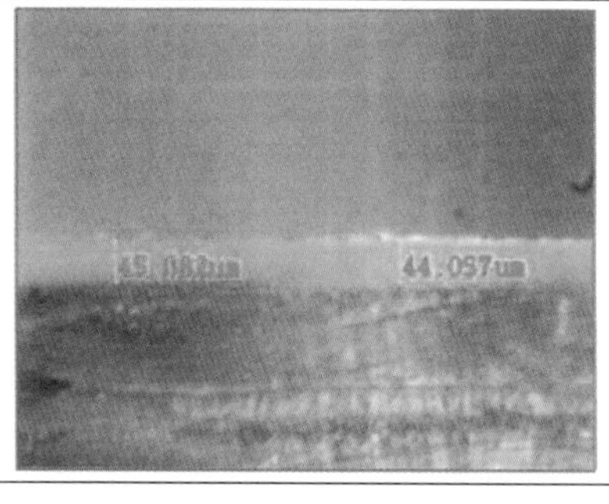</td><td>• 전체적으로 PSR두께-양호-
<table><tr><td></td><td>1</td><td>2</td><td>3</td></tr><tr><td>PSR두께</td><td>44.1㎛</td><td>38.9㎛</td><td>36.8㎛</td></tr></table></td></tr>
<tr><td>• PO163UA VER 2(2)</td><td>• VN1885X28DKB VX1885-23-1 030627 VER 23.1 (3)</td></tr>
<tr><td></td><td>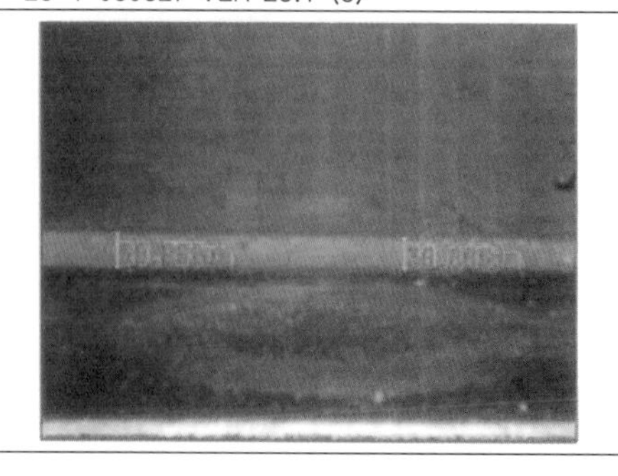</td></tr>
</table>

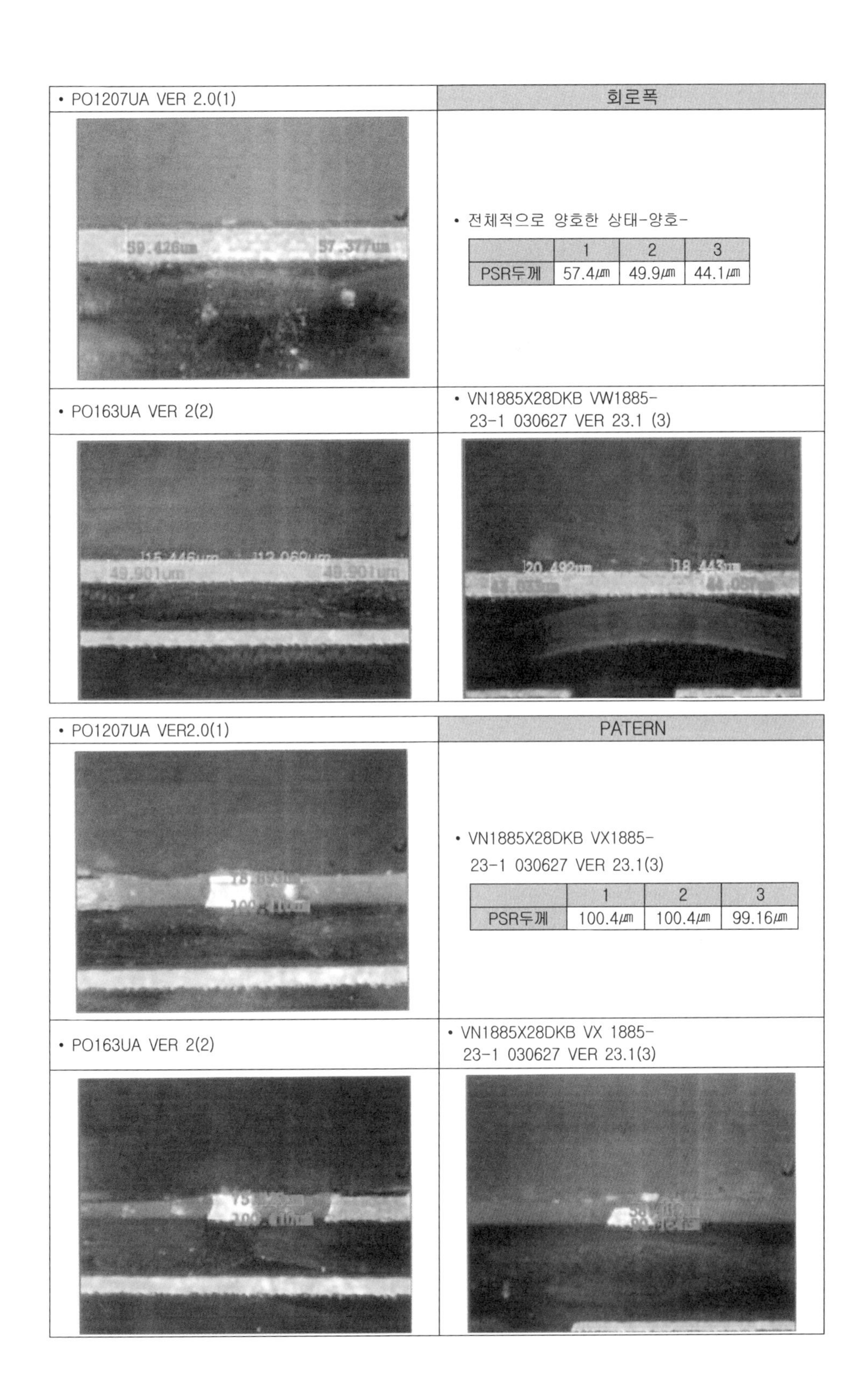

• PO1207UA VER 2.0(1)

회로폭

• 전체적으로 양호한 상태-양호-

	1	2	3
PSR두께	57.4㎛	49.9㎛	44.1㎛

• PO163UA VER 2(2)

• VN1885X28DKB VW1885-23-1 030627 VER 23.1 (3)

• PO1207UA VER2.0(1)

PATERN

• VN1885X28DKB VX1885-23-1 030627 VER 23.1(3)

	1	2	3
PSR두께	100.4㎛	100.4㎛	99.16㎛

• PO163UA VER 2(2)

• VN1885X28DKB VX 1885-23-1 030627 VER 23.1(3)

• PO1207UA VER2.0(1)	Plating Though Hole
	• VN1885X28DKB VX 1885-23-1 030627 VER 23.1(3) (홀 속의 약간의 돌기 현상 발생)
• PO163UA VER 2 (2)	• VN1885X28DKB VX 1885- 23-1 030627 VER 23.1(3)
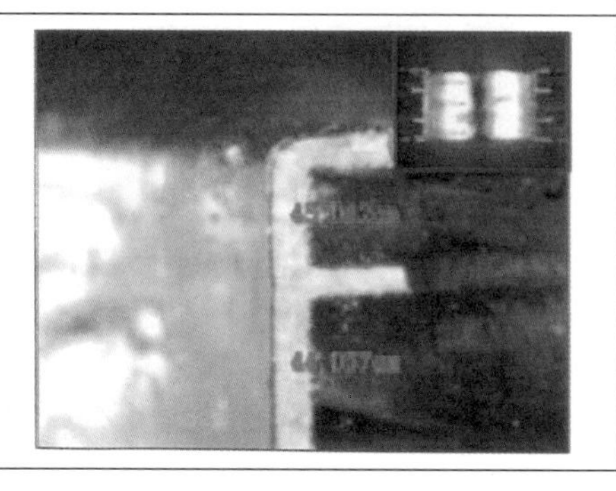	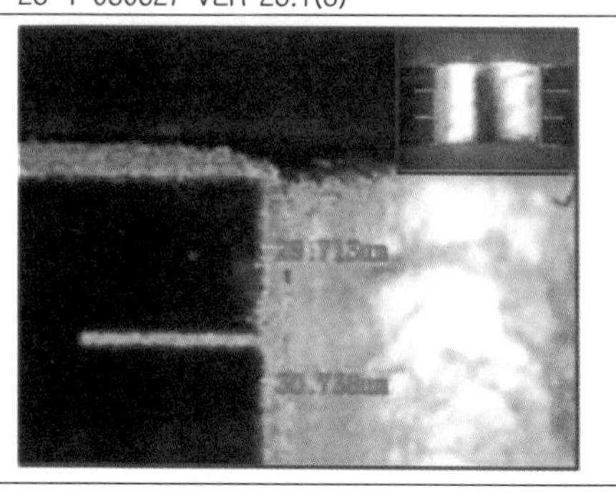

	1	2	3
PSR두께	49.1㎛	44.1㎛	29.7㎛

• PO1207UA VER 2.0	표면상태
	• PO1207UA VER 2.0 • PO163UA VER 2 • 030627 VER 23.1-3개 제품 중 표면상태가 가장 불량
• PO163UA VER 2	• VN1885X28DKB VX 1885- 23-1 030627 VER 23.1
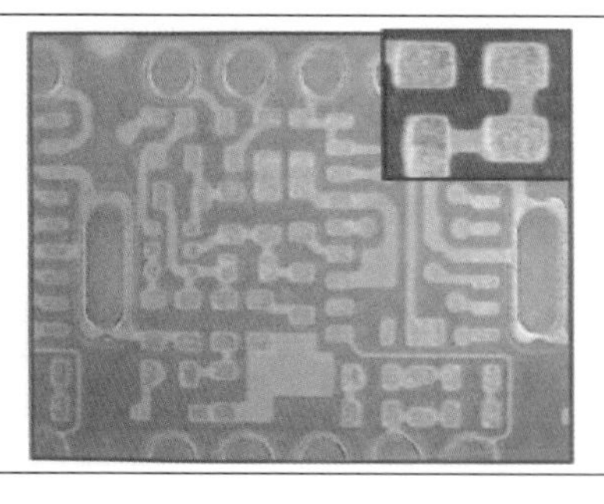	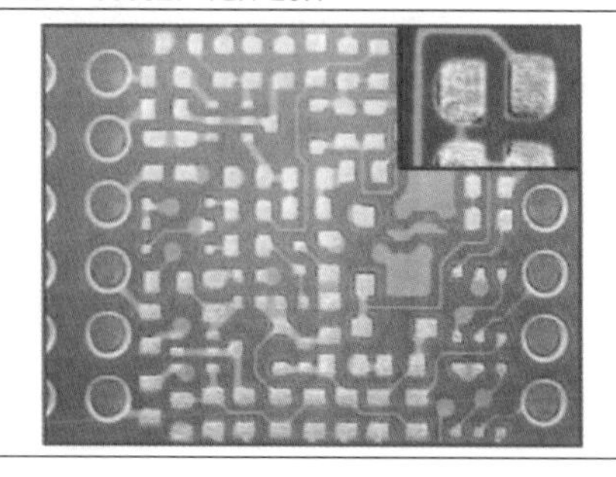

• PO1207UA VER 2.0	LAND
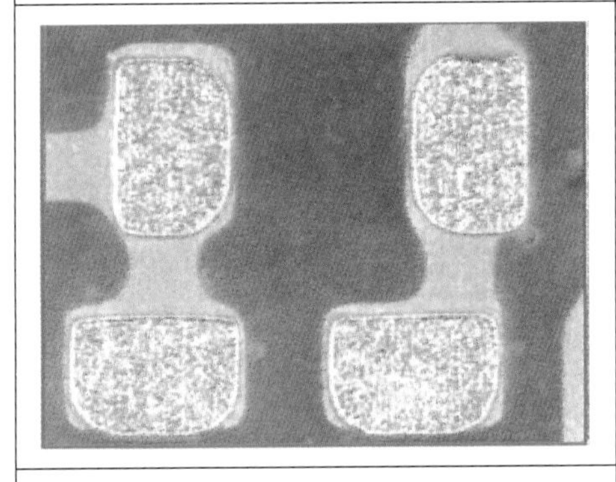	• 3개 제품 모두 LAND상태 -불량-
• PO163UA VER 2	• VN1885X28DKB VX 1885- 23-1 030627 VER 23.1
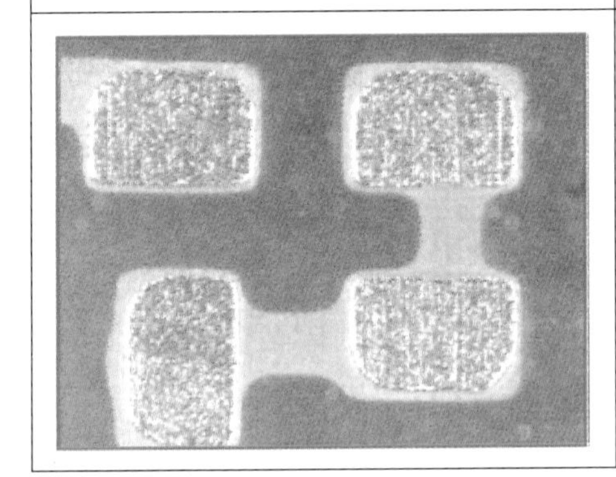	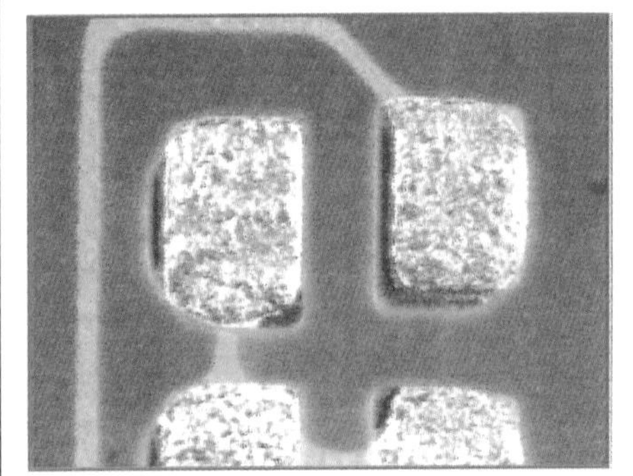

3. 종합 신뢰성 분석 ③

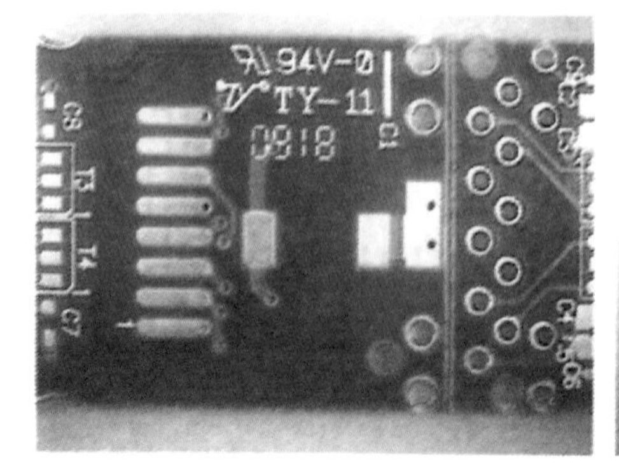

1) Drill Roughness

SPEC	Result
Max. 25㎛	9.7㎛

2) Plating thickness

SPEC	Result
surface Min. 20㎛ [Base Copper 1/2 oz]	41.8㎛
hole Wall Min. 20㎛	26.1㎛

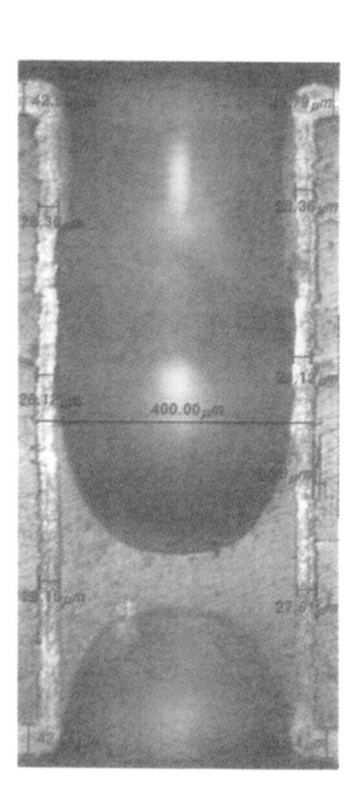

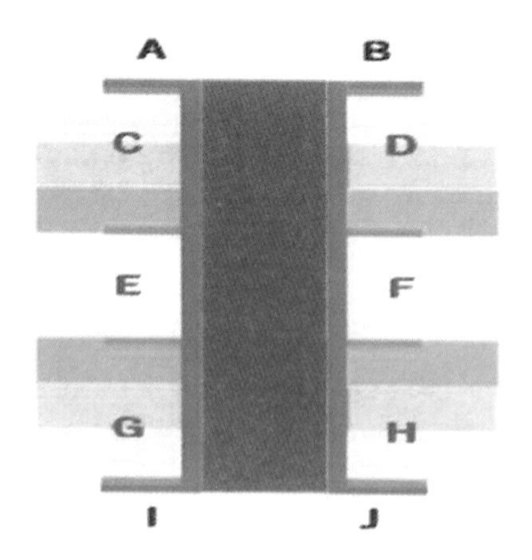

표면	A	42.5	B	41.8
홀속	C	28.4	D	28.4
	E	26.1	F	26.1
	G	29.1	H	27.6
표면	I	42.5	J	42.5

3) Thermal Stress

SPEC	Result
No Copper Plating Void	None
No Lamination Void	None
No Barrel & Foil Crack	None
No Plating Hole Separation	None
No Resin Smear	None
No Delamination	None

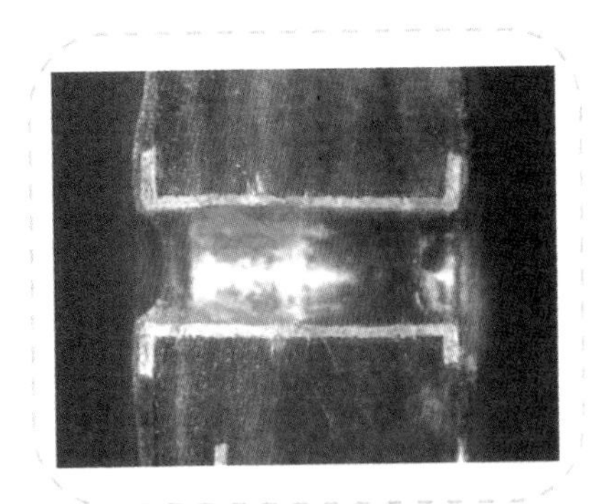

4) Solder Ability

SPEC	Result
Wetting Min. 95%	O.K

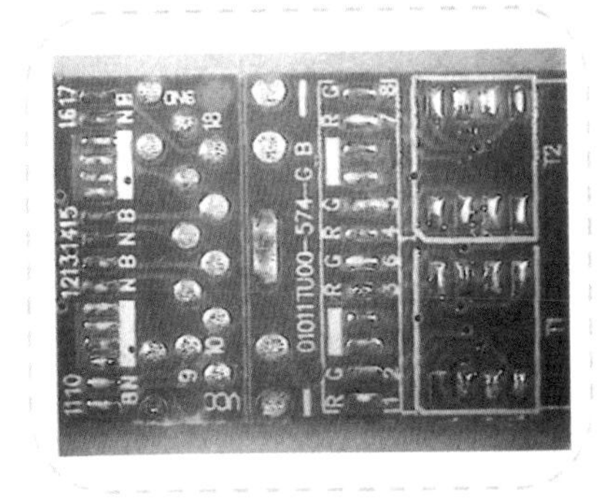

5) Dielectric Thickness

Test Method	Result
1L~2L	0.186 mm
2L~3L	0.444 mm
3L~4L	0.179 mm
1L~4L(Total thickness)	0.969 mm

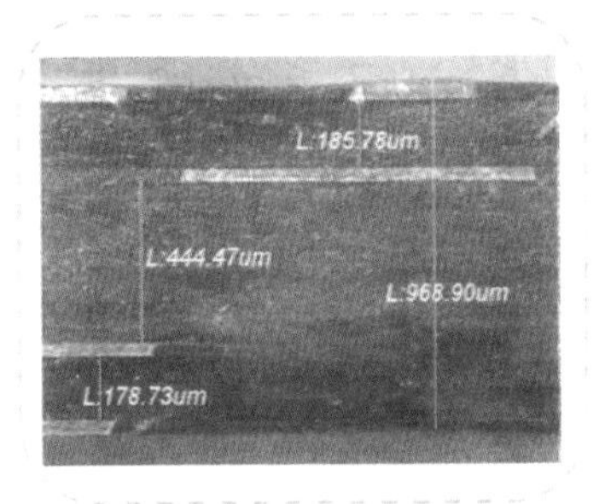

6) Solder Mask Thickness

SPEC	Result
Pattern Edge Min. 5㎛	18.4㎛
Pattern Center Min. 12.5㎛	18.9㎛

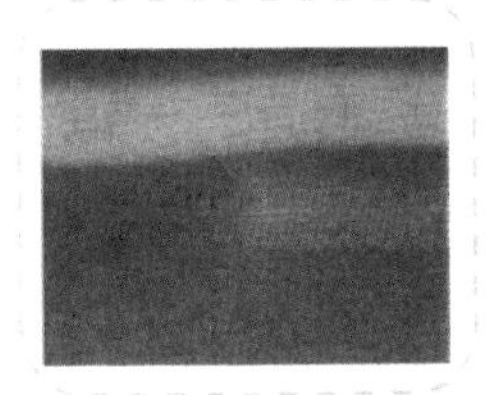

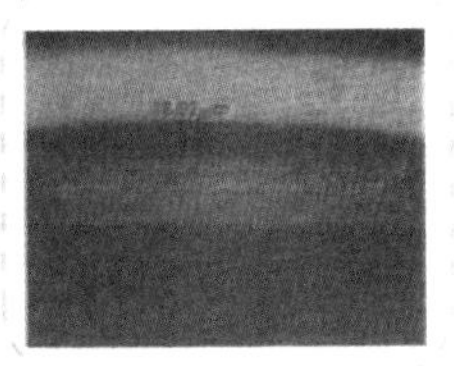

4. 종합 신뢰성 TEST 분석 ④

1) PCB 사양

재질	두께	LAYER	표면처리	MIN PATTERN	VIA HOLE	BGA SIZE
FR-4	1.5T	4	IMMERSION SILVER	80㎛	0.3 Φ	270㎛

2) PROCESS

	Process flow	주요 Parameter	원/부자재	비고
1	재단	FR- 4		
2	내층 Image	Line/ Space = 110/90		
3	A.O.I			
4	Oxide	Speed = 1.8 m/min		
5	적층	적층 후 예상 두께 = 1.395		내층 편심 주의
6	드릴	최소 홀 Φ = 0.30 Φ/ 2 stack		내층 편측 25㎛
7	도금	via hole Thickness = min. 25㎛		자체
8	외층 Image	RF Pattern = 300㎛, BGA = 270 ㎛		회로 Top 기준, ZO= 50± 10Ω
9	A.O.I			
10	PSR 인쇄	Via Hole 도포		
11	Marking 인쇄		"OTC"	
12	Router			내부 Router 시 동노출 주의
13	최종 수세			
14	B.B.T			
15	Immersion Silver	Silver 0.3㎛		
16	최종/ 출하 검사			
17	포장/납품			

3) LAY - UP STRUCTURE

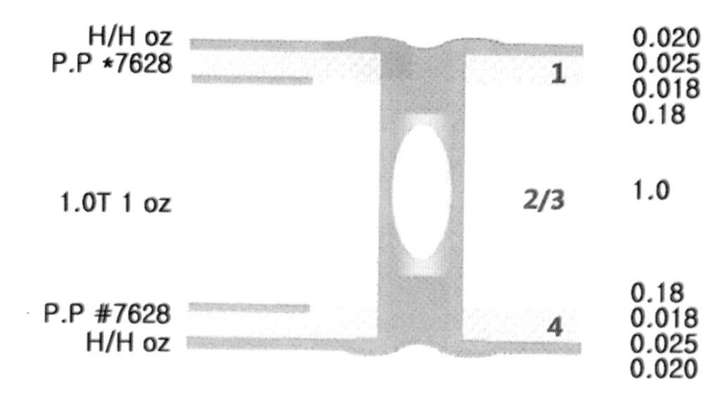

4) 검토결과

	문제점	개선대책
1	Drill Capacity (0.3 Φ 1stack)	Drill 편심 내층 편측 25㎛ 이상으로 25tack 가능
2	RF Pattern Impedance 관리 필요 : Gerber 300 ㎛ ± 10%	Edit : 330 ㎛, 외층 회로폭(TOP) 관리
3	BGA Size 관리 필요 : Gerber 270㎛ ± 10%	Edit : 300 → 310 ㎛, 외층 회로폭(TOP) 관리
4	Min. Trace/ Pitch 관리 필요(BGA 사이) : Gerber 80 ㎛ ± 10%	Edit : 90 → 80 ㎛, 외층 회로폭 (Bottom) 관리
5	-	-

▶ Drill Annual Ring 편측 100㎛ 제품으로 사양관리 1Stack 지정이나 내층 신축 부분을 보완한다면 2Stack 작업이 가능함. (Sample 진행 시 2 Stack, 작업함)

▶ 외층 회로폭 특별관리 제품으로 1/3 Oz 동박 적용을 하면 관리가 수월할 것으로 판단됨.

▶ 향후 양산 시 큰 문제는 없을 것으로 판단됨

5) MICRO - SECTION

① THICKNESS

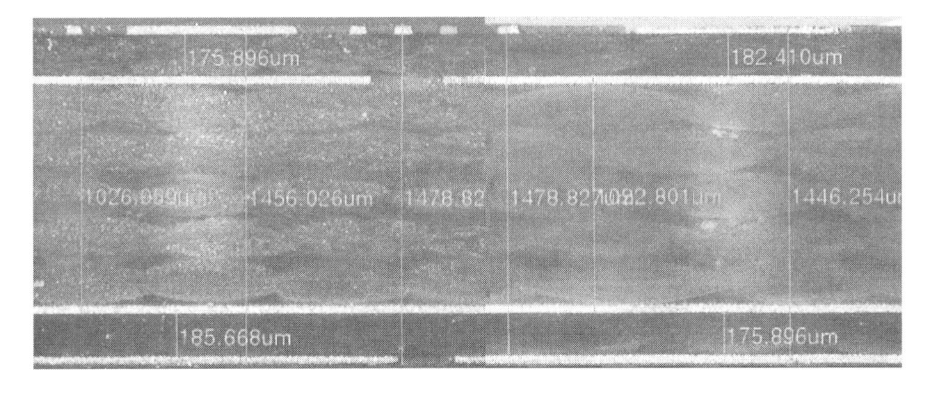

② PLATING THICKNESS

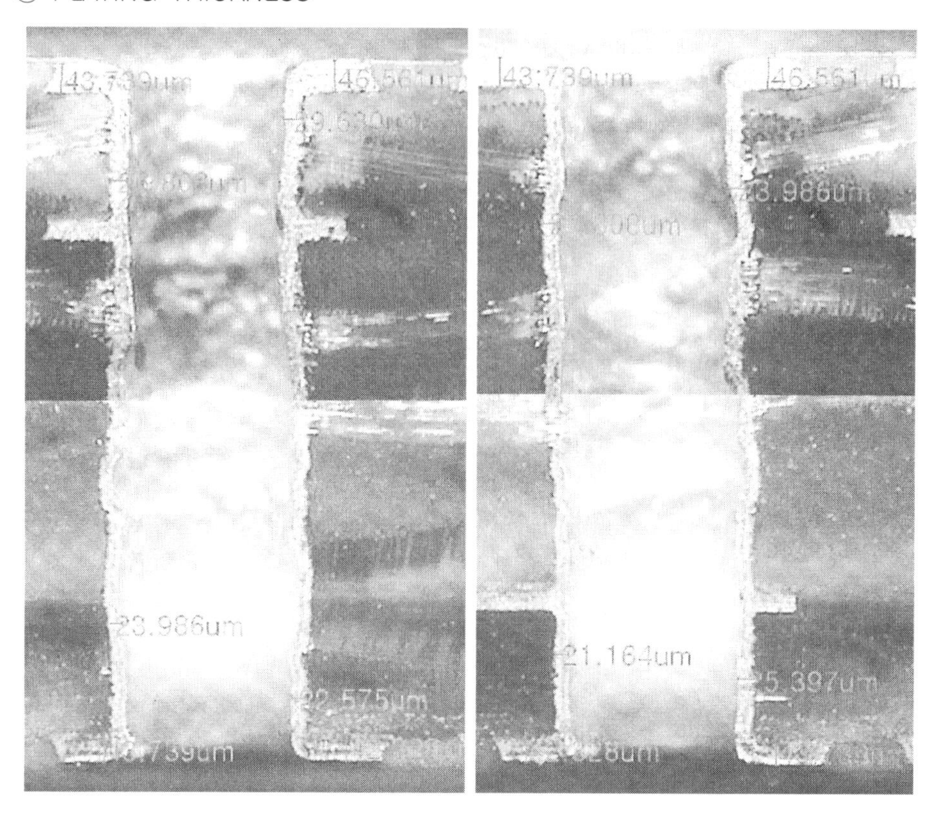

③ 내칭 편심검토

▶ 내층 편측 25㎛ 이상으로 (0.3 Φ) 2 Stack 가능.

6) IMPEDANCE SIMULATION

	SPEC	H1	Er1	W1	W2	T1	Zo(Ω)
Fig.1	50Ω ± 10%	181.34	4.2	314.93	297.01	34.33	51.68
Fig.2		181.34	4.2	300.75	280.60	33.58	53.09
Fig.3		185.82	4.2	318.66	293.28	34.33	52.22
Fig.4		179.85	4.2	308.21	298.51	35.07	51.83

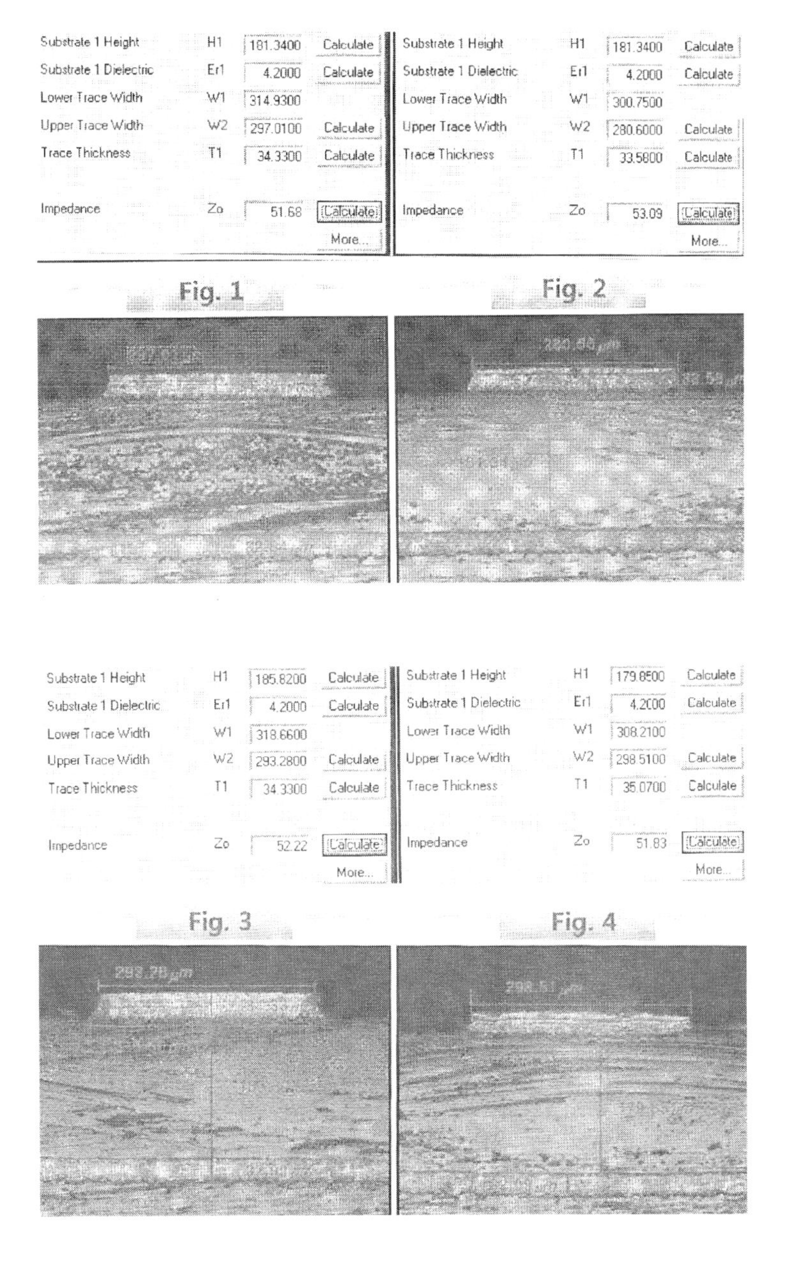

7) MIN, TRACE & BGA

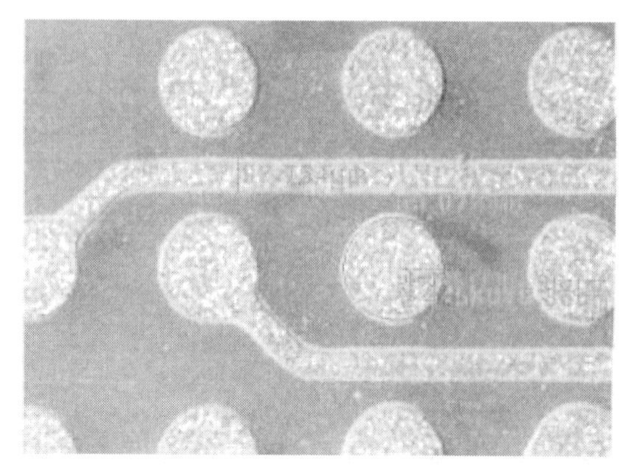

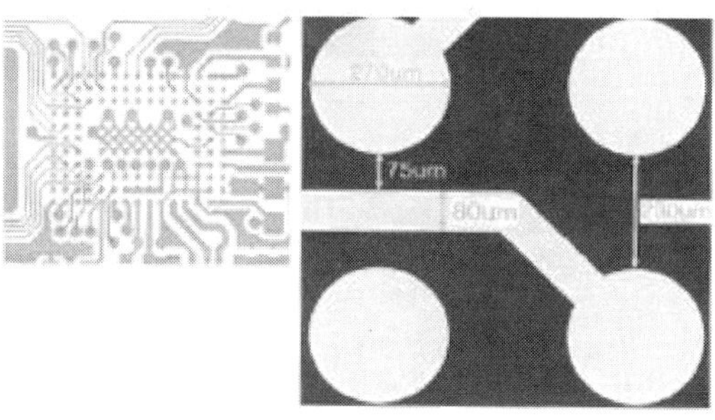

BGA Size : 270㎛ ±10%(Edit: 300㎛)

▶ Min. Trace : 80㎛ ± 10%(Edit : 90㎛)

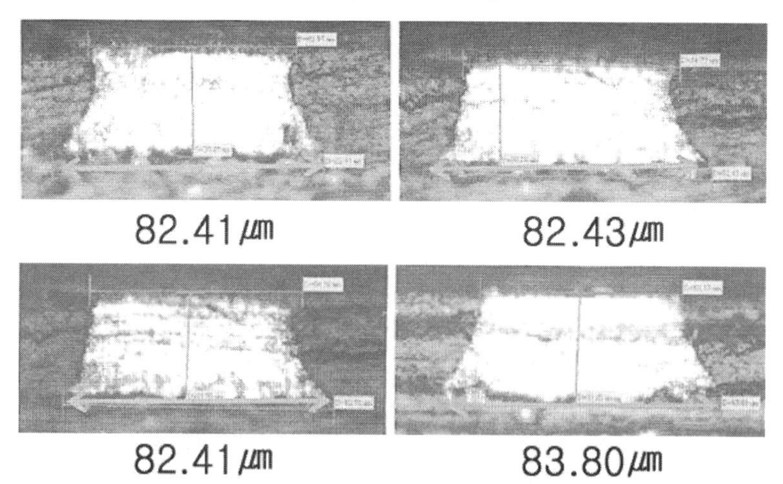

8) PSR & MARKING THICKNESS

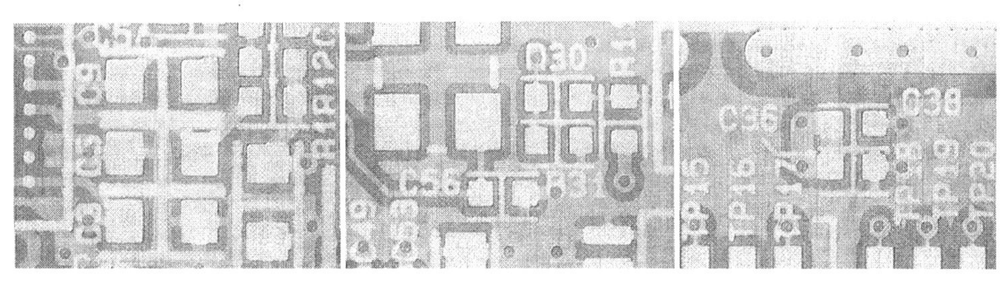

5. 종합 신뢰성 분석 ⑤

1) PCB 사양

LYLER	SCH	LINE SPACE	표면처리
2	0.3	150/150㎛	전해 SOFT GOLD

2) PROCESS

NO	Process	Parameter
01	재단	406 × 510 / 0.5T H/H oz
02	드릴	0.3 Φ / 2,788 / 3stack
03	도금	도금 18 ~25㎛
04	외 층 image	D.E.S LINE SPEED 부식 3.2 현상 2.8
05	A.O.I	Welding 수리 진행할 것
06	인쇄	Marking 없음
07	전해 Soft Gold	NI : 4㎛(↑) / Au : 0.3㎛(↑)
08	PRESS	Sample은 Router 진행
09	최종검사	2pcs까지 X - Out 허용
10	출하/ 포장	

3) 제품

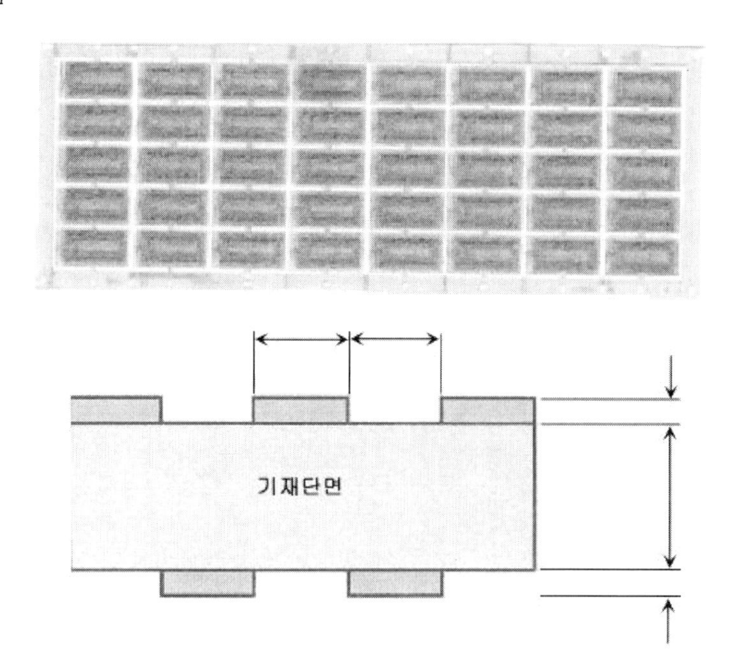

Layer	Name	Raw Material	이론두께	
			Basic	Plating
	PSR		12	
1L	C/F	1/2oz	17	18
	Glass Epoxy	0.5^{T}	500	
2L	C/F	1/2oZ	17	18
	PSR		12	
관리두께		0.62±0.1mm	0.594	mm

4) TEST 결과

No	TEST 항목		TEST 방법	판정기준	시료수	RESULT
1	LAY - Up Structure		After Cross Section	사양 승인원 기준	3 PCS	5 Page 참조
2	Pattern Width/Pitch		After Cross Section	110 ± 11㎛	3 PCS	Min. 105.4㎛
3	Plating Thickness	동도금	After Cross Section	Surface Min. 20㎛(Base Copper 제외) Hole Wall Min. 20㎛	10 PCS	Min. 22㎛
		전해 Soft Gold	X-Ray 도금 두께 측정기	Ni 3㎛ 이상	10 PCS	Min. 3.64㎛
				Au 0.03㎛ 이상		Min. 0.052㎛
4	금도금 밀착성 (Tape test)		Tape 24mm, 측정길이 50mm 각도 90°, Test 횟수 Min. 3회	도금 피막의 들뜸 및 떨어짐 없을 것	3 PCS	None
5	내약품성	내산성	2N HCL, 300± 30 sec	팽창, 벗겨짐이 없을 것 Solder Mask 변색이 없을 것	3 PCS	None
		내알카리성	2N HaOH, 300± 30 sec		3 PCS	None
		내용제성	이소프로필 알코올(IPA), 300± 30 sec		3 PCS	None

5) MICRO - SECTION

NO	항목	SPEC	결과	사진
1	두께	0.5T ± 10 %	0.519T 0.515T 0.514T	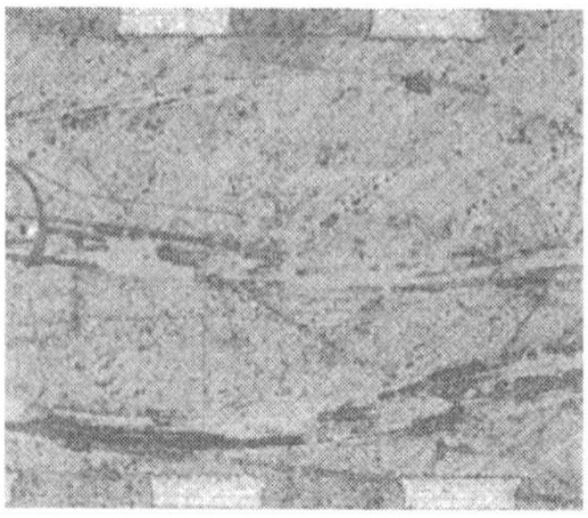
2	LINE&SPACE	150 ± 30㎛	① 148 ② 164 ③ 153	
3	PLATING THICKNESS(MIN)	Cu : 18	① 37 ② 36 ③ 32	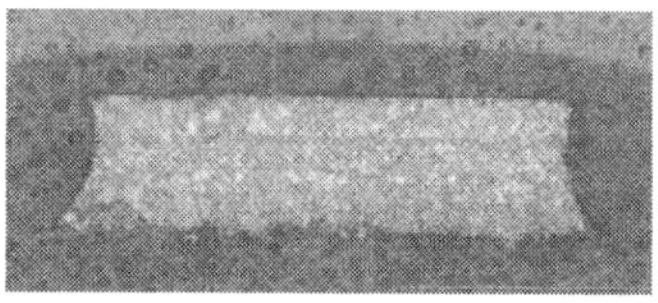
		Ni : 40	① 7.73 ② 8.11 ③ 9.17	
		Au : 0.3	① 0.34 ② 0.35 ③ 0.39	
4	금도금 밀착성	도금피막의 들뜸 및 떨어짐 없을 것	NONE	
5	내약품성	내산성 내알카리성 내용제성	팽창, 벗겨짐 없음	2N 염산/ 2N 수산화나트륨/ 1PA TEST 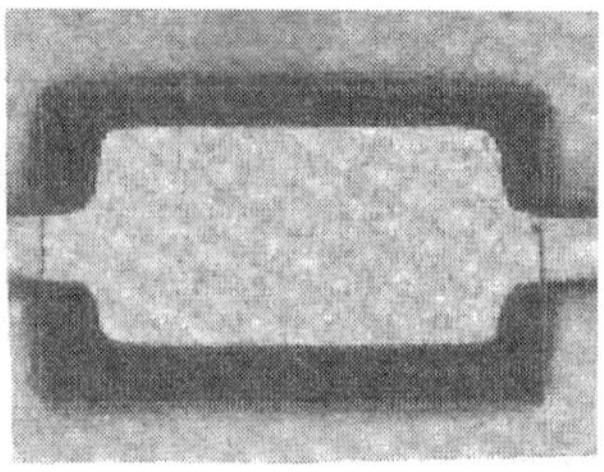

6) 양산시 주의점

본제품은 전해 Soft Gold 제품으로 아래 좌측 사진처럼 회로 & 단자 Lead 선의 Open 시 아래 우측 사진처럼 금도금이 안 되는 불량이 발생함.

또한, 본 제품은 Bare Bard Test가 없기 때문에 A.O.I 진행 시 단자 Lead 선 검사와 회로에 대한 확실한 검사가 진행되어야 함.

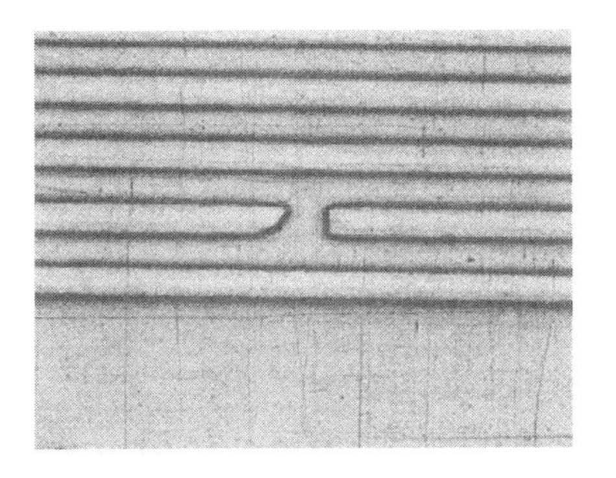

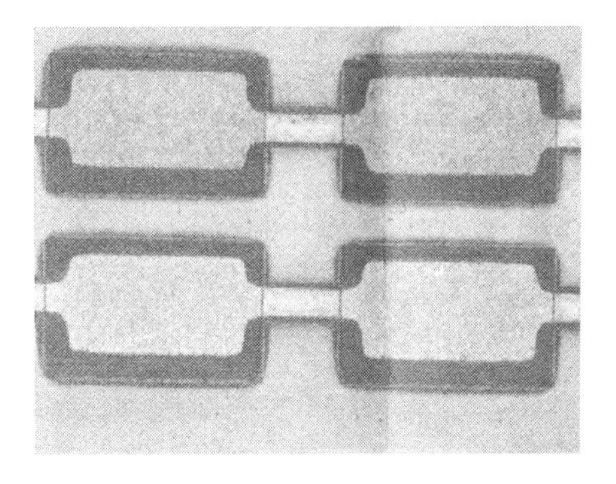

6. 종합 신뢰성 분석 ⑥

1) PCB 사양

구분	재질	층수	기판두께
일반 PCB	FR 4	2	0.8T ± 10%

2) TEST 내용

NO	TEST ITEM	Test Method	SPEC	Result
1	Drill Roughness	After Cross Section	Max. 25㎛	17.2㎛
2	Plating Thickness	After Cross Section	Surface Min. 17㎛ Hole Wall Min. 17㎛	22.1㎛ 21.6㎛
3	Dielectric Thickness	After Cross Section	-	4Page 참조
4	Annular Ring	After Cross Section	Inner Layer Min. 25㎛ Out Layer Min. 50㎛	None
5	Solder Mask Thickness	After Cross Section	Pattern Edge Min. 3㎛ Pattern Center Min. 8㎛	18.8㎛ 20.8㎛
6	Pattern Width	After Cross Section	110㎛ ± 15%	82.7㎛ (N.G)

3) MICRO- SECTION

① Drill Roughness

SPEC	Result
Max. 25㎛	17.2㎛

② Plating Thickness

SPEC	Result
Surface Min. 17㎛ Hole Wall Min. 17㎛	Min. 22.1㎛ Min. 21.6㎛

A	B	C	D	E	F
23.9	27.6	24.6	21.6	26.1	27.6
G	H	I	J		
22.1	23.6	26.5	27.3		

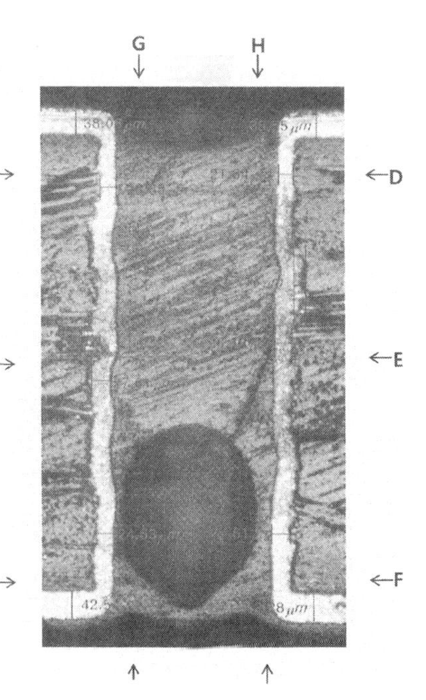

③ Dielectric Thickness

측정항목	Result
1L ~ 2L	0.808㎜

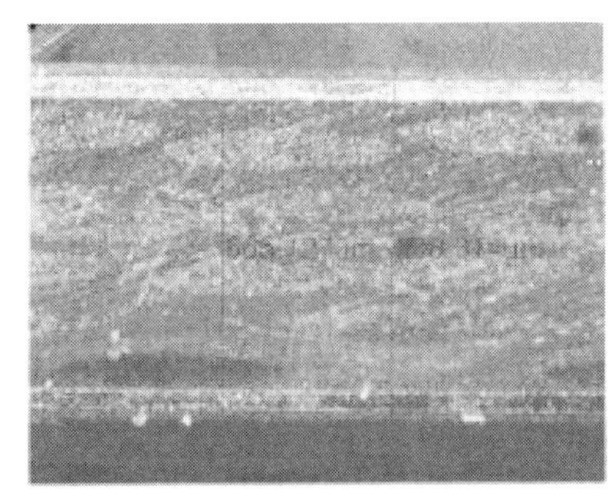

④ Annular Ring

SPEC	Result
Inner Layer Min. 25㎛	-
Outer Layer Min. 50㎛	O.K

⑤ Solder Mask Thickness

SPEC	Result
Pattern Edge Min. 30㎛	Min. 18.8㎛
Pattern Center Min. 8㎛	Min. 20.8㎛

⑥ Pattern Width

SPEC	Result
Bottom : 110㎛ ± 15%	82.7㎛(N.G)

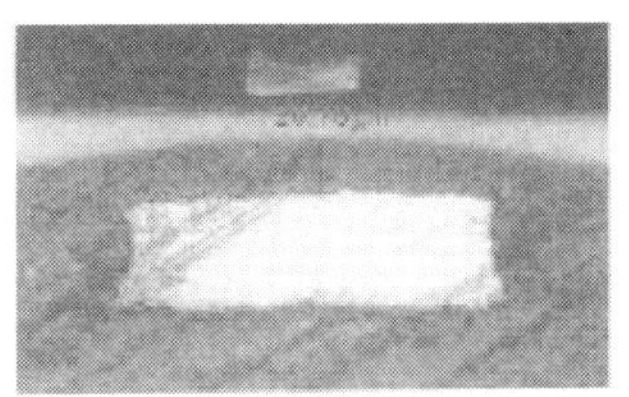

▶ CENTER

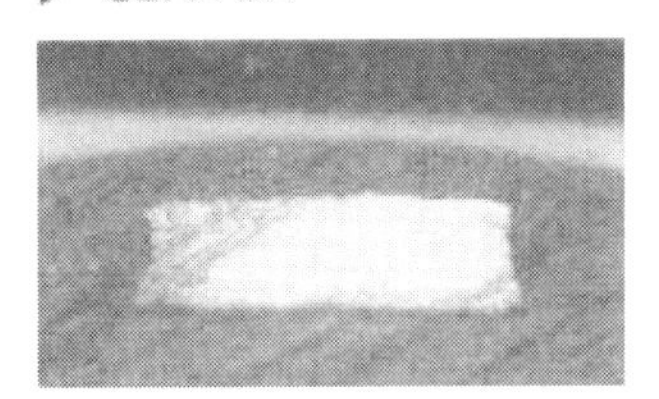

▶ EDGE

15-2 FPCB 신뢰성 분석

1. 결과

1) PCB 사양

MODE NO	CCL		CONER LAY	표면처리
	MAKER	LAYER		
LTS 212 QV-Fol	TORAY	3LAYER D/S	INNOX	제품1: 전해 금도금 제품2: 무전해 금도금

2) 시험방법

① VISUAL- INSPECTION (비파괴검사)

② MICRO-SECTION(파괴검사)

③ 표면처리(금도금) 두께측정- CMI장비

3) 불량유형

① SMEAR 발생

② ADHESIVE RESIN의 함몰에 의한 동도금시 PLATE HOLDER(COPPER NODULE)발생

③ 표면 산화 발생

4) 유형별 원인 및 대책

NO	유형	공정	원인	대책
1	SMEAR	DRILL	3LAY D/S /CCL의 DRILL 가공 시 제일 많이 발생됨	1. 원자재 선택 시 DRILL가공 조건 변경 2. DESMEAR 또는 PLASMA 처리 시 100% 해결 가능
2	PLATE HOLDER (COPPER NODULE)	도금전처리	DRILL작업 시 RESIN 함몰 HOT PRESS시 ADHESIVE 의 RESIN흐름으로 발생	1. 원자에 선택에 의한 공정 조건 선택 2. DESMEAR 또는 PLASMA 처리 시 100% 해결 가능
3	표면산화	COVER LAY HOT PRESS	표면에 RESIN 잔사	PLATE HOLDER대책과 동일

5) 종합 원인 대책

① 이번 발생한 불량의 유형은 도금전처리(DESMEAR & PLASMA)불충분으로 인하여 발생된 것으로 판단

② FPCB의 공정 중 빈번하게 발생하는 유형으로써 원자재 선택에 따른 공정 재검토 필요

③ 특히 ADHESIVE의 두께는 MAKER별, BASE와 COVERLAY별 차이가 많아 MAKER 설정 및 공정 선택이 품질 개선의 최우선임

④ 표면오염(산화, 이물질)은 표면처리(AU도금)시 치명적이며 COVER-LAY HOT PRESS시 RESIN이 표면에 오염 안 되도록 관리 필요

⑤ 표면처리 금도금 두께는 양호

⑥ 분기별 (계절)로 원자재 검사 별로 관리 요망

2. 적층 구조

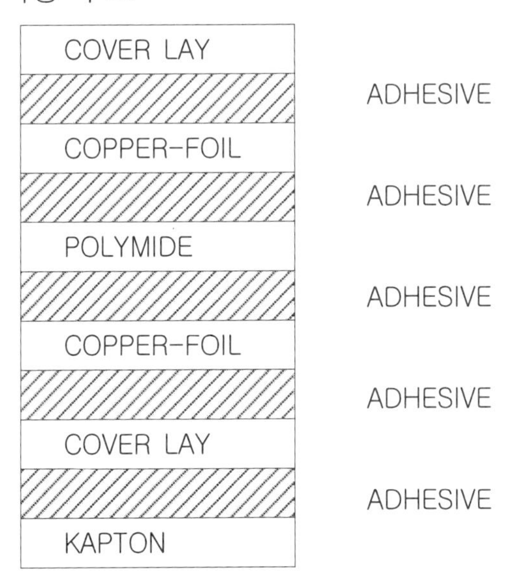

3. 첨부

· MICRO-SECTION ATA
· 표면두께 측정 DATA
· 표면 오염 검사 및 재처리 DATA
· MOLDING 시료

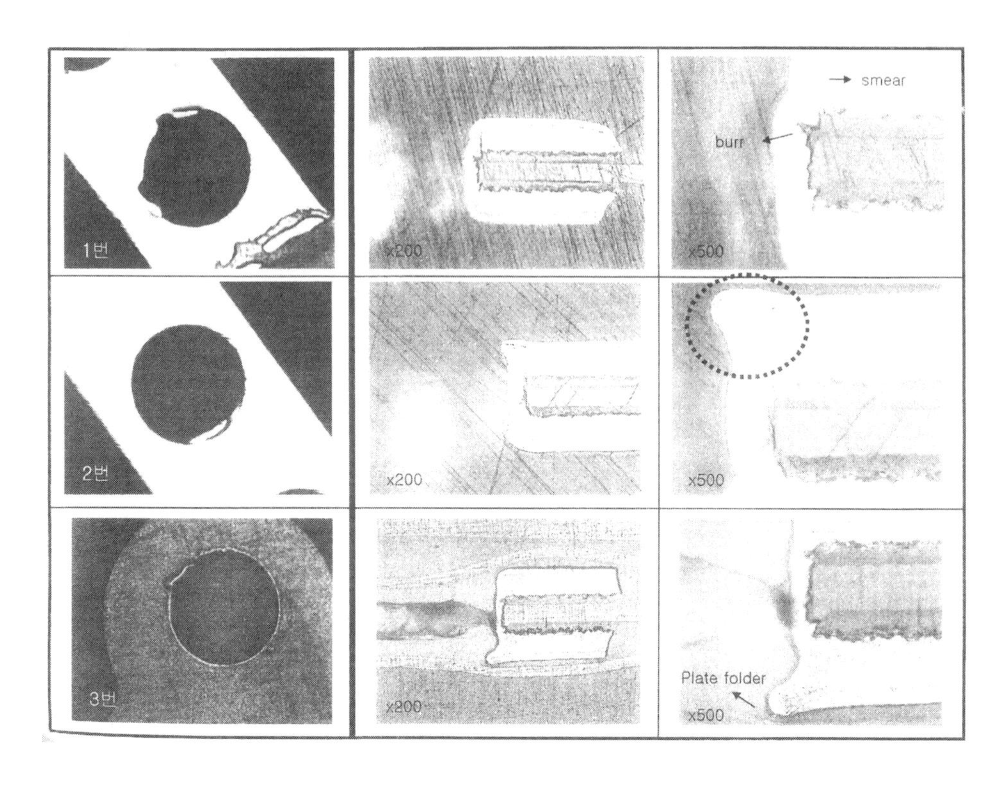
smear
burr
1번
x200
x500
2번
x200
x500
3번
x200
Plate folder
x500

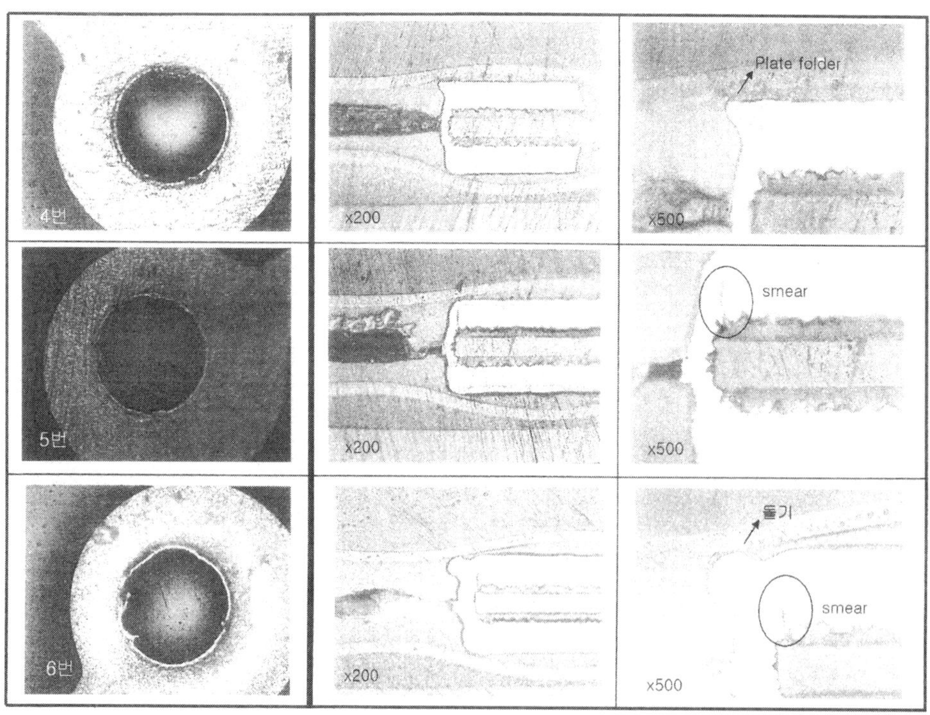
Plate folder
4번
x200
x500
smear
5번
x200
x500
돌기
smear
6번
x200
x500

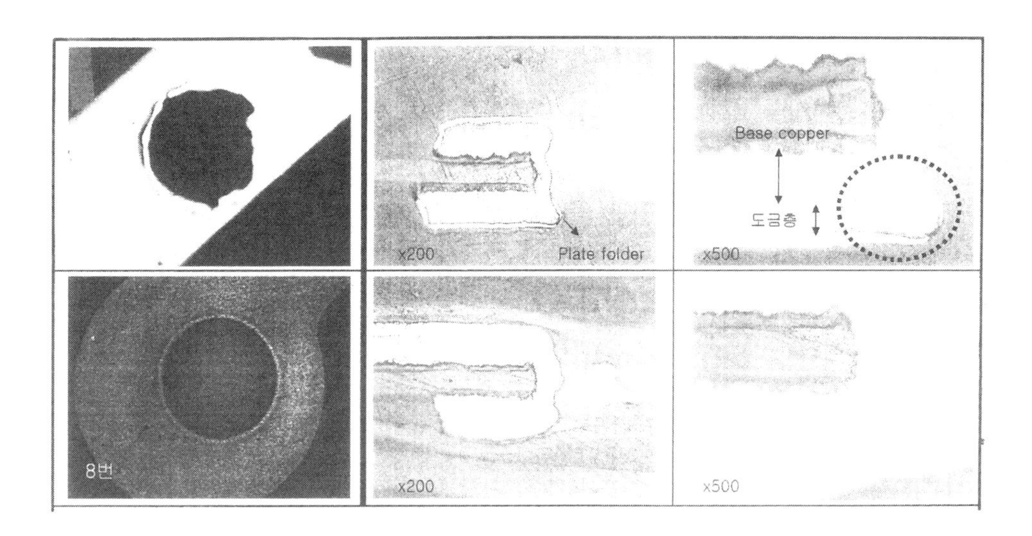

* 결론

1. DRILL : SMEAR가 있고 원판층에 일부 burr가 발생된 사료가 있었으나, 전반적으로 양호한 상태.
2. 도금 : desmear 처리가 되지 못한 시료가 있고, 간혹 돌기가 있는 시료도 있었으며 무엇보다 도금 접힙(plating folder)현상이 많았다.

■ 표면 오염 검사

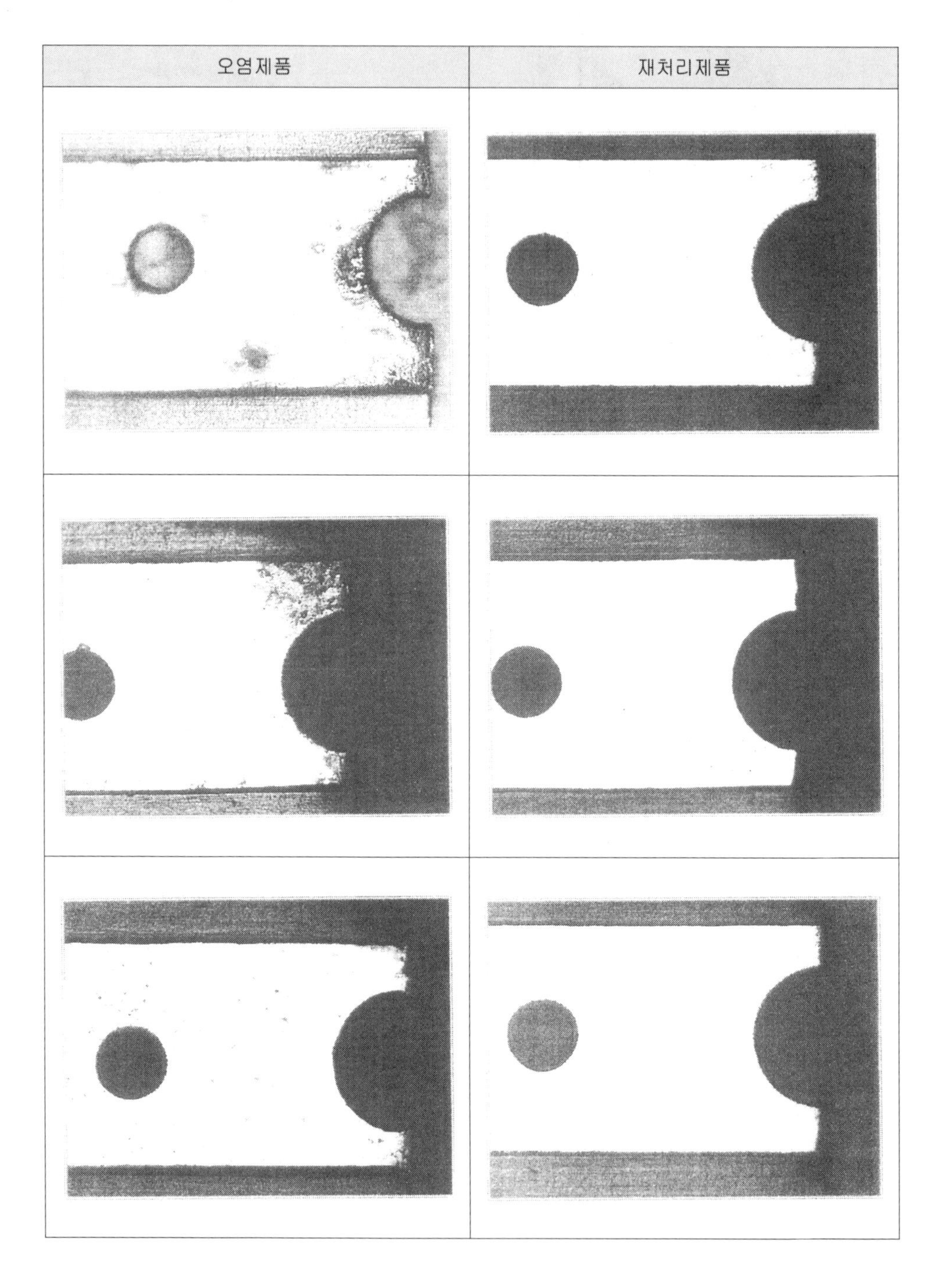

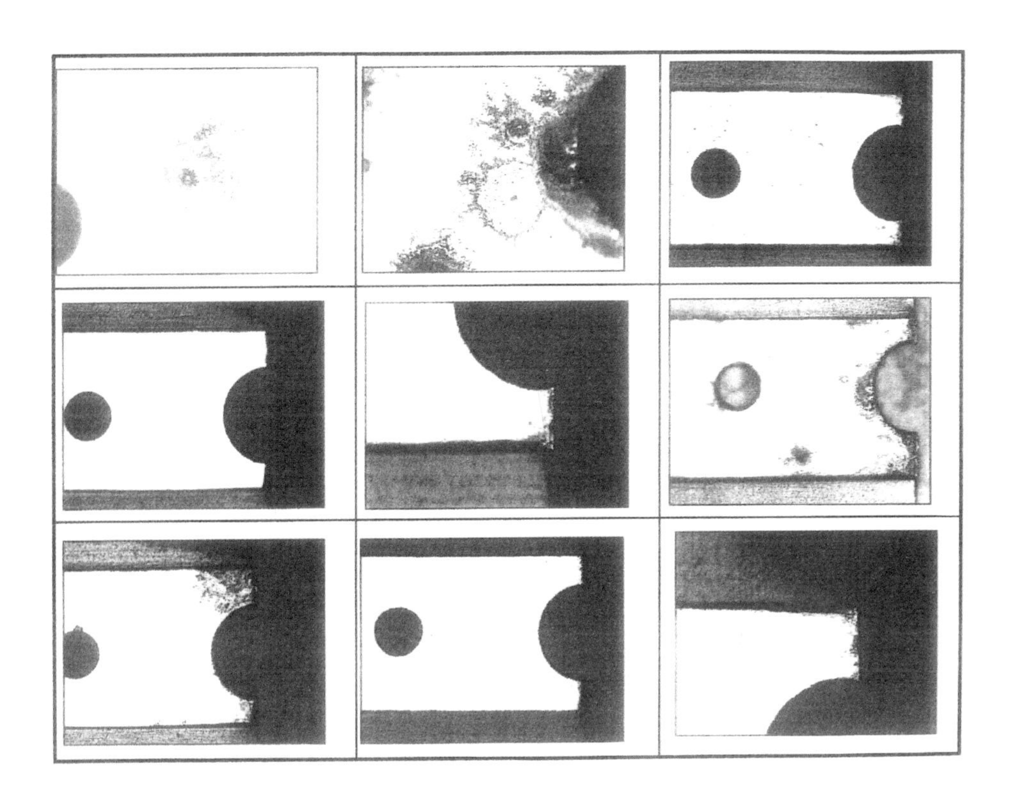

15-3 TEFLON PCB HOLE 신뢰성 분석

· PTH DAMAGE로 기능상실 발생

1. PCB SPECIFICATION
   · 재질 : TEFLON
   · LAYER : 2
   · 표면처리 : PURE TIN

2. 분석내용

   ASSEMBLY B/D 2KITS에 다음과 같은 부위 3POINTS를 HOLE에 대한 MICRO -SECTION과 SOLDERING상태 관찰함

· SECTION 부위 : ① U1 HOLE 3EA 부위
② A1 HOLE 9EA부위
③ C200 CHIP 윗 부위 독립 HOLE 1EA 부위

3. 시료

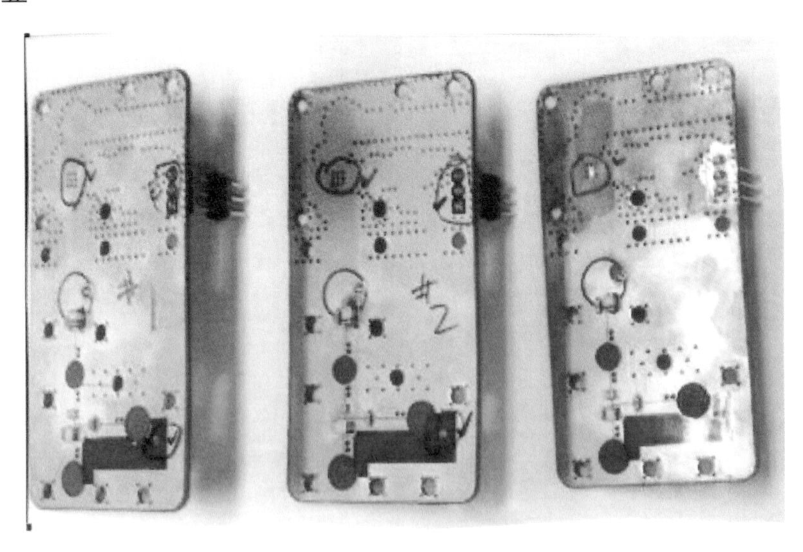

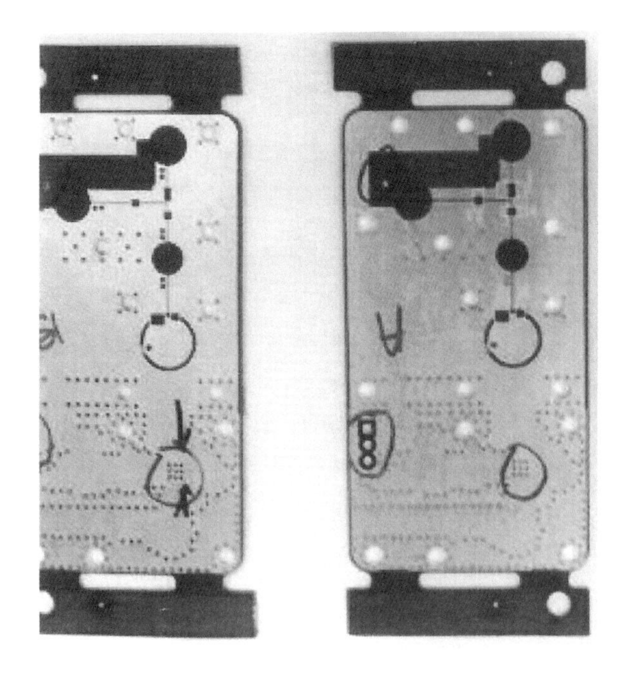

4. 분석결과

위치	DRILL 가공상태	HOLE속 결손	HOLE HWS (HOLE WALL SEPARATION)	비고	결과
1-1	OK	CORNER부위 외부 충격에 의한 HOLE벽 파손	OK	외부충격 추가 검사 요망	NG
1-2	OK	HWS에 의한 HOLE 벽 파손	NG	도금 조건 재검토 요망	NG
1-3	OK	HWS에 의한 HOLE속 결손 및 불균일 발생	NG	HWS 발생으로 인한 HOLE결손	NG
2-1	OK	1-1과 동일	OK	1-1과 동일	NG
2-2	OK	1-3과 동일	NG	1-3과 동일	NG
2-3	OK	동도금 사이 SEPARATION	NG	추가 분석 요망	NG
3-1	OK	1-1, 2-1과 동일현상	OK	1-1, 2-1과 동일현상 동도금 두께 불균일	NG
3-2	OK	1-2와 동일 현상	NG	1-2와 동일 현상	NG
3-3	OK	OK	OK	독립 HOLE임	OK

5. 총평

결손 해결을 위하여 CCL업체, PCB, SMT 3개 회사 공동 노력 필요

NO	업체명	과제
1	원환 공급 업체	1. 출하 시 LOT 별 문제 없는가? 2. PTFE의 RESIN SYSTEM 중 SURFACTANT의 기화 시간 차이에 기인한 추정되는 현상으로 SURFACTANT가 약 360°C 정도에서 기회되는데, 조금 늦게 기화되는 경우에 유사한 현상이 발생되는 것에 대한 PTFE의 설명이 더 필요함 3. 고온(300°C 이상)에서 운영 시 PTFE의 HOLE 도금 층에 미세 CRACK이 발생할 수도 있으나 PCB나 ASS'Y 공정 중 300°C이상 처리 되는 공정이 거의 없으며 재설명 필요 4. WHITE SPOT ① 추가적 설명 필요 ② SEM/ EDX 비교 사진이 불명확함 [C와 F발생의 설명 요] 5. PFTE의 열팽창계수 MISMATCHING에 의한 CRACK 중 MISMATCHING에 대한 설명이 필요하고 이번 시료 TEST결과 주로 WHIT SPOT 부분 중에서 CRACK이 많이 발생되는 이유 설명 요. 6. 절연체 구성 중 GLASS CLOTH 부위에서 HOLE 가공 시 DAMAGE 현상이 많이 발생되어 확인 필요
2	PCB	TEFLON 재질 PCB의 생산 시 표준안(해당되는 공정) 검토
3	ASSEMBLY	1. 부품 삽입 및 SOLDERING 공정 재확인 필요 2. U1 HOLE 3EA 부위에서는 똑같은 현상인 외부충격에 의한 결손으로 봐지는데 이유는?
※첨부		1. MOLD 6EA 2. PHOTO 3. PTFE 자료

6. HOLE 속 MICRO-SECTION 결과

시료	전체 HOLE속 사진	결점 부위
A-1		
A-2		
A-3		
B-1		

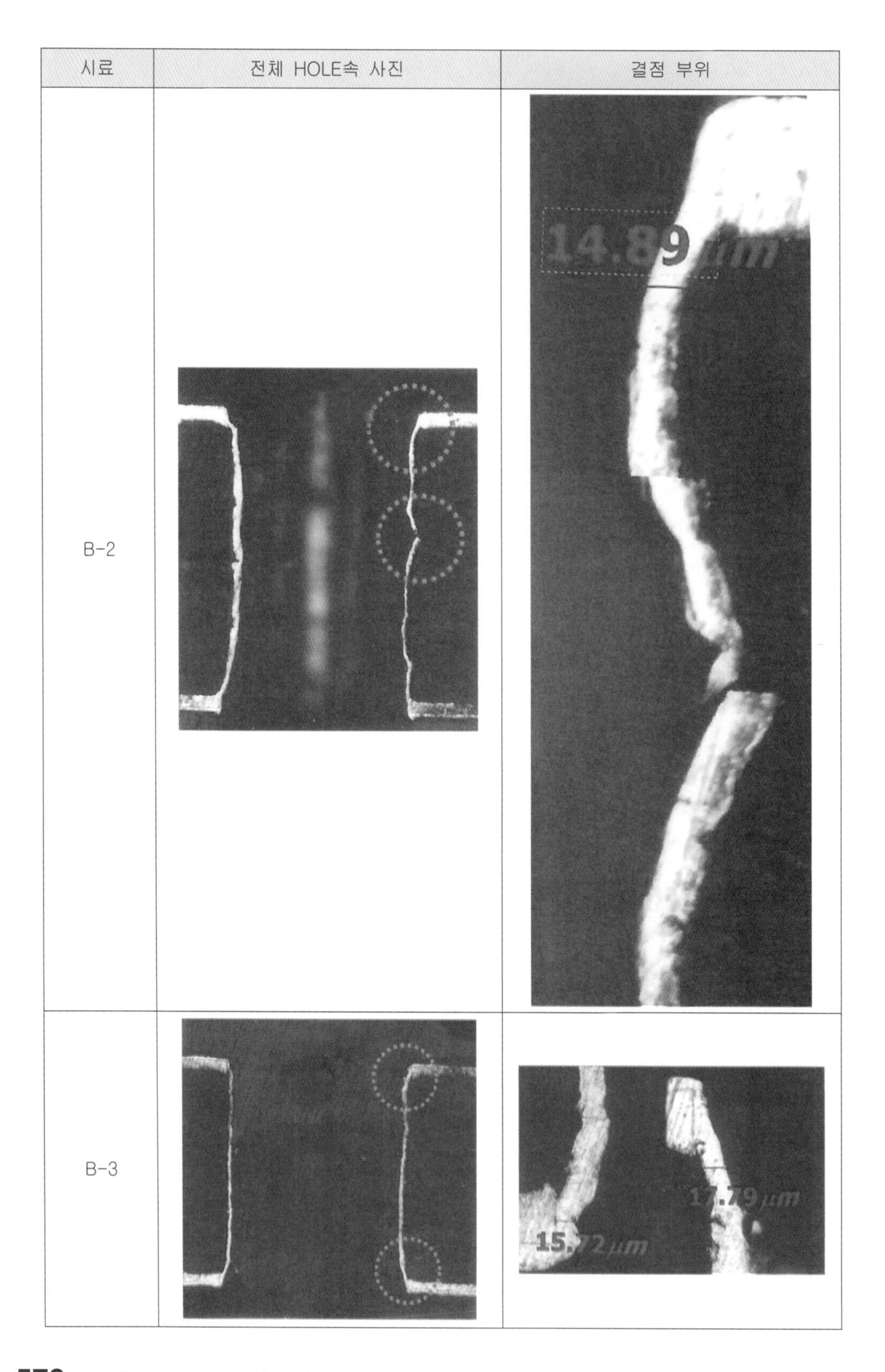
시료
전체 HOLE속 사진
결점 부위
B-2
14.89μm
B-3
17.79μm

시료	전체 HOLE속 사진	결점 부위
1-1	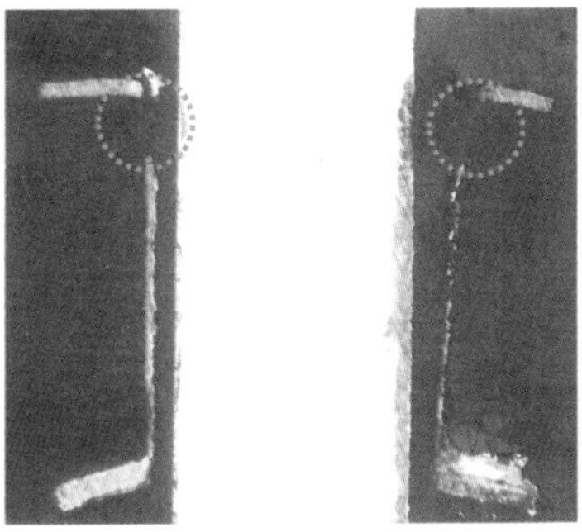	
1-2	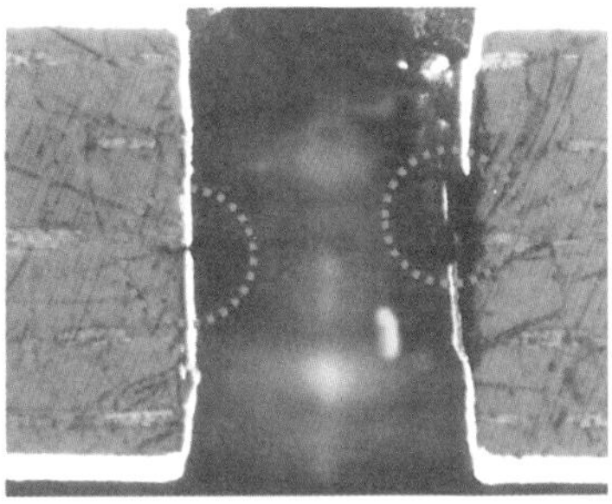	
1-3	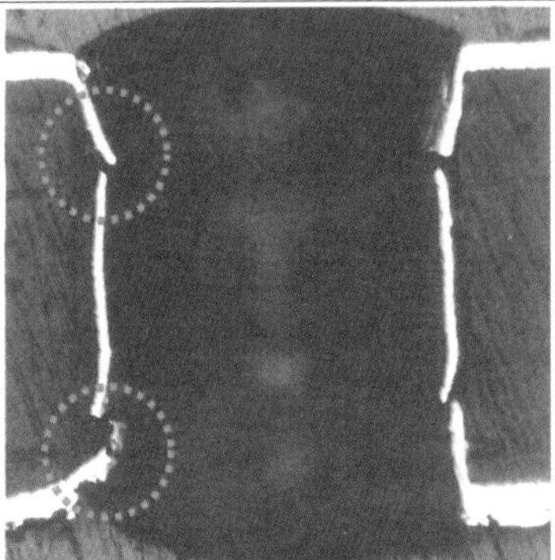	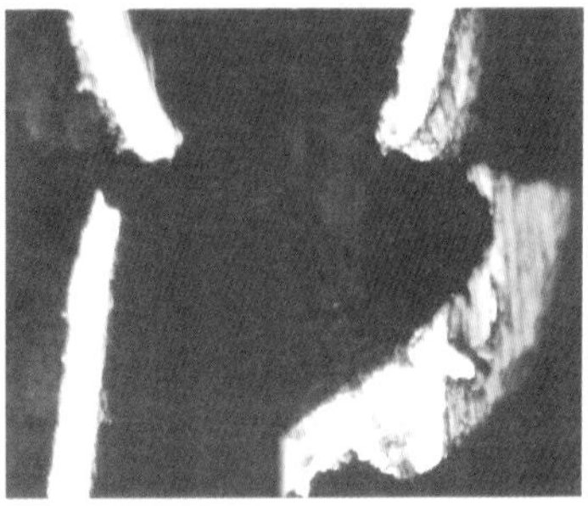
2-1	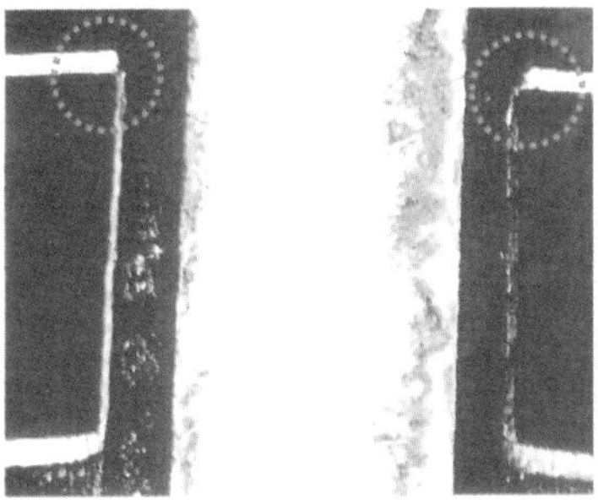	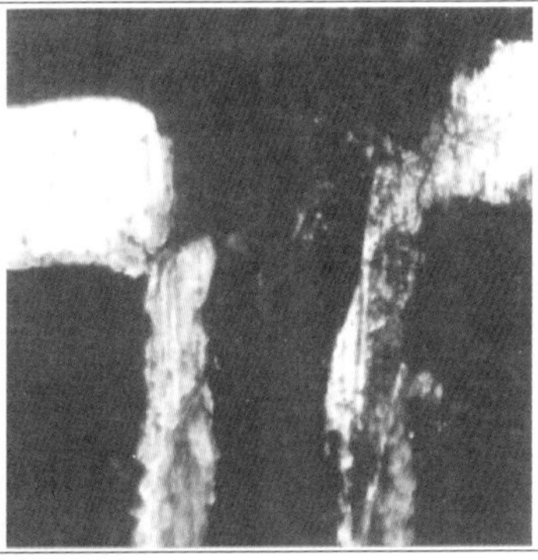

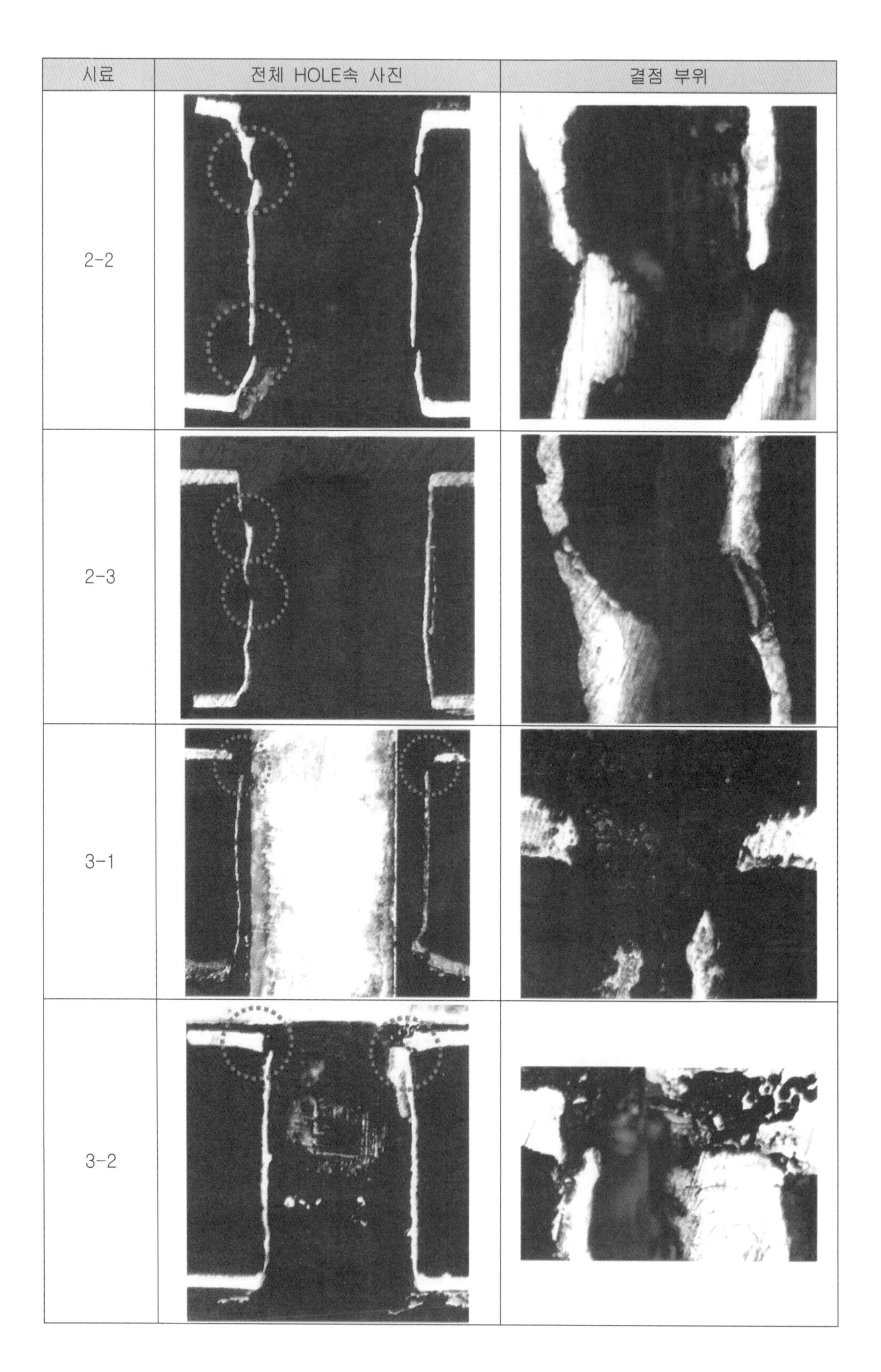

시료	전체 HOLE속 사진	결점 부위
2-2		
2-3		
3-1		
3-2		

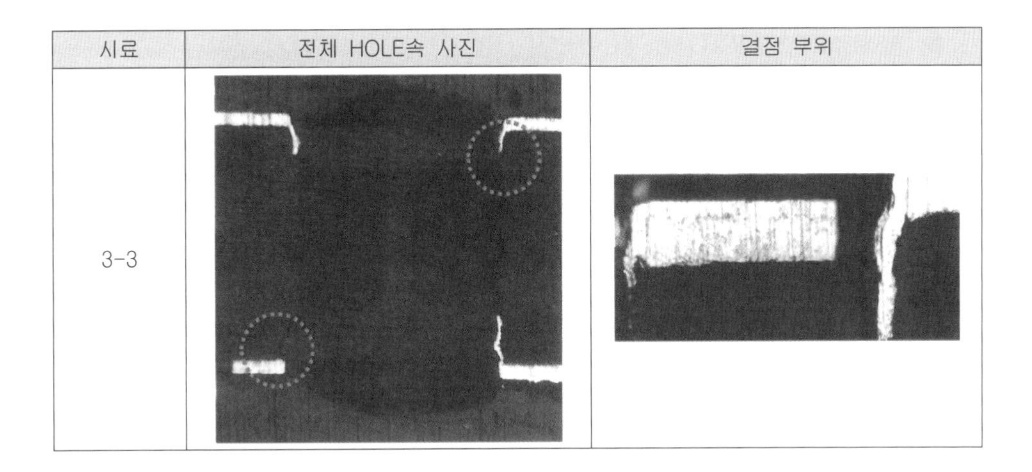

시료	전체 HOLE속 사진	결점 부위
3-3		

▶ ASSEMBLY PCB MICRO-SECTION 연속사진(6EA HOLE)

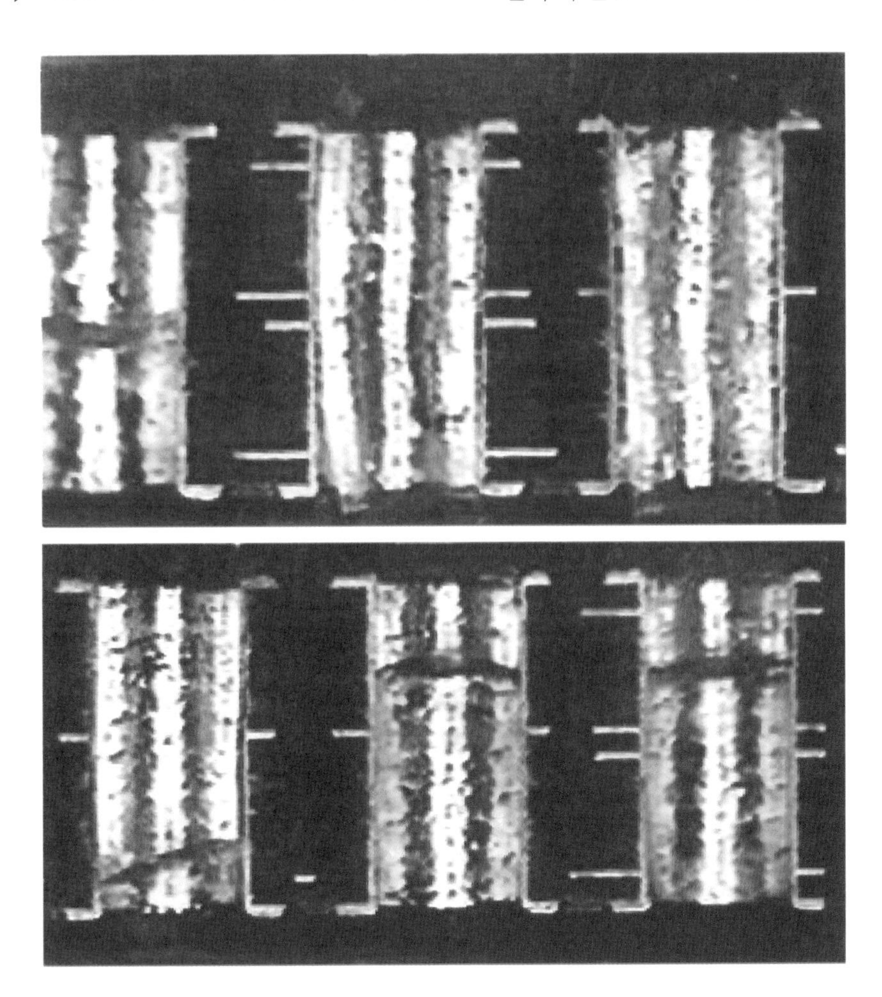

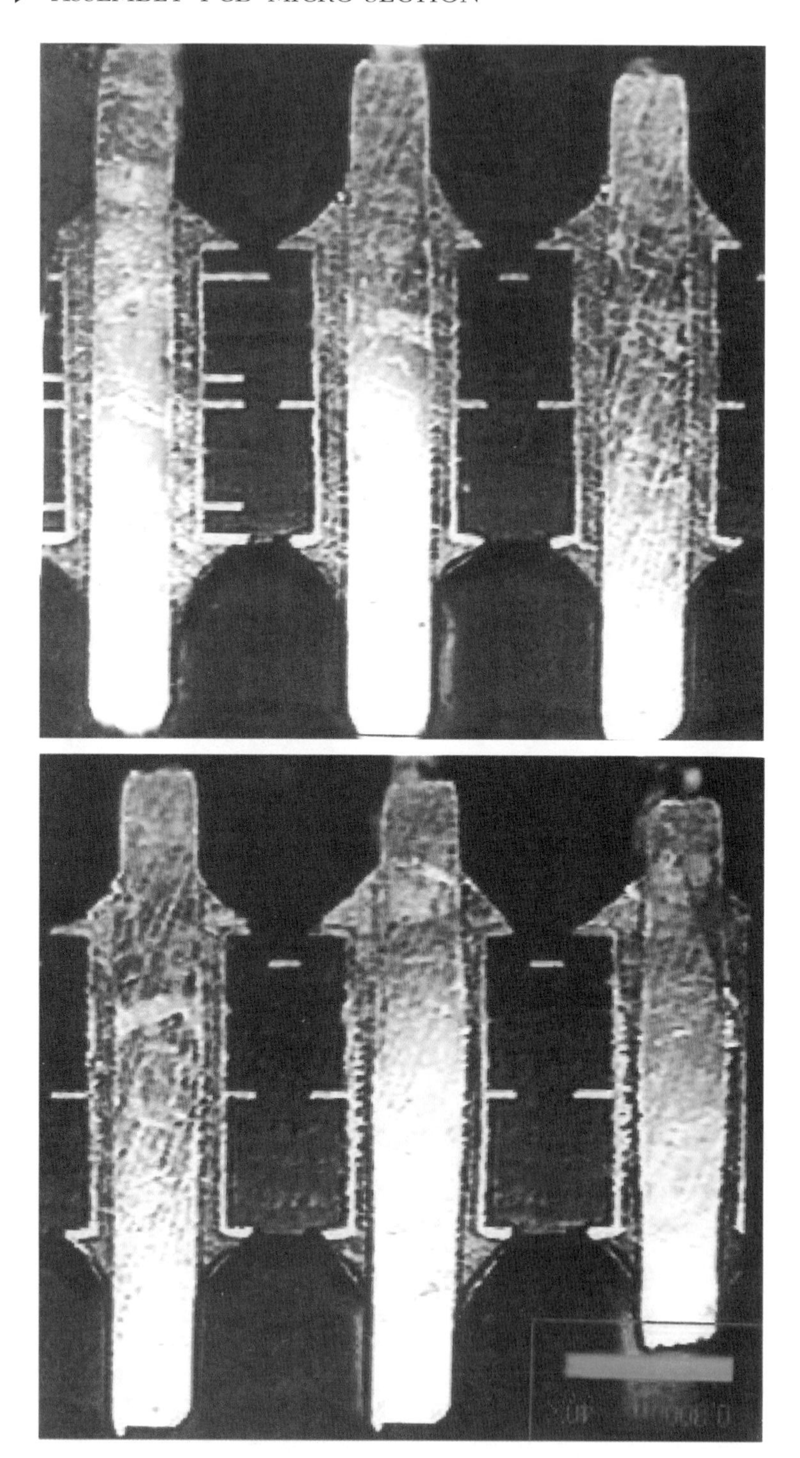

15-4 BACK-PANEL 신뢰성 분석

1. PCB 사양

MODEL	REV NO	BOARO THICKNESS	LAYER	도금	수량	비고
EBHU	V2.O	3.2T	ENIG	24	PNL공법	IPNL

2. 신뢰성 분석현황

· VIA - HOLE 7 POINTS MICRO - SECTION(MOLDING 포함)

· MOLDING 제품 MICRO - SCOPE 분석

3. 신뢰성 분석 내용

NO	공정	문제점	원인	대책
1	DRILL	ROUGHNESS 발생(부분적 심함)	① HIT Count ② BIT 파손	① HIT Count 제조 과정 검토 ② BIT 파손 검토
		NAIL HEAD 발생	① BIT 품질	전체적으로 BIT관리 검토
2	도금 전처리	DESMEAR 부족(부분적)	BACK PNL에 대한 DESMEAR 처리미숙	DESMEAR 횟수확인액관리
3	동도금	① 도금두께 미달 불량발생 MIN 7.8㎛ 발생	PNL 도금 불량	① BACK PNL은 STEP 도금 필요 (예: PNL + P수 도금) ② BACK PNL 경우 1차 도금 후 M-SECTION 실시하여 도금 두께 확인 필요 HOLE속 MIN 도금 두께 20㎛ 이상 요망 GOOD 조건 25㎛
		② 부분적 HWS 발생(부분적) (HOLE WALL SEPARATION)	3.2T 관계로 충격에 의한 EPOXY와 동도금 사이 벽이 발생	도금조건 재조정
		③ HOLE속 도금 PARTICLE 발생	도금 TANK 불순물	도금 TANK 청소주기 및 실시방법 개선
		④ 전체적인 동도금이 UNIFORM 하지 못함(푸석 도금 발생)	액관리	① 액관리 확인 ② 이 경우 SOLDERING 시 열처리에 의한 진행성 불량 발생 가능

4. 신뢰성 분석결과

· 전체적으로 HOLE속 CONDITION 부적합

· HOLE 속 도금 두께 SPEC 대비 불량(MIN 20㎛은 되어야 함)

· 동도금의 미달 및 푸석 푸석 도금으로 인하여 ASSEMBLY 후 진행성 불량 (도금미달 부분 OPEN발생) 연결 가능

· 현상태의 도금 현황으로는 BBT 공정에서 전량 PASS됨

· BARE BOARD 상태 전반적으로 불량 수준임

▷ SAMPLE 1

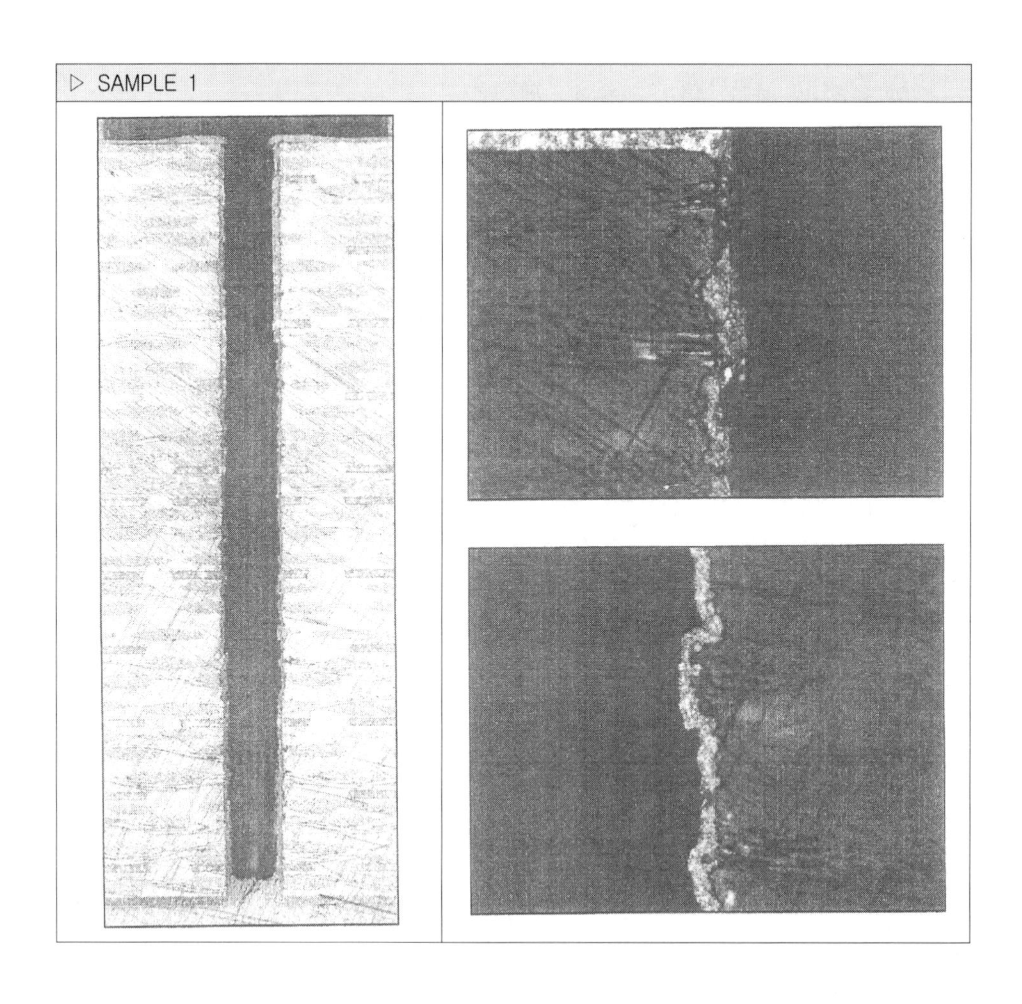

▷ SAMPLE 2

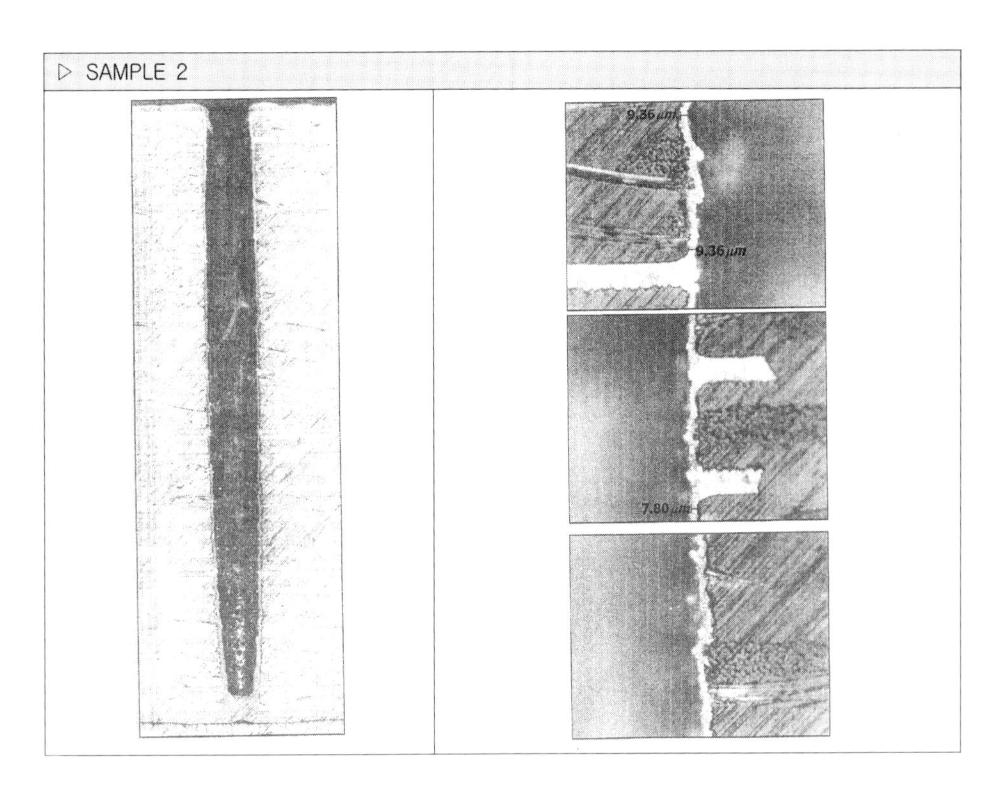

▷ SAMPLE 3

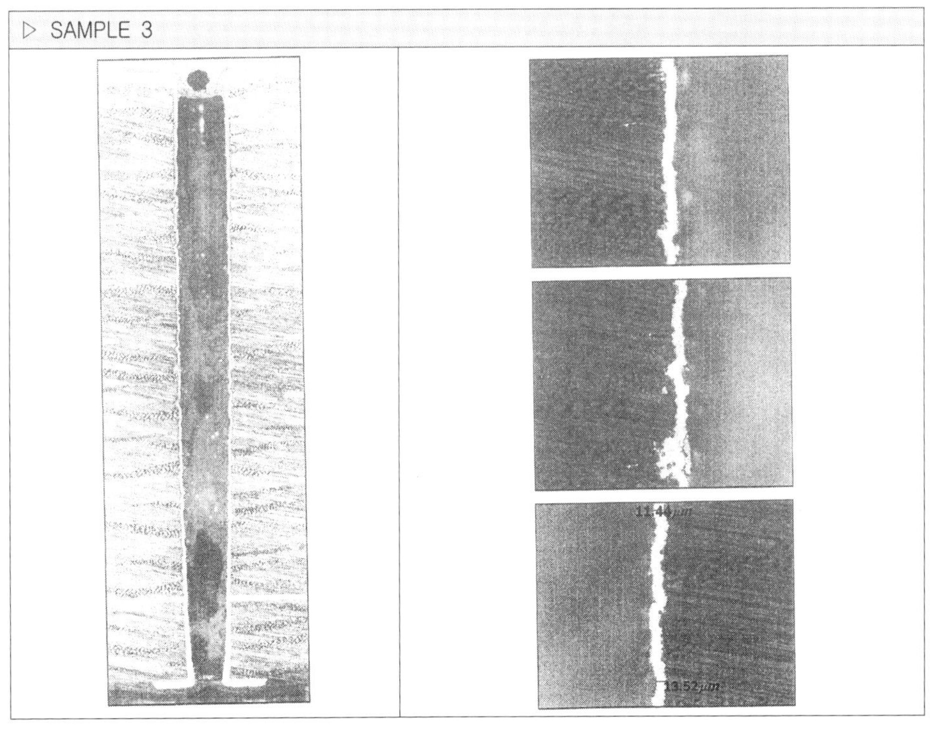

▷ SAMPLE 4

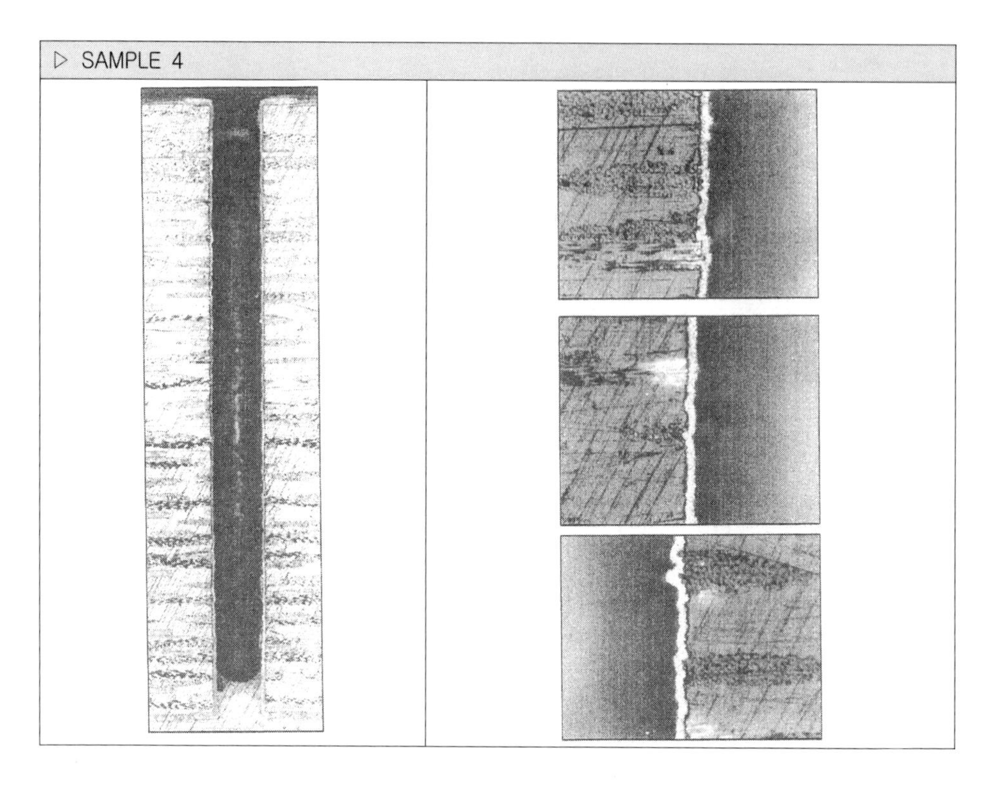

▷ SAMPLE 5

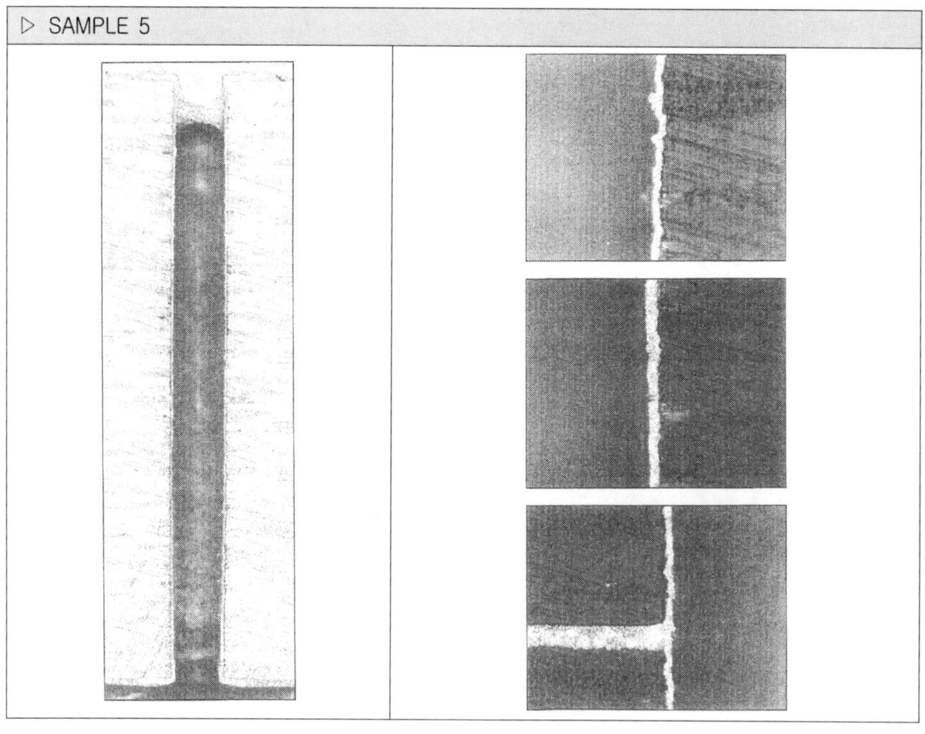

▷ SAMPLE 6

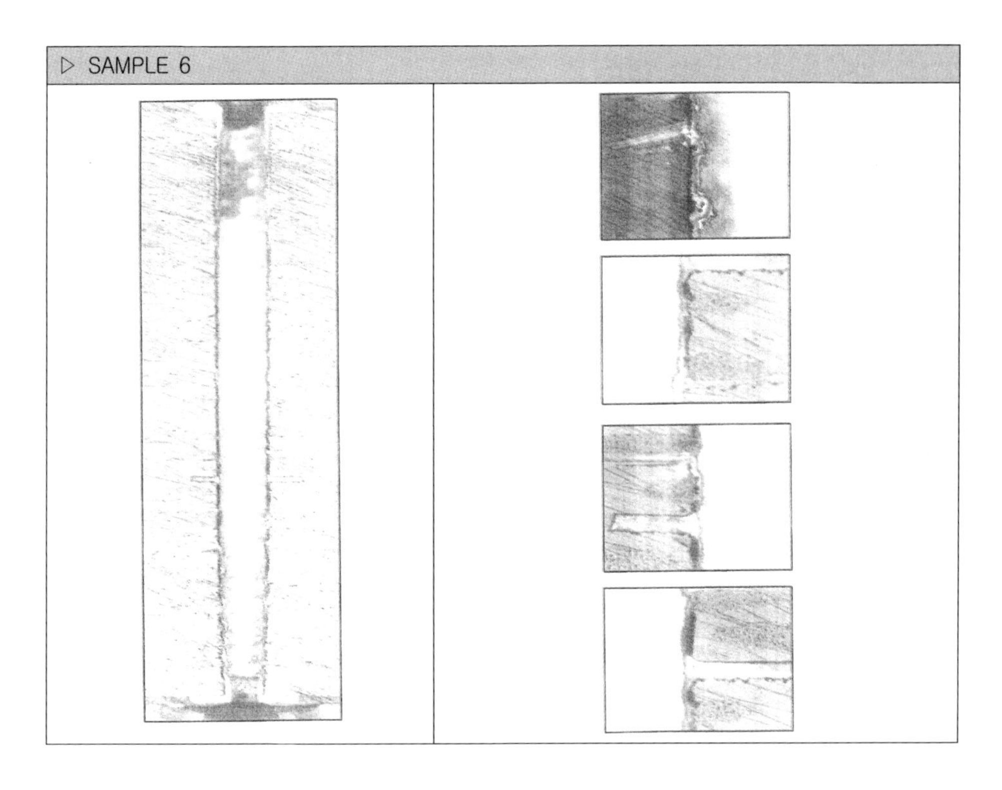

▷ SAMPLE 7

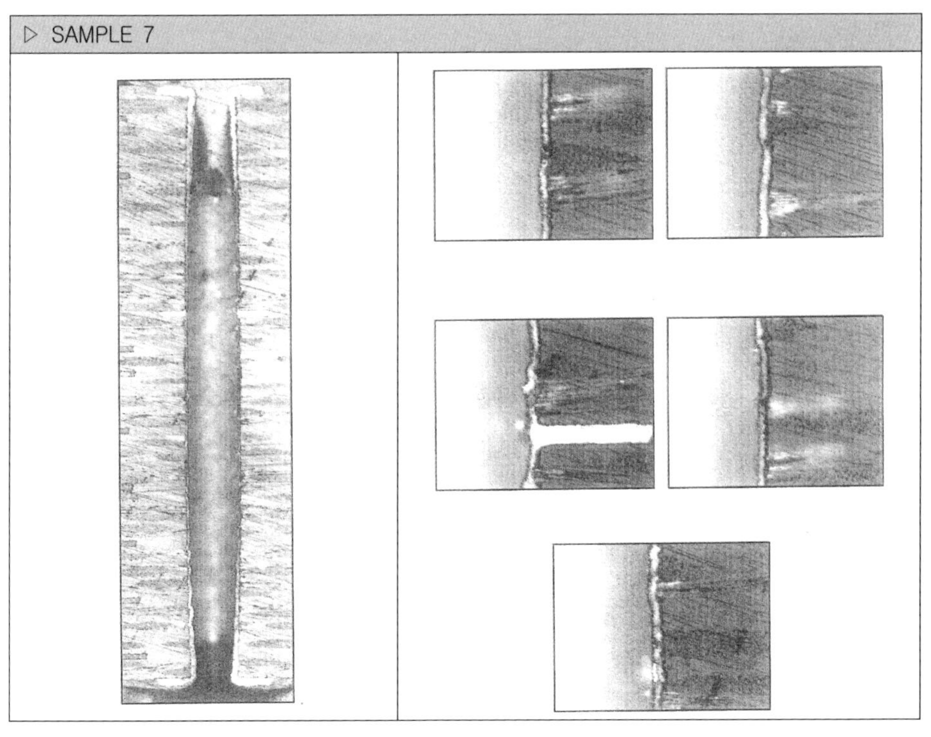

15-5 BGA HOLE 신뢰성 분석

1. BGA 부분 micro-section 결과

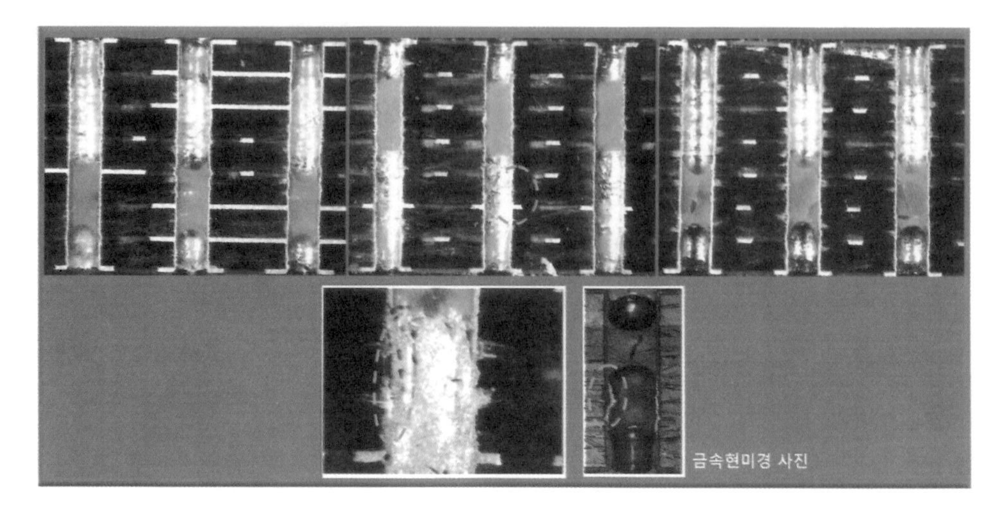

※ 분석결과

· BGA 부분에서 void 현상 발생 없음

· HOLE wall separation 현상이 일부 hole에서 확인됨

2. 임의적 via-hole 의 micro-section 결과 (spl #1)

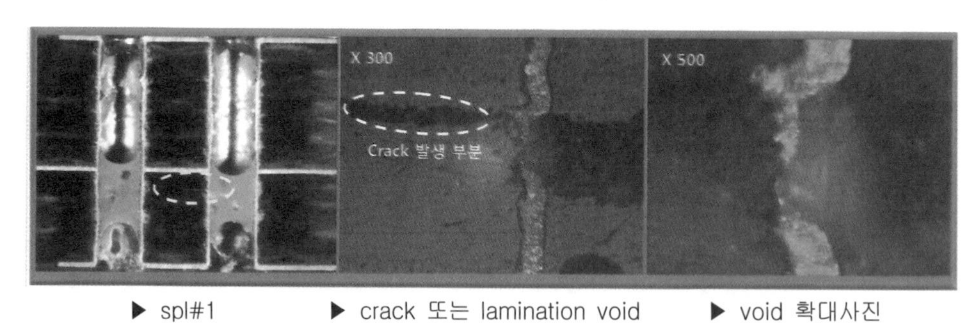

▶ spl#1　　▶ crack 또는 lamination void　　▶ void 확대사진

※ micro void 발생 추정원인

· Laminating void 발생에 따른 Drill 공정의 hole 가공 中 crack 발생하여,

· 도금 진행時 crack 발생부에 약품 잔류되어 micro-void 발생된 것으로 추정

3. 임의적 via-hole 의 micro-section 결과 (spl #2)

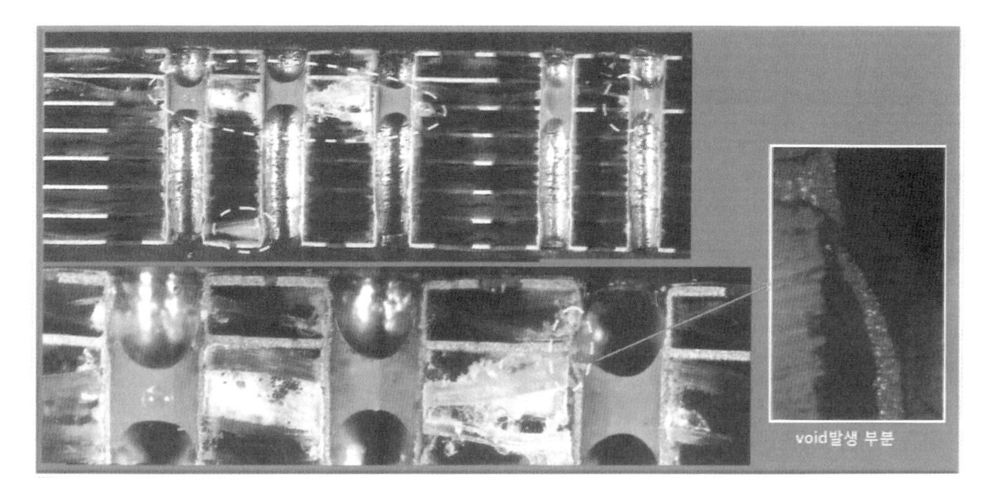

※ 본 시료의 경우

· section을 위한 시료의 전달 과정 中 시료에 대한 충격에 의한 파손여부 또는 시료의 불량상태인지 확인 不

· 그러나 void 발생은 기타 외부여건에 따라 발생된 것이 아니라, 도금공정에서 발생된 것으로 추정됨

4. 기타

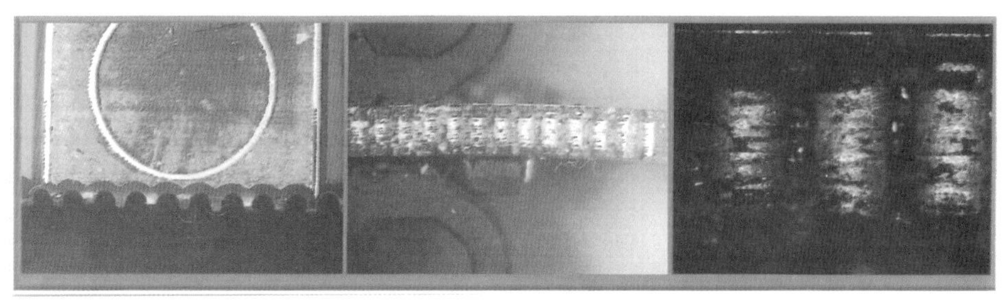

▶미싱홀 상태 ▶ 미싱홀 내벽 ▶미싱홀 내벽 확대사진

※ hole wall separation 발생 추정원인

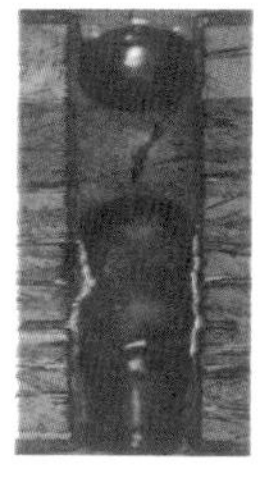

· 무전해 화학동에서 Epoxy 부분에 과흡착되어 무전해층의 접착력 감소 추정

· hole 내벽의 잔존된 촉대(Pd)에 의해 NTH 내벽에 무전해 도금 진행된 것으로 추정됨

▷Plating Thickness Max. 21.3㎛ Min. 13.4㎛	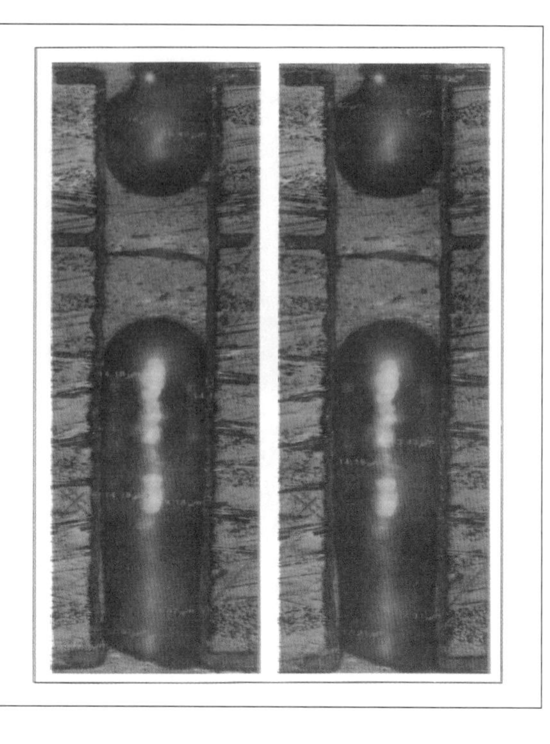

5. 기타 사진

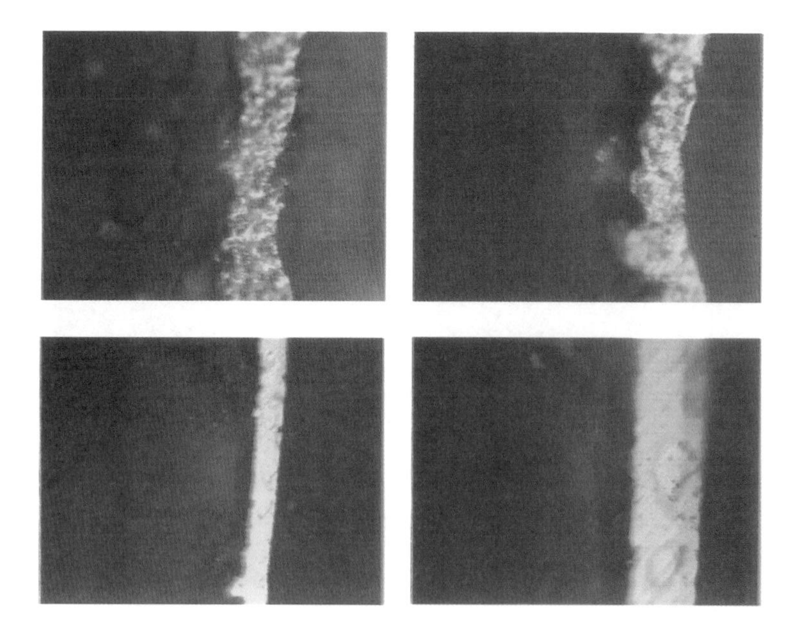

15-6 PTH 신뢰성 분석 ①,②,③

1. PTH 신뢰성 분석 ①

1) 목적

동도금된 HOLE속을 MICRO-SECTION을 통해 품질수준을 확인하며 이것이 신뢰성 보증을 확인하는데 있다.

2) 분석항목

① ROUGHNESS

② SMEAR

3) 분석방법

임의로 HOLE 부위를 선정 파괴 및 MICRO-SECTION 한 후 MOLDING을 거쳐 HOLE 분석

4) 시료

1차 분석하였던 ASSEMBLY BOARD 2KIT(NO 1, 4)에 대하여 7 POINTS MICRO -SECTION 실시

5) 의견

DEFECT 부위를 찾으려고 7 POINTS를 선정하였으나 1차 시험 시 발생한 SMEAR현상은 발견 못하고 미세한 ROUGHNESS만 부분적 발생하였으며 2차 시험 결과는 신뢰성 보증에 문제없다고 판단함.

6) 용어 설명

NO	용어	내용	발생공정	SPEC
1	ROUGHNESS	HOLE속의 PRE-PREG가 깎인 부분의 MAX부분과 MIN부분의 차등도금시에 동이 밀착 할 수 있는 거칠기에 대한 정도	DRILL	ROUGHNESS가 HOLE SIZE 또는 HOLE 속 동도금 두께 미만이면 OK IPC-A-600G Page96 참고
2	SMEAR	PREPREG의 RESIN이 DRILL가공 시 녹아 COPPER부분을 덮어 도금 후에 층과 층사이를 OPEN 시킨 것	DRILL	SMEAR 발생 25㎛ 이내 IPC-A-600G Page64 참조
3	ETCH BACK	HOLE속에 도금이 잘되도록 하기 위해 DRILL가공된 HOLE 내벽의 유리섬유의 기자재를 용해 시켜줌으로써 내층도체 표면을 노출 시켜주며 동시에 RESIN SMEAR를 제지하기 위한 목적으로 작업	DESMEAR	

7) ROUGHNESS 현상

· HOLE SIZE = 0.6Φ(600㎛)

사진 NO	동도금 두께 (㎛)				ROUGHNESS(㎛)		판정
	RIGHT		LEFT		RIGHT	LEFT	
	MAX	MIN	MAX	MIN			
1	25.696	23.652	36.602	21.520	2.044	15.100	OK
2	21.838	17.131	43.542	21.206	4.528	22.282	OK
3	47.856	17.131	23.652	21.206	30.725	측정안됨	OK(육안식별)
4	38.603	19.389	32.191	32.191	19.214	측정안됨	OK(육안식별)
5	42.827	30.283	38.603	21.065	12.544	17.538	OK
6	① ROUGHNESS 발생 - MIN 2.044㎛ - MAX 30.725㎛ ② IPC-A-600G 자료에 근거 SPEC 범위임 ③ BOARD 신뢰성에 영향 끼치지 않음						

8) 첨부

① 사진 5 SHEET

② MOLD 7ea

③ IPC 자료 2 SHEET

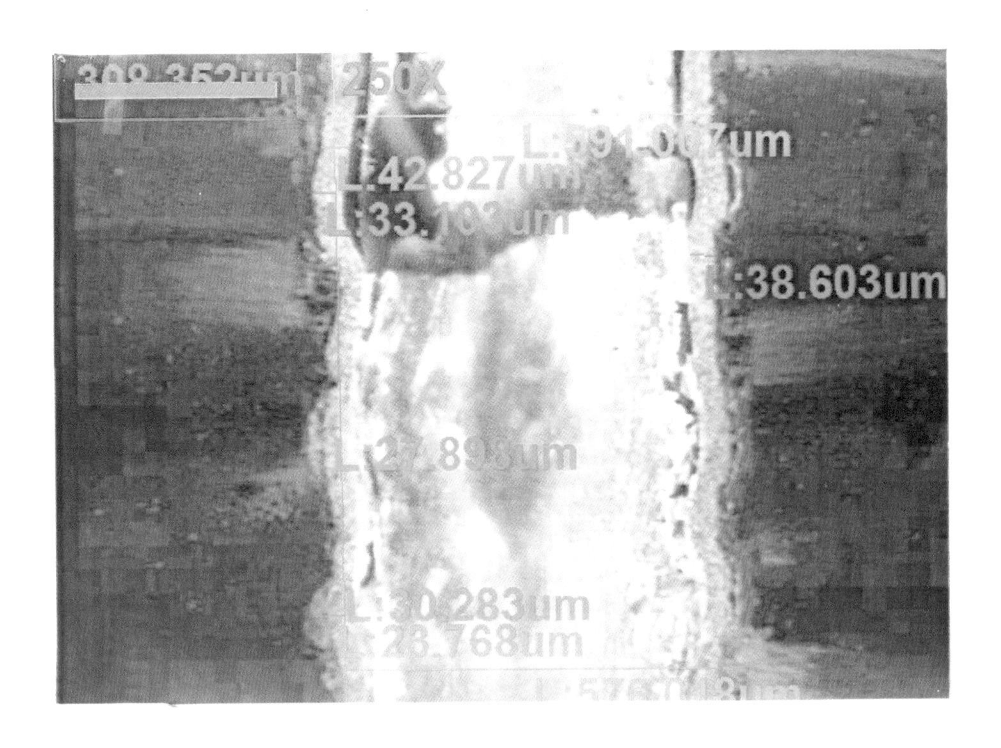
250X
L:42.827um
L:38.603um
L:30.283um

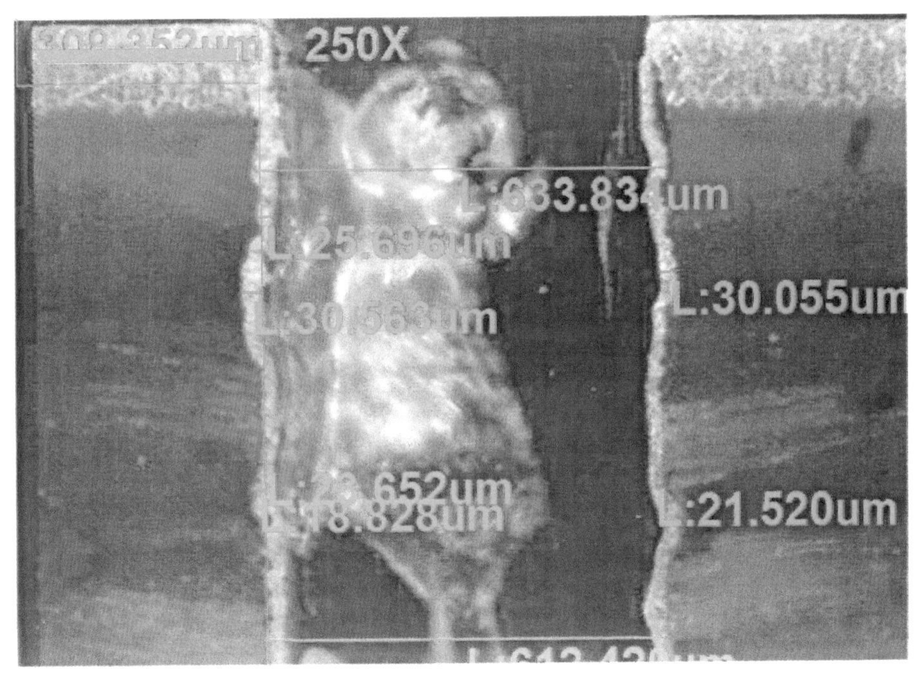
250X
L:25.696um
L:30.055um
L:18.828um
L:21.520um

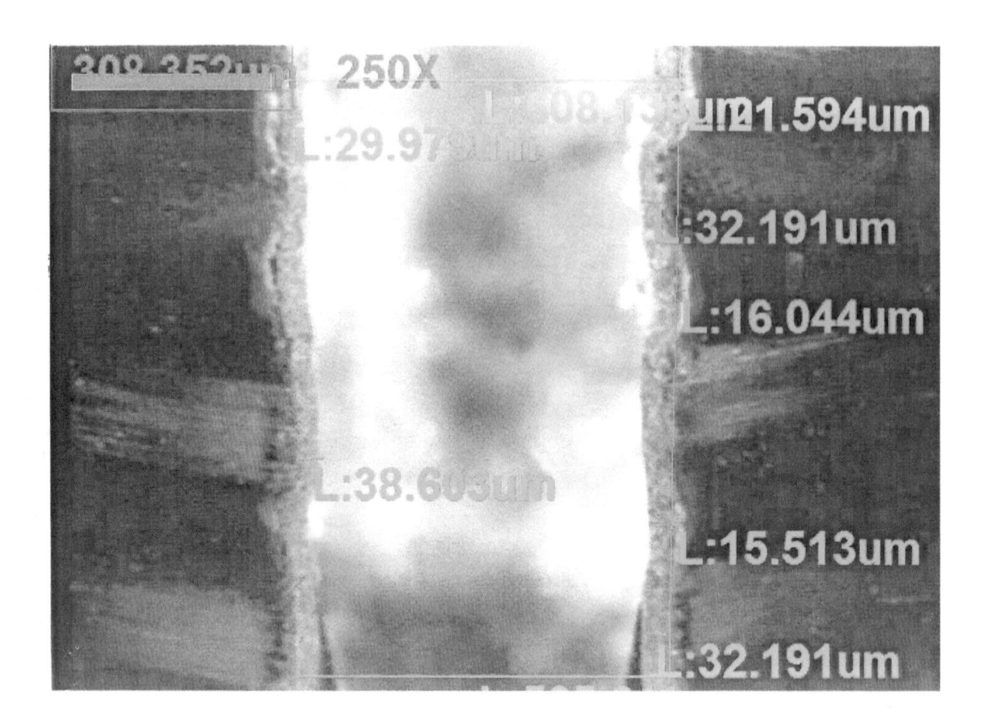
250X
L:32.191um
L:16.044um
L:15.513um
L:32.191um

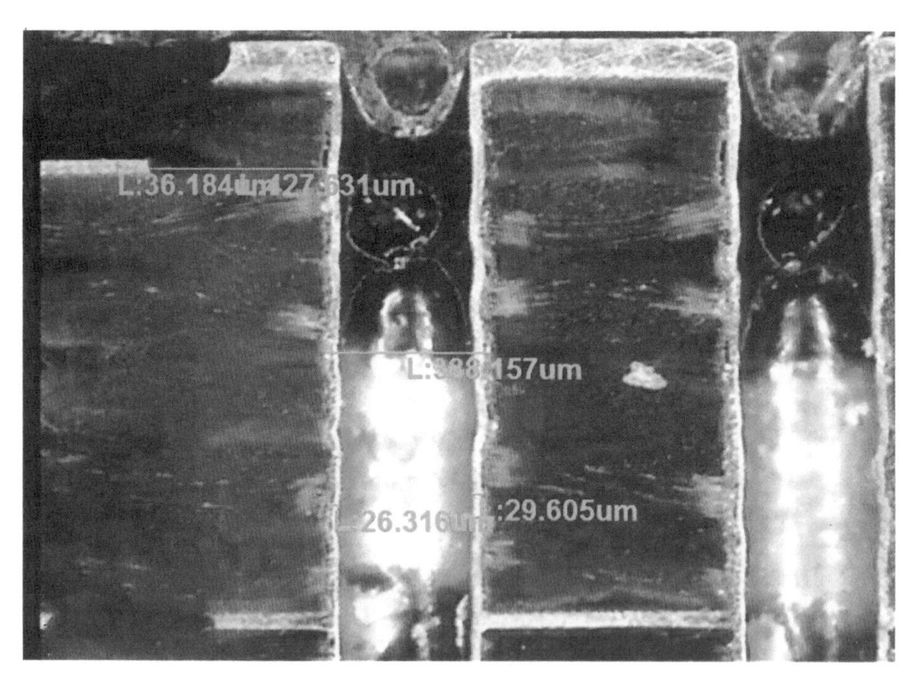
:29.605um

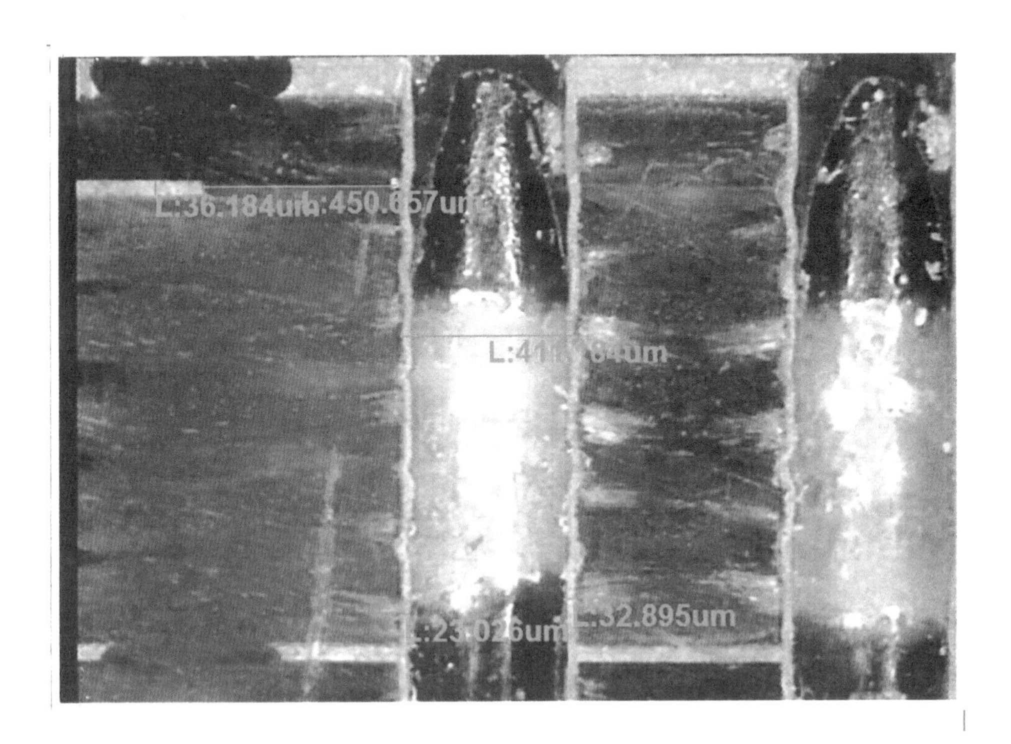
L:36.184um
L:32.895um

2. PTH 신뢰성 분석 ②

1) 고객명 : J사

2) 제품명 : 105 - 0534Y

3) 제품사양

기판두께	층수	VIA- HOLE SIZE	표면처리
1.6T	10L	0.25∮	ENIG

4) 신뢰성 분석 종류 : HOLE속 신뢰성 분석

5) 분석내용

① 주요부품 4곳 MICRO - SECTION
부품명 : BGA & CSP

② 41EA HOLE 관찰

③ 적합한 부위와 부적함 부위 사진 촬영

6) HOLE 속 관찰결과

MOLD NO	HOLE수	DRILL ROUGHNESS	HOLE속 도금 상태		SMEAR	VOID	결론
			두께	균일성			
1	8	부분적 발생 SPEC범위	대체적으로 얇음 15 - 17㎛ MIN : 10. 76㎛	불균일	NG	NG	NG
2	13	양호	"	"	NG		NG
3	7	"	"	양호	NG		NG
4	8	"	"	불균일	NG		NG
5	5	"	"	불균일	NG		NG
* NG : NO GOOD							

7) 신뢰성 분석결과

① 전체적으로 HOLE속 도금 두께 얇음, 일반적으로 1.6T 완제품 HOLE속 도금은 MIN 20㎛ 유지 되어야 함

② HOLE속 도금 상태가 불균일함 0.25Φ 동도금시 THROWING POWER 약함

③ HOLE VOIS는 부분적으로 발생한 것으로 봐서 무전해 도금 시 발생된 것으로 판단

④ 10층 BOARD에 대한 DESMEAR 인식 부족으로 판단

- 고다층 PCB는 일반적으로 DESMEAR처리 2회 실시
- DESMEAR 액상태에 따라 추가 DESMEAR 처리하는 경우도 있음

8) 결론

- 전체적으로 SMEAR 발생한 것으로 판단
- ASSEMBLY후 신뢰성 검사 시 문제 발생 가능함

9) 첨부사진

MOLD NO	1	2	3	4	5	6
내용	HOLE속 도금 두께 및 HOLE 속 양품	도금두께 불량 MIN 10.26㎛	HOLE속 도금 불균일	VOID	SMEAR	SMEAR

10) 첨부 MOLDING 시료 5EA

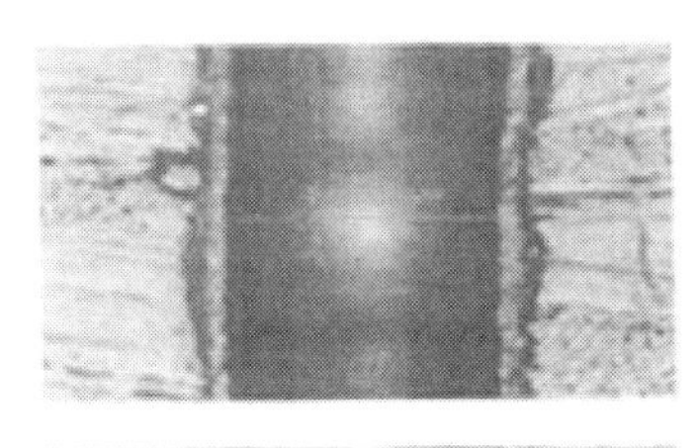

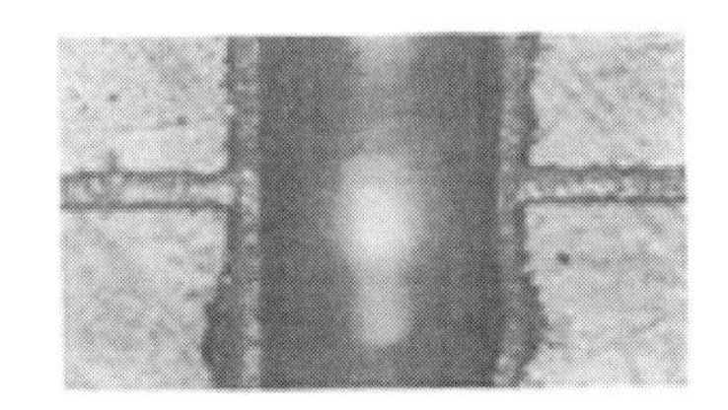

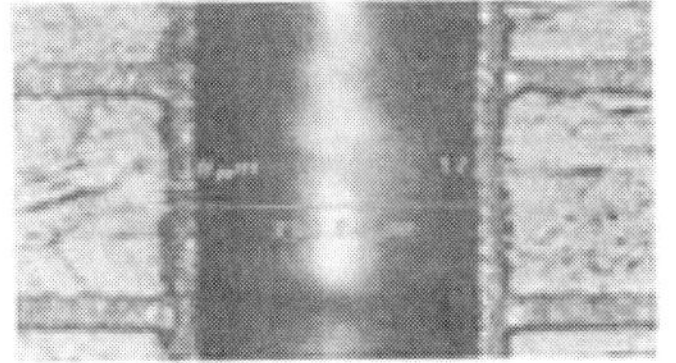

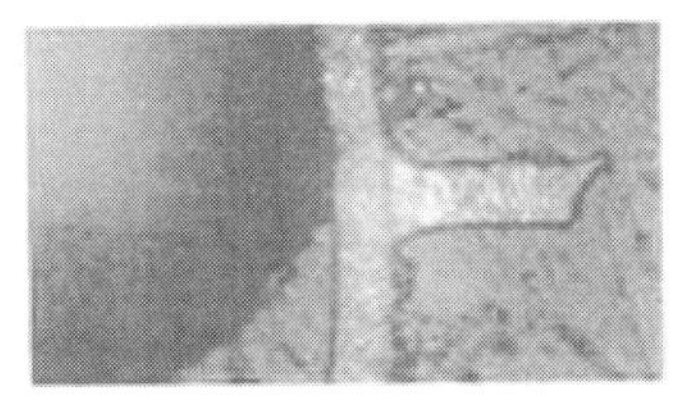

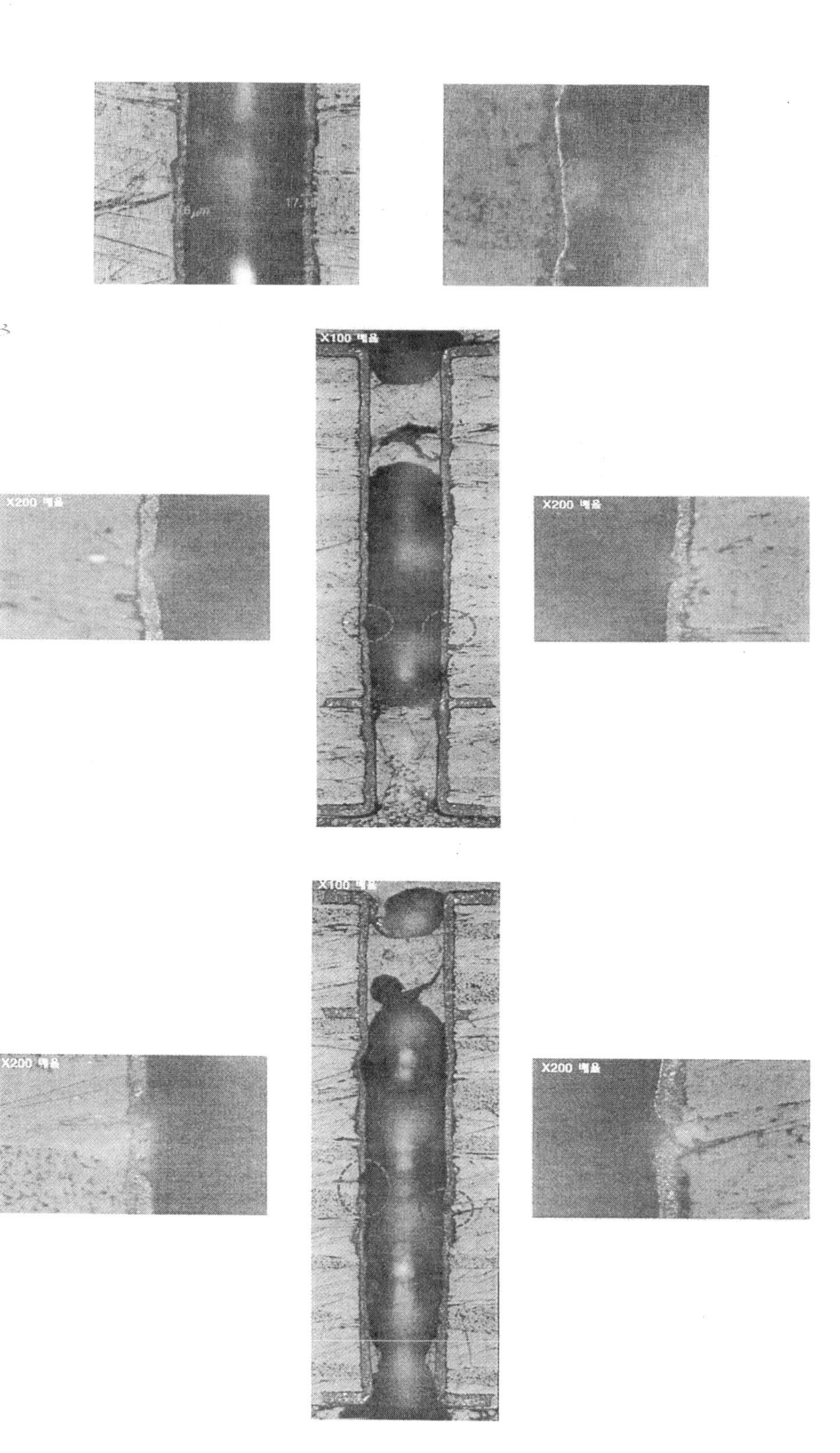
X100 배율
X200 배율
X200 배율
X100 배율
X200 배율
X200 배율

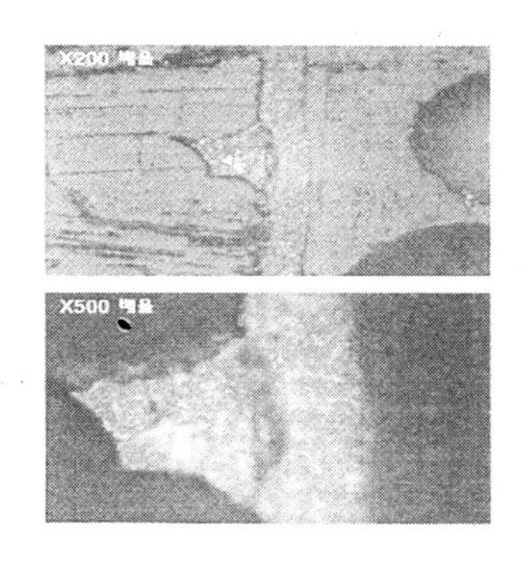
X200 배율
X500 배율

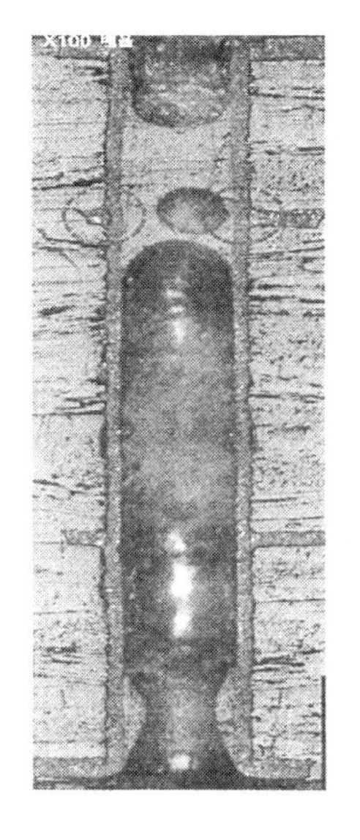
X100 배율

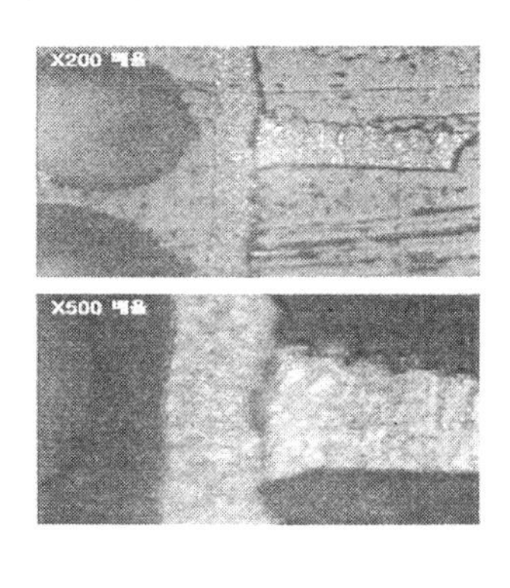
X200 배율
X500 배율

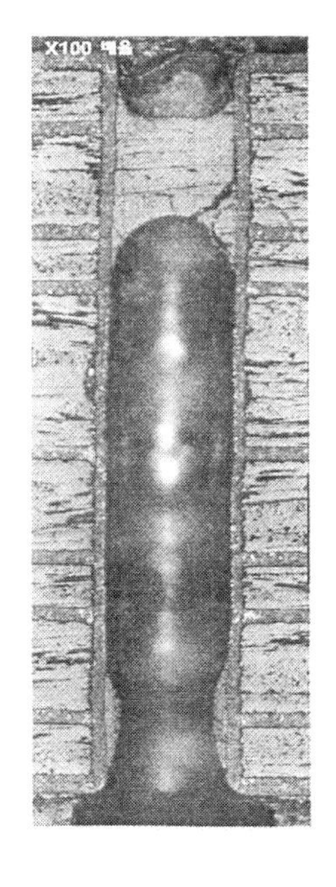
X100 배율

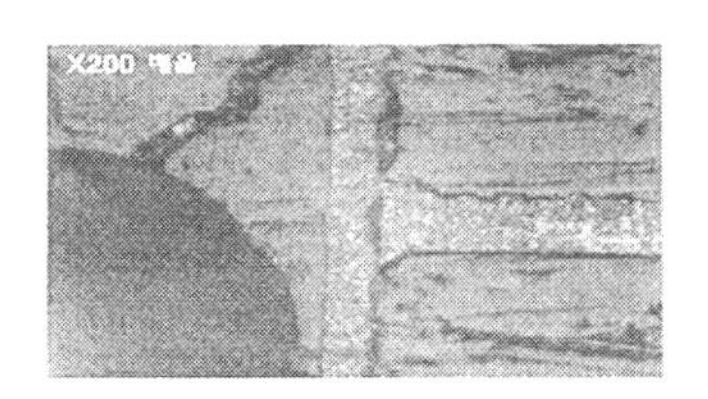
X200 배율

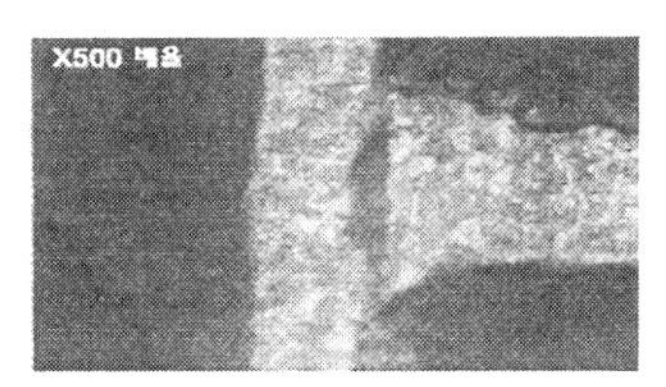
X500 배율

3. PTH 신뢰성 분석 ③

1) 고객명 : A사

2) 제품명 : BATTERY BOARD PIL67AG(HALOGEN FREE)

3) 제품사양

기판두께	층수	VIA-HOLE SIZE	표면처리	기타
0.8T	4L	0.35Φ	ENIG H/GOLD	HALOGEN FREE

4) 신뢰성 분석 종류 : HOLE속 신뢰성 분석

5) 분석내용

① 타회사 분석 내용 참고

② 약식으로 분석(MOLDING 생략)

③ HOLE속 현미경으로 관찰

④ 문제부위 사진촬영

6) HOLE속 관찰현황

구분	DRILL ROUGHNESS	DRILL BURR	HOLE속 도금 상태		SMEAR	VOID
			두께	균일성		
결과	OK	OK	대체적으로 양호	OK	NG	OK

7) 분석결과

① 분석 의뢰한 LOT에 대해서 DESMEAR 처리가 안된 것 같음

② HALOGEN FREE PRE PREG 사용 시 DESMEAR 처리 강화 되어야 함.

8) 결론

전체적으로 DESMEAR 처리가 안되고 SEMEAR상태가 발생되어 ASSEMBLY 후 신뢰성 검사 시 문제 발생 가능함

9) 첨부사진 : 참고

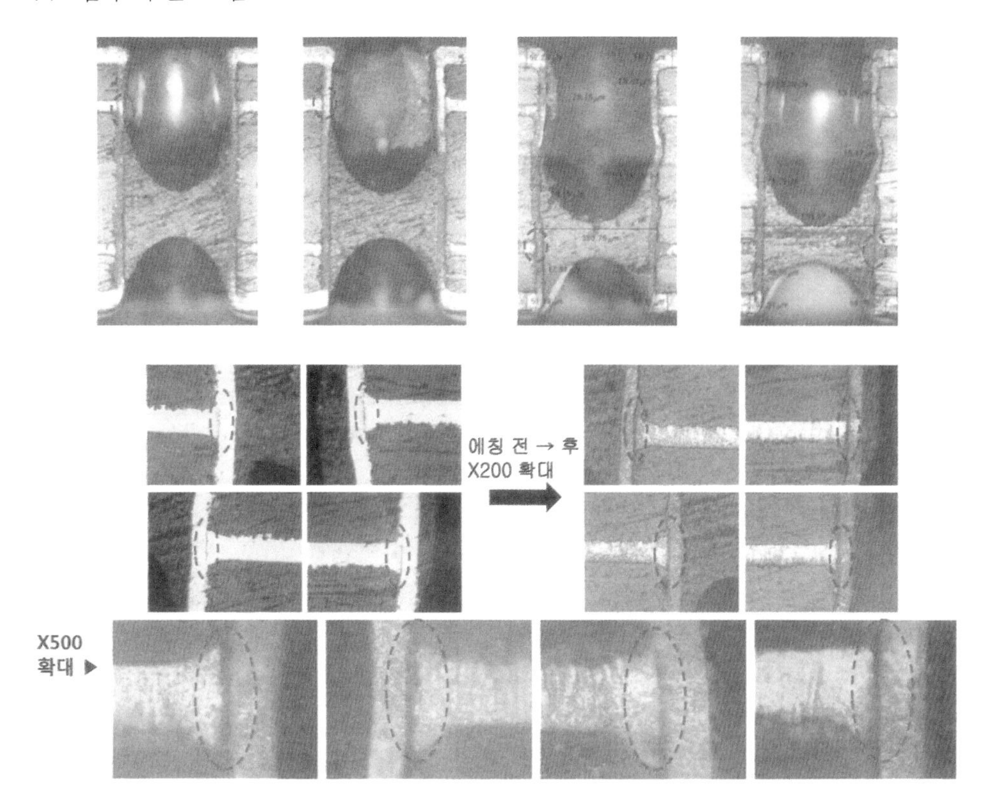

15-7 표면 BLACK PAD 신뢰성 분석

1. PCB 사양

MODEL NO	REV NO	LAYER	표면처리	PCB 재질 HALOGEN FREE		실장			비고
				CCL	PSRINK	무연	유연	수동	
SSI 270 8UAOI	0.3	D/S	PURE TIN	X	X	○	X	○	
SSB 520H 24VOI	0.3	S/S	PURE TIN	X	X	○	X	○	LU, LL 2TYPE

2. ASSEMBLY 후 불량 내용

① 납땜부위 흑화 현상

② 젖음성 불량

3. 신뢰성 분석 내용

① 시료 D/S 2 SET
S/S 3 SET] 납땜상태 검사

② 200배 이상의 현미경으로 전 ASS'Y PCB 실장상태 검사

③ 흑화 현상 자료 첨부

- 흑화 현상 분석 시 약 15일 소요하는 관계로 타 제품에서 발생된 제품 분석 DATA 첨부

④ 젖음성 불량 관찰

⑤ PCB 처리 상태 검사

4. 신뢰성 분석 현황

NO	항목	검사 BOARD 번호				
		1	2	3(LU)	4	5(LL)
1	SURFACE BLACK PAD (표면흑화 현상)	1. T101-T109까지 윗면 16POINT 아랫면 32POINT 검사 2. 윗면 16POINT 전량 발생 3. 아랫면 32 POINT 전량 발생 4. 타 CHIP 부위 발생안함	1. 시료 1번과 동일 2. REBALLING 부위 깨끗하며 주위 FLUX잔사(검은상태) 발생	1. T114-T125까지 윗면 36POINT 아랫면 48 POINT 검사 2. BLACK PAD 발생무	대체적으로 양호	OK
2	SOLDERABILITY	1. 대체적으로 양호하나 납뭉침 발생 2. CHIP 부위 양호 3. SOLDER 상태 불균일	1. 대체적으로 양호하나 땜납부위 불균일 하고 세정안됨	1. 대체적으로 양호하나 땜납부위 세정 불충분으로 지져분함	대체적으로 양호	OK
3	SOLDER BALL	부분적으로 발생	시료 1번 보다 양호	OK	OK	OK
4	냄땜(젖음성) 상태	대체적으로 양호하나 표면 세정 안됨	대체적으로 양호	땜납한쪽으로 몰림 발생(납봉우리)	T111, T112부위에서 부분적 납퍼짐 불량 발생	OK
5	실장 상태	CHIP 부분적 쏠림 발생	시료 1번과 동일	OK	OK	OK
6	PCB표면검사 1. PSR/MK번짐	OK	OK	OK	OK	OK
	2. PSR/MK쏠림	OK	OK	OK	OK	OK
	3. 표면처리	OK	OK	OK	OK	OK
	4. 가공상태	OK	OK	OK	OK	OK
	5. WARP	OK	OK	OK	OK	OK

5. 신뢰성 종합 평가

1) 실장기술에서 제일 중요한 POINT 작업 조건이다.

2) PCB의 BARE BOARD로 실장에 영향을 주는 요소는 다음과 같다.

① 회로 보호 및 식자 표시인 PSR/MARKING 처리

② 부품이 실장되는 부위의 표면처리

③ BARE BOARD 및 ASS'Y 시 BOARD의 휨 발생

④ BARE BOARD 가공 시 발생될 수 있는 이물질

⑤ 기타

3) ASS'Y 시 품질에 영향을 주는 요소는 다음과 같다.

① 소재의 선택(SOLDER WIRE, SOLDER PASTE, FLUX등)

② METAL MASK

③ MOUN TING 위치

④ 각 부분 설비(온도, 시간 등)조건- 수작업, IMT, SMT 시 동일

⑤ 무연/ 유연의 구분

⑥ ASS'Y 후 세정 방법

⑦ 기타

4) 불량 제품(5PCB)을 확인 해본 결과 PCB 상에서는 이상 부위 찾기가 어려웠음.

5) 전체적으로 부품 실장 시 관리조건 문제로 판단

6) 불량 발생원인 대책

NO	유형	원인	대책	참고
1	표면 흑화 현상	1. 일반적인 표면 처리 (ENIG)의 BLACK PAD와는 전혀 다름 2. 납땜시 고온 발생으로 인하여 FLUX 찌꺼기 탐으로 발생 3. 유연보다 무연 SOLDER 작업 시 발생 많음	작업 온도 조건 재확인	FTIR시험 결과 참고
2	SOLDERABILITY	온도조건으로 인하여 땜납몰림 발생 특히 수납부위 심함	작업 온도 조건 재확인	첨부자료 참고

NO	유형	원인	대책	참고
3	SOLDER BALL	SOLDER PASTE의 열화나 REFLOW 조건의 부적절	SOLDER PASTE의 정확한 인쇄와 SOLDER PASTE의 열화를 억제하는 대책과 수분 및 용제의 돌비를 억제하는 대책이 필요	
4	젖음성(냉땜)	1. 부품이 틀어짐 2. 결품 3. SOLDER 부족 4. BRIDGE	1. SOLDER PASTE 검소 2. 온도 PROFILE재검토 (연구간, 용융구간)	
5	세정	전체적으로 세정 미흡	세정 방법 개선	

■ 27" DELL 흑화 현상 비교

사진	SMT 작업 후 Solder 상태		초음파 수세 후 Solder 작업상태	
SR 부위				
		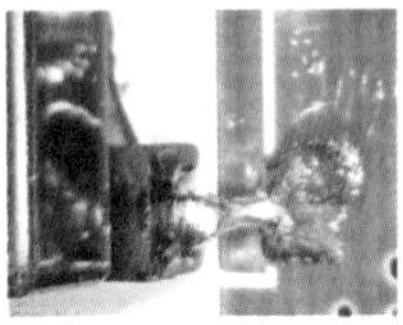		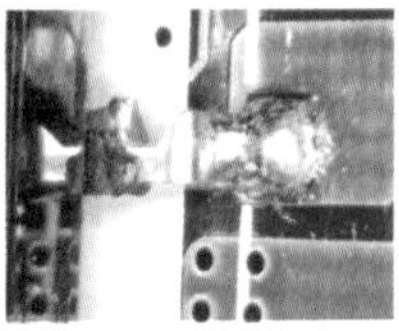
고압 표시부				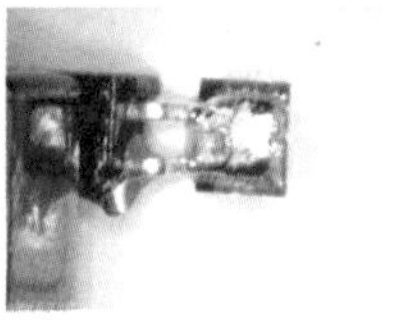
비고	1. Solder Cream이 퍼짐 불량으로 치우치거나 돌출된 형태 2. SR 부위쪽 Solder 상태가 전체적으로 회색빛깔 형태를 띔 3. 반대쪽 고압 표시부 정상적인 상태임.		1. Solder Cream 퍼짐성 정상적인 형태 2. SR 부위쪽 Solder가 약한 회색빛을 띄면서 흐려진 형태 3. 반대쪽 고압 표시부 정상적인 상태임.	

■ 52" 동위상 Solder Wetting 저하

사진	무궁화 SMT 작업 후 Solder Wetting 상태	수납 부위 Wetting 상태
		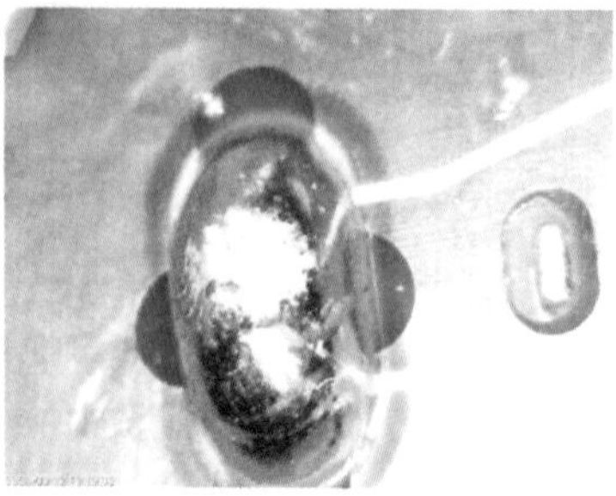 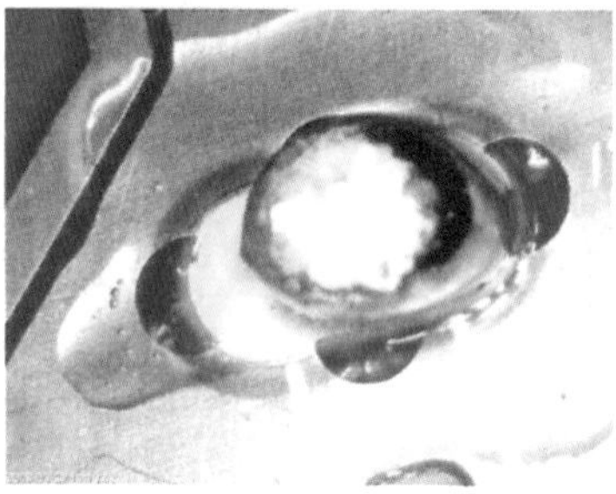
비고	무궁화 작업분 특정 부위 젖음성 저하	1. 수납 부위 납땜 시 잘 퍼지지 않아 작업자가 여러 번 문질러야 퍼짐. 2. 수납이 잘되지 않는 제품의 Tin 도금 상태가 누런색을 띔

15-8 BLOW-HOLE 신뢰성 분석

1. 결과

1) 신뢰성 자료

MODEL NO	수량	LAYER	배열	분석시료
NEW-CCCS ESIMS REV02	4pcs	D/S	4연	BLOW Hole 4POINTS
				정상 Hole 4 POINTS

2) 신뢰성 TEST 항목

제품 배열	TEST 항목
1 2 3 4	1. 파괴 검사에 의한 MICRO-SECTION 실시 2. BOARD당 2POINT씩 사진촬영 2-1 BLOW HOLE POINT 2-2 정상 HOLE POINT 3. 시료 참고

3) 분석현황

NO	POINT		도금두께(μ)		내용
	BLOW-HOLE 부위	정상 부위	MIN	MAX	
1-1		○	27.82	34.44	정상
1-2	○				1-1과 동일 제품
2-1		○	22.52	22.52	정상
2-2	○				2-1과 동일 제품
3-1		○	22.52	23.84	정상
3-2	○				3-1과 동일제품 외쪽 SIDE-HOLE ROUGHNESS발생 (품질에 영향을 줄 정도는 아님)
4-1		○	26.49	29.14	정상 HOLE ROUGHNESS 발생 (품질에 영향 안 줌)
4-2	○				무전해 VIOD 발생 오른쪽면은 좋으며 전체 HOLE 면적대비 BLOW-HOLE 발생에 큰 영향 안받음 단 무전해 동도금 공정 개선해야 됨

※ 별첨 사진 참고 할 것

2. BLOW HOLE 발생원인

1) BLOW HOLE이란

부품 HOLE에 부품을 삽입 후 SOLDERING 공정 중 SOLDERING SIDE 표면에 납봉우리가 균일성 없고 기포가 발생된 상태

HOLE 속 안에서 발생 시에는 실장기술 용어로는 VOID라고 함

2) 기본적 원인

① 땜납봉우리의 열의 불균형에서 발생

② 납땜 또는 예비가열을 할 때 열을 기관의 아래로부터 가하기 때문에 기관의 상면쪽이 저온이다.

③ 또한 부품의 리드나 단자 등 비교적 열전도도가 큰 것이 판 밑으로 나와 있기 때문에 이것이 땜납 봉우리로부터 열을 빼앗는 방열효과를 나타낸다.

④ 따라서 봉우리의 기판측이 미량의 가스는 봉우리의 겉으로부터 밀려나간다.

⑤ 그 때문에 일반적으로 핀홀이나 기포는 봉우리의 표면에 발생한다.

⑥ 가스나 전부 빠질 만큼 큰 구멍이 나기 전에 봉우리의 표면이 굳어버리면 커다란 가스구멍이 있는 속이 빈 봉우리가 형성되는 것이다.

3) 원인 대책

구분	원인	대책
BARE BOARD	1. HOLE 속 도금상태 불균일 ① HOLE 도금두께 미달 ② HOLE 속 VOID ③ HOLE 속 심한 ROUGHNESS	도금 두께 MIN 20µ 유지할 것 (1.6T 두께 보드) HOLE속 DRILL 상태 균일할 것
	2. HOLE 속 수분	완전 건조 후 출하할 것
ASS'Y BOARD (IMT 시)	1. 유기질의 오물 기판이나 리드선 위에 오물이 있는 경우 납땜 처리하는 사이에 가스 발생원인	1. 충분한 수세 및 BARE BOARD에 흡습. 오물이 없도록 보관할 것 2. 문제 발생 시 SOLDERING 전 POST BAKING 실시 (130°C 1시간)
	2. IMT 온도 조건 불균형 2-1. 납땜 처리시간을 단축하기 위하여 처리온도는 높게 하면 기포 형성의 원인이 됨 2-2. IMT 온도 조건 안 맞음	1. IMT 온도조건 재설정 2. IMT 조건 형성
PCB DESIGN	부품 SIZE와 HOLE 속 SIZE의 UNBALANCE	부품의 DIAMETER가 0.65에서 0.70m/m일 경우 HOLE SIZE는 1.0m/m 정도가 바람직함. PCB DESIGN RULE 준수할 것

※ 참고 : IMT → INSERT MOUNTING TECHNOLOGY

3. 종합평가

① CONNECTOR HOLE에서 BLOW HOLE 심하게 발생

② 전체적으로 SOLDER의 상태가 BARE BOARD에서 미세한 도금 VOID 발생 (HOLE 속 안에 SOLDER VOID 발생)

③ BARE BOARD상태에서 4연 중 한 BOARD에서 미세한 도금 VOID 발생 (미세한 관계로 큰 영향 없다고 판단)

④ 이번 시료의 BLOW HOLE발생은 BARE BOARD(실장 전 PCB)의 원인보다는 실장 시 IMT 조건 불충분으로 발생됐다고 판단함.

4. 첨부

· MICRO-SECTION 사진

· 파괴검사 시료

■ 현황

항목	세부내용	처리방안
Ass'y 제품	· 제품 확인 결과 수삽부품의 HOLE 속 기공발생됨으로 인한 부품 HOLE에 납이 안 차오르는 문제 및 기포발생 문제 	· 불량 반품분 도금두께 측정 확인결과 이상없음 · 측정 DATA 첨부파일 참조 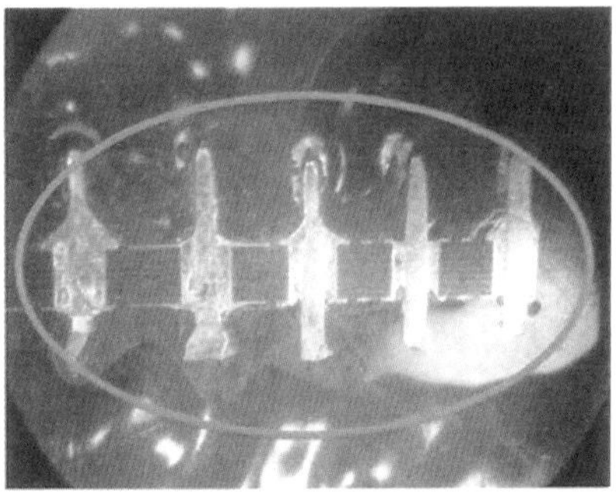
단품 제품	· 재고분 확인실시 도금두께 및 SOLDERING 상태 확인	· 도금 두께 및 이상 없음 · SOLDERING TEST 실시 결과 이상없음 · 측정 DATA 첨부파일 참조

■ 현 발생제품 분석 내용 [부품 실장 상태]

항목	콘넥터 부위 시료 1-1	콘넥터 부위 시료 2-1	비고
분석사진	홀 속 평균 도금두께 33.94㎛	홀 속 평균 도금두께 36.65㎛	
분석내용	현 발생제품의 문제부위 확인결과 기공 발생됨	현 발생제품은 분석 원인조사 결과 Cold Solder Joint 불량현상과 동일한 유형으로 발생됨을 보임 → 땜납의 wetting 상태 및 기공상태가 나타남.	

■ 현 발생제품 분석 내용 [부품 실장 상태]

항목	릴레이 부위 시료 1-2	릴레이 부위 시료2-2	비고
분석 사진	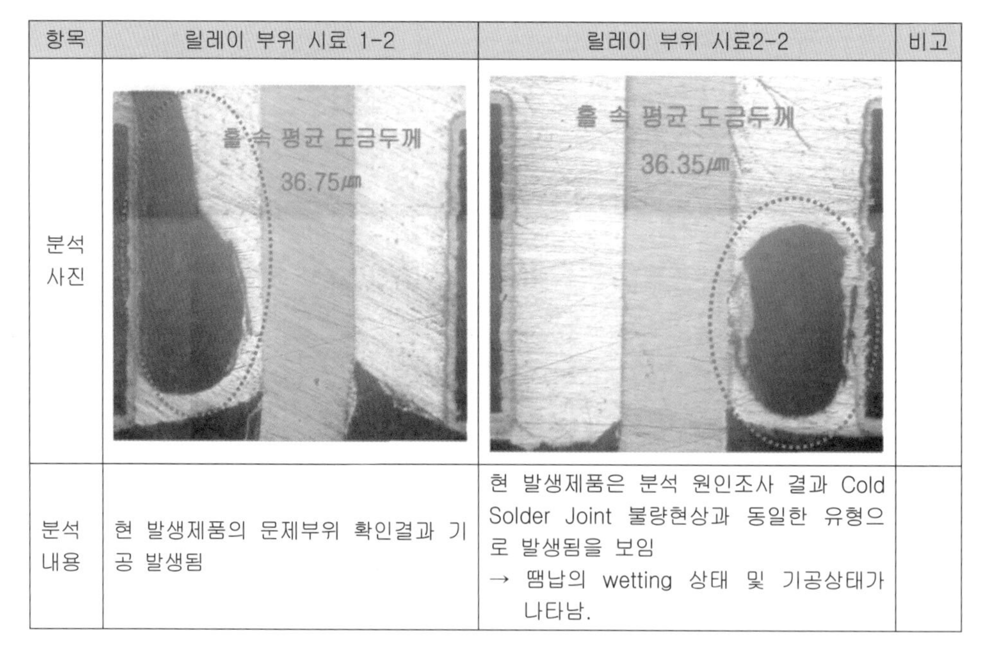		
분석 내용	현 발생제품의 문제부위 확인결과 기공 발생됨	현 발생제품은 분석 원인조사 결과 Cold Solder Joint 불량현상과 동일한 유형으로 발생됨을 보임 → 땜납의 wetting 상태 및 기공상태가 나타남.	

■ 단품 재고분 분석 내용 [문제부위 HOLE 상태]

항목	콘넥터 부위 시료 1-1	릴레이 부위 시료 1-2	비고
분석 사진	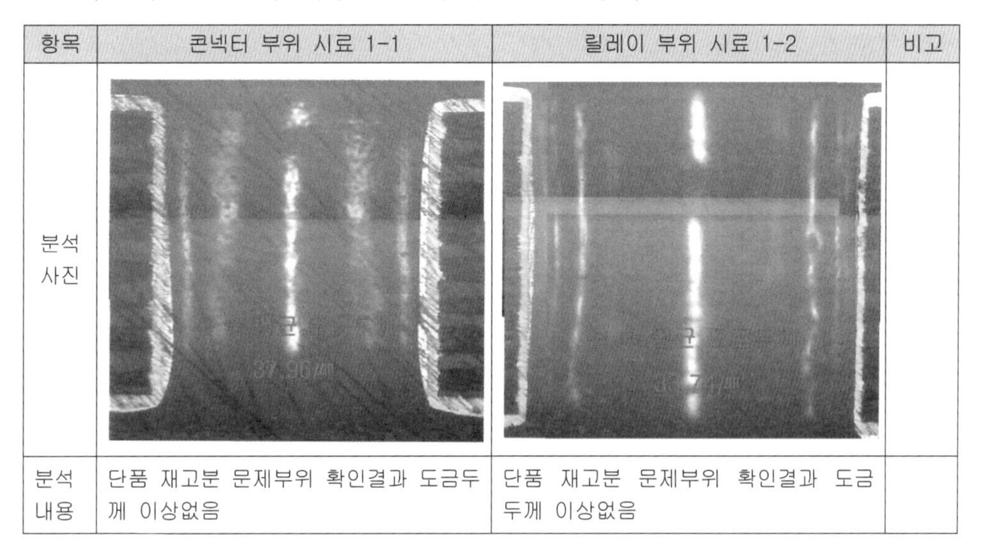		
분석 내용	단품 재고분 문제부위 확인결과 도금두께 이상없음	단품 재고분 문제부위 확인결과 도금두께 이상없음	

■ 단품 재고분 분석 내용 [SOLDERING 상태]

항복	릴레이 부위 시료 1-2	릴레이 부위 시료 2-2	비고
분석 사진	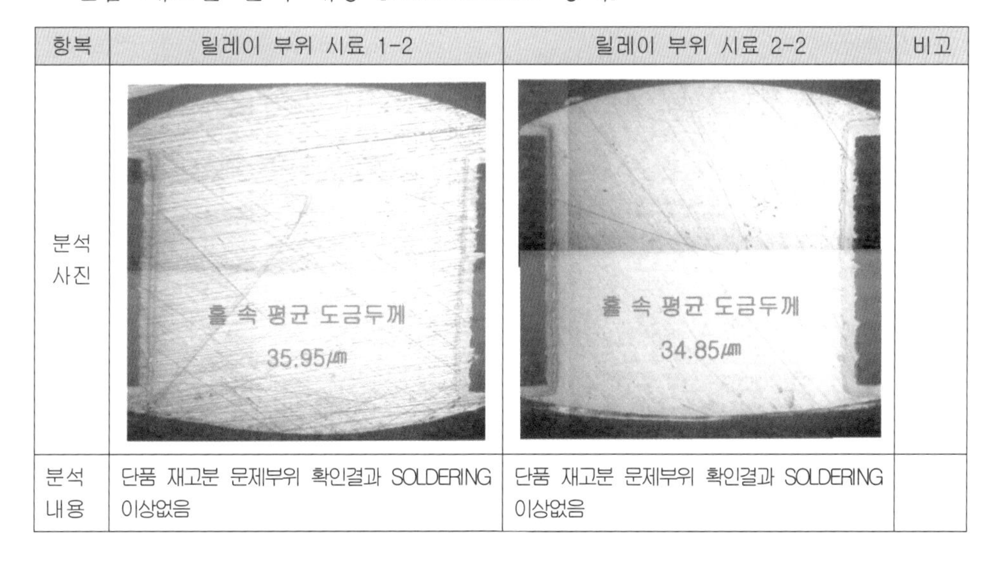		
분석 내용	단품 재고분 문제부위 확인결과 SOLDERING 이상없음	단품 재고분 문제부위 확인결과 SOLDERING 이상없음	

■ Cold Solder Joint에 대한 내용

· Cold Solder Joint - Solder 용약 중에 지나친 불순물이 있거나 Soldering (납땜) 작업 전에 Cleaning이 부족했을 때, 그리고 불충분한 가열조건 때문에 땜납의 Wetting 상태가 나쁘고 회색빛 기공상태가 나타나는 Solder Connection.	
사 진	
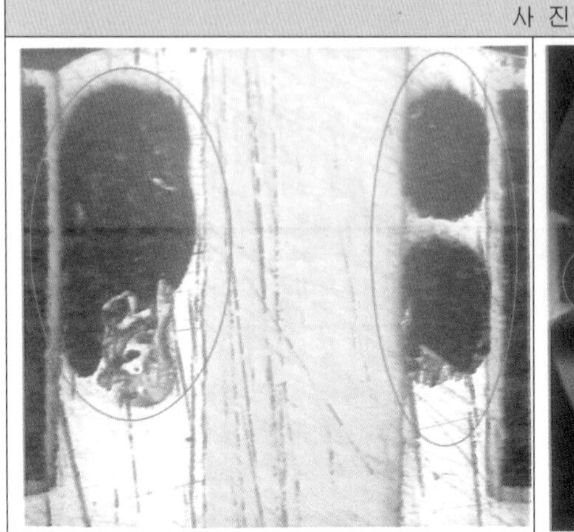	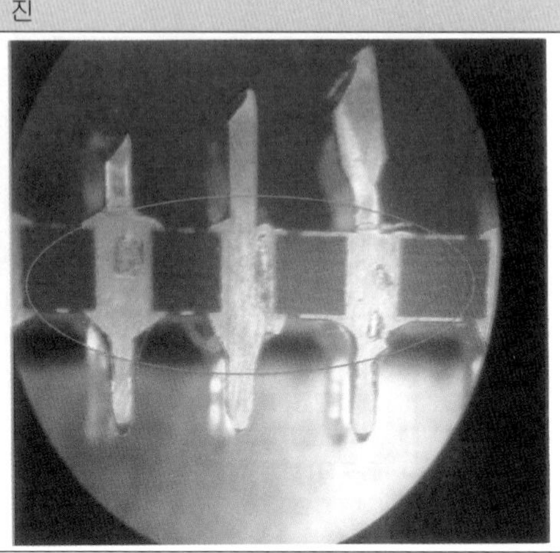

■ 신뢰성 검증

항목	세부내용	검증내용	비고
도금두께 측정	· 도금 두께 측정 - 측정장비: 광학 현미경 - 시편: 재고분 및 불량품 측정 실시	· 도금 측정 결과 - 도금두께는 30㎛ 이상 측정됨 도금두께 이상 없음	자체 파괴 검사 및 측정장비 이용 측정
BARE BOARD Soldering Test 실시	· 제품 Soldering 실시를 통한 납 묻음성 확인 → TEST 조건: SOLDER POT에 침적 온도: 240± 5°C ① Bare Board 상에 Flux 용제 도포 실시 ② SOLDER POT 위에 5초간 예열 실시 ③ SOLDER POT에 5± 1 sec 간 DIP 실시 ④ 육안검사 실시 및 MICRO SECTION 실시	· SOLDER POT 이용하여 TEST 실시 결과 제품 표면에 납이 묻음 · Peak 온도: 표준 225°C 실제 TEST 조건온도: 200~240 °C	자체 실험장비 이용 실시 SOLDER POT
시험 결과에 대한 결론	· 검증 실시한 내용을 확인한 결과 - BARE PCB의 원인 이전에 SMT 공정의 문제발생으로 인한 품질문제 인듯 함	· TEST 실시 결과 PCB 원재료의 납 묻음에 대한 신뢰 검증이 이루어짐에 따라 SMT LINE의 변수 및 제품특성 검토 요구됨 [기공발생 유형에 대한 원인 분석 요]	POT LINE 불량요인 분석내용 자료참조

15-9 ASSEMBLY 후 표면오염으로 기능상실 신뢰성 분석

ASSEMBLY 후 성능 TEST시 표면 이물질로 인하여 기능 상실 제품을 양품과 비교 TEST하여 이물질의 내용 파악

1. TEST 항목

· X- RAY 분석

· 광학 현미경 관찰

· SEM/EDS분석

· 부품비교

· 적합품 & 부적합품 표면 이물질 검사

2. TEST 장비

· 3차원 ST X-선 검사 장비 Eox -160.25

· 3-D IMAGE SYSTEM CX-5040RZ

· X-RAY 비파괴 분석

· 광학 현미경 외관 분석

3. 시편

4. 분석내용

1) X-ray 분석

- SOP TYPE 소자 내부의 wire bonding 단락 유무 및 차이점 확인

- PCB 내부 등 기타 특이점 관찰
- X-ray 분석 결과 SOP type 소자 내부 lead-frame 으로 판단되는 부분이 양품('F' 자형)과 불량품('ㄱ' 자형)간에 상이하게 관찰됨.
- 기타 다른 부분에서는 상이점 관찰되지 않음.

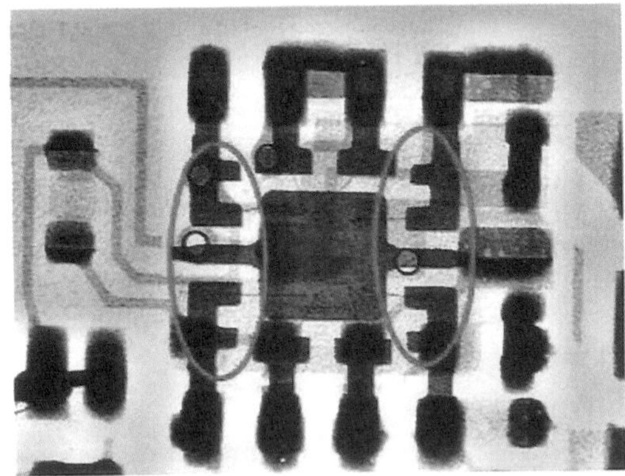

<양품>

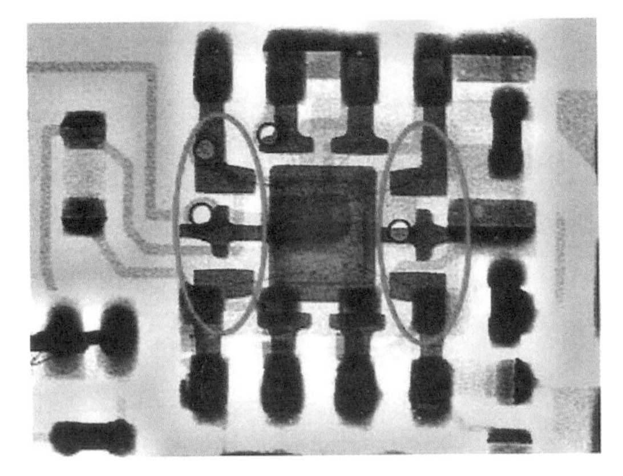

<불량>

2) 광학현미경 외관 분석

- 제품 외관에 광학 현미경 관찰 결과 양품과 불량품에 대한 상이점 발견되지 않음.
- Cap.을 제외한 Res. 소자 관찰 상이점 발견되지 않음.
- 불량품의 경우 양품에 비하여 솔더링은 다소 떨어짐.
- 불량품 PCB 자체의 flux 등에 의한 오염, short 현상은 발견되지 않음.

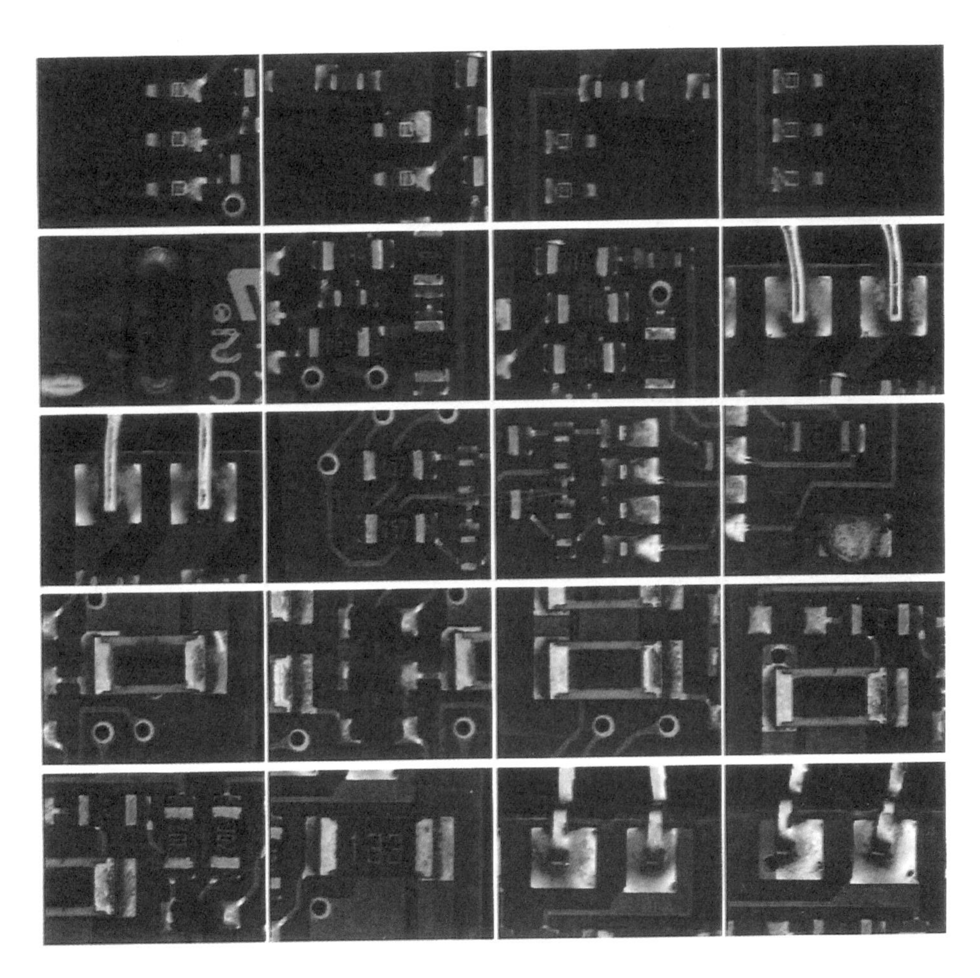

<양품>

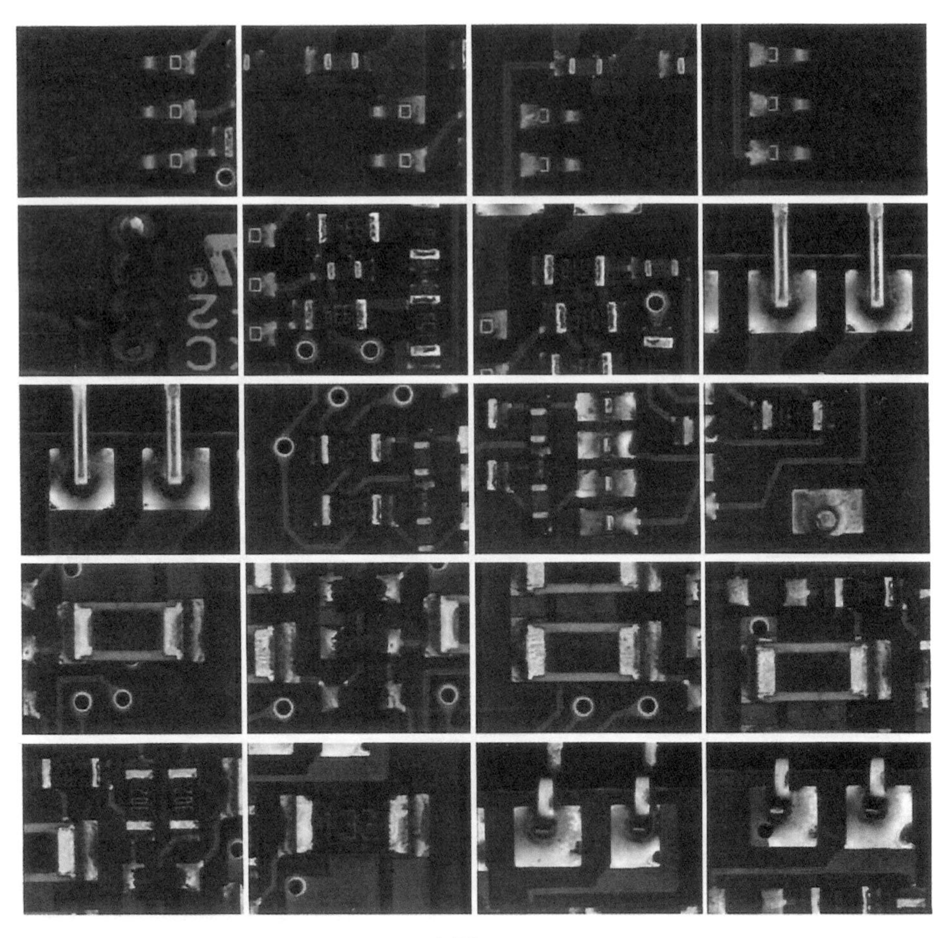

<불량>

3) Part No. 비교

- 불량품, 양품 각 2개씩 A, B 소자에 대하여 Part No. 비교
- 비교 결과 양품과 불량품의 A, B 소자 Part No.가 다름

	A		B	
불량1	R4580I 01M ADR3G4		1039	
불량2	R4580I 01M C1EFG4		1044	
양품1	R4580I 0AK C6JEG4		10AK	
양품2	R4580I 0AK C6HRG4		10AK	

4) SEM/EDS 분석

PCB 표면에 대한 SEM/EDS 분석 결과 양품과 불량품 간 특이점 발견 되지 않음.

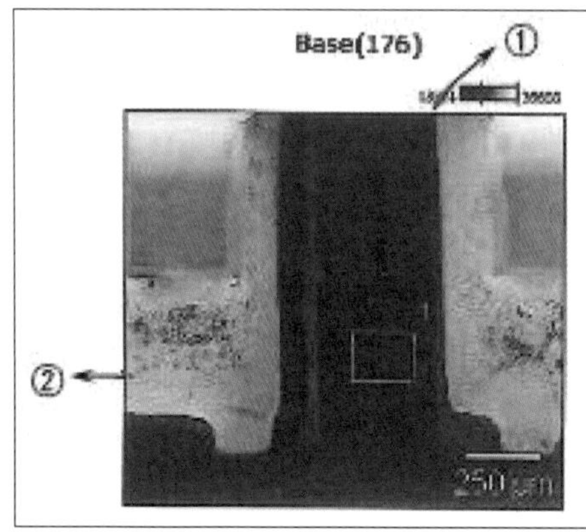	Image Name : Base(176) Accelerating Voltage : 10.0kV Magnification : 200

(a) 양품시료

Weight %

		C-K	N-K	O-K	S-K	Cu-L	Sa-L
①	• Base(176) pt1	63.66		33.43	3.24		
②	• Base(176) pt2	8.73	4.70	3.84		2.15	80.57

Weight % Error

		C-K	N-K	O-K	S-K	Cu-L	Sa-L
①	• Base(176) pt1	+/-1.01		+/-0.66	+/-0.14		
②	• Base(176) pt2	+/-0.41	+/-0.37	+/-0.28		+/-0.22	+/-1.43

Atom %

		C-K	N-K	O-K	S-K	Cu-L	Sa-L
①	• Base(176) pt1	70.65		27.99	1.36		
②	• Base(176) pt2	36.07	16.65	11.91		1.68	33.68

Atom % Error

		C-K	N-K	O-K	S-K	Cu-L	Sa-L
①	• Base(176) pt1	+/-1.13		+/-0.55	+/-0.06		
②	• Base(176) pt2	+/-1.70	+/-1.31	+/-0.87		+/-0.18	+/-0.60

(b) 불량 시료

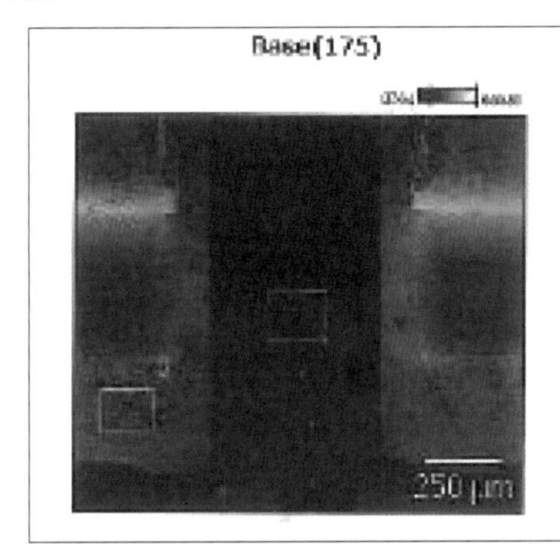

Image Name : Base(175)
Accelerating Voltage : 10.0kV
Magnification : 200

Weight %

	C-K	N-K	O-K	S-K	Sa-L
• Base(175) pt1	62.07		35.13	2.80	
• Base(175) pt2	5.20	4.99	6.78		83.03

Weight % Error

	C-K	N-K	O-K	S-K	Sa-L
• Base(175) pt1	+/-1.02		+/-0.69	+/-0.14	
• Base(175) pt2	+/-0.56	+/-0.62	+/-0.55		+/-1.65

Atom %

	C-K	N-K	O-K	S-K	Sa-L
• Base(175) pt1	69.36		29.47	1.17	
• Base(175) pt2	22.65	18.64	22.14		36.57

Atom % Error

	C-K	N-K	O-K	S-K	Sa-L
• Base(175) pt1	+/-1.13		+/-0.57	+/-0.06	
• Base(175) pt2	+/-2.44	+/-2.33	+/-1.79		+/-0.73

※ 참고

① C : 공기 중 오염(탄소)

② O : Epoxy 만 갖고 있는 성분(산소)

③ N : FLUX 성분(질소)

④ S : FLUX 성분(황)

⑤ Br : PCB 자체에서 발생할 수 있는 성분(브롬)

⑥ Cl : PCB 자체에서 발생할 수 있는 성분(염소)

5) 2차 광학현미경 및 SEM/ EDS 분석

- 반복적 불량 발생 현상이 관찰되는 Cap. 표면에 대한 광학 현미경 및 SEM/EDS 관찰 시행
- 광학현미경 관찰 결과 불량의 경우 Cap.의 표면에 양품과 달리 이물에 의한 오염으로 의심되는 영역이 관찰됨.
- SEM/EDS 정밀 관찰 결과 오염 의심 Cap. 표면에 양품과 불량간 성분의 차이 관찰됨.
- 불량품의 경우 솔더링 시 발생한 것으로 의심되는 Ag가 검출되었으며 기타 Na, C 등의 물질이 관찰되었음.

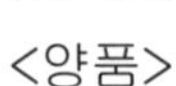

<양품> <불량>

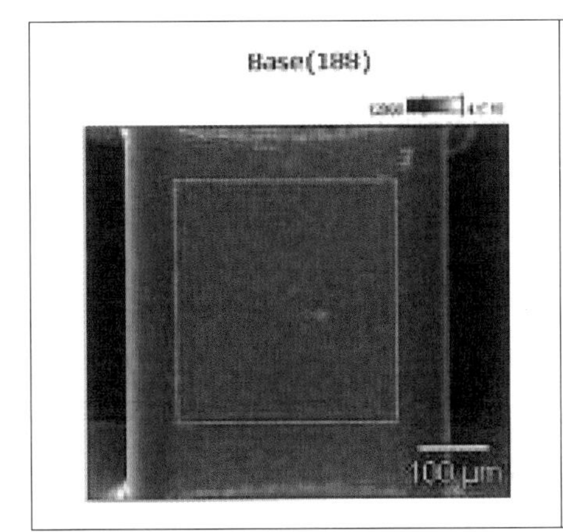

Image Name : Base(188)
Accelerating Voltage : 10.0kV
Magnification : 500

Weight %

	O-K	Na-K	Al-K	Sa-L
• Base(188) ptl	16.80			83.20
• Base(188)_pt2	74.93	11.25	13.82	

Weight % Error

	O-K	Na-K	Al-K	Sa-L
• Base(188) pt1	+/-1.78			+/-6.53
• Base(188) pt2	+/-3.79	+/-2.81	+/-1.97	

Atom %

	O-K	Na-K	Al-K	Sa-L
• Base(188) pt1	59.96			40.04
• Base(188) pt2	82.38	8.61	9.01	

Atom % Error

	O-K	Na-K	Al-K	Sa-L
• Base(188) pt1	+/-6.36			+/-3.14
• Base(188) pt2	+/-4.17	+/-2.15	+/-1.29	

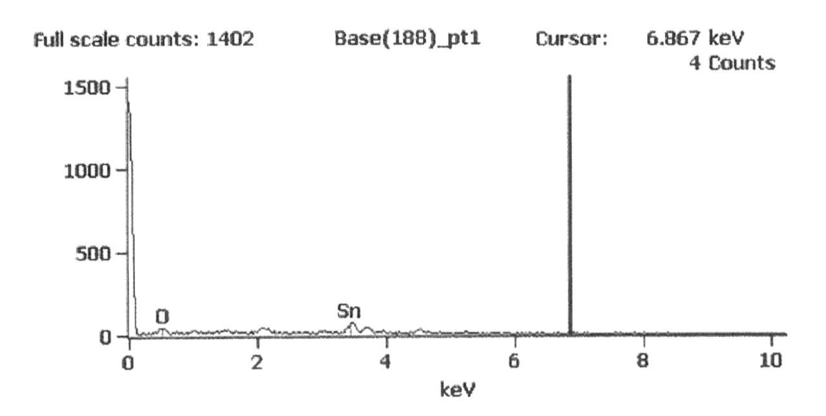

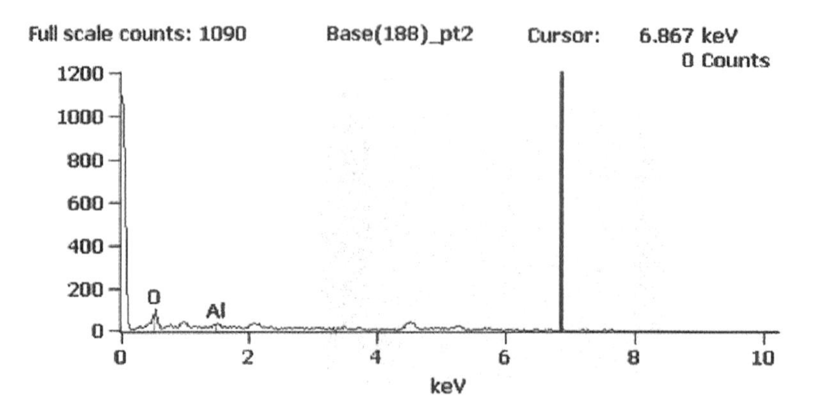

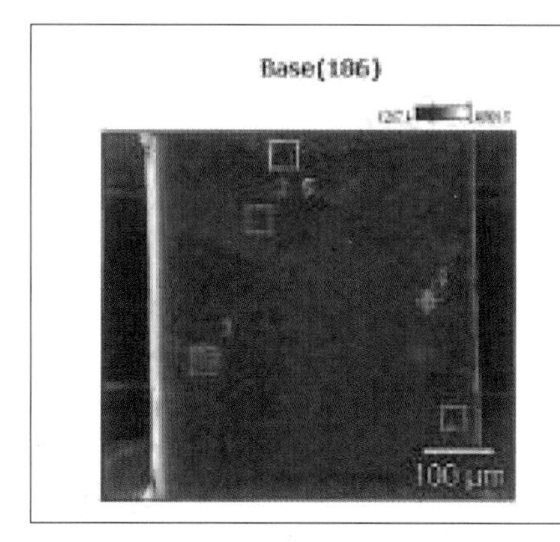

Image Name : Base(186)
Accelerating Voltage : 10.0kV
Magnification : 500

Weight %

	C-K	O-K	Na-K	Ag-L
• Base(186) ptl1	13.31	13.23	6.53	66.93
• Base(186) pt2	11.35	23.40	4.04	61.20
• Base(186) pt3	10.79	30.94	5.82	52.45
• Base(186) pt4	13.19	27.72	9.21	49.88
• Base(186) pt5	9.93	17.19	4.02	68.86

Weight % Error

	C-K	O-K	Na-K	Ag-L
• Base(186) pt1	+/-1.09	+/-1.72	+/-0.47	+/-4.74
• Base(186) pt2	+/-1.19	+/-1.41	+/-0.52	+/-3.01
• Base(186) pt3	+/-1.38	+/-2.24	+/-0.55	+/-4.88
• Base(186) pt4	+/-2.49	+/-2.32	+/-1.05	+/-3.27
• Base(186) pt5	+/-1.14	+/-1.92	+/-0.46	+/-3.08

Atom %

	C-K	O-K	Na-K	Ag-L
• Base(186) pt1	39.02	29.11	10.01	21.85
• Base(186) pt2	30.00	46.42	5.58	18.01
• Base(186) pt3	25.15	54.14	7.09	13.61
• Base(186) pt4	29.73	46.90	10.84	12.52
• Base(186) pt5	30.46	39.58	6.45	23.52

Error

	C-K	O-K	Na-K	Ag-L
• Base(186) pt1	+/-3.20	+/-3.78	+/-0.73	+/-1.55
• Base(186) pt2	+/-3.15	+/-2.79	+/-0.72	+/-0.89
• Base(186) pt3	+/-3.22	+/-3.92	+/-0.67	+/-1.27
• Base(186) pt4	+/-5.60	+/-3.92	+/-1.23	+/-0.82
• Base(186) pt5	+/-3.50	+/-4.41	+/-0.74	+/-1.05

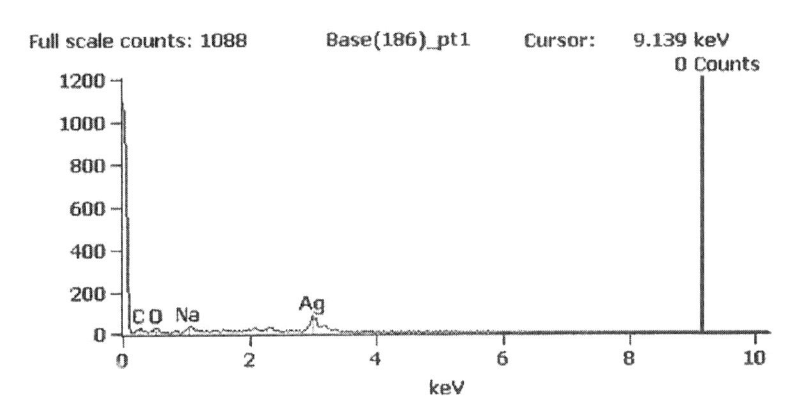

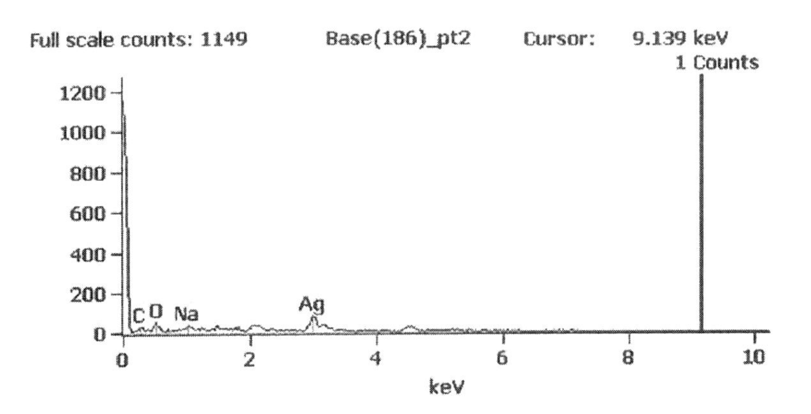

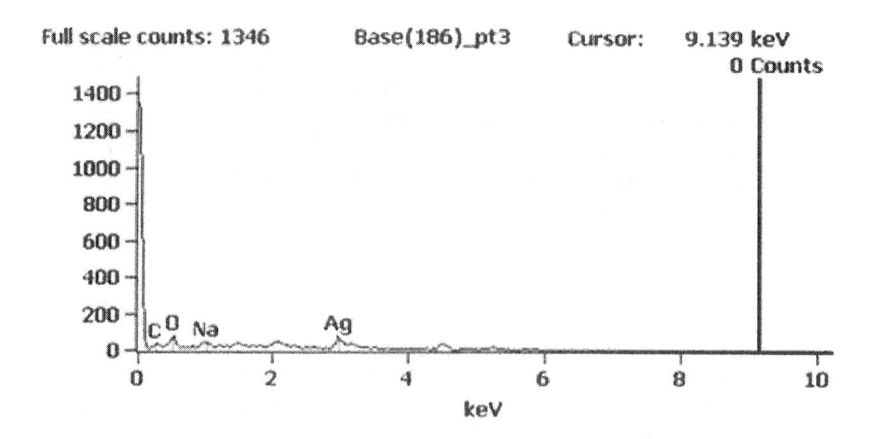
Full scale counts: 1346
Base(186)_pt3
Cursor: 9.139 keV
0 Counts
1400
1200
1000
800
600
400
200
0
C O Na
Ag
0
2
4
6
8
10
keV

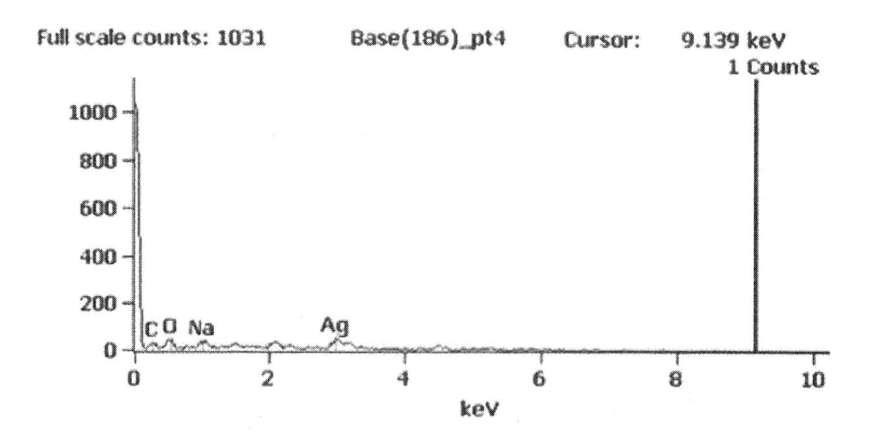
Full scale counts: 1031
Base(186)_pt4
Cursor: 9.139 keV
1 Counts
1000
800
600
400
200
0
C O Na
Ag
0
2
4
6
8
10
keV

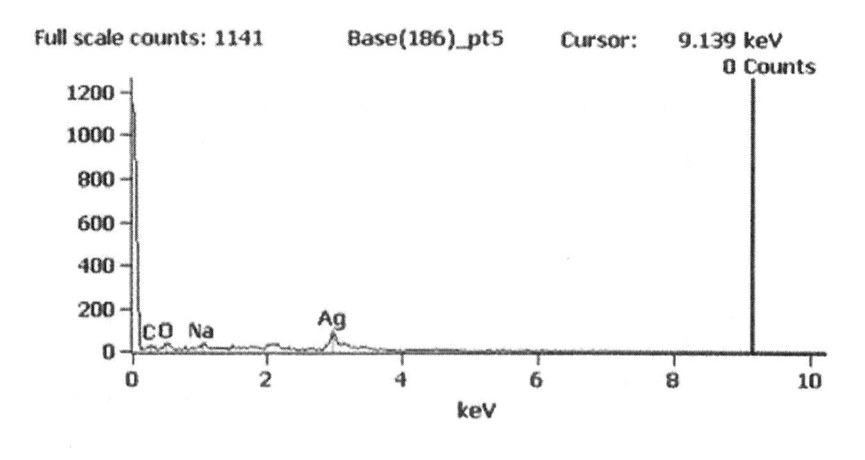
Full scale counts: 1141
Base(186)_pt5
Cursor: 9.139 keV
0 Counts
1200
1000
800
600
400
200
0
C O Na
Ag
0
2
4
6
8
10
keV

<불량시료>

5. 결과

<table>
<tr><th rowspan="2">NO</th><th rowspan="2">항목</th><th rowspan="2">TEST이유</th><th colspan="3">결과</th><th rowspan="2">비고</th></tr>
<tr><th colspan="2">적합품</th><th>부적합품</th></tr>
<tr><td>1</td><td>X-RAY
분석</td><td>부품 LEAD-FRAME
(PIN)상태 비교</td><td colspan="2"></td><td></td><td>TYPE변경에 의한 성능 검토요</td></tr>
<tr><td>2</td><td>광학
현미경</td><td>외관분석
① 이물질
② SOLDERABILITY</td><td colspan="2">GOOD</td><td>MAGINAL GOOD</td><td>큰 차이는 없으나 부적합품에서 납땜성 저하발생</td></tr>
<tr><td rowspan="3">3</td><td rowspan="3">SEM/EDS
분석</td><td rowspan="3">표면 이물질 검사</td><td>C</td><td>63.33, 70.65</td><td>62.70, 69.36</td><td rowspan="3">일반적인 물질 발생</td></tr>
<tr><td>D</td><td>33.43, 27.99</td><td>35.13, 29.47</td></tr>
<tr><td>S</td><td>3.24, 1.36</td><td>2.80, 1.17</td></tr>
<tr><td>4</td><td>부품비교</td><td>A,B PART비교</td><td colspan="4">사진과 같이 차이 발생</td></tr>
<tr><td>5</td><td>적합품,
부적합
표면
이물질
비교</td><td colspan="5"><table><tr><th>NO</th><th>구분</th><th>O</th><th>C</th><th>Sn</th><th>Al</th><th>Na</th><th>Ag</th></tr><tr><td>1</td><td>적합품</td><td>○</td><td></td><td>○</td><td>○</td><td></td><td></td></tr><tr><td>2</td><td>부적합품</td><td>○</td><td>○</td><td></td><td></td><td>○</td><td>○</td></tr></table>1) O, C, Al, Na은 일반적으로 SEM/EDS 분석 시 공기 중 이물질로 나타나고 있음
2) Ag는 전도성으로 발생 이유 분석 필요
3) FLUX 이물질에 의한 C, Na 가 추가로 나타날 수 있음</td></tr>
<tr><td>6</td><td>총평</td><td colspan="5">① X- ray 분석 결과 특이점은 발견되지 않았으나 SOP type 소자 내부 구조가 양품과 불량품간 상이함.
② 광학현미경 외관 분석 결과 양품과 불량품간의 상이점 발견되지 않았으며 기타 특이사항 발견되지 않음.
③ Part No. 분석결과 불량과 양품간 Part No.가 상이함
④ PCB 표면에 대한 SEM/EDS 분석 결과 불량과 양품간 성분 차이 발견되지 않음.
⑤ 현재 분석 결과를 고려할 때, 불량품의 A, B 위치의 소자에 대한 스펙 확인 및 소자가 차이점을 우선 확인해야 할 것으로 사료 됨.
⑥ 불량 반복 현상이 발생한 Cap. 표면 광학 관찰결과 양품과 달리 불량품에서는 이물질에 대한 오염이 발생하였음.
⑦ 오염 물질에 대한 SEM/EDS 관찰 결과 양품과 비교할 때. C, Ag가 추가로 검출됨.</td></tr>
</table>

15-10 SOLDERABILITY 신뢰성 분석 ①,②

1. SOLDERABILITY 신뢰성 분석①

1) 제목 : ASS'Y BOARD SOLDERING 상태 신뢰성 검증

2) 불량유형 : WETTABILITY → 젖음성

3) 분석시료

① BARE BOARD 2PCS
(MODEL NO : GT- PMC- TRUMK -HDLC VI.3 (0845)

② ASS'Y BOARD 4SET
SERIAL NO (a) 2H 113080005
(b) 2H 113080009
(c) 2H 113080012
(d) 2H 113080018

4) 분석방법

① VISUAL INSPECTION 실시

② 표면 WETTABILITY 현상 광학현미경으로 관찰

③ 광학 현미경 관찰 후 GOOD BOARD와 NG BOARD 사진촬영

④ PCB 표면처리 (ENIG) 상태 도금두께 측정

⑤ SEM 이용 표면조직도 CHECK

⑥ SEM EDX 분석 SOLDERABILITY 방해물질 CHECK

5) 분석내용

BARE BOARD와 ASS'Y BOARD중 WETTABILITY 현상이 심함
(S/N 0005/0009) 중심으로 CHECK

6) 결론

WETTABILITY 현상은 여러 가지 발생 요인이 있으나 이번 LOT의 경우는 BARE BOARD 보다는 SMT 작업시 조건의 불충분으로 발생한 것으로 판단됨

- 이유
  ① 전 표면 상태를 보았을 때 부분적 발생
  ② WETTABILITY 상태가 SOLDER가 남은 상태와 SOLDER가 퍼지지 않은 상태가 발생
  ③ QFP의 경우 방향에 따라 발생
  ④ BARE BOARD 상에서는 문제점 발견안됨
  ⑤ 표면 이물 상태는 ASS'Y 전 후 확인이 어려우나 부분적 PIN 중간 점형태 발생 한 것으로 보아 METAL MASK WINDOW에 의한 것으로 판단됨

7) 참부자료
  ① 분석 DATA
  ② 무연 SOLDER 기술자료 : 무연 마이크로 솔더실장입문
  ③ WETTABILITY (젖음성) 자료 : 일본 MICRO-SOLDERING의 불량해석.

■ 분석 DATA

1. WETTABILITY 발생요인

PCB(BARE BOARD)	ASSEMBLY BOARD
1. PCB 표면 오염 2. PCB 도금 두께 (ENIG) SPEC 미달 3. 실장부위에 PSR INK 또는 MARKING INK 스며듦 ① PSR INK -GREED ② MARKING INK - WHITE 4. 실장부위 이물질 발생 (GLASS EPOXY 잔사, TAPE 잔사 등) 5. WARP& TWIST	1. METAL MASK - REFLOW 공정까지 작업 조건 불충분 2. SCREEN 인쇄- ① SOLDER PASTE 빠짐상태 ② PASTE 번짐 ③ PASTE 두께 3. 부품 MOUNTING - 부품 뒤틀림 4. REFLOW- SPEED 조건 (부품실장 종류에 따라 구분 온도조건)

2. PCB (BARE BOARD) 검사

NO	항목		SPEC	결과	판정	비고
1	ENIG 도금두께	NI	2-7㎛	2.923-3.099㎛	OK	향후 Ni은 4-7㎛ AU는 0.04-0.08㎛ 관리하도록 조정 필요
		AU	0.03-0.08㎛	0.034-0.046㎛	OK	
2	표면조직		상태가 심하지 않을 것	부분적 BRUSH 자국발생	OK	ENIG전 동박표면은 ZET-SCRUBBER 처 리 할 것
3	PSR/ MK 처리		부품실장부위에 잔사가 없을 것	PSR WINDOW와 처리 일치함 쏠림상태 없음	OK	만일 부품실장부위에 PSR/MK INK가 침벌할시 SEM EDX 분석을 하면 Br, Cl, Si 문질발생
			번짐상태 없을것			
4	표면 이물질		없어야함	2PCS로는 관찰 불가능	OK	진공포장에서 OPEN 시 필히 표면오염 이물질 확인 요망

1) ENIG 도금 두께

단위	#1	#2	#3	#4	#5	#6	#7	#8	#9	#10	평균값
Au	0.036	0.040	0.041	0.035	0.034	0.037	0.043	0.046	0.037	0.041	0.041
NIKEL	2.983	2.949	3.080	3.097	3.020	3.026	3.040	2.923	3.080	3.099	3.047

2) SEM/EDS 분석

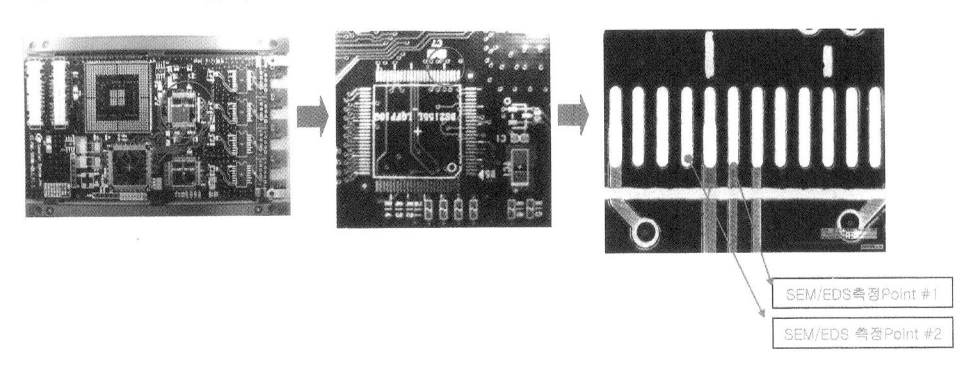

3. ASS'Y BOARD 검사 결과

· 전체 부품중 주로 QFP(25POINTS ×4, 36POINTS×4) 및 CONNECTOR 중심으로 관찰함

· 4 SET의 ASS'Y B/D 중 S/N 2S 11308 0009 B D 가 다른 2 BOARD 보다 심하여 중점 관찰

· 부품실장 QFP상태

- FRONT

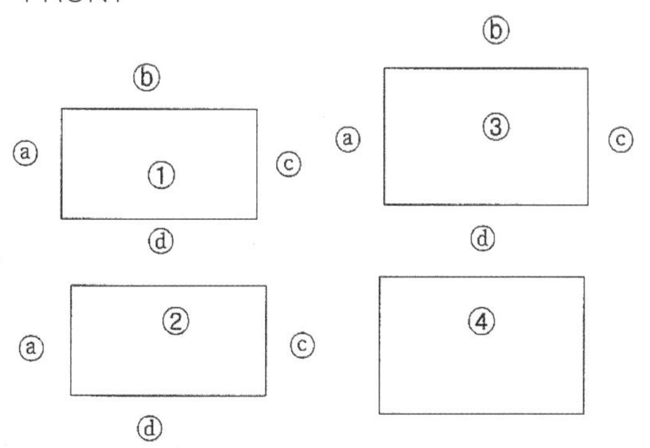

① ② : 25 PINS × 4 QFP

③ : 36PINS × 4 QFP

④ : BGA

- REAR

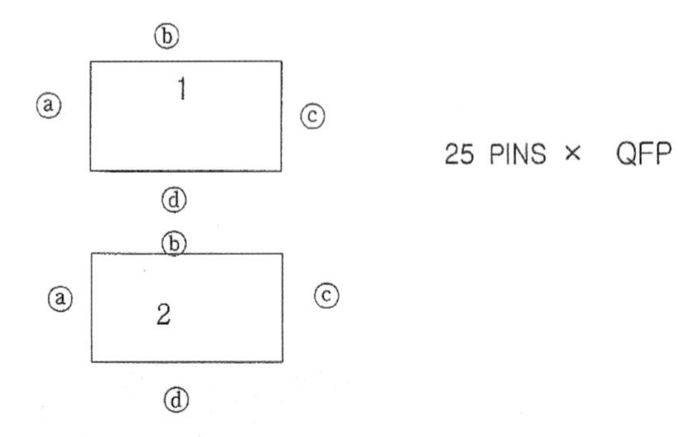

4. 관찰 결과

· QFP 기준으로 볼 때 가로, 세로 방향으로 품질 GOOD과 NG 발생

· 표면 이물질로 인하여 Solder Cream 부분적 안빠짐 발생

· 외부적 인 힘에의 한 PSR INK 벗겨짐 발생

SERIAL NO	FRONT			REAR		기타
	1	2	3	1	2	
2H113080009	ⓓ부위발생	ⓑ부위발생 전체적으로 NG	ⓐⓒ 부위발생	ⓐ부위발생	ⓐⓒ부위심함 전체적으로 심함 ⓓ부위부분적	CHIP 100 16P 대체적으로 발생 REAR부위 CHIP 이상 없음
2H113080005	ⓓ부위 PIN 하나당 부분적 발생 - 이물질의 심함 ⓓ 1POINT 발생 ⓐⓒ 양호	ⓒPIN의 ETCH 부위 이물질 및 SOLDER 뭉침발생 ⓓ PIN 중간 POINT 이물질- METAL MASK 문제 예상	ETCH부위 전 PIN 발생 ⓑⓓ	표면 SOLDER는 있는 상태에서 젖음성 발생	ⓒ 동모임	

5. 분석 실험

1) Bare board SEM IMAGE

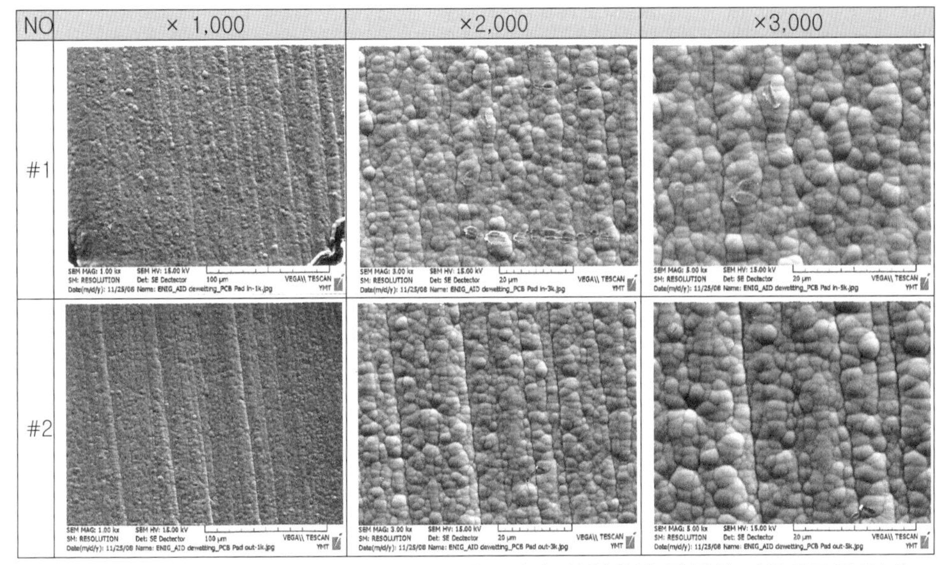

※ ENIG 도금처리를 BRUSH로 사용하여 줄무늬가 선명하게 관찰됨. (이상조직아님)

2) Bare board EDX Data

① 측정 Point #1

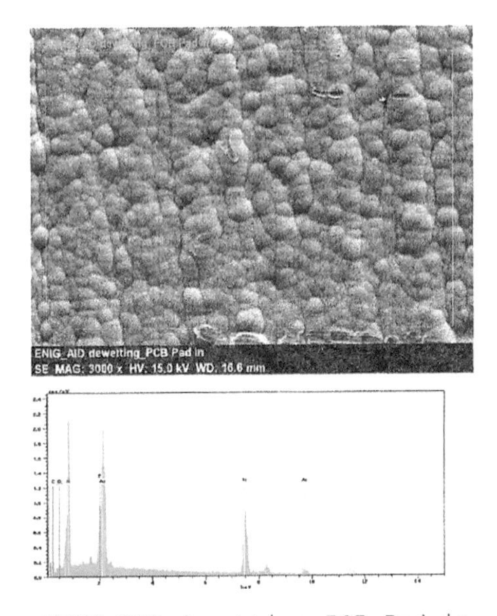

Spectrum: ENIG_AID dewetting_PCB Pad in

El	AN	Series	unn. C [wt.%]	norm. C [wt.%]	Atom. C [at.%]	Error [%]
C	6	K-series	1.59	1.40	8.13	0.4
O	8	K-series	0.17	0.15	0.66	0.1
P	15	K-series	3.98	3.51	7.91	0.3
Ni	28	K-series	67.42	59.52	70.75	2.2
Au	79	M-series	40.11	35.41	12.54	2.4
		Total:	113.26	100.00	100.00	

② 측정 Point #2

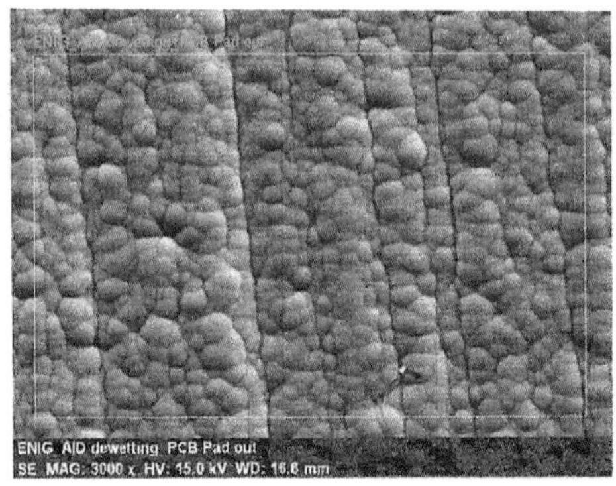

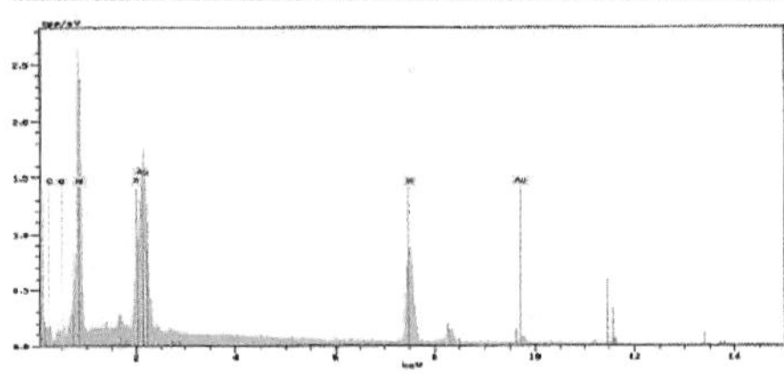

Spectrum: ENIG_AID dewetting_PCB Pad out

El	AN	Series	unn. C [wt.%]	norm. C [wt.%]	Atom. C [at.%]	Error [%]
C	6	K-series	1.49	1.31	7.43	0.3
O	8	K-series	0.26	0.23	0.99	0.1
P	15	K-series	4.20	3.69	8.14	0.3
Ni	28	K-series	70.42	61.87	72.02	2.3
Au	79	M-series	37.44	32.90	11.41	2.2
		Total:	113.81	100.00	100.00	

3) SMT board 광학현미경 관찰

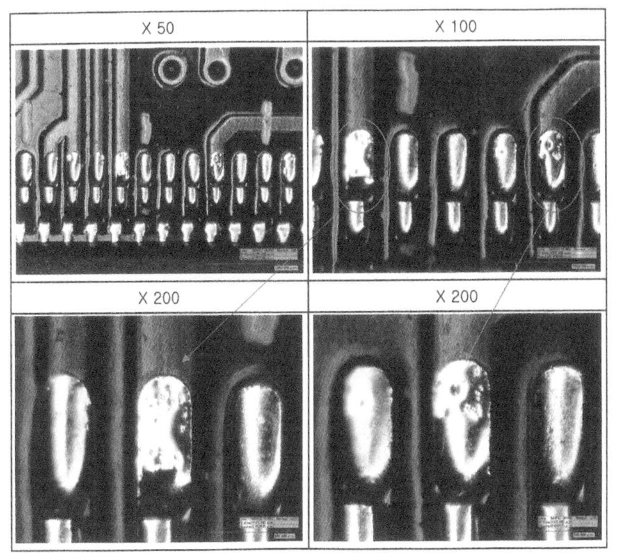

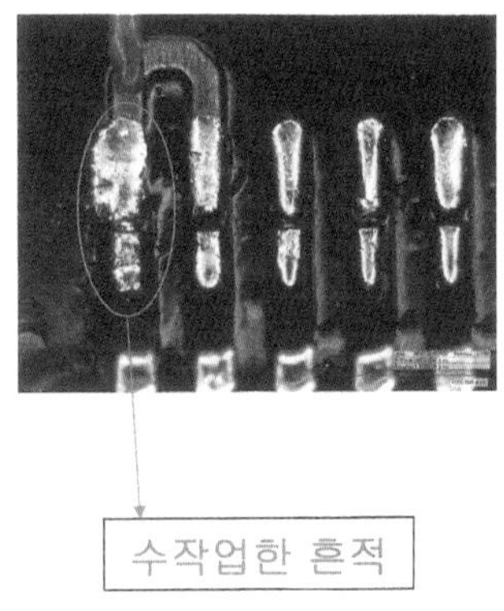

수작업한 흔적

2. SOLDERABILITY 신뢰성 분석 ②

1) 제목 : PCB 신뢰성 분석

2) 결점항목 : POOR SOLDERABILITY

3) PCB 사양

MODEL	REV NO	작업주기
INV 55L 96A	0.3	0827
		0848

4) 신뢰성 분석

① 표면육안검사

(a) SOLDERING BD 2PCS

(b) BARE BD 0847 3PCS

0848 3PCS

② 표면 TIN 도금두께

③ SOLDERING B D 상태 표면촬영

④ SOLDERING B D SOLDER 안된 부분 SEM DX 분석

(a) 도금 결정력

(b) 도금 치밀력

5) 분석현황

① 육안검사현황

구분	주기	BD SIDE		표면상태
		IC부분	QFP부분	
SOLDERING BOARD	0847	GOOD	납뭉침 몰림	동박거침
	0848	GOOD	GOOD	부분적 변색
BARE BOARD	0847(3PCS)			표면광택
	0848(3PCS)			표면 무광택 부분적 변색

② 표면 TIN 도금두께- 이상무 (0.6㎛ 이상됨) 별첨 LIST 참고

③ SEM EDX 분석

(a) TIN 도금의 결정력과 치밀력 상태 관찰결과 이상무

(b) 표면 오염 상태 이상무

* SEM EDX 촬영 사진 참고

6) POOR SOLDERABILITY 가능성

구분	PCB	SMT
발생가능성	1. PCR INK 번짐 2. TIN 도금두께 3, TIN 표면 오염 4. TIN 결정력 및 치밀력 5. 기타	1. SOLDER CREAM 별첨 #6 2. FLUX 별첨 #7 참고 3. PRE HEAT 별첨 #8 참고 4. 기타

7) 의견

PCB ASSEMBLY의 친환경 (Pb FREE / LEAD FREE)으로 전환되면서 SMT 작업 시 현장에서는 생각지 않는 돌발성 결점이 많이 발생하고 있다.

이러한 문제를 해결하기 위해서는 어느 한 부분에 치우쳐서 해결하기 보다는 단계적으로 실무자들이 지혜를 발휘해서 해결하는 것이 제일 바람직하다.

8) 결론

이번 시료를 분석해본 결과

PCB(BARE BOARD 포함) 상태에서는 POOR SOLDERABILITY에 영향을 줄 수 있는 요소가 없어 보이며 PCB SIZE가 직각 사각형인 관계로 SMT 작업 시 FLUX-HEAT의 작업조건 불충분으로 발생한 것으로 판단됨

부분적인 PCB 표면의 변색은 SOLDERABILITY에 영향을 미치는 요소이나 발생 시점이 불분명하여 판단하기 어려움

9) 첨부자료

① 표면 TIN 도금두께

② 표면 촬영사진

10) PURE-TIN THICKNESS STATUS (0847)

①

1	Sn	0.94(um)	42.330(cps)
2	Sn	0.97(um)	43.192(cps)
3	Sn	0.99(um)	43.750(cps)
4	Sn	0.95(um)	42.561(cps)
5	Sn	1.01(um)	44.371(cps)

	평균값	표준편차	범위	최대값	최소값
Sn	0.97	0.029	0.07	1.01	0.94

②

1	Sn	0.98(um)	46.449(cps)
2	Sn	0.92(um)	41.875(cps)
3	Sn	0.89(um)	41.070(cps)
4	Sn	0.96(um)	42.857(cps)
5	Sn	0.89(um)	41.085(cps)

	평균값	표준편차	범위	최대값	최소값
Sn	0.93	0.041	0.09	0.98	0.89

③

1	Sn	0.96(um)	42.895(cps)
2	Sn	1.00(um)	44.086(cps)
3	Sn	0.97(um)	43.142(cps)
4	Sn	0.86(um)	40.338(cps)
5	Sn	0.99(um)	43.743(cps)

	평균값	표준편차	범위	최대값	최소값
Sn	0.96	0.056	0.14	1.00	0.86

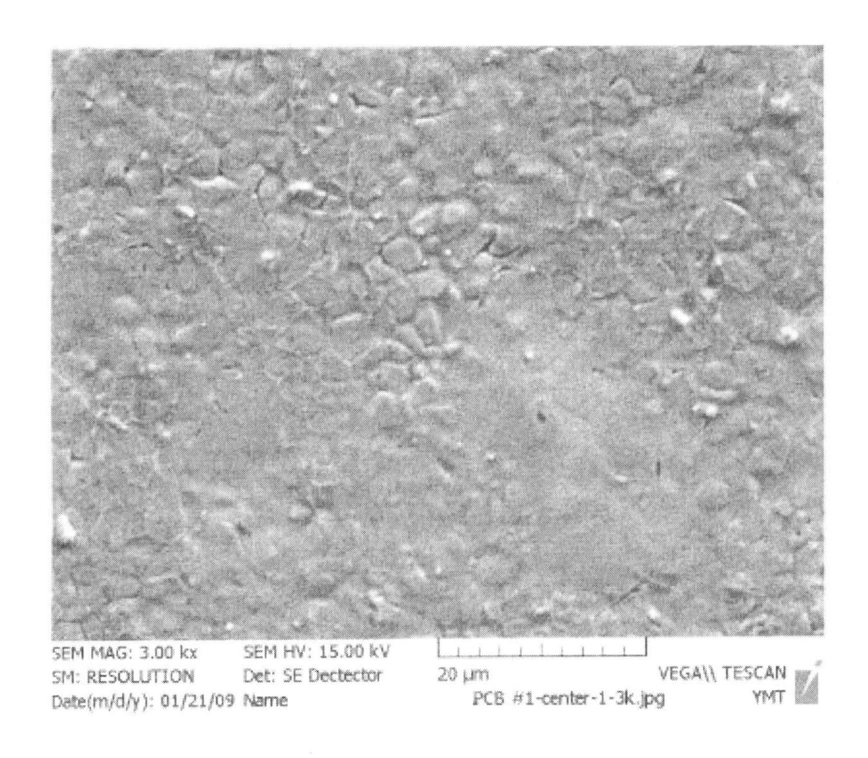
SEM MAG: 3.00 kx
SEM HV: 15.00 kV
SM: RESOLUTION
Det: SE Dectector
20 µm
VEGA\\ TESCAN
Date(m/d/y): 01/21/09
Name
PCB #1-center-1-3k.jpg
YMT

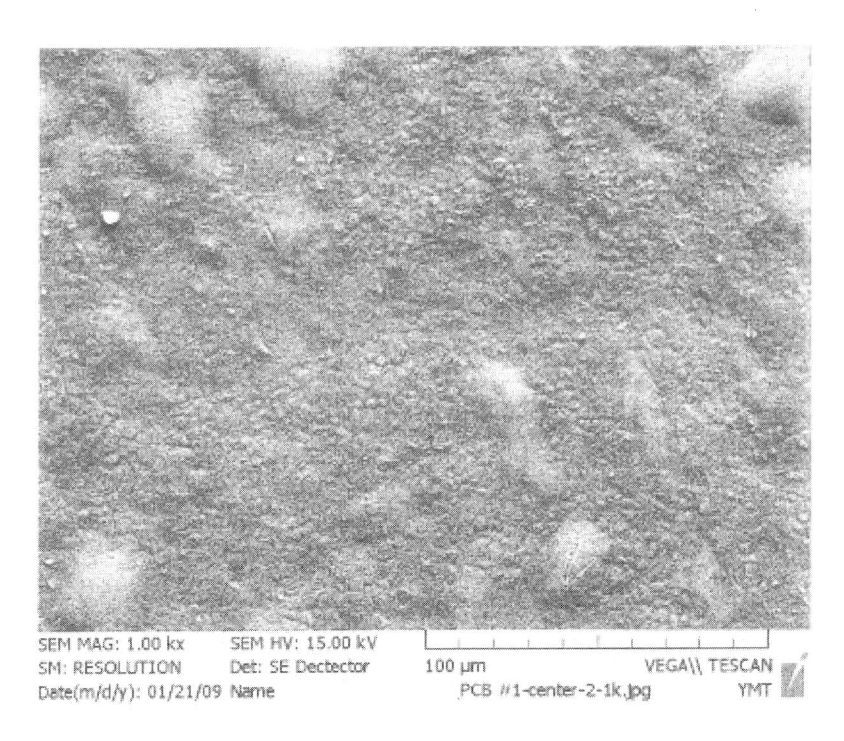
SEM MAG: 1.00 kx
SEM HV: 15.00 kV
SM: RESOLUTION
Det: SE Dectector
100 µm
VEGA\\ TESCAN
Date(m/d/y): 01/21/09
Name
PCB #1-center-2-1k.jpg
YMT

15-11 BARE & ASSEMBLY BOARD 신뢰성 비교 분석 ①,②

1. BARE & ASSEMBLY BOARD 신뢰성 비교 분석 ①

1) 목적

ASS'Y 및 BARE BOARD 신뢰성분석

2) 불량명

IC (U22-U23) 부위 OPEN 발생

3) 분석수량

구분	ASS'Y BD	BARE BOARD
MODEL 및 S/N No	MCB S/N 0248	MCB RDC
수량	1SET	각 1PCS

4) 분석방법

① SOLDERING 상태 → ASS'Y BD 육안검사(RUPE 사용)

(a) FRONT / REAR SIDE

(b) 문제 대상 부품 분리

② PCB 품질 확인을 위한 MICRO- SECTION

구분	ASS'Y BD	BARE BD
내용	MOLDING 하여 6POINTS	간이로 하여 각 4 POINTS

③ 검사항목

(a) 층구성(LAYER)

(b) DRILL 가공상태

(c) 동도금 현황

(d) 내층의 SMEAR상태

5) 신뢰성 분석결과

NO	항목		규격	단위	결과			비고
					ASS'Y BOARD	BARE BOARD		
						MCB	RDC	
1	PCB 구조	내층 THIN CORE	업체 지정	㎛	35	18	35	18 (1/2 OZ) 35 (1 OZ) MCB MODEL의 경우 THIN-CORE두께 이상
		LAY-UP			층간 편심발생 GOOD	GOOD	GOOD	기능성 문제없을 것으로 판단
		BASE COPPER	업체 지정	㎛	18	18	18	
2	DRILL	HOLE SIZE	업체 지정	∮	0.35	BGA 0.3 일반 0.4		
		ROUGH NESS	15-20 이하	㎛	GOOD	GOOD	GOOD	MCB BARE BOARD POINT(1.2)미세하게 발생
		SMEAR	무결점		GOOD	GOOD	GOOD	
3	CU PLATING	표면두께		㎛	55-58	35-42	35-42	ASS'Y BOARD 전체적으로 도금두께 두꺼우며 불균일 발생(12.69-12.48 발생) BARE BOARD MCB에서 두께 미달발생 (15.67-16.47)
		HOLE 속두께	두께 1.6T 경우 20-25	㎛	GOOD	GOOD	GOOD	
					MIN 20.76	20.76	23.73	
					MAX 44.49	29.66	41.52	
					일부 HOLE 도금두께 저하 (POINT3)			
4	SOLDER BILITY	냉땜, 퍼짐성			GOOD			IC(u22-u23) 분리부위 검사결과 양호

6) 결론

귀사에서 의뢰한 3PNL(ASS'Y BD 1Sht, BARE BD 2Sht) 검사결과 미세하게 HOLE 속 도금상태에서 이상이 있었으나 전체적으로 볼 때 PCB로 인한 결점은 없는 것으로 판단 됨

※ 첨부 : 1. MICRO-SECTION DATA
① ASS'Y BD 5SHT
② BARE BD 5SHT
2. MOLDING 시료 6개
3. BARE PCB가 ASS'Y 후 성능에 문제가 발생할 수 있는 요소 LOST 1부

7) BARE PCB가 ASS'Y후 성능에 문제가 발생할 수 있는 요소

① SOLDERABILITY
(a) 표면처리 두께
(b) 표면처리 부위 산화
(c) 부품설정부위 PSR&MK INK 번짐

② 기능
(a) MLB 경우 적층조건
(b) HOLE 속 상태
- 가공 상태
- 동도금 두께
- VOID
(c) SMEAR 발생
(d) MISREGISTRATION
(e) 기타

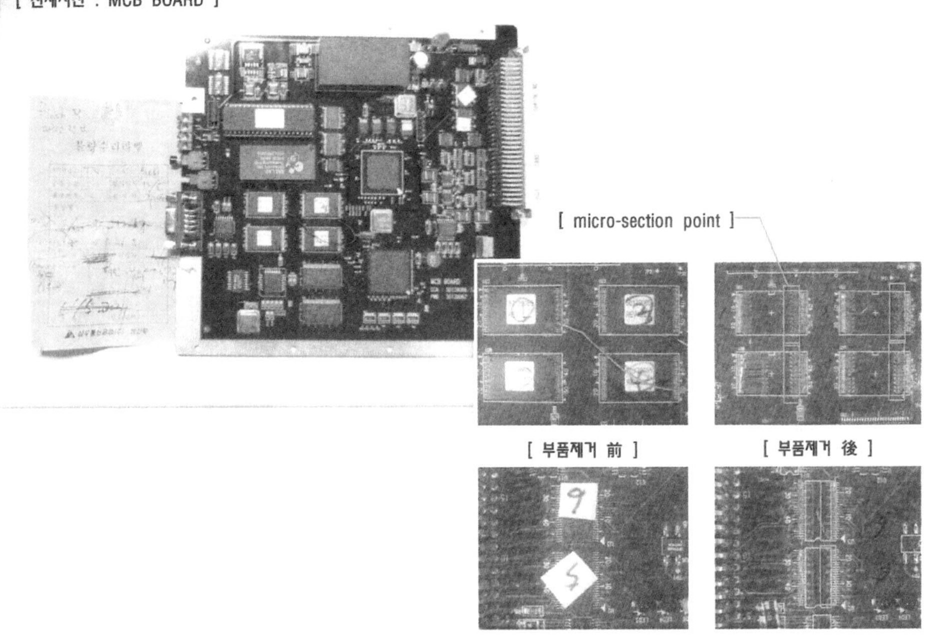

■ Micro-section 결과

(1) Hole 속 도금 두께

- Avg. 35㎛ 이상
- Min. 20㎛ 수준

(2) Hole 속 smear 잔존 미확인

(3) 특이사항

- # 3 section 위치에서 Holer 속 도금두께 저하현상 확인
- 다소 층간편심 확인

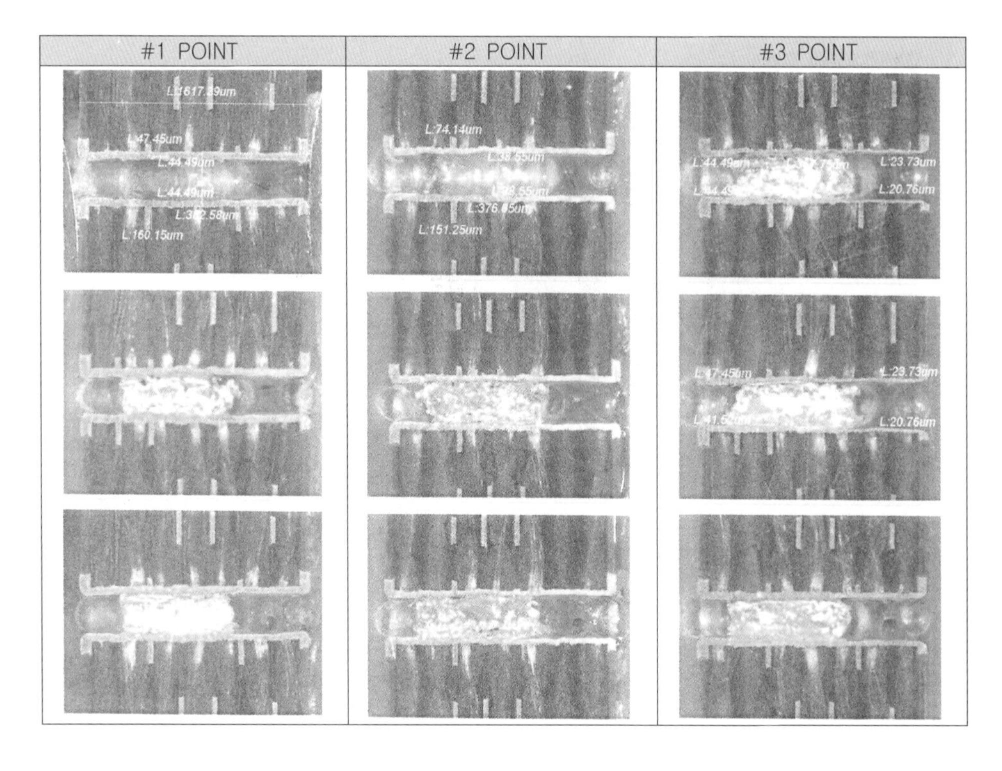
#1 POINT
#2 POINT
#3 POINT

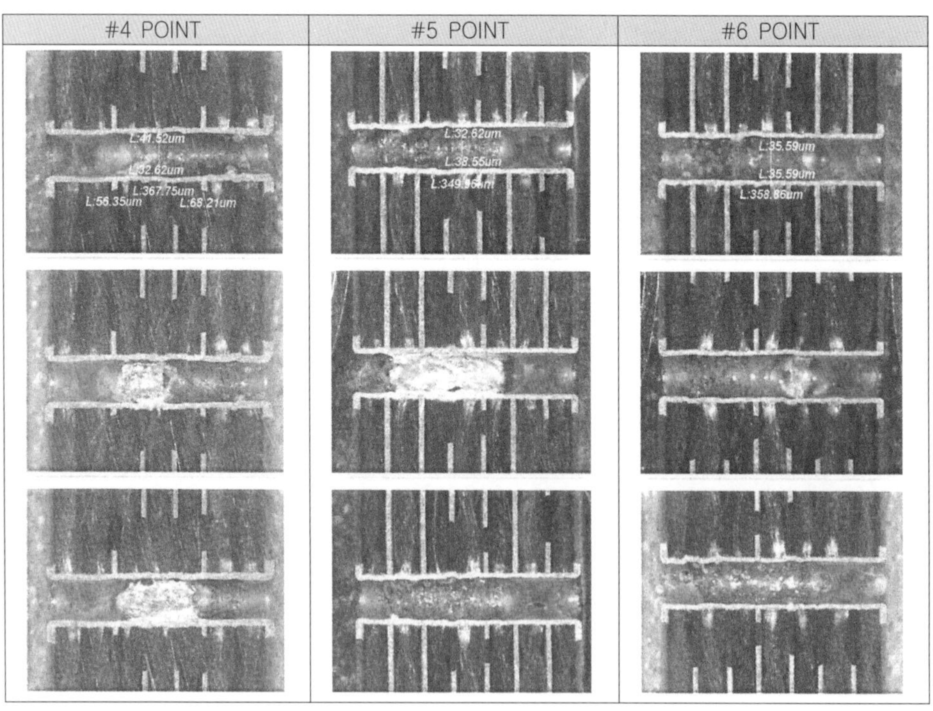
#4 POINT
#5 POINT
#6 POINT

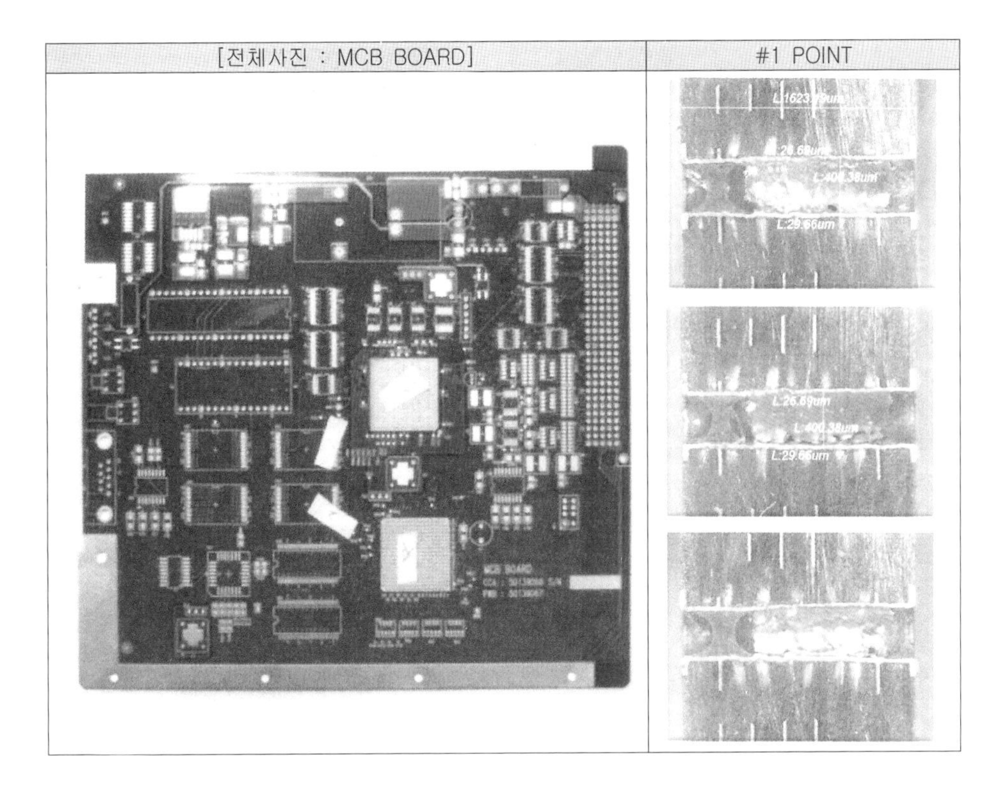

■ Micro-section 결과

(1) Hole 속 도금 두께 : Avg. 25㎛ 이상

(2) Hole 속 smear 잔존 미확인

(3) 특이사항 [Ass'y Board와 Bare Board 차이점]

- 내층 원자재 사양 차이
  - → ASS'Y Board : 1 oz CCL
  - → Bare Board : 1/2 oz 내층 CCL
- Hole size가 상이한 것으로 사료됨

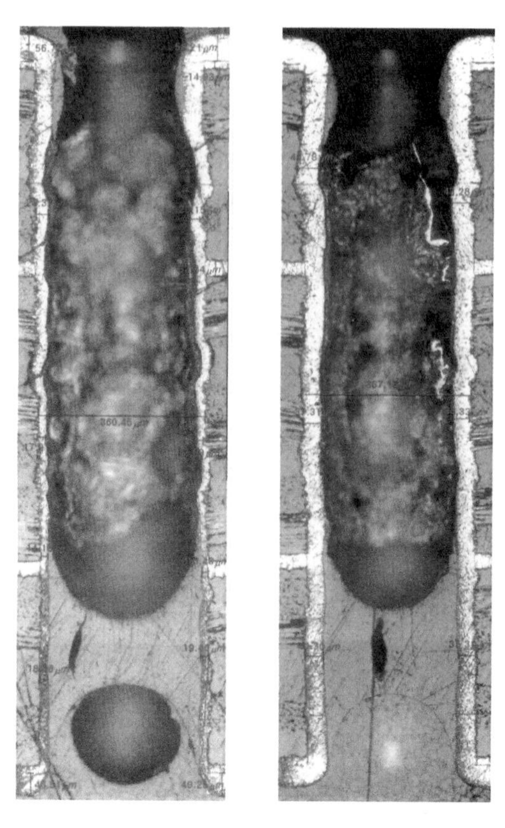

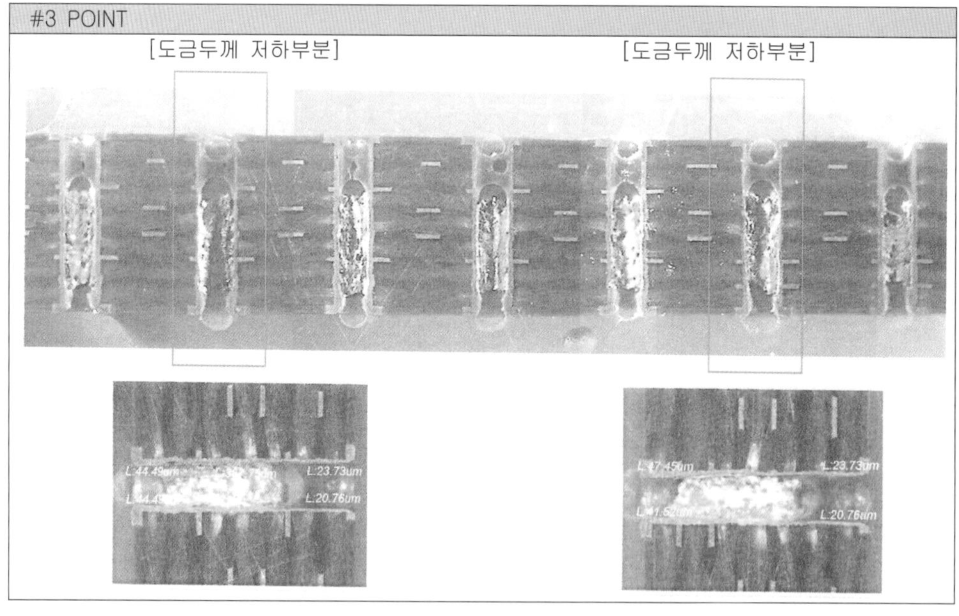
#3 POINT
[도금두께 저하부분]
[도금두께 저하부분]
L:44.49um
L:23.73um
L:20.76um
L:47.450um
L:23.73um
L:41.52um
L:20.76um

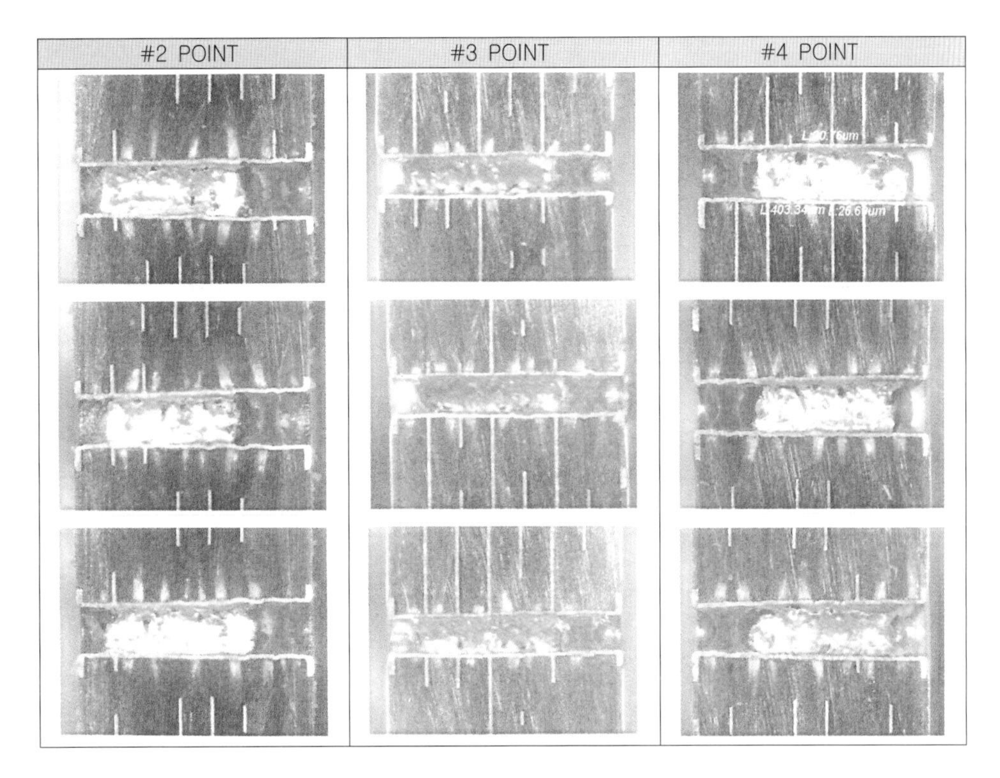
#2 POINT
#3 POINT
#4 POINT

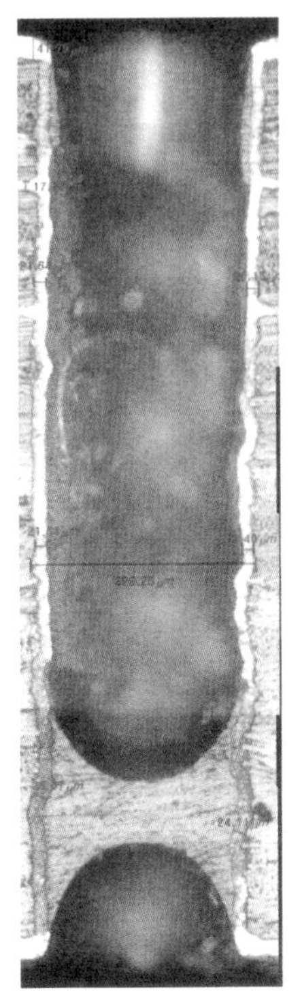

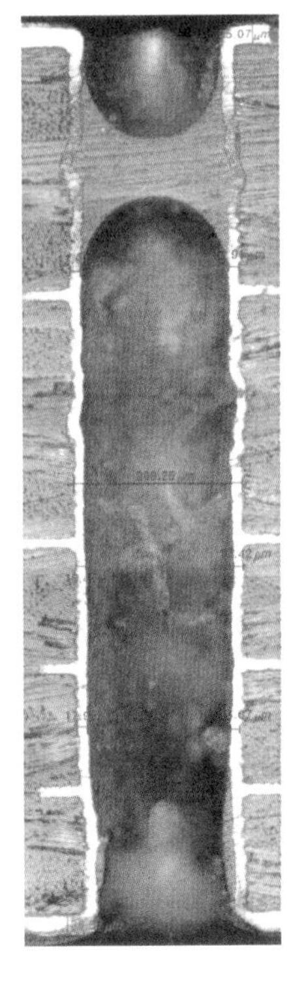

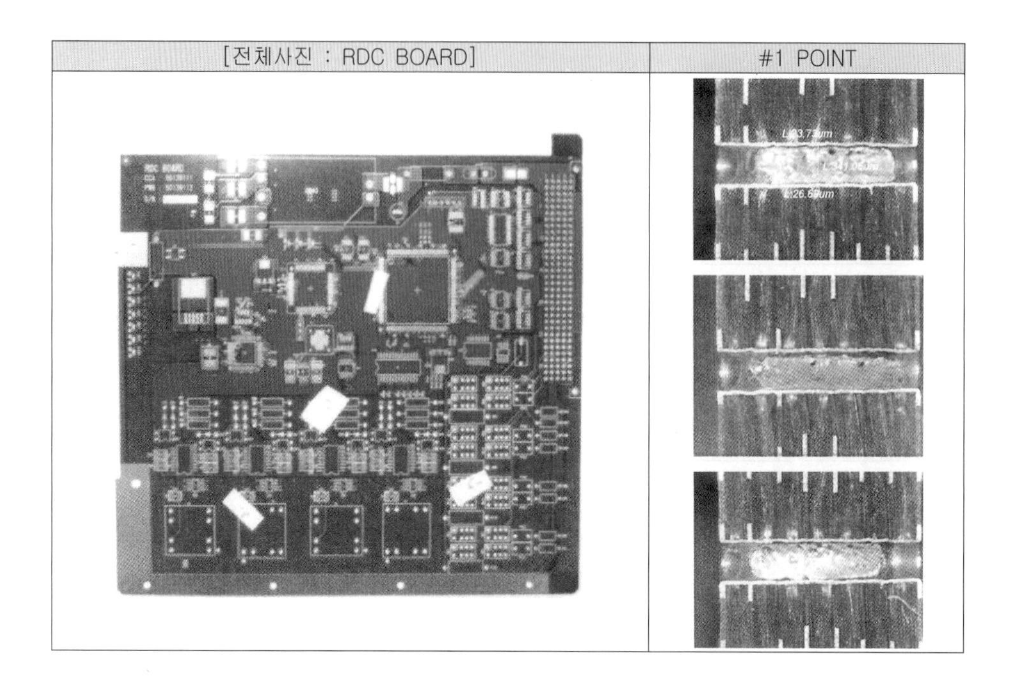

■ Micro-section 결과

(1) Hole 속 도금두께 : Avg. 25㎛ 이상

(2) Hole 속 smear 잔존 미확인

(3) 특이사항 없음

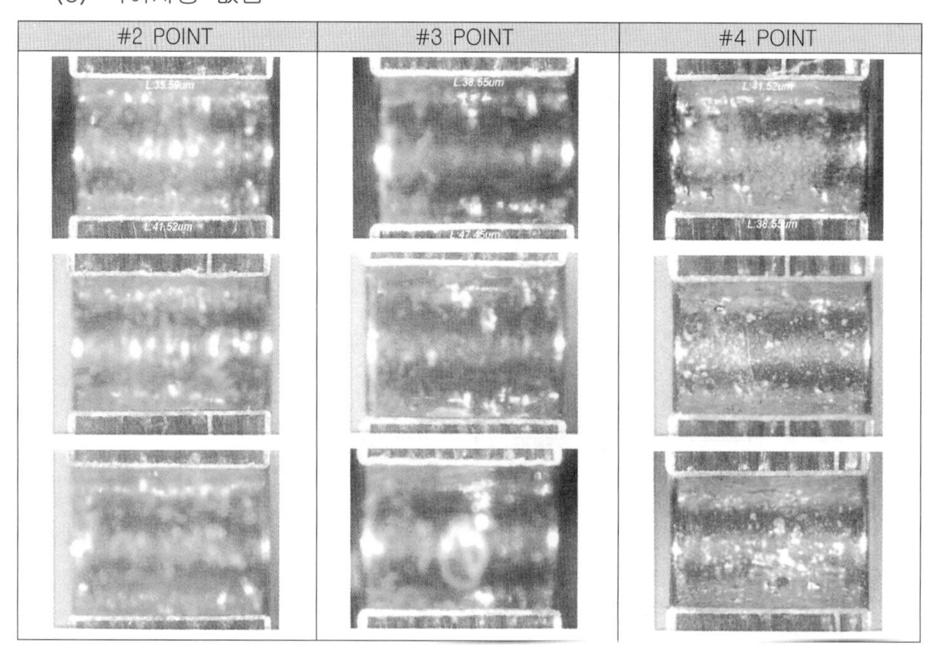

2. BARE & ASSEMBLY BOARD 신뢰성 비교 분석 ②

< 사 례 1 >

1) 신뢰성 시료

구분	MODEL NO	수량	LAYER	표면처리	분석시료 HOEL	비고
BARE BOARD	7129-00 REV-B	2PCS	6	무전해 금도금 (ENIG)	12	BGA부위 VIA- HOLE 시험
ASS'Y BOARD		1PCS			0	

2) 신뢰성 TEST 항목

NO	구분	항목	TEST
1	BARE BOARD	HOLE 편심 BOARD	1. MICR0-SECTION 2. HOT OIL TEST (260° 20초) 3. THRMAL STRESS (260° 5초) (SOLDER POT TEST)
		HOLE 정상 BOARD	
2	ASS'Y BOARD	HOLE 정상 BOARD	

3) 분석현황

NO	구분		결과				비고
1	BARE BOARD	HOLE 정상 BOARD	DRILL	도금두께	SMEAR	VOID	
		HOLE 편심 BOARD	○	○	○	○	
2	ASS'Y BOARD		ROUGHNESS 발생	일부도금 두께미달 15-17μm		점 VOID발생	
			○	○	○	점 VOID발생	

4) 문제점의 원인 대책

NO	문제점	원인	대책
1	DRILL ROUGHNESS	1. BIT파손 2. STACKING중 및 부위 BOARD 발생	1. STACKING 재확인 2. BIT사용 HIT COUNT 재정립 특히 6층일 경우 주의 요망
2	VOID	전형적인 무전해 도금 VOID임	1. 무전해 LINE 재점검 2. 무전해 완료 후 전기도금까지의 LEAD-TIME확인 3. 정기적인 BACK -LITE TEST 및 시료 보관
3	도금두께 미달	1. 부분적으로 발생함 2. HOLE ROUGHNESS로 인한 발생	1. GRAPHIC CARD 종류는 최소한 도금 두께 20㎛ 유지 요망 2. 전기도금 RACKING방법 재설정(특허 GRAPHIC CARD 같은 경우)

5) 종합평가

① 금번 발생한 문제는 PCB 제조 공장 중 발생한 불량임.

② 귀사의 제품을 2회 신뢰성 분석결과 DRILL 및 도금 공정의 집중관리 요망

③ 신뢰성 분석결과 100% 문제가 있다고 생각 안함

문제는 약 30% 정도로 예상하며 BARE BOARD 상태의 제품은 전량 재검사해야하며 ASS'Y BOARD는 업체와 협의하여 (영업차원) 해결해야 함.

6) 첨부

① MICRO-SECTION 사진 6 SHT(16사진)

② TEST시료

< 사 례 2 >

1) BARE BOARD 내용

MODEL NO	배열	LAYER	표면처리	분석시료 HOLE		비고
				CONNECTOR	VIA-HOLE	
01-0141 REV9	4열	4	무전해 AU	4	4	

2) 분석현황

문제점	원인	대책
DRILL ROUGHNESS	BIT 파손 사용	BIT 검사 시 다음 사항 중요검사 할 것 LAY BACK. CHIP EDGE. OVERLAP OFFSET
	STACKING 관리 MISS(COVER)	STACKING 표준안 준수할 것 (특히 MLB 작업 시)
SMEAR	BIT 파손사용	BIT 검사 시 다음 사항 중요검사 할 것 GAP. LAY BACK
	DESMEAR 미처리	이번 LOT는 처리 안한 것 같음 작업현황 확인 바라며 전 PCB DESMEAR 처리해야 함
동도금두께미달	유산동 (전기도금) 처리 MISS 11.13-15.36μ 발생	작업 LOT 재확인 바람

결론: 신뢰성 분석 결과 이번 LOT는 DRILL → 도금까지 공정에서 전체적으로 문제 발생함.
작업 LOT를 확인 후 폐기가 바람직함

< 사 례 3 >

1) PCB현황

MODEL NO	작업주기	검사 POINT	비고
MW-1500AP	0309	2KITS 3POINTS	

2) 신뢰성 검사 결과

NO	불량명	원인	대책
1	SMEAR	DRILL 작업 시 과SMEAR 발생으로 DESMEAR처리 안됨	1. DRILL CONDITION 확인 2. DESMEAR액 노후 확인
2	진행성 VOID	도금은 균일하게 되었으나 VIA HOLE PSR INK 메꿈 마무리 부위에서 SOFT ETCHIN G액 침투로 동박이 부식 되면서 발생	1. PCB 표면처리 시 VIA- HOLE 메꿈처리가 미흡할시 발생 가능성이 많음 2. VIA HOLE 메꿈처리 (MIN 80%) 공정개선

3) 결과

2 KITS 3 POINTS 확인결과 완벽한 PCB 불량임

추가로 10KITS 정도 더 신뢰성 TEST후 동일 유형의 불량이면 전량 폐기처리 해야 함

업체하고는 영원차원에서 의견 교환이 바람직함.

< 사 례 4 >

NO	항목	내용
1	MODEL NO	DCMP-60E Ver1.2
2	시료수량	ASS'Y BOARD S KITS
3	검사내용	1. KIT를 파괴검사실시 한 BOARD내에서 (주) 디지털 싸이노스에서 지정한 2 POINTS(저항치 문제부위)와 주변 2 POINTS TEST 실시
4	부량유형	HOLD VOID 발생
5	원인	DRILL 완료 후 도금공정 후 무전해 동도금 처리 시 무전해 도금액의 순화불충으로 HOLE속에 부분적으로 도금이 안되어 전기 도금시 도금처리 안됨
6	대책	제품에 표시된 주기를 봤을 때 2004년 11월 4째주에 작업 된 것으로 판단 11월 4째주 무전해 도금된 상태 추적필요. 필요시 3째주부터 5째주까지고 검토필요.
7	조치	1. 11월 4째주 제품 출하 보류 2. TEST 시료를 늘려(약 10KITS) MICRO-SECTION 필요 3. 재 MICRO -SECTION 결과 HOLE속 VOID 발생시 전량 폐기 바람직함
8	기타	1 KIT는 MICRO-SECTION 안함

< 사 례 5 >

사진	불량명	원인	대책
NO 1,2	H.W.S(홀속들뜸) HOLE WALL SEPARATION	SIVER PASTE를 HOLE속에 충전 후 ① HOLE 속 거침 ② HOLE 속 이물질, 습기 ③ 경화조건의 불충분으로 PCB 제조공정 중 BAKING시 건조불충분으로 인하여 HOLE 벽에 SOLDER PASTE가 분리됨	부분적으로 HOLE속 도통은 가능하나 신뢰성(저항치)면에서 품질만족이 안되므로 사용불가
NO 3	PAD NICK(PAD결손)	회로 인쇄 시 SCREEN상에 이물질 또는 표면의 이물질로 인하여 발생	결손 부위가 SPEC범위에서 벗어남 사용 불가

< 사 례 6 >

분석내용	문제점	원인	대책	조치
LVH의 MICRO -SECTION * LVH = LASER VIA HOLE	LVH내부 RESIN잔사 발생	LASER DRILL시 RESIN 잔사미처리 및 DESMEAR처리 강화	LVH가공 후 현미경 의한 검사 및 DESMEAR처리 강화	1. 부분적으로 발생한 것으로 판단되며 100%기능 TEST후 적합/부적합 선별요망. 2. 신뢰성 TEST결과 문제가 발생된 부위와 이상 없는 부위가 발생 한 것으로 보아 PCB업체와 SMT업체의 재협의가 필요함.

< 사 례 7 >

문제점	발생현황	발생원인		결론
		SMT	PCB	
PAD 젖음(냉땜)성불량 POINT L61 / L8 2 / LIO 1 > POINT	LAED 부위는 이상 없으나 PAD SIDE부위에 냉땜 발생 ※ 사진참고	SOLDER PASTE / REFLOW > PROCESS	표면오염 (이물질 발생)	1. 4장의 BOARD 경우는 SMT 시 문제로 판단. 2. 냉땜부위를 500배 현미경으로 관찰시 PCB제조공정 중에서 발생할 수 있는 요인 발견 안됨
		REFLOW 온도	PSR INK의 번짐	
		CURVE의 적정 온도	PCB 표면 처리 시 불충분 특히 표면처리가 HASL시 표면 불균일 발생시	
		부품의 산화 IC나 TR의 LEAD 산화 많이 발생		
		SOLDER PASTE 양 부족		
		젖음력 부족		
		LEAD 변형		

< 사 례 8 >

MODEL NO	배열	LAYER	표면처리	비고
UL12-072A	4	4	ENIG	

<table>
<tr><th rowspan="2">불량유형</th><th colspan="2">원인</th><th rowspan="2">대책</th></tr>
<tr><th>PCB</th><th>SMT</th></tr>
<tr><td rowspan="4">MANHATTAN</td><td rowspan="2">무전해 금도금 두께관리</td><td rowspan="4">1. 부품의 소형화 진행에 따라 발생가능
2. IR REFLOW, HOT AIR REFLOW에서 많이 발생
3. REFLOW 중의 어니 순간 CHIP 부품을 세우려고 하는 회전 모멘트가 그것을 억제하려는 복원모멘트를 누를 때 발생하는 현상.</td><td>REFLOW 장치 (HOT AIR REFLOW 보다 N_2 REFLOW에서 납의 표면 장력이 증가)</td></tr>
<tr><td>부품 LEAD 오염방지</td></tr>
<tr><td rowspan="2">표면오염</td><td>SOLDER PASTE</td></tr>
<tr><td>MOUNTER</td></tr>
</table>

의견: 본 제품의 경우 2PIN을 비교할 때 SOLDER의 높이가 47.69와 120.55μ로 나타냄을 보았을 때 PCB 상태의 원인보다는 SMT원인 3번의 경우로 판단됨.

결론: 독립적으로 MANHATTAN이 발생이 안 되었고 CONNECTOR 30PINS이 서로 장력이 있는 관계로 부품의 이탈은 발생 안 될 것으로 판단됨으로 재처리 보다는 SOLDER PASTE 상태를 관찰 후 사용이 적합하다고 생각함

15-12 FRACTURED SURFACE 신뢰성 분석

1. 목적

ASSEMBLY 후 발생한 표면의 갈라짐 상태에 대하여 원인분석

2. 방법

· DE-CAP 후 파괴 표면분석

· BOARD CHIP MOUNT 부위를 CUTTING 후 POLISHING 처리한 후 SEM EDX분석

3. TEST결과

1) board의 chip 마운트 부위를 cutting 한 후, SEM을 이용하여 DE-CAP 후 파괴표면을 분석하였다.

- DE-CAP시 발생한 표면의 SEM과 EDS 분석 결과 파괴 양상은 SOLDER 파괴, IMC 파괴와 PAD LIFT 등 크게 세 가지로 나타났다. 파괴가 발생한 표면에서 SOLDER 혹은 IMC층의 조성이 확인 된 것으로 미루어보아, 초기 접합은 정상적으로 이루어진 것으로 사료된다. 본 SAMPLE에서 PAD LIFT가 발생한 부분은 PAD와 SOLDER의 접합 강도보다 PCB 내의 DEFECT로 인한 PCB의 강도 값이 상대적으로 낮은 부위에서 발생한 것으로 짐작된다. 마지막으로 접합 공정 전, SR OPENING이 잘 이루어 졌는지에 대한 확인 작업이 필요할 것으로 사료된다.

2) board의 chip 마운트 부위를 cutting 한 후, polishing 한 후 단면은 SEM을 이용하여 관찰하였다.

- 대부분의 solder bump는 정상적으로 잘 접합되어 있었지만, 몇 개의 solder bump에서는 delamination이 관찰되었다. Delamination은 주로 solder와 pad 사이에서 발생하였고, 보다 확대해 본 결과 delamination이 발생한 bump의 형상이 잘 이루어 졌던 것으로 추측되며, delamination의 발생원인은 board의 warpage나 외부에서 가해진 강한 응력에 기인한 것으로 짐작된다.

3) 1차 분석했던 de-cap 시편을 polishing하여 단면을 관찰하였다.

- 단면 분석 결과 polymer 계열의 물질이 pad 표면을 미세하게 덮고 있는 것을 확인할 수 있었다.
- 그러나 정확한 공정 순서 및 디자인을 확인하지 않고서는 표면에 도포돼 있는 물질에 대해 정확한 확인은 힘들 것으로 사료되며, 도포면 아래에 금속간 화합물로 추정되는 물질이 존재하였다.
- 이것으로 미루어 보아, pad의 fail에 직접적인 영향을 미친 것은 아닐 것으로 사료된다.

■ SOLDER FRACTURE

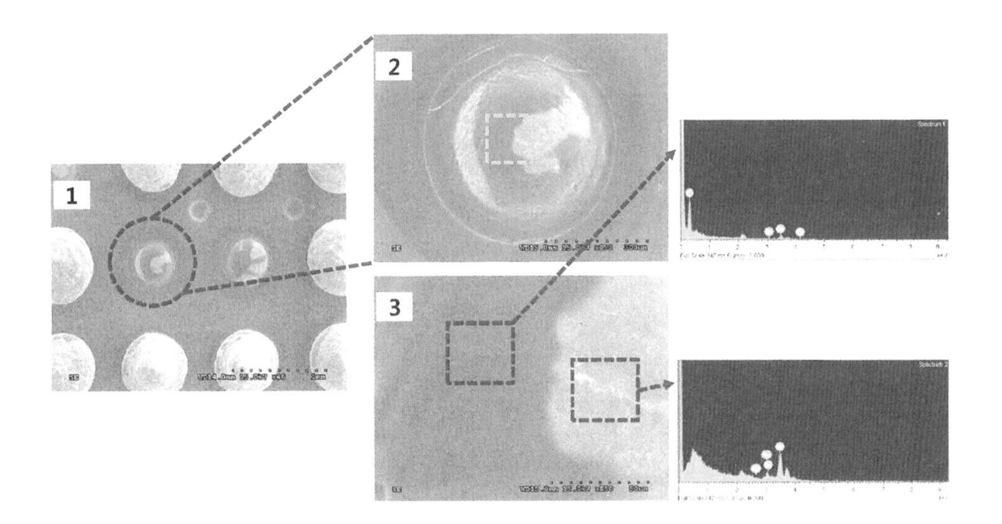

▷ De-cap시 떨어져 나간 볼의 파면을 찍은 사진으로, EDS 분석 결과 Sn과 Ag가 검출되었다. Solder의 주 성분인 Sn과 Ag과 검출된 것으로 미루어 보아 de-cap시 solder 내부에서 파괴가 발생하여, pad에 솔더가 잔류된 것으로 사료된다. 3번 사진의 검은 부분의 EDS 분석 결과 C의 함량이 매우 높게 검출되었으며, 이는 SR이 pad위에 잔류 되었을 가능성이 높을 것으로 사료된다. 따라서 SR develop 공정 시 주의가 필요할 것으로 사료된다.

< 사 례 1 >

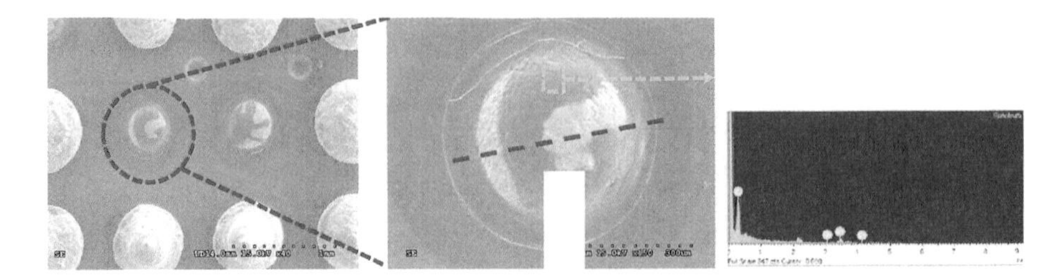

단면 추가 분석

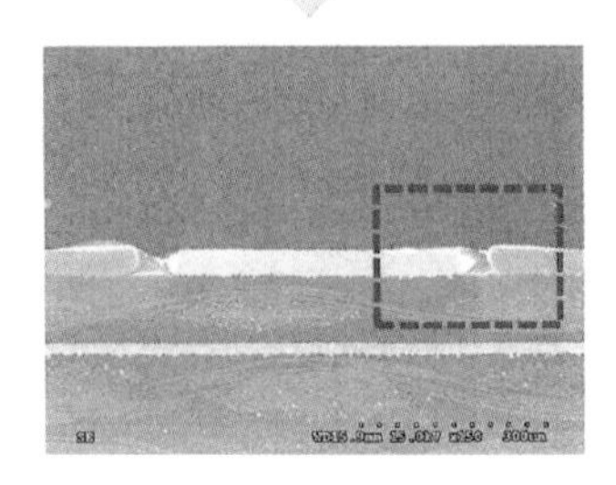

▶ 결손부위 확대사진

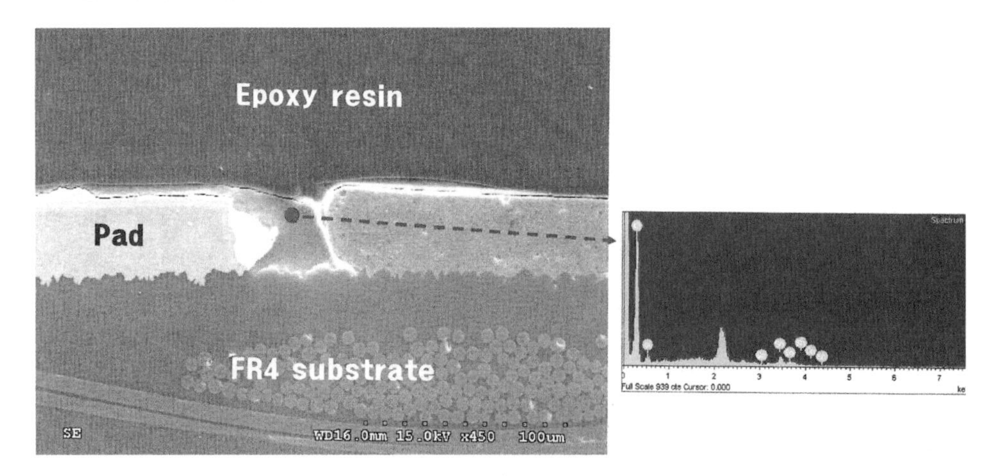

< 사 례 2 >

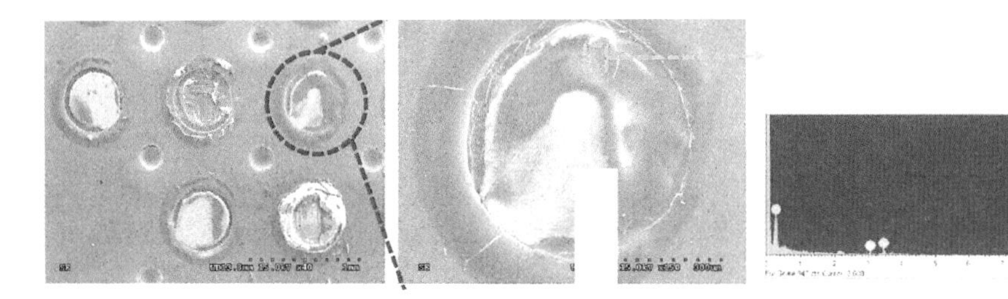

단면 추가 분석

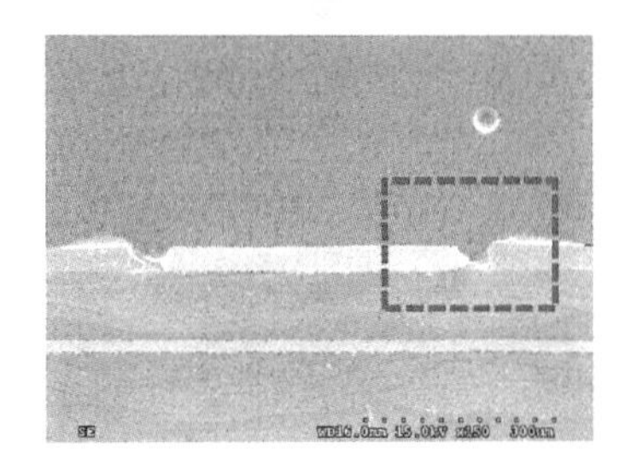

▶ 결손부위 확대사진

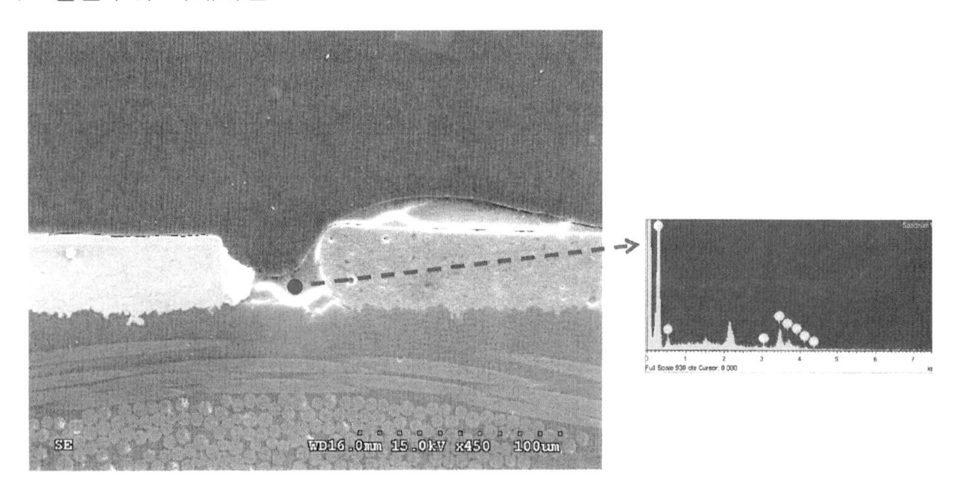

■ IMC FRACTURE

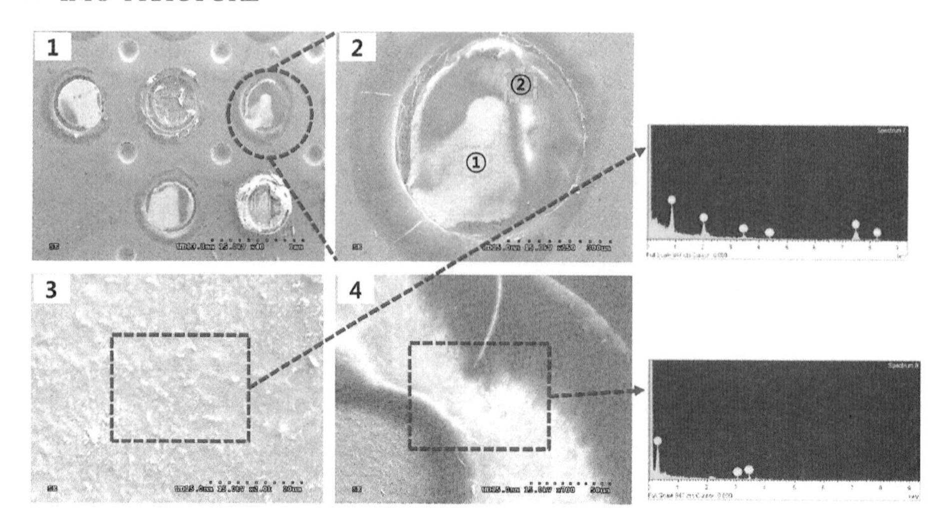

▷ 2번 사진의 EDS 분석 결과 1번 영역에서는 Ni, Sn, P성분이 검출되었고, 2번 영역에서는 Sn과 c가 검출되었다. 1번영역의 확대 사진 (Fig.3) 형상과 EDS 결과를 종합해 보았을 때, 1번 영역의 흰 부분은 IMC 층으로 사료되며, 초기 접합이 이루어진 후, de-cap 과정에서 솔더가 IMC 층에서 파괴되어 떨어져 나간 것으로 예상된다.

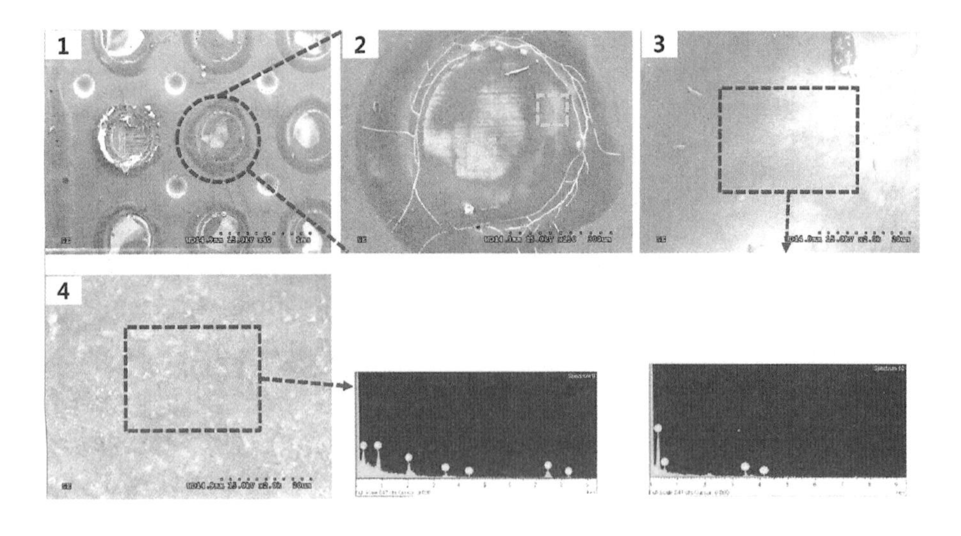

■ PAD LIFT

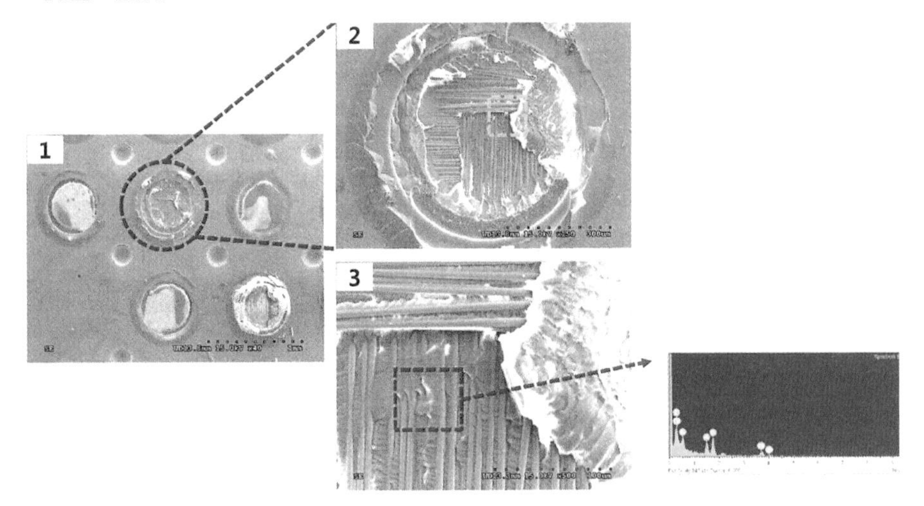

▷ Pad lift는 solder와 pad 와의 접합강도가 매우 높거나 pcb가 열화 되었을 경우 발생한다. Top view 분석 시, 2번 사진과 같이 pad lift가 발생한 경우를 종종 발견할 수 있었다.

■ SOLDERABILITY

① GOOD

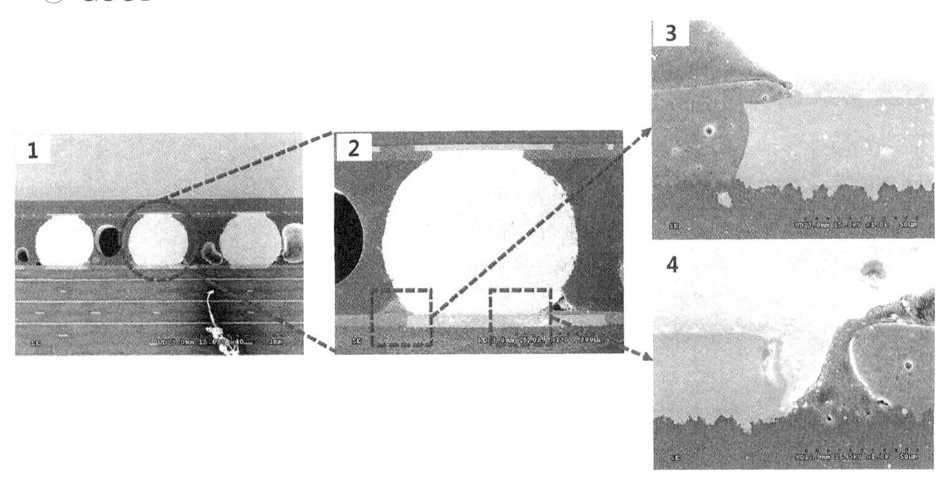

▷ 접합이 잘 된 경우로 모든 위치에서 정상적인 접합 형태를 보이고 있다.

② BAD

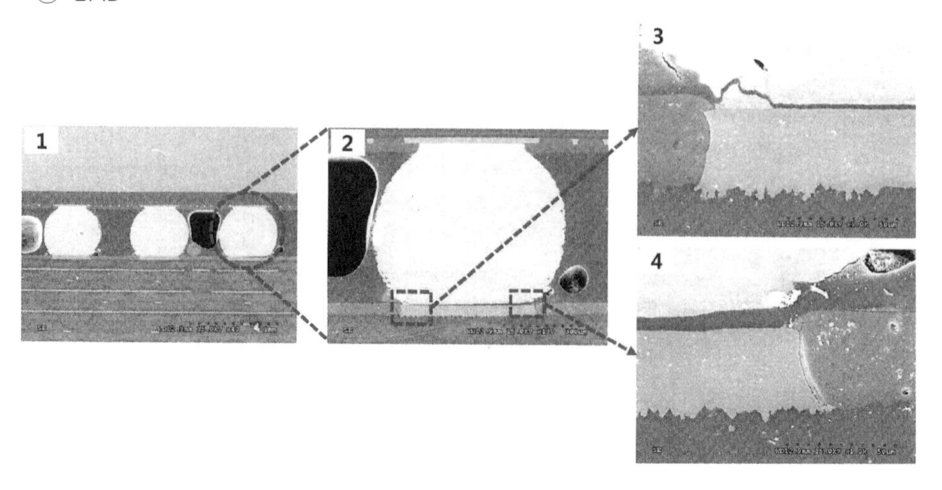

▷ 잘 접합된 듯 보이는 범프에서도 solder와 pad 사이의 계면에서 delamination이 발생한 것을 확인 할 수 있었다. Solder의 형상과 delamination 발생 부위를 관찰한 결과, 초기 정상 접합된 bump가 시편의 warpage or 외부 충격 등에 의하여 IMC 층의 계면에서 단락이 발생한 것으로 사료된다.

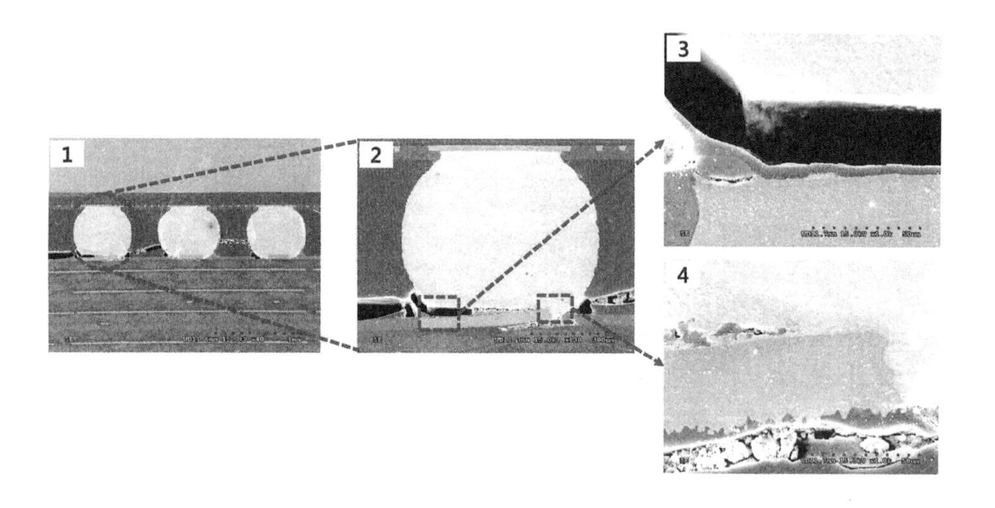

▷ 2번 사진에서 delamination이 발생한 것을 확인 할 수 있었다. 3번과 4번 사진을 통해 미루어보아 pad가 큰 응력을 받아 뒤틀어지며 void 및 crack을 발생시킨 것으로 사료된다.

15-13 TIN-PLATING 신뢰성 평가 항목 및 기준

구분	평가 항목	평가 기준	측정 방법	측정 빈도	비고
수입 검사	1) 무전해 Tin 도금두께	작업지침서 두께 기준	X-RAY 사용	2~3 PNL/Lot	측정 Mode: Sn Cu. APP 설정
	2) 육안 검사 - 무전해 Tin 도금 얼룩 - 무전해 Tin 도금 안됨 - Ink 떨어짐 (기타 무전해 금도금 제품과 동일)	없을 것 없을 것 없을 것	- 육안 또는 현미경	수입검사 기준 (샘플시 전수 검사)	사진 참조
	3) 밀착력 평가 (테이프 테스트)	무전해 Tin 도금 및 Ink 떨어짐 없을 것	- 스카치 테이프 사용	2~3 PNL/Lot	현대 부분적으로 PSR Ink 떨어짐 발생. (Marginal Accept) - Ink test 진행예정
신 뢰 성 평가	1) Solderability test - edge dip test - Rotary dip test	IPC TM J-STD-003	Solder pot 이용	필요시	양산시 주 1회 평
	2) 내열설 평가 IR Reflow test	3회 반복 시 도금 변색 없을것	IR Reflow 이용 (Peak temp. 230°c)	필요시	양산시 주 1회 평
	3) 밀착력 test (pull strength)	Cu/ Tin계면 떨어짐 없을 것	Pull strength 이용	필요시	양산시 주 1회 평
	4) 내습성 평가 Steam aging test	도금 변색 없을 것	92°c, 8시간 Steam aging	필요시	
	5) 퍼짐성 test	Solder ball size 대비 250% 이상	Solder ball. IR Reflow	필요시	양산시 주 1회 평
	6) Wetting balance	IPC TM J-STD-003	Wetting balance	필요시	
	7) 표면 조직분석(SEM)	-	SEM	필요시	
최종 검사	1)육안 검사 - 무전해 Tin 도금 얼룩 - 무전해 Tin도금 안됨 - Ink 떨어짐 (기타 무전해 금도금 제품과 동일)	없을 것 없을 것 없을 것	- 육안 또는 현미경	전수 검사	사진 참조
출하 검사	수입검사와 동일	-	-	출하 검사 기준	

1. BONDING TEST

1) 개요

본 장치는 IC등의 조립공정에 있어서 Wire BONDING, TAB, Die Bonding, Bump, CAP, BGA등의 Wire 절단 강도 및 인장 강도, Chip 부품 등의 Soldering 강도를 평가하기 위한 측정기입니다.

2) 특징

① Shear test는 touch 센서에 의해 dei를 검지하여 (특허 1682513) 설정된 높이에서 Shear 측정을 개인차 없이 측정할 수가 있습니다.

② BGA, CSP, Gold wire, Bump등의 측정이 가능합니다.

③ 파괴를 자동적으로 검지하여 측정 종류 후 tool이 자동 복귀합니다. 따라서 자동적으로 다음 측정을 행할 수 있는 상태가 됩니다.

④ 내부가 깊고 스테이지의 가동범위가 넓어서 대형 샘플의 측정이 가능합니다.

⑤ 가열 스테이지를 부착하여 온도변화에 의한 Die shear측정이 가능합니다.

⑥ Tool 스테이지 (X축 제외)의 이동은 전부 죠이스틱에 의해서 이루어지므로 조작성이 뛰어 납니다.

⑦ 데이터해석 소프트에 의해 데이터의 보존 및 해석, 탄성률의 특정 및 변위 - 하중 그래프 표시가 가능합니다.

⑧ 자동교정 기능이 부착되어 있어서 누구든지 간단히 교정할 수가 있습니다.

⑨ 장치에는 각종 보호기능이 들어 있어서 치구 등의 파손을 방지 합니다.

⑩ 옵션사항에 의해 자동 테이트 및 관찰 장치를 첨가할 수가 있습니다.

3) 사양

측정항목	Pull. Push. Peel. Shear 테스트 (파괴, 비파괴)
파단 모드	[A]~[G] 7종류 원터치 입력, 나머지 영문자공백
측정제어방식	컴퓨터, 모타 구동 및 수동에 의한 반자동 방식
스피드	측정 시 0.01~1.0mm/sec
스테이지 이동 범위	X축: 100mm(수동) Y축: 100mm(모터 구동) 회전: 임의(수동)

측정 정밀도	Total 0.5%FS
연산처리 기능	파괴 테스트 시: 전부 및 모드별 측정 데이터 통계 비파괴 테스트 시: “GOOD” 및 "NG" 데이터 통계
데이터 출력	소형 감열지 프린터 내장. 개별측정 데이터 및 통계 결과를 프린트 출력
확장 출력	RS-232C, 센트로닉스, 아나로그 출력
쌍안 현미경	타렛 방식 (15배/45배) 표준
조명	6V/15W 할로겐 램프 (트랜스내장)
전원	AC 110V 60Hz
도장색	2.5Y7/2

4) 구성

① 측정부 본체

② 센서 및 부속 장치

A	Pull test용	50gfFS	1축 표준	옵션
	Ball shear용	500gfFS	2축 표준	옵션
	Die shear용	10kgfFS	1축 표준	옵션
B	Pull 용 Hook			옵션
C	Pull 용 Pin vice			옵션
D	Push용 tool			옵션
E	peel용 tool			옵션
F	peel용 자동개폐기구			옵션
G	BGA Pull용 chuck			옵션
H	ball shear용 tool			옵션
I	Die shear용 tool			옵션
J	Sample 부착대			표준 부착
K	printer (본체에 내장)			본체에 내장
L	Work Holder			옵션
M	실체현미경, 조명장치			옵션
N	Hot plate			옵션
O	Foot 스위치			옵션
P	데이터 처리 소프트			옵션
Q	데이터 처리 소프트			옵션
R	데이터 처리 소프트			옵션

5) 동작 및 원리

① Wire pull test

(a) 파괴 테스트

장치 내에서 미리 hook의 상승속도를 설정하여 샘플에 대해 45방향으로부터 현미경을 보면서 hook을 wire에 건 후 START 스위치를 누르면 hook이 설정된 속도로 상승하면서 wire가 끊어지면서 자동적으로 정지를 합니다. 현미경으로 보면서 파괴 상태를 확인 MODE 키를 눌러 등록을 합니다.

모드별 데이터가 바로 프린트 되며 동시에 hook는 START위치로 되돌아갑니다.

(b) 비파괴 테스트

정지하중을 설정하여 그때까지의 측정을 행합니다.

설정 하중치 까지 도달하는지 여부에 따라 OK, NG의 판정을 행합니다.

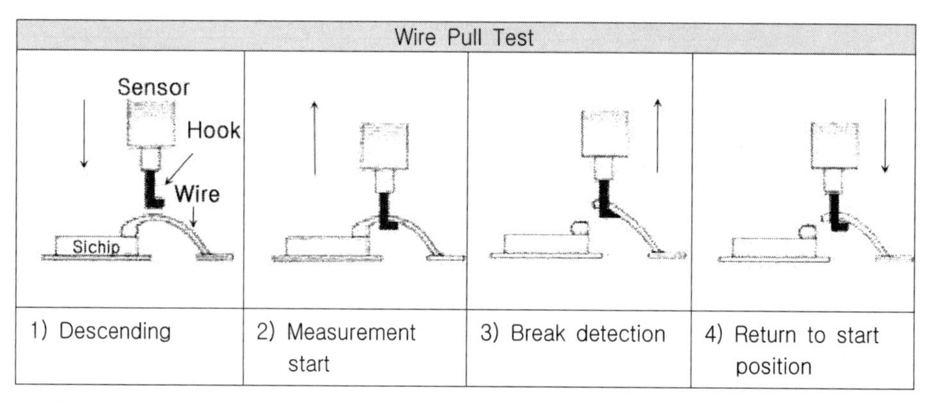

Example: Au wire, Al wire, TAB, soldering

② BGA테스트

전용 Chuck에 의해 solder ball을 바로 위에서 잡은 후 START 스위치를 누르면 CHUCK이 상승하면서 solder ball 떨어져 나가는 것을 감지하고 측정이 종료 됩니다.

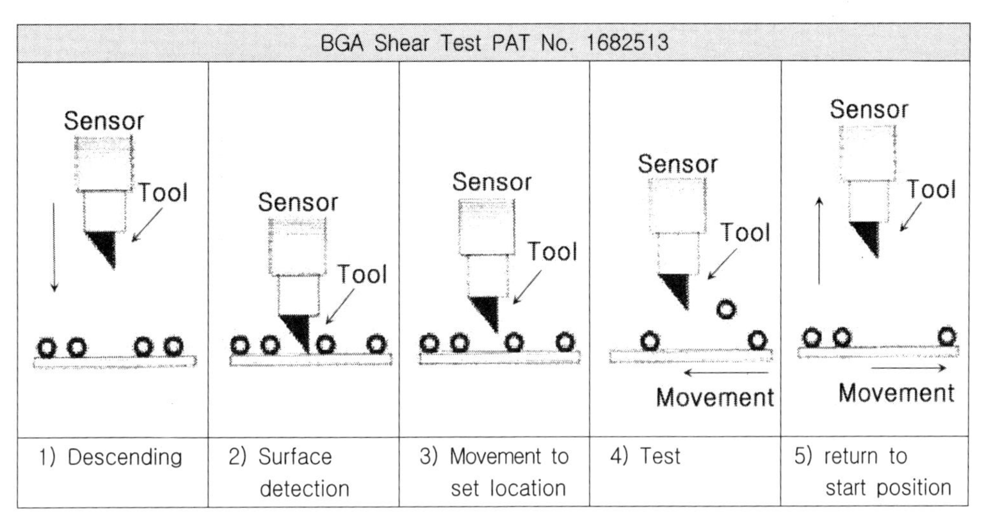

Example: Chip, Parts

③ Stud Pull 테스트 (chip 부품 pull test)

Chip 표면과 chuck을 접착 시킵니다. 그 후 START 스위치를 누르면 chuck이 상승하면서 chip이 base로부터 떨어져 나가는 것을 감지하고 측정이 종료됩니다.

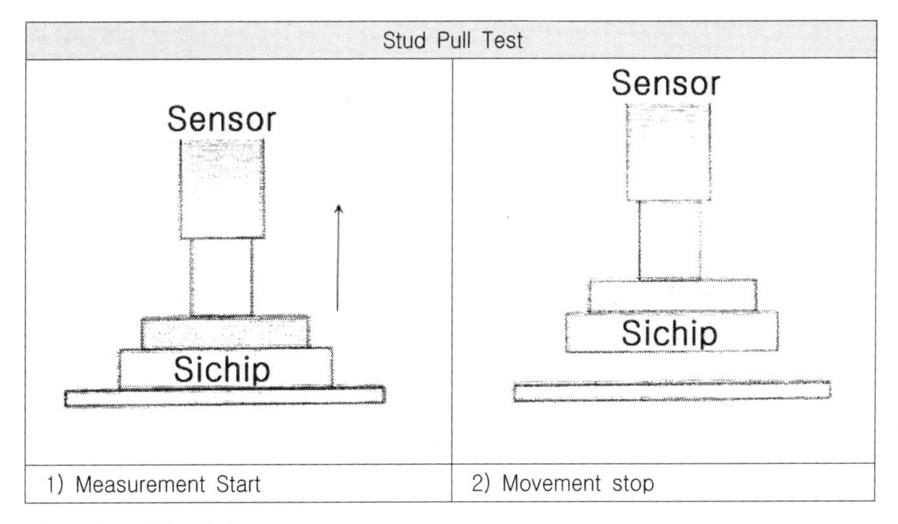

Example: Chip, Parts

④ Peel 테스트

전용 chuck로부터 wire를 잡은 후 START 스위치를 누르면 chuck이 상승 하면서 wire가 절단되는 것을 감지하고 측정이 종료됩니다.

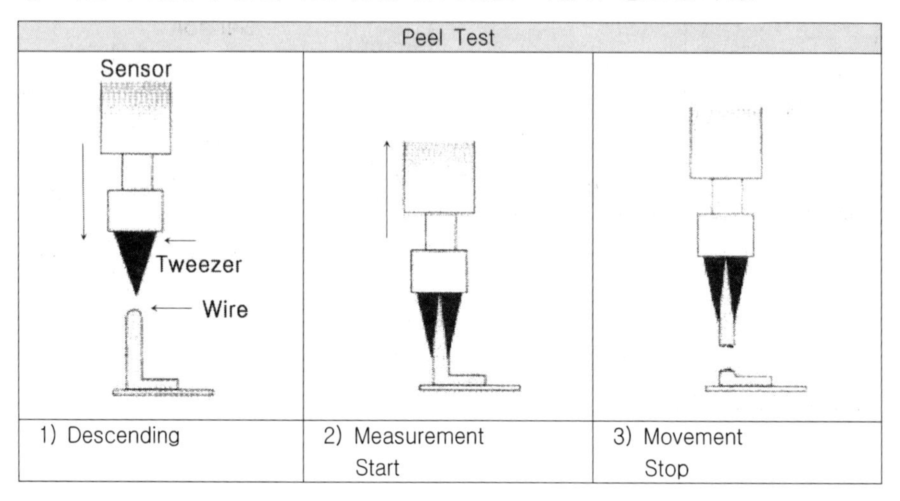

Example: Au, Al, IC Lead

⑤ Ball shear 테스트 (그외 BGA, BUMP, CHIP)

현미경을 보면서 죠이스틱을 조작해서 tool을 ball의 뒷부분에 셋트 합니다. 셋트가 종료되면 LOCAT 스위치를 누릅니다. 그렇게 하면 tool이 pad면을 검출하여 설정된 높이만큼 상승합니다. 상승한 것을 확인하고 START 스위치를 누르면 측정이 개시 됩니다. 측정은 파단을 감지하고 다시 원위치에 되돌아오는데 판단 상태를 확인하고 등록을 하면 측정이 종료 됩니다. Foot 스위치를 (옵션)을 이용함으로써 LOCAT에서 MODE입력까지 하나의 KEY로 측정하는 것이 가능합니다.

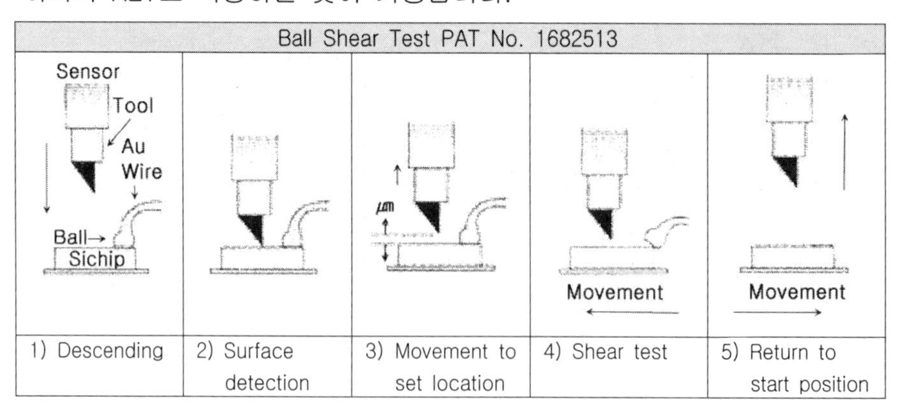

6) OPTION

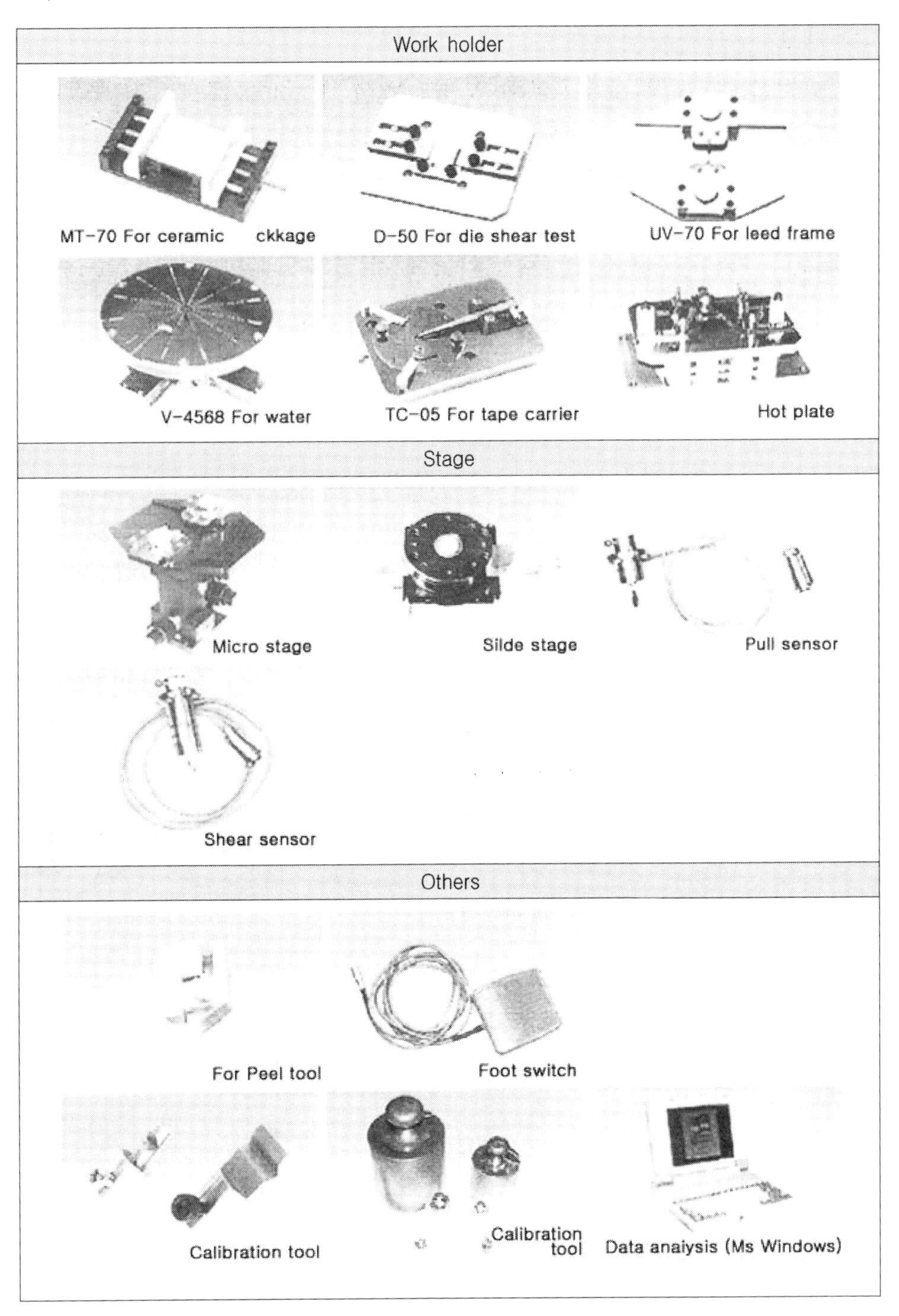
Work holder
MT-70 For ceramic ckkage
D-50 For die shear test
UV-70 For leed frame
V-4568 For water
TC-05 For tape carrier
Hot plate
Stage
Micro stage
Silde stage
Pull sensor
Shear sensor
Others
For Peel tool
Foot switch
Calibration tool
Calibration tool
Data analysis (Ms Windows)

2. BONDING TESTER(PTR, STR series)

1) 개요

본 장치는 IC등의 조립공정에 있어서 Wire Bonding, TAB, Die Bonding, Bump, CAP, BGA등의 Wire절단 강도 및 인장 강도, Chip 부품 등의 Soldering 강도를 평가하기 위한 측정기입니다.

2) 레이저 3차원 형상 측정기

제품의 열 변형에 대한 신뢰성 평가 및 열변형의 시뮬레이션 평가가 가능하며 액체질소를 사용하여, 챔버내부는 -70°c~ + 350°C의 ± 0.3°의 정밀도로 유지됩니다.

3) 간이 본딩 테스터(KP-1)

심플/저가격을 추구한 간이형 와이어 본딩 인장강도 테스터입니다.

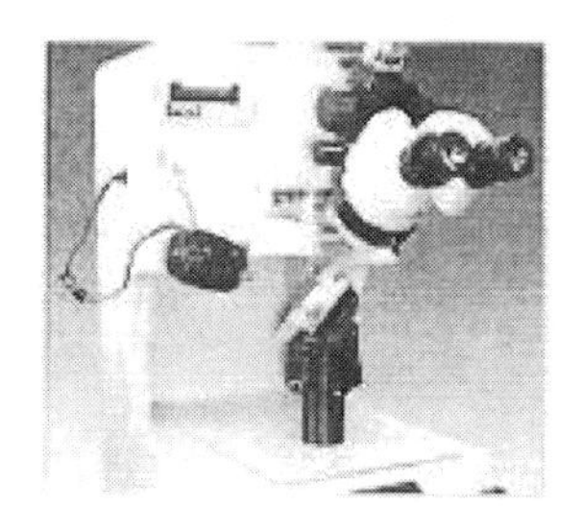
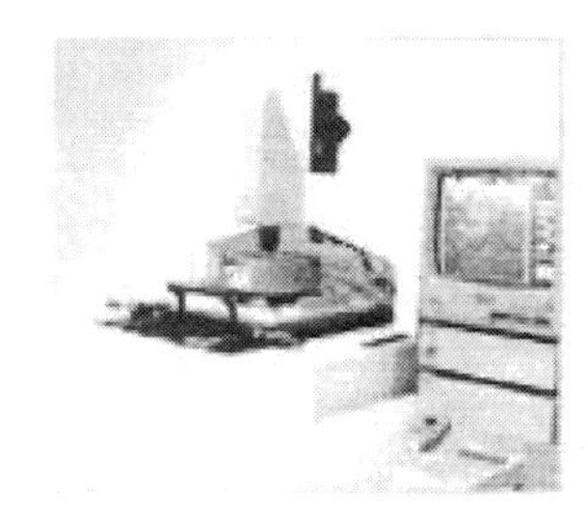
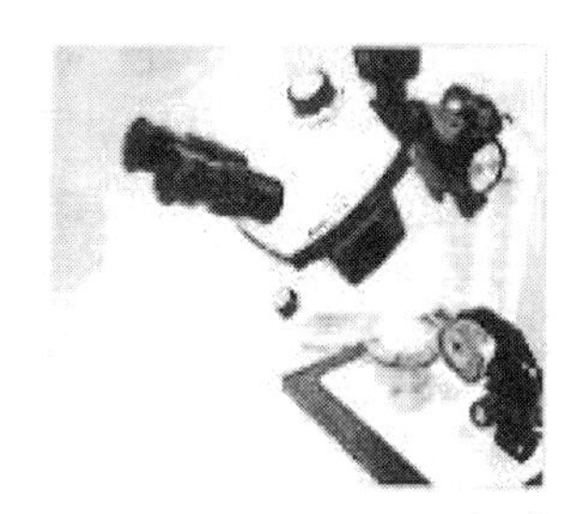

15-14 PCB 표면 SOLDER 파면 분석

1. 불량품 파면 SEM 분석결과

▷ 불량품 전체 SEM image

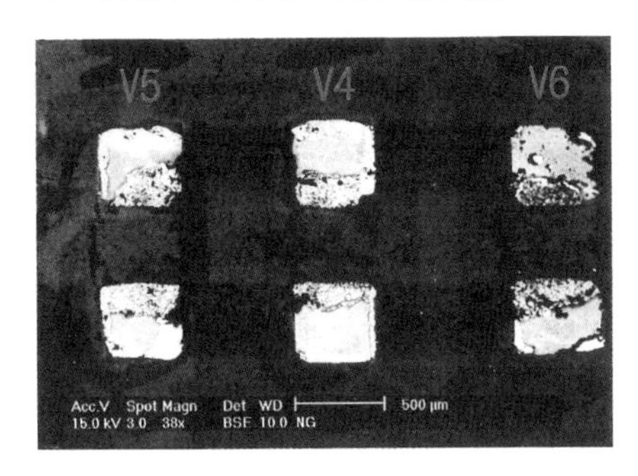

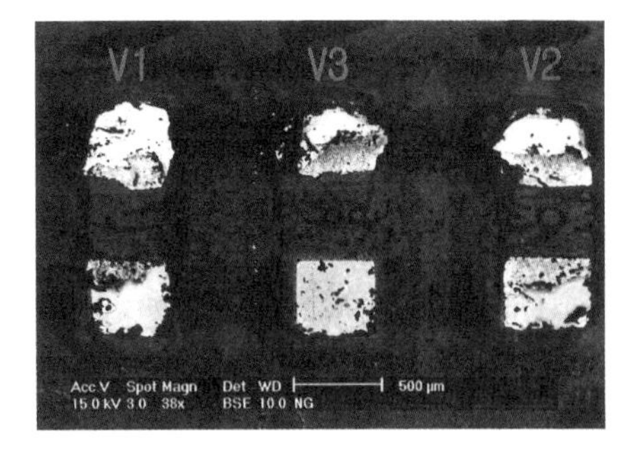

1) 불량품 파면 SEM 분석결과 - V5

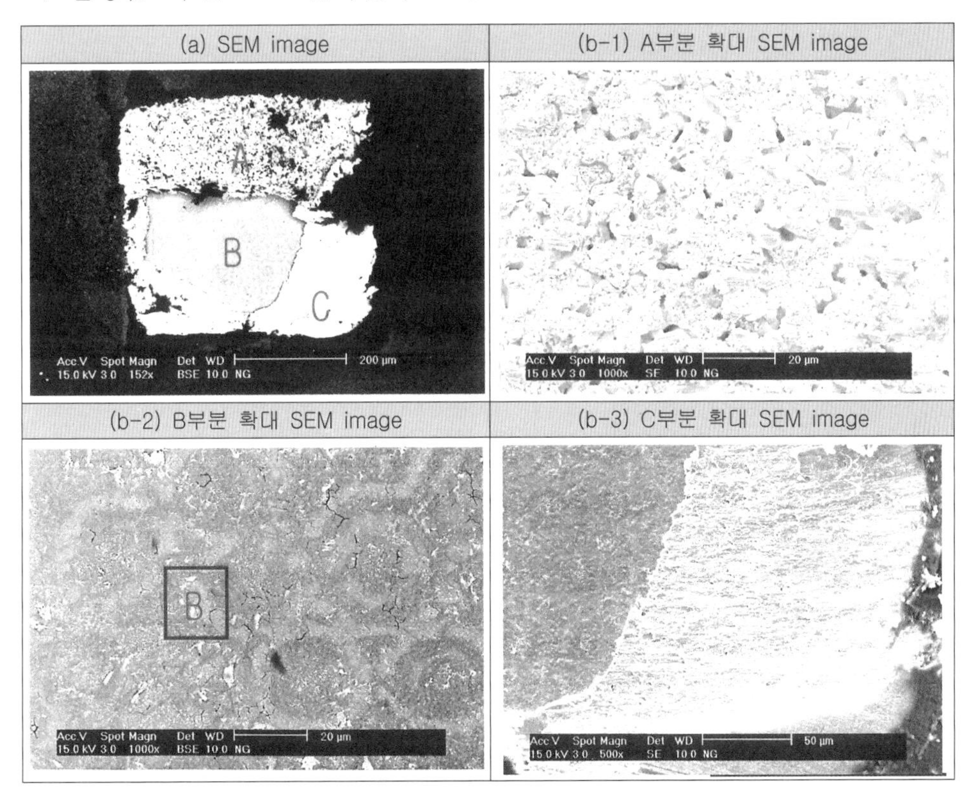

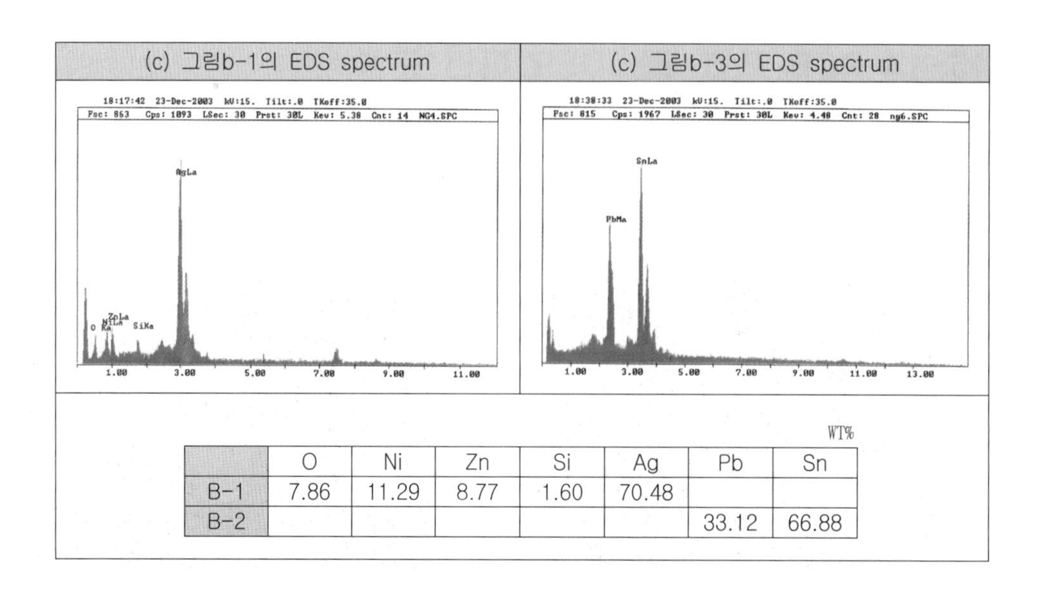

WT%

	O	Ni	Zn	Si	Ag	Pb	Sn
B-1	7.86	11.29	8.77	1.60	70.48		
B-2						33.12	66.88

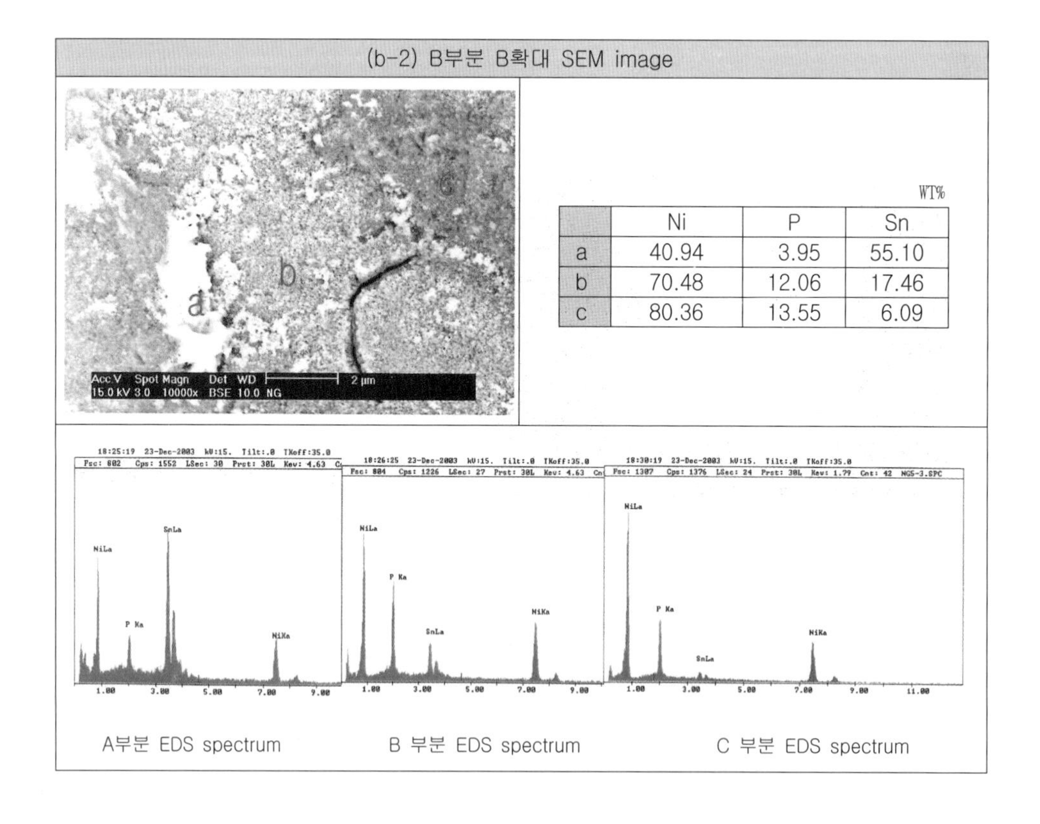

WT%

	Ni	P	Sn
a	40.94	3.95	55.10
b	70.48	12.06	17.46
c	80.36	13.55	6.09

2) 불량품 파면 SEM 분석결과 - V4

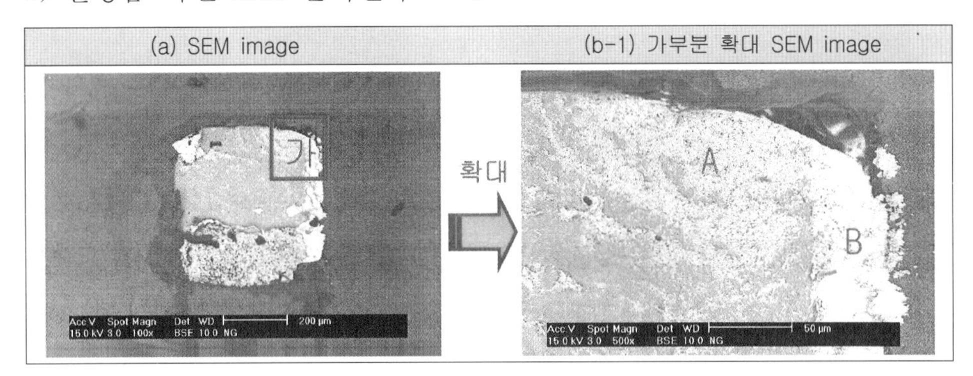

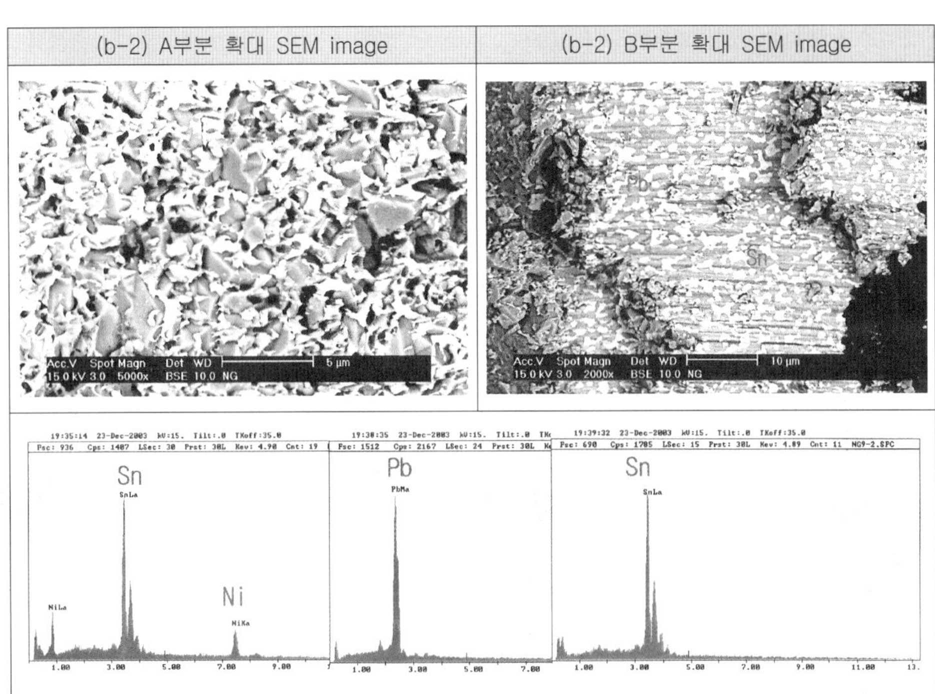

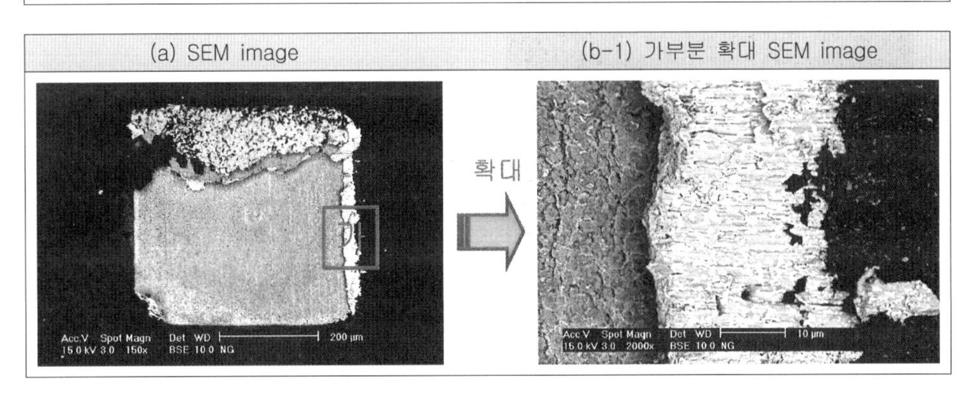

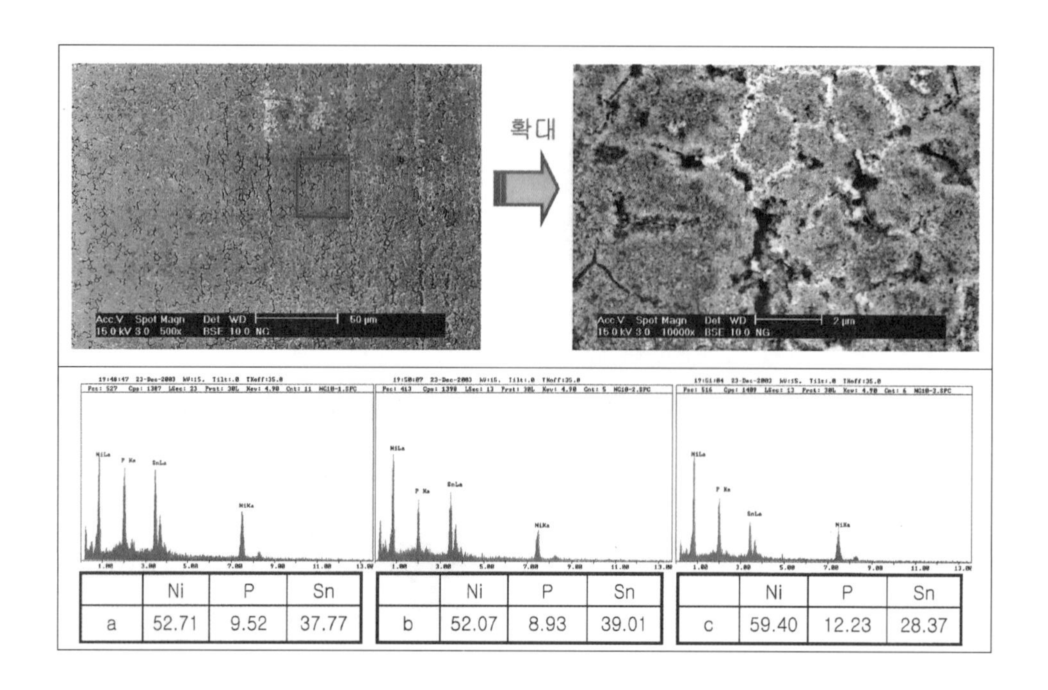

	Ni	P	Sn
a	52.71	9.52	37.77

	Ni	P	Sn
b	52.07	8.93	39.01

	Ni	P	Sn
c	59.40	12.23	28.37

3) 불량품 파면 SEM 분석결과 - V6

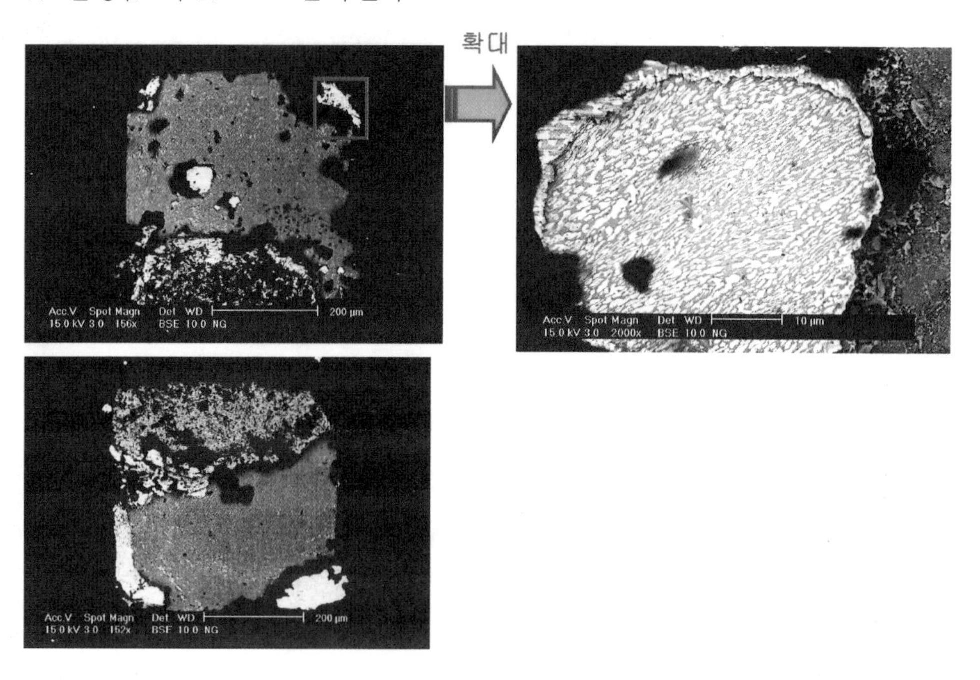

4) 불량품 파면 SEM 분석결과 - V1

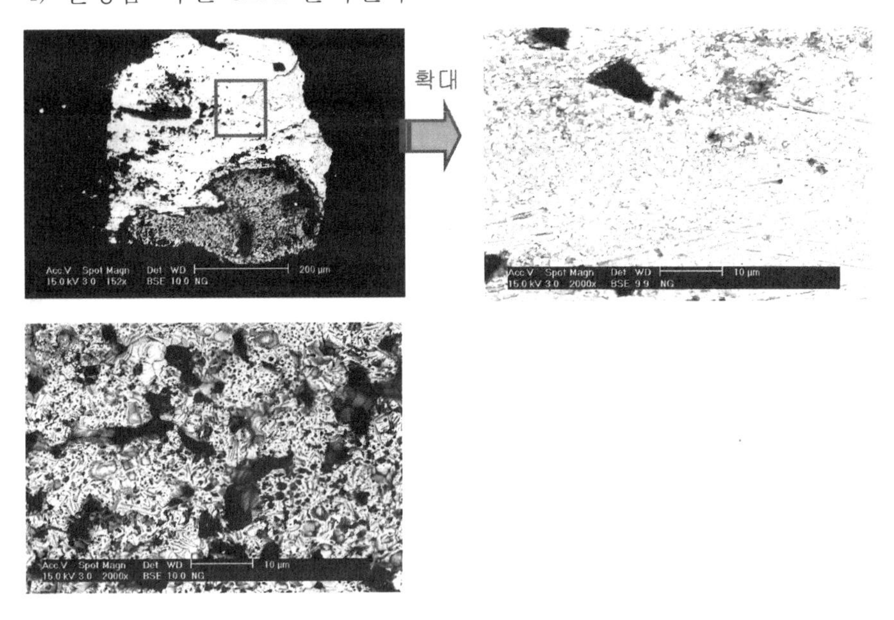

5) 불량품 파면 SEM 분석결과 - V3

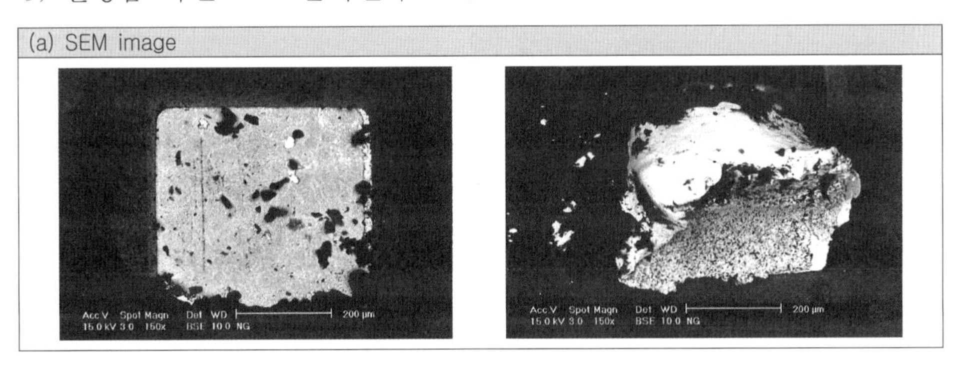

6) 불량품 파면 SEM 분석결과 - V2

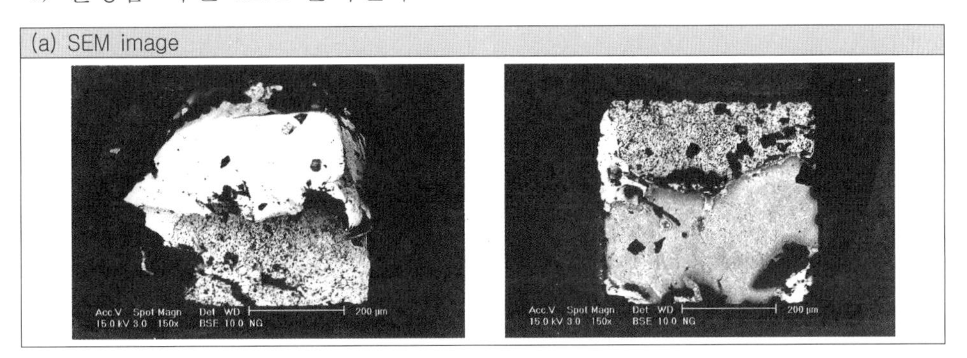

2. 양품 파면 SEM 분석 결과

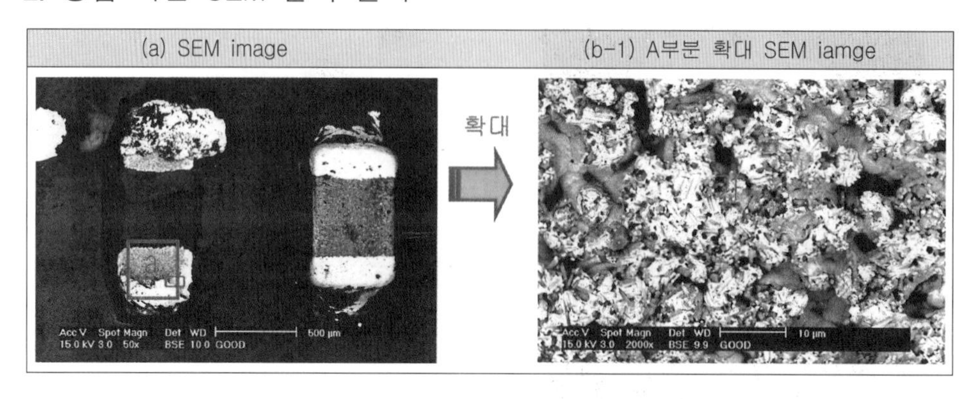

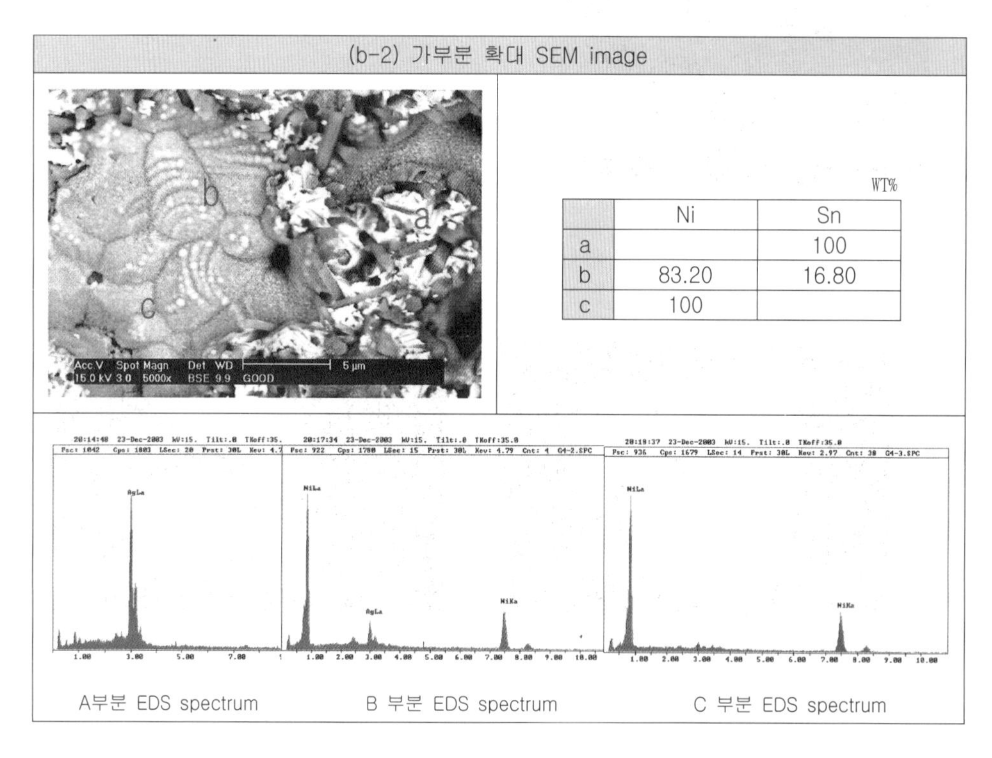

WT%

	Ni	Sn
a		100
b	83.20	16.80
c	100	

3. 결론

- 불량품 파면 6개 모두 Nip층이 관찰되며, 파괴는 NiP층 위에서 일어난 것으로 보임
- 양품은 NiP층은 관찰이 되지 않으며 Solder 층부터 파괴가 일어난 것으로 보임

15-15 SMT REFLOW, PALLET용 기계적 & 열적 특성 비교

자료 : SMT FOCUS

1. SMT REFLOW JIG 종류

2. 특성

1) ALUMINUM- 마그네슘

<table>
<tr><th rowspan="2">Category</th><th rowspan="2">Property</th><th colspan="2">Al Alloys(Ref.)</th><th colspan="2">Mg Alloys(POSCO)</th></tr>
<tr><th>AA6061-T6</th><th>AA5052-H32</th><th>AZ31B(3t)</th><th>AZ61(3t)</th></tr>
<tr><td rowspan="5">Mechanical Properties</td><td>Density(g/cm3)</td><td colspan="2">2.7</td><td colspan="2">1.8</td></tr>
<tr><td>YS(MPa)</td><td>270</td><td>193</td><td>125</td><td>180</td></tr>
<tr><td>UTS(MPa)</td><td>310</td><td>230</td><td>270</td><td>300</td></tr>
<tr><td>Elas. Modulus(GPa)</td><td>67</td><td>70.3</td><td>45</td><td>45</td></tr>
<tr><td>Elongation(%)</td><td>12</td><td>12</td><td>12</td><td>15</td></tr>
<tr><td rowspan="4">Thermal Properties</td><td>CTE(10-6/K)</td><td colspan="2">25</td><td colspan="2">1.8</td></tr>
<tr><td>Specific Heat capacity(J/g·K)</td><td>0.896</td><td>0.88</td><td>1.04</td><td>1.05</td></tr>
<tr><td>Vol. Spec. Heat Capacity (J/cm3·k)</td><td>2.42</td><td>2.38</td><td>1.85</td><td>1.89</td></tr>
<tr><td>Thermal Conductivity (W/m·k)</td><td>167</td><td>138</td><td>77</td><td>80</td></tr>
</table>

2) DUROSTONE

Category	Property	CHP760	CAS761	CAG762	CFR767
		standard	Anti-Static	Anti-Static Optical	Flux Resistant
Mechanical Properties	color	Blue	Black	Grey	Black
	Density(g/cm3)	1.90			1.80
	3pt Flexural Strength	360			380
	Elas. Modulus(GPa)	18			
Thermal Properties	Water Absorption(%)	<0.2			
	CTE(10-6/K)	13	11		
	Specific Heat capacity(J/g·K)	0.930			
	Vol. Spec. Heat Capacity (J/cm3·k)	1.78			1.67
	Thermal Conductivity (W/m·k)	0.25			0.23

3. 금속소재간 절삭성 비교

1) 가공 종류에 따른 절삭속도

Metal	Steel	Cast Iron	Aluminium	Magnesium
Turning Rough	40-200	30-93	75-750	1200+
Turning Finish	60-300	60-120	120-1200	1800-2400
Drill (5-10mm drill)	15-30	10-40	60-400	150-500
Milling 100mm miller 1mm cut	20-25	15-20	200-300	200-500

2) 상대적인 절삭소요 에너지

Metal	Magnesium Alloys	Aluminium Alloys	Brass	Castiron	Mid Steel	Titanium alloys	nickel alloys
Relat ive Power	1.0	1.8	2.3	3.5	6.3	7.6	10.0

15-16 LFM-48(Sn-3.0 Ag-0.5Cu) 권장 Reflow 온도 Profile

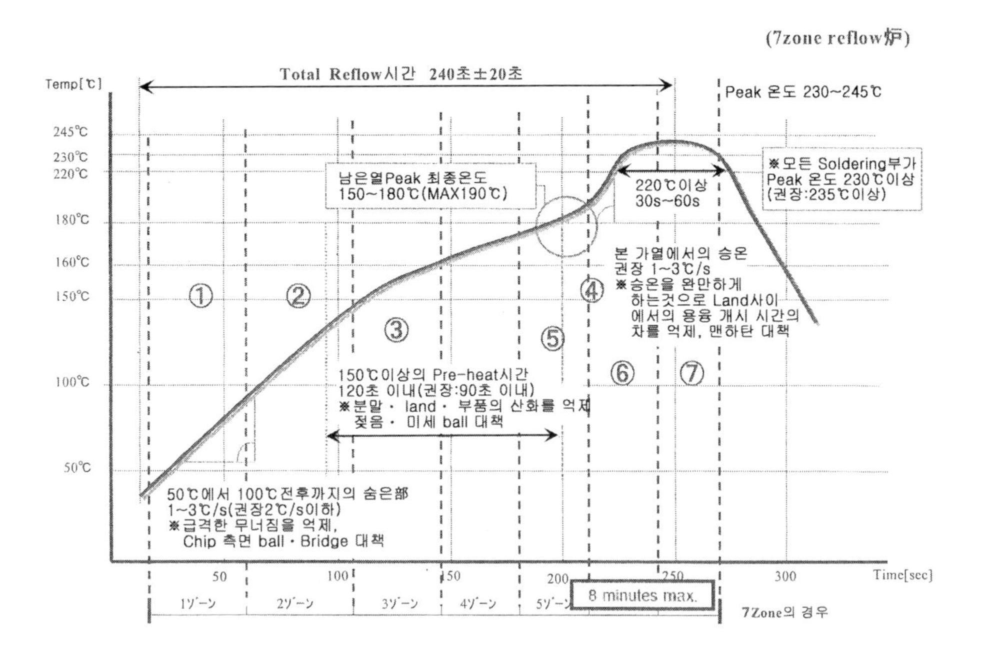

16. 기타

16-1 HOT PRESS 부자재(BLUE PAD) TEST

1. Test 목적

현재 적용중인 Craft Paper와의 품질 능력을 비교

Running Cost를 분석하여 적용 여부를 결정

2. Test 방법

No	Test 항목	세부 항목
1	Press온도 Profile 비교	· Craft Paper 160 g/m² · Blue Pad 215 g/m² · Blue Pad 350g/m²
2	종류에 따른 사용 표준	· Craft Paper 18장 · Blue Pad 7장 · Blue Pad 5장
3	M² 단가 계산표	

3. Test 결과

1) 결과 분석

비교항목	Craft Paper(160g)	Blue Pad(215g)	Blue Pad(350g)
Press 온도 Profile	기준	변화 없음	변화 없음
Stack 수	18장	7장	5장
Press 후 품질 상태	보통	우수	우수
폐기 수량	6장	2장	1장

2) Test 결과

· Test 결과 Craft Paper 의 경우 high Tg 자재와 같은 온도와 압력이 높을 경우 SUS Plate에 붙어 버리는 현상이 있으나, Blue Pad의 경우 이상 발생이 없음.

· Blue Pad의 경우 Halogen 자재와 같은 높은 압력과 열에 작업을 진행하여도 이상 발생 없음이 확인됨. 따라서 환율이 적정 수준까지 떨어졌을 경우 적용 예정.

4. Test 결과

1) Press온도 Profile 비교

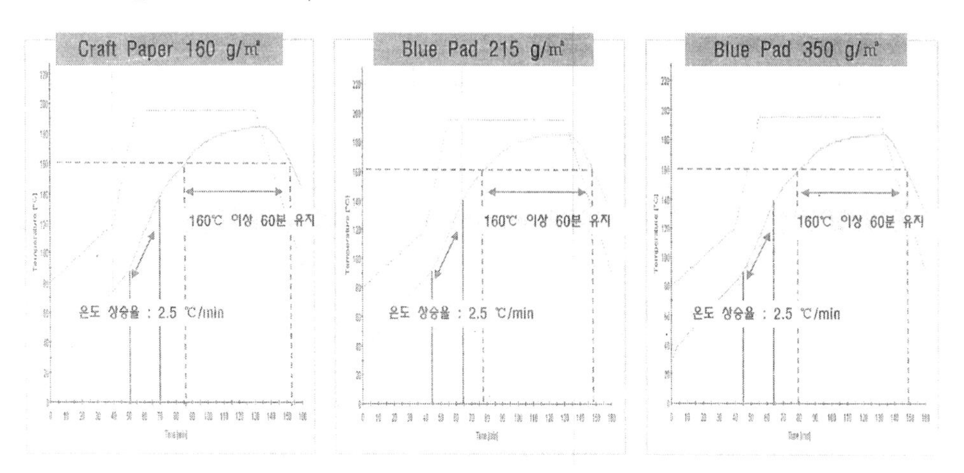

※ 3가지 모두 Press온도 Profile 변화는 없음.

2) 종류에 따른 사용 표준

공급업체	Craft Paper BR TECH	Blue Pad Ahlstrom	Blue Pad Ahlstrom
사진			
Size 평량	605×685 160g/m² 66.3g/장	605×685 215g/m² 89.2g/장	605×685 350g/m² 145.1g/장
Top /Bottom 수량	18/18 1193.5g/단	7/7 624.4g/단	5/5 725.5g/단
매 Cycle 폐기 수량	3/3 사용빈도 6	1/1 사용빈도 7	0.5/0.5 사용빈도 10

5. m^2 단가 계산표

(1€= ₩1,750)

구분	Craft Paper(160g)	Blue Pad(215g)	Craft Paper(98g)
공급업체	BRTech(내수)	Ahlstrom(수입)	지인상사(내수)
Kg단가	-	€1.96	-
단가(605×685)/장	₩100	₩330.1	₩67
폐기 수량	6장	2장	10장
폐기 금액(=2.07 M^2)	₩600.0	₩660.2	₩670.0
M^2당 단가	₩289.9	₩318.9	₩323.7
Blue Pad의 경우 1€= ₩1,750의 적용으로 환율이 ₩1,550이하로 떨어져야 경쟁력이 있음			

16-2 적층구조 신뢰성 TEST

1. PCB SPECIFICATION

· LAYER : 6층

· 용도 : 자동차

2. 신뢰성 항목별 TEST 현황

No	항목			BARE PCB	ASS'Y PCB	결과	
						BARE	ASS'Y
①	DRILL ROUGHNESS			10.95	12.47	OK	OK
②	동도금두께		①	28.10	29.7	OK	OK
			②	23.14	23.14	OK	OK
			③	29.75	29.75	OK	OK
③	SMEAR			이상 없음	이상 없음	OK	OK
④	회로두께	외층	1	46.58	44.63	OK	OK
			6	47.93	44.63	OK	OK
		내층	2	31.40	31.40	OK	OK
			3	31.40	29.75	OK	OK
			4	31.40	31.40	OK	OK
			5	31.40	31.40	OK	+13.22
⑤	절연층 SPACE			107.43	120.65		
				504.11	482.62	+21.49	+6.62
				90.90	97.52		
				499.15	480.97	+16.18	+32.71
				107.43	123.96		
⑥	BD 총 두께 (실제치)			1.528	1.518	OK	OK
⑦	HOLE 별 CONDITION			(아래 표)			

NO	구분	NO											
		1	2	3	4	5	6	7	8	9	10	11	12
1	BARE BOARD	OK	OK	OK	OK	OK	OK	OK	OK	OK	OK	OK	OK
2	ASSEMBLY BOARD	OK	OK	OK	OK	OK	OK	OK	OK	OK	OK	OK	OK

3 결과

· PCB 상태는 VERY GOOD임

· ASS'Y 이후 상태도 변화 없음

· PCB 및 ASS'Y BD 상태 이상 없을시, 기능상태 문제가 발생되면 층별 DESIGN 연구 재 요망

· PCB와 ASS'Y BD 비교 시 층간 절연 두께 차이정도도 FUNCTIONAL TEST 시 문제발생 가능하니 재확인 필요(일반적인 사항은 아님)

4. BARE BOARD SECTION 결과

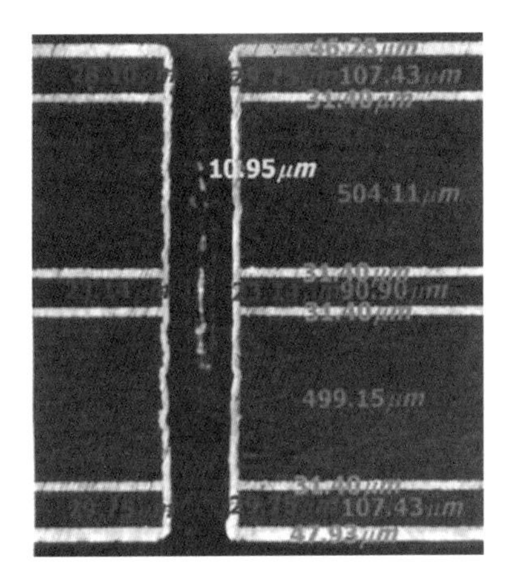

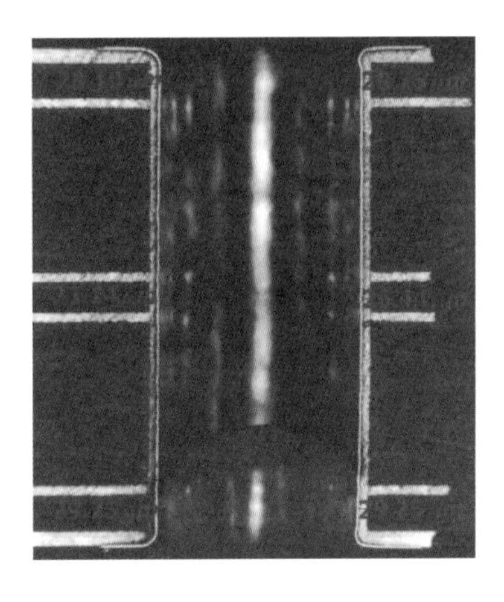

5. ASSEMBLY BOARD SECTION 결과

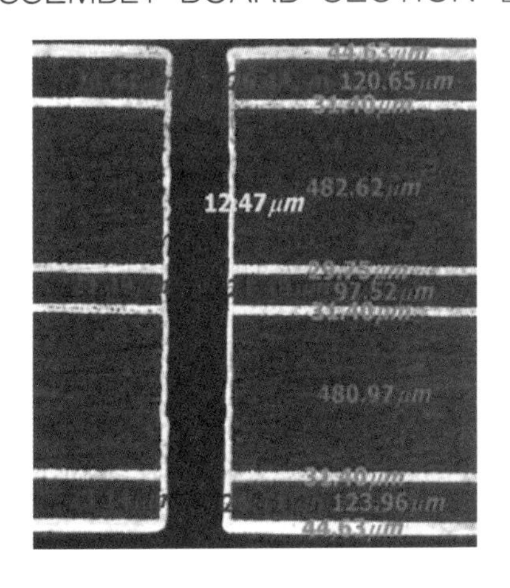

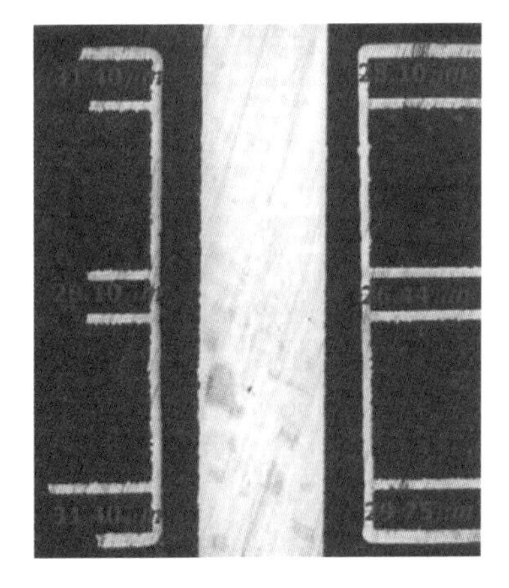

16-3 HIGH-CUT BRUSH TEST

1. TEST 목적

MLB SUS 정면기에 사용되는 Brush에 대하여 품질&단가 부분에서 우수한 제품을 사용하고자 A&B에 대하여 비교 Test를 실시함.

2. TEST 방법

No	Test 항목	세부 항목
1	Brush 표면 상태	A사&B사 Brush 표면 비교
2	SUS Plate 표면 상태	Brush 연마 후 SUS Plate 표면 상태 비교
3	SUS Plate 표면 검은 이물 제거 유, 무	3M Brush 연마 정도에 따른 표면 제거 상태 파악
4	SUS Plate Dent 발생 유, 무	Brush의 장시간 사용으로 인한 SUS Plate Dent 발생 유, 무

3. Test 결과

1) 결과 분석

구분	A사 Brush		B사 Brush
Brush 표면 상태	표면 조도 상태 양호 Brush 표면이 딱딱함	<	표면 조도 상태 양호 Brush 표면이 매끄러움
SUS Plate 표면 상태	EPOXY & 이물 제거됨. 검정색 색상으로 변함	<	EPOXY & 이물 제거됨. 초기 색상 유지
SUS Plate 표면 검은 이물 제거 유, 무	제거 되지 않음	<	10회 이상 처리 시 제거됨.
SUS Plate Dent 발생 유. 무	발생함.	=	확인 중
Brush Cost	₩480,000	<	₩450,000

2) 소견

Brush 비교 Test결과 A사 TECH Brush < B사 Brush 가 연마 능력이 우수한 것이 확인됨.

SUS Plate MLB Line에 불량 인자를 발생 시키는 중요한 소모 자재의 하나이며, SUS Plate의 이물을 제거하는 Brush시 또한 품질이 우수한 것을 선택해야 불량 인자를 줄일 수 있다.

따라서 3M Brush를 사용하는 것이 타당하다고 판단됨.

4. TEST 결과

1) Brush 표면 상태

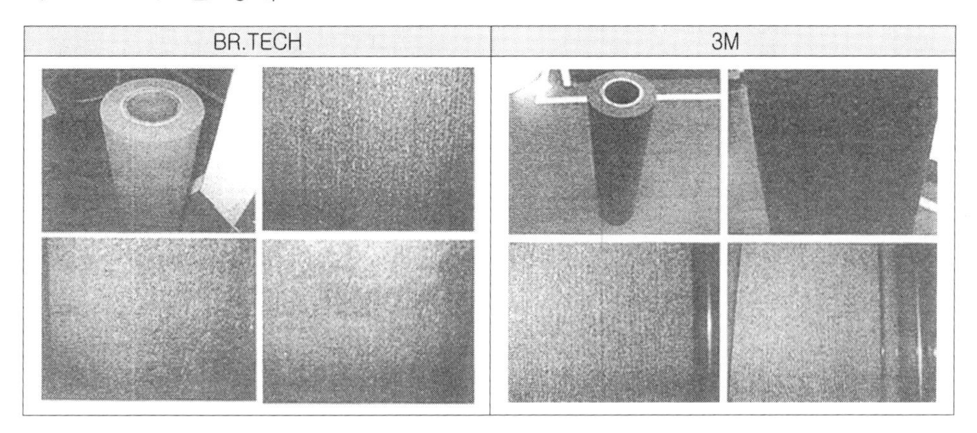

- Brush 표면 조도 간격이 좁을수록 우수함.
- Brush 표면에 흠집이 적을수록 우수함.
- Brush 표면이 매끄러울수록 우수함.

※ Brush 표면 상태는 A사 < B사으로 확인됨.

2) SUS Plate 표면 상태

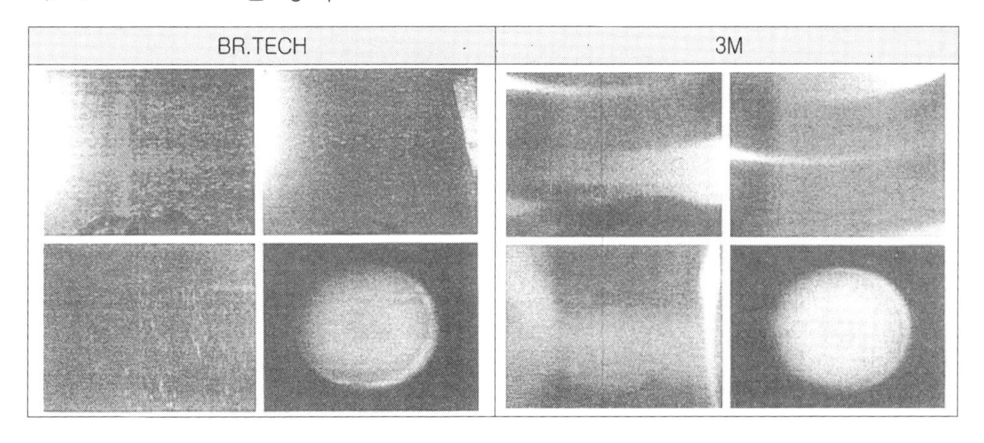

- SUS Plate 정면 후 표면에 EPOXY&이물 제거 될 것
- SUS Plate 정면 후 표면이 SUS Plate 연마를 보낸 직후와 동일한 색상을 유지 할 것

※ SUS Plate 표면 상태는 A사 < B사으로 확인됨.

3) SUS Plate 표면 검은 이물 제거 유, 무 (B사 Brush)

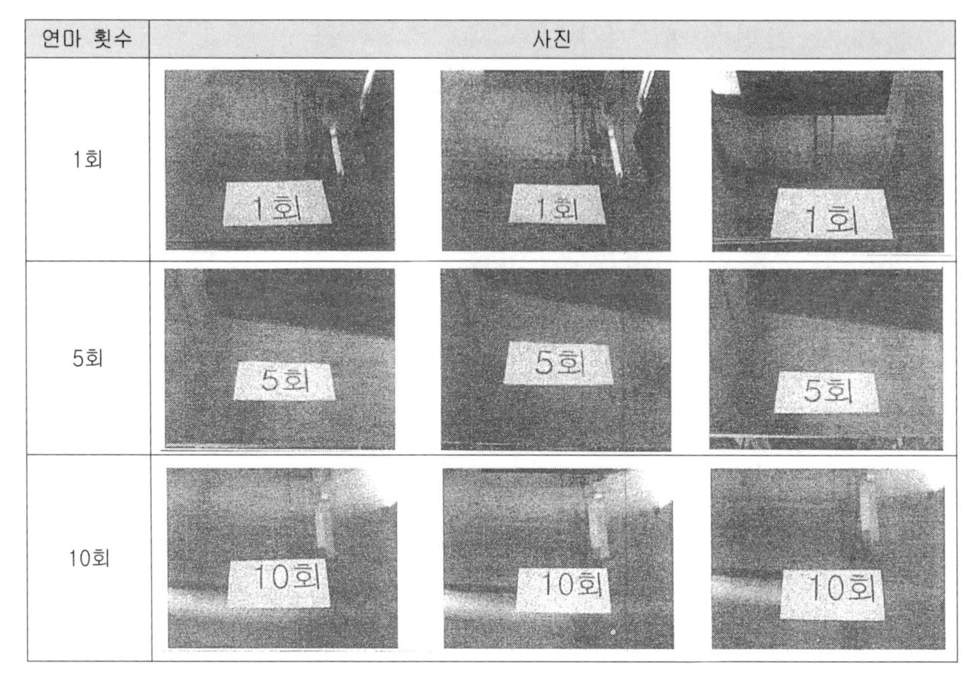

연마 횟수	사진
1회	
5회	
10회	

- 10회 처리 시 SUS Plate 표면에 검은 이물이 제거됨.(A사 Brush는 제거되지 않음)

4) SUS Plate Dent 발생 유, 무

SUS Plate Dent 불량사진

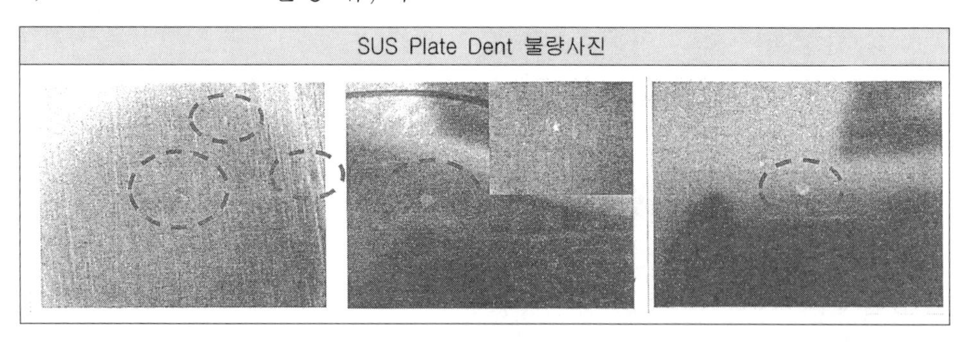

구분	A사 Brush	B사 Brush
SUS Plate 연마 후. 사용기간	4개월	1개월
검사 수량	20 PNL	20 PNL
발생 수량	8 Point	0 Point

※ SUS Plate Dent가 발생 될 수 있는 경우는

- Brush 입자에 의한 Damage
- SUS Plate 제작 시 미세 기포가 존재한 상태로 제작되어 장시간 연마될 경우

위의 2가지 가능성이 있지만 Test 비교 기간이 동일하지 않아 비교 불가함 (차후 지속적인 확인 필요함)

16-4 내층 수세단 수세수 전도도 측정 TEST

1. 제목

내층 수세단 수세 품질 검증을 위한 수세수 전도도 측정

2. 목적

수세수 품질을 검증하여 수세 불량에 의한 문제 및 원인을 확인하기 위함

3. 분석 대상

· 전처리 2호기 소프트에칭 수세단
· 박리 후 방청 최종 수세단
· 옥사이드 순수
· 현상 수세단
· 공업용수

4. 분석 사유

WET LINE 수세단 필터의 경우 신수가 공급되는 최종 챔버의 필터 오염 속도가 중간 챔버의 필터 오염속도보다 빠름이 관찰되므로 필터 오염 정도와 수세 챔버간의 수세수 오염도를 비교 분석함

5. 분석 방법

· 각 라인 챔버별 수세수 시료를 채취하여 전기 전도도를 측정 실시
· 측정기: CONDUCTIVITY METER Model : DCM-10
· 전도도 측정 단위: kΩ (저항치가 클수록 오염도가 낮은 상태임)

6. 분석 결과

1) 전처리 2호기 소프트 에칭 수세단 (5단 수세)

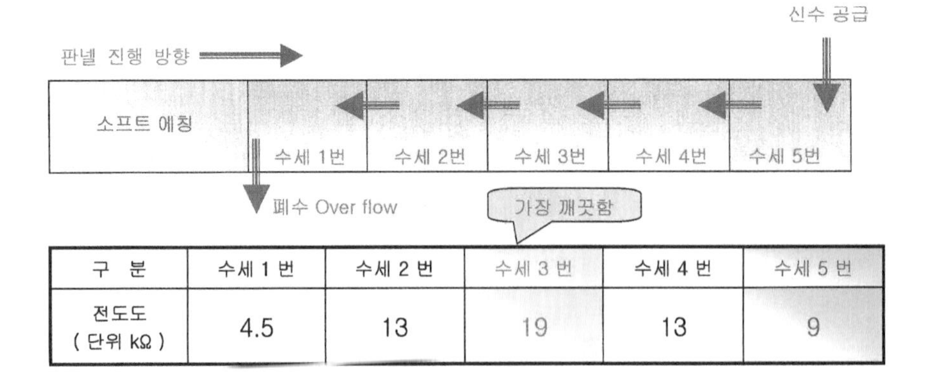

구 분	수세 1 번	수세 2 번	수세 3 번	수세 4 번	수세 5 번
전도도 (단위 kΩ)	4.5	13	19	13	9

① 신수가 공급되는 수세 5번 챔버의 물 전도도가 가장 낮은 것으로 측정되었고 수세 3번 챔버의 전도도가 가장 높은 것으로 측정됨 (전도도 수치가 높을수록 깨끗한 상태임)

⇛ 소프트 에칭을 통과한 판넬이 수세 1, 2번 챔버에서 수세를 거친 후 수세 3번 챔버에서 가장 깨끗한 물로 수세를 한 후 3번 챔버보다 오염되어 있는 5번 챔버에서 마지막 수세를 완료하여 건조기로 진압하게 됨

② 상기 결과에 대한 추정 원인

ⓐ 3번 챔버의 수세수 전도도가 높은 이유

- 라인으로 투입되는 신수를 10/ℓm 필터를 통하여 3회 필터링을 거친 수세수가 3번 챔버에 모여있는 시스템이므로 3번 챔버의 수세수가 가장 깨끗함

ⓑ 5번 챔버의 수세수 전도도가 낮은 이유

- 신수를 측정해보면 전도도가 9kΩ 으로 5번 챔버 수세수의 전도도 9kΩ 과 동일함을 알수있음

2) 현상기 수세단 (6단 수세)

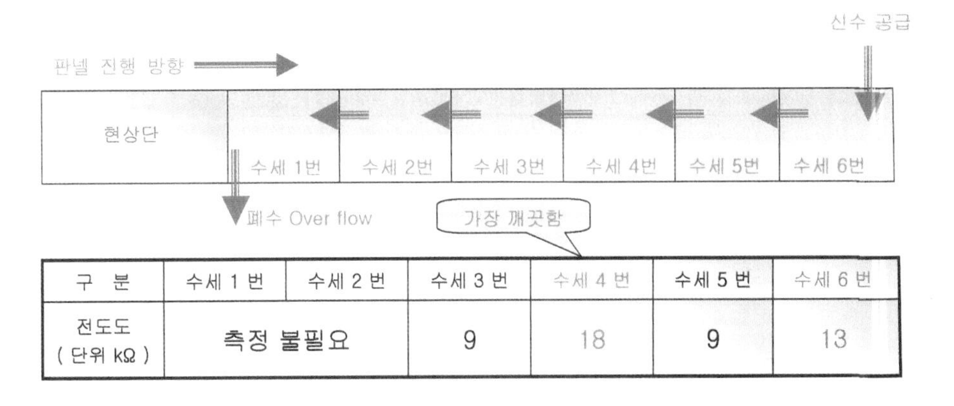

구 분	수세 1 번	수세 2 번	수세 3 번	수세 4 번	수세 5 번	수세 6 번
전도도 (단위 kΩ)	측정 불필요		9	18	9	13

① 신수가 공급되는 수세 6번 챔버와 5번 챔버의 전도도가 낮은 것으로 측정 되었고 수세 번 챔버의 전도도가 가장 높은 것으로 측정됨 (전도도 수치가 높을수록 깨끗한 상태임)

⇛ 현상단을 통과한 판넬이 수세 1,2,3번 챔버에서 수세를 거친 후 수세 4번

챔버에서 가장 깨끗한 물로 수세를 한 후 4번 챔버보다 오염되어 있는 5,6번 챔버에서 마지막 수세를 완료하여 부식단으로 진입하게 됨

② 상기 결과에 대한 추정 원인

ⓐ 4번 챔버의 수세수 전도도가 높은 이유

- 전처리 수세단과 동일함 (4번 챔버의 수세수가 가장 깨끗함)

ⓑ 5번 챔버의 수세수 전도도가 6번 챔버 보다 낮은 이유

- 5번 챔버의 경우 현상 후 제품의 현상 품질 향상을 위한 온수로 수세를 하는 시스템이므로 레지스트 이물질이 온수에 의해 제거되어 수세 챔버에 녹아 있기 때문에 전도도가 낮은 것으로 추정됨

3) 박리 후 방청 최종 수세

(3단 수세 - 설비상으로는 5단 수세이나 건조 문제로 인하여 3단만 적용 중)

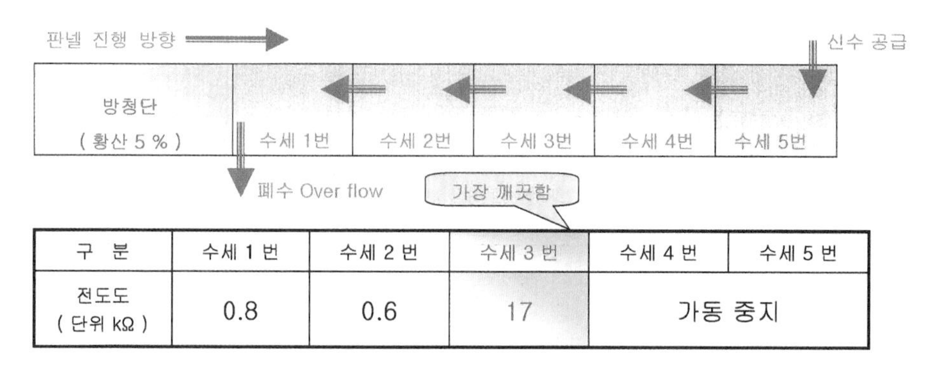

구 분	수세 1 번	수세 2 번	수세 3 번	수세 4 번	수세 5 번
전도도 (단위 kΩ)	0.8	0.6	17	가동 중지	

① 수세 1,2번 챔버의 전도도가 매우 낮게 측정되었고 수세 3번 챔버의 전도도가 가장 높은 것으로 측정됨(전도도 수치가 높을수록 깨끗한 상태임)

⇒ 박리 후 방청단을 통과한 판넬이 수세 1, 2번 챔버에서 수세를 거친 후 수세 3번 챔버에서 가장 깨끗한 물로 수세를 한 후 수세 가동 중지중인 4, 5번 챔버를 거쳐 건조단으로 진입하게 됨

② 상기 결과에 대한 추정 원인

ⓐ 3번 챔버의 수세수 전도도가 높은 이유

- 전처리 수세단과 동일함 (3번 챔버의 수세수가 가장 깨끗함)

ⓑ 1, 2번 챔버의 수세수 전도도 낮은 이유

- 1, 2번 챔버의 전단인 방청단의 황산 산세에 의하여 판넬을 타고 황산이 수세 1, 2번으로 유입되므로 1, 2번 수세의 전도도가 매우 낮게 측정된 것으로 추정됨

ⓒ 4, 5번 수세 가동 정지 이유

- 수세 4번의 경우 펌프의 문제가 없는 한 가동이 가능하고 수세 5번의 경우 가동 시 스펀지 롤러의 능력상 완전 물기 제거가 어렵게 되고, 이로 인해 건조기에서 건조 불량이 발생할 가능성이 높음

⇛ 건조 불량 시 AOI에서 가짜 Defect point가 과다하게 검출됨

⇛ 향후 루비셀 스펀지 롤러를 적용하여 건조 능력을 향상시킨 후 수세단을 전부 가동할 예정임

4) 옥사이드 라인 순수 & WET LINE 신수 (공업용수)

구분	순수	공업용수
전도도 (단위 kΩ)	38	9

① 순수가 공업용수에 비하여 전도도가 상당히 높게 측정되었고 이는 순수의 순도를 말해주는 것으로 판단 할수있으나 이번 순수 측정의 경우 시료 채취 시 본인의 miss 로 순수 배관 중 가장 오염이 많이 되어 있을 가능성이 높은 부분의 순수를 시료로 채취한 관계로 기대치보다 전도도가 낮게 측정된 것으로 추정됨

차후 재측정을 통하여 순수의 전도도를 재검증할 예정임

② 공업용수의 전도도는 각 WET LINE 마지막 챔버의 신수와 동일한 저항치를 볼 수 있었음

7. 결론 및 개선 대책

· 현재와 같은 WET LINE 수세단 시스템의 설계 취지는 전단의 약품 성분을 수세 1, 2, 3 번 챔버에서 제거 한 후 4, 5단에서 신수로 마지막 수세를 거

쳐 다음 단으로 진입하도록 되어 있으나 그 취지와는 다르게 신수로 공급되는 공업용수가 마지막 단을 채우고 두세번의 필터링을 거친 후 수세 중간 챔버가 가장 깨끗한 상태로 유지되어 지고 있음

· PCB 회사의 수세수 전도도 기준치가 정확히 얼마인지를 모르기 때문에 당사의 수세단 수세 품질의 좋고 나쁨을 결론내리기에는 무리가 있으나 수세 챔버 내부의 물때에 의한 오염 발생 내지는 필터 오염 정도를 육안으로 판단하자면 분명히 문제의 소지가 있을 것으로 판단됨

· 현재 라인에서 발생하고 있는 스펀지 롤러 오염에 의한 물때 문제의 경우 수세수 품질을 개선할 수 있다면 물때에 의하여 불가피하게 발생되는 Open, Nick, AOI 가짜 Defect point 건의 개선이 어느 정도는 가능할 것으로 판단됨

· 만약 10/ℓm필터에서 오염 물질이 나오지 않을 정도의 신수를 공급할 수 있다면 현재 시스템에서도 완벽한 수세가 가능하겠지만, 그 정도 수준의 신수 공급이 불가능한 현재로서는 다음 장에 기술한대로 신수공급 전 1회 내지는 2회 필터링을 통하여 신수를 공급하는 시스템의 적용이 필요함
하지만 순수 수준의 고품질 신수를 공급하지 않는 한 10/ℓm필터링 효과에 의하여 중간 챔버의 수세수 품질이 마지막 챔버에 비하여 역시 좋을것으로 판단됨

· 수세 챔버 오염 방지를 위한 필터 시스템 보강 방안

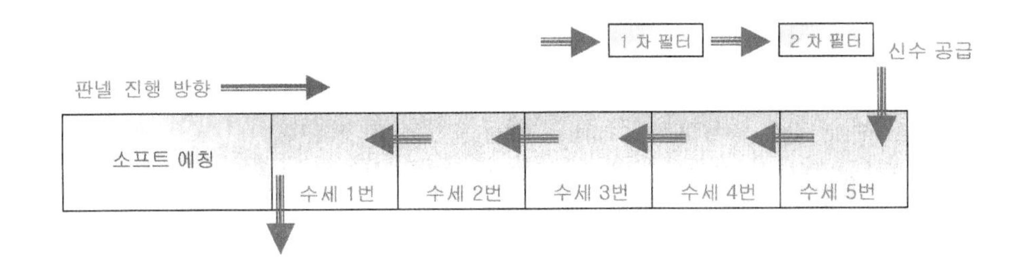

16-5 FR-4를 이용한 LASER DRILL 가공조건 및 도금 TEST

1. TEST 목적

Laser drill 가공용으로 널리 사용되고 있는 RCC는 일반 재료에 비해 크게는 10배 이상 비싸 그 대용재질로 FR-4 PREPREG를 이용해 가공하면 원가 절감의 효과가 클 뿐만 아니라, B-TYPE(IVH 포함의 형태)의 IVH HOLE에의 RESIN 함침에 따른 동박면 함몰로 인한 외층 형성 시 결손/OPEN의 위험 요소를 내재하고 있기에 그의 제거를 위한 표면 연마(BELT SANDING)로 소요되는 시간의 절감으로 납기 대응은 물론, 품질 안정의 효과도 기대할 수 있기 때문이다.

1) 준비물

① CCL 선정

0.6T 1/1oz (가장 널리 사용되는 0.8T의 최종 두께를 맞추기 위해)

② Prepreg

0.06T(두산)

③ LVH 0.1¢모델 선정

모델 명: T402F (Conformal Film 적용)

2) 적층 구조

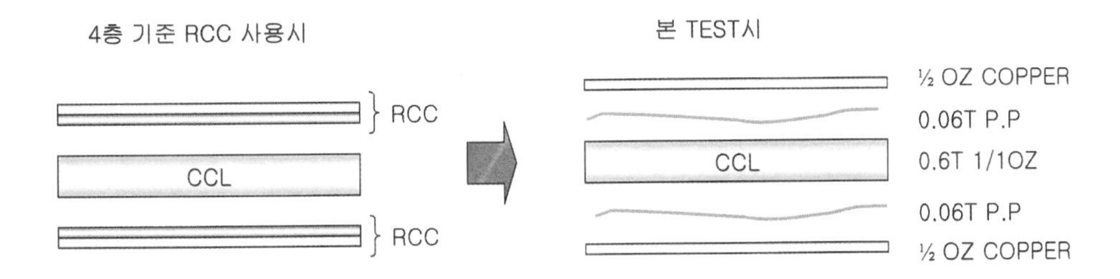

3) laser drill TEST 조건

가공 Mode	가공 조건	Mask Dia.	Pluse Width(usec)	ZET3 (mm)	Power(mj)	Rep.rate (Hz)	Scan area(mm)
Burst	10shot	3.2mm	30	7.8	4.42(GV1), 4.30(GV2)	2,000	50×50
	12shot	3.2mm	33	7.5	5.20(GV1), 5.18(GV2)	2,000	
Burst+cycle	10shot+2scan	3.2mm	30	7.8	4.42(GV1), 4.30(GV2)	2,000	
	12shot+2scan	3.2mm	33	7.5	5.20(GV1), 5.18(GV2)	2,000	
Cycle	5scan	3.2mm	33	7.5	5.25(GV1), 5.20(GV2)	2,000	
	7scan	3.2mm	33	7.5		2,000	
Cycle(2)	5scan	3.2mm	30	8.0	4.27(GV1), 4.25(GV2)	2,000	
	7scan	3.2mm	30	8.0		2,000	

4) 도금 TEST 조건

1번째 test	Desmear 속도: 2.8m/min	전기동: 1.8A/dm²
2번째 test	Desmear 속도: 2.0m/min	전기동: 2.0A/dm²

2. Micro Section 사진

1) 1번째 도금 조건

Desmear 속도: 2.8m/min, 전기동: 1.8A/dm²

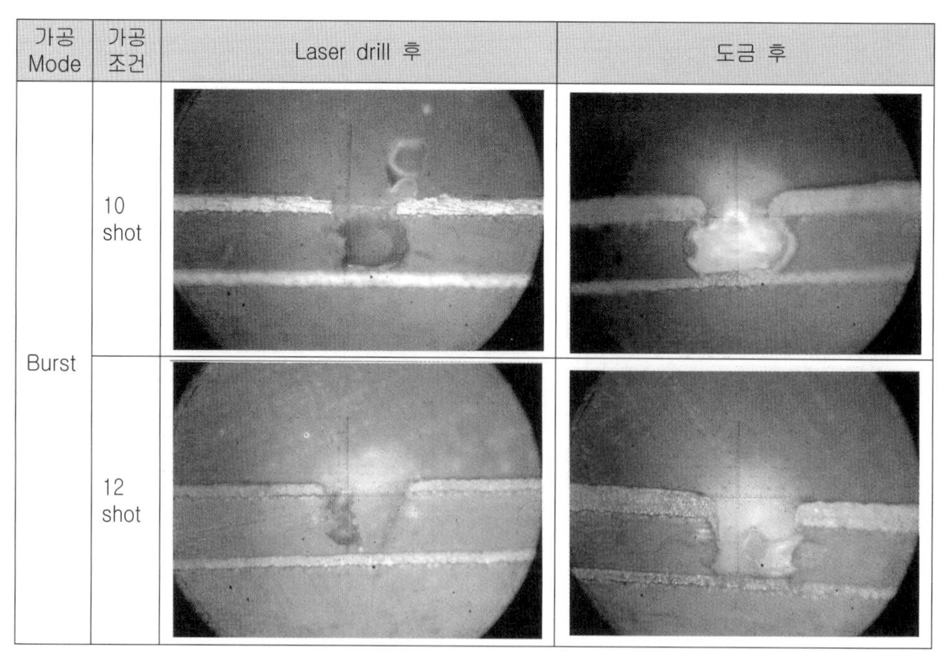

가공 Mode	가공 조건	Laser drill 후	도금 후
Burst	10 shot		
	12 shot		

가공 Mode	가공 조건	Laser drill 후	도금 후
Burst+ cycle	10 shot +2scan	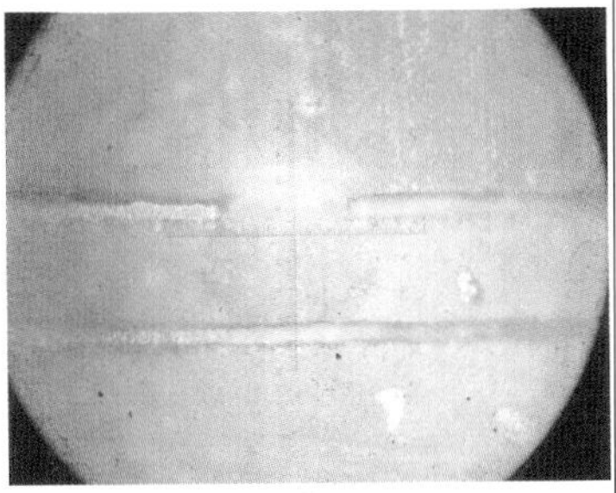	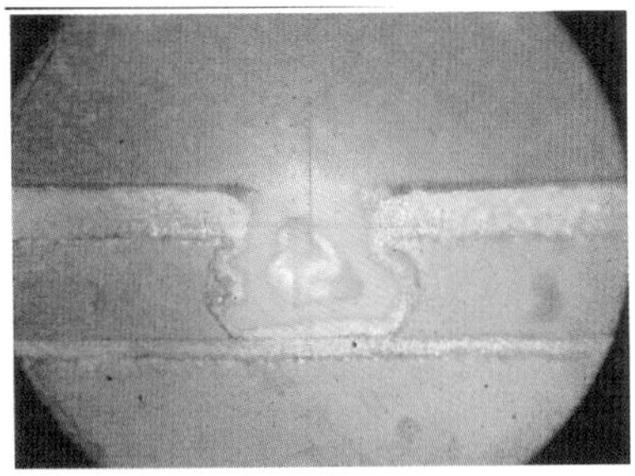
	12 shot +2scan	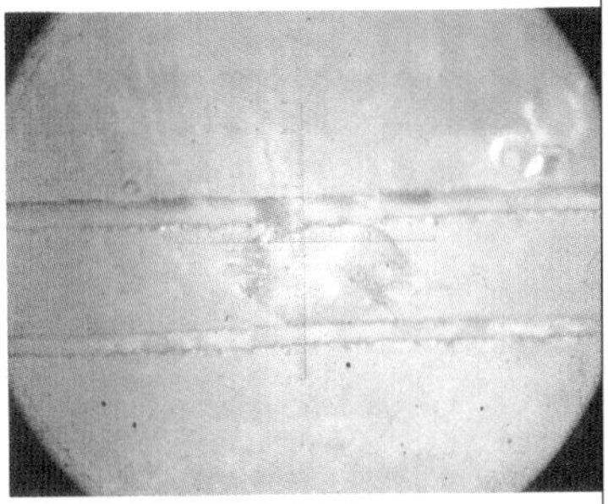	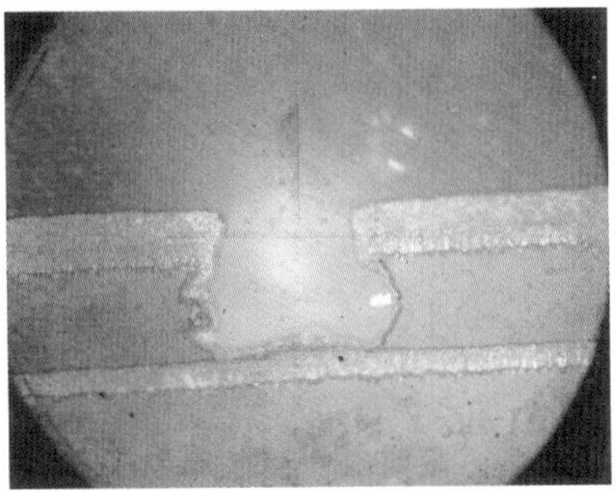
cycle	5scan	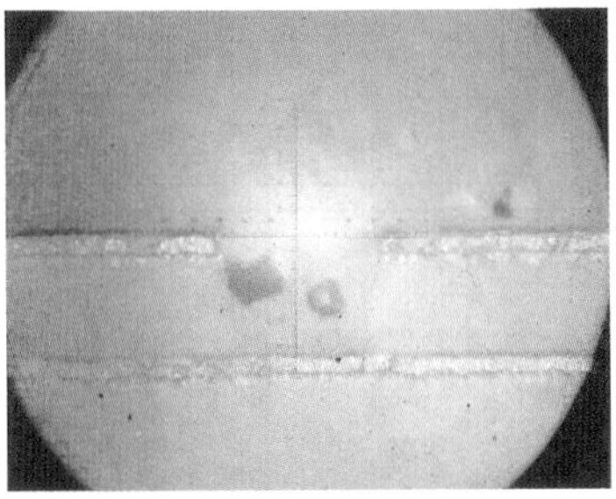	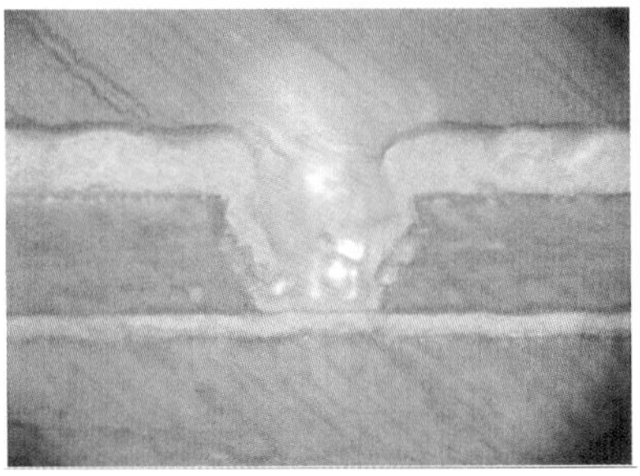
	7scan	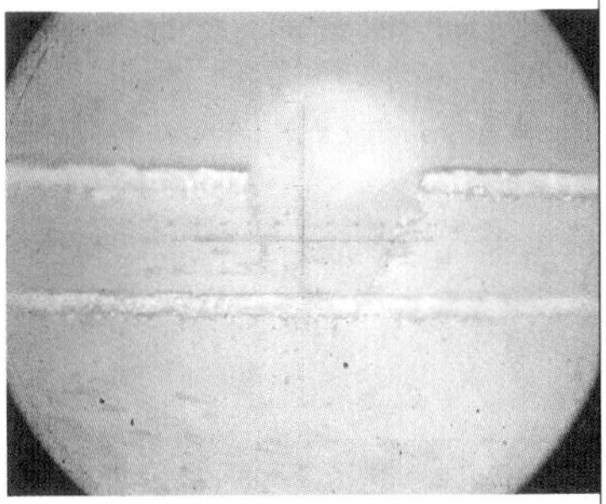	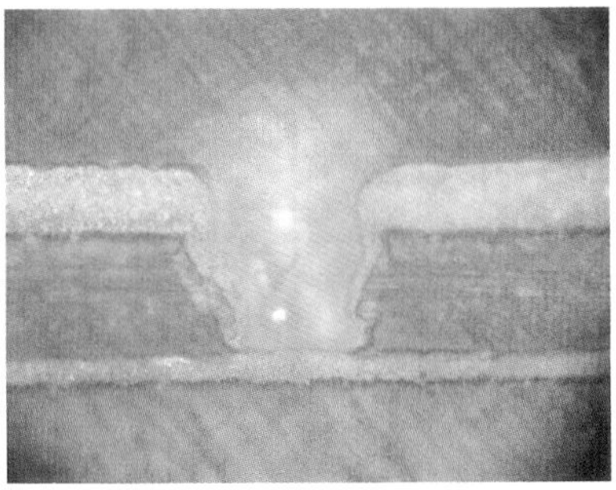

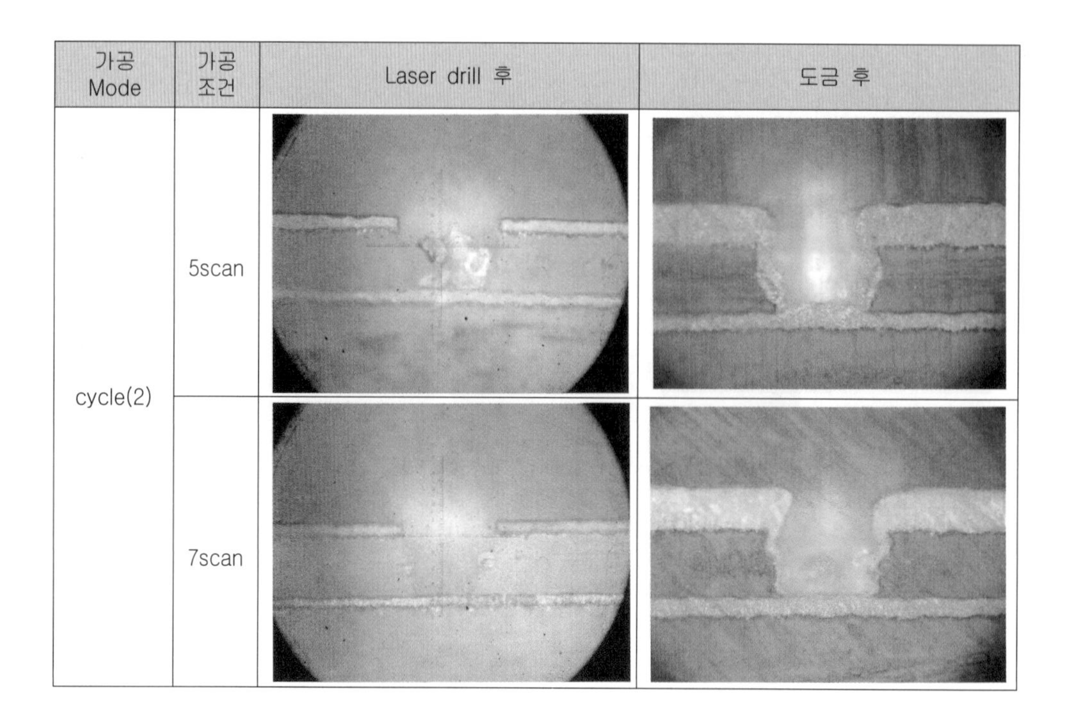

가공 Mode	가공 조건	Laser drill 후	도금 후
cycle(2)	5scan		
	7scan		

2) 2번째 도금 조건

Desmear 속도: 2.0m/min, 전기동: 2.0A/dm²

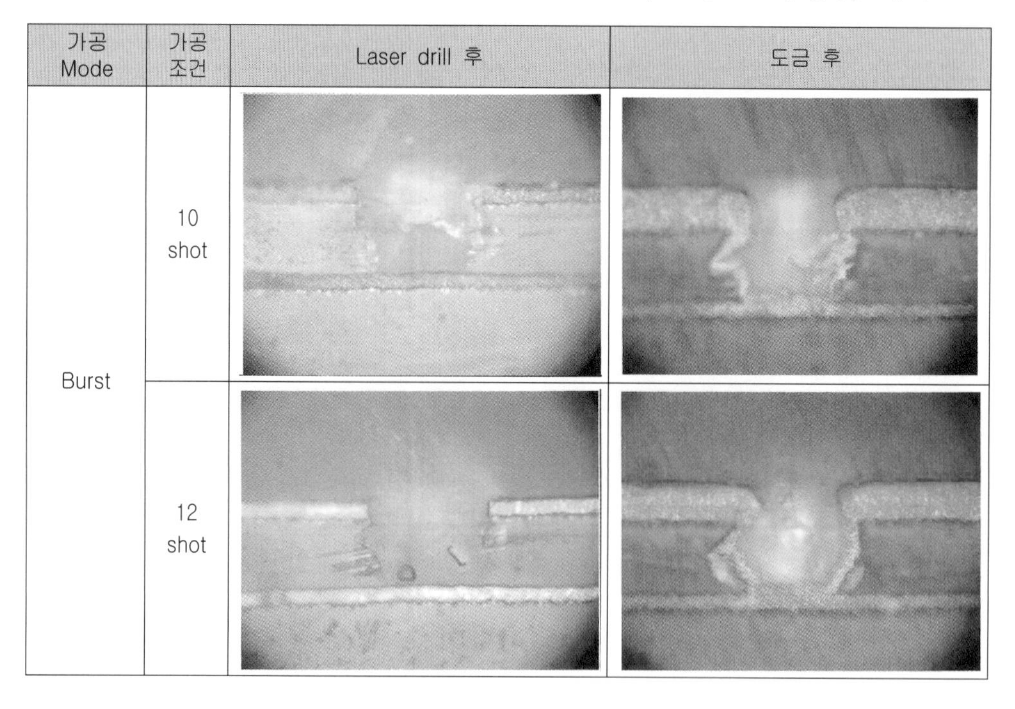

가공 Mode	가공 조건	Laser drill 후	도금 후
Burst	10 shot		
	12 shot		

가공 Mode	가공 조건	Laser drill 후	도금 후
Burst+ cycle	10 shot +2scan		
	12 shot +2scan	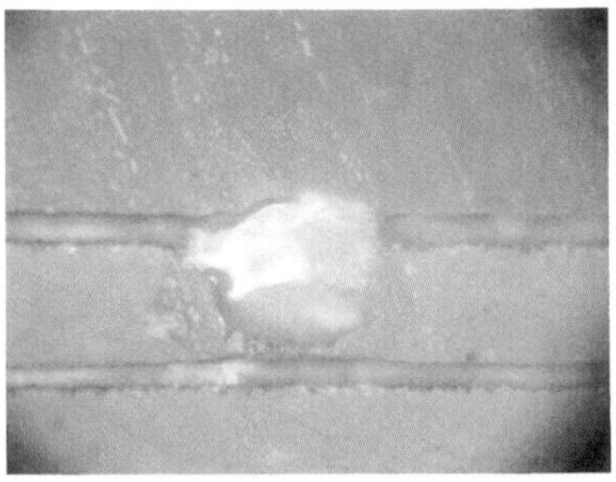	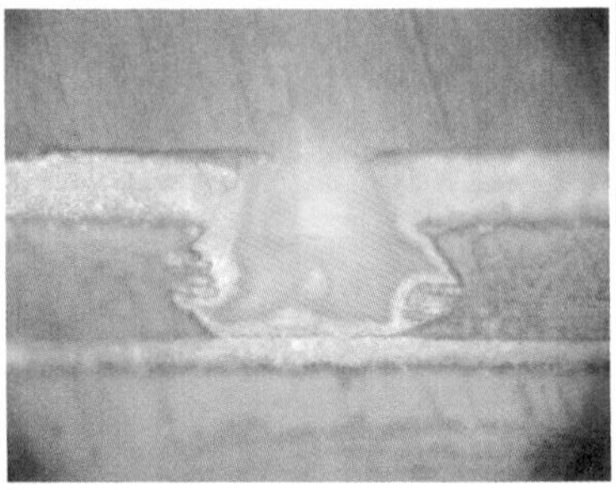
cycle	5scan		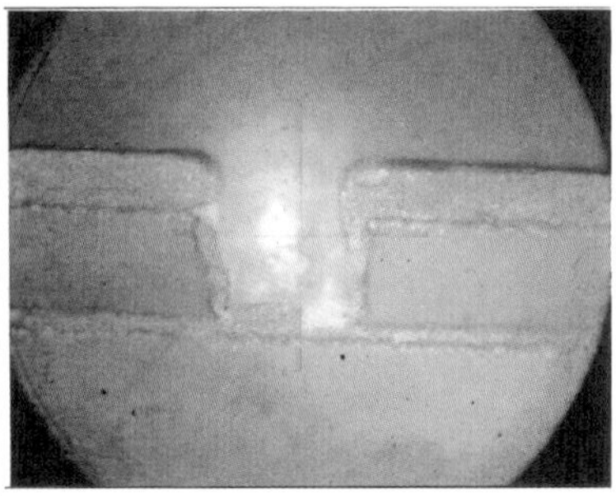
	7scan	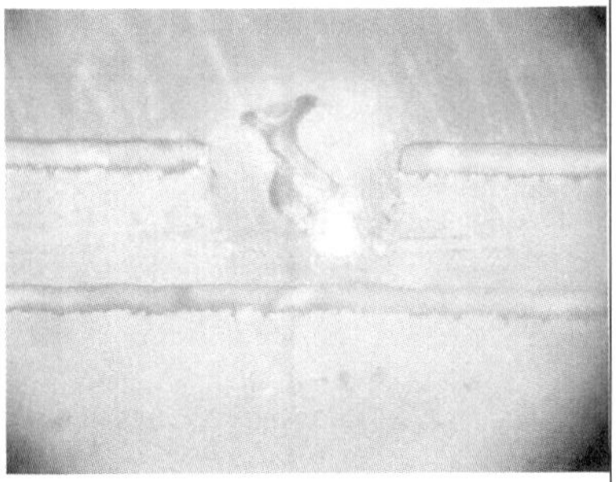	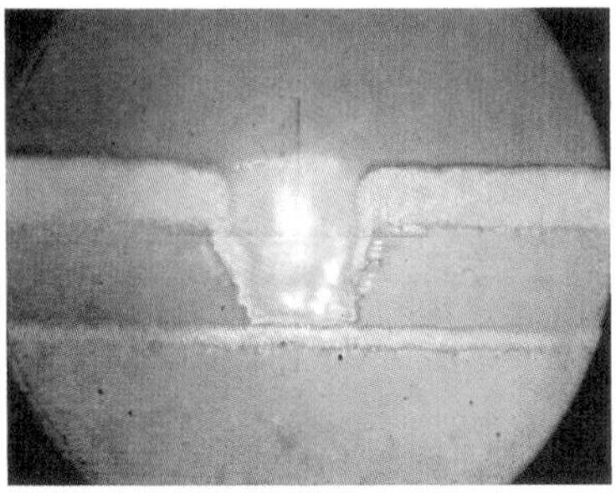

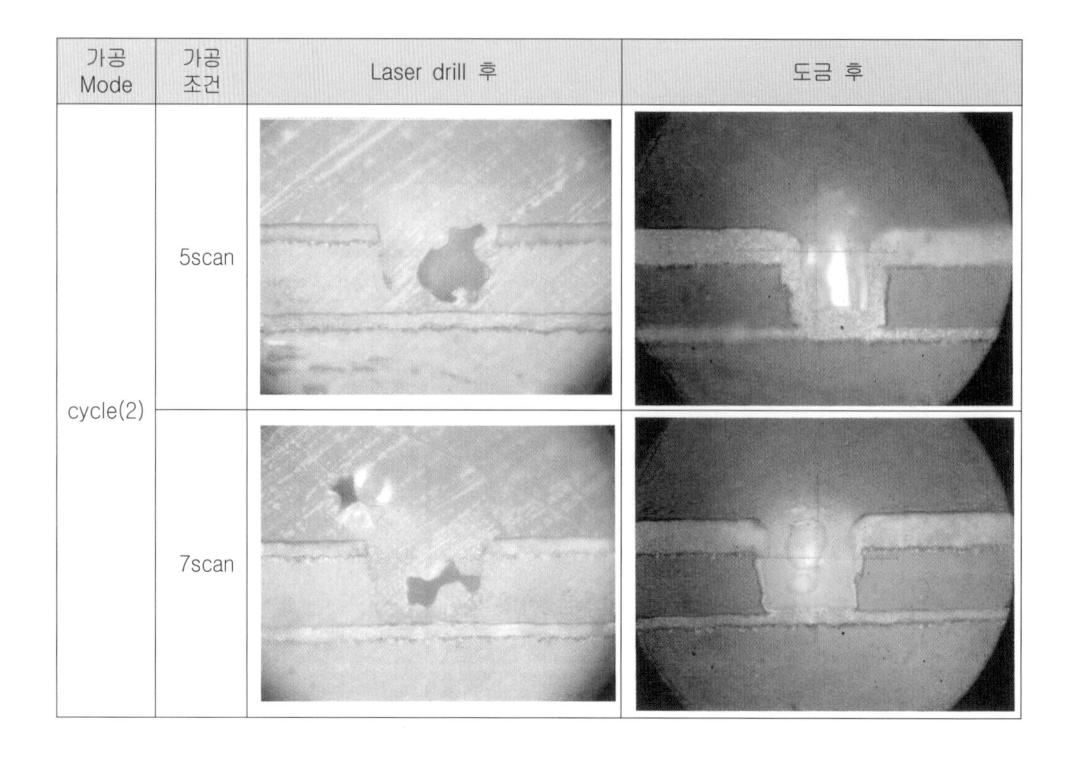

가공 Mode	가공 조건	Laser drill 후	도금 후
cycle(2)	5scan		
	7scan		

3. 결론

· 값비싼 RCC 대용으로 사용한 1차 FR-4 TEST 는 Glass Fiber를 가공하기 위해 beam power를 높여 가공을 하는 것은 RCC 가공시에 비해 효과가 없었다. (RCC RESIN 약 60/ℓm 을 사용했을 시와 별 차이가 없었다.)
→ Glass Fiber 제거는 오히려 연속 가공(Burst)에 취약점이 있었다.

· 오히려 Glass Fiber를 감안해 파괴 강도가 높은 Burst Mode 로 가공시 LVH 의 Burrel Shaped 정도가 심했으며, 평소 RCC 사용시의 Scan Mode로 가공시의 홀 상태가 정상적이었다.
→ 그러나, glass fiber의 가공을 위해 처음부터 너무 많은 횟수로 가공한 test 설정에 무리수가 있었다. 이에 2차 test시에는 낮은 횟수의 Burst Mode 와 Cycle Mode로의 병행적인 조건이 뒷받침 되도록 하겠다.

· 도금 desmear 처리시는 홀 속 smear 제거를 위해 평소와 동일한 속도로 작

업시 roughness가 심해 void의 위험도가 높았다.

→ desmear 속도를 2.0m/min으로 낮추었을 시 홀 속 clear가 보다 좋아 도금이 안정적이었다.

· 1차 test 결과 60/ℓm의 층간 깊이에서의 가공 조건은 cycle mode로 가공 시 가공 능력이 우수해 평소 가공 조건으로 적용 시 충분히 RCC 대용으로의 이용 가치가 있다고 생각 된다.(대체 이용 시 RCC의 약 1/10의 원가 절감의 효과가 난다)

· Test 결과로만 가지고 당장 대체 효과를 기대하기는 무리가 있으며(안정적인 조건 설정을 위해 몇 차례 test가 뒷받침 되어야 한다.), 단지 test 결과로 FR-4의 가공 능력을 볼 수 있어 후일 원가 절감의 기대 효과를 가질 수 있었다.

4. 예정 사항.

1) Lader Drill시 가공 조건 재설정

→ Burst Mode(5shot)

→ Burst Mode+Cycle Mode (5shot+2~3scan)

→ 80/ℓm 이상의 층간 가공 조건 설정

→ 기타 power 변경에 따른 가공 설정

2) 도금 조건 재설정

→ desmear 및 전기동 조건 재설정

3) FR-4 사용 시 IVH 함몰 제어능력

→ 내층 형성부터 2차 적층 시 FR-4를 이용한 Resin 함침 정도 비교

4) FR-4이용 시의 장, 단점 비교

16-6 DRILL ROUGHNESS가 PLATING THICKNESS의 상관관계 TEST

1. New bit 적용- burr 4.092 um Thickness 27.367

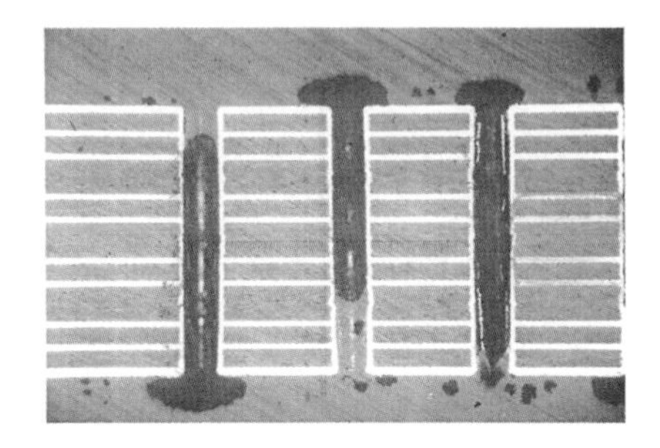

figure 1.Cross section A/R=4.5

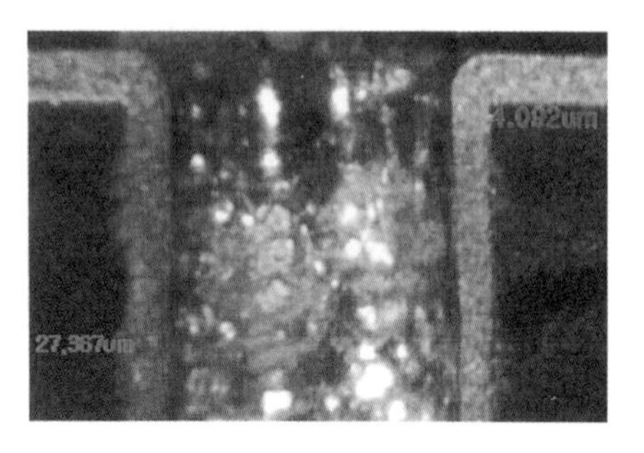

figure 2.Cross section ×500

2. 3차 연마 적용 burr 13.299 um Thickness 22.596

figure 1.Cross section A/R=4.5

figure 2.Cross section ×500

3. 결과

상기의 Figure 1~4까지 의 결과로 볼 때 Drill Roughness가 거칠수록 같은 조건의 도금 조건하에서도 결과는 상이하게 나타난다.

특히 project Model과 같은 경우는 Total thickness 1.6mm에 min hole Size 0.45mm로 Aspect ratio 3.56로 높진 않지만, 내층 동박의 점유율이 일반 B/D보다 높고(Power supply용), 특히 내층(2Oz), 외층(3Oz) Copper의 thickness를 감안할 때 Bit의 wearing의 주기는 일반 PCB의 최소 1.5배 이상 단축될 것으로 사료됨.

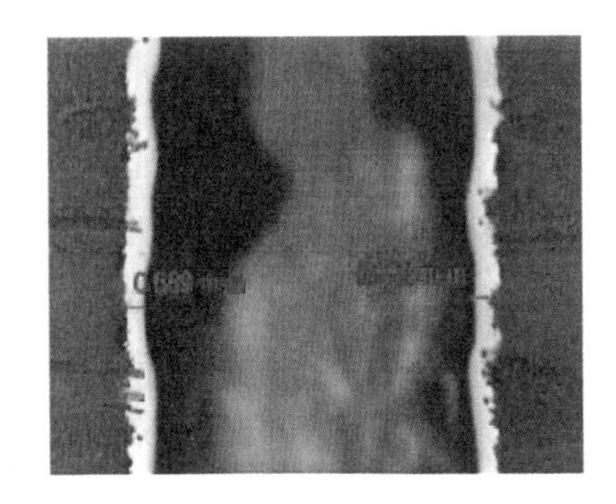

figure 5.Cross section ×-500 0.59mils

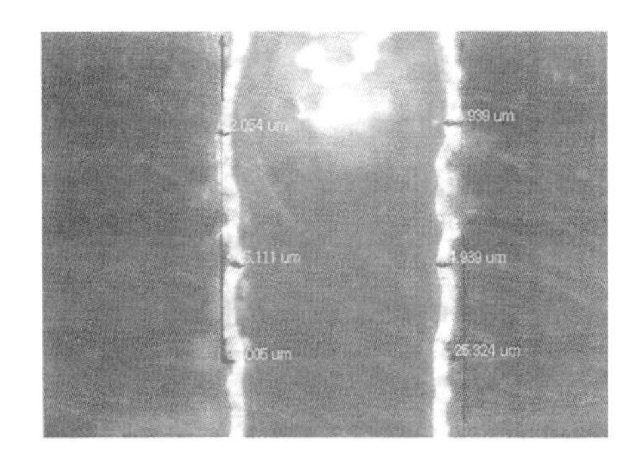

figure 5.Cross section ×-300 0.86mils

16-7 LASER-DRILL 미가공 재현성 TEST

1. TEST 목적

· Laser Drill 미 가공 불량이 발생됨.

· 불량 발생 원인이 Z축의 설정 MISS로 인한 것으로 추측하여 이에 대하여 재현 성 TEST를 진행 하고자 함

2. Z축 설정 MISS원인

· 두께 감지 센서의 이물 부착으로 제품 두께 설정 miss

· 제품의 휨 발생으로 인한 제품과 Z축과의 거리 설정 오류발생

· 제품 면의 이물로 인한 거리 설정 오류 발생

3. TEST 방법

두께 감지 Sensor가 제품을 감지 할 때 제품 위에 1.0T짜리 아크릴 판을 제품 위에 올려놓아 임의로 제품의 두께를 상향 조절하여 Z축과 제품의 거리를 조절하여 Laser Drill 을 작업한 후 micro-section을 통하여 재현성을 test함

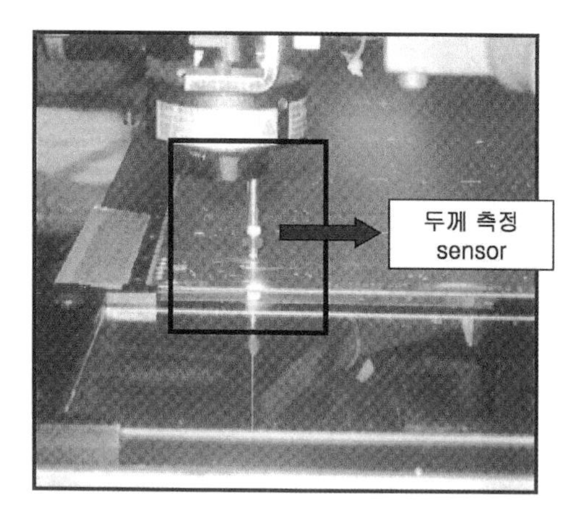

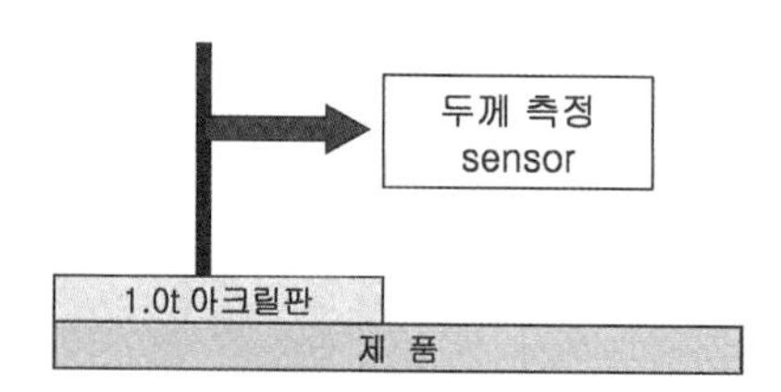

4. TEST 결과

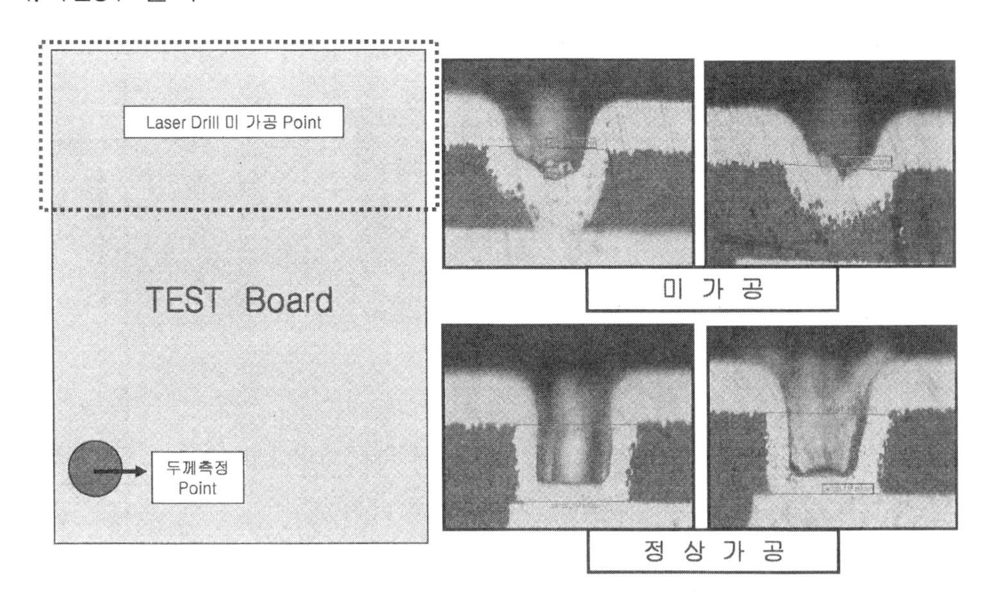
Laser Drill 미 가공 Point
TEST Board
두께측정
Point
미 가 공
정 상 가 공

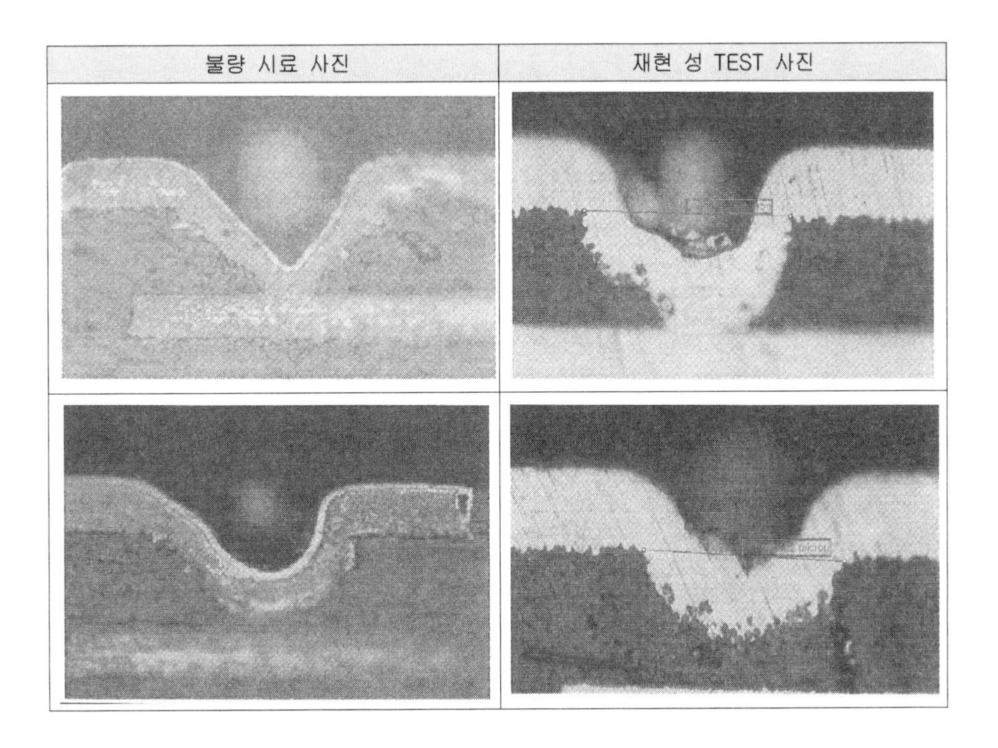
불량 시료 사진
재현 성 TEST 사진

5. 결론

· LASER 장비업체 방문하여 Beam Power 측정 및 Laser Drill 신호와 실제 Laser 발생 여부를 측정한 결과 이상 없음

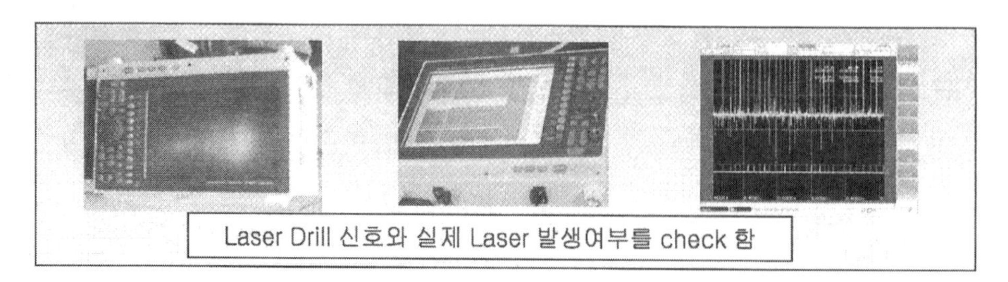

Laser Drill 신호와 실제 Laser 발생여부를 check 함

· 재현 성 Test 결과 불량 시료와 동일한 형태의 미 가공 상태가 재현됨에 따라 미 가공 불량 원인이 Z축 설정 MISS로 판단됨

· 기존의 8시간 간격으로 Calibration 하던 작업 방법을 6시간으로 줄이고 이때 장비의 두께 측정 sensor 및 가공 table 을 알코올 청소를 하여 이물에 의한 두께 측정 error를 사전에 방지함

· 현재 Beam Power를 측정하지 않고 Calibration만 실행하는 방법에서 작업 시작 전과 작업 후에 Beam Power를 측정하여 Beam Power의 이상 유무를 check 함.

16-8 BROWN OXIDE 약품 TEST

1. 테스트 방법

· 테스트 시편 준비

· 테스트 약품 준비(약품 폐액 관리 기준 동농도 25g/ℓ약품 적용)

· 샘플 테스트 실시

· 신뢰성 테스트 실시

- 표면 상태
- peel strength test
- Thermal stress test(288℃, 10sec, 5times)
- Ice water test(288℃, 1min, 냉수 침적)

2. 테스트 조건

구분	테스트 조건	양산 조건	비고
탈지	39℃	55℃	
프리딥	28℃	30℃	
옥사이드	35℃ 동농도 26.2g/ℓ	40℃	동농도 폐액 기준 25g/ℓ이하

3. TEST 결과

구 분	육안 검사	Peel strength	테스트 결과	비고
표면 상태	양호	N/A	OK	현 S사 제품과 동일
1차 프레스	N/A	0.85kgf	OK	관리 기준: 45° 측정 0.49~0.63kgf/cm²
2차 프레스	N/A	0.85kgf	OK	
1차 Thermal strength test	들뜸 없음	0.77kgf	OK	
2차 Thermal strength test	들뜸 없음	0.65kgf	OK	
Ice water test	들뜸 없음	0.79kgf	OK	

4. 옥사이드(내층) PEEL STRENGTH 테스트 실시

1) 테스트 조건

조건 a)옥사이드 액(당사 작업분): 동농도 17g/ℓ p.p(0.06T×2장)

조건 b)옥사이드 액(당사 작업분): 동농도 17g/ℓ p.p(0.18T×2장)

조건 c)옥사이드 액(당사 작업분): 동농도 17g/ℓ p.p(0.1T×2장)

조건 d)옥사이드 액(SDC산액): p.p(0.06T×2장)

조건 e)옥사이드 액(SDC산액): p.p(0.1T×2장)

2) 테스트 결과

단위:kgf

	당시 측정치	SDC 측정치	비고(측정값 차)
테스트a	0.39	0.5	-0.11
테스트b	0.39	0.55	-0.16
테스트c	0.4	0.55	-0.15
테스트d	0.7	0.95	-0.25
테스트e	0.74	0.9	-0.16

※ 단, 다층 제품 10kit Thermal Stress Test 결과(288℃, 10sec, 5Cycle) 상태 양호.(사진 참조)

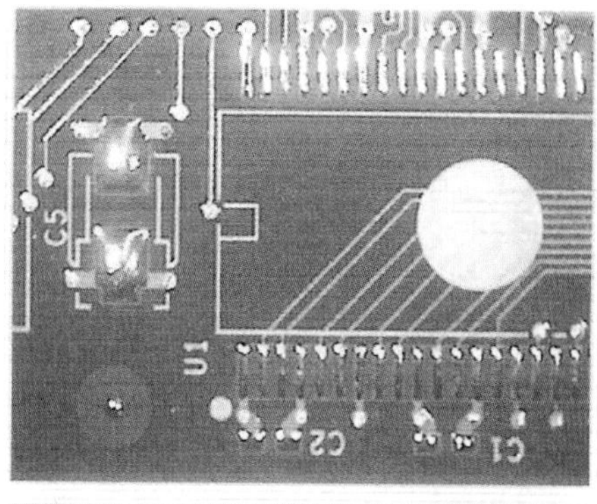

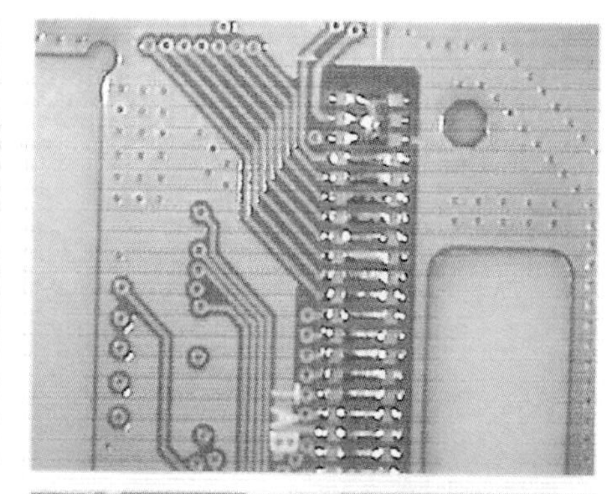

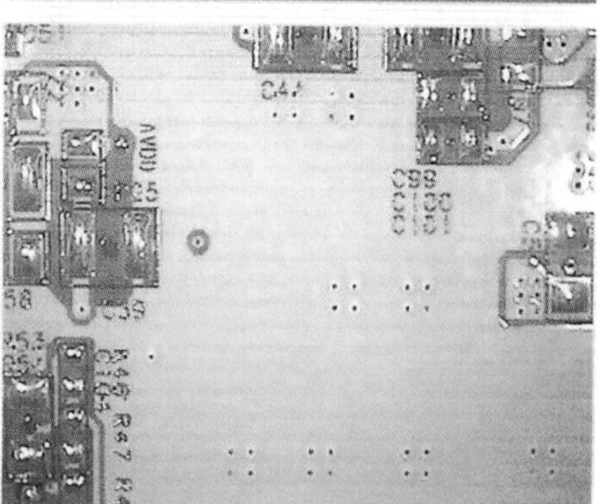

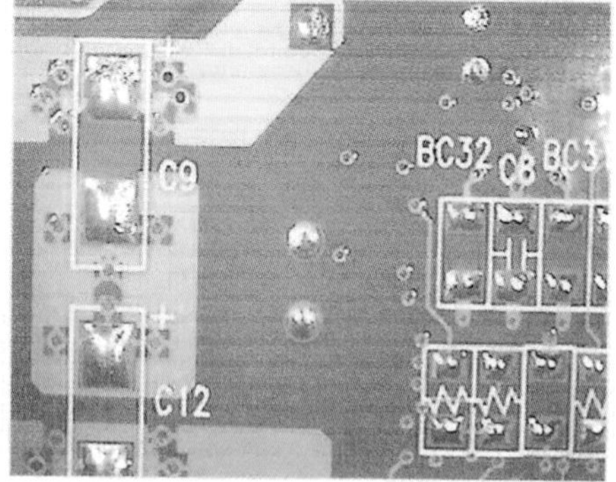

16-9 외층 DRY-FILM TEST

1. TEST 목적

· 여러 Dry Film의 특성을 비교 분석하고자 함.

· 외층용 Dry Film인 DUPONT社 Riston FX500과 MORTON社 702G40의 특성을 당사에서 사용하는 TOK社 T4840, KOLON社 KS-8740과 비교하기 위함.

· 당사 적용 가능여부를 판단하기 위함

2. TEST 조건 및 방법

Test 적용 D/F	Maker	DUPONT	Model	Rision FX500
		MORTON		702G40

Test 항목	Break Point, Photo Speed , Resolution, Adhesion, Tent Strength

공정	Test 조건 : 당사 작업조건을 따름	비고
정면	Brush 연마(Buffer #600, #800) + SPS Soft Etching, Speed : 1.9m/min	D/F 정면 2호기
Lamination	Hot Roll Temp : 110±10℃, Speed : 2.5m/min	LAMINATION 2호기
Exposure	5㎾ collimation, 14.4㎿/㎠	OTS 수동 노광 3호기
Developing	$-CO_3^{-2}$: 9~12g/ℓ(Resolve 212R 2% V/V), Temp:30±5℃, Speed: 3.5m/min, Spray pressure :2.0±0.kg/㎠	DES Line

3. TEST 결과

항목	TEST 결과
Break Point	Riston FX 500 < 702G40
Photo Speed	Riston FX 500 < 702G40
Resolution	Riston FX 500 ≥ 702G40
Adhesion	Riston FX 500 ≤ 702G40
Tent Strength	Riston FX 500 > 702G40

· Break Point : MORTON 702G40 Dry Film의 현상속도가 DUPONT Riston FX 500보다 빠름.

· Photo Speed : MORTON 702G40 Photo Speed가 약 30mj/cm²빠름.
→ 생산성 향상 측면에서는 MORTON 702G40이 가장 유리함.

· Resolution : 현상성에서는 702G40과 FX500이 서로 비슷한 결과를 보이나 DUPONT FX 500이 약간 우수한 것으로 판단됨.(Etching 후 사진 참조)

· Adhesion : 밀착력은 FX500 및 702G40 모두 양호하나 702G40이 좀더 높은 밀착력을 가지는 것으로 보여짐.
→ BGA 형성 TEST(Column Count)결과 두 제품 모두 양호함.
→ 두 제품 모두 당사 L/S Spec 100/100을 만족하며 L/S=75/75도 작업 가능함.

· Tent Strength : DUPONT FX 500이 당사 적용중인 제품을 포함하여 가장 월등한 Tent Strength를 보임. MORTON의 Tent Strength는 당사 적용중인 KOLON KS-8740과 비슷한 수준임.
→ Test 결과 MORTON 702G40이 가장 당사 Line에 적합한 것으로 판단되나 (추후 Fine Pattern 제품 및 LCD 등의 양산에 가장 적합함.) 박리성(입자크기 비교)등 약품 반응 Test 등의 추가 분석 후 당사 외층 Line에 적용해야 할 것으로 판단됨.

1) Break Point

	DUPONT/RISTON FX500	MORTON/702G40	Spray Range
Break Point(%)	45.2	44.7	3240mm(100%)
Time(sec)	25.09	24.81	55.5

2) Photo Speed

Model \ mj/cm²	80	90	100	110	120	130	140	150	160
Riston FX500	7.5	7.5	8	8	8.5	8.5	9	9	9.5
702G40	8	8.5	8.5	9	9	9.5	9.5	10	10

3) Resolution

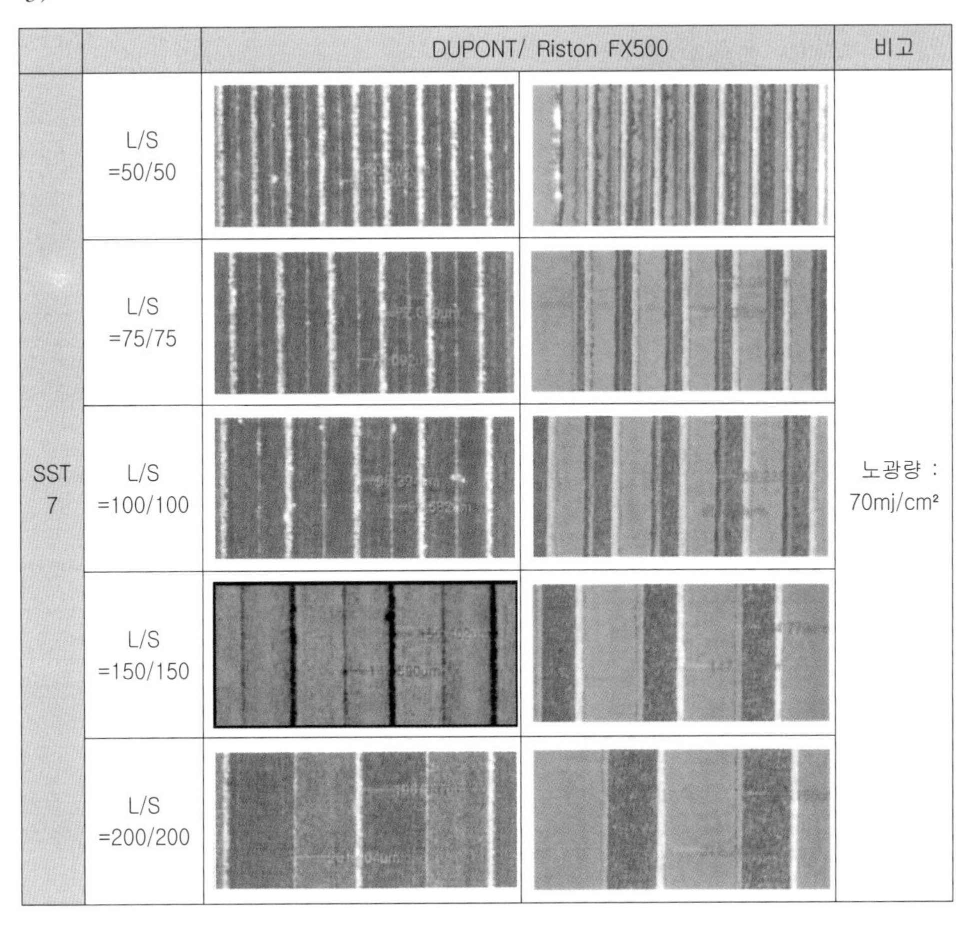

		DUPONT/ Riston FX500		비고
SST 7	L/S =50/50			노광량 : 70mj/cm²
	L/S =75/75			
	L/S =100/100			
	L/S =150/150			
	L/S =200/200			

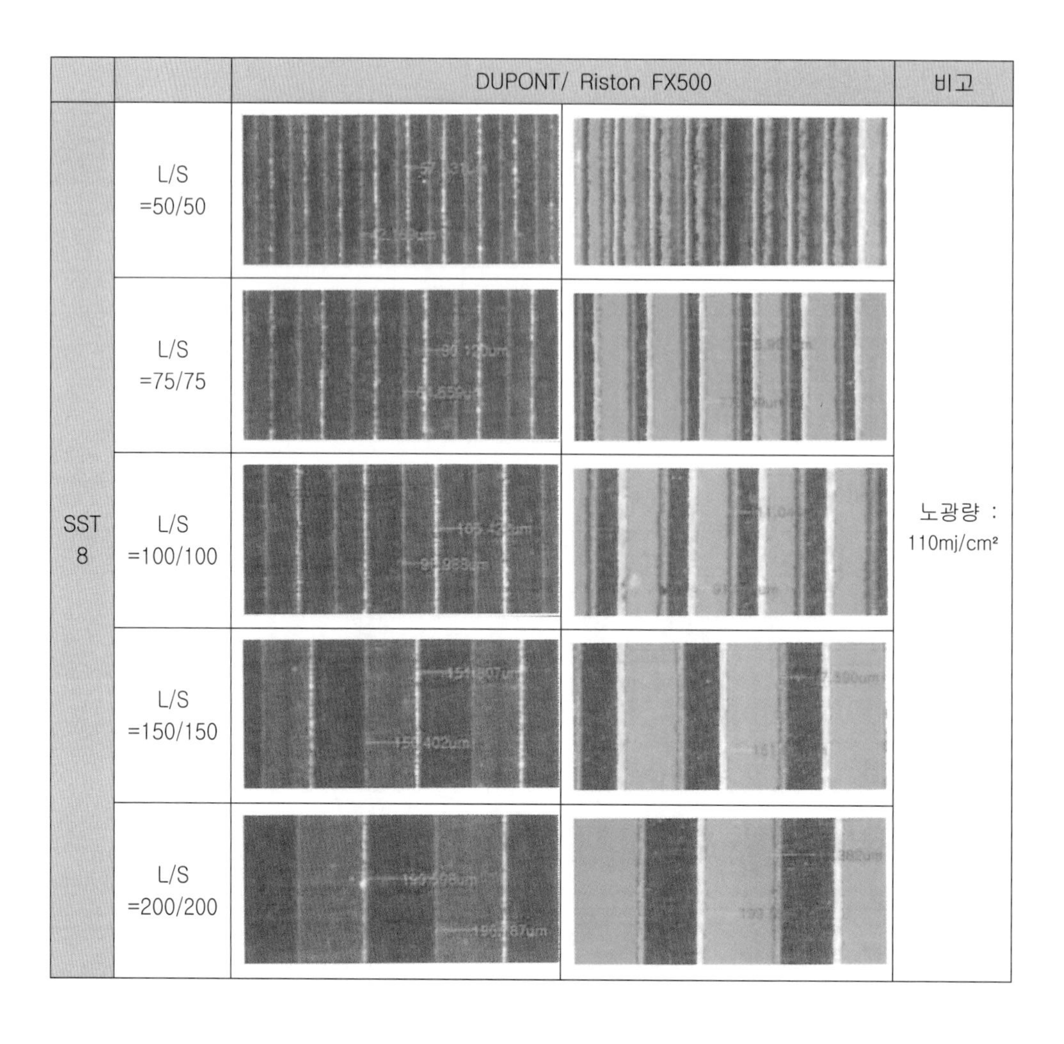

		DUPONT/ Riston FX500		비고
SST 8	L/S =50/50			노광량 : 110mj/cm²
	L/S =75/75			
	L/S =100/100			
	L/S =150/150			
	L/S =200/200			

		MORTON/702G40		비고
SST 7	L/S =50/50			노광량 : 50mj/cm²
	L/S =75/75			

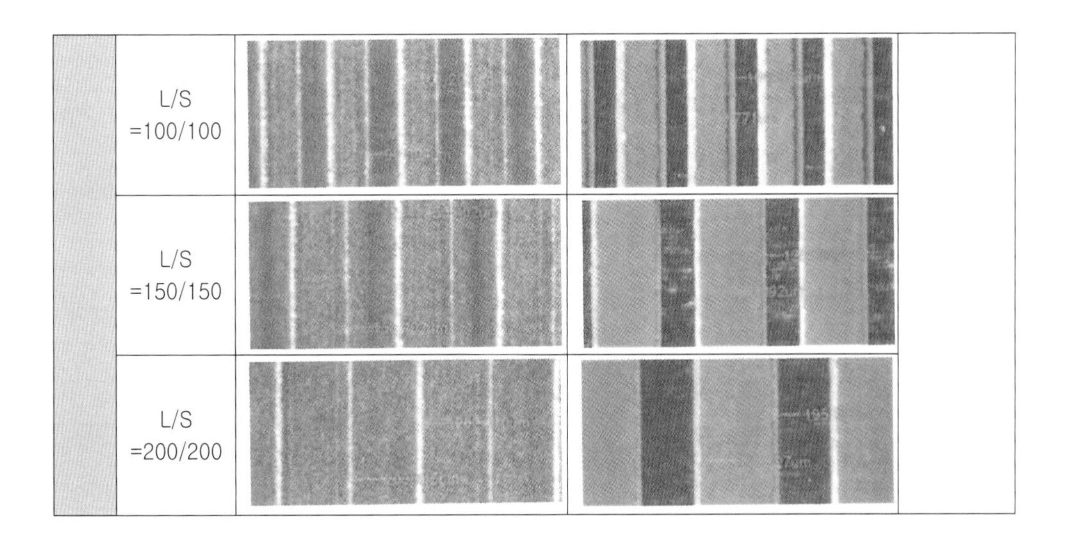

	L/S =100/100			
	L/S =150/150			
	L/S =200/200			

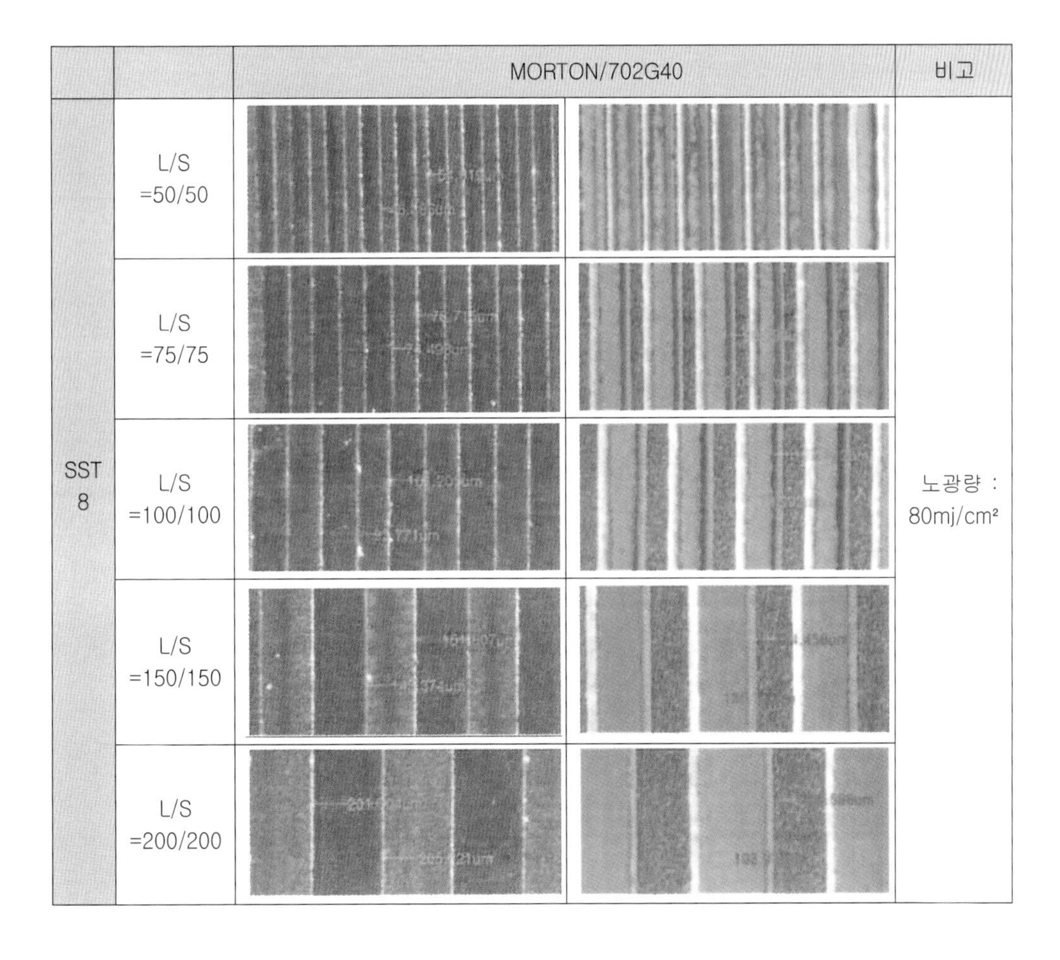

		MORTON/702G40		비고
SST 8	L/S =50/50			노광량 : 80mj/cm²
	L/S =75/75			
	L/S =100/100			
	L/S =150/150			
	L/S =200/200			

4) Adhesion : Column count

		DUPONT/Riston FX500	MORTON / 702G40	비고
SST 7	BGA 100/100	  (100-100)	 (100-100)	FX500 : 70mj/cm^2 702G40 : 50mj/cm^2
		(100-100)	(100-100)	
SST 8	BGA 100/100	(100-100)	(100-100)	FX500 : 110mj/cm^2 702G40 : 80mj/cm^2
		(100-100)	(100-100)	

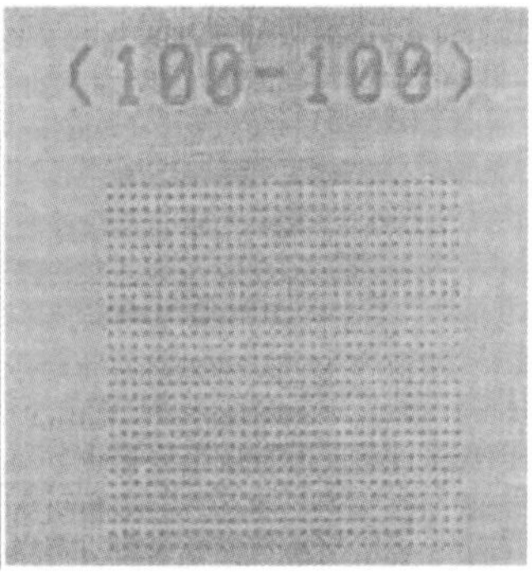

5) Tent Strength

	Hole Size(Φ)	DUPONT/ Riston FX500	MORTON/ 702G40	비고
SST.7	3.5	638	396	Φ별10EA중 Max, Min제외한 후 Average값을 구함.
	4	677	380	
	4.5	833	320	
	5	930	326	
SST.8	3.5	556	449	
	4	917	337	
	4.5	879	516	
	5	974	473	
Measurement condition		1mmΦGage, Measure after Developing		

4. Dry Film 4개社 TEST 결과 비교

	Dry Film 4개社 TEST 결과 비교						
Break Point	702G40	>	Riston FX500	>	KS-8740	>	T4840
Photo Speed	702G40	>	Riston FX500	>	KS-8740	>	T4840
Resolution	Riston FX500	≥	702G40	>	KS-8740	>	T4840
Adhesion	702G40	≥	Riston FX500	>	KS-8740	≒	T4840
Tent Strength	Riston FX500	>	702G40	≒	KS-8740	>	T4840

16-10 MARKING INK(WHITE)변색 TEST

< Silk Ink 변색 원인 >

1. 발생원인

열경화성 Ink Curing 시 주성분과 경화제의 반응 과정을 거치게 되는데 이후 Reflow또는 HASL (대략 245℃이상 조건) 등 고온처리 공정에서 반응에 의한 경화물 표면이 변색을 일으키게 됨

- 경화시간이 길면 길수록 변색의 정도가 심하게 나타남
- Electroless Ni Immersion Gold Finish 과정에서 전처리 또는 Ni Process 에서 산기 잔유물의 세정 불충분은 변색과 직접적인 연관이 있음

1) Ink 구성요소

주성분 에폭시, 경화제 이미다졸(아민계)

2) Factor

① 변색의 정도

안료의 종류와 첨가제의 양

- 일반적으로 30~40%의 안료를 사용하는데 안료(TiO_2, ZnO)의 양과는 반비례 관계 임

② 변색의 색상 : Epoxy 종류에 따라 노란색, 빨간색, 주황색으로 변함

- 종류 : 크레졸 노보락 에폭시, 페놀 노보락 에폭시, 비스페놀형 에폭시 등

2. 신뢰성

· 표면절연 저항 : 변색 전, 후 측정결과 변화가 없음(2×10^{10}Ω↑)

· Hardness : 8H↑

· 납내열성 (280℃ 3cycle/10sec) Test 시 이상 없음

· Solvent (PMA, MEK)에 대한 안정성 및 내산성, 내알카리성 이상 없음

3. INK회사 조언

일반적으로 열경화형 마킹 잉크(IR잉크) 는 150℃에서 15~25분 정도 경화를 시키는데 이때 주성분인 에폭시와 경화제인 이미다졸(아민계)과의 반응으로 경화가 이루어진다. 반응 후 경화물의 색상이 변하는데 에폭시의 종류에 따라 노란색, 빨간색, 주황색 등으로 변한다. 또한 경화 시간이 길 경우 또는 온도가 150℃ 이상으로 높을 경우에 변색이 더 심하다.

열경화형 마킹 잉크(IR 잉크)는 최종 경화 HASL 공정과 REFLOW 공정 등을 거치면서 색상이 변하는 것이 일반적인 현상이다. 변색의 정도에 차이가 있는데 안료의 종류와 첨가량에 따라서 그리고 에폭시의 종류에 따라서 색상의 변화가 다르다. 그러나 변색이 발생하여도 잉크의 전기적, 물리적 성질은 큰 변화가 없는 것으로 나타난다. 일반적으로 IR 마킹 잉크의 변색 전후 표면절연저항은 $2\times10^{10}\Omega$ 이상이며, 연필 정도는 8H 이상 이다. 또한 납내열성도 280℃에서 10초간 3회까지 이상없다. SOLVENT(PMA, MEK)에 대한 안정성 및 내산성, 내알카리성에도 이상없다.

※ 참조

1. 변색 발생 (폐사 실험실 시험)

① 에폭시

- 크레졸 노보락 에폭시, 페놀 노보락 에폭시, 비스페놀형 에폭시와 같은 에폭시에 따라 변색이 다름.

② 경화제

- 이미다졸 계통(아민)은 모두 변색 발생.

③ 안료 첨가제

- 일반적으로 30~40% 사용하는데 안료가 적을수록 변색 심함
- 안료의 종류 : TiO_2 , ZnO 등

4, TEST 현황

1) TEST 목적

LCD 제품이 Reflow후 Marking INK 의 변색되는 현상이 발생하고 있어 신규 Marking INK를 적용하여 Reflow후에도 Marking INK의 변색을 막고 고객을 만족시키기 위함이다.

2) TEST 방법

① 적용 ITEM : OTC(社) Marking INK [M-211(W)]

② 적용 Model : 6870S-0497A(2L)

③ 분석항목 : 기존의 사용중인 OTC(社) Marking INK [M-211(W1)]과 신규 ITEM인 [M-211(W)] 동일조건에서 Marking 작업하여 Reflow를 1~5회 작업 후 변색여부 및 변색의 정도를 비교 검토함

3) Engineer 소견

TEST 결과 기존의 사용중인 Marking INK는 1회 Reflow부터 광택이 없어지기 시작하여 횟수가 증가 할수록 변색의 정도가 심해지나 개선된 Marking INK는 Reflow 횟수와 무관하게 변색 없이 동일한 색상을 유지함

- 개선된 Marking INK를 적용함으로써 변색불량을 개선하는데 효과적이라고 판단됨

4) Marking 작업 Process

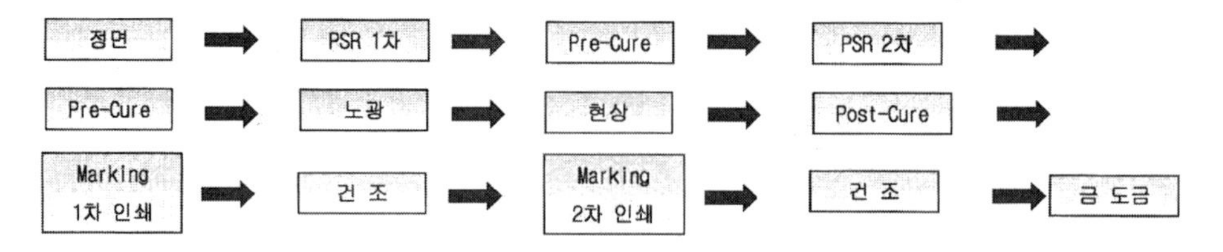

Marking INK의 변색은 무전해금도금 과정에서의 시안 이온의 화학적 attack에 의하여 Reflow과정에서 열 충격에 의하여 변색이 이루어짐. 이러한 이유

로 인하여 무전해금도금 이후에 Marking 작업을 하는 Process로 변경하는 사유가 되기도 하지만 당사에서는 Process의 변경으로 인한 물류 흐름의 불합리한 요소가 있기 때문에 Marking INK의 개선으로 인하여 기존은 Process를 유지하면서 변색에 대한 불량을 개선하고자 함

5) Marking INK 비교

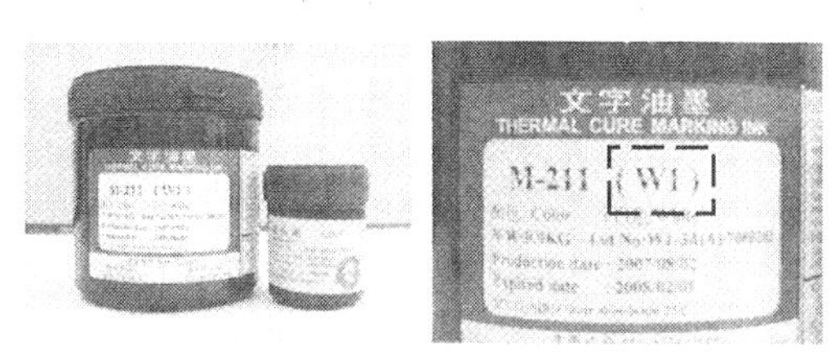

< 기존 사용중인 Marking INK >

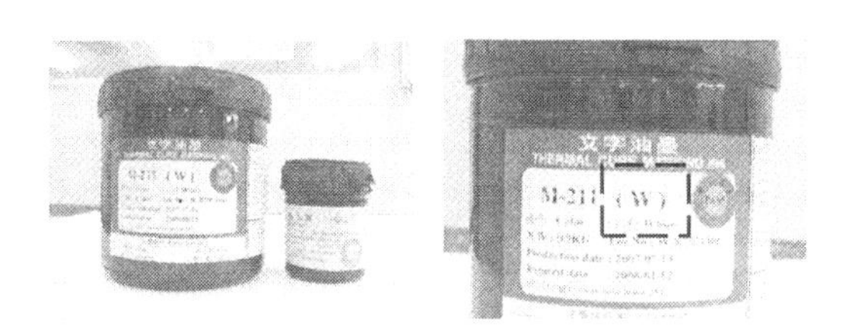

< Test Marking INK >

6) Reflow 조건

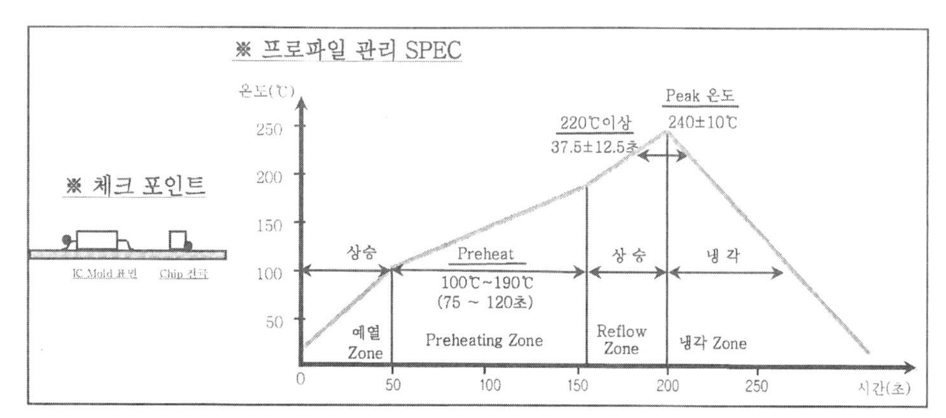

< 추천 Profile >

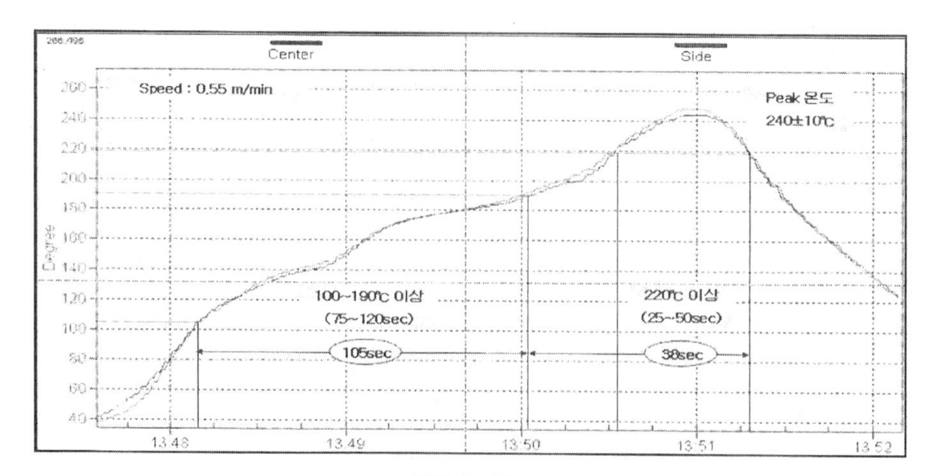
Center
Side
Speed : 0.55 m/min
Peak 온도
240±10℃
100~190℃ 이상
(75~120sec)
105sec
220℃ 이상
(25~50sec)
38sec
Degree
13:48
13:49
13:50
13:51
13:52

< 기존 Profile >

16-11 IMPEDANCE 유전율 TEST

1. Impedance의 정의

1) Impedance란?

도체의 구조 EH는 구성에 상관없이 전도체의 복합적 특성이며, 전압을 가했을 때 도체내의 전류흐름을 방해하는 요소라 할 수 있다.

① 교류 회로인 경우

'저항', '유도 리액턴스', '용량 리액턴스' 들이 존재하기 때문에 이들이 합성된 것이 바로 그 회로의 Impedance가 된다.

교류회로에서는 이 세가지 성분의 Impedance가 전류흐름에 영향을 미친다.

② 직류 회로의 경우

저항 요소만이 전류 흐름을 방해한다.

③ Impedance의 저항

Impedance란 고주파(수백 MHz)에서 사용될 때 필요한 개념으로서 직류 및 교류 회로 상에서의 전기적 흐름을 방해하는 요소이다.

저항은 저주파에서 유효하고 직류회로상에서의 전기흐름을 방해하는 요소이다.

2. Impedance의 영향 인자

· 회로폭(W)

- 임피던스는 회로폭에 반비례 한다.

· 회로두께(T)

- 임피던스는 회로두께에 반비례 한다.

· 절연두께(H)

- 임피던스는 절연두께에 비례 한다.

· 유전율(Er) : 절연상수

- 임피던스는 Er의 제곱근에 반비례 한다.

· 잉크 두께(C)

- 임피던스는 잉크 두께에 반비례 한다.

· 잉크 유전율(Cr)

- 임피던스는 잉크 유전율에 반비례 한다.

· 미세하게 영향을 미치는 인자들로는 회로상에 가공된 via Hole, Pad와 회로간의 연결각도, Drill Smear, Scratch, 중간편심, 기판의 휨 정도 등이다.

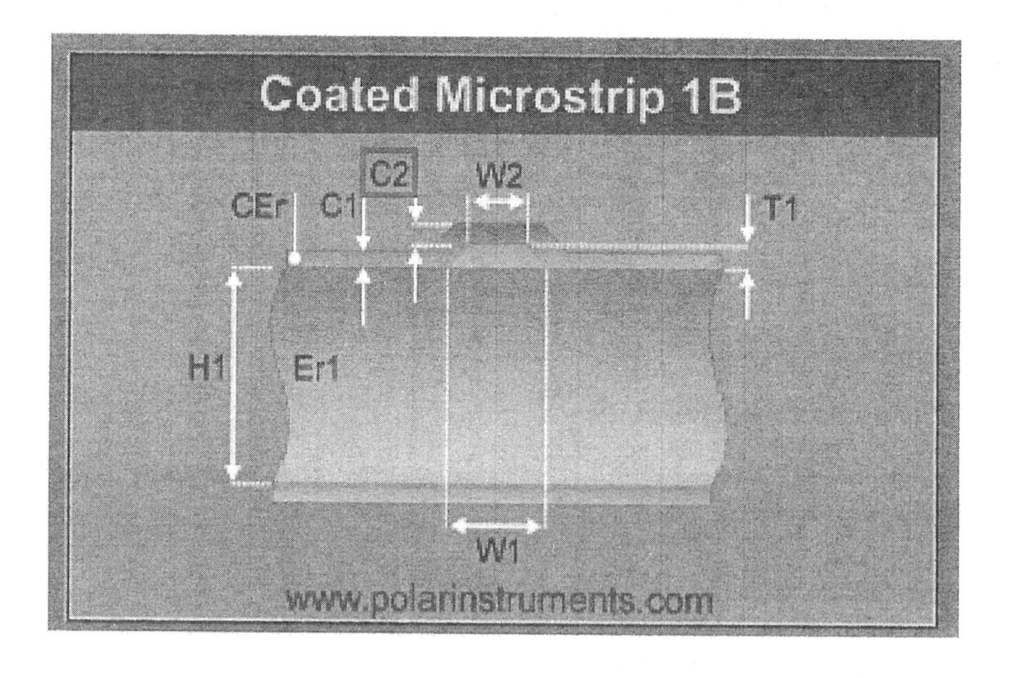

3. Impedance와의 관계

1) 임피던스를 감소시키려면?

① 회로폭을 증가시킨다.

② 회로 두께를 증가시킨다.

③ 절연 두께를 감소시킨다.

④ 잉크 두께 증가시킨다.

⑤ 유전율, 잉크 유전율을 증가시킨다.

2) 임피던스를 증가시키려면?

① 회로폭을 감소시킨다.

② 회로 두께를 감소시킨다.

③ 절연 두께를 증가시킨다.

④ 잉크 두께 감소시킨다.

⑤ 유전율, 잉크 유전율을 감소시킨다.

4. Impedance 매칭 수행 방법

1) 컴퓨터 시뮬레이션

소프트웨어를 구입해서 설치하여 여러 가지 입력 데이터를 올바른 포맷으로 입력해야 하고 엄청나게 쏟아져 나오는 결과 데이터들 중 쓸모 있는 것을 골라낼 수 있는 전문적 지식이 필요하다.

2) 직접 계산

아주 긴 수식을 다루어야 하며 수식 자체의 복잡성으로 인해 오랜 시간이 걸린다.

3) 감에 의존하기

이런 방법은 오랜 시간을 일하지 않고는 흉내 낼 수 없는 것이다.
즉, 달인 수준이 되어야 가능하단 뜻이다.

4) 스미스 차트

큰 원 안에 많은 작은 원들이 겹쳐져 있는 모습으로, 1930년대에서 Bell Phillip Smith에 의해 고안되었다.

올바로 사용할 경우 수식 계산을 전혀 하지 않고도 복잡한 구조의 임피던스 매칭이 가능하다.

5. Controlled Impedance PCB의 종류

1) Surface Micro strip

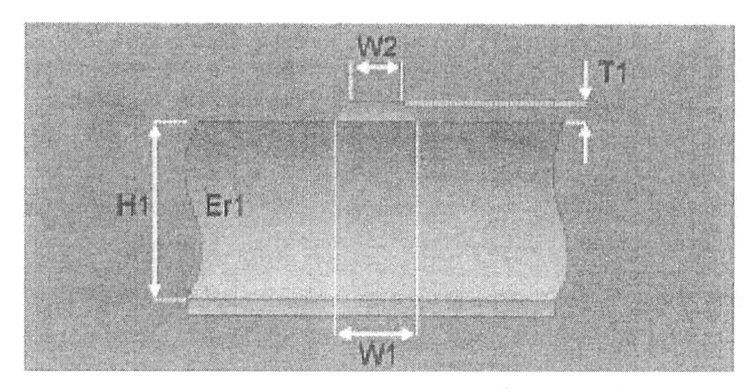

회로가 PCB의 바깥쪽 층에 위치하는 경우로 표면에 땜납 저항이 있으면 Impedance에 영향을 주는데 약 1~2Ω정도 감소된다.

2) Embedded Micro strip

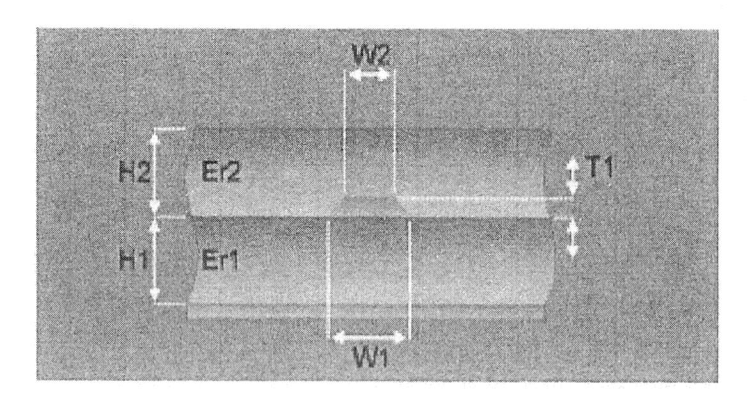

Power or Ground가 한쪽에만 있고 회로가 PCB의 내층에 위치함.

3) Offset Stripline(Simmetrical Stripline)

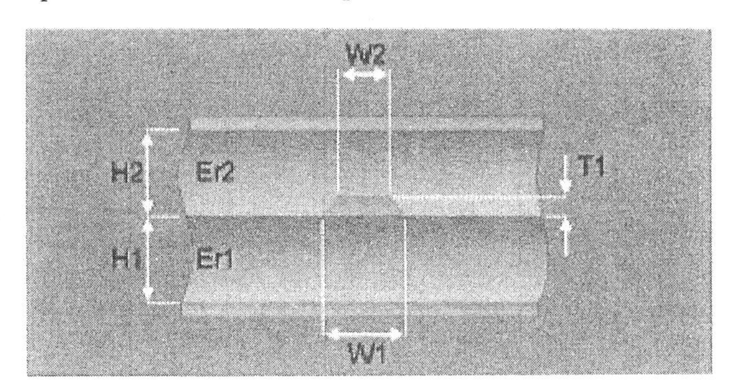

회로가 내층에서 양쪽 Ground층 사이에 대층으로 위치

4) Broadside Couplad Stripline

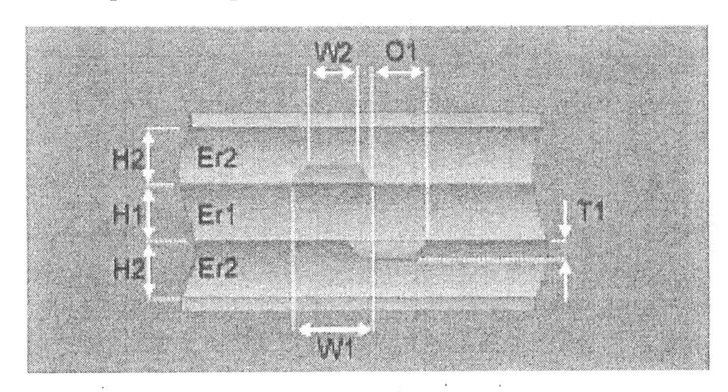

회로가 내층에서 양쪽 Ground층 사이에 비대층으로 위치

※ 위의 종류외에도 상당수의 유형이 존재함.

6. 잉크의 종류에 따른 임피던스 변화율 Data(현우 산업)

1) OTC Green 잉크(D사 자재)

① #1080 공정 변화율

측정 Data	인쇄 전	인쇄 후	변화율
시료1	94.73Ω	87.81Ω	6.92Ω
시료2	96.87Ω	89.70Ω	7.17Ω
시료3	93.11Ω	85.89Ω	7.22Ω
시료4	92.01Ω	84.71Ω	7.30Ω

평균 변화율	7.16Ω

② #2116 공정 변화율

측정 Data	인쇄 전	인쇄 후	변화율
시료1	93.61Ω	86.55Ω	7.06Ω
시료2	93.46Ω	86.27Ω	7.19Ω
시료3	89.08Ω	82.26Ω	6.82Ω
시료4	89.42Ω	82.46Ω	6.96Ω

평균 변화율	6.96Ω

③ #7628 공정 변화율

측정 Data	인쇄 전	인쇄 후	변화율
시료1	91.15Ω	84.32Ω	6.03Ω
시료2	92.30Ω	85.16Ω	7.14Ω
시료3	89.44Ω	82.67Ω	6.77Ω
시료4	87.74Ω	80.67Ω	7.07Ω

평균 변화율	7.00Ω

2) S 화학(SCM 500HF2) White 잉크(D사 자재)

① #1080 공정 변화율

측정 Data	인쇄 전	인쇄 후	변화율
시료1	98.53Ω	88.98Ω	9.55Ω
시료2	93.86Ω	83.41Ω	10.45Ω
시료3	96.98Ω	87.25Ω	9.73Ω
시료4	92.95Ω	82.58Ω	10.37Ω

평균 변화율	10.02Ω

② #2116 공정 변화율

측정 Data	인쇄 전	인쇄 후	변화율
시료1	93.99Ω	84.48Ω	9.51Ω
시료2	94.31Ω	84.22Ω	10.09Ω
시료3	91.31Ω	83.70Ω	7.61Ω
시료4	90.97Ω	80.91Ω	10.06Ω

평균 변화율	9.31Ω

③ #7628 공정 변화율

측정 Data	인쇄 전	인쇄 후	변화율
시료1	93.03Ω	83.00Ω	9.03Ω
시료2	92.55Ω	82.81Ω	9.74Ω
시료3	90.79Ω	81.63Ω	9.16Ω
시료4	89.05Ω	80.15Ω	8.90Ω

평균 변화율	9.20Ω

7. 결과 분석

1) 결과 분석

① 원자재별 Pre Preg 유전율 분석 Data

Pre Preg	1-1	1-2	2-1	2-2	AVG
두산 #1080	4.60	4.30	4.35	4.55	≒4.50ℰ
두산 #2116	4.90	4.90	4.65	4.80	≒4.80ℰ
두산 #7628	5.00	5.20	4.95	5.00	≒5.05ℰ
생익 #1080	4.05	4.25	4.25	4.15	≒4.15ℰ
생익 #2116	4.90	5.00	5.10	5.40	≒5.10ℰ
두산 #1080 Halogen Free	4.50	4.70	4.60	4.45	≒4.55ℰ
생익 #1080 Halogen Free	4.85	5.00	5.20	5.15	≒5.05ℰ
생익 #2116 Halogen Free	4.15	4.40	4.30	4.40	≒4.30ℰ

※ Test 진행 결과 위와 같은 유전율 값을 얻을 수 있음.

② 잉크에 종류에 따른 잉크 유전율 분석 Data

잉크 종류	시료 1	시료 2	시료 3	시료 4	AVG
OTC Green 잉크	4.0	4.1	4.1	4.3	≒4.10ℰ
서울 화학 White잉크	3.0	2.9	3.0	2.8	≒2.90ℰ

※ Test 진행 결과 위와 같은 유전율 값을 얻을 수 있음.

③ 잉크 종류별 임피던스 변화율

(a) O사(대만) Green 잉크

구분	#1080			#2116			#7628		
	인쇄 전	인쇄 후	변화율	인쇄 전	인쇄 후	변화율	인쇄 전	인쇄 후	변화율
시료1	94.73Ω	87.81Ω	6.92Ω	91.15Ω	84.32Ω	6.83Ω	93.61Ω	86.55Ω	7.06Ω
시료2	96.87Ω	89.70Ω	7.17Ω	92.30Ω	85.16Ω	7.14Ω	93.46Ω	86.27Ω	7.19Ω
시료3	93.11Ω	85.89Ω	7.22Ω	89.44Ω	82.67Ω	6.77Ω	89.08Ω	82.26Ω	6.82Ω
시료4	92.01Ω	84.71Ω	7.30Ω	87.74Ω	80.67Ω	7.07Ω	89.42Ω	82.46Ω	6.96Ω

※ ≒-7Ω의 임피던스 변화값을 얻을 수 있음 (단 위의 변화율은 Coplanar TYPE에 한함)

(b) S 화학(SCM 500HF2) White 잉크

구분	#1080			#2116			#7628		
	인쇄 전	인쇄 후	변화율	인쇄 전	인쇄 후	변화율	인쇄 전	인쇄 후	변화율
시료1	98.53Ω	88.98Ω	9.55Ω	93.99Ω	84.48Ω	9.51Ω	92.03Ω	83.00Ω	9.03Ω
시료2	93.86Ω	83.41Ω	10.45Ω	94.31Ω	84.22Ω	10.09Ω	92.55Ω	82.81Ω	9.74Ω
시료3	96.98Ω	87.25Ω	9.73Ω	91.31Ω	83.70Ω	7.61Ω	90.79Ω	81.63Ω	9.16Ω
시료4	92.95Ω	82.58Ω	10.37Ω	90.97Ω	80.91Ω	10.06Ω	89.05Ω	80.15Ω	8.90Ω

※ ≒-9.5Ω의 임피던스 변화값을 얻을 수 있음 (단 위의 변화율은 Coplanar TYPE에 한함)

8. 결론

1) Engineer 소견

· 당사의 유전율 분석방법은 임피던스 측정 Data를 가지고 역 Simulation하여 유추함.

· 임피던스 값에 대한 영향력이 가장 큰 순위는 아래와 같이 정리 할 수 있음
잉크 유전율(CEr)<잉크 두께(C),회로 두께(T)<자재 유전율<Pattern 폭<절연 거리

· 임피던스의 영향 인자는 상당히 많으며, 일정하지 않기 때문에 Test를 진행하지 못한 자재의 유전율은 예상 Data를 얻기 어려움

· 잉크에 따른 유전율 변화율은 P.P종류와는 무관하며, 잉크 종류에 따라 변화값이 형성됨.

16-12 단자금도금 공법비교(한국&대만)

1. 국내 PROCESS

HAL 공정 이후 단자 금도금 진행

1) 방법 1

① 공정순서

· 전체를 HAL 처리

· 단자 금도금을 제외한 부분 taping(3M tape)

· 단자 금도금 할 부위 납박리

· 단자 금도금

· tape 제거

· tape 잔사 cleaning

② 문제점

· 납 박리액이 taping 한 edge 부위에 스며들어 변색될 수 있음.

· 납 박리 시간이 일정하지 않음(납 볼이 튐)

· HAL이 일정하게 오른 곳은 20초 정도면 박리되나 납이 뭉친 곳은 10~20분 소요됨(특히 taping 한 경계면에 납이 뭉치는 경우가 많음)

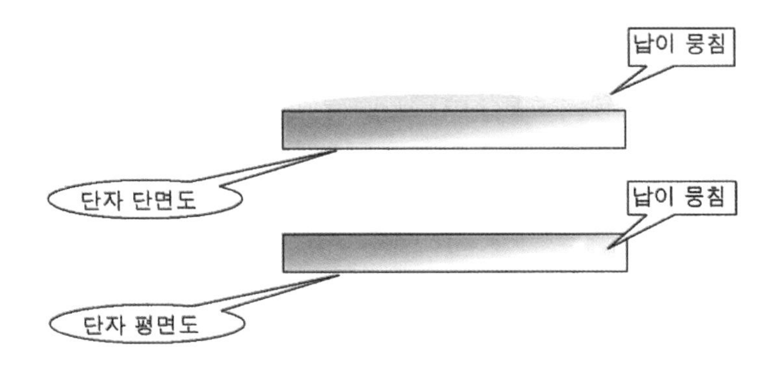

2) 방법 2

① 공정순서(HAL+단자 금도금)

· 전체를 보호용 tape로 밀착
· 단자 금도금 할 부분의 보호용 tape를 window M/C또는 작업자가 수작업으로 제거
· 단자 금도금
· 단자 금도금 부위를 HAL tape로 taping
· taping이 완전하게 밀착될 수 있도록 밀착기 laminating
· HAL 처리
· tape 제거는 Ronter 후에 제거 (Ronter 가공 시 단자 부위 scratch 방치)

※ 밀착기

- 밀착기 구성

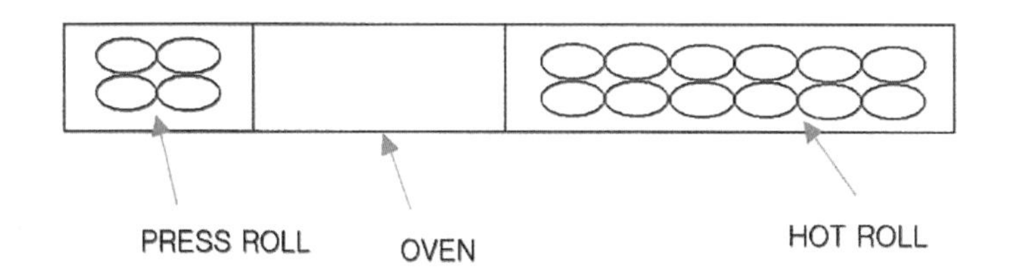

- 밀착기 처리시의 HAL tape

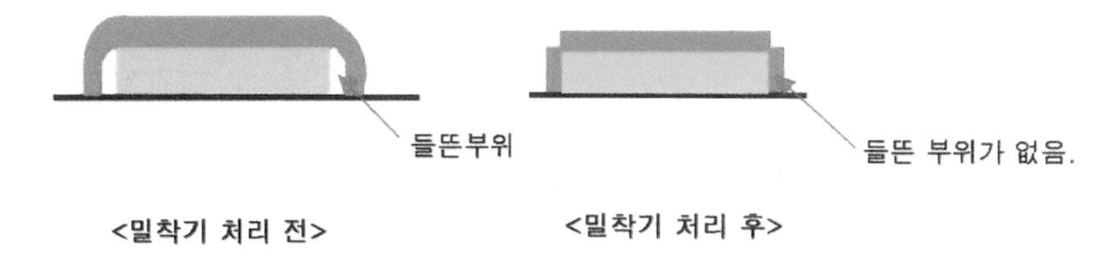

② 문제점

· window M/C 구매 필요
· 보호 tape 제거를 위한 숙달된 작업자 필요
· 보호 tape 압착용 laminator 필요.
· 보호 tape 압착용 밀착기 필요.

3) 방법 3

Golden circuit 방식(D/F사용)

① 공정순서

· 전체를 D/F 으로 laminator

(이면 노광의 가능성이 있는 제품은 laminating을 한쪽면씩 함.)

· 단자 금도금할 부분을 노광 및 현상

· 단자 금도금

· Na OH 또는 알코올 10%로 박리

· 단자 금도금 부위를 HAL tape로 taping

· taping 이 완전하게 밀착될 수 있도록 밀착기 laminating

· HAL 처리

· tape 제거는 Router 후에 제거

② 문제점

· D/F 공정 후 건조 필요

· 공정 이동 많음

· 밀착기 필요

4) 방법 4

Peelable ink 사용(금도금 단자 cover 용)

① 공정순서

· D/F 방식 또는 보호용 tape 사용하여 단자 금도금 진행

· D/F 또는 보호용 tape 제거

· 단자 부위를 Peelable ink로 screen 인쇄

· HAL

· Peelable ink 제거

② 문제점

· Peelable ink 사용 시 screen 제판을 해야 함

· Peelable ink 는 오직 금도금 후 단자 보호용으로 사용해야 함
(금도금 약품에 견디지 못함.)

2. 대만 PROCESS

단자 금도금 선 진행 후 HAL 처리

1) 방법 1 (무전해 금도금+ 단자 금도금)

① 공정순서

· HAL+단자 금도금일 경우 HAL을 무전해 금도금으로 유도 하여 전체를 무전해 금도금으로 처리

· 보호 tape를 단자 금도금을 제외한 부분에 붙임

· 단자 금도금

※ 단자가 양쪽으로 있을 경우

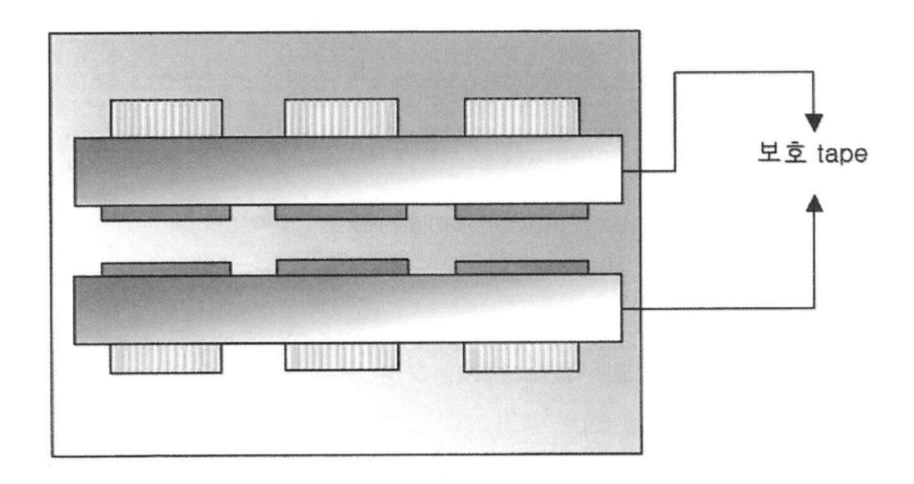

보호 tape는 laminating roll을 통과하며 압착시킴.

※ 단자가 가운데 쪽에 있는 경우

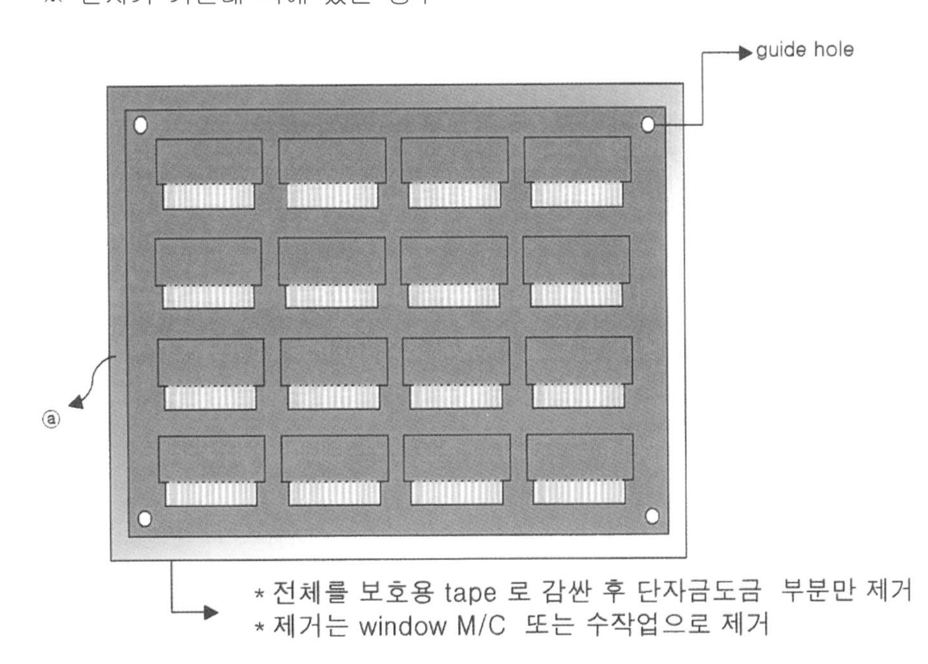
guide hole
ⓐ
* 전체를 보호용 tape 로 감싼 후 단자금도금 부분만 제거
* 제거는 window M/C 또는 수작업으로 제거

1차로 보호용 tape를 laminator로 가접한 후 형광색 부분의 보호용 tape를 제거하고 2차로 보호용 tape를 laminator로 완전히 밀착.

단자 금도금후 ⓐ번 부위를 줄(야스리)로 문지르면 보호용 tape를 작업다가 뗄 수 있음.

② 문제점

· window M/C 구매 필요

· 보호 tape제거를 위한 숙달된 작업자 필요

· 보호 tape 압착용 laminator 필요.

2) 방법 2

① 공정순서

· 단자 금도금 부위를 HAL tape로 막음.

· HAL 처리

· 단자 금도금 부위 tape로 taping(3M tape)
· 단자 금도금
· 보호 tape 제거
· tape 잔사 Cleaning

② 문제점
· 단자 금도금 부위에 HAL tape로 처리해도 HAL이 스며드는 경우가 있음.
· D사의 경우는 단자 금도금 부위에 3M tape로 붙이고 그 위에 HAL tape를 붙여 HAL이 스며드는 것을 막으나 공정이 번거로움
· 금도금 부위 taping 및 제거, HAL 부위 taping 및 제거로 taping을 2회 해야 함.
· HAL 박리 M/C 필요.

| 참고 문헌 |

1. 각 기술 DATA

- HT사
- HW사
- E사
- K사
- L사

2. PCB 전시회 자료

- KPCA
- JPCA
- CPCA
- TPCA
- HKPCA

3. ASSEMBLY 기술 DATA → PSP 경영/기술 연구소 자료

4. (사)한국마이크로조이닝연구조합 운영위원사 기술자료

5. KITECH (한국 생산 기술연구원)

| 저자 약력 |

장동규 / 부회장

· 학력 : 명지대학교 경영학과 졸업, 숭실대학원 AMP 과정 수료
· 경력 : FAIRCHILD SEMICONDUCTOR(KOREA) - 반도체
대우통신 - 통신
대덕전자(주) ─┐
(주)하이테크전자 ─┤ PCB
현우산업(주) ─┘
· 현재 : 한국산업기술협회 PCB 분과 수석교수, (사)한국마이크로조이닝연구조합 부회장, PSP/경영기술연구소 소장(PCB, SMT, PACKAGE)
· 저서 : PCB핵심기술핸드북, PCB실무공정 관리기술, PCB디지탈 용어사전, PCB/SMT 품질관리, Pb FREE, LEAD, FREE, HALOGEN FREE 채택에 의한 GREEN PCB, 2006년 이동통신 휴대폰 총람, PCB산업총람(2006, 2007, 2008, 2009, 2010, 2011, 2012), 무연마이크로 솔더링 입문/응용, 종합인쇄회로기판공정, PCB&SMT 불량해석

신영의 / 박사

· 학력 : Nihon University 정밀기계공학석사, Osaka University 마이크로접합 공학박사
· 경력 : 대우중공업 기술연구소 연구원, Osaka University 공학부 연구원, 삼성전자연구소 수석연구원
· 현재 : 산업자원부, 공업진흥청, 특허청 자문위원, 대한기계학회 간사, 과학재단 마이크로접합 위원장, 중앙대학교 기계공학부 교수(학부장), (사)한국마이크로조이닝연구조합 명예회장

박사옥 / 사장

· 학력 : 2001. 01 KAIST 최고 정보경영자과정 수료(AIM13기)
2003. 08 서울대 경영대학원 최고 경영자과정 수료(AMP55기)
2009. 07 전경련 부설 국제경영원 글로벌최고경영자과정 수료(IMI59기)
· 경력 : 1979. 06 희성금속㈜ 입사, 1982. 02 희성금속㈜ 대구영업 소장,
1984. 04 희성금속㈜ 영업 과장, 1990. 01 희성금속㈜ 영업 부장,
1990. 05 희성금속㈜ 관리 부장, 1993. 04 희성금속㈜ 영업 부장,
1998. 01 희성금속㈜ 선임부장, 1999. 01 희성금속㈜ 이사,
2001. 01 희성금속㈜ 상무이사, 2003. 01 희성금속㈜ 전무이사
· 현재 : 2005. 07 ~ 희성소재㈜ 대표이사 취임, (사)한국마이크로조이닝연구조합 회장

최명기 / 박사

· 학력 : 성균관대학교 금속공학박사, 성균관대학교 신소재공학 박사
· 경력 : (주)퍼시픽콘트롤즈 기술연구소 책임연구원, 국제산업정보실 기술개발실 연구소장, 한국산업기술협회 교수, 한국산업기술연구소 수석연구원, 중앙대학교 기계공학부 겸임교수, 대림대학교 겸임교수, (사)한국마이크로조이닝연구조합 이사, 한국산업 용접기술사(Welding RE) 인력공단 수석위원, 한국플랜트정보기술협회 감사, 산자부 기술표준원 NT 마크 심사위원

신연필 / 사장

· 학력 : 한양대학교대학원 화공재료 석사, 서울공과대학 AIP 수료, 인하대 고분자공학 박사과정중
· 경력 : KIST 위촉연구원 역임, 화공, 독극물, 위험물, 환경, 방사선, 기술사의 20여 국가의 국가기술자격 소지, 한국기초금속 소재분야 위킹그룹위원, 대한체육회 경기도 바이애슬론 회장, 표면실장기술 편집자문위원
· 현재 : 청솔화학환경(주) 대표이사, (사)한국마이크로조이닝연구조합 부회장, 한국산업기술대학교 생명화학공학과 겸임교수

이어화 / 사장

· 학력 : 1982년 조선대학교 전자공학과 졸업, 1984년 중앙대학원 전자공학 졸업
· 경력 : 1984~1999년 삼성전자(주) 생산기술연구소 실장기술팀 삼성전자(주), 삼성전기(주) 실장기술 강사
· 현재 : (주)SMT Korea 대표이사, (사)한국마이크로조이닝연구조합 부회장

남원기 / 대표이사

· 학력 : 인하대학교 화학공학과 졸업, 인하대학교 화학공학과 박사과정
· 경력 : SINKO 전기 근무(일본), LEAD FRAME 제조, 새한전자 PCB 제조 15년
· 현재 : 선진하이엠(주) 대표이사, 혜전대학 PCB과 겸임교수 공학박사

PCB & SMT 신뢰성 해석

발 행 일 | 2012년 5월 1일
공　　저 | 장동규 · 신영의 · 박사옥 · 최명기
신현필 · 이어화 · 남원기
발 행 인 | 박승합
발 행 처 | 노드미디어
등　　록 | 제 106-99-21699 (1998년 1월 21일)
주　　소 | 서울특별시 용산구 갈월동 11-50
전　　화 | 02-754-1867, 0992
팩　　스 | 02-753-1867
홈페이지 | http://www.enodemedia.co.kr
I S B N | 978-89-8458-264-4-93560

정가 75,000원